Wolters' Ster Woordenboek

Nederlands-Spaans

Wolters' Ster Woordenboeken

Nederlands

Engels-Nederlands

Nederlands-Engels

Frans-Nederlands

Nederlands-Frans

Duits-Nederlands

Nederlands-Duits

Spaans-Nederlands

Nederlands-Spaans

Wolters' Ster Woordenboek

Nederlands-Spaans

door

Drs. J.B. Vuyk-Bosdriesz

Tweede herziene en uitgebreide druk

Wolters' Woordenboeken
Groningen – Utrecht – Antwerpen

CIP-GEGEVENS KONINKLIJKE BIBLIOTHEEK, DEN HAAG

Wolters' Ster Woordenboek Nederlands-Spaans / J.B.
Vuyk-Bosdriesz. - Groningen [etc.] : Wolters'
Woordenboeken. - (Wolters' Ster Woordenboek)
Oorspr. uitg.: Groningen : Wolters-Noordhoff, 1986.
ISBN 90-6648-669-4
ISBN 90-6648-656-2 (N-S en S-N)
NUGI 503
Trefw.: Spaanse taal ; woordenboeken.
Depotnr. D/1994/0108/817
R. 8669402

Inhoud

Voorwoord

Dit woordenboek is een deel van de geheel herziene serie Wolters' Ster Woordenboeken. Het is even duidelijk, toegankelijk en overzichtelijk als de andere delen van deze serie, de uitvoering is even solide. De Spaanse delen nemen echter binnen de serie een bijzondere plaats in; doordat de eerste druk pas enige jaren geleden verscheen, konden nog geen woorden geschrapt worden en zijn ze dus dikker.

Door de plaats die het Spaans in het onderwijs inneemt – vergeleken met Frans, Duits en Engels – zijn de doelgroepen gevarieerd naar leeftijd en behoeften. Tot die doelgroepen behoren in de eerste plaats het dag- en avondonderwijs voor mavo/havo/vwo, het economisch-administratief onderwijs (leao/meao/heao), beroepsopleidingen voor zeevaart, toerisme, landbouw, bedrijfsleven en journalistiek. Daarnaast zijn er de cursussen aan o.a. Volksuniversiteiten en instituten voor bedrijfscorrespondentie. En niet in de laatste plaats behoren tot de doelgroepen vertalers in opleiding en beginnende studenten, die dit boek naast grotere naslagwerken zullen kunnen gebruiken wanneer het gaat om snelle raadpleging van een zeer actuele, praktische woordenschat.

In het Spaans en het Nederlands zijn in de tweede druk vele nieuwe woorden en begrippen opgenomen; steeds is gezocht naar de meest bruikbare, modernste equivalenten. Onder de nieuwe termen springen in het oog die op het gebied van de sport, de informatica, de gezondheidszorg en de internationale bedrijfscommunicatie. Opnieuw is veel zorg besteed aan het idioom en goed toepasbare, praktische gebruiksvoorbeelden. De ervaring van de auteur drs. J.B. Vuyk-Bosdriesz, docente aan het Instituut voor Vertaalwetenschap van de Universiteit van Amsterdam, heeft bij de keuze van de verbeteringen en aanvullingen een doorslaggevende rol gespeeld.
Aan de eerste druk is indertijd met grote inzet meegewerkt door M. Hennekes, drs. S.I. Linn en drs. D.J. Puls. Bij het verschijnen van de tweede druk is oprechte dank op zijn plaats jegens de talrijke kritische gebruikers van dit woordenboek, die met hun waardevolle suggesties aan de verrijking ervan hebben bijgedragen.

Omdat Wolters' Ster Woordenboeken in Nederland en België worden geraadpleegd, is in deze tweede druk voor een aantal belangrijke begrippen behalve het Nederlandse woord ook de term opgenomen die in België gebruikelijk is.

Gehandhaafd zijn het supplement, de lijst met afkortingen en de wegwijzer.

Utrecht, juli 1994

Wolters' Woordenboeken

Afkortingen

aanw vnw	aanwijzend voornaamwoord
aardr	aardrijkskunde
afk	afkorting
alg	algemeen
Am	Spaans-Amerikaans
anat	anatomie
astrol	astrologie
astron	astronomie
Belg	België, Belgisch
bep	bepaling, bepaald
betr vnw	betrekkelijk voornaamwoord
bez vnw	bezittelijk voornaamwoord
bijvgl	bijvoeglijk
biol	biologie
bn	bijvoeglijk naamwoord
boekh	boekhouden
bouwk	bouwkunde
bv	bijvoorbeeld
bw	bijwoord(elijk)
chem	chemie, scheikunde
comp	computer(kunde)
concr	concreet
dierk	dierkunde
dmv	door middel van
econ	economie
e.d.	en dergelijke
elektr	elektriciteit
enz	enzovoort
enkv	enkelvoud
fam	familiair, gemeenzaam
fig	figuurlijk
financ	financieel
fot	fotografie
geb w	gebiedende wijs, imperatief
geol	geologie
godsd	godsdienst
gramm	grammatica
gymn	gymnastiek
hdl	handel
hist	historisch
huish	huishouden
hulpww	hulpwerkwoord
iem(s)	iemand(s)
indic	indicatief, aantonende wijs
intr	intransitief, onovergankelijk
ipv	in plaats van
iron	ironisch
ivm	in verband met
jur	juridisch
kindert	kindertaal
landb	landbouw
lett	letterlijk
lidw	lidwoord
lijd vw	lijdend voorwerp
lit	literair
luchtv	luchtvaart
m	mannelijk
mbt	met betrekking tot
med	medisch
meew vw	meewerkend voorwerp
mil	militair
mmv	mannelijk meervoud
mnl	mannelijk
muz	muziek
mv	meervoud
m,v	mannelijk, vrouwelijk
myth	mythologie
natk	natuurkunde
Ned.	Nederland(s)
neg	negatief, ongunstig
onbep vnw	onbepaald voornaamwoord
onbep (w)	onbepaald(e wijs)
ondw	onderwerp
ongebr	ongebruikelijk
onpers	onpersoonlijk
onv	onveranderlijk
opm	opmerking
pers vnw	persoonlijk voornaamwoord
plantk	plantkunde
pol	politiek
pop	populair, plat
psych	psychologie, psychiatrie
ptt	posterijen, telegrafie, telefonie

rekenk	rekenkunde
r-k	rooms-katholiek
scheepv	scheepvaart
soc	sociaal
Sp	Spanje, Spaans
sp	sport en spel
spoorw	spoorwegen
strafr	strafrecht
subj	subjunctivo, aanvoegende wijs
techn	techniek
tegenw	tegenwoordig
telec	telecommunicatie
telef	telefoon
telw	telwoord
theat	theater, toneel
tr	transitief, overgankelijk
tv	televisie
tw	tussenwerpsel
u.c.	una cosa, algo (= iets)
univ	universiteit
u.p.	una persona, alguien (= iemand)
v	vrouwelijk
vd	van de
verklw	verkleinwoord
vglbaar	vergelijkbaar
vh	van het
vmv	vrouwelijk meervoud
vnl	voornamelijk
vnw	voornaamwoord
voegw	voegwoord
volt dw	voltooid deelwoord
vrag	vragend
vrag vnw	vragend voornaamwoord
vrl	vrouwelijk
vt	verleden tijd
vz	voorzetsel
wdkd	wederkerend
wdkg	wederkerig
weerk	weerkunde, meteorologie
wisk	wiskunde
wtsch	wetenschap
ww	werkwoord(elijk)
zelfst	zelfstandig
zn	zelfstandig naamwoord

Wegwijzer

De gebruikte afkortingen worden verklaard op blz 8.

De trefwoorden staan vet gedrukt.

daargelaten aparte de, dejando aparte

Het teken | achter een deel van het trefwoord geeft aan dat de daaraan voorafgaande letters in de volgende trefwoorden kortheidshalve zijn vervangen door een liggend, vet gedrukt streepje.

dames|blad revista para señoras; **-fiets** bicicleta de señora; **-kapper** pelquero de señoras

De voorbeelden van het gebruik van een trefwoord zijn schuin gedrukt. Het teken - in de voorbeelden vervangt een deel van het trefwoord. Het teken ~ in de voorbeelden vervangt het hele trefwoord.

decimaal, decimal; *-male breuk* fracción *v* decimal; ~ *stelsel* sistema *m* decimal

De verschillende betekenissen van een trefwoord zijn genummerd 1, 2 *enz.*

dam 1 dique *m*; 2 (*stuwdam*) presa; 3 (*sp*) dama

De nummering I, II *enz. wordt gebruikt voor trefwoorden die gelijk geschreven worden, maar*
→ tot verschillende woordsoorten behoren
→ transitief en intransitief gebruikt worden.

defect I *zn* defecto, falta; II *bn* defectuoso, averiado; ~ *zijn* no functionar
dicht|trekken I *tr* (*van deur*) cerrar *ie*; II *intr* (*mbt lucht*) cerrarse *ie*

Trefwoorden die gelijk geschreven worden, maar niets met elkaar te maken hebben, worden vooraan genummerd met 1, 2 *enz.*

1 dom (*kathedraal*) catedral *v*
2 dom estúpido, tonto, memo, necio

Het teken ' in een trefwoord heeft aan dat de klemtoon van dat woord ligt op de lettergreep na dat teken.

'doorleven seguir *i* viviendo
door'leven (*beleven*) vivir

Tussen ronde haken in de Nederlandse tekst staan nadere omschrijvingen van het trefwoord:
(van ...) wijst een lijdend voorwerp aan;
(mbt ...) wijst een onderwerp aan;
(vglbaar) geeft een in het Spaans ongeveer gelijkwaardig begrip aan.

detective 1 (*persoon*) detective *m*; 2 (*roman*) novela policiaca
dicht|trekken I *tr* (*van deur*) cerrar *ie*; II *intr* (*mbt lucht*) cerrarse *ie*; *de lucht trekt weer dicht* el cielo se cierra de nuevo
doctoraalexamen (*vglbaar:*) licenciatura; ~ *doen* (*vglbaar:*) licenciarse

Tussen ronde haken in de Spaanse tekst staan facultatieve toevoegingen.

dog (perro) dogo

Van Spaanse zelfstandige naamwoorden wordt het geslacht gegeven: m of v of m,v.
Echter niet van:
→ woorden op -o die mannelijk zijn
→ woorden op -a die vrouwelijk zijn.

dag día *m*
demi-finale semifinal *v*
democraat, democrate demócrata *m,v*

N.B. Het woordgeslacht wordt niet gegeven bij de persoonsaanduidingen waarvan in het Spaans direct na elkaar de mannelijke en de vrouwelijke vorm vermeld staan.

dader autor, -ora
danser, danseres 1 bailarin, -ina

Van bijvoeglijke naamwoorden wordt, indien onregelmatig, ook de vrouwelijke uitgang gegeven.

dreigend amenazador *-ora*

Als de Spaanse vertaling van een zelfstandig naamwoord een meervoud is, wordt dat vermeld
→ als het geslacht niet zonder meer duidelijk is
→ als het meervoud de vertaling is van een Nederlands enkelvoud.

delicatessen comestibles *mmv* finos
dieetvoeding alimentos *mmv* de régimen, alimentos *mmv* dietéticos

Als in Spaanse werkwoorden een stamklinkerverandering optreedt, wordt deze verandering gegeven na dat werkwoord.

demonstreren 1 (*betoging houden*) manifestarse *ie*; 2 (*tonen*) mostrar *ue*, demostrar *ue*

Sommige vaak gebruikte afkortingen komen alfabetisch als trefwoord voor.

drs. *doctorandus* (*vglbaar*) licenciado, -a

Om de vertaling van een woord te vinden, is het soms nodig om bij een ander woord te kijken. Naar dat andere woord wordt dan verwezen met zie:.

doka *zie: donker*

Aa*a*

a 1 a *v*; *van ~ tot z* de cabo a rabo, de pe a pa; 2 (*muz*) a *v*, la *m*
à a; *~ 20 peseta* a 20 pesetas; *25 ~ 30* de 25 a 30, unos 25 o 30; *in 3 ~ 4 weken* dentro de 3 a 4 semanas; *~ 5%* al 5 por ciento
aai caricia; **aaien** acariciar
aak barcaza
aal anguila; *hij is zo glad als een ~* es escurridizo como una anguila, es muy cuco
aalbes grosella
aalmoes limosna; *om een ~ vragen* pedir *i* limosna; **aalmoezenier** cura *m* castrense
aambeien almorranas, hemorroides *vmv*
aan 1 a, en; *~ boord* a bordo; *~ de deur* a la puerta, en la puerta; *~ het eind* al final; *~ de muur* en la pared; *~ de rivier* a orillas del río, junto al río; *~ tafel zitten* estar sentado a la mesa; *~ tafel!* ¡a la mesa!, ¡a comer!; *~ de vinger* en el dedo; *duizend gulden ~ cheques* mil florines en cheques; *~ de hand meevoeren* llevar de la mano; *hij heeft iets ~ zijn hart* padece del corazón; *twee ~ twee* de dos en dos; *de beslissing is ~ u* a Ud. le toca decidir; 2 (*in werking*) *de tv staat ~* está puesta la televisión; *de verwarming is ~* la calefacción está encendida || *~ het lezen zijn* estar leyendo; *er is niets ~: a*) (*makkelijk*) es facilísimo, está tirado; *b*) (*saai*) es muy aburrido; *van jongs af ~* desde niño; *met zijn schoenen ~* con los zapatos puestos; *ik weet niet wat ik er mee ~ moet* no sé cómo ponerme, no sé cómo tomarlo; *het is ~ tussen hen* están en relaciones, son novios
aanaarden aporcar
aanbeeld yunque *m*
aanbellen tocar el timbre, llamar a la puerta
aanbesteden sacar a concurso (público); *-besteed werk* (contrato de) obra a precio fijo; **aanbesteding** licitación *v*, concurso, subasta
aanbetalen dar una entrada, pagar una entrada, dejar una señal; **aanbetaling** entrada
aanbevelen recomendar *ie*; **aanbevelenswaardig** recomendable, aconsejable; **aanbeveling** recomendación *v*; *het verdient ~* se recomienda, es aconsejable; *op ~ van* por recomendación de; **aanbevelingsbrief** carta de recomendación
aanbidden adorar; **aanbidder** admirador *m*; *vurige ~* ferviente admirador; **aanbidding** adoración *v*; **aanbidster** admiradora
aanbieden 1 (*van hulp, goederen, baan*) ofrecer; 2 (*van verzoekschrift, excuses*) presentar; *een cheque ter betaling ~* presentar un cheque para su pago, ofrecer un cheque para su pago; *felicitaties ~* felicitar; 3 *zich ~ als* ofrecerse de; 4 *zich ~ om* ofrecerse a, para; **aanbieding** 1 (*van hulp, goederen, baan*) ofrecimiento; 2 (*van verzoekschrift, excuses*) presentación *v*; 3 (*handel*) oferta; *speciale ~* oferta especial; *in de ~* en rebaja
aan|binden atar; *de strijd ~* entablar la lucha; **-blazen** avivar (soplando); **-blijven** 1 (*in ambt*) permanecer en su cargo; *~ als secretaris* seguir *i* actuando de secretario; 2 (*mbt lamp, vuur*) seguir *i* encendido
aan|blik 1 aspecto; 2 (*schouwspel*) espectáculo; **-bod** 1 (*van diensten, goederen*) ofrecimiento; (*handel*) oferta; *vraag en ~* oferta y demanda; 2 (*voorstel*) proposición *v*
aan|boren 1 (*van olie*) alumbrar, encontrar *ue*; 2 (*fig*) abordar; **-botsen**: *~ tegen* tropezar *ie* con, dar con
aanbouw 1 anexo, anejo; 2 *in ~* en construcción, en proceso de edificación, en vías de construcción; **aanbouwen** construir; (*toevoegen*) añadir
aan|braden dorar; **-branden** socarrarse; (*ernstig:*) quemarse; (*aanzetten*) pegarse; *-gebrand smaken* saber a quemado || *hij is gauw -gebrand* se ofende en seguida, es muy susceptible
aanbreken I *ww, tr* 1 (*van fles*) abrir, empezar *ie*, estrenar; 2 (*van voorraad*) empezar *ie* a consumir; II *ww, intr* (*mbt dag*) comenzar *ie*; *de dag breekt aan* (*ook:*) apunta el día, amanece; (*mbt nacht*) comenzar *ie*; *de nacht breekt aan* (*ook:*) entra la noche, anochece || *de tijd is -gebroken* ha llegado el momento; III *zn bij het ~ van de dag* al amanecer; *bij het ~ van de nacht* al anochecer
aanbrengen 1 (*aandragen; van klanten*) traer, aportar; 2 (*plaatsen, van kast*) colocar, montar; (*van elektr*) instalar; 3 (*van verband, verflaag*) aplicar; *makkelijk aan te brengen* de aplicación fácil; 4 (*van veranderingen*) introducir; 5 (*aanklagen*) denunciar, delatar; **aanbrenger**, **aanbrengster** denunciante *m,v*, delator, -ora
aandacht atención *v*; *~ schenken aan* dedicar atención a, prestar atención a; *de ~ trekken* llamar la atención; *de ~ vestigen op* llamar la atención hacia, sobre; *alle ~ opeisen* copar la atención; **aandachtig** I *bn* atento; II *bw* con atención
aandeel 1 parte *v*, cuota; 2 (*in NV*) acción *v*; 3 (*in winst*) participación *v*
aandeel|bewijs título de acción; **-houder**, **-houdster** accionista *m,v*
aandelen|kapitaal capital *m* en acciones; **-pakket** paquete *m* de acciones
aandenken recuerdo
aan|dienen anunciar; *zich ~* presentarse; **-dikken** abultar, exagerar, recargar
aandoen 1 (*van kleding*) poner(se); 2 (*van licht, radio*) encender *ie*, poner; 3 (*van haven*) hacer

escala en; 4 (*van verdriet*) causar; 5 (*van belediging*) inferir *ie, i* || *iem een proces* ~ poner pleito a u.p.; *het doet me vreemd aan* se me hace raro, se me hace extraño; **aandoening** 1 (*ontroering*) emoción *v*; 2 (*ziekte*) enfermedad *v*; *lichte* ~ afección *v* leve; **aandoenlijk** conmovedor *-ora*, enternecedor *-ora*

aan|draaien (*vaster*) apretar *ie*; **-dragen** traer

aan|drang 1 (*neiging*) impulso, vivo deseo; 2 (*het aandringen*) insistencia, instigación *v*; **-drift** impulso; *natuurlijke* ~ instinto

aandrijfas eje *m* motor, eje *m* de impulsión

aandrijven 1 (*van motor*) accionar, impulsar; 2 (*aansporen*) mover *ue*, estimular; 3 *komen* ~ venir *ie, i* flotando; (*mbt wolken*) acercarse; **aandrijving** (*techn*) impulsión *v*, transmisión *v*, propulsión *v*; (*op voorwielen*) tracción *v*

aan|dringen (*op*) insistir (en), instar (a, para), presionar (por, para); *bij iem* ~ *op* insistir con u.p. en, presionar a u.p. para; *men drong erop aan dat ik bleef* me instaron a que me quedara; *men drong erop aan dat ik mijn excuses aanbood* me presionaron para que presentara mis excusas; ~ *op betaling* insistir en el pago; *ze drong zo aan, dat ...* (*fam*) se puso tan pesada que ...; **-drukken** apretar *ie*

aanduiden 1 (*aanwijzen*) indicar, señalar; 2 (*beschrijven*) describir, explicar; 3 (*getuigen van*) indicar; (*betekenen*) significar; 4 *nader* ~ especificar, precisar; **aanduiding** indicación *v*

aan|durven: *iets* ~ atreverse a hacer u.c.; *iem* ~ atreverse con u.p.; *ik durf het niet aan* no me atrevo; **-duwen** 1 (*vaster*) apretar *ie*; 2 (*vooruit*) empujar; **-dweilen** fregar *ie*

aaneen (*opeenvolgend*) seguido, consecutivo; *3 dagen* ~ 3 días consecutivos

aaneen|gesloten 1 (*dicht opeen*) compacto; 2 (*verenigd*) unido; **-schakeling** serie *v*, (*fam*) sarta; *een* ~ *van fouten* una sarta de errores; **-sluiten**: *zich* ~ unirse

aanflitsen encenderse *ie* (de repente)

aanfluiting afrenta, vergüenza

aangaan I *tr* 1 (*van huwelijk, verplichting, lening*) contraer; 2 (*van contract*) firmar, celebrar, hacer; (*van dialoog*) entablar; II *intr* 1 (*mbt licht*) encenderse *ie*; 2 *bij iem* ~ pasar por casa de u.p.; 3 (*betreffen*) concernir *ie*, atañer; *wat gaat mij dat aan?* y a mí ¿qué?; *die zaak gaat hem niets aan* es un asunto que a él no le va ni le viene; *dit gaat ons allen aan* esto nos concierne a todos; *wat ...aangaat* en cuanto a ...; **aangaande** en cuanto a, en relación con, por lo que toca a, en lo que concierne a, respecto de, en materia de

aangapen mirar con la boca abierta

aan|gebonden: *kort* ~ seco, brusco; **-geboren** 1 (*mbt eigenschap*) innato; 2 (*mbt kwaal*) de nacimiento, congénito; **-gedaan** emocionado, enternecido, conmovido; **-geklaagde** *zie: beklaagde*; **-gelegd**: *artistiek* ~ *zijn* tener talento artístico; *optimistisch* ~ *zijn* tener una mentalidad optimista

aangelegenheid asunto, cuestión *v*

aangenaam agradable, grato; ~*!* ¡mucho gusto!, ¡encantado (de conocerle)!

aan|genomen 1 (*mbt kind*) adoptivo; 2 (*mbt werk*) a precio alzado; 3 ~ *dat* suponiendo que, en el supuesto de que || ~*!* ¡de acuerdo!; **-geschoten** (*dronken*) achispado, piripi; ~ *raken* achisparse; **-gesloten** 1 ~ *bij: a*) (*ziekenfonds*) beneficiario de, asegurado en; *b*) (*partij*) afiliado a; *c*) (*vakbond*) miembro de; 2 *telefonisch* ~ *zijn* tener teléfono; *verkeerd* ~ número equivocado; **-getekend** certificado; **-getrouwd** emparentado, afín, político

aangeven 1 (*van boek, zout*) dar, pasar; 2 (*aanduiden*) indicar, señalar, marcar; *de thermometer geeft 30 graden aan* el termómetro marca 30 grados; *de weg is -gegeven* el camino está marcado; 3 (*van geboorte*) declarar; 4 (*jur*) denunciar; *de diefstal* ~ denunciar el robo; *zich* ~ entregarse a la policía; 5 (*bij douane*) declarar; *niet* ~ ocultar

aangezien ya que, como, puesto que

aangifte 1 (*van belasting, geboorte, bij douane*) declaración *v*; ~ *doen* declarar, dar parte; 2 (*aanklacht*) denuncia; ~ *doen* denunciar, formular una denuncia; **aangiftebiljet** (*belasting*) (impreso de) declaración *v* (de impuestos)

aangrenzend 1 (*mbt kamer, huis*) contiguo; 2 (*mbt terrein*) colindante, adyacente; 3 (*mbt land*) limítrofe

aangrijpen 1 coger, agarrar; 2 (*van gelegenheid*) aprovechar; 3 (*ontroeren*) emocionar, conmover *ue*; **aangrijpend** emocionante, conmovedor *-ora*

aan|groeien crecer, aumentar; *de menigte groeide aan* la muchedumbre engrosaba; **-haken** enganchar

aanhalen 1 (*van knoop, teugels*) apretar *ie*; 2 (*citeren*) citar; 3 (*lief doen*) hacer carantoñas, acariciar; **aanhalig** zalamero, mimoso; **aanhaling** cita; **aanhalingstekens** comillas *vmv*; *tussen* ~ *zetten* poner entre comillas, entrecomillar

aanhang 1 (*pol*) seguidores *mmv*, partidarios *mmv*; 2 (*familie*) familia, parientes *mmv*; **aanhanger** 1 partidario; 2 (*auto*) remolque *m*; **aanhangig** pendiente; *een zaak* ~ *maken tegen iem* proceder judicialmente contra u.p.; **aanhangsel** apéndice *m*, anexo; **aanhangster** partidaria; **aanhangwagen** remolque *m*

aanhankelijk afectuoso, cariñoso; **aanhankelijkheid** afectuosidad *v*, cariño

aan|harken rastrillar; **-hebben** 1 (*van kleren*) llevar (puesto); (*van schoenen ook:*) calzar; 2 (*in werking*) tener puesto; *de verwarming* ~ tener puesta la calefacción

aanhechten unir; **aanhechting** unión *v*

aanhef encabezamiento; **aanheffen** (*van lied*) entonar; (*van leuzen*) corear

aanhoren 1 escuchar; (*van onzin ook:*) tragar, soportar; 2 (*opmerken*) notar; *het is hem aan te horen* se le nota (en la voz)

aanhouden I *tr* 1 (*tegenhouden, arresteren*) detener; (*van schip*) interceptar; 2 (*van toon*) sostener; 3 (*van beslissing*) aplazar, dejar pendiente; 4 (*van vuur, lamp*) dejar encendido; 5 (*van jas*) no quitarse || *dezelfde maten* ~ basarse en las mismas dimensiones; II *intr* 1 (*volharden*) insistir; 2 (*voortduren*) continuar *ú*, persistir, durar; **aanhoudend** I *bn* constante, continuo, persistente; II *bw* continuamente, constantemente, sin interrupción, con insistencia; **aanhouder**: *de* ~ *wint* el que persevera triunfa, el que la sigue la mata, muchos amenes al cielo llegan; **aanhouding** 1 detención *v*; *bevel tot* ~ orden *v* de detención; 2 (*uitstel*) aplazamiento

aanjagen: *angst* ~ dar miedo, meter miedo, infundir miedo, atemorizar; *schrik* ~ asustar; **aanjager** (*techn*) sobrecargador *m*

aankijken mirar; *iem even* ~ dirigirle una mirada a u.p.; *hij kijkt me niet meer aan* ya ni me mira a la cara, me ignora; *wij kijken elkaar niet meer aan* ya no nos hablamos; *recht* ~ mirar a la cara; *het* ~ *niet waard* no vale la pena ni de mirarlo || *de zaak* (*nog even*) ~ estar a la mira, verlas venir

aanklacht acusación *v*; (*jur ook:*) querella; *een* ~ *indienen tegen iem* presentar una querella contra u.p.; *een* ~ *intrekken* retirar una querella; **aanklagen** (*wegens*) acusar (de); **aanklager** querellante *m*; *openbare* ~ fiscal *m*, acusador *m* público

aanklampen abordar

aankleden 1 vestir *i*; *zich* ~ vestirse *i*; 2 (*van kamer*) decorar; **aankleding** 1 (*van voorstel*) presentación *v*; 2 (*van kamer*) decoración *v*

aankloppen llamar (con los nudillos) a la puerta; *bij iem* ~ *om hulp* dirigirse a u.p. en busca de ayuda

aanknopen 1 anudar, atar; *vriendschap* ~ anudar amistades; 2 (*van betrekkingen, onderhandelingen*) entablar; *een gesprek* ~: *a*) trabar conversación; *b*) (*fam*) pegar la hebra || *er nog een paar dagen* ~ quedarse unos días más; **aanknopingspunt** punto de partida, punto de referencia; (*aanwijzing*) indicio

aankomen 1 (*in, bij*) llegar (a); *Ina kwam het eerst aan* Ina llegó primera; 2 ~ *bij iem* pasar a ver a u.p., ir a ver a u.p.; 3 (*in gewicht*) ganar peso; 4 (*aanraken*) tocar; 5 *iem zien* ~ ver acercarse a u.p.; 6 *iets zien* ~ ver venir u.c., olerse *ue* u.c.; *ik zag het al* ~ lo veía venir; *ik zie* ~ *dat* me huelo que; 7 (*ergens vandaan halen*) sacar, encontrar *ue*; *hoe kom je aan dat geld?* ¿de dónde sacas ese dinero?; *er is moeilijk aan koffie te komen* es difícil encontrar café; 8 ~ *op* contar *ue*, importar; *waar het op aankomt is* ... lo que cuenta es ..., lo importante es ...; *het komt niet op 5 minuten aan* 5 minutos no importan; *op geduld komt het aan* la paciencia es lo que importa; 9 *het er op laten* ~ tomar riesgos; *het op het laatste moment laten* ~ dejarlo hasta el último momento || *het kwam hard aan* fue un golpe muy duro; **aankomst** llegada; *bij* ~ al llegar, a la llegada

aankondigen anunciar, comunicar, publicar; (*officieel ook:*) notificar; **aankondiging** anuncio, aviso, publicación *v*; (*officieel ook:*) notificación *v*, proclamación *v*; *tot nadere* ~ hasta nuevo aviso

aankoop compra, adquisición *v*; *bij* ~ *van* al comprar, comprando; **aankoopsom** precio de compra; **aankopen** comprar

aan|koppelen enganchar; **-krijgen** 1 (*van kleren*) lograr ponerse; *hij kon z'n schoenen niet* ~ no logró ponerse los zapatos; 2 (*van vuur*) conseguir *i* encender; **-kruipen**: *komen* ~: *a*) (*mbt slang, gewonde*) llegar arrastrándose; *b*) (*mbt baby*) acercarse gateando; *dicht tegen z'n moeder* ~ acurrucarse en los brazos de su madre; **-kruisen** marcar

aankunnen 1 (*van persoon, taak*) poder con; (*van situatie*) estar a la altura de; *het niet* ~ no dar abasto; *hij kan het heus wel aan* ya se las arreglará; 2 (*van kleding*) poder llevar; *dat jasje kun je niet meer aan* ya no puedes llevar esa chaqueta; 3 ~ *op* poder confiar en; *men kan op hem aan* se puede confiar en él; *op mij kun je aan* conmigo puedes contar; *op zijn woorden kun je nooit aan* uno nunca se puede fiar de sus palabras

aan|kweken cultivar; **-laten** 1 (*van jas*) no quitar(se); 2 (*van vuur*) dejar encendido; 3 (*van radio, motor*) dejar puesto

aanleg 1 (*van wegen*) construcción *v*; *in* ~ *zijn* estar en construcción, estar construyéndose; 2 (*van leiding*) instalación *v*; 3 (*ontwerp*) diseño; 4 (*talent*) dotes *vmv*, talento; ~ *voor talen* facilidad *v* para los idiomas; *hij heeft* ~ *voor tekenen* muestra disposiciones para el dibujo; *met* ~ *om dik te worden* con propensión a engordar; *mensen die* ~ *hebben voor bronchitis* las personas propensas a la bronquitis; **aanleggen** I *tr* 1 (*van weg*) construir; 2 (*van leiding, telef*) instalar; 3 (*van voorraad, verzameling*) formar; 4 (*van verband*) aplicar; 5 (*van loopgraaf*) cavar; 6 *het* ~ *om* arreglárselas para; II *intr* (*mbt schip*) amarrar, hacer escala

aanleg|haven puerto de paso; **-plaats**, **-steiger** desembarcadero, atracadero

aanleiding (*voor*) motivo (de); ~ *geven tot* dar lugar a, causar, originar, motivar, dar motivo(s) para; *het geeft* ~ *tot bezorgdheid* es motivo de preocupación; *bij de geringste* ~ a la más mínima ocasión, con el más mínimo pretexto; *naar* ~ *van* con motivo de, con ocasión de; *zonder enige* ~ sin ningún motivo, sin motivo alguno

aan|lengen diluir; *wijn met water* ~ aguar vino; **-leren** aprender; **-leunen**: ~ *tegen* apoyarse contra, reclinarse en, contra, arrimarse a, contra || *zich iets laten* ~ aceptar algo sin chistar; **-lijnen**: *de hond* ~ atar al perro

aanlokkelijk tentador *-ora*, seductor *-ora*;

aanlokkelijkheid tentación *v*, encanto; **aanlokken** atraer, seducir; (*met aas*) echar cebo
aanloop 1 (carrera de) impulso; *een ~ nemen* tomar impulso, tomar carrera; 2 (*fig*) (larga) introducción *v*; 3 (*bezoek*) visitas *vmv*; *veel ~ hebben* recibir muchas visitas; **aanloopkosten** gastos iniciales; **aanlooptijd** fase *v* inicial, período de comienzo; **aanlopen** 1 (*schuren*) tener roces; 2 *komen ~* acercarse (andando, a pie), acudir; 3 *~ tegen* tropezar *ie* con, chocar con, dar con; 4 *bij iem ~* pasar por casa de u.p. || *hij liep rood aan* se le encendió la cara
aanmaak fabricación *v*, confección *v*; **aanmaakhout** astillas *vmv*, leña; **aanmaken** 1 (*vervaardigen*) fabricar, confeccionar; 2 (*van sla, saus*) aderezar, preparar, aliñar; 3 (*van verfkleur*) preparar, mezclar; 4 (*van vuur*) hacer, encender *ie*
aanmanen 1 (*opwekken*) exhortar, aconsejar; *iem ~ tot voorzichtigheid* aconsejar a u.p. que tenga cuidado; 2 *~ tot* apremiar, acuciar; *~ tot betaling* requerir *ie, i* el pago, reclamar el pago; *iem ~ tot betaling* apremiar a u.p. para que pague; *tot spoed ~* acuciar, apremiar; **aanmaning** 1 exhortación *v*; 2 (*tot betaling*) reclamación *v*, requerimiento (de pago); (*belasting ook:*) apremio
aanmatigen: *zich een oordeel ~* permitirse opinar, permitirse una opinión; **aanmatigend** arrogante, altanero, insolente; **aanmatiging** arrogancia, presunción *v*, insolencia
aanmelden 1 (*melden*) declarar, anunciar; 2 (*van leerling*) matricular; 3 *zich ~* (*voor cursus*) matricularse; (*voor een reis*) inscribirse, apuntarse; (*persoonlijk*) presentarse, personarse; *zich ~ voor een baan* solicitar un empleo; **aanmelding** 1 (*opgave*) declaración *v*; 2 (*voor cursus*) matrícula, inscripción *v*; 3 (*voor baan*) solicitud *v*; **aanmeldingsformulier** hoja de inscripción
aanmerkelijk notable, considerable; **aanmerken** 1 (*beschouwen*) considerar; 2 *~ op* tener objeciones a; *er is niets op hem aan te merken* no se le encuentra ningún defecto, es un hombre sin reproche; *overal iets op aan te merken hebben* ser un reparón, ser una reparona; **aanmerking** 1 observación *v*, objeción *v*, reparo; *~en maken op* hacer reparos a, hacer objeciones a, criticar; 2 *in ~ komen* entrar en consideración, entrar en cuenta; *hij komt in ~ voor de functie* es candidato serio para el cargo; *in ~ komen voor verkiezing* ser elegible; *in ~ komen* (*passen*) ser aplicable, estar indicado; *in daarvoor in ~ komende gevallen* en casos apropiados; *in ~ nemen* tomar en consideración, tomar en cuenta; *de omstandigheden in ~ genomen* atendidas las circunstancias
aan|meten: *iem een pak ~* tomar (la) medida a u.p. para un traje; **-modderen**: *maar wat ~* hacer u.c. mal que bien
aanmoedigen animar, alentar *ie*, estimular, dar ánimo(s); **aanmoediging** aliento, estímulo; **aanmoedigingspremie** incentivo
aanmoeten: *wat moet ik daarmee aan?* ¿qué debo hacer?
aanmonsteren I *tr* enrolar, contratar; II *intr* alistarse, enrolarse; **aanmonstering** enrolamiento
aan|munten acuñar; **-naaien** coser; *een knoop ~* coser un botón (a) || *iem een oor ~* contarle *ue* un cuento chino a u.p.
aannemelijk 1 (*mbt voorwaarde*) aceptable; 2 (*geloofwaardig*) verosímil, plausible, admisible, digno de crédito; *~ maken* acreditar; *iets voor iem ~ maken* convencer a u.p. de u.c.; **aannemelijkheid** credibilidad *v*, plausibilidad *v*, verosimilitud *v*
aannemen 1 aceptar; 2 (*aanpakken*) coger, tomar; *de telefoon ~* contestar el teléfono; 3 (*van kind, wet, houding*) adoptar; 4 (*van motie*) aprobar *ue*; 5 (*van lid, leerling*) aceptar, admitir; 6 (*in de kerk*) confirmar; 7 (*van personeel, werk*) contratar; 8 (*veronderstellen*) suponer, dar por supuesto; *men kan wel ~ dat* cabe suponer que; *ik wil ~ dat het zo is* voy a suponer que sí; *-genomen wordt dat* se da por entendido que, se entenderá que; *algemeen wordt -genomen dat* se da por cosa cierta que; **aannemer** contratista *m* (de obras); **aannemersbedrijf** empresa de construcciones; **aanneming** 1 aceptación *v*; 2 (*van kind, wet*) adopción *v*; 3 (*van motie*) aprobación *v*; 4 (*toelating*) admisión *v*; (*in kerk*) confirmación; 5 (*van werk*) contratación *v*
aanpak planteo, planteamiento, enfoque *m*; **aanpakken** 1 coger, tomar; *pak aan!* ¡toma!; 2 (*van onderwerp*) abordar; (*van taak*) empezar *ie*, emprender; 3 (*behandelen*) tratar; *iem hard ~* ser duro con u.p.; *je moet het heel voorzichtig ~* tienes que andar con pies de plomo; *iets goed ~* emprender bien u.c., abordar u.c. con acierto; *iets verkeerd ~* emprender mal u.c., empezar *ie* mal, abordar u.c. desatinadamente || *hij weet van ~* es muy enérgico; *je zult flink moeten ~* tendrás que trabajar mucho, tendrás que hacer un gran esfuerzo
aanpappen hacerse amigos; *~ met* hacerse amigo de
aanpasbaar adaptable; **aanpassen** 1 (*van kleding*) probar *ue*; 2 adaptar, acomodar, adecuar, amoldar; *~ aan de eisen* adecuar a las exigencias; *het zich niet kunnen ~* la inadaptación *v*; **aanpassing** adaptación *v*, acomodación *v*, adecuación *v*; **aanpassingsvermogen** adaptabilidad *v*
aanplak|biljet cartel *m*, anuncio; **-bord** tablón *m* de anuncios, cartelera
aanplakken fijar, pegar; *verboden aan te plakken* se prohibe fijar carteles; **aanplakzuil** cartelera, valla publicitaria
aanplant 1 (*het planten*) plantación *v*; 2 (*het verbouwen*) cultivo; *jonge ~* árboles *mmv* jóvenes, plantel *m*; **aanplanten** plantar, cultivar

aanplempen rellenar (con tierra)
aan|poten (*hard werken*) afanarse; **-praten** 1 (*doen geloven*) hacer creer; 2 (*doen kopen*) meter por los ojos; **-prijzen** recomendar *ie*, alabar; **-punten** (*van potlood*) sacar punta a; **-raden** aconsejar, recomendar *ie*; *het is aan te raden* es aconsejable; *op ~ van* por consejo de
aanraken tocar; (*heel licht:*) rozar; *niet ~!* ¡no tocar!; **aanraking** toque *m*, contacto; (*licht:*) roce *m*; (*seksueel*) tocamiento; *in ~ brengen met* poner en contacto con; *in ~ komen met* tener contacto con; *met de politie in ~ geweest zijn* tener malos antecedentes
aanranden agredir (con intención sexual); **aanrander** agresor *m*; **aanranding** agresión *v* (sexual)
aanrecht mesa de fregar
aan|reiken (*doorgeven*) pasar, alargar; (*overhandigen*) entregar; (*brengen*) traer; **-rekenen** atribuir, imputar; *het iem ~* tomárselo en cuenta a u.p.; **-rennen**: *komen ~* venir corriendo, llegar corriendo; **-richten** causar, producir; *verwoestingen ~* causar estragos
aanrijden I *tr* atropellar; II *intr* 1 *komen ~* acercarse; 2 ~ *tegen* chocar con, contra; **aanrijding** 1 (*van persoon*) atropello; 2 (*tussen voertuigen*) choque *m*; ~ *van achteren* colisión *v* por alcance
aan|roepen 1 llamar; 2 (*van God*) invocar; **-roeren** tocar, rozar; (*kort vermelden ook:*) aludir a, mencionar de paso; **-rukken** acercarse, avanzar; *laten ~* mandar traer
aanschaf adquisición *v*, compra; **aanschaffen** comprar, adquirir *ie*; *zich ~* comprarse; **aanschaffingskosten** coste *m* de adquisición
aanschieten 1 (*van dier*) herir *ie, i* levemente; 2 (*van kleren*) ponerse apresuradamente; 3 *iem ~* abordar a u.p.
aanschijn: *in het zweet zijns ~s* con el sudor de su frente
aanschouwen mirar, contemplar, percibir; *ten ~ van* ante, en presencia de
aanschrijven dirigir una carta; (*oproepen*) convocar; (*berichten*) avisar || *goed -geschreven staan* tener buena fama, tener buena reputación; **aanschrijving** (*bericht*) notificación *v*, aviso, circular *v*; (*oproep*) convocatoria
aanschroeven apretar *ie*
aanslaan I *tr* 1 (*muz*) tocar; 2 (*van bericht*) pegar, fijar; 3 (*belasting*) *iem ~* imponer un impuesto a u.p., gravar a u.p.; 4 *hoog ~* estimar mucho || *een* (*brutale*) *toon ~* levantar la voz; II *intr* 1 (*mbt motor*) arrancar; 2 (*mbt hond*) ponerse a ladrar; 3 (*mbt metaal*) empañarse, deslustrarse; 4 (*mbt plant*) agarrar; 5 (*effect hebben*) tener éxito, dar resultado; **aanslag** 1 (*muz*) toque *m*; (*wijze van bespelen*) pulsación *v*; 2 (*aanval*) atentado; *een ~ doen op iems leven* atentar contra la vida de u.p.; 3 (*belasting*) imposición *v*; *bedrag van de ~* deuda tributaria; *voorlopige ~* liquidación *v* provisional; 4 (*op tong*) sarro; 5 (*van vet*) adherencia; **aanslagbiljet** papeleta de impuestos
aanslibben: *-geslibde grond* terreno de aluvión; **aanslibbing** depósito aluvial, aluvión *m*
aansluipen: *komen ~* acercarse furtivamente
aansluiten I *tr* 1 (*elektr, telef*) conectar; *u bent verkeerd -gesloten* se ha equivocado de número; 2 *zich ~ bij: a*) (*partij*) afiliarse a; *b*) (*klasgenoten*) relacionarse con; *c*) (*club*) asociarse a; *d*) (*mening*) adherirse *ie, i* a; *e*) (*EG*) adherirse *ie, i* a, ingresar en, entrar en; II *intr* 1 ~ *bij* (*verband hebben*) relacionarse con; *dit sluit aan bij wat u zei* esto se relaciona con lo que Ud. dijo; 2 ~ *op: a*) (*mbt trein*) empalmar con; *b*) (*mbt onderwijs*) tener conexión con; **aansluiting** 1 (*alg, elektr*) conexión *v*; 2 (*elektr contactpunt*) toma de corriente; 3 (*op buizennet*) toma, acometida; 4 (*telef*) teléfono; *ik heb nog geen ~* aún no tengo teléfono; 5 (*van trein*) empalme *m*, enlace *m*; 6 (*van opleiding*) conexión *v*; 7 ~ *bij: a*) (*partij*) afiliación *v* a; *b*) (*club*) asociación *v* a; *c*) (*mening*) adhesión *v* a; *d*) (*EG*) adhesión *v* a, entrada en, ingreso en; 8 *in ~ op* a continuación de, seguidamente a
aan|smeren: *iem iets ~* encajar u.c. a u.p., colar *ue* u.c. a u.p.; **-snijden** 1 (*van brood*) empezar *ie*; 2 (*van kwestie*) abordar; **-spannen**: *een proces ~* promover *ue* un juicio, incoar un pleito; **-spoelen** ser arrojado a la playa
aansporen (*van paard*) espolear; ~ *tot* animar a, incitar a; (*sterker:*) aguijonear; **aansporing** incitación *v*, estímulo; *op ~ van* a instigación de
aanspraak 1 derecho, pretensión *v*; ~ *maken op* tener derecho a; 2 (*gezelschap*) compañía; *geen ~ hebben* no conocer a nadie, estar solo; **aansprakelijk** responsable; ~ *stellen voor* responsabilizar de, hacer responsable de; ~ *zijn voor de schade* responder del daño; ~ *zijn voor een minderjarige* responder por un menor; **aansprakelijkheid** responsabilidad *v*; *beperkte ~* responsabilidad limitada; *wettelijke ~* responsabilidad civil
aanspreekbaar tratable, accesible, abordable
aanspreken 1 dirigir la palabra a; *iem ~* dirigirse a u.p., abordar a u.p.; *hoe moet ik hem ~?* ¿cómo he de llamarle?; *iem bij zijn voornaam ~* llamarle a u.p. por su nombre de pila; *iem met jij ~* tutear a u.p., hablar a u.p. de tú; *iem met u ~* hablar a u.p. de Usted; *iem ~ om geld* pedir *i* dinero a u.p.; *de fles ~* (*veel drinken*) empinar el codo; *zijn kapitaal ~* empezar *ie* a gastar su capital; *in rechte ~* poner pleito a, proceder contra; 2 (*bevallen*) gustar, decir; *dat spreekt mij niet aan* no me dice nada; *muziek sprak hem erg aan* la música le encantaba
aanstaan 1 (*bevallen*) gustar, agradar; 2 (*mbt deur*) estar entornado; 3 (*mbt apparaat*) estar puesto, funcionar; *de radio staat aan* está puesta la radio; *de motor staat aan* el motor funciona
aanstaande I *bn* 1 (*mbt tijd*) próximo; ~ *maan-*

dag el lunes próximo; 2 (*mbt persoon*) futuro; *haar ~ man* su futuro esposo; *~ moeder* futura madre; II *zn* novio, -a, prometido, -a
aanstalten: *~ maken om* hacer ademán de, disponerse a, aprestarse a
aan|stampen apisonar; **-staren** mirar absorto, clavar la mirada en
aanstekelijk contagioso; *het voorbeeld werkt ~* el ejemplo se pega
aansteken 1 encender *ie*; 2 (*med*) contagiar; (*fam*) pegar una enfermedad; *-gestoken fruit* fruta picada; **aansteker** encendedor *m*, mechero
aanstellen 1 (*benoemen*) nombrar, designar; *hij werd -gesteld tot voogd* fue nombrado tutor; 2 (*in dienst nemen*) contratar; 3 *zich ~* hacerse el interesante; *stel je niet zo aan!* ¡no te pongas así!, ¡déjate de farsas!; **aanstellerig** amanerado, afectado; **aanstellerij** afectación *v*, melindres *mmv*; **aanstelling** 1 (*benoeming*) nombramiento; 2 (*het in dienst nemen*) contratación *v*; *gedeeltelijke ~* contratación a tiempo parcial; *tijdelijke ~* contratación temporal; *vaste ~* empleo fijo
aansterken recobrar fuerzas
aanstichten: *~ tot* instigar a; **aanstichter**, **aanstichtster** instigador, -ora, causante *m,v*
aanstippen apuntar, rozar, mencionar de paso
aanstonds en seguida
aanstoot: *~ geven* causar escándalo; *~ nemen aan* escandalizarse de; **aanstootgevend** chocante, escandaloso
aan|stormen: *op iem ~* arremeter contra u.p., abalanzarse sobre u.p.; **-stoten** dar con el codo; *elkaar ~* darse codazos, darse con el codo; **-strepen** marcar; **-strijken** (*met cement*) enfoscar, enlucir; **-sturen**: *~ op*: *a*) (*mbt schip*) hacer rumbo a; *b*) (*fig*) tener el ojo puesto en
aantal número; *een ~* algunos, unos cuantos, una serie de; *~ punten* (*sp*) tanteo
aantasten 1 afectar; 2 (*van metaal*) corroer; 3 (*van reputatie*) perjudicar, afectar, mermar; **aantasting** 1 (*van metaal*) corrosión *v*; 2 *~ van iems goede naam* difamación *v*
aantekenboekje libro de notas, cuaderno de apuntes, libreta; **aantekenen** 1 (*opschrijven*) anotar, apuntar; 2 (*van brief*) certificar; 3 (*van huwelijk*) tomarse los dichos; 4 (*opmerken*) observar; 5 *beroep ~* apelar, interponer recurso; 6 *protest ~* protestar; **aantekening** nota, apunte *m*; *~en maken* tomar notas, tomar apuntes; *van ~en voorzien* anotar
aantijging (falsa) imputación *v*, cargo
aantikken: *dat tikt aan* eso te hace rascar los bolsillos
aantocht: *in ~ zijn* acercarse, ser inminente
aantonen demostrar *ue*, comprobar *ue*, acreditar; **aantoonbaar** comprobable; *het is niet ~* no se puede demostrar
aan|treden (*mil*) formar; (*zijn plaats innemen*) ocupar su puesto; **-treffen** encontrar *ue*
aantrekkelijk atractivo; **aantrekkelijkheid** atractivo, encanto
aantrekken I *tr* 1 (*spannen*) tender *ie*; 2 (*aanlokken*) atraer; 3 (*van kleren*) ponerse; (*van schoenen ook:*) calzarse; *andere kleren ~* cambiarse; *zijn kleren ~* vestirse *i*; 4 *zich iets ~ van* tomar en serio; *hij trekt het zich erg aan* lo toma muy a pecho; *zich niets ~ van* hacer caso omiso de, no hacer caso a; *hij trekt er zich niets van aan* y él tan fresco; *hij trok zich niets van haar aan* no se preocupaba de ella; II *intr* (*mbt economie*) ir mejorando; **aantrekking** atracción *v*; **aantrekkingskracht** (fuerza de) atracción *v*; (*fig ook:*) fascinación *v*
aanvaardbaar aceptable; **aanvaarden** 1 (*aannemen*) aceptar; 2 (*op zich nemen*) asumir, tomar sobre sí; 3 (*van reis*) emprender, iniciar; 4 (*van ambt*) tomar posesión de; **aanvaarding** 1 aceptación *v*; 2 (*van ambt*) toma de posesión; 3 (*van reis*) iniciación *v*
aanval ataque *m*; acometida; **aanvallen** atacar, agredir, acometer; (*sp ook:*) abrir líneas; *opnieuw ~* volver *ue* a la carga; *~ op het eten* lanzarse sobre la comida, atacar la pitanza, ir al asalto del plato; **aanvallend** agresivo, ofensivo; **aanvaller** atacante *m*, asaltante *m*, agresor *m*; *~s* (*sp ook:*) artillería
aanvang comienzo, principio; *van de ~ af* desde el principio; *een ~ maken met* dar comienzo a; *een ~ nemen zie: aanvangen*; **aanvangen** comenzar *ie*, dar comienzo; **aanvangssalaris** sueldo inicial
aanvankelijk I *bn* inicial; II *bw* al principio, en un principio
aanvaren: *komen ~* acercarse; *~ tegen* abordar, dar con; *af- en ~* ir y venir; **aanvaring** abordaje *m*, colisión *v*; *in ~ komen met* entrar en colisión con
aanvechtbaar discutible, impugnable; **aanvechten** atacar, impugnar; **aanvechting** tentación *v*, impulso
aanvegen barrer
aanvliegen: *komen ~*: *a*) (*lett*) acercarse (volando); *b*) (*hollend*) acudir corriendo; *~ tegen* volar *ue* contra, chocar con; **aanvliegroute** corredor *m* aéreo
aanvoelen intuir
aanvoer abastecimiento; **aanvoerder** 1 jefe *m*, comandante *m*; (*van bende ook:*) cabecilla *m*; 2 (*sp*) capitán *m*; **aanvoeren** 1 (*leiden*) capitanear, encabezar; acaudillar; 2 (*brengen*) traer; 3 (*van argumenten*) aducir, alegar; **aanvoering**: *onder ~ van*: *a*) bajo el mando de; *b*) (*sp*) capitaneado por
aanvraag solicitud *v*, petición *v*; *op ~* a petición; **aanvraagformulier** hoja de solicitud; **aanvraagster** peticionaria, solicitante *v*; **aanvragen** solicitar, pedir *i*; **aanvrager** peticionario, solicitante *m*
aanvullen completar; *het tekort ~* suplir el déficit; *de voorraden ~* reponer las existencias; **aanvullend** adicional, complementario; **aanvulling** suplemento, complemento

aan|vuren animar, incitar; **-waaien**: *komen* ~ (*langskomen*) pasar por casa || *het waait hem aan* aprende sin esfuerzo; **-wakkeren** I *tr* (*van vuur*) avivar; II *intr* (*mbt wind*) arreciar
aanwas aumento, incremento
aanwenden emplear, usar, utilizar; *een poging* ~ hacer un intento; **aanwending** uso, empleo
aan|wennen: *zich* ~ contraer el hábito de; **-werven** 1 (*mil*) reclutar; 2 (*van personeel*) contratar
aanwezig 1 presente; ~ *zijn bij* estar presente en, presenciar, asistir a; *meneer is niet* ~ el señor no está; 2 (*bestaand*) existente; **aanwezigheid** presencia, asistencia
aanwijsbaar demostrable
aanwijsstok puntero
aanwijzen 1 indicar, señalar; 2 (*toewijzen, bv van ligplaats*) asignar; 3 (*van opvolger*) designar; 4 (*mbt klok, thermometer*) indicar, marcar || *op iem -gewezen zijn* depender de u.p.; *de -gewezen methode* el método más indicado; *de -gewezen persoon* el llamado, la persona más indicada; **aanwijzend**: ~ *voornaamwoord* pronombre *m* demostrativo; **aanwijzing** indicación *v*, instrucción *v*; *er zijn ~en dat* hay indicios de que; *op* ~ *van* siguiendo las instrucciones de, por indicación de
aanwinst adquisición *v*
aanwippen: *even* ~ pasar por casa
aanwrijven: *iem iets* ~ achacar u.c. a u.p.
aanzeggen notificar; **aanzegging** notificación *v*
aanzet (primer) impulso; **aanzetten** I *tr* 1 (*van motor*) poner en marcha; (*van radio*) poner, encender *ie*; 2 (*van knoop*) coser; 3 ~ *tot* incitar a, estimular a; 4 (*scherpen*) afilar; 5 (*dik maken*) engordar; *rijst zet aan* el arroz engorda; II *intr* 1 (*aanbakken*) pegarse, agarrarse; 2 *komen* ~ aparecer, llegar
aanzicht vista, aspecto; ~ *van opzij* vista lateral; ~ *van voren* vista frontal
aanzien I *ww* mirar; *je ziet het hem niet aan* no se le nota; *de zaak eens* ~ estar a la mira, verlas venir; *ik kan het niet* ~ no lo puedo ver; *naar het zich laat* ~ según parece; *het is niet om aan te zien* no hay quien vea eso; *ze zien jou er op aan* te dan la culpa a ti; *hij zag mij aan voor mijn zuster* me confundió con mi hermana; *waar zie je me voor aan?* ¿por quién me tomas?; II *zn* 1 (*uiterlijk*) aspecto, apariencia; 2 (*achting*) respeto, prestigio, estimación *v*; *in hoog* ~ *staan* gozar de gran estima || *ten* ~ *van* respecto de, (con) respecto a; *zonder* ~ *des persoons* sin acepción de personas
aanzienlijk 1 (*voornaam*) distinguido, de categoría, respetado, prestigioso; 2 (*niet gering*) notable, considerable; *een* ~ *bedrag* una suma considerable
aanzoek (*voor huwelijk*) petición *v* de mano
aanzuiveren (*van tekort*) enjugar
aap mono; *daar komt de* ~ *uit de mouw* ya asomó la oreja, ya pareció el peine, se descubre el pastel; *voor* ~ *zetten* poner en ridículo || *we zijn in de* ~ *gelogeerd* estamos en un apuro, ¡buenos estamos!
aar espiga
aard 1 carácter *m, mv caracteres*, naturaleza; *het ligt niet in mijn* ~ no está en mi carácter; *uit de* ~ *der zaak* naturalmente; *of iets van dien* ~ o algo por el estilo; *dromerig van* ~ de disposición soñadora; *van voorbijgaande* ~ de naturaleza pasajera; 2 (*soort*) índole *v*, tipo, clase *v*; *van allerlei* ~ de todas clases; *van financiële* ~ de índole financiera
aardappel patata
aardappel|meel fécula de patata; **-mesje** cuchillo patatero; **-oogst** recolección *v* de la patata; **-puree** puré *m* de patatas; **-schilmachine** mondadora de patatas
aardas eje *m* terrestre
aardbei fresa
aard|beving terremoto; **-bol** globo terrestre
aarde tierra; *in goede* ~ *vallen* ser bien acogido; *ter* ~ *bestellen* enterrar *ie*
1 aarden *ww* (*elektr*) conectar a tierra
2 aarden 1 echar raíces; *hij kan nergens* ~ no echa raíces en ningún sitio; 2 ~ *naar* parecerse a
3 aarden *bn* de barro; *een* ~ *schotel* una cazuela de barro
aardewerk cerámica, loza
aardgas gas *m* natural
aardig I *bn* 1 simpático, amable; *ik vond hem* ~ me cayó simpático; ~ *zijn tegen iem* mostrarse *ue* amable con u.p.; 2 (*om te zien*) bonito || *een* ~ *kapitaal* un buen capital; II *bw* (*nogal*) bastante; *we schieten* ~ *op* avanzamos bastante; **aardigheid**: *de* ~ *is er af* ha perdido la gracia; *ik zie de* ~ *er niet van in* no le veo la gracia; *hij heeft er* ~ *in* le gusta; *voor de* ~ por gusto; **aardigheidje** (*cadeautje*) pequeño regalo, detalle *m*
aarding (*elektr*) puesta a tierra
aard|korst corteza terrestre; **-laag** (*geol*) estrato; **-leiding** (*elektr*) toma de tierra; **-mannetje** gnomo, duende *m*; **-olie** petróleo; **-oppervlak** superficie *v* de la tierra
aardrijkskunde geografía; **aardrijkskundig** geográfico; **aardrijkskundige** geógrafo, -a
aardrug caballón *m*
aards terrestre, terrenal, terreno; *~e goederen* bienes *mmv* de fortuna; *het ~e leven* la vida terrestre
aard|schok movimiento sísmico, sacudida sísmica; **-verschuiving** corrimiento de tierras
aars ano
aarts|bisdom arzobispado; **-bisschop** arzobispo; **-engel** arcángel *m*; **-hertog** archiduque *m*; **-hertogdom** archiducado; **-hertogin** archiduquesa; **-leugenaar** embustero de marca mayor; **-lui**: *hij is* ~ es un holgazán perdido; **-vader** patriarca *m*; **-vijand** enemigo mortal, enemigo nato
aarzelen vacilar, titubear; *niet* ~ *te* no vacilar

en; **aarzelend** vacilante; **aarzeling** vacilación *v*
aas 1 (*kaartsp*) as *m*; 2 (*lokaas*) cebo; 3 (*kreng*) carroña; **aasetend**, **aaseter** carroñero; **aasgier** buitre *m*
abattoir matadero
abc abecedario, alfabeto, abecé *m*
abces abceso
abdicatie abdicación *v*; **abdiceren** abdicar
abdij abadía; **abdis** abadesa
abnormaal anormal, anómalo; *hij is ~ sterk* es increíblemente fuerte
abonnee 1 (*op krant*) suscriptor, -ora; 2 (*telef, trein*) abonado, -a
abonnement 1 (*op krant*) suscripción *v*; 2 (*voor toneel*) abono; **abonnementsvoorstelling** función *v* de abono; **abonneren**: *zich ~ op* abonarse a, suscribirse a; *geabonneerd zijn op* estar suscrito a
aborteren practicar el aborto; **abortus** aborto
abri abrigo, marquesina
abrikoos albaricoque *m*
abrupt abrupto
absent ausente; **absentie** ausencia; *de ~ opnemen* pasar lista
absolutie absolución *v*
absoluut I *bn* absoluto; II *bw* absolutamente; *~ niet* en modo alguno, de ninguna manera, en absoluto; *~ onuitvoerbaar* de todo punto irrealizable
absorberen absorber; *~ middel* absorbente *m*; **absorptie** absorción *v*
abstract abstracto; **abstraheren** abstraer
absurd absurdo; **absurditeit** absurdo, desatino
abt abad *m*
abuis error *m*; *je bent ~* estás equivocado; *per ~* por equivocación, erróneamente
acacia acacia
academicus titulado superior, titulado universitario, graduado
academie academia; *~ voor beeldende kunsten* (*vglbaar:*) Facultad *v* de Bellas Artes; *Pedagogische ~* (*vglbaar:*) Escuela Universitaria de Profesorado de Educación General Básica; *Sociale ~* (*vglbaar:*) Escuela Universitaria de Asistentes Sociales; **academisch** académico, universitario; *~e graad* grado universitario; *~e opleiding* formación *v* universitaria
acceleratie aceleración *v*; **accelereren** acelerar
accent acento; *het ~ leggen op* acentuar *ú*, poner el acento en; *geschreven ~* acento (ortográfico; **accentteken** *zie: accent*; **accentueren** acentuar *ú*
acceptabel aceptable; **accepteren** aceptar; *dat accepteer ik niet* no lo tolero, no lo consiento, no lo admito
acceptgirokaart tarjeta para el cobro por giro (postal o bancario)
accessoires accesorios
accijns impuesto sobre el consumo
acclamatie: *bij ~* por aclamación
acclimatisatie aclimatación *v*; **acclimatiseren** aclimatar, ambientarse
accolade llave *v*, abrazadera
accommodatie alojamiento, acomodo; *~ voor 12 passagiers* capacidad *v* de acomodo para 12 pasajeros
accordeon acordeón *m*
accountant censor *m* (jurado) de cuentas, auditor *m*; **accountantsonderzoek** auditoría, censura de cuentas
accrediteren acreditar
accu batería, acumulador *m*
accuraat meticuloso, puntual, exacto; **accuratesse** precisión *v*, exactitud *v*
acetaat acetato
aceton acetona
acetyleen acetileno
ach: *~!* ¡ah!; (*bij pijn*) ¡ay!; *~ wat!* ¡bah!; *~ en wee roepen* poner el grito en el cielo
achillespees tendón *m* de Aquiles
1 acht ocho
2 acht: *~ slaan op* reparar en, fijarse en, prestar atención a; *in ~ nemen* atender *ie* a, observar; *zich in ~ nemen* cuidarse; *zich voor iem in ~ nemen* guardarse de u.p.
achtbaan montaña rusa
achteloos indiferente, descuidado; **achteloosheid** indiferencia, descuido, negligencia
achten 1 (*eren*) respetar, estimar; 2 (*beschouwen als*) considerar, creer, juzgar, estimar; **achtenswaardig** respetable
achter I *vz* detrás de, tras; *~ de boom* detrás del árbol; *~ glas* bajo vidrio; *~ het huis langs* por detrás de la casa; *het verleden ligt ~ ons* el pasado queda detrás; *~ zich laten* dejar atrás; *~ iem staan* (*fig*) respaldar a u.p.; *er zit iets ~* hay gato encerrado; *wat zit daar ~?* ¿qué hay detrás de todo eso?; *er ~ komen* enterarse; *kom je daar nu pas ~?* ¿ahora te enteras?; *~ zijn broer om* a espaldas de su hermano; *~ mij om* a mis espaldas; II *bw*: *~ wonen* vivir en la parte de atrás; *mijn horloge is 3 minuten ~* mi reloj está atrasado 3 minutos; *~ in de tuin* en el fondo del jardín; *~ in de 20* muy entrado en los 20, acercándose a los 30; *~ zijn* (*met betalen*) estar atrasado; *~ met de studie* atrasado en los estudios
achteraan detrás; *~ de rij* al final de la fila; **achteraanlopen** ir a la cola
achteraanzicht vista posterior, vista de atrás
achteraf 1 (*na afloop*) después, a la postre; 2 *~ wonen* vivir en un lugar aislado
achterbak maletero, cofre *m* trasero
achterbaks I *bn* reticente, disimulado; II *bw* con tapujos, con disimulo; **achterbaksheid** disimulo, reticencia
achter|ban base *v*, miembros *mmv*, filas *vmv*; **-band** neumático de la rueda posterior; **-bank** asiento de detrás, asiento posterior; **-blijven** quedarse atrás; (*achterop raken ook:*) rezagarse, estar rezagado; *-gebleven gebied* región

v atrasada; *ik wilde niet* ~ no quise ser menos; **-blijver** rezagado; **-buurt** barrio bajo; **-dek** cubierta de popa; **-deur** puerta trasera
achterdocht recelo, suspicacia, desconfianza, sospecha; ~ *koesteren tegen* abrigar sospechas de, recelarse de; ~ *krijgen* concebir sospechas; ~ *wekken* levantar sospechas; **achterdochtig** suspicaz, receloso
achtereen seguido; *3 uur* ~ 3 horas seguidas; *uren* ~ hora tras hora, horas y horas; **achtereenvolgend** consecutivo; *voor de derde ~e maal* por tercera vez consecutiva; **achtereenvolgens** sucesivamente
achterelkaar uno tras otro; (*in rij*) en fila india
achteren: *naar* ~ hacia atrás; *van* ~ (*aan de achterkant*) detrás, por la parte de atrás; *de wind komt van* ~ el viento viene de atrás; *van* ~ *aanvallen* agredir por la espalda; *van* ~ *naar voren lezen* leer al revés; *van achteren gezien* visto por detrás
achtergrond 1 fondo; (*toneel ook:*) telón *m* de fondo; *op de* ~ al fondo; *op de* ~ *raken* perder *ie* importancia, pasar a segundo término; 2 (*voorgeschiedenis*) antecedentes *mmv*; 3 (*diepere oorzaak*) trasfondo; **achtergrondmuziek** música de fondo
achterhaald trasnochado, superado; **achterhalen** (*te weten komen*) sacar en claro
achter|hand (*van paard*) cuarto trasero, anca; **-hoede** retaguardia; **-hoofd** occipucio; *niet op zijn* ~ *gevallen zijn* no tener un pelo de tonto; **-houden** retener, reservar; (*verbergen*) ocultar
achterin: ~ *het boek* al final del libro; ~ *de zaal* al fondo del salón; ~ *zitten* (*in auto*) ir detrás
achter|kamer cuarto de atrás; **-kant 1** parte *v* de atrás; 2 (*van papier*) dorso; *op de* ~ *staat* ... al dorso dice ...; **-kleinkind** biznieto, -a; **-klep** (*van auto*) tapa del maletero; **-land** hinterland *m*, interior *m*; **-laten 1** dejar, dejar atrás; 2 (*in de steek laten*) abandonar; **-licht** luz *v* trasera; **-lijf** abdomen *m*
achterlijk retrasado (mental); *ik ben niet* ~ no me chupo el dedo
achterlopen atrasar, estar atrasado
achternaam apellido, nombre *m* de familia
achterna|lopen: *iem* ~ irse tras u.p., seguir *i* a u.p.; **-rennen**: *iem* ~ correr detrás de u.p.; **-zitten** perseguir *i*, dar caza a
achter|neef 1 (*zelfde generatie*) primo segundo; 2 (*jongere generatie*) sobrino segundo; **-nicht 1** (*zelfde generatie*) prima segunda; (*jongere generatie*) sobrina segunda
achter|om por detrás; ~ *kijken* mirar (hacia) atrás, volver *ue* la vista atrás; **-op** detrás; ~ *komen* alcanzar; ~ *zijn met* estar atrasado en; **-over** hacia atrás, de espaldas
achterover|drukken mangar; **-leunen** recostarse *ue*; **-liggen** estar tumbado, estar boca arriba; **-slaan** (*van borrel*) atizarse, meterse; **-vallen** caerse de espaldas; *daar val je van achterover* eso te tira de espaldas, con eso te quedas patas arriba; *...waar je van -valt* ...que tumba
achter|pand espalda; **-poot** pata trasera; **-raken 1** quedar rezagado, quedarse atrás; 2 (*met werk*) quedar atrasado; **-ruit** luneta (trasera); **-schip** cuerpo de popa; **-spatbord** guardabarros *m* posterior; **-speler** defensa *m*
achterst último; *hij stond op zijn ~e benen* estaba hecho una fiera, había montado en cólera
achterstaan (*sp*) perder *ie*, ir perdiendo
achterstallig atrasado, retrasado; *het ~e* lo debido, los atrasos
achterstand atraso, retraso; *een* ~ *oplopen* rezagarse
achterste trasero; (*pop*) pompis *m*
achterstellen (*bij*) postergar (a), posponer (a); *-gestelde groepen* grupos marginados; **achterstelling** marginación *v*, discriminación *v*
achtersteven popa
achterstevoren al revés; *zijn hemd* ~ *aantrekken* (*ook:*) ponerse la camisa con lo de atrás delante
achteruit I *bw* (hacia) atrás; **II** *zn* (*van auto*) marcha atrás; *in de* ~ *zetten* poner en marcha atrás
achteruitgaan 1 ir hacia atrás, retroceder; 2 (*mbt zieke*) desmejorar; *erg* ~ (*fam*) dar un bajón; 3 (*mbt economie, inkomen, prijs*) decrecer, descender *ie*, bajar; 4 (*mbt situatie, kwaliteit*) empeorar, disminuir, deteriorarse; 5 (*mbt ogen, gezondheid*) debilitarse; 6 (*mbt beschaving*) decaer, declinar
'achteruitgang (*achterdeur*) puerta trasera
achter'uitgang 1 (*verslechtering*) empeoramiento, deterioro, desmejoramiento; ~ *van het platteland* degradación *v* del campo; 2 (*mbt economie*) descenso, recesión *v*
achteruit|kijkspiegel (espejo) retrovisor *m*; **-lopen** andar de espaldas; **-rijden 1** (*mbt auto*) hacer marcha atrás; 2 (*in de trein*) ir de espaldas a la máquina; **-rijlicht** luz *v* de marcha atrás; **-slaan** (*mbt paard*) cocear; **-wijken** retroceder; **-zetten 1** (*van klok*) atrasar; 2 (*van iem*) postergar
achtervolgen perseguir *i*; *de gedachte -volgt mij* la idea me obsesiona; **achtervolging** persecución *v*; acoso; **achtervolgingswaan** manía persecutoria
achter|waarts (hacia) atrás; **-wege**: ~ *blijven* no tener lugar; *dat kan* ~ *blijven* puede omitirse; ~ *laten* omitir, suprimir; **-werk** *zie: achterste*
achterwiel rueda trasera, rueda posterior; **achterwielaandrijving** tracción *v* posterior
achterzak bolsillo posterior, bolsillo de atrás
achting respeto, estima; ~ *hebben voor* estimar
achtste *bn, zn* octavo; ~ *noot* corchea
achttien dieciocho; **achttiende I** *bn* decimooctavo; **II** *zn* dieciochavo; **achttiende-eeuws** del siglo dieciocho
achturig: *~e werkdag* jornada de ocho horas

acne acné *m*
acrobaat, **acrobate** acróbata *m,v*; **acrobatiek** acrobatismo; **acrobatisch** acrobático
acteren actuar *ú*, interpretar un papel teatral; **acteur** actor *m*
actie acción *v*; ~ *voeren* movilizarse, hacer campaña; *in* ~ *komen* entrar en acción; **actiecomité** comité *m* de acción
actief activo, enérgico
actiegroep grupo de acción; **actieradius** radio de acción, alcance *m*
activa: ~ *en pasiva* activo y pasivo
activeren activar; **activist**, **activiste** activista *m,v*; **activiteit** actividad *v*
actrice actriz *v*
actualiteit actualidad *v*; **actualiteitenrubriek** programa *m* informativo, actualidades *vmv*
actuaris actuario
actueel: *een* ~ *probleem* un problema de actualidad; *het is nog steeds* ~ conserva su actualidad
acupunctuur acupuntura
acuut I *bn* agudo; II *bw* urgentemente, en el acto
adams|appel nuez *v* de Adán, nuez *v* del cuello; **-kostuum**: *in* ~ como Dios le trajo al mundo
addenda addenda *m,v*
adder víbora; *er zit een* ~*tje onder het gras* hay gato encerrado
adel nobleza; *hij is van* ~ es noble; *iem van* ~ noble *m,v*
adelaar águila *v*
adelaars|blik ojos *mmv* de lince; **-profiel** perfil aguileño
adelborst guardia *m* marina
adeldom nobleza
adellijk 1 (*mbt persoon*) noble; 2 (*mbt titel*) nobiliario
adelstand nobleza; *in de* ~ *verheffen* conceder un título de nobleza, ennoblecer
adem aliento; *de* ~ *inhouden* contener la respiración *v*; ~ *scheppen* tomar aliento; *de laatste* ~ *uitblazen* exhalar el último suspiro, expirar; *buiten* ~ sin aliento; *in één* ~ de una vez, sin respirar; *naar* ~ *snakken* jadear; *op* ~ *komen* cobrar aliento; **adembenemend** impresionante; **ademen**, **ademhalen** respirar; **ademhaling** respiración *v*; *kunstmatige* ~ respiración artificial
ademhalings|oefeningen ejercicios respiratorios; **-organen** órganos respiratorios
ademloos sin aliento; *een -loze stilte* un silencio profundo
adem|nood sofoco, ahogo; *in* ~ *zijn* sofocarse; **-pauze** 1 pausa respiratoria; 2 (*fig*) respiro; **-proef** prueba del aliento
adequaat adecuado
ader 1 vena; (*van erts ook:*) veta, filón *m*; 2 (*in elektr snoer*) conductor *m*; **aderlaten** sangrar; **aderlating** sangría; **adertje** venilla; **aderverkalking** arteriosclerosis *v*
adhesie adhesión *v*; **adhesiebetuiging** muestra de adhesión
ad interim interino, suplente
adjudant ayudante *m,v*; (*v ook:*) ayudanta
adjunct adjunto; **adjunct-directeur** director *m,v* adjunto
administrateur 1 administrador *m*; 2 (*boekhouder*) contable *m*, tenedor *m* de libros; **administratie** administración *v*; **administratief** administrativo; *-tieve kracht* administrativo, -a; **administratrice** (*beheerster*) administradora; **administreren** administrar
admiraal almirante *m*; **admiraalsschip** buque *m* almirante, buque *m* insignia; **admiraliteit** Estado Mayor de la Armada
adoptant, **adoptante** adoptante *m,v*; **adopteren** adoptar; **adoptie** adopción *v*; **adoptief** adoptivo
adoratie adoración *v*; **adoreren** adorar
adres 1 dirección *v*, señas *vmv*; *het opgegeven* ~ las señas indicadas; *je bent aan het verkeerde* ~ te has equivocado de medio a medio; *per* ~ al cuidado de, a cargo de; *afk* a/c; 2 (*verzoekschrift*) petición *v*; **adresboek** guía de direcciones, directorio; **adresboekje** carnet *m* de direcciones; **adresseermachine** máquina para estampar direcciones; **adresseren** (*aan*) dirigir (a); **adreswijziging** cambio de domicilio, cambio de dirección
advent adviento
adverteerder anunciante *m*; **advertentie** anuncio; *een* ~ *plaatsen* insertar un anuncio, poner un anuncio; *het plaatsen van een* ~ la inserción de un anuncio; *kleine* ~*s* anuncios por palabras
advertentie|campagne campaña publicitaria; **-rubriek** sección *v* de anuncios
adverteren poner un anuncio, hacer publicidad
advies 1 (*het adviseren*) asesoramiento, consulta; *van* ~ *dienen* asesorar; 2 (*raad*) consejo; *op* ~ *van* aconsejado por, siguiendo el consejo de; 3 (*officieel*) dictamen *m*
advies|bureau oficina consultiva, servicio de consultores, asesoría; **-prijs** precio de orientación
adviseren 1 (*aanraden*) aconsejar, recomendar *ie*; 2 (*bijstaan*) asesorar; **adviserend** asesor *-ora*, consultivo; ~*e instantie* entidad *v* asesora; **adviseur** asesor, -ora, consejero, -a
1 advocaat abogado, -a
2 advocaat (*drank*) licor *m* de huevos
aërodynamisch aerodinámico; **aërogram** (*Belg*) aerograma *m*
af 1 (*naar beneden*) abajo; *de trap* ~ escaleras abajo; 2 (*klaar*) terminado, listo; *ik heb de les* ~ tengo terminada la lección; 3 (*verwijderd*) *ze zijn van elkaar* ~ ya no viven juntos; *hij is voorzitter* ~ ya no es presidente; *om van haar* ~ *te zijn* para deshacerse de ella, para quitársela de encima; *je bent nog niet van me* ~ contigo no he terminado; *er is een knoop* ~ se le ha

caído un botón; *het mooie is er* ~ se le ha quitado lo bonito; *daar wil ik* ~ *zijn* no lo sé exactamente, no lo puedo precisar; ~*!* (*tegen hond*) ¡quieto!; 4 (*vanaf*) desde; *van kind* ~ desde niño; *van maandag* ~ desde el lunes; *van de top* ~ desde la cumbre; *10 meter van de weg* ~ a 10 metros del camino; 5 *goed* ~ *zijn* haber tenido suerte, haber salido bien librado; *hij is slecht* ~ tiene mala suerte, salió mal librado || ~ *en aan lopen, rijden, varen* ir y venir; ~ *en toe* de vez en cuando, en ocasiones; *op de minuut* ~ en punto

afasie afasia

afbakenen deslindar, demarcar, delimitar; **afbakening** deslinde *m*, demarcación *v*, delimitación *v*

afbeelden pintar, representar; **afbeelding** grabado; (*portret*) retrato

af|bekken poner verde, regañar de mala manera; **-bellen**: *iedereen* ~: *a*) (*om af te zeggen*) cancelar la cita con todos; *b*) (*om iets te vragen*) llamar a todo el mundo; **-bestellen** cancelar el pedido

afbetalen 1 (*geheel betalen*) liquidar, desembolsar; 2 (*in termijnen*) pagar en plazos; **afbetaling** 1 (*volledige betaling*) liquidación *v*, cancelación *v*; 2 (*in termijnen*) pago a plazos; *op* ~ *kopen* comprar a plazos, comprar a crédito

afbeulen hacer trabajar con exceso, azacanar, explotar a mansalva; *zich* ~ matarse trabajando, trabajar como un negro, afanarse, andar a la brega, azacanarse

afbijtmiddel disolvente *m*, (líquido) corrosivo

af|bikken picar, escodar; **-binden** 1 (*losmaken*) desatar, soltar *ue*; 2 (*med, van ader*) aplicar un torniquete; **-bladderen** desconcharse, descascarrillarse; **-blijven** no tocar; **-boeken** amortizar; **-boenen** (*nat*) fregar *ie*; **-borstelen** cepillar; **-bouwen** 1 terminar la construcción de, terminar de construir; *half afgebouwd* a medio construir; 2 (*verminderen*) reducir, suprimir poco a poco

afbraak 1 demolición *v*, derribo; 2 (*chem*) desintegración *v*, descomposición *v*; **afbraakpand** edificio ruinoso; **afbraakprijs** precio ruinoso

afbranden I *tr* (*van verf*) quemar; II *intr* (*mbt huis*) quemarse, ser reducido a cenizas

afbreken I *tr* 1 (*van tak*) desgajar, arrancar; 2 (*van huis*) demoler *ue*, derribar; 3 (*van tent*) desarmar; 4 (*onderbreken, beëindigen*) interrumpir, romper, cortar; *de partij* ~ (*schaken*) abortar la partida; 5 (*uitstellen*) aplazar, suspender; 6 (*kritiseren*) criticar duramente, poner por los suelos; 7 (*van woord*) dividir; 8 (*chem*) desintegrar, descomponer, fraccionar; II *intr* 1 (*mbt tak*) desgajarse; 2 (*ophouden*) cesar, interrumpirse, cortarse; **afbrekend** destructivo, demoledor *-ora*

afbrengen 1 *het er* ~ salir; *het er goed* ~ salir bien (de la empresa); *het er heelhuids* ~ salvar la piel; *het er levend* ~ salir con vida; *het er slecht* ~ salir mal (de la empresa); 2 *ergens van* ~ disuadir, quitar de la cabeza; *ik kon hem niet van die gedachte* ~ no le pude quitar de la cabeza esa idea; *hij probeerde mij ervan af te brengen* trató de disuadirme; *van de goede weg* ~ apartar del buen camino

afbreuk: ~ *doen aan* menoscabar, dañar, perjudicar, reducir, afectar

af|brokkelen desmoronarse; **-buigen**: ~ *naar* torcer *ue* a, doblar a; **-checken** puntear; (*nagaan*) comprobar *ue*

afdak cobertizo, alero

afdalen bajar, descender *ie*; **afdaling** descenso, bajada

afdammen poner un dique en

afdanken 1 (*weggooien*) desechar; 2 (*ontslaan*) despedir *i*; **afdankertje** desecho, cosa desechada

afdeling 1 (*van kantoor, bedrijf*) sección *v*, departamento; 2 (*van partij*) sección *v*, agrupación *v*; *plaatselijke* ~ agrupación *v* local

afdelings|bestuur directiva local, comité *m* local; **-chef** jefe *m* (de departamento), jefe *m* de sección

af|dichten sellar, tapar; **-dingen** (*op*) 1 regatear (sobre); 2 (*fig*) reducir, objetar (a)

afdoen 1 (*van hoed, bril*) quitar(se); 2 (*afmaken*) ultimar, despachar; 3 (*van schuld*) liquidar, saldar, pagar; 4 *ervan* ~ quitar; *iets* ~ *van de prijs* reducir el precio; *dat doet niets af aan zijn verdienste* eso no le quita mérito; *dat doet er niets aan toe of af* eso ni quita ni pone nada, eso no cambia nada || *hij heeft voor mij afgedaan* ya no cuenta para mí, he terminado con él; *die theorie heeft afgedaan* esa teoría está superada; *de zaak als afgedaan beschouwen* considerar terminada la cuestión; **afdoend** 1 (*beslissend*) decisivo, concluyente; 2 (*werkzaam*) eficaz; *dat is* ~*e* es suficiente; **afdoening** 1 (*van schuld*) pago, liquidación *v*; 2 (*van zaken*) despacho, tramitación *v*

af|draaien 1 (*van film*) proyectar; 2 (*van plaat*) poner; 3 (*opdreunen*) salmodiar; **-dragen** 1 (*van geld*) entregar; 2 (*van kleren*) gastar totalmente, desgastar; **-drijven** I *intr* 1 (*mbt schip*) ir(se) a la deriva, derivar, irse con la corriente; *de rivier* ~ flotar río abajo; 2 (*mbt onweer*) alejarse; II *tr* (*van vrucht*) provocar un aborto; **-drogen** 1 secar, enjugar; 2 (*slaan*) pegar

afdruipen 1 gotear; 2 (*wegsluipen*) escabullirse; **afdruiprek** escurreplatos *m*

afdruk 1 (*van foto; kopie*) copia; ~*ken maken* tirar copias; 2 (*van voet, vinger*) huella; 3 (*van gebit*) molde *m*; **afdrukken** 1 (*plaatsen in krant*) imprimir, poner en el periódico; 2 (*van foto*) copiar

afdwalen desviarse *í*; (*van het rechte pad*) descarriarse *í*; **afdwaling** digresión *v*, desviación *v*

af|dwingen 1 (*van belofte*) arrancar; 2 (*van*

eerbied) imponer, infundir; **-eten** terminar la comida

affaire 1 asunto, cuestión *v*; 2 (*amoureus*) historia (amorosa); (*fam*) lío

affiche cartel *m*, anuncio mural

affiniteit afinidad *v*

affix afijo

afgaan I *tr* (*van trap*) bajar; II *intr* 1 (*mbt geweer*) dispararse; 2 (*mbt wekker*) sonar *ue*; 3 (*theat*) hacer mutis; 4 (*mislukken*) fracasar; 5 ~ *op* acercarse a (*u.c., u.p.*), acudir a (*u.c.*); *recht op zijn doel* ~ ir derecho a su objetivo; ~ *op de schijn* fiarse *í* de las apariencias; 6 ~ *van* dejar; *van school* ~ abandonar el colegio; *van zijn vrouw* ~ separarse, divorciarse; 7 *er* ~ (*mbt knoop*) caerse, desprenderse; *zo gaat de aardigheid er af* así ya no tiene gracia; *daar gaat niets vanaf* es incuestionable || *het gaat hem makkelijk af* le resulta fácil; *dit werk gaat hem het best af* es el trabajo que mejor le va;

afgang fracaso

af|gedraaid rendido, molido; **-geladen** hasta los topes

afgelasten cancelar, suspender

af|geleefd decrépito, gastado; **-gelegen** apartado, distante; **-gelopen** 1 (*vorig*) pasado, reciente, último; 2 ~ *zijn* haberse acabado; ~*!* ¡se acabó!; **-gemat** agotado, extenuado, muy cansado

afgemeten (*koel*) parsimonioso, frío; *met* ~ *tred* a pasos contados; **afgemetenheid** parsimonia, frialdad *v*

af|gepast justo; **-gepeigerd** rendido, hecho polvo, agotado; **-geprijsd:** ~ *zijn* estar en rebajas; **-gericht** adiestrado; **-gescheiden** separado; **-gesloten** cerrado; (*mbt weg, opgebroken*) cortado (por obras); ~ *rijweg* prohibido el paso; *van de buitenwereld* ~ incomunicado; *van de lucht* ~ al abrigo del aire; **-gesproken** convenido; *het was geen* ~ *werk* no estaba preparado; ~*!* ¡de acuerdo!; **-gestompt** embotado

afgestudeerde licenciado, -a, (recién) graduado, -a

afgevaardigd-beheerder (*Belg*) consejero delegado

afgevaardigde 1 (*pol*) diputado, -a; 2 (*naar congres*) delegado, -a

afgeven I *tr* 1 (*overhandigen*) entregar; *een boodschap* ~ dejar un recado; *een paspoort* ~ expedir *i* un pasaporte; 2 (*verspreiden van warmte, reuk*) despedir *i*, emitir; 3 *zich* ~ *met* juntarse con, encanallarse con; II *intr* 1 (*mbt kleur*) desteñir *i*; 2 ~ *op* criticar, denigrar

afgezaagd estereotipado, trillado, manido

afgezant, afgezante enviado, -a

afgezien: ~ *van* aparte de; ~ *hiervan* aparte de esto

afgieten escurrir; **afgietsel** vaciado (en molde)

afgifte 1 entrega; 2 (*van paspoort, cheque*) expedición *v*, emisión *v*; 3 (*van warmte*) emisión *v*

afglijden deslizarse

afgod ídolo; *een* ~ *maken van* idolatrar, endiosar; **afgoderij** idolatría; **afgodsbeeld** ídolo

afgraven 1 (*van zand*) extraer, excavar; 2 (*van berg*) allanar

afgrijselijk horroroso, repulsivo, atroz; **afgrijzen** horror *m*, espanto

afgrond abismo, precipicio

afgunst envidia; **afgunstig** envidioso

af|haken I *tr* desenganchar; II *intr* retirarse; **-hakken** cortar (con hacha); **-halen** 1 (*van goederen*) ir a buscar, retirar, (ir a) recoger; 2 (*van personen*) ir a buscar, ir por, venir por; *ik kom je* ~ vendré por ti; *iem van de trein* ~ ir a esperar a u.p. a la estación; 3 (*iets van een hoge plek*) bajar; 4 (*verwijderen*) quitar; *het bed* ~ sacar la ropa de la cama; *bonen* ~ quitar las hebras de las judías

afhandelen despachar, ultimar, tramitar; **afhandeling** despacho, tramitación *v*, gestión *v*

afhandig: ~ *maken* birlar, sonsacar, sustraer; *klanten* ~ *maken* quitar clientela

afhangen 1 (*hangen*) colgar *ue*; 2 ~ *van* depender de; *voor zover het van mij afhangt* en lo que de mí depende; *dat hangt ervan af* depende; **afhangend:** ~*e schouders* hombros caídos

afhankelijk (*van*) dependiente (de); ~ *zijn van* depender de, ser dependiente de; *onderling* ~ interdependiente; **afhankelijkheid** dependencia

af|hebben tener terminado; **-hechten** rematar; **-helpen** 1 (*iem van trap*) ayudar a bajar; 2 ~ *van* (*iets onaangenaams*) librar de; 3 *iem van zijn geld* ~ sacarle dinero a u.p.; **-houden** 1 (*afrekenen*) cobrar; 2 *de boot* ~*: a*) (*lett*) apartar el barco; *b*) (*fig*) dar largas; 3 ~ *van: a*) (*iem van werk*) distraer; *b*) (*van het loon*) descontar *ue*; *c*) (*van ogen*) apartar; *de ogen niet kunnen* ~ *van* no poder apartar los ojos de; 4 *zich laten* ~ *van* dejarse disuadir de; **-huren** alquilar; **-jakkeren** (*van paard*) reventar *ie*; *zich* ~ ajetrearse; **-kalven** desmoronarse; **-kammen** denigrar; *iem* ~ rebajar los méritos de u.p.; **-kanten** cerrar *ie*; **-kappen** cortar

afkeer aversión *v*, antipatía, repugnancia, repulsión *v*; *een* ~ *hebben van* odiar, sentir *ie, i* aversión a, hacia, por; **afkeren** volver *ue*; *zich van iem* ~ volver la espalda a u.p.; **afkerig:** ~ *van* contrario a, enemigo de

afketsen 1 (*mbt kogel*) rebotar; 2 (*afwijzen*) rechazar

afkeuren 1 (*afwijzen*) desaprobar *ue*, rechazar; 2 (*kritiek hebben op*) desaprobar *ue*, censurar; 3 (*van waren*) declarar impropio para el consumo; 4 (*voor mil dienst*) declarar inútil; 5 (*wegens ziekte*) dar de baja; 6 (*van huis*) declarar en ruina; **afkeurenswaard** censurable, reprensible; **afkeuring** desaprobación *v*, censura

afkickcentrum centro de rehabilitación de drogadictos; **afkicken** (*fam*) dejar el pincho, desengancharse de la droga; *het* ~ la deshabi-

tuación; **afkickverschijnselen** síndrome *m* de abstinencia; (*fam*) (el) mono
af|kijken copiar; **-kleden**: *de jurk kleedt af* el vestido adelgaza; **-kloppen** 1 sacudir (el polvo de); 2 (*tegen ongeluk*) tocar madera
afknappen: *ergens op* ~ quedar desengañado; **afknapper** chasco, desilusión *v*
afknippen cortar
afkoelen enfriarse *i*; (*fig ook:*) entibiarse; **afkoeling** 1 enfriamiento; 2 (*weerk*) descenso de temperatura
afkomen 1 (*van trap, weg*) bajar, descender *ie*; 2 ~ *van* (*zich ontdoen van*) deshacerse de, sacarse de encima, zafarse de; 3 *er goed* ~*: a*) (*ongedeerd*) salir bien librado; *b*) (*succes hebben*) salir bien; 4 ~ *op: a*) (*iem*) venir hacia, acercarse a; *b*) (*iets*) acudir a; 5 (*mbt werk*) terminarse; *het komt zondag af* estará terminado el domingo; 6 (*mbt benoeming, besluit*) formalizarse; **afkomst** origen *m*, descendencia; **afkomstig**: ~ *uit, van* procedente de, originario de, proveniente de; ~ *uit het Latijn* tomado del latín, derivado del latín; ~ *zijn uit, van* provenir de, proceder de
afkondigen 1 proclamar, publicar; 2 (*van staking*) declarar; 3 (*van wet*) promulgar; **afkondiging** 1 proclamación *v*, publicación *v*; 2 (*van staking*) declaración *v*; 3 (*van wet*) promulgación *v*
afkoop rescate *m*; **afkoopbaar** redimible, rescatable; **afkopen** rescatar, redimir
afkoppelen desacoplar, desconectar
afkorten abreviar; **afkorting** 1 (*het afkorten*) abreviación *v*; 2 (*afgekort woord*) abreviatura
af|krabben raspar; **-kraken** criticar duramente, hacer trizas; **-krijgen** 1 (*van werk*) terminar; 2 (*van vuil*) lograr desprender; **-kunnen** 1 *het* ~ dar abasto; *ik kan het niet af* no doy abasto; *ik kan het alleen wel af* ya me las arreglaré; (*fam*) yo me basto; *het* ~ *zonder* poder prescindir de; 2 *er* ~*: a*) (*kunnen afzeggen*) poder cancelar; *b*) (*kunnen teruggeven*) poder devolver; *c*) *het kan er niet af* (*het is ons te duur*) no lo podemos costear, no nos podemos permitir ese lujo
aflaat indulgencia
af|laden 1 (*uitladen*) descargar; 2 (*vol laden*) cargar hasta los topes; **-laten** 1 (*van muts*) no (volver *ue* a) ponerse; 2 *niet* ~ (*volhouden*) no cejar; *niet* ~*d* constante, insistente
afleggen 1 (*van kleding*) quitarse; 2 (*van wapens*) deponer; 3 (*van afstand*) recorrer, cubrir; *60 km per uur* ~ hacer 60 kms por hora; 4 (*van lijk*) amortajar; 5 *het* ~ sucumbir; *het* ~ *tegen* ser inferior a; *zie ook: bezoek, eed, examen, verklaring*
afleiden 1 (*van iem, aandacht*) distraer; *de vijand* ~ divertir *ie, i* al enemigo; 2 (*van woorden*) derivar; 3 ~ *uit* deducir de, inferir *ie, i* de; **afleiding** 1 (*ontspanning*) distracción *v*, diversión *v*; 2 (*van woord*) derivación *v*; **afleidingsmanoeuvre** maniobra de diversión
afleren 1 desacostumbrarse de; *die gewoonte zal hij nooit* ~ esa costumbre nunca se le quitará; *het roken* ~ dejar (el hábito) de fumar; 2 *iem iets* ~ desacostumbrar a u.p. de u.c.; *iem een accent* ~ corregir *i* el acento de u.p.; *dat zal ik hem* ~*!* ¡ya le enseñaré!
afleveren 1 entregar; 2 (*produceren*) producir; **aflevering** 1 entrega; 2 (*van tijdschrift*) número; (*van feuilleton*) entrega; 3 (*deelpublicatie*) fascículo
af|lezen leer; **-likken** lamer; *zijn lippen* ~ relamerse (los labios)
afloop 1 resultado; *met dodelijke* ~ mortal, con desenlace fatal; 2 (*van termijn*) expiración *v*, vencimiento; 3 (*eind*) fin *m*; *na* ~ *van de film* terminada la película
aflopen I *tr* 1 (*van trap*) bajar, descender *ie*; 2 (*van school*) terminar; 3 (*van schoenen*) desgastar, gastar completamente; 4 (*van weg, stad*) recorrer; *alle concerten* ~ ir a todos los conciertos; **II** *intr* 1 (*mbt helling*) inclinarse (hacia abajo); 2 (*mbt tij*) bajar, menguar; 3 (*mbt wekker*) sonar *ue*; 4 (*eindigen*) terminar; (*mbt termijn ook:*) expirar, concluir, vencer; *hoe zal dat* ~*?* ¿en qué parará?; *en nu maar zien hoe het afloopt* veremos en qué para esto; *het is goed afgelopen* ha terminado bien; *het verhaal loopt goed af* el cuento tiene un desenlace feliz, la historia termina bien; *het zal nog slecht met je* ~ acabarás muy mal; *het loopt af met de zieke* el enfermo está en las últimas; 5 ~ *op zie: afkomen op*; **aflopend** (*schuin*) inclinado, en pendiente, en declive; *een* ~*e zaak* una cosa que se va terminando
aflosbaar amortizable, reintegrable; **aflossen** 1 (*van iem*) relevar, sustituir; *elkaar* ~ turnarse, alternarse; 2 (*van schuld*) amortizar, reintegrar, saldar; (*van hypotheek*) redimir; (*van obligatie*) reembolsar; **aflossing** 1 (*van schuld*) pago, liquidación *v*; *jaarlijkse* ~ (*bedrag*) anualidad *v*; 2 ~ *van de wacht* relevo de la guardia
afluister|apparaat aparato de escucha; **-apparatuur** equipos *mmv* de escucha y grabación
afluisteren escuchar, sorprender; *de telefoon* ~ interceptar el teléfono, practicar escuchas telefónicas, someter a control el teléfono; *we worden afgeluisterd* hay un micrófono oculto
afmaken 1 (*eindigen*) terminar, acabar (*u.c.*), acabar de (+ *onbep w*); 2 (*afwikkelen*) despachar, arreglar; 3 (*doden*) matar, liquidar; (*pop*) apiolar; *de gevangenen werden afgemaakt* los prisioneros fueron pasados por las armas; 4 *zie: afkraken*; 5 *zich* ~ *van: a*) (*oppervlakkig doen*) hacer superficialmente; *b*) (*zich ontdoen van*) desembarazarse de, quitarse de encima; *zich er met een grapje van* ~ disimular bromeando
afmatten cansar (mucho), fatigar, agotar; **afmattend** cansado, agotador *-ora*
af|melden: *zich* ~ comunicar su salida; **-meren** amarrar

afmeten medir *i*; **afmeting** dimensión *v*, medida; *~en* dimensiones *vmv*, tamaño; *verontrustende ~en aannemen* tomar proporciones alarmantes
afmonsteren desenrolar, despedir *i*
afname venta; *bij ~ van* comprando, para cantidades de
afneembaar desarmable, removible, de quita y pon
afnemen I *tr* **1** (*wegnemen*) quitar; *stof ~* quitar el polvo; **2** (*kopen*) comprar; **3** (*afruimen*) recoger; *de tafel ~* recoger la mesa; **4** (*schoonvegen*) limpiar; **II** *intr* (*minder worden*) disminuir, decrecer, ir cediendo; *de koorts neemt af* baja la fiebre; *de wind neemt af* el viento disminuye, el viento amaina, el viento decae; *~ in kracht* decrecer en intensidad; **afnemer** comprador *m*, cliente *m*
aforisme aforismo
af|pakken arrebatar, quitar (de las manos); **-palen** *zie: afbakenen*
afpersen obtener con amenazas, extorsionar; (*van belofte ook:*) arrancar; (*van geheim*) sacar; **afpersing** extorsión *v*, chantaje *m*
af|pijnigen, zich devanarse los sesos, verse negro; **-plukken** coger; **-poeieren** *zie: afschepen*; **-raden**: *iem iets ~* disuadir a u.p. de u.c.; **-raffelen** chapucear, hacer de prisa y mal; **-raken**: *van de weg ~* salirse del camino
aframmeling paliza; *een ~ geven zie: afranselen*
afranselen apalear, tundir a golpes, moler *ue* a palos
afrastering alambrada
af|reageren desahogarse, descargarse; *zijn boosheid ~ op* desahogar su enfado en; **-reizen I** *intr* (*vertrekken*) salir; **II** *tr* (*van land*) recorrer; *heel wat ~* viajar mucho
afrekenen 1 (*betalen*) pagar; **2** (*vereffenen, ook fig*) ajustar cuentas, arreglar cuentas, liquidar cuentas, saldar cuentas || *~ met een misverstand* acabar con un malentendido; **afrekening** liquidación *v* de cuentas
af|remmen frenar, aplicar los frenos; **-rennen 1** (*van heuvel*) bajar corriendo; **2** *~ op* correr hacia, venir corriendo hacia; **-richten** adiestrar, entrenar; **-rijden I** *tr* **1** (*van weg*) bajar (en coche); **2** (*van land*) recorrer (en coche); **3** (*van paard*) domar; **II** (*examen doen*) hacer el examen de conductor
Afrika Africa; **Afrikaan** africano; **Afrikaans** africano; **Afrikaanse** africana
afrit (rampa de) salida
afroep petición *v* de entrega; *levering op ~* entrega cuando se pida, entrega a (la) demanda; **afroepen** nombrar; *de namen ~* pasar lista
af|rollen 1 (*van trap*) rodar *ue* hacia abajo, bajar rodando; **2** (*afwikkelen*) desenrollar; **-romen** desnatar, descremar
afronden 1 redondear; *naar beneden ~* redondear hacia abajo, redondear por defecto; *naar boven ~* redondear hacia arriba, redondear por exceso; **2** (*van zaak*) despachar, terminar; **3** (*van cursus*) superar, terminar; **afronding 1** *zie: afhandeling*; **2** (*van cursus*) superación *v*
af|ruimen recoger la mesa; **-rukken** arrancar
afschaffen abolir, suprimir, eliminar, anular; (*van wet ook:*) derogar; **afschaffing** abolición *v*, supresión *v*; (*van wet ook:*) derogación *v*
afschaven cepillar, desbastar
afscheid despedida; adiós *m*; *~ nemen* despedirse *i*
afscheiden 1 separar, segregar; **2** (*van vocht*) segregar, secretar; **3** (*chem*) precipitar; **4** *zich ~ van* separarse de; **afscheiding 1** (*het afscheiden*) separación *v*; **2** (*dunne wand*) tabique *m*; **3** (*van gebied*) segregación *v*; (*pol ook:*) secesión *v*; **4** (*van vocht*) secreción *v*
afscheidings|beweging movimiento separatista; **-oorlog** guerra de secesión
afscheids|bezoek visita de despedida; **-kus** beso de despedida
af|schepen despedir *i*, despachar con buenas palabras; (*fam*) mandar a paseo; *zich laten ~* dejarse intimidar, volver *ue* sin resultado; **-scheren** afeitar; **-schermen** proteger, tapar, camuflar; **-scheuren** arrancar, separar; **-schieten 1** (*van wapen*) disparar; **2** (*van raket*) lanzar; **3** (*van ruimte*) poner un tabique; **4** (*doden*) matar a tiros; **5** *~ op* lanzarse sobre, precipitarse sobre; **-schilderen 1** (*uitbeelden*) pintar, describir; **2** (*voltooien*) dar la mano final; **-schilferen 1** (*mbt huid*) despellejarse; **2** (*mbt muur*) desconcharse; **-schrapen** raspar
afschrift copia; *voor ~* por la copia
afschrijven 1 (*bank, giro*) adeudar, cargar; *f 10 ~ van de rekening* cargar la cuenta por 10 fls, cargar en cuenta 10 fls; **2** (*aflossen*) amortizar; **3** (*afzeggen*) cancelar; **4** (*niet meer rekenen op*) ya no contar *ue* con; **afschrijving 1** (*bank, giro; formulier*) adeudo (en cuenta); **2** (*aflossing*) amortización *v*
afschrik: *een ~ hebben van* tener horror de; **afschrikken 1** (*ontmoedigen*) disuadir, desanimar; **2** (*bang maken*) atemorizar, asustar, aterrar; **afschrikkingspolitiek** política de disuasión; **afschrikwekkend** horroroso
af|schrobben fregar *ie*; **-schroeven** destornillar; **-schudden** sacudir; *iem van zich ~* sacudirse a u.p., quitarse de encima a u.p.; **-schuimen** espumar; **-schuiven 1** (*wegschuiven*) apartar, retirar; *het werk op iem ~* descargarse del trabajo en u.p.; *de schuld op een ander ~* descargar la culpa en otro; **2** (*dokken*) pagar, soltar *ue* la mosca; **-schuren** lijar
afschuw asco, horror *m*, repugnancia; abominación *v*, aborrecimiento; *een ~ hebben van* aborrecer, tener asco a; *met ~ vervullen* dar asco, horrorizar; **afschuwelijk** horroroso, repugnante, asqueroso; *het is ~* (*ook:*) es un asco
afslaan I *tr* **1** (*van aanval*) rechazar; **2** (*van aanbod, uitnodiging*) rechazar, rehusar, declinar; *dat sla ik niet af* no digo que no; **3** (*van*

stof, sneeuw) sacudir; 4 (*op veiling*) vender en pública subasta; II *intr* 1 ~ *naar* doblar hacia, tomar por; (*mbt voertuig ook:*) cambiar de dirección; ~ *naar Denia* desviarse *í* hacia Denia; *het* ~ el cambio de dirección; 2 (*mbt motor*) parar; *slaat automatisch af* (*mbt recorder*) con desconexión automática; 3 ~ *van* (*vallen*) caerse de; 4 (*mbt prijs*) bajar; *het brood is afgeslagen* ha bajado el pan
afslachten masacrar
afslag 1 (*van autoweg*) salida, desviación *v*; 2 (*van grond*) erosión *v*; 3 (*prijsverlaging*) rebaja, reducción *v*; 4 (*op veiling*) rebaja; *bij* ~ *verkopen* vender en subasta y a la rebaja
af|slanken adelgazar; **-slijten** desgastar; **-sloven, zich** afanarse, bregar
afsluit|boom barrera; **-dam** (*in stuwmeer*) presa (de contención); **-dijk** dique *m* de cierre
afsluiten 1 cerrar *ie*; *de weg* ~ cerrar el paso; 2 (*op slot doen*) cerrar *ie* con llave; 3 (*van gas, telef*) cortar; (*van stroom ook:*) desconectar; 4 (*omheinen*) cercar; 5 (*van boeken*) cerrar *ie*; *het* ~ *van de boeken* el cierre de los libros; 6 (*van contract*) firmar, cerrar *ie*, concluir, celebrar; 7 (*beëindigen*) terminar, ultimar; **afsluiting** 1 cierre *m*; ~ *met cement* sello de cemento; 2 (*hek*) valla, cerca
afsluit|klep válvula de cierre; **-plaat** cierre *m*, sello (metálico); **-premie**, **-provisie** comisión *v* (de conclusión)
af|smeken implorar; **-snauwen** increpar, reprender duramente, insultar, gritar; **-snijden** 1 cortar; 2 (*een kortere weg nemen*) atajar, tomar por un atajo; **-snoepen**: *iem iets* ~ birlar u.c. a u.p.; **-soppen** fregar *ie*
afspeelapparatuur aparatos *mmv* de reproducción; **afspelen** 1 (*van plaat*) escuchar; 2 (*van wedstrijd*) terminar; 3 *zich* ~ ocurrir, suceder, desarrollarse
af|spiegelen reflejar; **-splitsen** 1 escindir, separar; 2 (*isoleren*) aislar *í*; **-spoelen** lavar, enjuagar
afspraak 1 cita; *een* ~ *maken* (*met elkaar*) citarse, quedar(se); *een* ~ *maken met iem* (*iem laten komen*) citar a u.p.; *een* ~ *hebben* tener una cita, estar citado; *we hebben een* ~ *voor morgen* hemos quedado para mañana; 2 (*overeenkomst*) acuerdo, compromiso; *dat is de* ~ *niet* no es lo convenido; 3 (*bij dokter*) hora; *ik heb een* ~ *bij de dokter* tengo pedida hora al médico; *ik wil graag een* ~ *maken voor morgen* quisiera pedir hora para mañana; *volgens* ~ (*op bord*) horas convenidas
afspreken 1 (*overeenkomen*) convenir, acordar *ue*, quedar(se) en que; *we hebben afgesproken dat* hemos quedado en que; *er werd afgesproken dat* se convino que; *afgesproken!* ¡de acuerdo!; 2 citarse, quedar(se); *we spraken af om 7 uur* nos citamos a las 7; *ik sprak met hem af in een bar* quedé con él en un bar; *het café waar hij afgesproken had* el café donde estaba citado; 3 (*bij dokter*) pedir *i* hora; *hebt u afgesproken?* ¿ha pedido hora?
af|springen 1 ~ *van* saltar de; 2 (*mbt glazuur, vonk, knoop*) saltar, desprenderse; 3 (*afgebroken worden*) interrumpirse, fracasar; 4 (*mbt plan*) cancelarse; ~ *op* abandonarse debido a; **-staan** 1 ceder; 2 (*in gebruik geven*) dejar
afstammeling, **afstammelinge** descendiente *m,v*
afstammen: ~ *van* 1 descender *ie* de; 2 (*mbt woord*) derivarse de; **afstamming** 1 descendencia; 2 (*van woord*) derivación *v*
afstand 1 distancia; (*traject*) etapa, recorrido; *een* ~ *afleggen* cubrir una etapa, hacer un recorrido; ~ *bewaren, op een* ~ *blijven: a*) (*lett*) guardar distancia; *b*) (*fig*) guardar las distancias; *op een* ~ a distancia; *op een* ~ *houden* mantener a distancia; *op geringe afstand van* a escasa distancia de; *op gelijke* ~*en* a intervalos regulares; *van een* ~ de lejos, desde lejos; *lange* ~ *wandelpad* (sendero de) gran recorrido; *kernwapens voor de middellange* ~ armas nucleares de alcance medio; 2 (*het afstaan*) cesión *v*; 3 (*van troon*) abdicación *v*; ~ *doen van de troon* abdicar el trono, abdicar la corona; 4 (*van bezit, recht*) renuncia, abandono; ~ *doen van* ceder, renunciar, desistir de, abandonar; **afstandelijk** indiferente; **afstandelijkheid** indiferencia
afstands|bediening mando a distancia, telemando; **-meter** medidor *m* de distancia; **-onderwijs** educación *v* a distancia, enseñanza a distancia
af|stappen 1 (*van fiets, paard*) bajar(se) (de), apearse (de), desmontar(se) (de); 2 (*van onderwerp*) abandonar, dejar, apearse de; 3 ~ *op* dirigirse a, ir hacia, venir hacia; **-steken** I *tr* 1 (*van grasrand*) cortar; 2 (*van vuurwerk*) quemar; 3 (*van speech*) pronunciar; II *intr* 1 ~ *tegen: a*) (*lett*) destacarse contra, recortarse contra; *b*) (*fig; ook:* ~ *bij*) contrastar con
afstellen ajustar, regular; **afstelling** ajuste *m*, regulación *v*
af|stemmen 1 (*bij stemming*) rechazar; 2 (*op radio*) sintonizar; 3 (*harmoniseren, fig*) armonizar, coordinar, sincronizar; 4 ~ *op* adaptar a; **-stempelen** estampillar, sellar; (*van postzegels*) matar, inutilizar; (*van tramkaart*) sellar, inutilizar; **-sterven** 1 morir *ue, u*; 2 (*mbt lichaamsdeel*) atrofiarse; **-stoffen** limpiar de polvo, quitar el polvo de; **-stompen** I *tr* embotar, entorpecer; II *intr* embotarse, entorpecerse
afstoten 1 (*afweren*) rechazar, repeler; 2 (*tegenstaan*) repeler, repugnar; 3 (*zich ontdoen van*) deshacerse de; **afstotend** repelente; (*fig ook:*) repugnante
afstraffen castigar; **afstraffing** castigo
af|strijken 1 (*van lucifer*) rascar, frotar; 2 (*van maat*) rasar; *een afgestreken eetlepel* una cucharada rasa; **-stropen** 1 (*van vel*) desollar *ue*; 2 (*van land*) saquear; 3 (*doorzoeken, fig*) registrar; **-studeren** acabar los estudios; (*aan univ*) licenciarse, graduarse *ú*; **-stuiten** 1 rebo-

tar; 2 ~ *op* fracasar a causa de; *het plan is afgestuit op de kosten* tuvo que abandonarse el proyecto debido a los gastos; **-stuiven**: ~ *op* precipitarse hacia

aftakelen I *tr* desaparejar; II *intr* 1 ir de capa caída, decaer; 2 (*oud worden*) envejecer; **aftakeling** (*fig*) decaimiento

aftakken separarse; **aftakking** bifurcación *v*, ramificación *v*, ramal *m*

aftands 1 desvencijado; 2 (*mbt persoon*) decrépito

af|tappen 1 (*van bloed*) extraer; 2 (*van water, wijn*) sacar; 3 (*van telef*) someter a control, interceptar; 4 (*van elektr*) derivar, sustraer; **-tasten** tentar *ie*; (*fig ook:*) explorar; **-tekenen** 1 (*van contouren*) marcar, trazar, delimitar; 2 (*voor gezien*) visar; 3 (*voor ontvangst*) firmar la recepción; 4 *zich* ~ *tegen* destacarse contra, recortarse contra; **-tellen** I *ww* 1 ir contando; 2 (*achteruit*) contar *ue* hacia atrás; II *zn* 1 cuenta; 2 (*achteruit*) cuenta atrás; **-tobben, zich** (*zwoegen*) 1 agotarse; 2 (*piekeren*) atormentarse

aftocht retirada; *de* ~ *blazen* batirse en retirada; *stille* ~ desaparición *v* por el foro

aftoppen (*fig*) recortar; **aftopping** recorte *m*

aftrap (*sp*) saque *m* (del centro); **aftrappen** 1 (*sp*) hacer el saque (del centro); 2 (*van schoenen*) desgastar; *afgetrapte schoenen* zapatos desgastados

aftreden I *ww* dimitir, renunciar, retirarse, presentar su dimisión; II *zn* dimisión *v*, renuncia; **aftredend** saliente; (*mbt minister*) dimisionario

aftrek 1 (*korting*) deducción *v*, descuento, reducción *v*; *met* ~ *van preventieve hechtenis* con abono de prisión preventiva; *na* ~ *van 2%* previa deducción del 2%; *na* ~ *van de kosten* deducidos los gastos; *onder* ~ *van* con deducción de, deduciendo; 2 (*verkoop*) venta, salida, aceptación *v*; *weinig* ~ *hebben* tener poca salida, venderse poco, tener poca aceptación; **aftrekbaar** deducible, descontable; ~ *zijn voor de belasting* reducir impuestos; **aftrekken** 1 (*verwijderen*) quitar, apartar; *zijn handen* ~ *van: a*) (*iem*) desamparar; *b*) (*iets*) abandonar; 2 (*wisk*) restar, sustraer; 3 (*van kosten*) deducir; 4 *zich* ~ (*pop*) hacerse una paja, masturbarse; **aftrekking** 1 (*wisk*) resta, sustracción *v*; 2 (*van kosten*) deducción *v*; **aftrekpost** cantidad *v* en menos, deducción *v*, carga deducible; **aftreksel** 1 infusión *v*; 2 (*fig*) remedo, imitación *v*; **aftreksom** *zie: aftrekking*

af|troeven 1 fallar; 2 (*fig*) marcar un tanto a costa de u.p.; **-troggelen**: *iem iets* ~ sonsacar u.c. a u.p., conseguir *i* con habilidad u.c. de u.p.; **-tuigen** 1 (*van paard, schip*) desaparejar; 2 (*slaan*) pegar, golpear duramente, dar una paliza

afvaardigen delegar, comisionar, diputar; **afvaardiging** delegación *v*, diputación *v*

afvaart salida

afval 1 desperdicios *mmv*, basura, desechos *mmv*, residuos *mmv*; 2 (*bij slacht*) despojos *mmv*

afvallen 1 caer, desprenderse, desgajarse; *van de trap* ~ caer escaleras abajo; 2 (*sp*) abandonar (la partida), quedar eliminado; 3 (*vermageren*) adelgazar, perder *ie* peso; 4 ~ *van* (*afvallig worden*) renegar *ie*, desertar de, apostatar de || *iem* ~ fallar a u.p.; **afvallig** 1 desleal, traidor *-ora*, infiel; 2 (*godsd*) apóstata; ~ *worden zie: afvallen*

afval|produkt subproducto, producto residual; **-race** carrera eliminatoria; **-stoffen** residuos *mmv*, desechos *mmv*; **-verwerking** aprovechamiento residual; **-water** aguas *vmv* residuales, aguas negras; **-wedstrijd** eliminatoria, partido eliminatorio

af|varen salir, zarpar; **-vegen** (*met doek*) limpiar (con un paño); (*met de hand*) limpiar (con la mano); **-vijlen** limar; **-vlakken** nivelar, allanar; **-vliegen** 1 *zie: afwaaien*; 2 ~ *op* precipitarse hacia

afvloeien ser despedido; **afvloeiing** 1 (*ontslag*) despido, reducción *v* de plantillas; 2 (*van kapitaal*) salida; **afvloeiingsregeling** (*vglbaar:*) plan *m* social

afvoer 1 transporte *m*, traslado; 2 (*het afvoeren*) drenaje *m*, evacuación *v*, descarga; 3 (*buis voor water*) desagüe *m*; **afvoerbuis** 1 (*voor water*) tubo de desagüe; 2 (*voor lucht*) tubo de evacuación; **afvoeren** 1 transportar, trasladar; 2 (*van lucht, warmte*) eliminar, evacuar, expulsar; 3 (*schrappen*) borrar, tachar, dar de baja; **afvoerkanaal** canal *m* de descarga

af|vragen, zich preguntarse; *dat vraag ik mij ook af* eso mismo me pregunto yo; **-vuren** disparar; **-waaien** volarse *ue*; *zijn hoed woei af* se le voló el sombrero

afwachten I *tr* esperar, aguardar; II *intr* esperar, dar tiempo al tiempo; *we moeten* ~ hay que dar tiempo al tiempo; **afwachtend** expectante; **afwachting**: *in* ~ *van* en espera de, pendiente de

afwas: *de* ~ *doen zie: afwassen; de* ~ *staat er nog* los platos sucios siguen allí; **afwasbaar** lavable; *zeer goed* ~ de extraordinaria lavabilidad; **afwasmachine** lavavajillas *m*; **afwasmiddel** detergente *m*; **afwassen** fregar *ie* los platos

afwateren desaguar, drenar; **afwatering** desagüe *m*, drenaje *m*

afwaterings|buis tubo de desagüe; **-kanaal** canal *m* de drenaje

afweer defensa; **afweergeschut** artillería antiaérea; **afweerhouding** actitud *v* defensiva

afwegen 1 pesar; 2 (*fig*) sopesar, medir *i*; *de voor- en nadelen* ~ medir las ventajas e inconvenientes; **afweging** consideración *v*, ponderación *v*

af|wenden 1 (*van gevaar*) desviar *í*, apartar; 2

(*van gezicht*) volver *ue*; *zijn ogen* ~ apartar la vista; **-wennen**: *iem iets* ~ desacostumbrar a u.p. de u.c.; *zich* ~ perder *ie* la costumbre de, desacostumbrarse de, deshabituarse *ú* de; **-wentelen**: *de schuld op iem* ~ cargar la culpa a u.p.; **-weren** 1 (*van aanval*) rechazar, repeler; 2 (*van klap*) parar, desviar *í*
afwerken terminar, acabar; **afwerking** acabado, terminación *v*
af|werpen tirar, arrojar; *vruchten* ~ producir frutos; **-weten** saber; *niets* ~ *van* no saber nada de, ignorar, no tener noticias de || *het laten* ~: *a*) (*niet komen*) no acudir, no ir, faltar; *b*) (*niets doen*) no participar, no hacer nada
afwezig ausente; (*verstrooid ook*:) distraído; **afwezige** ausente *m,v*; **afwezigheid** ausencia; *bij* ~ *van* en ausencia de, estando ausente(s), en defecto de; *schitteren door* ~ brillar por su ausencia
afwijken apartarse, divergir, desviarse *í*; (*fig ook*:) discrepar; **afwijkend** diferente, divergente; (*fig ook*:) discrepante, anormal, irregular; **afwijking** 1 desviación *v*, diferencia, apartamiento, divergencia; *in* ~ *van* a diferencia de; 2 (*op kompas*) declinación *v*; 3 (*van regel*) irregularidad *v*, anomalía; 4 (*astron*) aberración *v*; 5 (*med*) anomalía
afwijzen 1 (*van iem, iets*) rechazar; (*van aanbod*) declinar, rechazar; (*van verzoek*) denegar *ie*, desestimar; 2 (*bij examen*) suspender; *hij is afgewezen* le han suspendido, ha quedado suspenso; **afwijzend** negativo; ~ *staan tegenover* ser contrario a; **afwijzing** rechazo, denegación *v*, negativa
afwikkelen 1 desenrollar; 2 (*fig*) liquidar, tramitar, despachar, gestionar; **afwikkeling** (*fig*) liquidación *v*, tramitación *v*, despacho
afwinden desenrollar
afwisselen I *tr* 1 (*van twee dingen*) alternar; *elkaar* ~ alternarse, turnarse; 2 (*variëren*) variar *í*; II *intr* alternar; *de wolken wisselen af met zon* las nubes alternan con el sol; **afwisselend** I *bn* 1 (*om en om*) alterno; 2 variado; ~ *werk* trabajo variado; II *bw* alternativamente; **afwisseling** 1 (*opeenvolging*) alternancia; 2 (*verandering*) cambio, variación *v*; *voor de* ~ para variar, por variar
afzakken I *intr* 1 (*mbt kleren*) caerse; *zijn broek zakt wat af* los pantalones se le caen un poco; *een ~de broek* pantalones *mmv* caídos; 2 (*achteruitgaan*) decaer, desmejorar; II *tr* (*van rivier*) navegar río abajo; **afzakkertje** última copa, la del estribo
afzeggen I *tr* 1 (*van afspraak*) cancelar, anular; 2 (*van uitnodiging*) declinar; *ik heb afgezegd* me he disculpado; 3 (*van bezoeker*) anular la invitación; 4 (*van krant*) darse de baja en (el abono); II *intr* disculparse
afzender remitente *m,v*, expedidor, -ora
afzet venta, salida; **afzetgebied** mercado (de consumo); **afzetmogelijkheid** posibilidad *v* de venta
afzetten 1 (*van hoed*) quitar(se); 2 (*van arm*) amputar; 3 (*van radio, motor*) parar, desconectar; 4 (*afduwen*) empujar; 5 (*omheinen*) cercar; 6 (*van straat*) cerrar *ie*; 7 (*uit voertuig*) dejar; 8 (*ontslaan*) despedir *i*, destituir; (*van koning*) destronar; (*van president*) deponer; 9 (*verkopen*) vender; 10 (*bedriegen*) timar; *iem iets* ~ sacar u.c. a u.p. (con trampas); 11 ~ *met* orlar de; *met bont* ~ orlar de piel; 12 *zich* ~ (*mbt slik, kalk*) depositarse, adherirse *ie, i*; 13 *zich* ~ *tegen* (*fig*) rebelarse contra; 14 *van zich* ~ (*fig*) dar de lado; **afzetter** estafador *m*, timador *m*; **afzetterij** estafa, timo, engaño; **afzetting** 1 (*van arm*) amputación *v*; 2 (*uit ambt*) destitución *v* (del cargo); 3 (*barrière*) barrera, cordón *m*; 4 (*van kalk, steen*) incrustación *v*; 5 (*van slib*) sedimento
afzichtelijk feísimo, horroroso
afzien: ~ *van* desistir de, prescindir de, renunciar (a); *afgezien van* aparte de, al margen de; **afzienbaar**: *binnen -bare tijd* en un futuro próximo, en breve, dentro de poco
afzijdig ajeno; *zich* ~ *houden van* mantenerse al margen de, permanecer ajeno a
afzoeken registrar
afzonderen separar, aislar *í*, poner aparte; *zich* ~ aislarse *í*; *afgezonderd* remoto, aislado, separado; **afzondering** separación *v*, aislamiento; *in* ~ *leven* vivir retirado; **afzonderlijk** I *bn* 1 (*gescheiden*) separado; 2 (*individueel*) particular, individual; II *bw* por separado, aparte, individualmente
afzuigkap campana extractora, campana de humos
af|zwaaien salir de la mili; **-zwemmen** hacer el examen de natación; **-zweren** 1 (*van geloof*) abjurar; 2 (*zweren iets niet meer te doen*) jurar renunciar a
agaat ágata
agave agave *v*, pita, maguey *m*
agenda 1 (*boekje*) agenda; 2 (*voor vergadering*) orden *m* del día; *op de* ~ *plaatsen* incluir en el orden del día, agendar; *op de* ~ *staan* figurar en el orden del día; **agendapunt** punto del orden del día; **agenderen** agendar
agent, **agente** agente *m,v*; (*van politie ook*:) guardia *m,v*, policía *m,v*; **agentschap** agencia; (*bijkantoor*) sucursal *v*
ageren: ~ *tegen* hacer una campaña contra
agglomeraat aglomerado; **agglomeratie** aglomeración *v*; *stedelijke* ~ aglomeración urbana
aggregaat grupo electrógeno, moto-generador *m*
agitatie agitación *v*, excitación *v*; **agitator** agitador *m*
agrariër agrario; **agrarisch** agrario, agrícola
agressie agresión *v*; **agressief** agresivo; **agressiviteit** agresividad *v*, acometividad *v*
ahorn arce *m*
a.h.w. *als het ware* como si fuera
AIDS SIDA *m*, síndrome *m* de inmunodeficiencia adquirida

aio asistente *m,v* universitario
air aire *m*; (*opschepperig*) ínfulas *vmv*; *zich een ~ geven* darse aire, darse tono
airconditioned climatizado; **airconditioning** aire *m* acondicionado, climatización *v*
ajakkes ¡qué asco!
akelig desagradable, triste; *zich ~ voelen* sentirse *ie, i* mal; *ik word er ~ van* me pone malo; *~ vriendelijk* almibarado, empalagoso
akkefietje faena
akker campo; **akkerbouw** agricultura; **akkerland** tierra laborable; **akkertje**: *op zijn dooie ~* sin prisa
akkoord I *zn* 1 acuerdo, arreglo, convenio; *het op een ~je gooien met* llegar a un acuerdo con; 2 (*muz*) acorde *m*; II *bn*: *~ gaan, zijn met* estar de acuerdo con, estar conforme con; *voor ~ tekenen* poner el conforme; *~!* ¡de acuerdo!, ¡trato hecho!
akoestiek acústica; (*van een zaal ook:*) condiciones *vmv* acústicas
akte acta, escritura, instrumento; *~ van bekwaamheid* certificado de aptitud; *~ van overlijden* partida de defunción; *notariële ~* acta notarial; *onderhandse ~* escritura privada; *openbare ~* escritura pública; **aktentas** cartera
al I *telw, onbep vnw, zn* todo; *~len die* todos los que; *~le docenten* todos los profesores; *~le drie* (todos) los tres; *~ het mogelijke* (todo) lo posible; *~ wat* todo lo que, cuanto; *en wat niet ~* y todo, y muchísimo más; *~ het werk* todo el trabajo; *geheel en ~* completamente; *~ met ~* con todo; *met dat ~* aun así; *we deden het met ons ~len* lo hicimos entre todos; *te ~len tijde* a todo momento; II *bw* 1 ya; *morgen ~* mañana mismo; *nu ~?* ¿ahora ya?; *jij ook ~?* ¿hasta tú?; *~ lang* desde hace mucho tiempo; *hij is er ~ lang* hace mucho tiempo que está; *hoe lang ben je er ~?* ¿cuánto tiempo llevas aquí?; *ik ben ~ klaar* ya estoy listo, ya he terminado; *daar heb je het ~!* ¿ves? ya está; *is hij er ~?* ¿ha llegado ya?; *hij is ~ een week ziek* lleva enfermo una semana; *ik wacht ~ meer dan een uur* llevo esperando más de una hora; 2 *~ te* demasiado; *je weet maar ~ te goed* demasiado sabes; *niet ~ te schoon* no muy limpio; 3 (*wel*) *~ of niet* sí o no; *~ of niet met ...* con ... o no; *was het ~ of niet expres?* ¿fue o no intencionado? || *het wordt ~ erger* se hace cada vez peor; *dat is ~ heel verdrietig* efectivamente es muy triste; *~ zingend* cantando; III *vw* aunque; *~ was ik rijk* aunque fuera rico; *~ is hij nog zo arm* por (más) pobre que sea
alarm alarma; *~ tegen inbraak* alarma antirrobo; *~ slaan* dar la (voz de) alarma; *vals ~* falsa alarma; **alarmeren** alarmar; **alarmerend** alarmante; **alarmtoestand** estado de alerta
albast alabastro
albatros albatros *m*
albino àlbino, -a
album álbum *m*
alchemie alquimia
alcohol alcohol *m*; **alcoholgehalte** graduación *v* alcohólica; **alcoholisch** alcohólico; **alcoholisme** alcoholismo; **alcoholist**, **alcoholiste** alcohólico, -a; **alcoholvergiftiging** alcoholización *v*; **alcoholvrij** sin alcohol, no alcohólico
aldaar allí
aldoor continuamente, sin cesar; *hij huilt ~* no hace más que llorar; y él, llora que llora
aldus 1 así, de esa manera; 2 (*als volgt*) como sigue
alert alerta; *~ zijn* estar alerta
alexandrijn alejandrino
alfa 1 (*letter*) alfa *v*; *de ~ en de omega* el alfa y la omega; 2 (*scholier, vglbaar:*) estudiante *m,v* de letras; *de ~-faculteiten* las facultades de teología, derecho, historia, filosofía y letras;
alfabet alfabeto; **alfabetisch** alfabético; *in ~e volgorde* por orden alfabético
alge alga
algebra álgebra; **algebraïsch** algebraico
algeheel I *bn* total, completo, entero; II *bw* totalmente, completamente, por completo
algemeen I *bn* 1 general, universal; *in -mene zin* en sentido general; 2 (*gewoon*) común; *een heel -mene opvatting* una idea muy común; 3 (*openbaar*) público; *het ~ belang* el interés público; 4 *met -mene stemmen* unánimamente; II *bw* en general, por lo general, generalmente, comúnmente; *~ in gebruik* de uso corriente; *~ wordt aangenomen* está comúnmente aceptado; *het is ~ bekend* es universalmente conocido, todo el mundo lo sabe; III *zn*: *in het ~* en general; *zie ook: II*; *in het ~ gesproken* (hablando) en términos generales; **algemeenheid** generalidad *v*
Algerije Algeria; **Algerijns** argelino
alhier aquí
alhoewel aunque
alias alias
alibi coartada, alibí *m*
alimentatie (pensión *v* de) alimentos *mmv*; **alimentatieplicht** obligación *v* alimenticia
alinea párrafo
alkali álcali *m*
alle *zie: al I*; **allebei** los dos, ambos; *de antwoorden zijn ~ goed* las dos respuestas son correctas
alledaags común, trivial; (*onbeduidend*) anodino; **alledag**: *van ~* diario, cotidiano, de todos los días
alleen I *bn* solo; II *bw* sólo, solamente; *niet ~ ...maar ook* no sólo ...sino también; *het idee ~ al* la mera idea; *~ maar om weg te komen uit het ouderlijk huis* con tal de huir de la casa paterna; *hij voelt ~ maar haat* sólo siente odio, no siente sino odio; *~ de datum moet nog worden bepaald* ya no queda sino fijar la fecha; *jij denkt ~ maar aan slapen* tú no piensas más que en dormir; *een aardige man, ~ wat heftig* un hombre simpático, sólo que un poco violento

alleen|heerschappij poder *m* absoluto, autocracia; **-heerser** autócrata *m*; **-recht** derecho exclusivo, monopolio, exclusiva; **-staand** 1 (*mbt huis*) aislado; 2 (*zonder familie*) solo; (*ongetrouwd*) soltero; **-staande** persona que vive independientemente; *de ~n* (*de ongehuwden*) la soltería; **-verdiener** perceptor *m* único de renta; **-vertegenwoordiging** representación *v* exclusiva, exclusividad *v*

allegaartje mezcla, mezcolanza

allegorie alegoría; **allegorisch** alegórico

allegro alegro

allehens: *~ aan dek!* ¡toda la tripulación a cubierta!

allemaal todos, -as; *dat is ~ onzin* todo eso son tonterías

allemachtig I *bw* terriblemente, extremamente; II *tw* (*wel*) *~!* ¡válgame Dios!, ¡por Dios!

alleman: *Jan en ~* todo el mundo; **allen** todos, -as

allengs poco a poco, paulatinamente, gradualmente

aller|aardigst simpatiquísimo, muy atractivo; (*om te zien*) monísimo; **-best** mejor; *de ~e* el mejor de todos; *het ~e!* ¡que te vaya bien!; **-eerst** primero, antes que nada, lo primero de todo

allergie alergia; **allergisch** alérgico

aller|hande *zie: allerlei*; **-heiligen** Todos los Santos; **-hoogst** el más alto, supremo; *van het ~e belang* de extrema importancia; **-ijl**: *in ~* a toda prisa; **-laatst** último; *op zijn ~* a más tardar; *tot het ~* hasta el último momento

aller|lei toda clase de, todo tipo de; **-liefst** I *bn* el más querido, el más encantador; II *bw het ~ zou ik* lo que más me gustaría es; **-minst** *bw* de ninguna manera, en absoluto; *op zijn ~* (por) lo menos, al menos; *het ~e* lo menos; *dat is wel het ~e wat je kunt doen* es lo menos que puedes hacer; **-nieuwst**: *het ~e* lo último; **-zielen** Día *m* de (los) Difuntos

alles todo; *~ wat* todo lo que, cuanto; *hij gaf mij ~ wat hij had* me dio cuanto tenía; *dat is ~* eso es todo; *is dat ~?* ¿es todo?, ¿nada más?; *dat is nog niet ~* hay algo más, hay otra cosa; *~ op ~ zetten* (*om*) jugar *ue* el todo por el todo (para), poner todos sus empeños (en); *van ~* de todo; *van ~ wat* de todo un poco; *voor ~* ante todo, en primer lugar, primero; **allesbehalve** nada, en absoluto, ni mucho menos; *hij is ~ dom* no es nada tonto, no es tonto ni mucho menos; **allesreiniger** limpiatodo; **alleszins** en todos los aspectos, de todo punto, absolutamente

alliantie alianza

allicht (muy) probablemente; (*natuurlijk*) claro (que); *je kunt het ~ proberen* no cuesta nada probarlo; *~!* ¡claro!

alligator aligátor *m*

alliteratie aliteración *v*

allooi: *van laag ~* de baja ralea, de mala calaña

all-riskverzekering seguro a todo riesgo

all-round completo

allure aire *m*; *hij gedraagt zich met de ~ van een kunstenaar* se da aires de artista; *een politicus van ~* un político de categoría

alluviaal aluvial; **alluvium** aluvión *m*

almacht omnipotencia; **almachtig** omnipotente, todopoderoso

almanak almanaque *m*; (*jaarboek*) anuario

alom en todas partes; (*deftig:*) por doquier; *het is ~ bekend* es de todos sabido; **alomtegenwoordig** omnipresente; **alomvattend** omnímodo, universal

aloud antiguo, tradicional, consagrado

Alpen: *de ~* Los Alpes

alpen|gloeien *zn* rosicler *m* alpino; **-hut** refugio de montaña

alpinisme alpinismo; **alpinist**, **alpiniste** alpinista *m,v*, montañero, -a

alpino boina

als 1 (*zoals*) como; *het is ~ nieuw* está como nuevo; *wit ~ sneeuw* blanco como la nieve; *even groot ~* tan grande como; *~ volgt* como sigue; *hetzelfde ~ ik* lo mismo que yo; 2 (*in de kwaliteit van*) como, en calidad de; *~ moeder* como madre; *u, ~ voorzitter* Ud., en su calidad de presidente; 3 (*in de rol van*) en; *met Callas als Carmen* con la Callas en Carmen; (*gekleed als*) de; *zijn vader ~ officier* su padre de oficial; 4 (*tijd*) si, cuando; (*altijd*) *~ hij kwam* si venía; 5 (*indien*) si; *~ die er zijn* si los hay; *~ je me niet geholpen had* si no me hubieras ayudado; *en ~ hij het nu eens wist?* y ¿si lo supiera?; *~ mijn vader leefde* de vivir mi padre; *~ ik jou was* yo que tú; *~ er maar niets gebeurd is* con tal de que no haya pasado nada || *~ het ware* como si fuera

alsjeblieft 1 (*in vraag*) por favor; 2 (*bij aangeven*) toma, aquí tienes

als|mede y también, y además, lo mismo que, como igualmente, así como; **-nog** aún

alsof como si (*gevolgd door subj*), como que (*gevolgd door indic*); *~ hij wou zeggen* como si quisiera decir, como queriendo decir; *~ hij het niet begreep* como que no lo comprendía; *doen ~* fingir

alstublieft 1 (*in vraag*) por favor; 2 (*bij aangeven*) tenga (Ud.), tome (Ud.), aquí tiene

alt contralto; alto

altaar altar *m*

alternatief I *bn* 1 alternativo; 2 (*modern*) progre, de la movida; II *zn* opción *v*, variante *v*, alternativa

althans por lo menos, cuando menos, al menos

althobo corno inglés

altijd siempre; *voor ~* para siempre

altruïsme altruismo

alt|saxofoon saxófono alto; **-viool** viola

aluin alumbre *m*

aluminium aluminio; **aluminiumfolie** aluminio doméstico, hoja de aluminio, papel *m* de aluminio

alvast entretanto, por de pronto; *je kunt ~ beginnen* ya puedes ir comenzando
alvleesklier páncreas *m*
alvorens antes de; *~ te beginnen* antes de comenzar
alwaar donde; (*overal waar*) dondequiera
alweer otra vez
alwetend omnisciente; **alwetendheid** omnisciencia
amandel 1 almendra; 2 (*med*) amígdala; **amandelboom** almendro
amanuensis preparador, -ora
amateur aficionado, -a; **amateuristisch** poco profesional; **amateursport** amateurismo
amazone amazona
Amazone: *de ~* el (río) Amazonas
ambacht 1 (*beroep*) oficio (manual); 2 (*handwerk*) artesanía; **ambachtelijk** artesanal; **ambachtsman** artesano
ambassade embajada; **ambassadeur**, **ambassadrice** embajador, -ora
amber ámbar *m*
ambiëren aspirar a; **ambitie** ambición *v*, deseo de superación; *~ om* aspiración *v* de; **ambitieus** ambicioso
ambt cargo (público), puesto; **ambtelijk** oficial, administrativo; **ambtenaar** funcionario (público), empleado público; *~ van de Burgerlijke Stand* encargado del Registro Civil; *hoge ~* alto cargo (del Gobierno); **ambtenarenapparaat** aparato administrativo; **ambtenarenkorps** funcionariado; **ambtenares** funcionaria (pública), empleada pública; **ambtenarij** burocracia; **ambtgenoot**, **ambtgenote** colega *m,v*
ambts|aanvaarding toma de posesión, entrada en funciones; **-bericht** oficio; *een ~ doen uitgaan* librar oficio; **-bezigheden** funciones *vmv*; **-eed** juramento profesional, juramento de cargo; (*van hoge ambtenaar*) jura del cargo; **-gebied** distrito; (*jur*) jurisdicción *v*; **-geheim** secreto profesional; **-gewaad** (*jur, univ*) toga, traje *m* de ceremonia; **-halve** por razón de su cargo, de oficio; **-misbruik** prevaricación *v*; **-periode**, **-termijn** período del cargo, mandato, duración *v* del cargo; **-woning** residencia oficial
ambulance ambulancia; **ambulancier** ambulanciero
ambulant ambulante
amechtig sin aliento, jadeante
amen I *tw* amén; II *zn* amén *m*; *op alles ja en ~ zeggen* decir a todo amén
amendement enmienda; **amenderen** enmendar *ie*
Amerika América; (*Noord-Amerika*) Norteamérica, Estados *mmv* Unidos; **Amerikaans** norteamericano, estadounidense
amethist amatista
ameublement mobiliario, muebles *mmv*
amfibie anfibio; **amfibievoertuig** vehículo anfibio
amfitheater anfiteatro
amicaal amistoso
ammoniak amoníaco
ammunitie *zie: munitie*
amnestie amnistía; *~ verlenen* amnistiar *í*; *hem is ~ verleend* ha sido amnistiado
amoebe ameba
amoreel amoral
amorf amorfo
amoveren derribar
ampel amplio
amper apenas
ampère amperio; **ampèremeter** amperímetro
ampul ampolla
amputatie amputación *v*; **amputeren** amputar
amulet amuleto, talismán *m*
amusant divertido, entretenido
amusement diversión *v*, distracción *v*; **amusementsorkest** orquesta de música ligera; **amuseren** divertir *ie, i*, entretener; *zich ~* divertirse *ie, i*; *amuseer je!* ¡que te diviertas!
anaal anal
anachronisme anacronismo
anagram anagrama *m*
analfabeet analfabeto, -a; **analfabetisme** analfabetismo
analist, **analiste** analista *m,v*, químico industrial, química industrial
analogie analogía; *naar ~ van* por analogía de; **analoog** análogo, analógico
analyse análisis *m*; **analyseren** analizar; **analytisch** analítico
ananas piña, ananás *m*
anarchie anarquía; **anarchist**, **anarchiste** anarquista *m,v*
anatomie anatomía; **anatomisch** anatómico; **anatoom** anatomista *m,v*
anciënniteit antigüedad *v*; *naar ~* por orden de antigüedad
Andalusië Andalucía; **Andalusisch** andaluz *-uza*
ander I *bn* otro; *een ~e dag, een ~e keer* otro día; *een ~e jas* otro abrigo; *ik voel me een ~ mens* me siento otro, me siento como nuevo; *een heel ~e man dan mijn vader* un hombre muy diferente de mi padre; *een ~e trein dan hij gezegd had* un tren distinto del que había dicho; *om de ~e dag* cada dos días, un día sí y otro no; II *zn* otro; *een ~* otro, otra persona; *dat zijn weer ~en* son otros; *onder ~e* (*zaken*) entre otras cosas; *onder ~en* (*personen*) entre otros
ander|half uno y medio; *~ uur* hora y media; *~ jaar* año y medio; **-maal** otra vez, por segunda vez; **-mans** ajeno, de otro, de otro(s)
anders I *bw* 1 si no; *wie ~ dan jij?* ¿quién si no tú?; *niemand ~ dan hij* nadie si no él; *~ nog iets?* ¿algo más?; *~ niets?* ¿nada más?; *wat kon ik ~ doen?* ¿qué otra cosa pude hacer?; *als het ~ niet is* si no es más que eso; 2 (*zo niet*) si no; *want ~ …* porque si no …, porque de lo con-

trario ...; 3 (*op andere wijze*) de otro modo, de otra manera, de manera distinta; ~ *gezegd* dicho de otra manera; ~ *dan zijn vriend* en diferencia de su amigo; *het gaat ~ dan ik dacht* se hace de modo distinto de lo que creía; *alles is heel ~ uitgekomen* todo ha salido de manera muy distinta; *ik kan niet ~* no puedo hacer otra cosa, no tengo más remedio; *niemand noemde hem ~ dan Pepe* nadie le llamaba si no Pepe; 4 (*op andere tijd*) otras veces; *net als ~* como siempre; *niet zo vaak als ~* con menos frecuencia que antes; ~ *doe ik er altijd suiker in* otras veces siempre le pongo azúcar; 5 (*overigens*) por lo demás; *het is ~ geen gek idee* por lo demás no es mala idea; II *bn* otro, diferente, distinto; *ergens ~* en otro lado, en otro sitio; *hij is ~ dan ik me voorstelde* es distinto de como me lo imaginaba; *omdat zij ~ zijn dan hij* porque no son como él; *beter dan iemand ~* mejor que nadie

andersdenkenden personas que piensan de otro modo

andersom al revés, a la inversa; *het zou ~ moeten zijn* debería ser al revés; *nu is het ~* ahora es al revés, ahora pasa lo contrario

anderzijds por otro lado, por otra parte; *enerzijds ..., ~ ...* de una parte ..., de otra ...

Andes: *de ~* los Andes

andijvie achicoria, escarola

anekdote anécdota

anemoon anemona

anesthesie anestesia; **anesthesist**, **anesthesiste** anestesista *m,v*

angel aguijón *m*

Angelsaksisch anglosajón *-ona*

angina angina; *~ pectoris* angina de pecho

angora|kat gato de Angora, angora *m,v*; **-wol** angora

angst temor *m*, miedo; (*beklemming*) angustia, congoja; *uit ~ voor* por miedo a; ~ *aanjagen* meter miedo a, atemorizar, asustar; **angstaanjagend** aterrador *-ora*, amedrentador *-ora*, terrorífico; **angstig 1** (*mbt persoon*) temeroso, miedoso, asustado, atemorizado; *ik ben ~* tengo miedo; 2 (mbt toestand) angustioso; *een ~ moment* un momento angustioso, un momento de angustia; **angstkreet** grito de terror; **angstvallig** (*nauwgezet*) escrupuloso, meticuloso, concienzudo; (*beschroomd*) tímido, apocado; **angstwekkend** *zie: angstaanjagend*; **angstzweet** sudor *m* de agonía

anijs anís *m*

animeermeisje alternadora; **animeren** animar, estimular; *geanimeerd* animado

animo entusiasmo; **animositeit** animosidad *v*

anjelier, **anjer** clavel *m*

anker 1 (*van schip*) ancla; *het ~ lichten* levantar anclas, zarpar; *voor ~ gaan* echar el ancla, fondear; *voor ~ liggen* estar surto, estar fondeado; 2 (*van horloge*) áncora; 3 (*van muur*) gatillo; 4 (*van magneet*) armadura; **ankeren** anclar, fondear

anker|ketting cadena (del ancla); **-plaats** fondeadero, ancladero; **-spil** molinete *m*

annalen anales *mmv*

annex anexo, anejo; **annexatie** anexión *v*; **annexeren** anexionar, anexar

anno en el año

annonce *zie: advertentie*

annotatie anotación *v*

annuïteit anualidad *v* (fija)

annuleren cancelar, anular, dejar sin efecto

anode ánodo

anoniem anónimo; ~ *blijven* permanecer en el anónimo, guardar el anonimato; *een ~e brief* un anónimo; **anonimiteit** anónimo, anonimato

anorganisch inorgánico

ansichtkaart (tarjeta) postal *v*

ansjovis anchoa

antagonistisch antagónico

antarctisch antártico

antecedent antecedente *m*

antenne antena; *gemeenschappelijke ~* antena colectiva; **antennemast** mástil *m* de antena, torre *v* de antena

anthraciet antracita

anthropologie antropología; **anthropoloog** antropólogo

anti- anti-; *ik ben anti* estoy contra

anti-aanbaklaag: *met ~* antiadherente

anticiperen (*op*) anticiparse (a)

anticonceptie anticoncepción *v*, contraconcepción *v*; **anticonceptiemiddel** anticonceptional *m*, anticonceptivo, contra(con)ceptivo

anticycloon anticiclón *m*

antiek I *bn* antiguo; II *zn* antigüedades *vmv*; **antiekzaak** tienda de antigüedades

antiheld antihéroe *m*

Antillen: *de Nederlandse ~* las Antillas neerlandesas; **Antilliaans** antillano

antilope antílope *m*

antimilitaristisch antimilitarista

antipathie antipatía, animadversión *v*; **antipathiek** antipático

antiquair anticuario; **antiquariaat** librería de viejo, librería de lance

antisemiet antisemita *m,v*; **antisemitisch** antisemita; **antisemitisme** antisemitismo

anti|septisch antiséptico; **-slip** antideslizante; **-stof** (*med*) anticuerpo; **-vries** anticongelante *m*

antwoord contestación *v*, respuesta; ~ *op een ~* réplica; *het ~ schuldig blijven* no saber qué contestar; *met betaald ~* con respuesta pagada; *in ~ op* contestando a, en contestación a; *in afwachting van uw ~* en espera de su respuesta; *ten ~ geven* responder, contestar; *uit uw ~ maak ik op* de su contestación infiero

antwoord|apparaat contestador *m* automático; **-coupon** cupón *m* respuesta

antwoorden (*op*) contestar (a), responder (a); *~ op een antwoord* replicar; *dat is geen manier van ~* no es manera de contestar

anus ano
ANWB Real Touring Club *m* de los Países Bajos
AOW (*uitkering*) pensión *v* estatal de vejez
apart I *bn* 1 aislado, separado, independiente; *~e trap* escalera independiente; 2 (*bijzonder*) especial; *iets ~s* una cosa fuera de lo corriente; II *bw* aparte; *~ leggen* poner aparte; **apartheid** apartheid *m*, segregación *v* racial
apathisch apático
ape|gapen: *op ~ liggen* estar dando las boqueadas, estar en las últimas; **-kool** disparates *mmv*, bobadas *vmv*, majaderías *vmv*, zarandajas *vmv*; **-kop** (*kind*) granuja *m,v*
aperitief aperitivo
ape|trots muy orgulloso; *hij is ~* no cabe en sí de orgullo; **-zat** como una cuba; **-zuur**: *zich het ~ werken* trabajar como un negro
apin mona
APK inspección *v* general periódica (de automóviles)
aplomb aplomo, seguridad *v*
apocrief apócrifo
apolitiek apolítico
apostel apóstol *m*
apostille apostilla
apostrof apóstrofo
apotheek farmacia; *dienstdoende ~* farmacia de guardia; **apotheker** farmacéutico, -a; **apothekersassistent**, **apothekersassistente** asistente *m,v* de farmacia
apotheose apoteosis *v*
apparaat aparato; *elektrische huishoudelijke apparaten* electrodomésticos; *militair ~* aparato militar; **apparatuur** aparatos *mmv*, equipo, instalación *v*
appartement apartamento, piso
1 'appel manzana; *de ~ valt niet ver van de stam* de tal palo, tal astilla; *door de zure ~ heenbijten* tragarse la píldora; *voor een ~ en een ei* por cuatro cuartos, baratísimo
2 ap'pel 1 (*jur*) recurso, apelación *v*; *in ~ gaan* apelar, interponer recurso (de apelación); 2 (*mil*) llamada; 3 (*in gevangenis*) recuento
appel|beignet buñuelo de manzana; **-boom** manzano; **-boomgaard** manzanar *m*; **-groen** (color *m*) verde *m* manzana
appelleren 1 (*jur*) apelar, recurrir; 2 *~ aan* apelar a
appel|moes compota de manzana; **-sap** jugo de manzana; **-schimmel** caballo tordo; **-taart** pastel *m* de manzana
appeltje: *een ~ voor de dorst hebben* haber hecho sus ahorrillos; *een ~ met iem te schillen hebben* tener una cuenta pendiente con u.p.
appendicitis apendicitis *v*
appetijtelijk apetecible, apetitoso; *het ziet er heel ~ uit* se ve delicioso
applaudisseren aplaudir; **applaus** aplauso, aplausos *mmv*; *een denderend ~* una salva de aplausos
appreciëren apreciar
appret apresto
april abril; *1 ~* primero de abril, (*vglbaar:*) Día de los Inocentes (28 de diciembre); *iem foppen op 1 ~* dar una inocentada a u.p.
apropos a propósito; *hij was helemaal van zijn ~* estaba confundido, había perdido el hilo
aquaduct acueducto
aquamarijn aguamarina
aquarel acuarela, aguada
aquarium acuario
1 ar trineo (de caballo)
2 ar: *in ~ren moede* desesperado, no viendo otro remedio
Arabië Arabia; **Arabier** árabe *m*; **Arabisch** árabe; *~e cijfers* números arábigos; **Arabische** árabe *v*; *de ~* la árabe; *een ~* una árabe
arbeid trabajo; *ongeschoolde ~* trabajo no calificado; **arbeidbesparend** que ahorra trabajo; **arbeider** obrero, trabajador *m*; (*ongeschoold*) peón *m*; *geschoold ~* obrero especializado
arbeiders|beweging movimiento obrero; **-klasse** clase *v* obrera; **-leider** dirigente *m* obrero; **-wijk** barrio obrero; (*neg*) suburbio
arbeids|aanbod oferta de colocaciones; **-bureau** oficina de colocación, oficina de empleo, bolsa del trabajo; **-duurverkorting** reducción *v* de horas de trabajo; **-geschikt** apto para trabajar; **-geschil** conflicto laboral; **-hof** (*Belg*) tribunal *m* de apelación de lo social; **-inspectie** inspección *v* del trabajo; **-intensief** de alto coeficiente laboral; **-klimaat** clima *m* laboral; **-krachten** mano *v* de obra; **-loon** sueldos *mmv*; **-markt** mercado de trabajo, mercado ocupacional; **-omstandigheden** condiciones *vmv* laborales
arbeidsongeschikt incapaz (para el trabajo), incapacitado; **arbeidsongeschiktheid** incapacidad *v* laboral; *blijvende ~* incapacidad *v* permanente; *tijdelijke ~* incapacidad *v* (laboral) transitoria; **arbeidsongeschiktheidsuitkering** prestación *v* de incapacidad laboral
arbeids|overeenkomst contrato de trabajo; *zie ook: CAO*; **-plaats** puesto de trabajo, plaza; **-prestatie** capacidad *v* productiva, rendimiento en el trabajo; **-proces**: *toetreding tot het ~* incorporación al mundo laboral
arbeidster obrera, trabajadora
arbeids|therapeut, **-therapeute** terapeuta *m,v* ocupacional; **-therapie** terapia ocupacional; **-tijd** jornada (laboral); **-tijdverkorting** reducción *v* de jornada, reducción *v* de horarios, reducción *v* de la jornada laboral; **-voorschriften** ordenanzas laborales; **-voorwaarden** condiciones *vmv* de trabajo
arbitrage arbitraje *m*; **arbitrair** arbitrario
arcade arcada, soportal *m*
arceren sombrear
archaïsch arcaico; **archaïsme** arcaísmo
archeologe arqueóloga; **archeologie** arqueología; **archeologisch** arqueológico; **archeoloog** arqueólogo

archief archivo; **archiefkast** (mueble *m*) archivador *m*
archipel archipiélago
architect, **architecte** arquitecto, -a; **architectenbureau** taller *m* de arquitectura; **architectonisch** arquitectónico; **architectuur** arquitectura
archivaris archivero
arctisch ártico
Ardennen: *de* ~ las Ardenas
are área; *afk* a
arena 1 (*complex*) plaza de toros; 2 (*zandplein*) ruedo, redondel *m*
arend águila; **arendsblik** mirada de águila
argeloos desprevenido, cándido, inocente, ingenuo; **argeloosheid** inocencia, ingenuidad *v*, candor *m*
Argentijn, **Argentijns** argentino; **Argentijnse** argentina; **Argentinië** (la) Argentina
arglist astucia, perfidia; **arglistig** astuto, pérfido
argument argumento; **argumenteren** argumentar
argusogen: *met* ~ como un argos, con recelo
argwaan (*tegen*) recelo (de), sospechas *vmv* (de); ~ *wekken bij* suscitar recelos a; ~ *koesteren tegen* sospechar de, desconfiar *i* de; **argwanend** receloso, desconfiado, suspicaz
aria aria
aristocraat, **aristocrate** aristócrata *m,v*; **aristocratie** aristocracia; **aristocratisch** aristocrático
ark arca; *de* ~ *van Noach* el arca de Noé
1 arm *zn* brazo; *hij sloeg zijn* ~ *om haar middel* le pasó el brazo por la cintura; *zijn ~en over elkaar slaan* cruzarse de brazos; *aan de* ~ *van* del brazo de; *iem bij de* ~ *pakken* coger el brazo a u.p.; ~ *in* ~ cogidos del brazo; *iem in de* ~ *nemen* consultar a u.p., recurrir a u.p.; *in zijn ~en nemen* coger en brazos; *met de ~en over elkaar* cruzado de brazos, con los brazos cruzados; *met open ~en ontvangen* recibir a u.p. con los brazos abiertos; *met het kind op de* ~ con el niño en brazos; *met de sterke* ~ por intervención de la policía; *de jas over de* ~ la chaqueta al brazo
2 arm *bn* 1 pobre; (*behoeftig*) indigente; ~ *kind!* ¡pobrecito!; *~e stakker* pobre *m,v*, pobrete *m*, pobrecillo; *zo* ~ *als een kerkrat* más pobre que una rata; 2 ~ *aan* pobre en; ~ *zijn aan* carecer de
armband pulsera, brazalete *m*
armelijk mísero
armetierig mísero, mezquino, miserable; (*zwak*) canijo, encanijado, enclenque, esmirriado
armleuning descansabrazos *m*, brazo (de sillón)
armoede pobreza, miseria, escasez *v*, penuria, estrechez *v*; (*behoeftigheid*) indigencia; ~ *aan ideeën* escasez *v* de ideas, carencia de ideas; **armoedegrens** nivel *m* de la miseria; **armoedig** pobre; *het staat* ~ hace pobre; ~ *uitziend* de aspecto pobre; ~ *gekleed* vestido con pobreza; *een* ~ *hotelletje* un hotelucho (de mala muerte); **armoedzaaier** pobre diablo, pelagatos *m*, pobretón *m*
armsgat sisa
arm|slag libertad *v* de movimiento; **-stoel** sillón *m*; **-vol** brazada, brazado
armzalig *zie: armetierig*
aroma aroma *m*; **aromatisch** aromático
arrangement 1 arreglo; ~ *voor het weekend* arreglo para el fin de semana; 2 (*muz*) adaptación *v*; **arrangeren** 1 arreglar, organizar; 2 (*muz*) adaptar, arreglar
arrest 1 (*aanhouding*) detención *v*; *in* ~ *zijn* estar detenido; 2 (*straf*) arresto; 3 (*vonnis*) sentencia, auto; **arrestant**, **arrestante** detenido, -a; **arrestatie** detención *v*; *bevel tot* ~ orden *v* de detención; **arresteren** 1 detener, arrestar; 2 (*van notulen*) confirmar, aprobar *ue*
arriveren llegar
arrogant presumido, orgulloso, insolente, arrogante; **arrogantie** arrogancia, orgullo, insolencia
arrondissement (*jur*, *Ned*) distrito (judicial)
arrondissementsrechtbank (*Ned*) tribunal *m* de distrito (judicial); (*vglbaar:*) juzgado de primera instancia (e instrucción)
arsenaal arsenal *m*
arsenicum arsénico
articuleren articular
artiest, **artieste** artista *m,v*; (*in variété*) artista *m,v* de variedades
artikel artículo; *huishoudelijke ~en* artículos domésticos
artillerie artillería
artisanaal artesanal
artisjok alcachofa
artistiek artístico
artritis artritis *v*
arts médico, (*v ook:*) médica; **artsenbezoeker** visitador *m* médico
a.s. *aanstaande* próximo
1 as (*spil*) eje *m*
2 as (*van vuur*) ceniza; *in de* ~ *leggen* reducir a cenizas; **asbak** 1 cenicero; 2 (*vuilnisemmer*) cubo de la basura
asbest asbesto
asblond rubio ceniza, rubio ceniciento
asceet asceta *m*; **ascetisch** ascético
asdruk peso por eje
aseptisch aséptico
asfalt asfalto; **asfalteren** asfaltar; **asfaltpapier** papel *m* alquitranado, papel *m* embetunado
asgrauw ceniciento, de color gris ceniza
asiel 1 asilo; 2 (*voor dieren*) residencia de animales; (*voor honden ook:*) perrera; **asielzoeker** solicitante *m,v* de asilo
asociaal 1 antisocial; 2 (*niet coöperatief*) insociable
aspect aspecto; vertiente *v*

asperge espárrago
aspirant, **aspirante** aspirante *m,v*, candidato, -a; **aspiratie** (*streven*) aspiración *v*, afán *m*, ambición *v*
aspirine aspirina
assemblage ensamblaje *m*, montaje *m*; **assembleren** ensamblar, montar
Assepoester (la) Cenicienta
assimileren (*aan*) asimilar (a)
assisen: *Hof van ~* (*Belg*) tribunal *m* de jurados
assistent, **assistente** asistente *m,v*, auxiliar *m,v*, ayudante *m,v*; **assistentboekhouder** auxiliar *m* contable; **assistentie** asistencia, ayuda; **assisteren** ayudar, asistir
associatie asociación *v*; (*handel ook:*) sociedad *v*; **associëren**, **zich** (*met*) asociarse (con)
assortiment surtido
assuradeur asegurador *m*; **assurantie** seguro; *zie ook: verzekering*
aster áster *m*
astma asma; **astmalijder**, **astmalijdster** asmático, -a; **astmasigaret** cigarillo antiasmático
astrologie astrología; **astroloog** astrólogo
astronaut, **astronaute** astronauta *m,v*
astronomie astronomía; **astronomisch** astronómico; **astronoom** astrónomo
asvat cubo de la basura
Aswoensdag miércoles *m* de ceniza
atelier 1 taller *m*; 2 (*van kunstenaar*) estudio
atheïsme ateísmo; **atheïst**, **atheïste** ateísta *m,v*
athenaeum enseñanza secundaria preuniversitaria; (*vglbaar:*) Instituto de Bachillerato
Athene Atenas
Atlantisch atlántico; *~e oceaan* (océano) Atlántico; *~ pakt* pacto atlántico
atlas atlas *m*
atleet, **atlete** atleta *m,v*; **atletiek** atletismo; **atletisch** atlético
atmosfeer atmósfera; **atmosferisch** atmosférico
atol atolón *m*
atoom átomo
atoom|afval residuos *mmv* radiactivos; **-bom** bomba atómica; **-duikboot** submarino atómico; **-energie** energía atómica; **-fysica** física del átomo; **-geleerde** científico atómico; **-gewicht** peso atómico; **-kern** núcleo del átomo; **-kernonderzoek** investigación *v* nuclear; **-kop** ojiva atómica, cabeza atómica; **-kracht** energía atómica; **-oorlog** guerra nuclear; **-splitsing** fisión *v* nuclear; **-wapen** arma nuclear, arma atómica
attaché agregado; *cultureel ~* agregado cultural
attaque (*med*) (ataque *m* de) apoplejía
attenderen: *~ op* llamar la atención sobre, señalar, advertir *ie, i*, hacer observar; *ik heb hem op die mogelijkheid geattendeerd* le señalé esa posibilidad; **attent** atento; *iem ~ maken op* llamar la atención de u.p. hacia; **attentie** atención *v*; *ter ~ van* a la atención de
attest certificación *v*, certificado
attractie atracción *v*
attribuut atributo
au: *~!* ¡ay!
aubade alborada
aubergine berenjena
audiëntie audiencia; *in ~ ontvangen* recibir en audiencia
audiovisueel audiovisual
auditie audición *v*, prueba (de ingreso), prueba de admisión
auditoraat (*Belg*) (*militaire rechtbank*) tribunal *m* militar
auditorium auditorio
auerhaan urogallo
augurk pepinillo
augustijn agustino
augustus agosto
aula salón *m* de actos, paraninfo
au pair 1 au pair; 2 (*meisje*) chica au pair
aureool aureola, nimbo, halo
auspiciën: *onder ~ van* bajo los auspicios de
Australië Australia; **Australiër**, **Australisch** australiano; **Australische** australiana
autarkie autarquía, autarcía
auteur autor, -ora, escritor, -ora; **auteurschap** 1 paternidad *v* literaria; 2 (*schrijverschap*) profesión *v* de autor; **auteursrecht** derechos *mmv* de autor, propiedad *v* intelectual; (*van schrijver ook:*) propiedad *v* literaria
authenticiteit autenticidad *v*; **authentiek** auténtico; *~ verklaren* autenticar, legitimar, legalizar
auto coche *m*, auto(móvil) *m*; *ik ga met de ~* voy en coche; *~ van de zaak* coche *m* de (la) compañía
autoband neumático
autobiografie autobiografía
autobus autobús *m*
autochtoon autóctono
autocoureur corredor *m* (automovilista)
autodidact autodidacto, -a
auto|gas *zie LPG*; **-gebruik** uso del coche, automoción *v*
autogeen autógeno; *~ lassen zn* soldadura autógena
auto|kaart mapa *m* de carreteras; **-kerkhof** cementerio de automóviles, cementerio de coches; **-keuring** inspección de automóviles *v*
automaat 1 autómata *m*; *hij antwoordde als een ~* contestaba maquinalmente; 2 (*voor eetwaar*) máquina expendedora, distribuidor *m* automático; **automatiek** restaurante *m* automático; **automatisch** automático; (*werktuiglijk*) maquinal, mecánico; **automatiseren** automatizar; **automatisering** automatización *v*, in formatización *v*; **automatisme** acto mecánico
automobielinspectie (*Belg*) inspección *v* de automóviles

automobilist, **automobiliste** automovilista *m,v*; **automonteur** mecánico de automóviles
autonomie autonomía; **autonoom** autónomo
auto-ongeluk accidente *m* de coche
autoped patín *m*, patinete *m*, patineta
autopsie autopsia, necropsia
auto|race carrera de automóviles; **-radio** autorradio *m*; **-rijles** lección *v* de conducción; **-rijschool** autoescuela; **-rit** vuelta en coche; (*lang:*) viaje *m* en coche
autoritair autoritario; **autoriteit** autoridad *v*; *bevoegde ~en* autoridades competentes
auto|slaaptrein tren *m* coches-cama porta-autos, autoexpreso con coches cama; **-sloperij** desguace *m* de automóviles; **-snelweg** autopista; **-trein** autoexpreso; **-veer** transbordador *m*; **-verhuurbedrijf** agencia de coches de alquiler; **-verzekering** seguro de automóviles; **-wassen** *zn* lavado de coches; **-wasser** lavacoches *m*; **-wrak** restos *mmv* de un auto descacharrado; (*schroot*) chatarra
avant-garde vanguardia; **avant-gardetheater** teatro vanguardista
averechts I *bw* mal; II *bn* 1 (*breien*) al revés, del revés; *een pen ~* una vuelta al revés; 2 (*verkeerd*) malo, al revés; *een ~e uitwerking* efecto contraproducente; *het pakte ~ uit* (*fam*) nos salió el tiro por la culata
averij avería
aversie (*tegen*) aversión (a, hacia, por)
avocado aguacate *m*
avond noche *v*; (*tot ca. 9 uur*) tarde *v*; *'s avonds: a*) a la noche, por la noche; *b*) (*iedere avond*) por las noches, todas las noches; *om 11 uur 's avonds* a las 11 de la noche; *op een ~* una noche; *goeden~!: a*) (*vroeg*) ¡buenas tardes!; *b*) (*laat*) ¡buenas noches!; *de ~ tevoren* la víspera; *het wordt ~, de ~ valt* cae la noche, anochece, se hace de noche
avond|blad periódico de la tarde, diario de la noche; **-dienst** 1 (*godsd*) oficio de la tarde; 2 (*werk*) turno de noche; **-eten** cena
avondje velada
avond|jurk vestido de noche; **-kleding** (*dames*) traje *m* de noche; (*heren*) traje *m* de etiqueta; **-klok** (toque *m* de) queda; **-land** occidente *m*; **-maal** cena; *het laatste ~* la Ultima Cena, la Santa Cena; **-onderwijs** enseñanzas *vmv* en régimen nocturno; *~ volgen* cursar estudios nocturnos; **-rood** arrebol *m* vespertino; **-schemering** crepúsculo, atardecer *m*, anochecer *m*; **-school** escuela nocturna; **-toilet** *zie: -kleding*; **-voorstelling** 1 (*vroeg*) función *v* de la tarde, sesión *v* de tarde; 2 (*laat*) función *v* de la noche
avonturen aventurar, arriesgar; **avonturier**, **avonturierster** aventurero, -a
avontuur aventura; *-turen beleven* correr aventuras; *zucht naar ~* afán *m* de aventura; **avontuurlijk** 1 aventurero; (*mbt leven ook:*) azaroso; 2 (*gewaagd*) aventurado; **avontuurtje** aventura amorosa, amorío
axioma axioma *m*
ayatollah ayatolá *m*
azalea azalea
azen: *~ op* estar al acecho de, codiciar
Aziaat, **Aziatisch** asiático; **Aziatische** asiática; **Azië** Asia
azijn vinagre *m*
Azoren: *de ~* las Azores
azteek azteca *m*; **azteeks** azteca
azuren de azur, celeste; **azuur** azul *m* celeste

Bbb

b (*muz*) si *m*
baadster bañista
1 baai (*golf*) bahía
2 baai (*stof*) bayeta
baal fardo, bulto; *een ~ koffie* un saco de café; *een ~ papier* una bala de papel; *een ~ wol* una paca de lana; *in balen verpakken* enfardar
baan 1 (*weg, rijbaan*) vía, calzada; *ruim ~ maken* abrir el camino, despejar el terreno; *in goede banen leiden* encauzar por buen camino; *een zaak op de lange ~ schuiven* dar largas a un asunto; *dat is* (*voorgoed*) *van de ~* eso es asunto concluido, eso ya es de clavo pasado, se acabó, cruz y raya; **2** (*rijstrook*) carril *m*, vía; **3** (*voor races; op vliegveld*) pista; **4** (*voor tennis*) (campo de) tenis *m*; **5** (*voor kegelen*) bolera; **6** (*in zwembad*) calle *v*; *ze zwemmen in dezelfde ~* nadan en la misma calle; **7** (*van projectiel*) trayectoria; **8** (*astron*) órbita; *in een ~ brengen* poner en órbita; **9** (*van stof, behang*) ancho; **10** (*van vlag*) franja; **11** (*strook; van vloer*) faja; *in diagonale banen* en fajas diagonales; **12** (*werk*) empleo, puesto; *de ~tjes in de gevangenis* los destinos dentro de la cárcel; *makkelijke ~* momio, ganga; *tijdelijke ~* puesto eventual, puesto interino, empleo temporal; *door relaties een ~ krijgen* enchufarse; *iem aan een ~ helpen* ayudar a u.p. a colocarse, encontrarle *ue* a u.p. un empleo; (*neg*) acomodar a u.p., enchufar a u.p.
baan|brekend: *~ zijn* marcar época, hacer época; *een ~ werk* una obra que hace época; **-breker** pionero; **-record** récord *m* en pista; **-sporten** atletismo en pista, deportes *mmv* sobre pista
baantjesjager empleómano; (*door relaties*) buscaenchufes *m*
baan|vak sección *v* de línea, sección *v* de vía; **-wachter** guardavías *m*
1 baar (*staaf*) barra, lingote *m*
2 baar (*draagbaar*) camilla; (*in processie; voor doodkist*) andas *vmv*, angarillas *vmv*
3 baar: *in ~ geld* en efectivo, en metálico
baard 1 barba; *een dunne ~* una barba rala; *een volle ~* una barba cerrada; *zijn ~ laten staan* dejarse (crecer) la barba; *de ~ in de keel hebben* mudar de voz, cambiar de voz, tener la voz en transición; **2** (*van sleutel*) paletón *m*; **baardig** barbudo
baarmoeder útero, matriz *v*; **baarmoederhals** cuello uterino
baars percha
baas 1 amo, patrono, jefe *m*; *de inflatie de ~ blijven* ganar batallas a la inflación; *de ~ spelen* ser autoritario; *de ~ spelen over* mandar en, gobernar a; *eigen ~* (*zelfstandige*) autopatrono; *hier ben ik de ~* aquí mando yo; *de vrouw is daar de ~* es la mujer quien manda; *zijn hartstochten de ~ zijn* dominar sus pasiones; *zijn eigen ~ zijn* no depender de nadie; *er is altijd ~ boven ~* a todo hay quien gana; **2** (*eigenaar*) dueño; **3** (*meesterknecht*) capataz *m*; **4** (*van hond*) amo; **5** (*man*) tío; *een aardige ~* un tío simpático
baat beneficio, provecho, medro; *~ vinden bij* beneficiarse de; *ik heb ~ gevonden bij die kuur* la cura me ha hecho bien; *te ~ nemen* aprovechar, valerse de; *ten bate van* en beneficio de, en provecho de; *ten eigen bate* para su medro personal
babbelaar 1 (*snoepje*) caramelo; **2** (*kletskous*) hablador *m*, charlador *m*, parlanchín *m*; **babbelaarster** habladora, charladora, parlanchina; **babbelen** charlar, estar de cháchara, estar de palique, parlotear; **babbeltje**: *een ~ maken zie: babbelen*; **babbelziek** locuaz, parlanchín *-ina*
Babel: *de toren van ~* la torre de Babel
baby bebé *m*, criatura, crío, -a
baby|doll babydoll *m*, camisola; **-foon** bebéfono *m*; **-oppas** canguro; **-sitdienst** servicio cuida-niños, servicio de canguros; **-sitten** cuidar a niños de otros, hacer de canguro; **-sitter** *zie: babyoppas*; **-uitzet** canastilla
bacchanaal bacanal *v*
bacil bacilo; **bacillendraagster** portadora de bacilos, bacilífera; **bacillendrager** portador *m* de bacilos, bacilífero
back (*sp*) defensa *m*, zaguero; **backhand** revés *m*; **back-up** copia de seguridad
bacon bacon *m*, bacón *m*
bacterie bacteria; **bacteriedodend** bactericida; *~ middel* bactericida *m*; **bacteriologie** bacteriología; **bacteriologisch** bacteriológico; **bacterioloog** bacteriólogo
bad 1 baño; (*kuip ook:*) bañera; *een ~ nemen: a*) tomar un baño; *b*) (*gaan zwemmen*) bañarse; *in het ~ doen* bañar; **2** (*zwembad*) piscina; **baden I** *tr* bañar; **II** *intr* tomar un baño, darse un baño; *~ in* (*fig*) bañar en; *~ in het bloed* nadar en sangre; *~ in tranen* anegarse en lágrimas; *~d in het zweet* bañado en sudor; *de stad, ~d in het zonlicht* la ciudad, bañada de la luz del sol; **bader** bañista *m*
bad|gast bañista *m,v*; **-handdoek** toalla; **-hokje** caseta, cabina; **-huis** casa de baños (públicos); **-kamer** cuarto de baño; **-kuip** bañera, baño, tina; **-laken** toalla grande; **-mantel** albornoz *m*; **-meester** bañero
badminton bádminton *m*, juego del volante
bad|muts gorro de baño; **-pak** bañador *m* (entero), traje *m* de baño; *een tweedelig ~* un dos piezas; **-plaats** balneario; **-schuim** gel *m* de baño; **-stof** (tela) esponja; **-tas** bolsa para

ropa de baño; **-water**: *het kind met het ~ weggooien* tirar al bebé con el agua sucia; **-zout** sal *v* para el baño, sales *vmv*
bagage equipaje *m*; (*mil*) bagage *m*
bagage|depot consigna; **-drager** portaequipajes *m*; **-kluis** armario de consigna; **-net**, **-rek** (*in trein*) red *v*, rejilla; **-ruimte** (*in auto*) espacio para equipaje; (*in trein, vliegtuig*) compartimento de equipajes; **-verzekering** seguro de equipajes
bagatel bagatela, friolera; **bagatelliseren** dar poca importancia a, minimizar
bagger lodo, barro, fango; **baggeren** dragar; *het* ~ el dragado
bagger|molen draga; **-schuit** gánguil *m*, draga vertedora
ba!, **bah!** ¡puah!, ¡qué asco!
bajes chirona; *in de ~ stoppen* enchironar, meter en chirona; *in de ~ zitten* estar en chirona
bajonet bayoneta; **bajonetfitting** enchufe *m* de bayoneta
bak 1 caja; 2 (*voor water*) depósito, cisterna, aljibe *m*; *het valt met ~ken uit de hemel* caen chuzos; 3 (*voor cement, veevoer*) artesa, cuezo; 4 (*van zink, voor vis*) batea; 5 (*eetbak, voor hond*) plato; 6 (*op schip*) castillo (de proa); 7 (*gevangenis*) *zie: bajes*; 8 (*grap*) bromazo
bak|beest objeto de tamaño enorme, mole *v*; **-blik** bandeja de horno, lata de horno; **-boord** babor *m*; *aan* ~ a babor; **-boordzijde** banda de babor
bakeliet baquelita
baken baliza; (*boei*) boya; *~s uitzetten* balizar; *de ~s zijn verzet* ha cambiado la situación, se ha vuelto la tortilla
baker (*vroedvrouw*) comadrona, partera; (*fam*) comadre *v*, ama seca
baker|mat cuna, patria; **-praatjes** cuentos de comadre, infundios de viejas, filfas
bakfiets triciclo (con caja)
bakje cajita; (*ondiep:*) bandeja; (*schoteltje*) platillo
bakkebaard patilla
bakkeleien pelearse, andar a la greña
bakken 1 (*in pan*) freír *i*; 2 (*in oven*) cocer *ue* en el horno; *brood* ~ cocer pan; 3 (*van potten*) cocer *ue* || *hij zit daar gebakken* está de primera, está de perilla; *aan iets gebakken zitten* estar clavado en algo
bakker panadero; *het is voor de* ~ todo está arreglado; **bakkerij** panadería, tahona
bakkes cara (fea), catadura; *hou je ~!* ¡cállate la boca!
bak|poeder levadura en polvo; **-steen** ladrillo; *het regent bakstenen* llueve a cántaros; *zakken als een* ~ sufrir un fracaso, tener un fallo; **-stenen** *bn* de ladrillo; **-vis** (*meisje*) pollita; **-zeil**: *~ halen* recoger velas
1 bal 1 pelota; (*voetbal ook:*) balón *m*; (*bol; bij hockey, golf, biljart, kegelen*) bola; *de ~ doorgeven* pasar el balón; *de ~ aan het rollen brengen* levantar la liebre; *elkaar de ~ toespelen* tirarse la pelota los unos a los otros; 2 (*van voet*) planta; 3 (*van hand*) pulpejo (de la mano); 4 (*teelbal*) cojón *m* || *hij weet er geen ~ van* no sabe ni pum, está en la inopia
2 bal baile *m*
balanceren I *tr* equilibrar, balancear; **II** *intr* balancear(se); **balans 1** (*weegschaal*) balanza, básculo; *de ~ helt over naar* la balanza se inclina a favor de; 2 (*handel*) balance *m*; *tussentijdse* ~ balance de situación; *de ~ opmaken* hacer el balance, formar el balance; **balansopruiming** (*uitverkoop*) venta posbalance, liquidación *v*, rebajas *vmv*
baldadig (*mbt kind*) travieso; (*mbt ouderen*) indisciplinado, revoltoso; **baldadigheid** (*van kind*) travesura; (*van ouderen*) exceso, abuso, desafuero
baldakijn baldaquín *m*, dosel *m*
balein (barba de) ballena
balen (*van*) estar harto (de), estar hasta la coronilla (de)
balg fuelle *m*
balie 1 (*leuning*) baranda; 2 (*in rechtszaal*) barra; 3 (*advocatuur*) abogacía; **baliekluiver** vago
baljurk traje *m* de baile
balk 1 viga; 2 (*dwarsbalk*) travesaño; 3 (*steunbalk*) puntal *m*; 4 (*van weegschaal*) brazo; 5 (*muz*) barra || *over de ~ gooien* echar por la ventana
Balkan: *de* ~ los Balcanes
balken 1 (*mbt ezel*) rebuznar; 2 (*schreeuwen*) gritar
balkon 1 balcón *m*; 2 (*van tram*) plataforma; **balkondeuren** balcones *mmv*
ballade balada; (*vglbaar:*) romance *m*
ballast lastre *m*; (*fig ook:*) carga inútil; *~ overboord gooien* tirar por la borda el lastre
ballen I *intr* jugar *ue* a la pelota; **II** *tr* (*van vuist*) apretar *ie*, cerrar *ie*
ballet 1 ballet *m*; 2 (*groep*) grupo de ballet
ballet|danser, **-danseres** bailarín, -ina
balletje: *een ~ opgooien over* sacar a colación u.c., poner sobre el tapete u.c.; **balletje-balletje** juego de los pastos
ballet|maillot leotardo; **-schoentjes** zapatillas ballet
balling exilado, exiliado, desterrado; **ballingschap** exilio
ballon globo; aeróstato; **ballonvaarder** aerostero
ballotage votación *v* (sobre la admisión de miembros nuevos a un club)
ballpoint bolígrafo, boli *m*
balorig recalcitrante
balsem bálsamo; **balsemen** embalsamar
Baltisch: *de ~e zee* el (mar) Báltico
balustrade baranda, pretil *m*, balaustrada; (*van trap ook:*) barandilla
balzaal salón *m* de baile
bamboe bambú *m*
ban 1 (*door kerk*) excomunión *v*, anatema *m*; *in*

de ~ doen anatemizar, excomulgar; 2 (*door staat*) destierro; *in de ~ doen* desterrar *ie*; 3 (*betovering*) hechizo, encantamiento; *in de ~ van* cautivado por, hechizado por
banaal trivial, ramplón *-ona*
banaan plátano
banaliteit trivialidad *v*, ramplonería
bananen|produktie producción *v* platanera; **-republiek** república bananera
band 1 (*strook, lint*) cinta; *lopende ~* cinta continua; *werk aan de lopende ~* trabajo en cadena; 2 (*geluidsband*) cinta (magnetofónica); 3 (*radio*) banda; 4 (*van wiel*) neumático, goma, llanta; *lekke ~* pinchazo; 5 (*van boek*) encuadernación *v*; 6 (*fig*) lazo, vínculo; *geestelijke ~en* lazos espirituales; *nauwe ~* vínculo estrecho; *aan ~en leggen* encadenar, restringir, limitar; 7 (*van ijzer*) fleje *m*, zuncho; 8 (*van biljart*) baranda; 9 (*boekdeel*) tomo, volumen *m* || *uit de ~ springen* echar la casa por la ventana; **bandeloos** desenfrenado, libertino; **bandeloosheid** desenfreno, libertinaje *m*
banden|lichter desmontador *m* de neumáticos; **-spanning** presión *v* del neumático
bandiet bandido, bandolero
band|opname registro en cinta, grabación *v* (en cinta); **-recorder** magnetófono, grabador *m* de cinta, grabadora; **-staal** fleje *m* (de acero)
banen: *een weg ~* abrir paso; *zich een weg ~* abrirse paso; *een gebaande weg* un camino trillado
bang asustado, acobardado, atemorizado; *~ maken* dar miedo, acobardar, atemorizar, intimidar; *~ worden: hij werd ~* le entró miedo, tuvo miedo; *~ zijn* (*voor*) tener miedo (a, de), sentir *ie, i* miedo (a, de), temer; (*pop*) tener canguelo; *ik ben niet ~ voor je* no te tengo miedo; *ben je ~ voor me?* ¿te doy miedo?; *daar hoef je niet ~ voor te zijn* no hay miedo; *hij is er een beetje ~ voor* le da un poco de miedo; **bangerd** cobarde *m,v*; (*fam*) bragazas *m*, calzonazos *m*; **bangheid** miedo; **bangmakerij** intimidación *v*
banier bandera, estandarte *m*
bank 1 (*meubel*) banco, sofá *m*, diván *m*; 2 (*in bus, trein*) asiento; 3 (*zonder leuning; sp: voor reservespelers*) banquillo; 4 (*financ*) banco; *~ van lening* monte *m* de piedad; *geld naar de ~ brengen* ingresar dinero en el banco; *de ~ laten springen* hacer saltar la banca || *door de ~* por término medio
bank|biljet billete *m* de banco
bank|cheque cheque *m* bancario; **-directeur** director *m* de banco; **-disconto** descuento bancario; **-employé**, **-employée** empleado, -a de banco
banket 1 (*feestmaal*) banquete *m*; 2 (*gebak*) pastel *m* de hojaldre con pasta de almendras
banket|bakker pastelero; **-bakkerij** pastelería
bank|garantie garantía bancaria; **-geheim** secreto bancario; **-giro** giro bancario, transferencia bancaria
bankier banquero
bankinstelling establecimiento bancario
bankje banqueta, banquillo
bank|krediet crédito bancario; **-kringen**: *in ~* en el ámbito bancario; **-loper** cobrador *m* de banco; **-overval** atraco a un banco; **-papier** papel *m* moneda; **-pas** tarjeta de garantía; **-rekening** cuenta en un banco, cuenta bancaria
bankroet I *zn* bancarrota, quiebra, insolvencia; II *bn* quebrado, en quiebra; *~ zijn, gaan* quebrar *ie*; *hij is ~* ha quebrado, se ha declarado en quiebra
bank|roof atraco a un banco; **-rover** atracador *m* de banco; **-saldo** saldo bancario; **-schroef** torno (de banco); **-schuld** deuda bancaria; **-stel** tresillo; **-werker** tornero, cerrajero; **-werkerij** taller *m* de ajuste, taller *m* de cerrajería; **-wezen** banca; **-zaken** asuntos bancarios, operaciones *vmv* bancarias
banneling, **bannelinge** exilado, -a, exiliado, -a; **bannen** desterrar *ie*; *de duivel ~* exorcizar el diablo; **banvloek** anatema *m*
baptist, **baptiste** baptista *m,v*
1 bar *zn* 1 café *m*, bar *m*; 2 (*toonbank*) barra; *aan de ~* en la barra
2 bar *bn* 1 (*dor*) árido, inhóspito; 2 (*guur*) duro, áspero; *het is ~ koud* hace un frío cortante
barak barraca
barbaar bárbaro; **barbaars** bárbaro, salvaje; (*gruwelijk*) brutal, feroz; **barbaarsheid** barbarie *v*
barbecue barbacoa
barema (*Belg*) escala salarial
baren parir, dar a luz; *onrust ~* causar alarma; *opzien ~* causar revuelo; *zorgen ~* inquietar, preocupar; **barensnood**, **barensweeën** dolores *mmv* del parto; *in ~ verkeren* estar de parto, estar con dolores
baret (*univ*) birrete *m*; (*van geestelijke*) birreta; (*muts*) gorra, boina
Bargoens germanía, jerga del hampa
bariton barítono
bar|juffrouw camarera; **-keeper** camarero, barman *m, mv barmans*; **-kruk** taburete *m*
barmhartig misericordioso, compasivo; *de ~e Samaritaan* el buen samaritano; **barmhartigheid** misericordia, piedad *v*
barnsteen ámbar *m* amarillo
barok barroco
barometer barómetro; *de ~ daalt* el barómetro baja; *de ~ staat goed* el barómetro señala buen tiempo; *de ~ stijgt* el barómetro sube; **barometerstand** altura del barómetro
baron barón *m*; **barones** baronesa
barrels: *aan ~ slaan* hacer pedazos
barrevoets descalzo
barricade barricada; *~s oprichten* alzar barricadas; **barricaderen** obstruir; *de deur ~* atrancar la puerta; *een straat ~* levantar barricadas en la calle; *zich ~* atrincherarse
bars (*mbt toon*) duro, brusco, destemplado; *~e stem* voz *v* bronca

barst 1 (*in kopje, glas*) raja; 2 (*in huid*) grieta; 3 (*in grond, muur*) grieta, hendidura || *er geen ~ van begrijpen* no entender una patata
barsten 1 (*mbt glazuur, grond*) cuartearse, agrietarse, resquebrajarse; 2 (*mbt glas*) rajarse; 3 (*mbt muur*) henderse *ie*, agrietarse; 4 (*uiteenspatten*) reventar *ie*, estallar; *hij barst van woede* revienta de rabia; *mijn hoofd barst* me estalla la cabeza; *hij kan ~* que le den morcilla
bas 1 (*stem*) bajo; 2 (*instrument*) contrabajo
basalt basalto
base (*chem*) base *v*
base-ball béisbol *m*
baseren (*op*) basar (en), fundar (en)
basgitaar bajo; **basgitarist** bajo
basiliek basílica
basis base *v*; *de ~ raadplegen* consultar a la base; **basisakkoord** acuerdo de base
basisch básico
basis|fout falta básica, vicio de origen; **-inkomen** ingresos básicos; **-loon** salario base; **-materiaal** material *m* básico; **-onderwijs** enseñanza básica, (*vglbaar:*) educación *v* general básica; **-salaris** sueldo base; **-vorming** educación secundaria básica; **-vorming** (*vglbaar:*) (educación) secundaria básica; **-wedde** (*Belg*) salario base, sueldo base
Bask vasco; **Baskenland** el país vasco, las Vascongadas
basketbal baloncesto, básquet *m*
Baskisch vasco; *de ~e taal* el vasco, el vascuence; **Baskische** vasca
bassin 1 pila; 2 (*zwembad*) piscina; 3 (*aardr*) cuenca
bassist contrabajo
bassleutel clave *v* de fa
bast corteza || *in zijn blote ~* en pelota, en cueros; *iem op zijn ~ geven* zurrar la badana a u.p.
bastaard bastardo
basterdsuiker (*lichtbruin*) azúcar *m* terciado
bastion bastión *m*
bat 1 (*slagbal*) bate *m*; 2 (*tafeltennis*) raqueta
bataljon batallón *m*
Bataaf bátavo
baten I *ww* servir *i*, ser útil, valer; *het baat niets* no sirve para nada; *baat het niet, het schaadt ook niet* ponte un redaño, que si no te hace provecho tampoco daño; II *zn* activo, ingresos *mmv*; **batig**: *~ saldo* saldo activo, saldo acreedor
batist batista
batterij pila, acumulador *m*; *werkt op ~en* funciona con pilas
bauxiet bauxita
baviaan papión *m*, babuino
bazaar bazar *m*
bazelen decir tonterías
bazig autoritario, imperioso
bazin 1 patrona, dueña; 2 (*van hond*) ama
bazuin trombón *m*
B.B. *Bescherming Bevolking* Protección *v* Civil
beademen *zie: mond*
beambte empleado, -a
beamen asentir *ie, i* a, confirmar
beangstigen atemorizar, alarmar
beantwoorden 1 contestar (a); *de vragen werden niet beantwoord* las preguntas quedaron sin contestar; 2 (*van groet, bezoek*) devolver *ue*; 3 *~ aan* (*wensen, doel*) responder a, corresponder a; **beantwoording** 1 contestación *v*; 2 (*van groet*) devolución *v*
bebakenen abalizar
bebloed sangriento
beboeten multar, imponer una multa
bebossen (re)poblar *ue* (de árboles); **bebossing** (re)población *v* forestal; **bebost** boscoso, poblado de árboles
bebouwen 1 (*landb*) cultivar; *bebouwde grond* suelo cultivado; 2 (*bouwk*) edificar; *bebouwde kom* casco urbano; *bebouwd oppervlak* superficie *v* edificada; **bebouwing** 1 (*landb*) cultivo; 2 (*bouwk*) edificación *v*, edificios *mmv*; *de bestaande ~* la edificación actual, la edificación existente
bechamelsaus besamel *v*
becijferen calcular
becommentariëren comentar
beconcurreren hacer competencia a
becquerel becquerel *m*
bed 1 cama; *het ~ houden* guardar cama; *in ~* acostado, en la cama; *naar ~ brengen* acostar *ue*; *naar ~ gaan* acostarse *ue*, ir a la cama; 2 (*bloembed*) macizo, cuadro
bedaard sosegado, tranquilo
bedacht: *~ op* atento a; *op alles ~ zijn* estar en todo; *daar was ik niet op ~* no me esperaba eso; *~ zijn op nieuwe kansen* estar atento a nuevas oportunidades; **bedachtzaam** prudente, cauteloso
bedankbrief carta de agradecimiento
bedanken 1 dar las gracias, agradecer; *iem voor iets ~* agradecer u.c. a u.p.; *ik wil u ~ voor uw hulp* quiero agradecerle su ayuda; 2 *~ voor* (*afwijzen*) declinar, rechazar; *~ voor een aanbod* rechazar una oferta; 3 (*als lid*) darse de baja; **bedankje** palabras *vmv* de agradecimiento; *geen ~ kan er af!* ¡ni las gracias!
bedaren sosegarse *ie*, calmarse; *tot ~ brengen* sosegar *ie*, calmar
bedde|goed ropa de cama; **-laken** sábana; **-sprei** colcha
bedding cauce *m*, lecho
bedeesd tímido, encogido
bedekken (*met*) cubrir (de), tapar (con, de); **bedekking** cobertura; **bedekt** 1 (*mbt hemel*) encapotado; 2 (*mbt taal*) velado, encubierto; *in ~e termen* en términos velados
bedelaar, **bedelaarster** mendigo, -a, pobre *m,v* de pedir; (*fig*) pedigüeño, -a; **bedelarij** mendicidad *v*; **bedelarmband** pulsera de fetiches
'bedelen mendigar, pedir *i* limosna; (*fig*) ser pedigüeño
be'delen (*schenken*) dotar; *een rijk bedeeld*

land un país muy dotado; *bedeeld met* dotado de
bedelmonnik monje *m* mendicante
bedelven sepultar, enterrar *ie*; *bedolven onder geschenken* colmado de regalos
bedenkelijk inquietante, grave, feo; **bedenken** 1 (*zich herinneren*) acordarse *ue* de; *ik kon zijn naam niet meer* ~ no me acordaba de su nombre; 2 (*overwegen*) pensar *ie*, considerar, darse cuenta de; *bedenk wel dat* no olvides que; *wanneer men bedenkt dat* teniendo presente que; *men moet wel* ~ *dat* hay que tener presente que, téngase presente que; *bedenk wel dat* considera que, mira que; 3 (*verzinnen*) pensar *ie*, imaginar; *plotseling bedacht ik dat* de repente pensé que; *ik kan niets meer* ~ ya no se me ocurre nada; *alle beroepen die je maar kunt* ~ todos los oficios imaginables; *hij kon niet* ~ *waarom* no podía imaginar por qué; *het enige wat ze konden* ~ lo único que se les ocurrió; 4 (*uitvinden*) inventar; *nieuwe dingen* ~ inventar cosas nuevas; 5 *zich* ~ pensarlo *ie* mejor, arrepentirse *ie, i*, volverse *ue* para atrás; *ik heb me bedacht* lo he pensado mejor; *zonder zich te* ~ sin vacilar; **bedenking** objeción *v*, reparo, escrúpulo; **bedenktijd** plazo para reflexionar; *u hebt 3 dagen* ~ puede pensarlo 3 días, tiene 3 días para pensarlo
bederf descomposición *v*, deterioro, putrefacción *v*; (*fig, van zeden*) decadencia, corrupción *v*, degeneración *v*, depravación *v*; **bederfelijk** 1 (*mbt eten*) que se echa a perder fácilmente; 2 (*mbt produkten*) perecedero, de fácil deterioro; **bederven** I *tr* 1 estropear, echar a perder, arruinar; *je bederft je ogen* te estropeas la vista; *zijn gezondheid* ~ arruinar su salud; *ik wil je plezier niet* ~ no quiero aguarte la fiesta; 2 (*van zeden*) corromper; 3 (*verwennen*) mimar, consentir *ie, i*; II *intr* (*mbt eten*) echarse a perder; (*mbt goederen*) sufrir deterioro, deteriorarse; *bedorven* (*verrot*) podrido; *de vis is bedorven* (*ook:*) el pescado está pasado; *bedorven vlees* carne *v* podrida, carne *v* en malas condiciones
bedevaart peregrinación *v*; (*in Sp ook:*) romería; **bedevaartganger**, **bedevaartgangster** peregrino, -a; (*in Sp ook:*) romero, -a
bediende 1 (*in huis*) criado, -a; 2 (*in hotel*) miembro del personal; *de* ~*n* el personal; 3 (*in kantoor*) empleado, -a; 4 (*in winkel*) dependiente, -enta; 5 (*Belg*) empleado administrativo; **bediendencontract** (*Belg*) contrato de trabajo para personal administrativo; **bedienen** 1 servir *i*; *aan tafel* ~ servir a la mesa; *iem op zijn wenken* ~ estar a la disposición de u.p., cumplir todos los deseos de u.p.; 2 (*van klanten*) atender *ie*; ~*d personeel* personal *m* de servicio; 3 (*van machine*) manejar, operar, accionar, atender *ie* a; *makkelijk te* ~ fácil de operar, (de) manejo sencillo; 4 (*van stervende*) administrar los (últimos) sacramentos a; 5 *zich* ~ *van: a*) (*lett*) servirse *i* de; *b*) (*fig*) servirse *i* de, valerse de, utilizar; **bediening** 1 servicio; 2 (*van apparaat*) manejo, operación *v*, mando; ~ *met de hand* mando de mano; *dubbele* ~ (*lesauto*) mando doble
bedienings|geld servicio; **-gemak** sencillez *v* de manejo; **-handel** palanca de mando; **-knop** botón *m* (de mando); **-paneel** panel *m* de control, tablero de mando
bedijken poner diques a
bedillen criticar, critiquizar; **bedillerig** reparón *-ona*, criticón *-ona*, pedante
beding condición *v*, estipulación *v*, cláusula; *onder geen beding* por ningún concepto; **bedingen** estipular; *een betere prijs* ~ conseguir *i* mejor precio; *voorwaarden* ~ estipular condiciones
bedisselen arreglar; (*handig:*) arreglárselas, componérselas, apañárselas
bedjasje chaquetita para la cama; **bedlectuur** lectura de cabecera; **bedlegerig**: ~ *zijn* tener que guardar (la) cama
bedoelen 1 (*willen zeggen, doelen op*) querer decir, referirse *ie, i* a; *wat bedoel je?* ¿qué quieres decir?; *ik weet niet wat je bedoelt* no sé a qué te refieres; *het bedoelde geval* el caso aludido, el caso referido; 2 (*beogen*) pretender; *het goed* ~ tener buenas intenciones; *die opmerking is voor jou bedoeld* esa observación te va dirigida a ti; *het was goed bedoeld* fue con buena intención; **bedoeling** 1 (*oogmerk*) intención *v*, idea, objeto; *de* ~ *was...* la idea fue...; *de* ~ *hebben om* pretender, tener el propósito de, tener la intención de; *het ligt niet in mijn* ~ *om* no entra en mis propósitos; *met de* ~ *om* con la intención de; 2 (*betekenis*) significación *v*
bedompt 1 (*mbt kamer*) enmohecido, mal ventilado; 2 (*mbt atmosfeer*) enrarecido, sofocante, cargado
bedonderen pegársela, jugar *ue* una mala pasada; *hij heeft ons bedonderd* nos la ha pegado; *ben je bedonderd!* ¡estás tú bueno!, ¡estás loco!
bedorven *zie: bederven*
bedotten embaucar, tomar el pelo
bedrading alambrado
bedrag importe *m*, suma, cantidad *v*; *een bepaald* ~ determinada cantidad; *ten* ~*e van* al importe de, por (un) importe de, por valor de; **bedragen** ascender *ie* a; (*mbt geld ook:*) hacer, sumar
bedreigen amenazar; *iem met de dood* ~ amenazar a u.p. de muerte; **bedreiging** amenaza; *onder* ~ *met een pistool* a punta de pistola
bedremmeld confuso, cohibido, azorado
bedreven (*in*) hábil (en), versado (en), experto (en)
bedriegen engañar; (*oplichten*) estafar; (*liegen*) mentir *ie, i*; (*in spel*) hacer trampas; *hij kwam bedrogen uit: a*) sus esperanzas salieron fallidas, quedó defraudado; *b*) (*fam*) se llevó un chasco; **bedrieger** engañador *m*, embus-

tero; (*oplichter*) estafador *m*, impostor *m*; (*valsspeler*) tramposo; *de ~ bedrogen* el tramposo trampado; **bedriegerij** engaño; *zie ook: bedrog*; **bedrieglijk** 1 engañador *-ora*, engañoso, fraudulento; 2 (*leugenachtig*) mentiroso
bedrijf 1 empresa; *het midden- en klein ~* la pequeña y mediana empresa; 2 (*zaak, winkel*) negocio; 3 (*toneel*) acto; 4 servicio, funcionamiento, marcha; *buiten ~* fuera de servicio, parado; *het in ~ stellen* la puesta en servicio, la puesta en marcha; *in ~ zijn* funcionar, estar en servicio
bedrijfs|administratie contabilidad *v* de empresa; **-adviseur** asesor *m* de empresa, asesor *m* comercial e industrial; **-arts** médico de (la) empresa; **-auto** (*auto van de zaak*) coche *m* de compañía
bedrijfschap (*vglbaar:*) gremio
bedrijfs|economie economía de empresa; **-inkomen** (*Belg*) rendimientos *mmv* del trabajo, rendimientos de actividades profesionales; **-jurist** asesor jurídico de (la) empresa; **-kapitaal** capital *m* de explotación, capital *m* circulante; **-klaar** en condiciones de funcionamiento; **-kosten** gastos de explotación, gastos de producción; **-kunde** ciencias *vmv* empresariales; **-lasten** (*Belg*) gastos *mmv* de explotación; **-leider** 1 (director *m*) gerente *m*; 2 (*techn*) jefe *m* técnico; **-leiding** gerencia, dirección *v* de (la) empresa; **-leven** la industria y el comercio; *iem uit het ~* hombre *m* de empresa; **-ongeval** accidente *m* de trabajo; **-organisatie** organización *v* de empresas; **-raad** (*Belg*) (*ondernemingsraad*) comité *m* de empresa; **-resultaten** resultados de explotación; **-sluiting** cierre *m* de empresa; **-spionage** espionaje *m* industrial; **-tak** ramo de industria; **-vereniging** asociación *v* profesional; **-voorheffing** (*Belg*) (*vglbaar:*) impuesto sobre los rendimientos del trabajo personal, retención *v* a cuenta del impuesto sobre la renta; **-zeker** fiable, seguro; **-zekerheid** seguridad *v* de funcionamiento, fiabilidad *v*
bedrijven cometer; *zie ook: begaan*; **bedrijvig** activo; (*van pers ook:*) industrioso, trabajador *-ora*; **bedrijvigheid** actividad *v*, animación *v*; *een vrolijke ~* una alegre agitación
bedrinken, zich emborracharse, embriagarse
bedroefd triste, apenado, afligido; *~ worden* afligirse, entristecerse, acongojarse; **bedroefdheid** tristeza, aflicción *v*, pena, pesar *m*, desconsuelo; **bedroeven** entristecer, dar pena, apenar, acongojar; **bedroevend** I *bn* desolador *-ora*, triste, entristecedor *-ora*; *een ~ beeld* un panorama desolador; II *bw*: *~ slecht* malísimo
bedrog engaño, embuste *m*, superchería; (*fraude*) fraude *m*; (*in spel*) trampa; *een grof ~* un burdo engaño; *~ plegen* cometer un engaño
bedruipen 1 (*van gebraad*) rociar *t*; 2 *zich ~* poder valerse por sí mismo, autofinanciarse

bedrukt 1 abatido, deprimido, compungido; *met een ~ gezicht* cariacontecido; 2 (*mbt stof*) estampado; *~e katoen* algodón *m* estampado
bed|stede cama empotrada, cama-armario *v*; **-tijd** hora de acostarse
beducht: *~ voor* inquieto por; *~ zijn voor* temer por
beduiden 1 (*aanduiden*) hacer señas de, indicar; *hij beduidde ons te wachten* nos hizo señas de que esperáramos; 2 (*betekenen*) significar, querer decir
beduimeld manoseado
beduusd perplejo, aturdido
beduvelen pegársela; *mij zul je niet ~* a mí no me la pegas
bedwang: *in ~ hebben, houden* dominar, tener bajo control; *zich in ~ houden* contenerse
bedwelmen 1 aturdir, atontar, adormecer; 2 (*med*) narcotizar; 3 (*door alcohol*) embriagar; 4 (*door drug*) drogar; **bedwelmend** mareante; *~e geur* olor *m* mareante; *~e middelen* drogas, estupefacientes *mmv*; **bedwelming** 1 aturdimiento; 2 (*med*) narcosis *v*; 3 (*slaap*) sopor *m*, letargo
bedwingbaar controlable, contenible; **bedwingen** 1 (*inhouden*) contener, reprimir; *zijn tranen ~* contener el llanto; 2 (*overwinnen*) conquistar, someter, sojuzgar; *zich ~* contenerse
beëdigd jurado; *~ vertaler* traductor *m* jurado; **beëdigen** 1 (*een eed laten afleggen*) juramentar, tomar juramento a; 2 (*bekrachtigen*) declarar auténtico, autentizar, autentificar; **beëdiging** 1 (*het afleggen van eed*) prestación *v* de juramento; 2 (*in ambt*) jura del cargo; 3 (*het laten afleggen van eed*) toma de juramento; 4 (*van document*) autenticación *v*
beëindigen terminar, acabar, dar fin a, concluir, ultimar, finalizar, poner término a; *zijn functie ~* cesar en su cargo; **beëindiging** terminación *v*, conclusión *v*, finalización *v*
beek arroyo
beeld 1 imagen *v*; (*portret*) retrato; (*afspiegeling*) reflejo; *een algemeen ~* una visión general; *in ~ brengen* pintar; *zich een ~ vormen van* formarse una idea de; 2 (*standbeeld*) estatua; *wassen ~* figura de cera
beeld|buis tubo de imagen (para televisión); **-drager** portadora de imágenes
beeldend expresivo; *~e kunsten* artes *vmv* plásticas
beelden|storm iconoclasia; **-stormer** iconoclasta *m*
beeld|houwen esculpir, cincelar; (*in hout ook:*) tallar; **-houwer** escultor *m*; **-houwkunst** escultura; **-houwster** escultora; **-houwwerk** escultura
beeldig bellísimo
beeldje estatuilla
beeld|scherm pantalla; (*comp*) monitor *m*; **-scherpte** nitidez *v* de la imagen, precisión *v* de la imagen; **-schoon** *zie: beeldig*; **-spraak**

lenguaje *m* metafórico; (*concr*) metáfora; **-verhaal** historieta, tira cómica; **-woordenboek** diccionario en imágenes

been 1 pierna; *de benen nemen* largarse, escurrir el bulto; *hij sloeg zijn benen over elkaar* cruzó las piernas; *de benen strekken: a*) estirar las piernas; *b*) (*fig; pop*) diñarla; *met zijn benen bungelen* balancear las piernas; *met twee benen op de grond staan* tener los pies bien firmes en el suelo; *niet met zijn benen op de grond staan* vivir en el limbo, vivir en la luna; *met zijn verkeerde ~ uit bed stappen* levantarse del lado izquierdo, levantarse con el pie izquierdo; *met zijn benen uit elkaar* las piernas separadas; *zich de benen uit het lijf lopen* correr a toda mecha; *op de ~ helpen* poner en pie, poner de pie; *hij hielp me op de ~* me ayudó a levantarme; *ik kon mij nauwelijks op de ~ houden* apenas me sostenía en pie; *op eigen benen staan* valerse por sí mismo; *hij was snel weer op de ~* pronto pudo levantarse; *vlug ter ~ zijn* andar ligero; 2 (*van hoek*) lado; 3 (*van passer*) pierna; 4 (*bot*) hueso || *ik zie er geen ~ in* no tengo ningún empacho en

beenbeschermer espinillera

beendermeel polvo de huesos

beenhouwer (*Belg*) carnicero

beenhouwersgast (*Belg*) aprendiz *m* de carnicero

beenmerg médula ósea

beentje: *iem ~ lichten* echar la zancadilla a u.p.; *zijn beste ~ voor zetten* esmerarse

beenwarmer calientapiernas *m*

beer 1 oso; *Grote ~* Osa Mayor; *Kleine ~* Osa Menor; *sterk als een ~* fuerte como un toro; 2 (*varken*) cerdo; **beerput** pozo negro; (*fig*) sentina

beest animal *m*, bestia, bicho; *de ~ uithangen* hacer de las suyas, hacer de su capa un sayo; *dat is bij de wilde ~en af* de fiera a fiera no va nada; **beestachtig** bestial, atroz, bruto; **beestenboel** 1 (*vies*) porquería, pocilga; 2 (*kabaal*) escándalo, jaleo; 3 (*uitspatting*) juerga, orgía

beet 1 (*het bijten*) mordisco, dentellada; 2 (*wond*) mordedura; (*van insect, slang*) picadura; 3 (*hengelsp*) mordida, picada; *ik heb ~* el pez ha picado

beetje: *een ~* un poco; *een klein ~* un poquito; *~ bij ~* poco a poco; *alle ~s helpen* muchos pocos hacen un mucho

beet|nemen dar el pego; *zich laten ~* dejarse engatusar; **-pakken** coger, agarrar, tomar

bef alzacuello, golilla

BEF (*Belg*) franco belga

befaamd famoso, célebre; **befaamdheid** fama, renombre *m*, celebridad *v*

begaafd muy dotado, talentoso; *minder ~* subnormal, menos dotado; *zeer ~* superdotado; **begaafdheid** talento, dotes *vmv*

begaan I *ww* cometer, consumar, perpetrar || *laat hem maar ~* déjale hacer; II *bn* 1 bajo; *begane grond* planta baja, piso bajo; 2 *~ zijn met* sentir *ie, i* lástima de, compadecerse de; III *zn*: *het ~ van het misdrijf* la comisión del delito; **begaanbaar** practicable, transitable

begeerlijk deseable, apetecible; **begeerte** 1 (*hebzucht*) codicia; 2 *~ naar* deseo de, afán *m* de, avidez *v* de

begeleiden 1 acompañar; (*mil*) escoltar; *iem op de piano ~* acompañar a u.p. con el piano; *iem bij de studie ~* dirigir los estudios de u.p., guiar *í* a u.p. en la carrera; 2 (*van project*) seguir *i*; **begeleider** acompañante *m*; (*mentor*) monitor *m*; **begeleiding** 1 acompañamiento; 2 (*van project, studie*) seguimiento; **begeleidster** acompañante *v*; (*mentrix*) monitora

begenadigen perdonar, indultar; *een begenadigd kunstenaar* un artista genial

begeren desear, apetecer, ambicionar, aspirar a; **begerig** (*hebzuchtig*) codicioso; *~ naar* deseoso de, ansioso de, ávido de; **begerigheid** *zie: begeerte*

begeven 1 *het ~* fallar; *zijn krachten begaven het* le abandonaron las fuerzas; *de motor begaf het* se estropeó el motor; *zijn stem begaf het* le faltó la voz; 2 *zich ~ naar* ir a, dirigirse a; *zich in gevaar ~* meterse en peligros, exponerse a un peligro; *zich op weg ~* ponerse en camino

begieten regar *ie*

begiftigen: *iem met iets ~* regalar u.c. a u.p., obsequiar a u.p. con u.c., dotar a u.p. de u.c.

begin comienzo, principio; *~ mei* a principios de mayo, a primeros de mayo, a comienzos de mayo; *het ~ van het einde* el comienzo del fin; *een goed ~ is het halve werk* una obra bien empezada está ya a medio hacer; *alle ~ is moeilijk* todo quiere empezar, todo es empezar; *een ~ maken met* dar comienzo a; *in het ~* en el comienzo, en un principio, al principio; *van het ~ af aan* desde el comienzo; *van het ~ tot het einde* desde el principio hasta el fin

begin|cursus curso inicial; **-letter** (letra) inicial *v*

beginneling, beginnelinge principiante *m,v*

beginnen I *tr* 1 comenzar *ie*, empezar *ie*, iniciar; *een proces ~* iniciar un proceso; *een zaak ~* poner un negocio; *voor zichzelf ~* establecerse por cuenta propia; *opnieuw ~* volver *ue* a empezar, comenzar de nuevo; *wat ben ik begonnen!* ¡en qué lío me he metido!; *jij begint* (*spel*) te toca salir; *ik kon niets ~* no podía hacer nada; *wat moet ik nu ~?* ¿qué hago ahora?; *om te ~* para empezar; *er is niets met hem te ~* no se puede hacer nada con él, no hay por dónde cogerlo; *het is een kwestie van ~* todo es ponerse a ello; 2 *~ aan, met* empezar *ie*, comenzar *ie*; *~ aan een studie* comenzar una carrera; *~ bij het begin* comenzar por el principio; *~ met de Middeleeuwen* comenzar con la Edad Media; *~ met het werk* empezar el trabajo; *hij begon met te zeggen* comenzó diciendo, comenzó por decir; *men begint met luisteren* se comienza por escuchar, se comienza escuchando; *te ~ met* (*vanaf*) desde, a partir de; 3 *~ over iets* empezar *ie* a hablar de u.c.; *~ over een ander onderwerp* pasar a otro tema; 4 *~ te* comenzar *ie* a; (*plotseling:*) ponerse a; *het begint te sneeuwen* comienza a nevar; *hij begon te huilen* se puso a llorar || *het is hem om het geld begonnen* el dinero es a lo que va; **II** *intr* comenzar *ie*, dar comienzo, empezar *ie*; *nu begint het echt* ahora va de veras

beginner *zie: beginneling*; **beginnerscursus** curso de iniciación, curso para principiantes

begin|punt (*van tram*) cabecera de línea; **-salaris** salario inicial, sueldo inicial

beginsel principio; *de eerste ~en* los rudimentos

beginsel|kwestie cuestión *v* de principios; **-vast** de principios; **-verklaring** declaración *v* de principios

begin|stadium fase *v* inicial, período embrionario; **-wedde** (*Belg*) salario inicial, sueldo inicial

begluren espiar *í*, acechar

begonia begonia

begraafplaats cementerio

begrafenis entierro; *plechtige ~* funerales *mmv*, exequias *vmv*; *een ~ bijwonen* asistir a un entierro

begrafenis|kosten gastos de entierro; **-ondernemer** empresario de pompas fúnebres; **-onderneming** funeraria; **-plechtigheid** funeral *m*, funerales *mmv*, honras *vmv* fúnebres, exequias *vmv*; **-stoet** entierro, comitiva fúnebre

begraven enterrar *ie*, dar sepultura; *dood en ~* muerto y bien muerto; *levend ~* enterrar en vida

begrenzen (*beperken*) limitar; *begrensd worden door* lindar con; **begrenzing** 1 limitación *v*; 2 (*concr*) límites *mmv*

begrijpelijk comprensible; **begrijpelijkheid** comprensibilidad *v*; **begrijpen** 1 comprender, entender *ie*; (*zich een idee vormen*) concebir *i*; *begrepen?* ¿has oído?, ¿estamos?; *verkeerd ~* entender mal; *volkomen ~ dat* darse perfecta cuenta de que; *ik kan het niet ~* no me lo explico, no lo comprendo, no acabo de comprenderlo, no lo concibo; *ik heb begrepen dat* tengo entendido que; *als ik u goed begrijp* si le entiendo bien; *begrijp me goed* entiéndeme bien; *dat kun je ~!: a*) (*natuurlijk*) ¡no faltaba más!; *b*) (*natuurlijk niet*) ¡ni pensarlo!, ¡ni hablar!; *ik begrijp daaruit dat* de eso deduzco que; *dat is te ~* eso se explica; *dat is makkelijk te ~* eso se entiende fácilmente; 2 (*inhouden*) incluir, contener; *alles er in begrepen* todo incluido || *ik heb het niet zo op hem begrepen* no me es simpático

begrip 1 (*idee*) idea, concepto, noción *v*; *geen enkel ~ van wat vertalen is* ni idea de lo que es traducir; *vage ~pen* nociones *vmv* vagas; 2 (*het begrijpen*) comprensión *v*, entendimiento; *~ van de tekst* comprensión *v* del texto; *met ~* comprensivamente; *naar Europese ~pen* para el criterio europeo; *ruim van ~* de amplia comprensión *v*; *snel van ~* listo como el hambre, ágil de entendimiento, avispado; *traag van ~* tardo (de entender), lerdo; *dat gaat mijn ~ te boven* no me cabe en la cabeza

begrips|bepaling definición *v*; **-vermogen** capacidad *v* de comprensión; **-verwarring** confusión *v* de ideas

begroeid cubierto de vegetación; *met bomen ~e hellingen* laderas arboladas

begroeten saludar, recibir; **begroeting** saludo, acogida

begroten (*op*) 1 presupuestar (en); 2 (*schatten*) estimar (en), calcular (en); **begroting** presupuesto

begrotings|debat debate *m* sobre el presupuesto; **-jaar** año presupuestario; **-tekort** déficit *m* presupuestario

begunstigde beneficiario, -a; **begunstigen** favorecer, beneficiar; **begunstiger**, **begunstigster** protector, -ora, bienhechor, -ora

beha sujetador *m*, sostén *m*

behaaglijk agradable; *zich ~ voelen* sentirse *ie, i* a gusto; *hij rekte zich ~ uit* se estiró con delicia

behaagziek coquetón *-ona*; **behaagzucht** coquetería, afán *m* de agradar

behaard cubierto de pelo, peludo; *~e borst* pecho velludo

behagen **I** *ww* agradar, gustar; **II** *zn* gusto, placer *m*; *~ scheppen in* hallar gusto en, complacerse en

behalen ganar, alcanzar, tener; *de overwinning ~* triunfar, ganar, vencer

behalve 1 (*uitgezonderd*) excepto, con excepción de, salvo, menos; *~ dat* excepto que; *er was niemand ~ ik* no había nadie sino yo; 2 (*naast*) además de, aparte de, fuera de

behandelen 1 tratar; (*van formele kwestie ook:*) gestionar; (*van bestelling*) atender *ie* a; *iedereen gelijk ~* tratar a todo el mundo de la misma manera; *wie behandelt de zaak?* ¿quién se ocupa del asunto?, ¿quién está encargado del asunto?; *een zaak ~* (*mbt rechter*) ver una causa; *mondelinge verzoeken worden niet behandeld* las peticiones verbales no serán atendidas; 2 (*bespreken*) tratar (de), deliberar sobre, discutir; *de 2e Kamer behandelde het kiesrecht* el congreso deliberó sobre el derecho de voto; *dit boek behandelt de 17e eeuw* este libro abarca el siglo XVII; *een onderwerp volledig ~* agotar un tema; 3 (*med*) tratar, atender *ie*; *~ voor* poner tratamiento para; *iem ~ voor asthma* tratar a u.p. el asma; **behandeling** 1 tratamiento; *in ~ zijn* estar pendiente; *onder medische ~ zijn* estar sometido a tratamiento médico; 2 (*omgang*) trato; *ze geven je een slechte ~* te dan un trato muy malo; 3 (*administratief*) tramitación *v*; 4 (*van machine*) manejo; 5 (*van goederen*) manipulación

v; *fout in de* ~ error *m* de manipulación; 6 (*van rechtszaak*) vista; **behandelkamer** quirófano
behang 1 (*papier*) papel *m* pintado, papel *m* para empapelar; *muren met donker* ~ paredes *vmv* empapeladas de oscuro; 2 (*wand*) empapelado; **behangen** empapelar; *met slingers* ~ adornar con guirnaldas; **behanger** empapelador *m*
beharing pelo; (*van lichaam ook:*) vello
behartigen defender *ie*, vigilar, proteger; **behartiging** defensa, protección *v*
beheer administración *v*; (*bestuur*) gerencia; (*bewaking*) custodia; *ik beheer mijn eigen geld* yo me administro; *onder* ~ *van* bajo la custodia de; **beheerder** administrador *m*; **beheerraad** (*Belg*) consejo de administración
beheersen 1 dominar; *zijn vak* ~ dominar su oficio; *een taal* ~ dominar un idioma; *zich* ~ dominarse; 2 (*van prijzen*) controlar; **beheersing** dominio, dominación *v*, control *m*
beheksen embrujar
behelpen: *zich* ~ (*met*) defenderse *ie* (con), arreglarse (con)
behelzen contener, implicar, comprender
behendig hábil, diestro; **behendigheid** habilidad *v*, presteza, destreza
behept: ~ *met* afectado de
beheren administrar
behoeden (*voor*) proteger (contra), guardar (de); **behoedzaam** cauteloso, prudente; **behoedzaamheid** cautela, circunspección *v*
behoefte (*aan*) necesidad *v* (de); *de eerste ~n* las necesidades básicas; ~ *hebben aan* sentir *ie, i* necesidad de, necesitar; *dringend* ~ *hebben aan* necesitar urgentemente; *de* ~ *gevoelen* experimentar la necesidad, sentir *ie, i* la necesidad; *de* ~ *dekken, in de* ~ *voorzien* cubrir la necesidad, satisfacer la necesidad; *zijn* ~ *doen* hacer sus necesidades; **behoeftig** necesitado, menesteroso
behoeve: *ten* ~ *van* en favor de, en pro de; **behoeven** necesitar, tener que; *zie ook: hoeven*
behoorlijk I *bn* 1 (*netjes*) decente, digno; *een ~e woning* una vivienda digna; *een* ~ *maal* una comida decente; 2 (*redelijk*) razonable; 3 (*passend*) conveniente; 4 (*flink*) bastante; *een* ~ *bedrag* una suma considerable; II *bw* como corresponde, debidamente, convenientemente
behoren I *ww* 1 (*toebehoren*) pertenecer; 2 (*gepast zijn*) convenir; *je behoort eigenlijk te gaan* debieras ir; *zie ook: horen*; 3 ~ *bij* (*passen bij*) corresponder a; *je behoort bij ons* eres de los nuestros; *het vertoon dat behoort bij zijn rang* la pompa aneja a su jerarquía; *zie ook: horen*; 4 ~ *tot* pertenecer a, ser de, formar parte de; ~ *tot iems vrienden* ser de los amigos de u.p.; II *zn*: *naar* ~ como es debido; *zie ook: behoorlijk II*; **behorend**: ~ *bij* perteneciente a, anejo a
behoud conservación *v*, preservación *v*; *dat is zijn* ~ es su salvación *v*; *met* ~ *van salaris* con goce de sueldo; **behouden** I *ww* conservar, guardar, mantener; II *bn* sano y salvo; **behoudend** conservador *-ora*; **behoudens** salvo, excepto, con excepción de
behuild: *een* ~ *gezicht* cara de haber llorado
behuisd: *klein* ~ *zijn* vivir estrecho; **behuizing** (*huis*) vivienda; (*huisvesting*) alojamiento; *passende* ~ una vivienda digna
behulp: *met* ~ *van* con la ayuda de; **behulpzaam** servicial, amable; **behulpzaamheid** amabilidad *v*
beiaard carillón *m*
beide los dos, ambos; *mijn* ~ *broers* mis dos hermanos; *wij gaan ~n* vamos los dos; *aan* ~ *zijden* a ambos lados; *wij gaan met ons ~n* vamos juntos; *tussen* ~ *steden* entre una y otra ciudad; *één van* ~ uno de los dos; *een van* ~ (*onverschillig welke*) cualquiera de los dos; *geen van* ~ ninguno de los dos; *welk van ~?* ¿cuál de los dos?
beieren sonar *ue*
beige beige, beis
beijveren: *zich* ~ *om* esforzarse *ue* por
beijzeld cubierto de escarcha
beïnvloeden influir en, incidir en, afectar; *makkelijk te* ~ fácilmente influible
beitel cincel *m*, escoplo; **beitelen** cincelar
beits nogalina
bejaard anciano, de edad avanzada; **bejaarde** anciano, -a persona de edad avanzada, persona de la tercera edad; **bejaardentehuis** hogar *m* para ancianos, residencia de ancianos, residencia geriátrica; **bejaardenthuishulp** asistencia domiciliaria a ancianos
bejegenen tratar; **bejegening** trato
bejubelen aplaudir, aclamar
bek 1 (*van dier*) boca, hocico; 2 (*snavel*) pico; 3 (*van tang*) mordaza, mandíbula; 4 (*fam, van persoon*) pico, bocaza; *hou je bek!* ¡cierra el pico!, ¡cállate la boca!; *breek me de* ~ *niet open* no me tire de la lengua
bekaaid: *er* ~ *afkomen* salir esquilado, salir perjudicado
bekaf hecho polvo, hecho migas, deshecho
bekakt afectado, esnob
bekend 1 conocido, sabido; *beter* ~ *als* más conocido por; *hij staat als leugenaar* ~ es conocido por mentiroso; *zijn gezicht komt me* ~ *voor* su cara me es conocida; *zoals* ~ como es sabido; *voorzover mij* ~ que yo sepa; *het is* ~ *dat* sabido es que, se sabe que; *het is algemeen* ~ *dat* es generalmente conocido que, es cosa notoria que, es (público y) notorio que, es del dominio público que; *waarschijnlijk is het u* ~ *dat* tendrá Ud. conocimiento de que, no ignorará Ud. que; ~ *maken* dar a conocer; *zich* ~ *maken* revelar su identidad; ~ *worden* ser conocido, saberse, divulgarse, hacerse público, trascender *ie*; *toen het bericht* ~ *werd* al ser conocida la noticia, al saberse la noticia, divulgada la noticia; 2 (*met goede naam*) reputado, prestigioso, acreditado; *een* ~ *merk* una marca acreditada; *goed* ~ *staan* tener buena fama,

gozar de excelente reputación *v*; 3 ~ *met* conocedor *-ora* de, enterado de; *ik ben in deze stad niet* ~ no conozco esta ciudad; **bekende** conocido, -a; **bekendheid** 1 (*van feit*) notoriedad *v*; 2 (*reputatie*) fama; 3 ~ *met* conocimiento de
bekendmaken anunciar; **bekendmaking** aviso, publicación *v*; (*officieel*) notificación *v*
bekennen confesar *ie*, reconocer || *er was niemand te* ~ no se veía un alma; **bekentenis** confesión *v*
beker 1 vaso (de cerámica), tazón *m*; 2 (*trofee*) copa; 3 (*voor dobbelstenen*) cubilete *m*
bekeren (*tot*) convertir *ie, i* (a); **bekering** conversión *v*
beker|finale final *v* de la copa; **-wedstrijd** partido de copa
bekeurde infractor, -ora; **bekeuren** multar, sancionar; **bekeuring** multa, sanción *v*; *ik heb een* ~ me han multado
bekijken mirar; *het is maar hoe je het bekijkt* según (cómo) se mire; *hoe je het ook bekijkt* se mire por donde se mire; *je moet het anders* ~ debes verlo de otro modo || *het is zó bekeken* se hace en seguida; **bekijks**: *veel* ~ *hebben* atraer las miradas
bekisting (*bouwk*) encofrado
bekken 1 (*kom*) palangana; 2 (*aardr*) cuenca; 3 (*anat*) pelvis *v*; 4 ~*s* (*muz*) címbalos, platillos
beklaagde procesado, -a, acusado, -a, querellado, -a; **beklaagdenbank** banquillo (de los acusados)
bekladden ensuciar, emborronar; (*vlekken maken*) manchar; ~ *met leuzen* cubrir de eslogans
beklag: *zijn* ~ *doen* quejarse; **beklagen** compadecer; *ik beklaag je* te compadezco, te tengo lástima; *hij is te* ~ es de compadecer; *zich* ~ *over iets bij iem* quejarse de u.c. ante u.p.; **beklagenswaardig** lastimoso
beklant: *goed* ~ muy frecuentado
bekleden 1 (*stofferen*) tapizar, cubrir, revestir *i*; 2 (*van positie*) ocupar, tener, desempeñar; 3 ~ *met* (*een ambt*) investir *i* con; **bekleding** (*stoffering*) tapizado, revestimiento
beklemd (*benauwd*) angustiado, oprimido; **beklemmen** (*fig*) oprimir; **beklemming** opresión *v*; ahogo, angustia
beklemtonen acentuar *ú*; (*fig ook:*) enfatizar
beklimmen (*van berg*) subir; (*sp*) escalar; **beklimming** subida; (*sp*) escalada
beklonken: *de zaak is* ~ el trato está hecho
bekneld (*tussen*) aprisionado (entre)
beknibbelen regatear; ~ *op het onderwijs* escatimar en la enseñanza
beknopt conciso, sucinto; (*mbt samenvatting*) sumario, resumido; *op* ~*e wijze* en forma resumida; ~*e beschrijving* descripción *v* sumaria; ~*e geschiedenis* historia compendiada; **beknoptheid** concisión *v*, carácter *m* sucinto
beknotten cercenar, recortar; *de rechten* ~ cercenar los derechos
bekocht engañado, llevado al huerto, estafado, vendido
bekoelen 1 enfriarse *í*, entibiarse, helarse *ie*; *zijn enthousiasme bekoelde* el entusiasmo se le heló, su entusiasmo fue entibiándose; 2 (*kalmeren*) calmarse
bekogelen (*met*) balear (con), ametrallar (con)
bekomen: *de rust bekwam hem goed* el reposo le sentó muy bien; *het zal hem slecht* ~ va a ser peor; *van de schrik* ~ reponerse del susto
bekommeren: *zich* ~ *om* preocuparse de; *bekommer je maar niet om de anderen* no te preocupes de los demás; *zonder zich te* ~ *om* sin hacer caso de, sin tomar en cuenta, sin preocuparse de
bekoorlijk encantador *-ora*, atractivo; **bekoorlijkheid** encanto
bekopen: *hij moest het duur* ~ lo pagaría muy caro, le iba a costar caro; *het met de dood* ~ pagarlo con la vida
bekoren encantar, fascinar; *het plan kan mij niet* ~ no me convence el proyecto; **bekoring** encanto, atractivo, fascinación *v*
bekorten acortar, abreviar; *zijn verblijf* ~ abreviar su estancia
bekostigen pagar, financiar, costear, sufragar los gastos de
bekrachtigen ratificar, confirmar, acreditar; **bekrachtiging** ratificación *v*, confirmación *v*
bekrassen llenar con garabatos
bekritiseren criticar
bekrompen estrecho, de miras estrechas; **bekrompenheid** estrechez *v* de miras
bekronen 1 coronar; 2 (*een prijs geven*) premiar; *met goud bekroond* premiado de oro; *het bekroonde ontwerp* el diseño ganador, el diseño premiado; **bekroning** 1 coronación *v*; 2 (*fig*) recompensa, premio
bekruipen: *het gevoel bekruipt me dat* me invade un sentimiento de que
bekvechten pelearse de palabra, discutir
bekwaam 1 (*geschikt*) apto, competente; 2 (*kundig*) experto, hábil; *onder de bekwame leiding van* bajo la experta dirección de; 3 (*jur*) capaz; ~ *zijn om* tener capacidad *v* para; **bekwaamheid** 1 (*geschiktheid*) aptitud *v*, competencia; *salaris naar* ~ sueldo según aptitudes; 2 (*kundigheid*) experiencia, habilidad *v*; 3 (*jur*) capacidad *v*; **bekwamen**: *zich* ~ (*in*) perfeccionarse (en), prepararse (para), capacitarse (para)
1 bel timbre *m*; *de* ~ *gaat niet over* el timbre no suena; *op de* ~ *drukken* tocar el timbre
2 bel (*luchtbel*) burbuja; ~*len blazen zn* el juego de las pompas de jabón
belachelijk ridículo; *doe niet zo* ~ no seas ridículo; ~ *maken* poner en ridículo, ridiculizar; *zich* ~ *maken* hacer el ridículo
beladen (*met*) cargar (con, de); (*fig ook:*) agobiar (de)
belagen asediar, acosar

belanden venir a parar; *doen* ~ llevar; *zijn verleden deed hem in het oerwoud* ~ su pasado le llevó a la selva; *hij is in Sevilla beland* ha venido a parar en Sevilla
belang 1 (*betrokkenheid*) interés *m*; *ik heb er groot* ~ *bij* me interesa mucho; *veel* ~ *hechten aan* dar mucha importancia a; *veel* ~ *stellen in* interesarse vivamente por; *gevestigde* ~*en* intereses creados; *handelen in het* ~ *van* actuar *ú* en interés de; *in uw eigen* ~ en su propio interés; 2 (*gewicht*) importancia; *van* ~ *zijn* importar, tener importancia; *het is niet van* ~ *dat er fouten worden gemaakt* no importa que se hagan errores; *wij achten het van* ~ *dat* consideramos importante que, creemos de interés que; *van algemeen* ~ de interés general, de interés común; *van groot* ~ de gran importancia, de vital importancia; *van het grootste* ~ de máxima importancia; *van ondergeschikt* ~ de importancia secundaria; **belangeloos** con desinterés, desinteresado
belangen|behartiging defensa (y promoción) de intereses; **-gemeenschap** comunidad *v* de intereses; **-groep** grupo de presión
belanghebbende interesado, -a
belangrijk importante, relevante; *zeer* ~ crucial, trascendental; ~ *bericht* noticia importante, noticia de interés; *een weinig* ~*e zaak* un asunto de poca monta; *een zo* ~*e stap* un paso de esa trascendencia; *het is even* ~, *zo niet* ~*er dan* es tanto o más importante que; *steeds* ~*er worden* cobrar cada vez más importancia
belangstellend (*in, naar*) I *bn* interesado (en); II *bw* con interés; **belangstelling** interés *m*; ~ *hebben* (*voor*) interesarse (en, por), tener interés (en, por); *levendige* ~ *hebben voor* interesarse vivamente por; ~ *krijgen voor* cobrar interés por; ~ *wekken* despertar *ie* (el) interés; **belangwekkend** interesante
belastbaar imponible; ~ *inkomen* base *v* imponible; *-bare grondslag* base *v* tributable; **belasten** (*met*) 1 cargar (con); (*van rekening*) cargar, adeudar, debitar; *wij hebben uw rekening voor een bedrag van f 80 belast* le hemos cargado en cuenta el importe de fls 80; *belast zijn met* tener a su cargo, estar encargado de; *zich* ~ *met* tomar a su cargo, aceptar el cargo de, hacerse cargo de; 2 (*van persoon*) imponer impuestos; 3 (*van zaak*) gravar (con un impuesto); *met een hypotheek belast* gravado con hipoteca; *de lage uitkeringen minder* ~ desgravar las pensiones modestas || *erfelijk belast zijn* sufrir una tara hereditaria; **belastend** *zie: bezwarend*
belasteren difamar, calumniar
belasting 1 impuesto, contribución *v*; (*heffing*) tasa; *dubbele* ~ doble imposición *v*; ~*en heffen* recaudar impuestos; *de* ~ *ontduiken* defraudar al fisco; ~ *toegevoegde waarde* (*BTW*) impuesto sobre el valor añadido (IVA); 2 (*lading*) carga; *nuttige* ~ carga útil || *erfelijke* ~ tara hereditaria
belasting|aangifte declaración *v* (de la renta), declaración *v* fiscal; *de* ~ *voor 1985* la declaración de 1985; **-aanslag 1** (*vaststelling*) imposición *v* fiscal; 2 (*bedrag*) deuda tributaria; **-aftrek** deducción *v* de impuestos; **-ambtenaar** funcionario de Hacienda; **-betaler** contribuyente *m*; **-biljet** impreso para la declaración fiscal; *het* ~ *invullen* rellenar el impreso; **-consulent**, **-consulente** asesor, -ora fiscal; **-dienst** fisco; **-druk** presión *v* fiscal, carga impositiva; **-formulier** hoja de declaración; **-fraude** fraude *m* tributario, fraude *m* fiscal; **-inspecteur** (*vglbaar:*) Inspector *m* de Hacienda; **-jaar** año fiscal; **-kantoor** oficina de recaudación de impuestos; (*rijksbelasting, vglbaar:*) Delegación *v* de Hacienda; **-ontduiker** defraudador *m* del fisco; **-ontduiking** defraudación *v* fiscal, evasión *v* fiscal; **-plichtig** tributario; **-plichtige** contribuyente *m,v*, sujeto pasivo (del impuesto); **-stelsel** sistema *m* fiscal, régimen *m* tributario; **-verhoging** aumento de los impuestos; **-verlaging** reducción *v* fiscal, desgravación *v* fiscal; **-verordening** Ordenanza fiscal; **-voordeel** ventaja fiscal; **-vrij** exento de impuestos, libre de impuestos
belazeren engañar; *ben je belazerd?* ¿te has vuelto loco?, ¿has perdido el juicio?
beledigen (*kwetsen*) ofender, agraviar, afrentar; (*uitschelden*) insultar, injuriar; (*grof:*) ultrajar; *hij is gauw beledigd* se ofende en seguida; **beledigend** ofensivo, injurioso; **belediging** ofensa, agravio, afrenta; (*met woorden*) insulto, injuria; (*grof:*) ultraje *m*
beleefd cortés; (*bescheiden*) comedido, (bien) educado; **beleefdheid** cortesía, (buena) educación *v*; (*bescheidenheid*) comedimiento
beleefdheids|bezoek visita de cortesía, visita protocolaria; **-halve** por cortesía, por fórmula; **-vorm** (*gramm*) tratamiento de Usted; *iem aanspreken in de* ~ hablar a u.p. de Ud.; **-vormen** etiqueta, fórmulas de cortesía
beleg 1 (*belegering*) sitio, asedio, cerco; *het* ~ *slaan voor* sitiar a, poner sitio a; *staat van* ~ estado de sitio; 2 (*van broodje*) relleno
belegen 1 (*mbt wijn*) madurado, añejo; 2 (*mbt kaas*) hecho
belegeren sitiar; **belegering** sitio
beleggen 1 (*van vloer*) cubrir; (*van broodje*) poner u.c. en; *ik heb het met kaas belegd* le he puesto queso; *belegd broodje* bocadillo; 2 (*van vergadering*) convocar; 3 (*van geld*) invertir *ie, i*, colocar; **belegger** inversor *m*, inversionista *m*; **belegging** inversión *v*
beleggings|fonds fondo de inversión; **-maatschappij** sociedad *v* de inversión
beleid 1 gestión *v*, política; *commercieel* ~ gestión comercial; *provinciaal* ~ política provincial; 2 (*tact*) tacto, tiento, cautela
beleids|lichaam entidad *v* de gestión; **-lijnen** políticas; ~ *uitstippelen* formular políticas; **-orgaan** organismo gestor

belemmeren estorbar, obstaculizar, dificultar, obstruir, entorpecer, poner trabas a; *het verkeer* ~ obstaculizar el tráfico; *het gezicht* ~ tapar la vista; **belemmering** estorbo, obstrucción *v*, traba
belendend contiguo, vecino, colindante
belenen 1 (*bij bank van lening*) empeñar, pignorar; 2 (*geld lenen op*) prestar dinero sobre
beletsel impedimento, obstáculo; **beletten** impedir *i*
beleven 1 vivir, ver; *hopelijk beleeft u dat nog!* ¡salud para verlo!; *dat zal ik niet meer* ~ no seré yo quien lo vea; *zoiets heb ik nog nooit beleefd!* ¡en mi vida he visto cosa semejante!; 2 *plezier* ~ *van* disfrutar de; **belevenis** experiencia, vivencia; *het was een hele* ~ fue toda una experiencia; ~*sen* (*ook:*) vicisitudes *vmv*; **belevingswereld** mundo de las vivencias
belezen leído; (*ontwikkeld*) erudito; **belezenheid** erudición *v*
Belg belga *m*
belgerinkel cascabeleo
België Bélgica; **Belgisch**, **Belgische** belga
belhamel 1 golfo; 2 (*van kudde*) manso
belichamen encarnar; **belichaming** encarnación *v*
belichten 1 (*met lamp*) alumbrar, iluminar; 2 (*van foto*) exponer; *te kort* ~ subexponer; *te lang* ~ sobreexponer; 3 (*naar voren brengen*) enfocar, reflejar; *hij belicht maar één kant* refleja una sola cara; **belichting** 1 (*met lamp*) iluminación *v*; 2 (*van foto*) exposición *v*; 3 (*van kwestie*) enfoque *m*
belichtings|meter fotómetro; **-tijd** tiempo de exposición
believen: *naar* ~ a discreción
belijden 1 (*van schuld*) confesar *ie*; 2 (*godsd*) profesar; **belijdenis** (*godsd*) confirmación *v*
bellen 1 (*aanbellen*) llamar, tocar el timbre; *er wordt gebeld* llaman a la puerta; 2 (*telef*) llamar (por teléfono); **belletje** 1 (*aan halsband*) cascabel *m*; 2 (*blaasje*) burbujita; 3 (*telef*) telefonazo
belofte promesa; ~ *maakt schuld* lo prometido es deuda; *zijn* ~ *nakomen* cumplir su promesa; *zijn* ~ *niet nakomen* dejar incumplida su promesa, faltar a su promesa; *het land van* ~ la tierra de promisión
belonen recompensar, retribuir, remunerar; (*als prijs*) gratificar, premiar; **beloning** retribución *v*, remuneración *v*; recompensa; *gelijke* ~ *voor man en vrouw* remuneración igual para hombre y mujer; **beloningssysteem** sistema *m* retributivo
beloop: *op zijn* ~ *laten* dejar correr; **belopen** 1 (*lopen op*) pisar; 2 *zie: bedragen* || *het is niet te* ~ es muy lejos para ir a pie
beloven prometer; *het belooft een drukke dag te worden* promete ser un día de mucho trabajo; *veel* ~ (*fig*) prometer (mucho); *niet veel goeds* ~ no prometer nada bueno; *beloofd is beloofd* lo prometido es deuda
beluik (*Belg*) 1 (*doodlopende steeg*) callejón *m* sin salida; 2 (*afgesloten ruimte*) recinto
beluisteren escuchar
belust: ~ *op* deseoso de
bemachtigen apoderarse de, adueñarse de
bemannen (*van boot, vliegtuig*) tripular; *een project* ~ buscar personal para un proyecto; **bemanning** tripulación *v*, dotación *v*
bemerken percibir, descubrir, reparar en, observar, advertir *ie, i*
bemesten abonar, fertilizar; (*met natuurlijke mest ook:*) estercolar; **bemesting** fertilización *v*, abono, abonado; (*met natuurlijke mest ook:*) estercoladura
bemiddelaar, **bemiddelaarster** intermediario, -a, mediador, -ora; **bemiddeld** adinerado, acomodado; *een* ~ *man* un hombre de recursos; **bemiddelen** mediar, intervenir; **bemiddeling** mediación *v*, intervención *v*; *door* ~ *van* por mediación de, por intermedio de
bemiddelings|bureau agencia; **-commissie** comisión *v* interventora; **-poging** tentativa de mediación; **-voorstel** propuesta de mediación
bemind querido; *zich* ~ *maken* hacerse querer; **beminde** amado, -a, amor *m*; **beminnelijk** amable, afable; **beminnelijkheid** amabilidad *v*, afabilidad *v*; **beminnen** amar
bemoedigen animar, alentar *ie*, envalentonar; **bemoedigend** animador *-ora*, alentador *-ora*; **bemoediging** animación *v*, envalentonamiento, estímulo
bemoeial metijón, -ona, metomentodo *m,v*, entremetido, -a
bemoeien: *zich* ~ *met: a*) (*zaak*) meterse en, intervenir en, tomar cartas en; *waar bemoeit u zich mee?* ¿en qué se mete Ud.?; *ik bemoei me er niet mee* yo no me meto; *de regering gaat zich met de zaak* ~ el gobierno tomará cartas en el asunto; *niemand vraagt hem zich ermee te* ~ nadie le pide que intervenga; *b*) (*persoon*) tratar; (*neg*) meterse con; *niemand bemoeit zich met haar* nadie la trata; *bemoei je niet met mij* no te metas conmigo; **bemoeienis** intervención *v*, interferencia, gestión *v*; *dankzij uw* ~*sen* gracias a sus gestiones
bemoeilijken dificultar, estorbar, obstruir; *bemoeilijkt worden door* verse dificultado por
bemoeiziek entremetido; **bemoeizucht** entremetimiento
bemost cubierto de musgo
benadelen perjudicar, afectar; **benadeling** perjuicio
benaderen 1 (*van persoon*) dirigirse a; *moeilijk te* ~ inaccesible; 2 (*van ideaal; van aantal*) aproximarse a; 3 (*van probleem*) enfocar, plantear; (*aanpakken*) acometer; **benadering** 1 (*wijze van aanspreken*) manera de abordar; 2 (*van ideaal; van aantal*) aproximación *v*; *bij* ~ aproximadamente; 3 (*van probleem*) enfoque *m*, planteamiento

benadrukken acentuar *ú*, recalcar, hacer resaltar
benaming nombre *m*, denominación *v*; (*het benoemen*) nomenclatura
benard apurado, crítico; *~e tijden* tiempos difíciles
benauwd 1 (*mbt weer, sfeer*) sofocante, pesado, bochornoso; *het is ~ weer* hace bochorno; *een ~e sfeer* una atmósfera pesada, una atmósfera viciada; **2** (*mbt kamer*) mal ventilado; *het is hier ~* aquí se ahoga uno; **3** (*mbt lucht*) viciado, cargado; **4** (*fig*) apurado, angustioso; *een ~ ogenblik* un momento apurado; **5** (*buiten adem*) ahogado; *hij heeft het ~* se ahoga; *een ~ gehijg* un jadeo ahogado; **6** (*bang*) apocado, angustiado; *het ~ hebben* (*bang zijn*) tener miedo, (*pop*) tener canguelo; **7** (*strak*) estrecho, ajustado; **benauwdheid 1** (*ademnood*) sofoco, ahogo; **2** (*angst*) sofoco, angustia, congoja, miedo; **3** (*van weer*) bochorno; **benauwen** angustiar, inquietar; **benauwend 1** (*lett*) sofocante, ahogador *-ora*; **2** (*fig*) inquietante, angustioso
bende 1 (*georganiseerd*) banda; (*troep; neg*) cuadrilla, gavilla; *de leden van een ~* los componentes de una banda; **2** (*rommel*) desorden *m*, caos *m*, desbarajuste *m*, estropicio; **bendeleider** jefe *m*, cabecilla *m*
beneden I *bw* abajo; *~ aan de bladzijde* al pie de la página; *~ wonen* vivir en el piso bajo; *naar ~* (hacia) abajo; *naar ~ brengen* bajar; *naar ~ lopen: a*) (*afdalen*) bajar, descender *ie*; *b*) (*hellen*) inclinarse (hacia abajo); **II** *vz* debajo de; *~ de waarde* por debajo del valor; *het ligt ~ de f 5* es menos de fls 5; *personen ~ de 20 jaar* personas menores de 20 años; *~ peil* malísimo, de pésima calidad; *de Maas ~ Rotterdam* el Mosa más abajo de Rotterdam
beneden|buur vecino de abajo; **-dijks** al pie del dique; **-huis** planta baja, piso bajo; **-loop** curso inferior; **-stad** ciudad *v* baja, parte *v* baja de la ciudad; **-strooms** río abajo; **-verdieping** piso bajo, planta baja; **-waarts** hacia abajo; **-winds** sotavento; *de ~e Eilanden* las Islas de Sotavento
benedictijn benedictino
Benelux Benelux *m*
benemen quitar; *de moed ~* desanimar, descorazonar; *het uitzicht ~* tapar la vista; *iem de lust ~ om* quitar a u.p. las ganas de; *zich het leven ~* quitarse la vida
benen *bn* de hueso
benepen 1 cohibido, tímido; *met een ~ gezicht* con cara angustiada; *met een ~ stemmetje* con un hilo de voz; **2** (*klein*) estrecho; *een ~ kamertje* un cuartucho; **3** (*kleinzielig*) mezquino
beneveld 1 (*mbt geest*) obcecado, ofuscado; **2** (*dronken*) bebido; (*fam*) entre dos luces
bengel golfillo
bengelen balancear; *~ met zijn benen* balancear las piernas
benieuwd: *~ zijn* (*naar*) estar curioso (por saber), tener curiosidad (por saber), estar ansioso (por conocer); *ik ben ~ naar het resultaat* estoy curioso por saber el resultado; *ik ben ~ of* me pregunto si
benig huesudo
benijden envidiar, tener envidia; *ik benijd hem* (*om*) *zijn succes* le envidio por su éxito; *hij benijdt me* me tiene envidia; *hij is niet te ~* no es de envidiar; **benijdenswaardig** envidiable
benjamin benjamín *m*
benodigd necesario; *hiervoor is ~* para ello se requiere; **benodigdheden** lo necesario; (*gerei*) enseres *mmv*, útiles *mmv*
benoembaar elegible; **benoembaarheid** elegibilidad *v*; **benoemen** designar, nombrar; *iem tot voorzitter ~* nombrar a u.p. presidente; *hij werd tot secretaris benoemd* fue nombrado secretario; **benoeming** nombramiento
benul idea, noción *v*; *niet het minste ~ hebben van* no tener la menor noción de
benutten aprovechar
B. en W. *Burgemeester en Wethouders* (*vglbaar:*) el alcalde y los tenientes de alcalde
benzine gasolina
benzine|meter indicador *m* (del nivel) de gasolina; **-pomp** surtidor *m* de gasolina; **-station** estación *v* de servicio, gasolinera; **-tank** tanque *m* de gasolina
beoefenaar, **beoefenaarster 1** (*van wetenschap*) cultivador, -ora; **2** *~ van een beroep* persona que ejerce una profesión; **3** *~ van een sport* persona que practica un deporte; **beoefenen 1** (*van beroep*) ejercer, dedicarse a; **2** (*van wetenschap*) cultivar, dedicarse a; **3** (*van sport*) practicar; **beoefening 1** (*van wetenschap*) cultivo; **2** (*van beroep*) ejercicio; **3** (*van sport*) práctica
beogen pretender, intentar, aspirar a
beoordelen 1 juzgar, evaluar *ú*, apreciar; *~ naar* juzgar por; *verkeerd ~* juzgar mal; **2** (*van boek*) hacer una crítica de; **3** (*van schoolwerk*) calificar; **beoordeling 1** juicio, evaluación *v*, apreciación *v*; *ter betere ~* para una mejor apreciación; *ter ~ voorleggen aan* someter a la consideración de, someter al juicio de; **2** (*van boek*) crítica; **3** (*van schoolwerk*) nota, calificación *v*
beoordelings|fout error *m* de apreciación; **-gesprek** entrevista de evaluación
bepaald I *bn* fijo, determinado, definido, fijado, establecido; *op een ~ moment* en un momento determinado; **II** *bw* realmente, verdaderamente, totalmente; *~ onmogelijk* totalmente imposible; *dat is niet ~ makkelijk* no es lo que se dice fácil, no es precisamente fácil; *het is ~ een verrassing* no deja de sorprender; **bepaaldelijk** expresamente, particularmente
bepalen 1 (*vaststellen*) fijar, determinar, establecer; *het ~ van doelen* la fijación de metas; *nader te ~* a determinar más tarde, pendiente de determinación; *van te voren ~* predeterminar; *in de statuten wordt bepaald dat* los esta-

tutos disponen que; 2 (*omschrijven*) definir, estipular; 3 *zich* ~ *tot* limitarse a; **bepalend** decisivo; ~ *zijn voor* determinar; **bepaling** 1 (*het vaststellen*) fijación *v*, determinación *v*; 2 (*clausule*) cláusula, estipulación *v*; *beperkende ~en* disposiciones *vmv* restrictivas; 3 (*in wet*) disposición *v*; *wettelijke* ~ disposición legal; 4 (*regel*) regla; 5 (*omschrijving*) definición *v*; 6 (*gramm*) complemento; ~ *van plaats* complemento de lugar
beperken 1 (*verminderen*) reducir, recortar; 2 ~ *tot* limitar a, restringir a; *tot een minimum* ~ reducir al mínimo; *zich* ~ *tot* limitarse a, ceñirse *i* a; **beperkend** restrictivo, limitador *-ora*; **beperking** 1 limitación *v*, restricción *v*; *~en opleggen* imponer restricciones; 2 (*vermindering*) reducción *v*, recorte *m*; ~ *van de invoer* reducción de las importaciones
beplanten (*met*) plantar (de); **beplanting** 1 plantación *v*; 2 (*concr*) plantas *vmv*
bepleisteren enlucir, revocar, estucar; (*wit*) blanquear; **bepleistering** enlucido, revoque *m*, estuco
bepleiten abogar por, defender *ie*; *een zaak* ~ abogar por una causa, defender *ie* una causa
bepraten 1 (*praten over*) discutir, hablar de; 2 (*overhalen*) persuadir, hacer cambiar de opinión; *ik heb me laten* ~ me han persuadido
beproefd seguro, probado; **beproeven** 1 (*testen*) probar *ue*, ensayar; 2 (*proberen*) tratar de, intentar; **beproeving** 1 (*proef*) prueba, ensayo; 2 (*ellende*) sufrimiento, dura prueba, suplicio
beraad deliberación *v*, reflexión *v*; *iets in* ~ *houden* pensar *ie* u.c., considerar u.c.; *na rijp* ~ después de madura reflexión; **beraadslagen** (*over*) deliberar (sobre); *over iets met iem* ~ consultar u.c. con u.p.; **beraadslagingen** deliberaciones *vmv*, consultas, debates *mmv*, discusiones *vmv*
beraden: *zich* ~ (*over*) deliberar (sobre), reflexionar (sobre)
beramen 1 tramar, urdir; *van te voren beraamd plan* plan *m* preconcebido; 2 (*begroten*) estimar
berberis agracejo
berde: *iets te* ~ *brengen* sacar a relucir u.c., poner sobre el tapete u.c.
berechten enjuiciar, someter a juicio, procesar; **berechting** enjuiciamiento, procesamiento
bereden: ~ *politie* policía a caballo
beredeneren explicar con razones
beregening riego por aspersión
bereid (*tot*) dispuesto (a); ~ *zijn tot* estar dispuesto a; **bereiden** 1 preparar; 2 (*van ontvangst*) deparar; **bereidheid** disposición *v*; ~ *tot overleg* actitud *v* dialogante; **bereiding** preparación *v*; **bereidingswijze** modo de preparación; **bereidverklaring** consentimiento, declaración *v* de voluntad
bereik alcance *m*; (*fig ook:*) envergadura; *binnen ieders* ~ al alcance de cualquiera, al alcance de todos; *buiten het* ~ *van* fuera del alcance de; **bereikbaar** alcanzable, asequible; (*toegankelijk*) accesible; **bereiken** 1 alcanzar, llegar a; *zojuist bereikt ons het bericht* acaba de llegarnos la noticia; *de 18-jarige leeftijd* ~ llegar a la edad de 18 años, cumplir los 18 años; 2 (*van doel*) conseguir *i*, lograr; *het enige wat men bereikt* lo único que se logra; *zo bereik je niets* así no adelantas nada
bereisd que ha viajado mucho; (*fam*) viajado; **bereizen** viajar por, recorrer
berekenbaar calculable; **berekend**: ~ *op, voor* calculado para; *niet* ~ *voor zijn taak zijn* no ser apto para su tarea, no estar a la altura de su misión; **berekenen** 1 calcular; 2 (*in rekening brengen*) cargar en cuenta, facturar; **berekenend** calculador *-ora*; **berekening** cálculo, cómputo; *een ruwe* ~ un cálculo aproximado; *volgens* ~ según se calcula; *huwelijk uit* ~ matrimonio de conveniencia
bereklauw acanto
berg montaña; (*laag, bebost; fig*) monte *m*; *gouden ~en beloven* prometer el oro y el moro; **bergachtig** montañoso
berg|afwaarts cuesta abajo, pendiente abajo; **-beklimming** escalada
bergen 1 (*plaatsen*) guardar, meter; 2 (*opslaan*) almacenar; 3 (*huisvesten*) acomodar; *de garage kan 50 auto's* ~ el garaje acomoda 50 coches; 4 (*van wrak*) salvar; 5 (*van lijk*) recoger
berg|engte desfiladero, garganta; **-helling** ladera de la montaña, cuesta; **-hok** (cuarto) trastero; (*schuurtje*) cobertizo; (*voorraadkast*) despensa; **-hut** refugio (en la montaña)
berging 1 salvamento, salvataje *m*; 2 *zie: berghok*; **bergingswerk** operaciones *vmv* de salvamento, operaciones *vmv* de rescate
berg|keten cordillera, sierra, cadena de montañas; **-klimmen** *zn* alpinismo; **-klimmer**, **-klimster** alpinista *m,v*, escalador, -ora; **-kristal** cristal *m* de roca; **-meubel** armario, gabinete *m*; **-plaats** *zie: berghok*
Bergrede Sermón *m* de la Montaña
berg|rug *zie: bergketen*; **-schoen** bota montañera; **-stroom** torrente *m*; **-tocht** excursión *v* de montaña; **-top** cumbre *v*, cima; **-wand** pared *v* de la montaña
bericht (*nieuws*) noticia; (*mededeling*) aviso, informe *m*; *kort* ~ (*in krant*) suelto; *laatste ~en* últimas noticias; ~ *van ontvangst* acuse *m* de recibo; ~ *van verzending* aviso de expedición; *er kwam* ~ *dat* hubo noticias de que, se supo que; ~ *zenden* avisar, informar; **berichten** avisar, comunicar, informar (de); (*formeel:*) notificar; *ik heb hem mijn komst bericht* le he informado de mi llegada
berijdbaar transitable, practicable; **berijden** 1 (*van paard*) montar; 2 (*van weg*) pasar por; *een druk bereden weg* una carretera muy frecuentada; **berijder** jinete *m*; **berijdster** jineta

berispen reprender, reconvenir, regañar, amonestar; **berisping** reprensión *v*, reprimenda
berkeboom abedul *m*
Berlijn *Berlín*
berm arcén *m*; (*hellend:*) terraplén *m*, talud *m*; *zachte* ~ arcenes sin firmar, arcenes sin compactar
beroemd famoso, afamado, célebre; (*plotseling*) ~ *worden* saltar a la fama; *het boek maakte hem* ~ el libro le ganó la fama; *de ~ste* el más famoso, el de más fama; **beroemdheid** celebridad *v*; **beroemen**: *zich* ~ *op* vanagloriarse de, enorgullecerse de, presumir de, alardear de
beroep 1 profesión *v*, ocupación *v*; (*ambacht*) oficio; *vrije ~en* profesiones *vmv* liberales; *zonder* ~ sin profesión (especial); **2** (*hoger beroep*) (recurso de) apelación *v*; *in* ~ *gaan* (*tegen*) apelar (contra), recurrir (contra), interponer recurso (contra); **3** (*verzoek*) llamamiento; *een* ~ *doen op* apelar a, hacer un llamamiento a; **beroepen**: *zich* ~ *op* apelar a, acogerse a, recurrir a; *zich* ~ *op de instructies* acogerse a las instrucciones; **beroepengids** páginas *vmv* amarillas; **beroepschrift 1** recurso (de apelación); **2** (*belasting*) reclamación *v* (en materia de impuestos)
beroeps|danser, **-danseres** bailarín, -ina de oficio, danzarín, -ina de profesión; **-eer** ética profesional; **-geheim** secreto profesional; **-halve** de oficio, por razón de oficio; **-keuze** orientación *v* profesional; (*van ambacht*) elección *v* de oficio; **-misdadiger** delincuente *m* habitual; **-nijd** celos *mmv* profesionales; **-opleiding** formación *v* profesional; **-oriëntering** (*Belg*) orientación *v* profesional; **-perspectieven** perspectivas ocupacionales; **-school** (*Belg*) centro de formación profesional, escuela técnica; **-speler** (jugador *m*) profesional *m*; **-voorlichting** orientación *v* profesional
beroerd miserable, infame, horrible; *ik voel me* ~ me encuentro malísimo, estoy fatal; *ze werd* ~ *van die stem* aquella voz la puso mala; **beroeren** rozar, tocar suavemente; (*fig ook:*) mover *ue*; **beroering** conmoción *v*, disturbios *mmv*; *in* ~ *brengen* agitar; *de gemoederen in* ~ *brengen* soliviantar los ánimos; **beroerte** (ataque *m* de) apoplejía; *een* ~ *krijgen* sufrir un ataque
berokkenen causar; *nadeel* ~ perjudicar, causar perjuicio; *schade* ~ dañar, causar daño
berooid sin un céntimo; ~ *zijn* no tener un céntimo, estar en la miseria
berouw arrepentimiento; ~ *hebben van* arrepentirse *ie, i* de; **berouwen**: *het berouwt mij* lo siento, me arrepiento de ello; *dat zal je ~!* ¡te ha de pesar!; **berouwvol** arrepentido, contrito
beroven robar; *iem van zijn horloge* ~ robarle a u.p. el reloj; *van het leven* ~ quitar la vida; *zich van het leven* ~ quitarse la vida; **beroving** robo
berucht notorio; *hij is* ~ tiene mala fama
berusten 1 ~ (*in*) resignarse (a, con, en), conformarse (con); **2** ~ *bij* obrar en, estar en manos de; *de gegevens die* ~ *bij deze rechtbank* los datos obrantes en este juzgado; *de beslissing berust bij mij* la decisión está en mis manos; ~ *bij* (*mbt aansprakelijkheid*) recaer sobre; **3** ~ *op* fundarse en, basarse en; **berustend** resignado, sufrido; **berusting 1** resignación *v*; **2** *onder* ~ *van* en manos de, bajo la custodia de; *zie ook: berusten*
1 bes baya
2 bes (*muz*) si *m* bemol
beschaafd 1 (*niet barbaars*) civilizado; **2** (*ontwikkeld*) culto, cultivado, educado, instruido
beschaamd (*over*) avergonzado (de); *zich* ~ *voelen* sentir *ie, i* vergüenza; **beschaamdheid** vergüenza
beschadigen dañar, averiar *í*, deteriorar; **beschadiging** deterioro, daño, avería
beschamen avergonzar *ue*; *het vertrouwen* ~ defraudar la confianza; **beschamend** humillante, vergonzante
beschaving (*meer techn*) civilización *v*; (*meer menselijk*) cultura
bescheid contestación *v*
1 bescheiden *zn* documentos, papeles *mmv*; (*dossier*) expediente *m*
2 bescheiden *bn* modesto, discreto; *naar mijn* ~ *mening* a mi modesta opinión; **bescheidenheid** modestia
beschermdop capucho protector; **beschermeling**, **beschermelinge** protegido, -a; **beschermen** (*tegen*) proteger (de, contra); (*hoeden*) amparar (de, contra), defender *ie* (de, contra); *beschermd door, tegen* al abrigo de; **beschermengel** ángel *m* custodio, ángel *m* de la guarda; **beschermer** protector *m*; **beschermheer** patrocinador *m*; **beschermheerschap** patrocinio; **beschermheilige** santo patrón, santa patrona; **bescherming** (*tegen*) **1** protección *v* (contra), amparo (contra); *onder* ~ *van* bajo la protección de; *ter* ~ *van* para proteger; **2** (*beschutting*) abrigo; **beschermingsfactor** factor *m* de protección; **beschermster** protectora; **beschermvrouwe** patrocinadora
bescheuren, zich desternillarse de risa, troncharse de risa
beschieten 1 tirar contra, disparar contra; **2** (*bekleden*) enmaderar, entablar, revestir *i* de madera; **beschieting** bombardeo
beschijnen iluminar, alumbrar
beschikbaar disponible; ~ *stellen voor* poner a la disposición de; *zich* ~ *stellen voor* ofrecerse para; **beschikbaarheid** disponibilidad *v*; **beschikken 1** (*regelen*) disponer, arreglar; *de mens wikt, God beschikt* el hombre propone, Dios dispone; *afwijzend* ~ *op* denegar *ie*, rechazar; *gunstig* ~ *op* conceder, otorgar; **2** ~

over disponer de, contar *ue* con; **beschikking** disposición *v*; *ter ~* disponible; *ter ~ stellen van iem* poner a la disposición de u.p.; *ik sta tot uw ~* estoy a su disposición
beschilderen pintar
beschimmeld mohoso, enmohecido; **beschimmelen** enmohecerse
beschimpen insultar, hacer escarnio de
beschoeiing tablestacado
beschonken ebrio; *in ~ toestand* en estado de ebriedad
beschot 1 (*afscheiding*) tabique *m*; 2 (*bekleding*) revestimiento de madera
beschouwelijk contemplativo; **beschouwen** 1 (*bekijken*) contemplar; 2 *~ als* considerar (como), tomar por; *ik beschouw hem als mijn beste vriend* le considero (como) mi mejor amigo; *alles wel beschouwd* bien mirado, después de todo; **beschouwing** 1 (*het bekijken; overweging*) contemplación *v*; (*overweging ook:*) consideración *v*; *buiten ~ blijven* no entrar en cuenta; *buiten ~ laten* exceptuar *ú*, no considerar, hacer abstracción de; *in ~ nemen* tomar en consideración; 2 (*verhandeling*) ensayo, disertación *v*
beschrijven 1 (*schetsen*) describir; *niet te ~* indescriptible; *het schandaal is met geen pen te ~* el escándalo no es para descrito; 2 (*schrijven op*) escribir en; **beschrijvend** descriptivo; **beschrijving** descripción *v*
beschroomd tímido, encogido
beschuldigde inculpado, -a, acusado, -a; **beschuldigen** (*van*) acusar (de), inculpar (de), culpar (de); **beschuldigend** acusador *-ora*; **beschuldiger** acusador *m*; **beschuldiging** acusación *v*, inculpación *v*; (*aanklacht*) denuncia, querella; *~en uiten tegen* lanzar acusaciones contra; *op ~ van* acusado de
beschutten (*tegen*) abrigar (de), proteger (contra, de), resguardar (de); *beschutte plaats* refugio, abrigo; *hier sta je beschut* aquí estás a cubierto, aquí estás al abrigo; **beschutting** abrigo, resguardo; *~ bieden* ofrecer resguardo; *~ zoeken* ponerse a cubierto
besef noción *v*, idea, conciencia, comprensión *v*; **beseffen** darse cuenta de, hacerse cargo de, comprender; *ik besef heel goed dat* me doy perfecta cuenta de que; *wij ~ heel goed dat* bien se nos alcanza que
beslaan I *tr* 1 (*van paard*) herrar *ie*; 2 (*van ruimte, bladzij*) tomar, ocupar; II *intr* 1 (*mbt glas*) empañarse; *doen ~* empañar; 2 (*mbt metaal*) deslustrarse, perder *ie* el brillo; **beslag** 1 (*versiering*) guarnición *v*; (*van ijzer, op meubel ook:*) herraje *m*; (*op boek, sluiting*) broche *m*; (*op boek, aan hoeken*) cantoneras *vmv*; 2 (*van paard*) herradura; 3 (*voor gebak*) masa, pasta; 4 (*beslaglegging*) embargo, decomiso, intervención *v*; *~ leggen op* embargar; *~ leggen op iems tijd* abusar del tiempo de u.p.; *in ~ nemen: a*) (*mbt politie*) intervenir, ocupar; *b*) (*jur, beslag leggen*) confiscar, embargar, requisar, incautarse de; *veel ruimte in ~ nemen* ocupar mucho espacio, tomar mucho espacio || *zijn ~ krijgen* resolverse *ue*, decidirse; **beslagen** 1 (*mbt tong*) saburroso, sarroso, sucio; 2 *zie: beslaan* || *goed ~ ten ijs komen* venir bien preparado
beslapen acostarse *ue* en; *het bed was niet ~* nadie se había acostado en la cama; *het bed was ~* la cama estaba deshecha
beslechten dirimir, solventar, resolver *ue*
beslissen decidir, resolver *ue*; *~ over zijn lot* decidir (de) su destino; *zie ook: besluiten*; **beslissend** decisivo; *~e stem* voto de calidad; **beslissing** decisión *v*; *een ~ nemen* decidirse, tomar una decisión; *het nemen van ~en* la toma de decisiones; **beslissingswedstrijd** 1 (*na gelijkspel*) partido de desempate; 2 (*finale*) final *v*
beslist I *bn* (*vastberaden*) decidido, firme, resuelto; *op ~e toon* en tono categórico; II *bw* 1 (*zonder mankeren*) sin falta; *ik ga ~* iré sin falta; 2 (*het kan niet anders of*) forzosamente; *hij moet ~ komen* ha de venir forzosamente; 3 (*op besliste toon*) decididamente, terminantemente, categóricamente; 4 (*zeker*) seguramente; *ik weet het ~ zeker* estoy completamente seguro, lo sé con toda seguridad; *~ niet* de ninguna manera, en absoluto; **beslistheid** determinación *v*, decisión *v*
beslommeringen faena, quehaceres *mmv*, cosas a que atender
besloten 1 (*mbt vergadering, club*) privado; 2 *zie: besluiten*
besluipen acercarse sigilosamente a, acechar
besluit 1 (*einde*) fin *m*, final *m*, conclusión *v*, término; *tot ~* para terminar, al final; 2 (*beslissing*) resolución *v*, decisión *v*, determinación *v*; (*gezamenlijk besluit ook:*) acuerdo; *mijn ~ staat vast* estoy decidido, mi decisión es firme; *een ~ nemen: a*) tomar una decisión; *b*) (*in vergadering*) adoptar un acuerdo; *op zijn ~ terugkomen* volver de su acuerdo; **besluiteloos** irresoluto, indeciso; **besluiteloosheid** irresolución *v*, indecisión *v*; **besluiten** 1 (*eindigen*) terminar, acabar, concluir; *hij besloot met te zeggen* terminó diciendo; 2 (*beslissen*) decidir, decidirse a; (*gezamenlijk ook:*) acordar *ue*, convenir en; *we moeten ~* hay que decidirse; *hij besloot te komen* decidió venir, se decidió a venir; *we hebben besloten vroeg te gaan* hemos acordado ir pronto; 3 *~ tot* decidirse por; *ik heb nu besloten tot een Seat* me he decidido por un Seat; **besluitvaardig** resuelto; **besluitvorming** toma de decisiones
besmeren 1 (*van brood*) untar (con mantequilla); 2 (*bekliederen*) embadurnar
besmet (*mbt werk, bedrijf*) (declarado) amarillo; **besmettelijk** contagioso; **besmettelijkheid** contagiosidad *v*; **besmetten** 1 (*met ziekte*) contagiar; (*infecteren*) infectar; *iem ~ met een ziekte* contagiar a u.p. una enfermedad;

ze heeft me besmet met haar achterdocht me ha contagiado sus recelos; 2 (*vervuilen*) contaminar; **besmetting** contagio, infección *v*; **besmettingshaard** foco de infección
besmeuren ensuciar
besneeuwd cubierto de nieve, nevado
besnijden circuncidar; **besnijdenis** circuncisión *v*
besnoeien recortar, cercenar, podar; **besnoeiing** (re)corte *m*, cercenamiento, poda; *drastische ~en* una poda severísima, recortes rigurosos
besnuffelen olfatear, husmear
bespannen 1 (*van viool, racket*) encordar *ue*, poner cuerdas a; 2 (*met ossen*) uncir; *de kar met ossen ~* uncir los bueyes al carro; *een met ossen ~ kar* un carro tirado por bueyes
besparen ahorrar, economizar; *je kunt je de moeite ~* te puedes ahorrar el trabajo; **besparing** ahorro; *een ~ aan tijd* un ahorro de tiempo
bespelen 1 (*muz*) tocar; 2 (*van theater*) actuar *ú* en; 3 (*van sportveld*) jugar *ue* en
bespeuren (*merken*) descubrir, reparar en, darse cuenta de, observar; (*beginnen te zien*) divisar, avistar
bespieden espiar *í*
bespiegelend contemplativo; **bespiegeling** especulación *v*
bespioneren espiar *í*
bespoedigen acelerar, activar, agilizar; **bespoediging** aceleración *v*
bespottelijk ridículo; *~ maken* ridiculizar, poner en ridículo; **bespotten** burlarse de, mofarse de; *hij bespot iedereen* se burla de todos; **bespotting** 1 burlas *vmv*; *slachtoffer van ~* víctima de burlas; 2 parodia, simulacro; *een ~ van de democratie* una parodia de la democracia
bespreken 1 discutir, hablar de, deliberar sobre; *laten we de zaak rustig ~* discutamos la cosa con calma; 2 (*van boek*) hacer una reseña de; 3 (*van plaatsen*) reservar; **bespreking** 1 discusión *v*, deliberación *v*, conversación *v*; *~en voeren* sostener conversaciones; *aan de ~en deelnemen* participar en las deliberaciones; *de chef is in ~* el jefe está reunido; 2 (*van boek*) reseña; 3 (*van plaatsen*) reserva
besprenkelen rociar *í*
besproeien regar *ie*
bespuiten 1 (*met water*) regar *ie* con manga; 2 (*met insecticide*) pulverizar; (*landb*) fumigar
besse|sap zumo de grosellas; **-struik** grosellero
best I *bn* mejor; *mijn ~e vriend* mi mejor amigo; *dat is mij ~* a mí me es igual || *~e Berta,* (*begin brief*) querida Berta:; II *bw* mejor, perfectamente; *Sonja vertaalt het ~* Sonia traduce mejor; *het ziet er niet ~ uit* las perspectivas no son buenas; *ik weet ~ dat* sé perfectamente que; *hij wil het ~ doen* está dispuesto a hacerlo; *ik zou ~ willen gaan* iría con gusto; *je kan ~ gelijk hebben* bien puede ser que tengas razón; *het is ~ mogelijk dat* es probable que, es fácil que; III *zn*: *de ~e* el mejor, la mejor; *het ~e* lo mejor; *als de ~e* como el que más; *dat kan de ~e overkomen* a cualquiera le pasa; *het ~e met je!*: *a*) (*alg*) ¡que te vaya bien!; *b*) (*bij ziekte*) ¡que te mejores!; *zijn ~ doen om* esforzarse *ue* por, procurar; *doe je ~ om op tijd te zijn* procura llegar a tiempo; *zijn uiterste ~ doen om* poner todos sus empeños en; *op zijn ~*: *a*) (*in het ~e geval*) en el caso más favorable; *b*) (*in topvorm*) en plena forma; *er het ~e van maken* poner a mal tiempo buena cara || *ten ~e geven*: *a*) (*van mening*) exponer, dar a conocer; *b*) (*van lied*) cantar
bestaan I *ww* 1 existir; *blijven ~* seguir *i* en pie; *deze traditie bestaat nog steeds* esta tradición sigue en pie; 2 *~ in* consistir en; 3 *~ uit* componerse de, constar de; *~d uit* constituido por, formado por; *een delegatie ~de uit* una delegación integrada por; *de installatie bestaat uit* la instalación se compone de || *het ~ om* tener el descaro de; *hij heeft het ~ om me uit te schelden* tuvo el descaro de insultarme; II *zn* 1 existencia, vida; *een behoorlijk ~* una vida digna; *het honderdjarig ~* el centenario; *de strijd om het ~* la lucha por la vida; 2 (*broodwinning*) vida, sustento; *in zijn ~ voorzien* ganarse la vida; **bestaand** existente, actual; *zie ook: bestaan*
bestaans|middelen medios de vida, medios de existencia; **-minimum** mínimo vital; **-recht** derecho a la existencia
bestand I *zn* 1 (*wapenstilstand*) tregua; 2 (*kaartsysteem*) fichero; 3 (*verzameling*) colección *v*; *het gehele ~ aan boeken* la totalidad de los libros; II *bn*: *~ tegen* resistente a, a prueba de; *~ tegen kou* resistente al frío; *~ zijn tegen* resistir a; **bestanddeel** parte *v* componente, componente *m*, (elemento) constituyente *m*, parte *v* integrante
besteden (*aan*) gastar (en); *aandacht ~ aan* prestar atención a; *geld ~ aan* gastar dinero en; *de middag ~ aan* dedicar la tarde a; *de tijd zo goed mogelijk ~* aprovechar el tiempo; *muziek is niet aan hem besteed* la música le es indiferente; **besteding** gasto, empleo; **bestedingsbeperking** reducción *v* del gasto público
bestek 1 (*ruimte*) espacio; *in kort ~* en forma sucinta, en pocas palabras; *binnen het ~ vallen van* quedar dentro del ámbito de; *buiten het ~ vallen van* quedar fuera del ámbito de; 2 (*bouwk*) especificación *v*, presupuesto, bases *vmv* generales; 3 (*tafelgerei*) cubiertos *mmv*, cubertería; 4 (*scheepv*) estima; **bestekcassette** estuche *m* de cubertería
bestel configuración *v*; *het maatschappelijk ~* el sistema social
bestel|auto furgoneta; **-biljet**, **-briefje** hoja de pedido
bestelen robar

bestellen 1 (*vragen*) pedir *i*; *kaartjes ~* encargar entradas; *~ bij* pedir *i* a; 2 (*bezorgen*) repartir, entregar; **bestelling** 1 (*order*) pedido, orden *v*; (*in restaurant, deftig*) comanda; *een ~ doen bij* hacer un pedido a, formular un pedido a; *in ~ zijn* haber sido pedido; *we hebben 20 soorten in ~* tenemos pedidos 20 tipos; *op ~* por encargo; 2 (*bestelde goederen*) lo pedido, artículos *mmv* pedidos; 3 (*bezorging*) reparto, entrega
bestemmeling (*Belg*) destinatario
bestemmen (*voor*) destinar (a); *bestemd zijn voor* ir destinado a; **bestemming** 1 destino, destinación *v*; *met ~ naar* con destino a; *een schip met ~ Málaga* un barco con rumbo a Málaga; *de plaats van ~* el lugar de destino; 2 (*lot*) destino, sino
bestempelen: *~ als* calificar de; (*neg*) tildar de, tachar de
bestendig 1 (*duurzaam*) duradero, estable; 2 (*mbt karakter*) estable, firme; 3 (*mbt weer*) estable; **bestendigen** continuar *ú*, perpetuar *ú*
bestijgen 1 montar; *een paard ~* montar a caballo; 2 subir, ascender *ie*; *de berg ~* subir a la montaña; *de helling ~* subir la cuesta; *de troon ~* ascender al trono; **bestijging** ascensión *v*
bestoken hostigar, acosar
bestormen 1 asaltar; *de stad ~* asaltar la ciudad; 2 (*fig*) asediar; *~ met vragen* asediar a preguntas; **bestorming** asalto; *de ~ van de Bastille* la toma de la Bastilla
bestraffen castigar; **bestraffing** castigo
bestralen 1 (*mbt zon*) dar en; (*verlichten*) iluminar; 2 (*med*) tratar con rayos, radiografiar *í*; **bestraling** radioterapia, tratamiento con rayos
bestraten empedrar *ie*; **bestrating** empedrado
bestrijden 1 (*vechten tegen*) luchar contra, combatir; *de werkloosheid ~* luchar contra el desempleo; 2 (*met argumenten*) combatir, impugnar; *hij bestreed mijn mening* impugnó mi opinión; 3 (*van kosten*) pagar, sufragar; **bestrijding** 1 (*gevecht*) lucha; 2 (*van mening*) impugnación *v*; 3 (*van kosten*) pago; *ter ~ van de kosten* para pagar los gastos; **bestrijdingsmiddel** (*landb*) plaguicida *m*; (*tegen insecten ook:*) insecticida *m*
bestrijken cubrir
bestrooien (*met*) 1 (*met bloemen*) cubrir (de); 2 (*met suiker*) salpicar (de)
bestseller bestseller *m*, éxito (de librería)
bestuderen estudiar, examinar; **bestudering** estudio, examen *m*; *grondige ~* estudio detenido
besturen 1 (*van land*) gobernar *ie*, administrar; 2 (*van zaken*) administrar, dirigir; 3 (*van schip*) gobernar *ie*; 4 (*van auto*) conducir; 5 (*van vliegtuig*) pilotar; **besturing** (*van auto*) mando, dirección *v*, conducción *v*; **besturingsprogramma** (programa *m* de) sistema *m* operativo, sistema *m* de explotación; **bestuur** 1 (*van land*) gobierno, administración *v*; (*van gemeente*) administración *v* (municipal); *plaatselijk ~* (*concr*) autoridades *vmv* locales; 2 (*van zaak*) administración *v*, dirección *v*; (*beleid ook:*) gestión *v*; *raad van ~* consejo de dirección, consejo de administración; 3 (*van club, partij*) junta directiva, junta, directiva, comité *m* (ejecutivo); *dagelijks ~* (*vglbaar:*) ejecutiva; *in het ~ zitten* ser miembro de la junta directiva; 4 (*van faculteit*) junta de gobierno; **bestuurbaar** gobernable; **bestuurder** 1 (*van zaak*) director, -ora, gerente *m,v*; 2 (*van partij*) dirigente *m,v*; 3 (*van voertuig*) conductor *m*; **bestuurlijk** administrativo
bestuurs|ambtenaar funcionario de la Administración; **-apparaat** aparato administrativo, máquina gubernamental; **-functie** cargo directivo; **-lid** miembro de la junta directiva, miembro del comité directivo; **-orgaan** organismo directivo, organismo director; **-secretaris** (*Belg*) alto funcionario; **-taal** (*Belg*) lengua administrativa; **-vergadering** reunión *v* de la junta directiva; **-vorm** forma de gobierno
bestwil: *voor je ~* por tu bien
betaalbaar 1 (*handel*) pagadero; *~ stellen* hacer pagadero; *~ zijn* vencer; 2 (*niet te duur*) asequible; *voor iedereen -bare geschenken* regalos para todos los bolsillos
betaal|cheque cheque *m* de pago (con garantía bancaria); **-dag** día *m* de pago; **-kaart** cheque *m* de pago (con garantía de la oficina de giro postal); **-middel** medio de pago; **-pas** (*vglbaar:*) tarjeta de garantía (de cheques)
betalen (*voor*) pagar (por); *hij heeft dik betaald* ha pagado buen dinero; *duur ~* pagar caro; *liefde wordt duur betaald* el amor se paga caro, el amor tiene alto precio; *een goed betaalde baan* un empleo bien remunerado; *beter betaald werk* trabajo mejor remunerado; *ober, mag ik ~?* camarero, ¡cobre Ud.!, camarero, ¡quisiera pagar!; *niet kunnen ~* (*handel*) ser insolvente; *iem niet laten ~* no cobrar a u.p.; *een bedrag ~* pagar una suma, desembolsar una cantidad; *de rekening ~* pagar la cuenta, abonar la cuenta; *ze ~ veel voor die boeken* esos libros los pagan caros, se paga mucho por esos libros; *hij wordt voor dit werk betaald* le pagan por este trabajo, cobra un sueldo por este trabajo; *f 20 vooruit ~* pagar antes fls 20, adelantar fls 20; *niet te ~* inasequible || *dat zal ik hem betaald zetten* me las pagará; **betalend** que paga(n); *~e patiënten* enfermos de pago; **betaler** pagador *m*; **betaling** pago; (*storting*) desembolso; *contante ~* pago al contado; *gespreide ~* pago escalonado; *een ~ doen* efectuar *ú* un pago; *tegen ~ van* previo pago de, mediante el pago de, pagando; *ter ~ van* en pago de
betalings|balans balanza de pagos; **-faciliteiten** facilidades *vmv* de pago; **-opdracht** orden *v* de pago; **-termijn** plazo de pago; **-voorwaarden** condiciones *vmv* de pago

betamelijk decente, conveniente; **betamen** convenir

betasten tocar, palpar; (*bevingeren*) manosear; (*hinderlijk:*) sobar; **betasting** tocamiento

betegelen 1 (*van wand*) alicatar; 2 (*van vloer*) enlosar, embaldosar

betekenen 1 significar, querer decir; (*tot gevolg hebben ook:*) suponer; *dit betekent een stap vooruit* esto significa un paso adelante; *dit betekent een vooruitgang* esto supone un avance; *het heeft niets te ~* no tiene ninguna importancia; *wat heeft dat geschreeuw te ~?* ¿a qué vienen esos gritos?; *dat zou zoveel ~ als* eso valdría tanto como; 2 (*officieel berichten*) notificar; **betekenis** 1 significación *v*, sentido, significado; *de ~ van dit woord* el significado de esta palabra; 2 (*belang*) importancia; *een zaak van ~* una cuestión de importancia, un asunto de relieve; **betekenisvol** significativo

beter I *bn* mejor; *een beetje ~* un poco mejor; *het gaat nu iets ~ met hem* ha mejorado algo, está un poco mejor; *het kan niet ~* mejor no cabe; *het lijkt me ~* me parece mejor, creo que es preferible; *~ worden* mejorar(se), ir mejorando, ponerse mejor; *het weer wordt ~* mejora el tiempo; *hij zal niet meer ~ worden* no saldrá de esta enfermedad; *~ worden van* (*voordeel hebben*) lucrarse con, salir ganando con; *het is ~ zo* más vale así, está mejor así; *de een nog ~ dan de andere* a cual mejor; II *bw* mejor; *des te ~* mejor, tanto mejor; *hoe eerder hoe ~* cuanto antes mejor; *hij had ~ kunnen trouwen* más le valdría haberse casado; *je kunt ~ de tram nemen* es mejor que tomes el tranvía; *het gaat haar steeds ~* las cosas le van cada día mejor; *je bent er nu ~ aan toe* ahora lo pasas mejor; *je zou ~ moeten weten* deberías saberlo; **beteren**: *zijn leven ~* enmendarse *ie*, cambiar de vida; **beterschap** mejoría, restablecimiento, recuperación *v*;: *~!* ¡que te mejores!, ¡que se mejore!, ¡que se alivie!

beteugelen frenar

beteuterd anonadado, confundido

betichte (*Belg*) acusado; **betichten**: *~ van* tachar de, culpar de

betimmeren revestir *i* de madera; **betimmering** revestimiento de madera

betoelagen (*Belg*) subvencionar; **betoelaging** (*Belg*) subvención *v*

betogen I *tr* argumentar, argüir; II *intr* hacer una manifestación, manifestarse *ie*; **betoger** manifestante *m,v*; **betoging** manifestación *v* (pública)

beton hormigón *m*; (*Am*) concreto; *gewapend ~* hormigón armado

betonen mostrar *ue*

beton|ijzer barras *vmv* de armadura; **-molen** hormigonera, mezclador *m* de cemento

1 betonnen *ww* (*scheepv*) abalizar

2 betonnen *bn* de hormigón *m*

betoog argumentación *v*, exposición *v*, disquisición *v*, razonamiento; (*pleidooi*) alegato; *het hoeft geen ~ dat* huelga decir que, es evidente que

betoveren encantar, hechizar; (*fig ook:*) fascinar; *~de glimlach* sonrisa encantadora; *zij zag er ~d uit* estaba fascinante, estaba fascinadora

betovergroot|moeder, **-vader** tatarabuela, tatarabuelo

betovering encantamiento, encanto, hechizo; (*fig ook:*) fascinación *v*

betraand lloroso

betrachten observar, mostrar *ue*, usar de; *gehoorzaamheid ~* ser obediente; *grote omzichtigheid ~* usar de gran circunspección

betrappen coger, sorprender; (*fam*) pillar; *iem op diefstal ~* cogerle a u.p. robando; *op heterdaad ~* coger en flagrante; *iem op een leugen ~* pillar a u.p en un embuste

betreden pisar

betreffen concernir *ie*, tocar a, atañer, afectar, referirse *ie, i* a; *betreft:* (*in brief*) asunto:; *wat betreft* en cuanto a, respecto de, con respecto a, (en lo) referente a, (en lo) tocante a; *wat mij betreft* por mí, por lo que se refiere a mí; *wat de reis betreft* por lo que toca al viaje, en lo relativo al viaje; *de beschrijving betreft ...* la descripción se refiere a ...; **betreffend** respectivo, relativo, pertinente, referente; *het ~e bericht* la noticia relativa; *het ~e perceel* el lote de referencia; **betreffende** (*wat betreft*) *zie: betreffen*

betrekkelijk relativo; *~ voornaamwoord* pronombre *m* relativo; *alles is ~* todo depende; **betrekkelijkheid** relatividad *v*

betrekken I *tr* 1 (*van huis*) ir a vivir en, (ir a) ocupar; 2 *~ van* (*kopen*) comprar a, adquirir *ie* de; 3 *iem ~ in* implicar a u.p. en, envolver *ue* a u.p. en; *hij betrok mij in het gesprek* me hizo participar en la conversación; *ik wil mij niet in het conflict laten ~* no quiero dejarme implicar en el conflicto; II *intr* (*mbt lucht*) encapotarse, nublarse; *zijn gezicht betrok* se le nubló la cara, puso cara larga; **betrekking** 1 (*verhouding*) relación *v*; *~en aanknopen met* entablar relaciones con, entrar en relaciones con; *~ hebben op* relacionarse con, referirse *ie, i* a; *met ~ tot* (*wat betreft*) con respecto a, con referencia a; *zie ook: betreffen*; 2 (*ambt*) puesto, empleo, cargo; 3 *~en* (*familie*) parientes *mmv*; *nagelaten ~en* parientes sobrevivientes

betreuren sentir *ie, i*, lamentar, deplorar; *de dood ~ van* llorar la muerte de; *het verlies ~* lamentar la pérdida; *ik betreur het dat* siento que; *het valt te ~* es de lamentar, es una lástima; **betreurenswaardig** lamentable, deplorable

betrokken 1 (*mbt lucht*) nublado, encapotado, gris; 2 (*mbt gezicht*) entristecido; 3 *~ bij* implicado en, mezclado en, comprometido en, envuelto en; *de ~ consul* el cónsul respectivo; *de ~* (*getroffen*) *persoon* la persona afectada; *de*

~*en:* *a*) los afectados, los implicados; *b*) (*belanghebbenden*) los interesados; ~ *worden bij* ser mezclado en; *zich* ~ *voelen bij* sentirse *ie, i* partícipe de, sentirse *ie, i* comprometido en; **betrokkenheid** implicación *v*; (*engagement*) compromiso; *sociale* ~ preocupación social; *zijn* ~ *bij het plan* su participación *v* en el proyecto

betrouwbaar 1 (*mbt persoon; eerlijk*) digno de confianza, de confianza, de fiar; 2 (*mbt bericht, cijfers*) seguro, fidedigno; *uit -bare bron* de fuente fidedigna, de una fuente de toda garantía, de buena tinta; 3 (*plichtsgetrouw*) cumplidor *-ora*, serio, formal; 4 (*van auto*) seguro, fiable; **betrouwbaarheid** 1 (*van persoon*) seriedad *v*, formalidad *v*; 2 (*van bericht, auto*) seguridad *v*, fiabilidad *v*; 3 (*van cijfers*) seguridad *v*, exactitud *v*

betuigen expresar, manifestar *ie*; *zijn dank* ~ expresar su gratitud

betuttelen critiquizar, tratar como a un niño

betweter sabelotodo *m,v*, pedante *m,v*

betwijfelen (*of*) dudar (si); *het valt te* ~ es dudoso, cabe dudarlo

betwistbaar discutible, cuestionable; **betwisten** 1 (*van recht*) disputar; 2 (*van mening*) rebatir, contradecir, impugnar; 3 (*ontkennen*) negar *ie*

beu: *iets* ~ *zijn* estar cansado de u.c.; (*fam*) estar harto de u.c.

beugel 1 (*sluiting*) abrazadera; (*ring, techn*) aro, arco; zuncho; ~ *van een zaag* arco de una sierra; *een tas met een zilveren* ~ un bolso con cierre de plata; 2 (*med, van been*) aparato ortopédico; 3 (*med, van tanden*) ortodoncia, corrector *m* (de dentadura) || *het kan niet door de* ~ es demasiado, no hay derecho (a eso), es intolerable

beuk 1 (*boom*) haya; 2 (*in kerk*) nave *v*; **beukehout** madera de haya

1 beuken *ww* 1 (*met vuisten*) aporrear, golpear; 2 (*met hamer*) martillear; 3 (*mbt golven*) azotar

2 beuken *bn* de (madera de) haya

beukenbos hayedo; **beukenootje** hayuco

beul verdugo

beunhaas 1 (*iem zonder kennis van zaken*) chapucero, -a, diletante *m,v*; 2 (*iem zonder bevoegdheid*) intruso, -a; **beunhazen** 1 (*knoeien*) chapucear; 2 (*als indringer in vak*) introducirse clandestinamente; **beunhazerij** 1 (*ondeskundig werk*) chapuzas *vmv*, diletantismo; 2 (*in vak*) intrusismo, intrusión *v* ilícita

1 beurs *zn* 1 (*portemonnee*) monedero, portamonedas *m*; (*fig*) bolsa; *een volle* ~ *hebben* tener la bolsa llena; *in de* ~ *tasten* aflojar la bolsa; *met gesloten beurzen* sin desembolsos; *uit een ruime beurs* sin reparar en gastos; *voor iedere* ~ asequible para todos; 2 (*studiebeurs*) beca; *student met een* ~ alumno becado, becario; 3 (*gebouw*) bolsa; (*het*) *op de* ~ *komen* (*beursnotering*) salida a bolsa

2 beurs *bn* machacado; ~*e plek* maca

beurs|berichten boletín *m* de bolsa; **-klimaat** clima *m* bursátil; **-notering** cotización *v* en bolsa; **-speculant**, **-speculante** jugador, -ora de bolsa; **-speculatie** jugada de bolsa; **-student**, **-studente** becario, -a; **-transactie** operación *v* de bolsa; **-waarde** valor *m* en bolsa

beurt 1 turno, vez *v*; *iem een* ~ *geven* interrogar a u.p.; *je hebt een goede* ~ *gemaakt* te has lucido, has quedado bien, has hecho buen papel; *wie is aan de* ~? ¿a quién le toca?, ¿quién sigue?; *ben ik aan de* ~? ¿sigo yo?; *ik ben aan de* ~ me toca a mí, es mi turno; ~ *om* ~, *om de* ~ por turnos, cada uno a su vez; *u, op uw* ~ Ud., a su vez; *op zijn* ~ *wachten* esperar su turno, esperar vez; *te* ~ *vallen* incumbir, tocar; *de taak die mij te* ~ *is gevallen* la tarea que se me ha venido a las manos; 2 (*schoonmaak*) limpieza; *de kamer een* ~ *geven* limpiar y ordenar el cuarto; *de kamer een goede* ~ *geven* limpiar a fondo el cuarto; **beurtelings** alternativamente

beuzelarijen nimiedades *vmv*, trivialidades *vmv*, bagatelas

bevaarbaar navegable, practicable; *een moeilijk -bare rivier* un río de difícil navegación

bevallen 1 gustar, agradar; *bevalt het* (*je*) *goed?* ¿te gusta?, ¿estás contento?; *bevalt het u hier?* ¿está a gusto aquí?; *hoe bevalt het je?* ¿qué te parece?; *deze oefeningen* ~ *me wel* estos ejercicios me gustan; *het bevalt me niet* no me gusta, no es de mi agrado; 2 dar a luz; *mevrouw A is* ~ *van een dochter* la señora A ha dado a luz (a) una hija

bevallig gracioso, airoso; **bevalligheid** gracia, encanto

bevalling parto, alumbramiento; **bevallingsverlof** (*Belg*) licencia por parto

bevangen (*mbt angst, smart*) sobrevenir, invadir; *grote angst beving hem* le sobrevino un gran temor; *door slaap* ~ vencido por el sueño

bevaren navegar por

bevatten 1 (*inhouden*) contener; (*omvatten*) comprender; *de zaal kan 100 mensen* ~ caben 100 personas en la sala; 2 (*begrijpen*) comprender; *ik kan het niet* ~ no me lo explico; **bevattingsvermogen** inteligencia, entendimiento

bevechten luchar contra, combatir

beveiligen (*tegen*) proteger (contra); **beveiliging** 1 protección *v*; 2 (*concr middel*) dispositivo de protección, dispositivo protector

bevel 1 (*opdracht*) orden *v*, mandato; ~ *is* ~ las órdenes son las órdenes; *een dringend* ~ una orden perentoria; *er klonken* ~*en* se oían gritos de mando; ~ *tot aanhouding* orden de detención; ~ *tot betaling* requerimiento de pago; *op* ~ *van* por orden de; *op uitdrukkelijk* ~ por orden expresa; *handelen op* ~ *van* obrar al dictado de; 2 (*bevelvoering*) mando; *wie heeft het* ~? ¿quién tiene el mando?; *het* ~ *op zich nemen* hacerse cargo del mando; *het schip staat onder ~ van kapitein A.* manda el barco el capitán A.; *een vloot onder ~ van* una flota mandada por; **bevelen** mandar, ordenar, dar orden de; **bevelhebber** comandante *m*

beven temblar *ie*; (*bibberen*) tiritar; *zijn stem beefde* le temblaba la voz

bever castor *m*

beverig tembloroso; *een ~ handschrift* una letra insegura

bevestigen 1 (*vastmaken*) sujetar, fijar, asegurar; 2 (*bekrachtigen*) confirmar, corroborar; *het bericht ~* confirmar la noticia; *de ontvangst ~* confirmar el recibo, acusar recibo; *ik bevestig te hebben ontvangen ...* confirmo haber recibido ...; 3 (*ja zeggen*) afirmar; *onder ede ~* afirmar bajo juramento; **bevestigend I** *bn* afirmativo; **II** *bw* afirmativamente, en sentido afirmativo; *hij knikte ~* afirmó con la cabeza; **bevestiging** 1 (*het vastmaken*) fijación *v*, sujeción *v*; 2 (*bekrachtiging*) confirmación *v*; *~ van ontvangst* acuse *m* de recibo; *ter ~ van* en confirmación de; 3 (*het ja zeggen*) afirmación *v*

bevestigings|strip tira de fijación; **-systeem** sistema *m* de sujeción

bevind: *naar ~ van zaken* según se crea conveniente; **bevinden** 1 encontrar *ue*; *in orde ~* encontrar en orden; 2 *zich ~* encontrarse *ue*, hallarse; *zich ~ onder* figurar entre; **bevinding** 1 (*ervaring*) experiencia, comprobación *v*; 2 (*resultaat*) resultado

beving temblor *m*

bevlekken (*met*) manchar (de); *met bloed bevlekt* manchado de sangre

bevlieging capricho, racha, ventolera; *een romantische ~* una racha romántica; *hij kreeg de ~ om* le dio la ventolera de

bevloeien regar *ie*; *bevloeid gebied* regadío, superficie *v* regada; *niet bevloeid gebied* secano; **bevloeiing** riego

bevochtigen mojar, humedecer; **bevochtiger** humidificador *m*; **bevochtiging** mojadura, humedecimiento

bevoegd 1 (*door ambt*) competente; *het ~e gezag* la autoridad *v* competente; 2 (*door examen*) calificado; *~ leraar* profesor *m* calificado; 3 *~ om* (*gemachtigd*) facultado para, autorizado a, para; *~ zijn tot, om* estar facultado para, tener facultad para; **bevoegdheid** 1 (*ambtelijk:*) competencia; 2 (*het gemachtigd zijn*) facultad *v*, autorización *v*; 3 (*concrete taak*) facultad *v*, atribución *v*; *ruime -heden* vastas atribuciones; *de statutaire -heden* las facultades estatutarias; *de ~ geven om* facultar para, autorizar para, habilitar para; *-heden toekennen aan* conceder atribuciones a, atribuir facultades a; **bevoegdheidsverklaring** certificado de aptitud, habilitación *v*

bevoelen *zie: betasten*

bevolken poblar *ue*; **bevolking** población *v*; *werkende ~* población activa

bevolkings|aanwas aumento de población; **-dichtheid** 1 densidad *v* de población; 2 (*cijfer*) tasa de densidad; **-overschot** excedente *m* demográfico; **-politiek** política demográfica; **-register** registro civil, padrón *m*

bevoordelen favorecer

bevooroordeeld parcial, predispuesto

bevoorraden aprovisionar, abastecer; **bevoorrading** aprovisionamiento, abastecimiento

bevoorrechten privilegiar

bevorderaar, **bevorderaarster** promotor, -ora; **bevorderen** 1 (*doen toenemen*) promover *ue*, fomentar; (*van gezondheid*) beneficiar; (*van eetlust*) estimular; 2 (*op school*) hacer pasar al grado superior; *bevorderd worden* pasar al grado superior; 3 (*in baan*) ascender *ie*; *ze hebben hem bevorderd* le han ascendido; *bevorderd worden* ascender *ie*, ser ascendido; **bevordering** 1 (*steun*) fomento, promoción *v*; *~ van de werkgelegenheid* fomento del empleo; 2 (*op school*) paso de un curso al otro; 3 (*promotie, in baan*) ascenso, promoción *v*; **bevorderlijk** (*voor*) beneficioso (para)

bevrachten 1 (*charteren*) fletar; 2 (*beladen*) cargar; **bevrachting** 1 (*chartering*) fletamento; 2 (*belading*) carga

bevragen: *te ~:* razón:, información:

bevredigen satisfacer, contentar; *de honger ~* aplacar el hambre; **bevredigend** satisfactorio; **bevrediging** satisfacción *v*

bevreemden extrañar; *het bevreemdt mij* me causa extrañeza, me extraña; **bevreemding** extrañeza, asombro

bevreesd atemorizado, asustado

bevriend amigo; *een ~e firma* una casa amiga; *we zijn al jaren ~* tenemos una amistad de años; *ze zijn zeer ~* son muy amigos; *met elkaar ~ raken* hacerse amigos

bevriezen I *tr* 1 helar *ie*; 2 (*fig; diepvriezen*) congelar; *de prijzen ~* congelar los precios; **II** *intr* helarse *ie*; **bevriezing** congelación *v*; *~ van lonen* congelación salarial; *~ van de prijzen* congelación de los precios

bevrijden 1 liberar, libertar, poner en libertad; 2 *~ van* (*ontlasten*) liberar de, librar de, eximir de, redimir de; *zich ~ van* liberarse de, librarse de; **bevrijding** liberación *v*; (*ontheffing ook:*) exención *v*

bevroren 1 helado; 2 (*diepgevroren*) congelado

bevruchten fecundar; **bevruchting** fecundación *v*; *kunstmatige ~: a*) (*bij dieren*) inseminación *v* artificial; *b*) (*bij mensen*) fecundación *v* asistida

bevuilen ensuciar; *zich ~: a*) (*knoeien*) ensuciarse; *b*) (*met ontlasting*) hacerse encima

bewaakster guarda, guardiana, vigilante *v*; (*in gevangenis*) carcelera

bewaarder 1 guardador *m*, depositario; 2 *zie: bewaker*

bewaarheid: *~ worden* salir cierto, cumplirse, llegar a ser realidad

bewaar|loon gastos *mmv* de depósito, derechos *mmv* de custodia; **-middel** (*Belg*) conservativo, conservante *m*
bewaarster 1 guardadora, depositaria; **2** *zie: bewaakster*
bewaken vigilar, guardar; **bewaker** guarda *m*, guardián *m*, vigilante *m*; (*cipier*) carcelero; **bewaking** vigilancia, guardia
bewandelen tomar; *een andere weg ~* tomar otro camino
bewapenen armar; **bewapening** armamento; **bewapeningswedloop** carrera armamentista
bewaren 1 guardar, conservar; (*van voedsel ook:*) almacenar; *iets voor later ~* dejar u.c. para después; *een geheim ~* guardar un secreto; *het ~ van levensmiddelen* el almacenamiento de alimentos; **2** *~ voor* proteger de; **bewaring** custodia, depósito; *in ~ geven* depositar, dar en depósito; *in ~ nemen* recibir en depósito; *in verzekerde ~ stellen* detener, arrestar; *Huis van ~* (*Ned*) prisión *v* (para penas leves y prisión preventiva)
beweeglijk 1 ágil, vivo; **2** (*mbt gelaatstrekken*) móvil; **beweeglijkheid 1** agilidad *v*, viveza; **2** (*van trekken*) movilidad *v*; **beweegreden** motivo, móvil *m*
bewegen mover *ue*; *zich ~* moverse *ue*; *beweeg je niet!* ¡no te muevas!; **beweging** movimiento; *~ nemen* hacer ejercicio; *in ~ brengen* poner en movimiento; *in ~ komen* (*mbt trein*) ponerse en movimiento, echar a andar; *uit eigen ~* por propio impulso, de su propio acuerdo, espontáneamente; **bewegingloos** inmóvil
bewegwijzeren señalizar
bewenen llorar, lamentar
beweren 1 (*stellen*) afirmar, asegurar, aseverar, sostener; *dat wil ik niet beweren!* ¡no voy a afirmar tanto!; **2** (*voorwenden*) dar a entender, hacer creer; **bewering** (*stelling*) afirmación *v*, aseveración *v*, aserto, aserción *v*
bewerkelijk laborioso; **bewerken 1** (*van materiaal*) elaborar, labrar; **2** (*van land*) cultivar, labrar; **3** (*van toneel*) adaptar; **4** (*van muz*) transcribir; **5** (*van tekst*) refundir, revisar; *opnieuw ~* volver *ue* a redactar; **6** (*beïnvloeden*) influir en, persuadir; **bewerker 1** (*van boek*) refundidor *m*; **2** (*van toneelstuk*) adaptador *m*; **3** (*van muz*) transcriptor *m*; **bewerking 1** (*van materiaal*) elaboración *v*; *een nieuwe kaart is in ~* un mapa nuevo está en elaboración; **2** (*van land*) cultivo, labranza; **3** (*van toneelstuk*) adaptación *v*; *~ voor het toneel* adaptación escénica; **4** (*van muz*) transcripción *v*; *~ voor piano* transcripción pianística; **5** (*rekenkundig*) operación *v*; **bewerkstelligen** efectuar *ú*, hacer; **bewerkster 1** (*van boek*) refundidora; **2** (*van toneelstuk*) adaptadora; **3** (*van muz*) transcriptora
bewijs 1 prueba; **2** (*bewijsstuk*) certificado, certificación *v*; *~ van betaling* comprobante *m* de pago; *~ van goed gedrag* certificado de buena conducta, (*vglbaar:*) certificado de antecedentes; *~ van huwelijk* certificado de matrimonio; *~ van lidmaatschap* carnet *m* de socio; *~ van Nederlanderschap* certificado de nacionalidad holandesa, carta de naturaleza de neerlandés; *~ van ontvangst* recibo; *~ van toegang* (billete *m* de) entrada; *een duidelijk ~* una prueba manifiesta; *ten bewijze waarvan* en prueba de lo cual; *wegens gebrek aan ~* por deficiencia en las pruebas
bewijs|kracht fuerza probatoria; **-last** carga de la prueba; **-materiaal** comprobantes *mmv*, justificantes *mmv*; **-middel** medio de prueba; **-stuk** documento de prueba, comprobante *m*, instrumento de prueba; (*tastbaar:*) pieza de convicción; **-voering** prueba, producción *v* de la prueba, argumentación *v*
bewijzen 1 (*aantonen*) probar *ue*, demostrar *ue*; **2** (*betonen*) mostrar *ue*; *een dienst ~* prestar un servicio; *zijn eerbied ~* mostrar su respeto; *een gunst ~* conceder un favor; *hulde ~* rendir *i* homenaje
bewind gobierno; *aan het ~ komen: a*) (*mbt minister*) llegar al poder, subir al poder; *b*) (*mbt vorst*) llegar al trono, subir al trono; *aan het ~ zijn* estar en el poder; **bewindsman** ministro; **bewindvoerder** (*bij faillissement*) administrador *m* judicial
bewogen 1 (*ontroerd*) conmovido, emocionado; **2** (*onrustig*) movido; *een ~ vergadering* una reunión movida; **bewogenheid** emoción *v*
bewolking nubosidad *v*; *veel ~* nubosidad abundante; **bewolkt** nublado, nuboso; *licht ~* poco nuboso; *het is ~* está nublado; *een ~e hemel* un cielo nuboso, un cielo encapotado
bewonderaar, **bewonderaarster** admirador, -ora; **bewonderen** admirar; **bewonderenswaardig** admirable; **bewondering** admiración *v*; *ik voel een oprechte ~ voor hem* siento por él una admiración sincera
bewonen habitar, vivir en, ocupar; *dit huis is niet bewoond* en esta casa no vive nadie; **bewoner 1** (*van land*) habitante *m*; **2** (*van stad, buurt, huis*) habitante *m*, vecino; **3** (*huurder*) inquilino; *de ~s van het huis* los ocupantes de la casa; **bewoning** habitación *v*, ocupación *v*; **bewoonbaar** habitable; **bewoonbaarheid** habitabilidad *v*; **bewoonster 1** (*van land*) habitante *v*; **2** (*van stad, buurt, huis*) habitante *v*, vecina; **3** (*huurster*) inquilina
bewoordingen términos, palabras
bewust I *bn* **1** consciente; *iem ~ maken van* hacer tomar conciencia a u.p. de; *zich ~ worden dat* empezar *ie* a darse cuenta de que, tomar conciencia de que; *zich ~ zijn van* ser consciente de, darse cuenta de, tener conciencia de; *zich iets volledig ~ zijn* darse perfecta cuenta de u.c.; *zich het risico volledig ~* con plena conciencia del riesgo; *ik ben mij van geen schuld ~* no me siento culpable; **2** en cuestión; *de ~e brief* la carta en cuestión; **3**

(*overdacht*) deliberado, intencionado; *een ~e keus* una opción *v* deliberada; II *bw* 1 conscientemente; 2 (*expres*) con intención, intencionadamente, deliberadamente, a sabiendas; *~ of on~* sea o no con intención; *iets ~ beleven* vivir u.c. a conciencia; *~ iets overslaan* omitir u.c. a sabiendas; **bewusteloos** inconsciente, sin sentido, sin conocimiento; **bewusteloosheid** inconsciencia, pérdida de conocimiento; **bewustwording** toma de conciencia, concienciación *v*; **bewustzijn** conciencia; *het ~ verliezen* perder *ie* el conocimiento, perder *ie* el sentido; *weer bij ~ komen* recobrar el sentido; **bewustzijnsdrempel** umbral *m* de la conciencia

bezaaien sembrar *ie*; (*fig ook:*) salpicar, cubrir; *de tafel was bezaaid met papieren* la mesa estaba cubierta de papeles

bezadigd sesudo, reflexivo, sosegado

bezatten, zich emborracharse

bezegelen sellar; *zijn lot is bezegeld* su destino está decidido

bezeilen navegar por; *er is geen land met hem te ~* está intratable

bezem escoba; **bezemen** barrer; **bezemsteel** palo de escoba; *een heks op een ~* una bruja en una escoba

bezeren hacer daño, lastimar; *zich ~* hacerse daño, lastimarse; *heb je je bezeerd?* ¿te has hecho daño?

bezet 1 (*mbt plaats*) ocupado; 2 (*mbt hotel, bus*) completo; 3 (*mbt taxi*) alquilado; 4 (*mbt persoon*) ocupado; *ik ben vanavond ~* esta noche estoy ocupado, esta noche tengo que hacer; 5 *~ met* (*bv edelstenen*) guarnecido de; 6 (*mil*) ocupado; 7 (*mbt rol*) *de rollen zijn goed ~* el reparto es excelente; 8 (*telef*) *de lijn is ~* está comunicando

bezeten 1 poseído, obsesionado; 2 (*door de duivel*) endemoniado, poseso; *hij krijste als een ~e* gritaba como un poseído; *~ door een idee* obsesionado por una idea

bezetten 1 ocupar; 2 (*van functie*) ocupar, cubrir; 3 (*als protest*) encerrarse *ie* en; 4 (*van rollen*) repartir; **bezetter** 1 (*in oorlog*) ocupante *m*, ocupador *m*; 2 (*in protestactie*) encerrado; **bezetting** 1 ocupación *v*; 2 (*van rollen*) reparto; 3 (*als protest*) encierro; *de ~ opheffen* levantar el encierro; **bezettingsleger** ejército de ocupación

bezichtigen ver, visitar; *te ~* se puede visitar; **bezichtiging** visita

bezield inspirado; *door edele gevoelens ~* movido por nobles sentimientos; **bezielen** inspirar; *wat bezielt je?* ¿qué te pasa?, ¿qué mosca te ha picado?; **bezielend** estimulante, inspirador *-ora*; **bezieling** inspiración *v*

bezien: *het valt te ~* eso, hay que verlo, eso está por ver; **bezienswaardig** digno de verse, curioso; **bezienswaardigheid** curiosidad *v*, objeto de interés; *-heden* (*ook:*) monumentos

bezig ocupado; *hij is druk ~* (*met*)está muy ocupado (en, con); *ik ben ~ het te onderzoeken* estoy investigándolo; *ik ben met iets ~* traigo u.c. entre manos; *zij is nu met iets anders ~* ahora está ocupada en otra cosa; *de directeur is met iem ~* el director está ocupado con alguien; *druk ~ met koffers pakken* muy ocupado haciendo las maletas; **bezigheid** ocupación *v*, quehacer *m*; *huishoudelijke -heden* quehaceres domésticos, faenas caseras; *zeer drukke -heden* ocupaciones *vmv* excesivas; **bezigheidstherapie** terapia ocupacional

bezighouden 1 ocupar; *de gedachte houdt mij bezig* me preocupa la idea; 2 *aangenaam ~* distraer, entretener; 3 *zich ~* (*met*) ocuparse (de, en, con), dedicarse (a), entretenerse (en, con); *zich met de kinderen ~* ocuparse de los niños; *zich ~ met schilderen* ocuparse en pintar, entretenerse con pintar; *hij houdt zich bezig met het schrijven van boeken* se ocupa escribiendo libros, se dedica a escribir libros

bezinken posarse, depositarse; *laten ~* dejar reposar; *doen ~* (*chem*) precipitar; **bezinksel** sedimento, depósito, poso; (*in inkt, olie*) borra

bezinnen 1 reflexionar; *bezint eer gij begint* antes de hacer piénsalo diez veces; 2 *zich ~* pensarlo *ie* mejor; *bezin je voor het te laat is* vuelve en ti antes de que sea tarde; **bezinning** reflexión *v*; *tot ~ komen* volver *ue* en sí; *iem tot ~ brengen* hacer volver en sí a u.p.

bezit posesión *v*; *in het ~ komen van* (*krijgen*) adquirir *ie*; *de brief kwam gisteren in ons ~* la carta llegó a nuestro poder ayer; *iets in ~ nemen* tomar posesión de u.c.; *in het ~ zijn van* (*hebben*) poseer, tener; *hij is in het ~ van een goede gezondheid* goza de buena salud

bezitsaanmatiging usurpación *v* de bienes

bezitster 1 poseedora; 2 (*houdster*) tenedora; **bezittelijk**: *~ voornaamwoord* pronombre *m* posesivo; **bezitten** poseer, tener; *goede eigenschappen ~* estar dotado de buenas cualidades; **bezitter** 1 poseedor *m*; 2 (*houder*) tenedor *m*; **bezitting** 1 posesión *v*, pertinencia; *persoonlijke ~en* efectos personales; *hun weinige ~en* sus pocas pertinencias; 2 (*landgoed*) hacienda

bezocht: *druk ~* muy concurrido, muy frecuentado; *zeer ~ door ziekte* muy frecuentado por enfermedades

bezoedelen manchar

bezoek 1 visita; (*van museum ook:*) frecuentación *v*; *een ~ afleggen, brengen* hacer una visita; *morgen breng ik je een ~* mañana te voy a visitar; *op ~ zijn* estar de visita; *dank u voor uw ~* gracias por su visita; 2 (*van school*) asistencia; 3 (*bezoekers*) visitas *vmv*; *er kwam veel ~* hubo muchas visitas; *~ ontvangen* recibir visitas; 4 (*in gevangenis*) comunicación *v*; 5 (*in ziekenhuis*) visita; **bezoeken** 1 visitar; *een museum ~* visitar un museo; 2 (*van school, vergadering*) asistir a; 3 (*geregeld bezoeken*) frecuentar; **bezoeker** 1 visitante *m*; *geregelde ~*

(visitante) asiduo; 2 *~s* (*van vergadering*) concurrentes *mmv*, concurrencia, presentes *mmv*, asistentes *mmv*, asistencia; **bezoeking** azote *m*, desgracia; **bezoekregeling** régimen *m* de visitas; **bezoekster** visitante *v*; **bezoekuur** hora de visita; *strenge -uren* (*in ziekenhuis*) riguroso régimen *m* de visitas; *wat zijn de -uren?* ¿cuál es el régimen de visitas?
bezoldigen pagar, remunerar, retribuir; **bezoldiging** pago, sueldo, remuneración *v*, retribución *v*
bezondigen: *zich ~ aan* caer en el pecado de; *ik heb mij er ook aan bezondigd* yo también he caído en ese pecado
bezonken reflexivo; *een ~ oordeel* un juicio maduro
bezonnen sensato, juicioso
bezonning insolación
bezopen 1 borracho, bebido; 2 (*dwaas*) ridículo
bezorgd preocupado; *~ voor, over* preocupado de, por; *~ zijn voor* temer por, estar preocupado de; *zich ~ maken over, ~ zijn over* preocuparse por, inquietarse por; *maakt u zich niet ~* no se preocupe Ud., pierda cuidado, descuide Ud.; **bezorgen** 1 (*verschaffen*) procurar, proporcionar; *we hebben hem een baan bezorgd* le hemos encontrado un empleo; *het bezorgde hem een slechte naam* le dio mala fama; *een verrassing ~* deparar una sorpresa; *kunt u mij een pas ~?* ¿puede Ud. obtenerme un pasaporte?; 2 (*thuisbrengen*) entregar; (*van brieven*) repartir; *thuis bezorgd* entrega a domicilio; **bezorging** 1 entrega; 2 (*van brieven*) reparto
bezuinigen economizar, ahorrar, introducir economías, reducir los gastos; *op de kosten ~* recortar los gastos; **bezuiniging** economía, ahorro, reducción *v* de los gastos; (*vermindering*) recorte *m*; **bezuinigingsmaatregelen** medidas de economía, medidas de ahorro
bezwaar 1 objeción *v*, inconveniente *m*; *van onze kant is er geen ~* por nuestra parte no hay inconveniente; 2 (*gewetensbezwaar*) escrúpulo; 3 (*schaduwzijde*) desventaja, inconveniente *m*, dificultad *v*; *de zaak heeft zijn bezwaren* la cosa tiene sus desventajas; *~ hebben, ~ maken tegen* oponerse a, objetar contra, hacer objeciones contra; *ik heb er geen ~ tegen om* no tengo inconveniente en; *hebt u er ~ tegen als ik rook?* ¿le molesta que fume?; *op bezwaren stuiten* encontrar *ue* dificultades, tropezar *ie* con problemas; **bezwaard** agobiado; *~ door problemen* agobiado por problemas; *met een ~ gemoed* con el corazón en un puño, con el corazón encogido; *ik voel me ~ om hem te storen* siento escrúpulos de molestarle, se me hace violento molestarle; **bezwaarlijk** penoso, difícil; **bezwaarschrift** reclamación *v*, escrito de queja; (*belasting*) escrito de alegaciones; **bezwaren** 1 gravar, cargar; *met een hypotheek bezwaard* gravado con hipoteca; *met schulden bezwaard* cargado de deudas; 2 (*moreel*) agobiar, pesar sobre; *het bezwaart mijn gemoed* me agobia el corazón, pesa sobre mi corazón; **bezwarend** agravante, oneroso; *~e omstandigheid* (circunstancia) agravante *v*
bezweet sudoroso, cubierto de sudor; *hij is helemaal ~* el sudor le cubre por entero
bezweren 1 (*onder ede*) jurar; 2 (*van geesten*) exorcizar, conjurar; *het gevaar ~* conjurar el peligro; *slangen ~* encantar serpientes; **bezwering** (*van geesten*) exorcismo, conjuro; (*van gevaar*) conjuro; **bezweringsformule** fórmula de hechizo, fórmula de conjuro, encantamiento
bezwijken ceder, sucumbir; (*sterven*) morir *ue, u*; *~ aan een ziekte* morir de una enfermedad; *~ onder een last* sucumbir bajo un cargo; *~ voor de verleiding* ceder ante la tentación, sucumbir a la tentación
bibberen tiritar
bibliografie bibliografía
bibliotheconomie biblioteconomía
bibliotheek biblioteca; **bibliothecaressse** bibliotecaria; **bibliothecaris** bibliotecario
biceps bíceps *m*
bidden 1 rezar; *tot God ~* rezar a Dios; *~ voor* rezar por, pedir *i* por, rogar *ue* por; *voor iems gezondheid ~* rezar por la salud de u.p.; *bidt voor hem!* ¡rogad por él!; 2 (*smeken*) rogar *ue*, suplicar
biecht confesión *v*; **biechten** confesarse *ie*
biecht|geheim secreto de confesión; **-stoel** confesionario; **-vader** confesor *m*
bieden I *tr* ofrecer, presentar; *een kans ~* presentar una ocasión; *een prijs ~* ofrecer un precio; *voordelen ~* ofrecer ventajas; *al wat het leven kan ~* cuanto la vida pueda ofrecer, lo que la vida pueda dar de sí; II *intr* 1 (*op veiling*) hacer postura, licitar; *hoger ~* pujar; *meer ~ dan iem* pujar más que u.p., sobrepujar a u.p.; 2 (*in bridge*) declarar; **bieder, biedster** licitador, -ora, postor, -ora; *de hoogste ~* el mejor postor
biedkoers cambio de compra
biefstuk 1 (*van de haas*) solomillo; 2 (*bieflapje*) biftec *m*
bier cerveza; *donker ~* cerveza oscura; *licht ~* cerveza clara; *~ in flessen: a*) cerveza de botella; *b*) (*in kleine flesjes*) cerveza de botellín; *~ uit het vat* cerveza de barril
bier|brouwer cervecero, fabricante *m* de cerveza; **-brouwerij** fábrica de cerveza; **-buik** barriga, tripa; *man met een ~* barrigón *m*; **-glas** caña; **-pul** jarra de cerveza, tarro (de cerveza), bock *m*; **-viltje** posavasos *m*
bies 1 (*sierrand*) ribete *m*; *leren ~* ribete de cuero; 2 (*riet*) junco || *zijn biezen pakken* liar *í* los bártulos, esfumarse
biet remolacha; *zo rood als een ~* rojo como un cangrejo || *het kan me geen ~ schelen* no me importa un comino
biezen *bn* de junco

big cerdito, cochinillo
bigamie bigamía
biggelen correr; *de tranen biggelden haar over de wangen* las lágrimas le corrían por las mejillas
1 bij *zn* abeja
2 bij *vz* 1 (*in de buurt van*) cerca de, al lado de, junto a; *kom eens ~ me* anda, acércate; *ze zijn altijd ~ elkaar* siempre están juntos; *wie had u ~ u?* ¿quién iba con Ud.?; *ik had mijn broer ~ me* tenía a mi hermano conmigo; *hij ging ~ haar zitten* se sentó a su lado; *~ het raam* junto a la ventana; *een stoel ~ het vuur trekken* acercar una silla (junto) a la lumbre; *~ het vuur gaan zitten* arrimarse al fuego; *de slag ~ Nieuwpoort* la batalla de Nieuwpoort; *je bent met je hoofd niet ~ wat je doet* no estás en lo que haces; *hij was ~ de operatie* presenció la operación; *ik was er~* (*aanwezig*) estaba presente; *een bedankje was er niet ~* ni las gracias han dado; *als zijn moeder er ~ is* cuando se halla delante su madre; 2 (*in het huis van, bij de firma van*) con, en casa de; *hij woont ~ zijn ouders* vive con sus padres; *ik ga eten ~ een vriend* voy a cenar a casa de un amigo; *waarom komt u nooit ~ ons?* ¿por qué nunca viene por casa?; *wij zijn verzekerd ~* ... estamos asegurados con ...; *ik heb een rekening ~ de AB-bank* tengo una cuenta con el banco AB; *werken ~ een reisbureau* trabajar en una agencia de viajes; 3 (*temidden van*) entre; *~ Cervantes* en Cervantes; *~ de Grieken* entre los griegos; *~ het leger* en el ejército; 4 *~ zich hebben* (*op zak*) llevar (consigo), traer; *ik heb geen geld ~ me* no llevo dinero (conmigo), no tengo dinero encima; *heb je de kijker ~ je?* ¿has traído los gemelos?; 5 (*ondanks*) a pesar de, con, no obstante; *~ al zijn rijkdom* ... no obstante su riqueza ...; 6 (*in geval van*) en caso de; *~ brand* en caso de incendio; 7 (*tijdens*) durante, en, cuando; *~ zijn aankomst* cuando su llegada; *~ avond* de noche; *~ de begrafenis van* cuando el entierro de; *~ mijn bezoek* durante mi visita; *~ de dood van Quevedo* al morir Quevedo; *~ zo'n hitte* con ese calor; *~ een kop thee* tomando una taza de té; *~ zijn leven* durante su vida, mientras vivía; *~ het ontbijt eet ik toast* con el desayuno como tostadas; *~ het ontbijt begon het al* ya empezó cuando el desayuno; *~ het spelen bezeerde ze zich* al jugar se lastimó; *geld verliezen ~ een transactie* perder *ie* dinero en una operación; *~ zijn werk* mientras trabaja, durante el trabajo; 8 *er ~* extra, más; *er wat ~ verdienen* ganar algún extra; *er ~ doen* (*toevoegen*) añadir || *~ toeval* por accidente; *al die moeilijkheden ~ elkaar* todas estas dificultades juntas; *dat is ~ elkaar* ... sumado hace ...; *hij zei ~ zichzelf* dijo para sí; *~ tientallen* a decenas; *~ honderden* por centenares; *zweren ~ God* jurar por Dios; *het is ~ achten* son casi las ocho
3 bij *bn* (*slim*) listo; *hij is goed ~* es muy listo, no es nada tonto
4 bij *bw* 1 *~ zijn* (*up to date zijn*) estar al día; *~ zijn met betalen* estar al día y no deber nada; *~ zijn met de betaling van de hypotheek* estar al corriente en el pago de la hipoteca; 2 *er ~ zijn* (*betrapt worden*) ser cogido; *ik ben er ~* me la he cargado, estoy bueno
bij|baantje empleo suplementario; **-bedoeling** segunda intención *v*
bijbehorend correspondiente, perteneciente; *met ~e stoelen* con sillas que hacen juego
bijbel biblia; **bijbels** bíblico; *~e geschiedenis* historia sagrada; **bijbelvertaling** traducción *v* de la biblia
bijbenen seguir *i*, seguir *i* el ritmo de
bijbetalen pagar un suplemento; **bijbetaling** pago adicional; *tegen ~ van* pagando un suplemento de
bij|blijven mantenerse al día; *het zal mij altijd ~* nunca lo olvidaré, está grabado en mi memoria, siempre lo recordaré; **-brengen** 1 (*na flauwte*) reanimar, hacer volver en sí; 2 *iem iets ~* enseñar u.c. a u.p.; *ideeën ~* inculcar ideas
bijdehand listo, despierto, (d)espabilado
bijdetijds al día, moderno
bijdrage 1 contribución *v*, aporte *m*, aportación *v*; *een ~ leveren aan* contribuir a, aportar u.c. a; 2 (*aan sociale verzekering*) cuota, cotización *v*; **bijdragen** (*aan, in*) contribuir (a); *hij draagt nooit iets bij* nunca pone nada de su parte
bijdragevoet (*Belg*) tipo de cotización
bijeen (*in vergadering*) reunido; *wij zijn vandaag ~* hoy nos hemos reunido
bijeen|brengen reunir *ú*; acopiar; **-houden** mantener reunido, unir; **-komen** reunirse *ú*, juntarse; **-komst** reunión *v*, junta; **-krijgen** juntar, reunir *ú*, acumular; **-roepen** convocar; **-schrapen** arañar; **-voegen** unir
bijen|houder apicultor *m*; **-koningin** abeja reina; **-korf** colmena; **-teelt** apicultura; **-volk** enjambre *m*; **-was** cera (de abeja)
bijgaand incluido, adjunto, anexo
bijgebouw anexo, anejo, dependencia
bijgeloof superstición *v*; **bijgelovig** supersticioso
bijgenaamd apodado, llamado por apodo, alias
bijgevolg en consecuencia, por consiguiente
bijgieten añadir, echar más
bijhalen: *er een specialist ~* recurrir a un especialista
bijhouden 1 (*van glas, bord*) acercar, alargar; 2 (*van iem, iets*) mantenerse al ritmo de, seguir *i*; *ik kan u niet ~* no le puedo seguir; 3 (*van boeken*) llevar; *de boeken ~* llevar los libros, mantener al día los libros; *een dagboek ~* llevar un diario; 4 (*van kennis*) conservar; *zijn Spaans ~* no perder *ie* en el español
bij|huis (*Belg*) sucursal *v*; **-kantoor** sucursal *v*; **-keuken** recocina, antecocina; **-knippen** recortar

bijkomen 1 (*bijgevoegd worden*) añadirse, sumarse; *daar komt nog bij* a esto se añade; *dat moest er nog ~!* ¡habrase visto!; 2 (*na flauwte*) recobrar el sentido, recobrar el conocimiento, volver *ue* en su acuerdo; (*na inzinking*) reponerse; 3 (*mbt kleur*) armonizar; *het blauw komt er goed bij* el azul armoniza bien; 4 (*bereiken*) alcanzar; *ik kan er niet ~* no lo alcanzo || *hoe komt u erbij?* ¿de dónde saca Ud. semejante idea?; **bijkomend** adicional, suplementario; **bijkomstig** secundario, accesorio; **bijkomstigheid** algo secundario, elemento secundario, detalle *m*, accidente *m*
bijkrediet (*Belg*) crédito suplementario
bijl hacha; *hij gaat voor de ~* le ha llegado su fin
bijlage anejo, anexo
bijleggen *ww* 1 (*toevoegen*) añadir, suplir; *ik moet er geld ~* me cuesta dinero este asunto, pierdo en este negocio; 2 (*beslechten*) arreglar, ajustar, dirimir
bijles clase *v* particular
bijlichten alumbrar; *licht eens even bij!* ¡alúmbrame!
bijltje hacha pequeña; *het ~ erbij neergooien: a*) (*ophouden met werk*) colgar *ue* el hábito, cortarse la coleta; *b*) (*de moed verliezen*) perder *ie* el ánimo, descorazonarse; *ik heb al vaker met dat ~ gehakt* no es la primera vez que me las entiendo con eso
bijmengen mezclar, añadir; *je moet er groen ~* hay que mezclarlo con verde
bijna casi; *~ altijd* casi siempre; *~ niet* apenas; *licht, ~ blond haar* pelo claro, tirando a rubio; *hij was ~ gevallen* por poco se cae; *ik was het ~ vergeten* por poco se me olvida; *wij zijn er ~* estamos llegando
bijnaam apodo, sobrenombre *m*
bijnier cápsula suprarrenal, glándula suprarrenal
bijouterieën bisutería, joyería
bijpassen (*bijbetalen*) pagar la diferencia; **bijpassend** que hace(n) juego, a juego; *~ papier* papel *m* que hace juego; *~e laarzen* botas a juego
bij|produkt producto derivado, producto secundario, subproducto; **-rijder** conductor *m* auxiliar; **-schaven** 1 cepillar; 2 (*fig*) pulir, refinar, perfeccionar; **-schenken** volver *ue* a llenar
bijscholen reentrenar; **bijscholing** reentrenamiento, formación *v* adicional; **bijscholingscursus** cursillo de perfeccionamiento
bijschrift 1 (*bij foto*) leyenda; 2 (*in marge*) nota marginal
bijschrijven (*op rekening*) registrar, abonar en cuenta; **bijschrijving** abono (en cuenta)
bijschuiven (*van stoel*) arrimar, acercar
bij|slag suplemento, subsidio; **-slijpen** (*techn*) recortar; (*fig*) perfeccionar; **-sluiter** prospecto; **-smaak** regusto; **-spijkeren** 1 (*bijbetalen*) pagar como suplemento; 2 *zie: bijwerken*; **-springen** ayudar
bijstaan secundar, ayudar, asistir, socorrer; **bijstand** ayuda, socorro, asistencia; *rechtskundige ~* asistencia jurídica; *sociale ~* asistencia social; *~ verlenen aan* prestar auxilio a
bijstellen reajustar, ajustar; **bijstelling** 1 reajuste *m*, ajuste *m*; 2 (*gramm*) aposición *v*
bijster I *bn zie: spoor*; II *bw* extremamente; *hij was niet ~ vrolijk* no estaba muy contento que digamos
bijt agujero en el hielo
bijtanken tomar gasolina, repostar
bijten 1 morder *ue*; *dat bijt elkaar niet* eso armoniza; *in een appel ~* morder una manzana; *~ naar* intentar morder; *~ op* morder; *ik beet op mijn tong* me mordí la lengua; *ze beet op haar zakdoek* mordió el pañuelo; 2 *van zich af ~* defenderse *ie*; **bijtend** mordiente, corrosivo; *~e spot* sarcasmo; *~e toon* tono mordiente
bijtijds con tiempo
bijtrekken I *tr* (*van stoel*) acercar; II *intr* (*zich herstellen*): *a*) (*mbt vlek*) arreglarse; *b*) (*na boosheid*): *hij trekt wel bij* ya se le quitará el enfado
bijv. *zie: bijvoorbeeld*
bijvak asignatura secundaria, materia secundaria
bijval adhesión *v*, aplauso; *hij oogstte stormachtige ~* tuvo una salva de aplausos; *deze theorie vindt overal ~* todos aplauden esta teoría; **bijvallen** secundar, respaldar, corear
bijverdienen ganar extra; **bijverdienste** ganancias *vmv* suplementarias
bijverschijnsel síntoma *m* accesorio
bijvoeding alimentación *v* suplementaria
bijvoegen añadir, adjuntar, agregar; acompañar; (*insluiten*) incluir; **bijvoeglijk**: *~ naamwoord* adjetivo; **bijvoegsel** suplemento, apéndice *m*, anexo
bijvoorbeeld por ejemplo, verbigracia, pongo por caso; *afk* p. ej.
bij|vullen volver *ue* a llenar, rellenar; **-werken** 1 (*van schilderij*) retocar; 2 (*van boek, project*) poner al día, revisar, actualizar; 3 (*van leerlingen*) dar clases particulares a, preparar (para un examen); **-wonen** asistir a, presenciar; **-woord** adverbio; **-zaak** cuestión *v* secundaria; *dat is maar ~* no es más que un detalle (sin importancia)
bijzettafeltje mesilla auxiliar, mesa auxiliar, (mesa de) velador *m*
bijzetten 1 (*van dode*) sepultar, enterrar *ie*; 2 (*van stoel*) acercar; 3 *kracht ~* acentuar *ú*, dar énfasis a
bijziend miope, corto de vista; **bijziendheid** miopía
bijzijn: *in het ~ van* delante de, en presencia de
bijzin oración *v* subordinada
bijzonder I *bn* 1 (*speciaal*) especial, particular; *een ~ geval* un caso especial; *~ onderwijs* enseñanza privada; *~ verlof* permiso especial; *iets ~s* algo especial, una cosa fuera de lo corriente; *niets ~s* nada del otro mundo; *zeer in het ~*

muy especialmente, muy particularmente; 2 (*eigenaardig*) peculiar, singular; II *bw* especialmente, particularmente; **bijzonderheid** 1 (*bijzonder karakter*) particularidad *v*; 2 (*concr detail*) detalle *m* especial, pormenor *m*, particularidad *v*; *nadere -heden* detalles ampliativos; *in -heden treden* entrar en detalles; *in -heden vermelden* pormenorizar; 3 (*eigenaardigheid*) peculiaridad *v*
bikini bikini *m*
bikkelhard más duro que una piedra
bikken 1 (*afbikken*) picar, escodar, desincrustar; 2 (*eten*) jamar
bil 1 nalga; *~len* nalgas, trasero; *voor de ~len geven* dar una azotaina; 2 (*van dier*) cuarto trasero
bilateraal bilateral
biljart 1 (*spel*) billar *m*; 2 (*biljarttafel*) mesa de billar; **biljartbal** bola de billar; **biljarten** jugar *ue* al billar; **biljarter** jugador *m* de billar; **biljartkeu** taco (de billar)
biljet billete *m*
biljoen billón *m*
billijk (*rechtvaardig*) justo, equitativo; (*redelijk*) razonable; *~e prijzen* precios razonables, precios moderados; *en dat is ook ~* y es lo justo; **billijken** aprobar *ue*; **billijkheid** justicia, equidad *v*
binden 1 (*vastbinden*) atar, sujetar, ligar; *iems handen ~* atar las manos de u.p.; *~ aan* atar de; 2 (*verplichten*) obligar; *zich ~* (*fig*) ligarse, comprometerse, obligarse; 3 (*van boek*) encuadernar; 4 (*van saus*) espesar; **bindend** obligatorio, vinculante; *~ zijn* obligar; **binding** vínculo, lazo; **bindmiddel** aglutinante *m*, substancia de cohesión; (*fig ook:*) cemento
binnen I *vz* 1 (*van plaats*) dentro de; 2 (*van tijd*) en menos de, en el término de, dentro del plazo de, en el plazo de; (*soms:*) dentro de; *~ 24 uur* antes de (transcurridas) 24 horas; II *bw* dentro; *~!* ¡pase!, ¡adelante!; *~ zonder kloppen* pasen sin llamar; *naar ~ gaan* entrar; *laten we naar ~ gaan* vamos adentro, entremos; *naar ~ slaan* engullir, ingerir *ie, i*, embuchar; *van ~* por dentro; *zich te ~ brengen* recordar *ue*; *daar schiet me iets te ~* ya se me ocurre u.c.; *het wil me niet te ~ schieten* no se me ocurre
binnen|baan pista interior; **-bad** piscina cubierta; **-band** cámara; **-bocht** curva interior; **-brengen** llevar adentro, entrar, introducir; **-dringen** (*in*) penetrar (en), internarse (en), infiltrarse (en), adentrarse (en); (*met velen*) invadir; *~ in het land* invadir el país; **-druppelen** llegar en pequeños grupos; **-gaan** (*in*) entrar (en), meterse (en); **-halen** recoger; **-haven** puerto interior; **-houden** (*van iem*) no dejar salir || *hij kan niets ~* todo lo devuelve
binnenhuis|architect, **-architecte** (arquitecto) decorador, (arquitecta) decoradora, arquitecto interiorista; **-architectuur** arquitectura interior, decoración *v* (interior), interiorismo
binnenin dentro
binnen|kant interior *m*; *aan de ~* por (la parte de) dentro; **-komen** entrar, pasar; *laat hem maar ~* dile que pase; *hij liet mij ~* me hizo pasar adelante; *komt u binnen!* ¡pase Ud.!; *mag ik ~?* ¿se puede pasar?, ¿puedo pasar?; **-komst** entrada; *behandelen in volgorde van ~* tratar por orden de recibo; **-kort** dentro de poco, en breve, próximamente; **-krijgen** (*inslikken*) tragar
binnenland interior *m* (del país); **binnenlands** interior; (*mbt twisten ook:*) intestino; *~e problemen* problemas *mmv* interiores; *~e vlucht* vuelo nacional; *~e Zaken* Ministerio del Interior
binnen|laten hacer pasar; (*toelaten*) admitir; **-leiden** introducir; **-loodsen** 1 pilotar; 2 (*fig*) dar entrada a; **-lopen** entrar; (*mbt schip*) entrar (en el puerto); (*mbt trein*) entrar (en la estación); **-maat** medida interna; **-plaats** patio; **-pretje** diversión *v* para sí, diversión *v* para sus adentros; **-roepen** hacer entrar; **-ruimte** (*in auto*) habitáculo, espacio interior; **-rukken** irrumpir (en); **-schip** barco fluvial, barco de río; **-schipper** patrón *m* de un barco fluvial
binnenshuis dentro (de la casa)
binnen|sluipen entrar de puntillas; (*fam*) colarse *ue*; **-smokkelen** 1 (*van goederen*) introducir de contrabando; (*fam*) pasar de matute; 2 (*van iem*) introducir furtivamente
binnensmonds para sí; *~ praten* hablar entre dientes
binnenste I *bn* interior; II *zn* interior *m*; **binnenstebuiten** al revés
binnen|stormen irrumpir (en); **-stromen** (*fig*) llegar en abundancia; **-treden** entrar en; **-vaart** navegación *v* fluvial; **-vallen** 1 (*langskomen*) descolgarse *ue*; 2 (*binnenstormen*) irrumpir (en), invadir; **-vetter** reservón, -ona, introvertido, -a; **-waarts** hacia dentro; **-wateren** aguas interiores; **-weg** carretera secundaria; **-zak** bolsillo interior; **-zijde** lado interior; **-zool** plantilla
bint (*balk*) viga
biochemie bioquímica; **biochemicus**, **biochemisch** bioquímico
biograaf, **biografe** biógrafo, -a; **biografie** biografía
biologe bióloga; **biologie** biología; **biologisch** biológico; **biologisch-dynamisch** dinámico-biológico; **bioloog** biólogo
bioscoop cine *m*; **bioscoopbezoek** frecuentación *v* del cine
bips culito
bisam (*bont*) castor *m* del Canadá
biscuitje galleta
bisdom diócesis *v*, obispado
biseksueel bisexual
bisschop obispo; **bisschoppelijk** obispal, episcopal; **bisschopszetel** sede *v* episcopal
bissectrice bisectriz *v*
1 bit freno, bocado

2 bit (*comp*) bit *m, mv bits*
bits mordaz, duro, áspero
bitter I *bn* amargo; II *zn* bíter *m*; **bitterheid** amargura
bitumen betún *m*
bivak vivaque *m*; **bivakkeren** vivaquear, acampar
bizar extravagante, estrafalario
bizon bisonte *m*
blaadje 1 (*van boom*) hojita, hojuela; 2 (*van bloem*) pétalo; 3 (*vel papier*) hoja; 4 (*krantje*) periódico; 5 (*dienblaadje*) bandeja || *bij iem in een goed ~ zien te komen* tratar de congraciarse con u.p.; *bij iem in een goed ~ staan* estar en buenos términos con u.p.
blaam 1 (*schuld*) culpa; *ons treft geen ~* no nos incumbe culpa alguna, no tenemos la culpa; 2 (*smet*) mancha, tacha
blaar ampolla; *hij kreeg blaren* le salían ampollas
blaas 1 (*med*) vejiga; 2 (*plantk*) vesícula; 3 (*luchtbel*) burbuja
blaas|aandoening enfermedad *v* de la vejiga; **-balg** fuelle *m*; **-instrument** instrumento de viento; **-kaak** fantasmón *m*, charlatán *m*; **-ontsteking** cistitis *v*; **-orkest** banda, orquesta de instrumentos de viento; **-pijpje** alcohómetro
blabla blablablá *m*
blad 1 (*van boom, zaag*) hoja; *bladeren krijgen* echar hojas; 2 (*van boek*) hoja, página; *van het ~ spelen* repentizar; 3 (*van tafel*) tablero; (*uittrekbaar*) hoja; (*klapbaar*) ala (abatible); 4 (*van propeller*) ala; 5 (*krant*) periódico; 6 (*dienblad*) bandeja || *geen ~ voor de mond nemen* no morderse *ue* los labios, no tener pelos en la lengua
bladderen desconcharse, descascarrillarse
bladerdeeg hojaldre *m*, pasta laminada
bladeren hojear
bladerrijk frondoso
blad|goud oro en hojas, pan *m* de oro; **-groen** clorofila; **-groenten** verduras *vmv* verdes; **-hark** escoba metálica; **-luis** pulgón *m* verde; **-stil**: *het was ~* no se movía una hoja; **-zijde** página
blaffen (*tegen*) ladrar (a)
blaken: *~ van* arder de, rebosar de; *~ van gezondheid* rebosar de salud; *~ van hartstocht* arder de pasión; **blakend** rebosante; *~ van gezondheid* rebosante de salud; *in ~e welstand* en completo bienestar
blakeren chamuscar, abrasar, calcinar
blamage vergüenza; **blameren** desacreditar; *zich ~* quedar en ridículo
blancheren escaldar, pasar por agua hirviendo
blancmanger manjar *m* blanco
blanco en blanco; *~ stem* abstención *v*; *~ stemmen ww* abstenerse
blank 1 (*kleurloos*) blanco, incoloro; *~ metaal* metal blanco; 2 (*mbt huid*) claro; *~e gelaatshuid* tez *v* clara; 3 (*ongeschilderd*) sin pintar; 4 (*mbt draad, ongeïsoleerd*) desnudo; 5 (*zuiver*) puro || *het land staat ~* la tierra está inundada;
blanke blanco, -a
blasé de vuelta de todo, esnob
blaten balar, dar balidos
blauw I *bn* azul; *~ bloed* sangre *v* azul; *~ oog* (*na klap*) ojo amoratado, (*pop*) ojo a la funerala; *~e plek* moretón *m*, cardenal *m*; *zijn handen waren ~ van de kou* tenía los manos amoratadas por el frío || *een ~e maandag* poco tiempo, cuatro días; *~e regen* (*plantk*) glicina; *zich ~ ergeren* irritarse a más no poder, darse a todos los diablos; II *zn* azul *m*; *Delfts ~* loza (azul) de Delft; **blauwachtig** azulado;
blauwgroen verde azulado
blauwkous sabihonda, marisabidilla
blauwtje: *een ~ laten lopen* dar calabazas; *hij heeft een ~ gelopen* le han dado calabazas
blazen 1 soplar; 2 (*van woede*) dar bufidos, bufar || *hoog van de toren ~* alardear
bleek pálido; *~ worden* palidecer, ponerse pálido; **bleekgezicht** rostro pálido; **bleekheid** palidez *v*
bleek|middel decolorante *m*; **-selderij** apio lleno; **-water** lejía
bleken blanquear
blender licuadora
blèren berrear
blesseren herir *ie, i*, lesionar; **blessure** lesión *v*
blij contento, feliz; *iem ~ maken* dejar a u.p. contenta, dar un (gran) gusto a u.p.; *~ zijn dat* estar contento de que, celebrar que; *ik ben ~ dat het niet zo is* celebro que no sea así; *hij was heel ~ met het cadeau* estuvo muy contento con el regalo; *daar ben ik ~ om!* ¡me alegro!, ¡lo celebro!; *~ toe!* ¡tanto mejor!, ¡menos mal!;
blijdschap alegría; (*luidruchtig*) alborozo
blijf-van-mijn-lijf-huis casa-refugio para mujeres maltratadas
blijk prueba, muestra, señal *v*; *een ~ van vertrouwen* una muestra de confianza; *~ geven van* dar prueba de, mostrar *ue*; *~ geven van zijn dankbaarheid* hacer patente su gratitud; *ten ~e waarvan* en prueba de lo cual; **blijkbaar** por lo visto, evidentemente, obviamente; **blijken** (*uit*) resultar (de), deducirse (de); (*uit document ook:*) desprenderse (de); *doen ~* hacer patente, evidenciar, poner de manifiesto; *laten ~* mostrar *ue*, dejar ver, exteriorizar; *het bleek mij dat* encontré que; *dat zal nog ~* ya se verá; *hij bleek aardig te zijn* resultó simpático; *uit dit alles blijkt dat* de todo ello resulta que; *eindelijk bleek dat* por fin se puso en claro que; **blijkens** conforme resulta de, como se desprende de
blijmoedig animado, optimista
blijspel comedia
blijven 1 quedar(se), permanecer; *~ eten* quedarse a comer; *~ slapen* quedarse a dormir; *ik kan niet lang ~* no puedo detenerme mucho;

blijf nog even! ¡quédate un poco más!; ~ *jullie hier!* ¡no os mováis de aquí!; *waar ben ik gebleven?* ¿por dónde iba?, ¿dónde estaba?; 2 (*doorgaan met*) seguir *i*, continuar *ú*, no cesar de; ~ *lezen* seguir leyendo; *ze blijft hopen* sigue esperando; *het bleef onweren* no cesaba de tronar; *je blijft lachen* no paras de reír; *zijn functie* ~ *uitoefenen* permanecer en su cargo; 3 (*in een toestand*) seguir *i* (siendo); *vrienden* ~ seguir (siendo) amigos; *het weer blijft goed* el tiempo sigue (siendo) bueno; *het blijft hetzelfde* sigue siendo lo mismo; ~ *staan* seguir de pie; ~ *zitten* seguir sentado; *meneer X blijft voorzitter* el sr. X sigue de presidente; *goed* ~ (*mbt eten*) conservarse bien; *onbeantwoord* ~ quedar sin contestación; 4 (*overblijven*) quedar; *er blijft nog veel te doen* queda mucho por hacer; 5 (*uitblijven*) tardar; *hij blijft lang weg* tarda mucho en volver; *waar blijft ze toch?* ¿por qué tarda tanto?; *waar ben je zo lang gebleven?* ¿dónde te has metido?; 6 *erin* ~ morir *ue, u*; 7 ~ *bij: a*) *bij iem* ~ quedarse con u.p.; *b*) *bij een plan* ~ no abandonar su proyecto; *de minister blijft bij zijn voornemen* el ministro sigue firme en su propósito; *c*) (*met aandacht*) atender *ie* a; *blijf bij je studie* no te distraigas de tus estudios; *blijft u bij de zaak* cíñase al asunto; *d*) (*niet verder gaan*) no pasar de; *maar laat het daarbij* ~ pero que no pase de ahí; *alles bleef bij het oude* todo seguía como antes; *daar blijft het bij* no pasa de ahí; *daar zal het niet bij* ~ la cosa no quedará en esto, la cosa no acaba aquí; *het blijft onder ons* no sale de aquí; **blijvend** duradero, continuo, permanente

1 blik mirada; (*snel:*) vistazo; *bij de eerste* ~ al primer vistazo; *met één* ~ de un vistazo, en un solo golpe de vista; *zijn* ~ *laten dwalen over* recorrer con la mirada; *hij wendt geen* ~ *van haar af* no le quita el ojo de encima; *een* ~ *werpen op* echar un vistazo a, echar una mirada a

2 blik 1 lata, bote *m*; *in* ~ *verpakken* enlatar; *vlees in* ~ carne *v* en latas; *soep uit* ~ sopa de lata; *vis in* ~ pescado en conserva; 2 (*materiaal*) lata, hojalata; 3 (*voor benzine*) bidón *m*; 4 (*om te vegen*) recogedor *m*, pala; **blikje** lata de conservas

1 blikken de lata, de hojalata

2 blikken: *zonder* ~ *of blozen* sin pestañear, sin inmutarse, sin demudarse

blikopener abrelatas *m*

blikschade daños *mmv* en la carrocería

bliksem rayo, relámpago; *als de* ~ como un rayo, a toda mecha; *de* ~ *is ingeslagen* ha caído el rayo; *als door de* ~ *getroffen* como fulminado (por un rayo); *naar de* ~ *gaan* irse al diablo; *hij kan naar de* ~ *lopen!* ¡que le parta un rayo!, ¡que se fastidie!, ¡que se vaya a paseo!

bliksem|afleider pararrayos *m*; **-bezoek** visita relámpago; **-carrière** carrera meteórica

bliksemen relampaguear

bliksemflits rayo, relámpago; **bliksems**: *~!* ¡caramba!; **bliksemsnel** con la rapidez del rayo, a toda mecha

blikveld campo visual

blind I *zn* contraventana; II *bn* ciego; *~e gehoorzaamheid* obediencia ciega; ~ *toeval* pura casualidad; ~ *typen zn* mecanografía al tacto; ~ *worden* perder *ie* la vista, quedarse ciego; *hij staart zich* ~ *op de kosten* los costes le obsesionan; *aan één oog* ~ tuerto; *ik ben niet* ~ *voor* no cierro los ojos a; **blinddoeken** vendar los ojos; *geblinddoekt* con los ojos vendados; **blinde** ciego, -a; *in den ~e* al azar

blindedarm apéndice *m*, (intestino) ciego; **blindedarmontsteking** apendicitis *v*

blindelings a ciegas; ~ *gehoorzamen* obedecer ciegamente

blindemannetje: ~ *spelen* jugar *ue* a la gallina ciega

blindengeleidehond perro-guía *m, mv perros-guía*

blinderen blindar, acorazar

blindganger granada sin estallar

blindheid ceguera

blindvliegen volar *ue* sin visibilidad

blinken relucir, brillar

blitzkrieg guerra relámpago

bloc: *en* ~ en bloque

blocnote bloc *m* (de papel de escribir)

bloed sangre *v*; *er vloeide* ~ corrió (la) sangre; *het* ~ *steeg hem naar het hoofd* se le subió la sangre a la cabeza; *mijn* ~ *wordt karnemelk, mijn* ~ *kookt* se me revuelve la sangre, se me enciende la sangre, se me quema la sangre; *het* ~ *kruipt waar het niet gaan kan* la cabra tira al monte; ~ *vergieten* derramar sangre; *een strijd waarbij geen* ~ *vergoten wordt* una lucha incruenta; *kwaad* ~ *zetten* excitar el resentimiento; *hij kan geen* ~ *zien* le asusta la sangre; *dat zit haar in het* ~ lo lleva en (la masa de) la sangre; *in koelen ~e* a sangre fría; *met* ~ *doorlopen ogen* ojos inyectados de sangre

bloed|armoede anemia; **-bad** matanza, degollina; **-bank** banco de sangre; **-blaar** vesícula de sangre; **-bezinking** sedimentación *v* de la sangre; **-donor** donante *m,v* de sangre; **-dorstig** sanguinario; **-druk** presión *v* (arterial); *hoge* ~ hipertensión *v*; **-eigen**: *zijn* ~ *kinderen* sus propios hijos

bloeden sangrar; *hevig* ~ chorrear sangre; *mijn hart bloedt* me duele el alma; *met ~d hart* con el corazón desgarrado; **bloederig** sangriento; **bloederziekte** hemofilia

bloedig sangriento; (*mbt strijd ook:*) cruento

bloed|groep grupo sanguíneo; **-heet**: *het is* ~ hace un calor sofocante; **-hond** dogo, perro de presa

bloeding hemorragia

bloed|lichaampje glóbulo sanguíneo; *rood* ~ glóbulo rojo; *wit* ~ glóbulo blanco; **-neus** hemorragia nasal; *een* ~ *hebben* echar sangre por la nariz; **-plaatje** trombocito; **-plasma** plasma *m* sanguíneo; **-proef** análisis *m* de

sangre; **-rood** rojo como la sangre; escarlata; **-schande** incesto; **-sinaasappel** naranja sanguina
bloedsomloop circulación *v* (de la sangre)
bloed|stelpend astringente, estíptico; **-stollend** coagulante; (*fig*) horripilante; **-suiker** azúcar *m* sanguíneo; **-transfusie** transfusión *v* de sangre; **-uitstorting** hematoma *m*
bloedvat vaso sanguíneo; **bloedvatenstelsel** sistema *m* vascular sanguíneo
bloed|vergieten *zn* derramamiento de sangre; **-vergiftiging** septicemia, intoxicación *v* de la sangre; **-verlies** pérdida de sangre; **-verwant**, **-verwante** pariente *m,v*, consanguíneo, -a; *naaste ~en* parientes *mmv* directos; **-verwantschap** parentesco, consanguinidad *v*; **-vlek** mancha de sangre; **-worst** morcilla; **-wraak** vendetta; **-zuiger** sanguijuela
bloei 1 (*bloesem*) flor *v*; *in ~* en flor; 2 (*het bloeien*) florecimiento, floración *v*; 3 (*fig*) florecimiento, prosperidad *v*; *tot grote ~ komen* alcanzar una gran prosperidad; **bloeien** 1 florecer, estar en flor; 2 (*fig*) florecer, prosperar; **bloeiend** 1 en flor, floreciente; 2 (*fig*) floreciente, próspero; **bloeiperiode** 1 floración *v*; 2 (*fig*) época de florecimiento
bloem 1 flor *v*; *~en op de ramen* (*van ijs*) flores *vmv* de escarcha; *'geen ~en'* (*in overlijdensadvertentie*) no se admiten coronas; 2 (*meel*) harina, flor *v* de harina, harina de flor
bloem|bak maceta; **-bed** macizo, arriate *m*; **-bol** bulbo de flor
bloemen|corso desfile *m* de flores; **-hulde** obsequio floral, ofrenda floral; **-kweker** floricultor *m*; **-teelt** floricultura; **-vaas** florero; **-winkel** floristería
bloemetje 1 florecilla; 2 (*boeketje*) ramo de flores, ramillete *m* || *de ~s buiten zetten* echar una cana al aire, echar la casa por la ventana; **bloemist**, **bloemiste** florista *m,v*
bloem|knop botón *m*, capullo; **-kool** coliflor *v*; **-lezing** antología; **-perk** *zie: bloembed*
bloemrijk florido; *~e taal* lenguaje *m* florido
bloem|slinger guirnalda de flores; **-steel**, **-stengel** tallo; **-stuk** pieza floral
bloes *zie: blouse*
bloesem flor *v*
blok 1 bloque *m*; *een ~ marmer* un bloque de mármol; *het linkse ~* (*pol*) el bloque de izquierdas; *een ~ aan het been* un estorbo; 2 (*van huizen*) manzana, bloque *m* de viviendas; 3 (*brandhout*) leño; 4 (*van katrol*) polea; 5 (*hakblok*) tajo; 6 (*speelgoed*) cubo
blok|fluit flauta dulce; **-hut** cabaña de troncos
blokje cubito; *~ ijs* cubito de hielo
blokkade bloqueo
blokken (*studeren*) empollar, amarrar, embotellar
blokkendoos caja de construcciones
blokker empollón, -ona
blokkeren 1 bloquear; 2 (*van saldo*) congelar
blok|letter letra de imprenta; **blok|letteren** *zie: geblokletterd*
blok|polis (*Belg*) póliza combinada, póliza multirriesgo; **-vijl** lima cuadrada
blond rubio
bloot desnudo; *met blote armen* los brazos desnudos, los brazos al aire; *met het blote oog* a simple vista; *onder de blote hemel* a la intemperie, al raso, a cielo descubierto; **blootgeven, zich** dar la cara, exponerse; **blootje**: *in zijn ~* en pelota, en cueros; **blootshoofds** con la cabeza descubierta; *hij was ~* estaba en cabeza, estaba a pelo; **blootstaan**: *~ aan* estar expuesto a; **blootstellen** exponer; *zich ~ aan* exponerse a; *blootgesteld zijn aan* estar expuesto a, deber soportar; **blootsvoets** descalzo, con los pies descalzos
blos rubor *m*
blouse 1 blusa; 2 (*voor jongen*) camisa
blozen ruborizarse; (*van schaamte ook:*) sonrojarse; *iem doen ~* sacarle a u.p. los colores a la cara, sonrojar a u.p., ruborizar a u.p.; **blozend**: *~e wangen* mejillas sonrosadas
bluf fanfarronadas *vmv*, jactancia; **bluffen** fanfarronear; **blufpoker**: *~ spelen* marcarse un farol
blunder metedura de pata, patinazo
blusapparaat extinguidor *m*; **blussen** I *ww* extinguir, apagar; II *zn* extinción *v*; **blussingswerkzaamheden** trabajos de extinción, labores *mmv* de extinción
blut: *~ zijn* estar sin una perra, estar a la cuarta pregunta, estar a dos velas
bluts abolladura; **blutsen** abollar
BNP *Bruto Nationaal Produkt* Producto Nacional Bruto; *afk* PNB
board plancha de fibra de madera, tablero de conglomerado
bobbel bulto, protuberancia; **bobbelig** desigual
bobine bobina
bochel joroba; (*fam*) chepa
bocht 1 curva; (*van rivier ook:*) recodo; *flauwe ~* curva abierta; *scherpe ~* curva cerrada, curva aguda; *de ~ ruim nemen* tomar la curva ampliamente; *zich in allerlei ~en wringen* retorcerse *ue*; *uit de ~ vliegen* derrapar; 2 (*rommel*) basura; *het is ~* es de pacotilla; **bochtig** sinuoso
bod 1 (*aanbod*) oferta; 2 (*op veiling*) puja, licitación *v*; *een ~ doen* hacer una puja; *een hoger ~ doen* pujar, licitar
bode 1 (*boodschapper*) mensajero; 2 (*op bank, kantoor*) recadero; 3 (*bij gerecht*) ujier *m*, alguacil *m*; 4 (*bij gemeente*) alguacil *m* de ayuntamiento, ordenanza *m*; 5 (*vervoersbedrijf*) empresa de transportes
bodem 1 (*van vat, zee*) fondo; *het glas tot op de ~ leegdrinken* apurar el vaso; *met dubbele ~* (*fig*) ambiguo, de doble fondo; 2 (*grond*) suelo; *de ~ inslaan* echar por tierra; **bodemgesteldheid** naturaleza del suelo, condición *v* del

suelo, configuración *v* del suelo; **bodemloos** sin fondo

bodem|onderzoek exploración *v* del suelo; **-plaat** chapa de fondo; **-procedure** proceso de fondo; **-schatten** riquezas del suelo, riquezas subterráneas; **-water** agua del subsuelo, agua subterránea

body|builder bodybuilder *m*; **-building** bodybuilding *m*; **-lotion** loción *v* corporal; **-milk** leche *v* corporal; **-warmer** (*vest*) (chaleco) plumífero

boe 1 (*loeien*) ¡mu!; **2** (*uitroep*) ¡bah!; *~ roepen* abuchear; *geen ~ of ba zeggen* no decir ni pío, no despegar los labios

boeddhisme budismo; **boeddhist** budista *m,v*

boedel 1 (*goederen*) bienes *mmv*; **2** (*erfenis*) masa de la herencia; **3** (*failliet*) masa de la quiebra

boedel|beschrijving inventario; **-scheiding** separación *v* de bienes; (*bij erfenis*) partición *v* (de la herencia)

boef pícaro, bribón *m*, pillo, granuja *m*

boeg roda, proa; *het over een andere ~ gooien* cambiar de táctica; *voor de ~ hebben* tener por delante

boeg|beeld mascarón *m* de proa; **-spriet** bauprés *m*

boei 1 (*baken*) boya; *hij kreeg een kleur als een ~* se puso como un tomate; **2** *~en: a*) (*handboeien*) esposas; *b*) (*voetboeien*) grillos; *iem in de ~en slaan* encadenar a u.p.; **boeien 1** (*ketenen*) encadenar; **2** (*met handboeien*) esposar, poner las esposas; **3** (*fascineren*) cautivar, fascinar; **boeiend** cautivador *-ora*, fascinante; **boeienkoning** rey *m* de la evasión

boek libro; *een post in de ~en* un asiento en los libros; *te ~ staan als* conocerse como, tener fama de; *hij stond te ~ als eigenaar* estaba registrado como propietario; *ongunstig te ~ staan* tener mala fama; *te ~ stellen* consignar (por escrito)

boek|bespreking reseña, crítica; **-binden I** *ww* encuadernar; **II** *zn* encuadernación *v*; **-binder**, **-bindster** encuadernador, -ora; **-deel** volumen *m*; *dat spreekt -delen* es muy significativo

boekdrukken *zn* imprenta (de libros); **boekdrukkunst** *zie: boekdrukken*

boekebon vale *m* por un libro

boeken 1 anotar (en los libros), asentar *ie*, registrar; *een overwinning ~ op* anotarse un triunfo sobre; *een post ~* hacer un asiento; *succes ~* tener éxito; *winst ~* obtener beneficios; *op een nieuwe rekening ~* pasar a cuenta nueva; **2** (*van passage*) reservar

boeken|beurs feria de libros, feria del libro; **-kast** estantería (para libros), biblioteca, librería; **-lijst** bibliografía, lista de libros; **-plank** estante *m*; **-rek** *zie: boekenkast*; **-stalletje** quiosco; **-taal** lenguaje *m* culto; (*iron*) jerga libresca; **-wijsheid** conocimientos *mmv* librescos; **-wurm** ratón *m* de biblioteca

boeket 1 (*bloemen*) ramo; **2** (*van wijn*) aroma *m*

boek|handel librería; **-handelaar** librero

boekhoudafdeling sección *v* de contabilidad; **boekhouden I** *ww* llevar los libros, llevar las cuentas, llevar la contabilidad; **II** *zn zie: boekhouding*; **boekhouder** contable *m*, tenedor *m* de libros; **boekhouding** contabilidad *v*, teneduría de libros; **boekhoudster** contable *v*, tenedora de libros

boeking asiento, entrada

boekjaar ejercicio

boekje librito; *een ~ opendoen* (*over*) hacer revelaciones (sobre) || *buiten zijn ~ gaan* extralimitarse

boek|omslag cubierta; **-staven** poner por escrito, consignar; **-vorm**: *in ~* en forma de libro; **-waarde** valor *m* contable; **-werk** obra, libro voluminoso; **-winkel** librería

boel 1 *een ~* (*veel*) un montón de, muchos; **2** (*rommel*) cosas *vmv*; *de hele ~* todo el negocio, toda la cosa; *het zou een mooie ~ zijn* bueno estaría; *het was een saaie ~* fue aburridísimo; *een vuile ~* una porquería; *de ~ maar laten waaien* (ya) no preocuparse de nada; **boeltje** cosas *vmv*; *zijn ~ pakken* liar *í* los bártulos

boem! (*bij val*) ¡cataplum!, ¡pum!

boeman coco

boemel: *aan de ~ gaan* ir de juerga, ir de picos pardos; **boemeltrein** tren *m* correo

boemerang bumerang *m*

boender cepillo de fregar; **boenen 1** (*schrobben*) fregar *ie*; **2** (*in de was zetten*) encerar, dar cera a; **boenwas** cera para pisos

boer 1 (*landbouwer*) agricultor *m*; **2** (*op grote boerderij*) granjero; **3** (*op kleine boerderij*) labrador *m*, campesino; **4** (*plattelandsbewoner*) campesino, aldeano; **5** (*in kaartsp*) jota; (*in Sp kaartsp*) sota; **6** (*oprisping*) eructo; **boerderij** granja, casa de labranza, casa de labor; (*groot:*) finca, quinta; **boeren 1** (*oprispen*) eructar; **2** *goed ~* ganar dinero; *hij heeft goed geboerd* le ha ido bien; *slecht ~* perder *ie* dinero

boeren|bedrijf 1 (*het boer-zijn*) agricultura; **2** (*concr*) empresa agrícola; **-bedrog** engaño burdo; **-kaas** queso de granja; **-kinkel** paleto; **-knecht** gañán *m*; **-kool** col *v* rizada, col *v* de Milán; **-leenbank** banco de crédito agrícola; **-leven** vida campesina; **-lul** paleto; **-stand** campesinado; **-vrouw** campesina, aldeana

boerin 1 (*op grote boerderij*) granjera; **2** (*plattelandsvrouw*) aldeana, campesina

boers rústico, campesino, aldeano

boete 1 (*geld*) multa, sanción *v*; *een ~ opleggen* imponer una multa; **2** (*boetedoening*) penitencia; *~ doen* hacer penitencia; **boetedoening** *zie: boete*; **boeten 1** (*van netten*) remendar *ie*; **2** *~ voor* expiar *í*, hacer penitencia por; *~ voor zijn fouten* pagar sus faltas; *je zult ervoor moeten ~* lo pagarás; *zwaar ~ voor iets* pagar caro u.c.

boetiek boutique *v*

boetseerklei arcilla para modelar, barro para modelar; **boetseren** I *ww* modelar; II *zn* modelado

boetvaardig penitente

boeven|bende banda, cuadrilla; **-streek** mala jugada, trampa; **-tronie** rostro patibulario; **-wagen** furgón *m* carcelario

boezem 1 pecho; 2 (*van hart*) aurícula || *de hand in eigen ~ steken* hacer examen de conciencia

boezem|vriend amigo íntimo; **-vriendin** amiga íntima

bof 1 (*gelukje*) suerte *v*, ganga; 2 (*med*) paperas *vmv*; **boffen** tener suerte; **boffer**, **bofkont** suertudo, -a

bogen: *~ op* preciarse de

boiler termo (eléctrico)

bok 1 (*dier*) chivo, macho cabrío; (*van gems e.d.*) macho; *oude ~* (*fig*) viejo verde; 2 (*techn; schraag*) caballete *m*; *drijvende ~* grúa flotante; 3 (*gymn*) potro; *zie ook: bokspringen*; 4 (*van rijtuig*) pescante *m* || *een ~ schieten* tirarse una plancha, meter la pata

bokaal copa

bokje chivo; **bokken** (*mbt paard*) corcovear

bokke|pruik: *de ~ op hebben* estar de mal humor, (*fam*) estar de mala uva; **-sprong** cabriola, corcovo

bokkig arisco, hosco

bokking arenque *m* ahumadol

boksen I *ww* boxear; *iets voor elkaar ~* arreglárselas; II *zn* boxeo; **bokser** boxeador *m*; **bokshandschoen** guante *m* de boxeo

bokspringen (*spel*) saltar a la pídola

bokswedstrijd combate *m* de boxeo, match *m* de boxeo

bol I *zn* 1 esfera, globo, bola; 2 (*meetk*) esfera; 3 (*van plant*) bulbo; 4 (*hoofd*) cabeza, (*fam*) coco; *het is hem in zijn bol geslagen* está chalado; *het hoog in zijn ~ hebben* ser un fantasioso; 5 (*van wol*) ovillo; 6 (*broodje*) bollo; 7 (*van hoed*) copa; II *bn* 1 (*van lens*) convexo; 2 (*van oog*) saltón; *~le ogen* ojos saltones; 3 *~le wang* moflete *m*; 4 (*opgeblazen*) hinchado, inflado; *~ gaan staan* inflarse; *~ staan van* estar lleno de

bolder bolardo

bolhoed (sombrero) hongo; (*fam*) bombín *m*

Bolivia Bolivia; **Boliviaan**, **Boliviaans** boliviano; **Boliviaanse** boliviana

bollen hincharse, inflarse; *doen ~* hinchar, inflar

bollen|kweker cultivador *m* de bulbos (de flores); **-teelt** cultivo de bulbos (de flores); **-veld** campo de tulipanes

bolster cáscara; *ruwe ~ blanke pit* bajo ruda corteza almendra blanca, cáscara amarga alberga piñón dulce

bolvorm forma esférica; **bolvormig** esférico

bolwerk baluarte *m*, bastión *m*; **bolwerken**: *het kunnen ~* defenderse *ie*; *het niet kunnen ~* no poder con todo, no dar abasto

bom 1 bomba, artefacto; *de ~ is gebarsten* ha estallado la bomba; 2 (*veel*) gran cantidad *v*; montón *m*; *een ~ geld* un montón de dinero

bom|aanslag atentado con bomba; **-aanval** bombardeo; **-auto** coche *m* bomba *mv coches bomba*

bombardement *zie: bomaanval*; **bombarderen** bombardear

bombarie: *met veel ~* a bombo y platillos

bombastisch rimbombante

bomen (*praten*) conversar, echar una parrafada

bomenrij hilera de árboles

bom|inslag impacto, bombazo; **-melding** alarma de bomba

bommen: *dat kan niet ~* no importa, es igual

bommenwerper avión *m* de bombardeo

bom|vol (lleno) hasta los topes; **-vrij** a prueba de bombas

bon 1 (*tegoed*) bono, vale *m*; 2 (*bewijs van uitgave*) comprobante *m*; 3 (*bij distributie*) marca, cupón *m*; *op de ~* racionado; 4 (*bekeuring*) multa; *een ~ geven* multar; *een ~ krijgen* ser multado; 5 (*formuliertje*) boleto; *de ~ invullen* llenar el boleto

bonafide de buena fe

bonbon chocolatina, bombón *m* de chocolate; **bonbonnière** bombonera

bond 1 alianza, liga; 2 (*van staten*) confederación *v*; 3 (*vakbond*) sindicato

bond|genoot aliado; **-genootschap** alianza, liga, confederación *v*

bondig conciso, sucinto; **bondigheid** concisión *v*

bonds|regering gobierno federal; **-republiek** república federal

bonensoep fabada

bonestaak fideo, estantigua

boni (*Belg*) saldo acreedor

bonk: *een ~ zenuwen* un manojo de nervios; **bonken** golpear; **bonkig** huesudo

bonnefooi: *op de ~* a la buena de Dios

bons golpe *m*; *de ~ geven: a*) (*ontslaan*) poner en la calle; *b*) (*afwijzen*) dar calabazas

1 bont *zn* piel *v*

2 bont 1 (*veelkleurig*) abigarrado, de muchos colores; *~e was* lavado de color; *iem ~ en blauw slaan* moler *ue* a u.p. a palos; 2 (*mbt koe, hond*) con manchas; (*mbt paard*) pío; *bekend staan als de ~e hond* ser más conocido que la Parrala; 3 (*gevarieerd*) abigarrado, variado; *bont programma* programa *m* variado || *het te ~ maken* exagerar (la nota), cargar la mano

bont|cape capita de piel; **-goed** ropa de color; **-handelaar** peletero; **-jas** abrigo de piel(es); **-muts** gorra de piel; **-zaak** peletería

bonus bonificación *v*

bonzen 1 golpear, aporrear; *op de deur ~* aporrear la puerta; 2 (*mbt hart*) palpitar con fuerza

boodschap 1 (*opdracht*) recado; *een ~ doen*

hacer un recado; 2 (*mededeling*) mensaje *m*, aviso, noticia, recado; *een ~ aannemen* tomar un recado; *een ~ achterlaten* dejar un aviso; *een ~ overbrengen* pasar un recado; 3 *~pen* compra, compras; *~pen doen* hacer la compra, ir de compras, salir a la compra || *daar heb ik geen ~ aan* yo no tengo que ver con eso, y a mí ¿qué?

boodschappen|jongen chico para los recados; **-lijst** lista de compras; **-tas** bolsa para compras

boodschapper mensajero

boog 1 arco; *de ~ spannen* tender *ie* el arco; *een te strak gespannen ~* un arco demasiado tenso; *de ~ kan niet altijd gespannen zijn* no se puede siempre estar en tiro; 2 (*kromming*) curva

boog|gewelf bóveda (de arco); **-schieten I** *ww* tirar con arco; **II** *zn* tiro al arco; **-schutter** 1 arquero, ballestero; 2 (*astrol*) Sagitario; **-venster** ventana arqueada; **-vormig** arqueado

boom 1 árbol; *een ~ van een kerel* un tío como un roble, un trueno de hombre; *door de bomen ziet men het bos niet meer* los árboles tapan el bosque; 2 (*afsluiting*) barrera; 3 (*op schip*) pértiga; 4 (*gesprek*): *een ~ opzetten* echar una parrafada

boom|bast corteza (de árbol); **-gaard** huerto (con árboles frutales); (*groter:*) huerta; **-grens** límite *m* de la vegetación arbórea; **-kweker** arboricultor *m*; **-kwekerij** plantel *m* (de árboles), semillero, vivero; **-schors** *zie: boombast*; **-stam** tronco (de árbol); **-stronk** tocón *m*, cepa

boon haba, judía, alubia; *bruine bonen* judías pintas; *witte bonen* judías blancas, alubias blancas || *ik mag een ~ zijn als* que me maten si; *in de bonen zijn* estar distraído, equivocarse; **boontje**: *~ komt om zijn loontje* al que al cielo escupe a la cara le cae; *zijn eigen ~s doppen* campar por sus respetos

boor 1 (*elektr*) taladro, barrena; 2 (*handboor*) barrena de mano; 3 (*bij tandarts*) fresa, torno

boord 1 (*rand; van trui*) borde *m*; 2 (*kraag*) cuello; 3 (*manchet*) puño; 4 (*van schip*) bordo, borda; *aan ~* a bordo; *aan ~ gaan* subir a bordo, ir a bordo, embarcarse; *aan ~ hebben* llevar a bordo; *met een lading steenkool aan ~* llevando a bordo una carga de carbón; *over ~ gooien* tirar por la borda; *man over ~* hombre *m* al agua; *over ~ slaan, vallen* caer al agua; *van ~ gaan* bajar de a bordo, desembarcar; **boordevol** lleno hasta el borde

boordwerktuigkundige mecánico de a bordo

boor|eiland plataforma de perforación; **-gat** agujero de perforación; **-machine** taladradora, taladro; **-tol** taladro eléctrico portátil; **-toren** torre *v* de sondeo, torre *v* de perforación; **-water** agua bórica

boos 1 enfadado, enojado; *~ kijken* poner cara de enfado, mirar enojado; *~ maken* enojar; *~ worden* (*op*) enfadarse (con), enojarse (con), poner mala cara (a); *~ zijn op* estar disgustado con, estar enfadado con; *een boze bui hebben* estar de malhumor; *met een ~ gezicht* con cara de enfado; 2 (*slecht*) malo; *een boze droom* un mal sueño; **boosaardig** maligno; **boosdoener**, **boosdoenster** malhechor, -ora, culpable *m,v*; **boosheid** enojo, enfado; *zijn ~ was gauw over* se le pasó pronto el enfado

boot barco; (*klein:*) bote *m*, lancha, barca; *met de ~ gaan* ir en barco; *de ~ afhouden* (*fig*) no querer comprometerse

bootsman contramaestre *m*

boot|trein tren que enlaza con un barco; **-werker** muellero, peón *m*

bord 1 plato; *een diep ~* un plato hondo, un plato sopera, un plato de sopa; *een plat ~* un plato llano; *~en wassen* fregar *ie* los platos; 2 (*schoolbord*) pizarra, encerado; *voor het ~ komen* salir al encerado; 3 (*prikbord*) cartelera; 4 (*naambord*) letrero; 5 (*met leuzen*) pancarta || *een ~ voor de kop hebben* llevar anteojeras, ser obcecado

bordeel burdel *m*, prostíbulo, casa de citas, lupanar *m*

borden|doek paño de cocina; **-rek 1** (*druiprek*) escurreplatos *m*; 2 (*sierrek*) vasar *m*; **-warmer** calientaplatos *m*; **-wasser** lavaplatos *m*

bordje 1 (*etensbord*) platito; 2 (*naambord*) letrero

borduren bordar; **borduurgaren** hilo para bordar; **borduurwerk** bordado

boren 1 taladrar, horadar; *een gat ~* hacer un agujero; *een tunnel ~* perforar un túnel; 2 (*naar olie*) sondear, perforar || *in de grond ~* echar a pique

borg 1 (*persoon*) fiador *m*, garante *m*; *~ staan* (*voor*) salir fiador (de); 2 (*som*) fianza, garantía; **borgen 1** fiar *í*, vender a crédito; 2 (*techn*) asegurar

borg|moer tuerca de seguridad, contratuerca; **-som** fianza, garantía; *een ~ storten* depositar una fianza; *~ stellen* constituir fianza, afianzar, dar garantía; *het stellen van ~* el afianzamiento; **-tocht** *zie: borgsom; op ~* bajo fianza

borrel 1 (*drank*) copa; 2 (*party*) aperitivo; **borrelen 1** (*mbt water*) borbotar, borbotear, burbujear, borbollar; 2 (*drinken*) tomar el aperitivo; **borrelhapje** tapa

borst pecho; *de ~ geven* dar de mamar, dar el pecho, amamantar; *een hoge ~ opzetten* hinchar el pecho; *het kind was nog aan de ~* el niño mamaba todavía; *zich op de ~ slaan* estar muy satisfecho de sí mismo; *het stuit me tegen de ~* se me hace violento; *uit volle ~ zingen* cantar a todo pulmón; **borstbeen** esternón *m*

borstel cepillo; *een varkensharen ~* un cepillo de cerda; **borstelen** cepillar

borst|haar vello del pecho; **-holte** cavidad *v* torácica; **-kanker** cáncer *m* de mama, cáncer *m* de pecho; **-kas** tórax *m*, caja torácica; **-kind** niño de pecho; **-plaat** dulce *m* de azúcar;

-slag (braza de) pecho, braza; ~ *zwemmen* nadar a braza; *200 meter ~ dames* 200 metros pecho femenino; **-voeding** leche *v* materna; **-wering 1** (*mil*) parapeto; 2 (*balustrade*) pretil *m*, baranda; **-wijdte** medida de pecho; **-zakje** bolsillo de pecho
1 bos 1 (*boeket*) ramo; *een ~ bloemen* un ramo de flores; 2 (*bundel*) manojo; *een ~ sleutels* un manojo de llaves; 3 (*haar*) melena
2 bos bosque *m*; (*op heuvel ook:*) monte *m*
bos|aardbei meruéndano, fresilla del bosque
bos|bes arándano; **-bouw** silvicultura; **-bouwer** silvicultor *m*; **-brand** incendio forestal
bosje 1 (*struiken*) matas *vmv*, matorral *m*; 2 (*bloemen*) ramito || *bij ~s* por racimos; **bosjesman** bosquimán *m*
bospad sendero en el bosque
bosrijk boscoso, bien arbolado
bos|wachter guardabosque *m*, guarda *m* forestal; **-weg** camino forestal
1 bot (*vis*) platija || ~ *vangen* encontrar *ue* la puerta cerrada, encontrarse *ue* con una negativa
2 bot (*been*) hueso; *tot op het ~ versteend* aterido, hecho un carámbano
3 bot 1 (*mbt mes*) desafilado, embotado; ~ *maken* desafilar, embotar; 2 (*mbt punt*) romo, obtuso; 3 (*dom*) bruto, romo, torpe, obtuso
botanicus, botanisch botánico
boter mantequilla; ~ *bij de vis* pago al contado; **boterberg** mantequilla sobrante; **boteren**: *het botert niet tussen hen* no hacen buenas migas, no se llevan bien; **boterham** rebanada de pan, untada; *een goede ~ verdienen* ganar bien; *~men meenemen* llevarse unos bocadillos; **botervloot** mantequera
botsautootjes cochecitos de choque, cochecitos eléctricos, autos de choque, autochoque *m*
botsen (*op, tegen*) tropezar *ie* (en, con, contra); *zie ook: botsing*; **botsing 1** choque *m*, colisión *v*; *frontale ~* colisión de frente; *in ~ komen met* entrar en colisión con, colisionar con, chocar con; 2 (*confrontatie*) encuentro, enfrentamiento; (*hevig:*) encontronazo
bottelen I *ww* embotellar; **II** *zn* embotellado
botten brotar, echar brotes
botvieren dar rienda suelta a
botweg lisa y llanamente, sin rodeos
boud audaz, osado
bougie bujía
bouillon caldo; **bouillonblokje** cubito de caldo
boulevard alameda, avenida, bulevar *m*; (*langs strand ook:*) paseo marítimo; **boulevardblad** revista del corazón; **boulevardpers** prensa amarilla
bourgeois *bn* burgués *-esa*; **bourgeoisie** burguesía
bout 1 perno, bulón *m*; 2 (*vlees*) muslo
bouvier bouvier *m*
bouw 1 (*het bouwen*) construcción *v*; 2 (*samenstelling*) estructura; 3 (*lichaamsbouw*) talla, estatura, complexión *v*; *tenger van ~* de tipo delgado; 4 (*landb*) cultivo
bouw|bedrijf empresa constructora; **-doos** caja de construcciones
bouwen construir; (*van gebouw ook:*) edificar; *op iem ~* confiar *í* en u.p.; **bouwer 1** constructor *m*; 2 (*firma*) constructora
bouw|grond solar *m*, terreno edificable; **-jaar** año de fabricación
bouwkunde arquitectura técnica; **bouwkundig** de la construcción, arquitectónico; ~ *tekenaar* delineante *m,v*; **bouwkundige** arquitecto técnico
bouw|kunst arquitectura; **-land** tierra de cultivo, tierra laborable; **-materialen** materiales *mmv* de construcción; **-nijverheid** industria de la construcción; **-pakket** paquete *m* de construcciones, modelo, juego de piezas para armar un modelo; **-plaat** maqueta; **-plan** proyecto arquitectónico; **-promotie** (*Belg*) promoción *v* inmobiliaria; **-promotor** (*Belg*) promotor *m* (inmobiliario); **-rijp**: ~ *maken* preparar, hacer edificable; **-sector** sector *m* de la construcción, ramo de la construcción
bouwsel edificación *v*, estructura
bouw|steen: *-stenen* (*fig*) materiales *mmv*; **-stelling** andamio; **-stijl** estilo arquitectónico; **-stop** paro en (el ramo de) la construcción; **-terrein** solar *m*, terreno de construcción
bouwvak ramo de la construcción; **bouwvakker** obrero (del ramo) de la construcción
bouwval ruina; **bouwvallig** ruinoso; *in ~e staat* en estado ruinoso
bouw|vergunning licencia de edificación, licencia de obras; **-volume** edificabilidad *v*; **-werk** edificio
boven I *vz* sobre, (por) encima de, (más) arriba de; ~ *mijn hoofd* encima de mi cabeza, sobre mi cabeza; ~ *zeeniveau* sobre el nivel del mar; *10 graden ~ nul* 10 grados sobre cero; *een getal ~ de 10* un número superior a 10; *personen ~ de 18 jaar* personas mayores de 18 años; *hij is ~ de 40* es mayor de 40 años, tiene más de 40 años; ~ *de limiet* más allá del límite; *ik heb niemand ~ mij* no tengo a nadie sobre mí, no tengo a nadie por encima (de mí); *gaan ~* ser antes que, tener prioridad sobre, ser lo primero; *vrede gaat ~ alles* la paz es antes que todo, la paz es lo primero; *stellen ~* poner por encima de; **II** *bw* arriba; *als ~* como arriba; *deze kant ~!* ¡este lado hacia arriba!; *naar ~* (hacia) arriba; *naar ~ brengen* subir; *naar ~ gaan* subir; *naar ~ rennen: a*) (*via trap*) correr escaleras arriba; *b*) (*op helling*) correr cuesta arriba; *te ~ gaan* sobrepasar, exceder de, pasar de; *het gaat mijn krachten te ~* es superior a mis fuerzas; *dat gaat mijn verstand te ~* está por encima de mi entendimiento, no me cabe en la cabeza; *te ~ komen* superar, vencer; *van ~: a*) (*aan de bovenkant*) en la parte de arriba; *b*) (*van bovenaf*) desde arriba; *van ~ naar beneden* de arriba abajo

bovenaan arriba, en lo (más) alto; ~ *beginnen* empezar *ie* por arriba; ~ *staan op de lijst* estar en la cabeza de la lista, encabezar la lista
boven|aanzicht vista superior, vista por encima, vista desde arriba; **-aards** celestial
bovenaf: *van* ~ desde arriba; **bovenal** más que nada, sobre todo, antes que nada
boven|arm brazo superior; **-been** muslo; **-brengen** subir; **-buur** vecino, -a de arriba; **-deel** parte *v* de arriba, parte *v* superior; **-dek** cubierta superior; **-drijven**: *komen* ~ salir a flote
bovendien además, encima, por otra parte
boven|genoemd antedicho, antemencionado, arriba mencionado, (pre)citado; **-grens** límite *m* superior; **-gronds** aéreo; *~e leiding* línea aérea, alambres *mmv* descubiertos; **-hoek** ángulo superior; **-in** arriba; **-kaak** mandíbula superior; **-kant** 1 cara superior, lado superior; 2 (*van traptree*) huella; **-kastje** (*in keuken*) encimera; **-kleding** ropa exterior; **-komen** llegar arriba, subir; (*uit water*) emerger; **-laag** capa superior; **-leiding** línea de contacto (aéreo); **-lichaam** busto, torso; *met ontbloot* ~ con el torso desnudo, desnudo de cintura para arriba; **-licht** tragaluz *m*, claraboya; **-lip** labio superior; **-loop** curso superior; *de* ~ *van de Rijn* el alto Rin
bovenmate extremamente; **bovenmatig** excesivo, desmedido, desmesurado
boven|menselijk sobrehumano; **-natuurlijk** sobrenatural
bovenop I *vz* encima de, en lo alto de; II *bw* encima, en lo alto, arriba; *er* ~ *helpen* ayudar a levantar cabeza; *er weer* ~ *komen* restablecerse, reponerse
bovenrand borde *m* superior
bovenst de más arriba, superior, último; *de ~e verdieping* el último piso
bovenstaand: *het ~e* lo que precede, lo arriba expuesto, lo sobredicho, lo expresado; *zie ook: bovengenoemd*
boven|stuk *zie: bovendeel*; **-tand** diente *m* de arriba; **-toon**: *de* ~ *voeren* llevar la voz cantante; **-uit** por encima; **-verdieping** piso de arriba; **-wijdte** medida de pecho; **-winds**: *de ~e eilanden* las islas de barlovento
bowling bolos *mmv*, bowling *m*
box 1 (*voor kind*) parque *m*, corralito; 2 (*geluidsbox*) caja acústica, altavoz *m*; 3 (*voor paard, auto*) box *m*
boycot boicot *m*; *de* ~ *afkondigen tegen* declarar el boicot contra; *de* ~ *opheffen* levantar el boicot; **boycotten** I *ww* boicotear; II *zn* boicoteo
braad|kip pollo para asar; **-pan** cacerola; **-rooster** parrilla; **-spit** asador *m*
braaf bueno, honesto
1 braak *zn* fractura
2 braak *bn* en barbecho; ~ *liggen* estar en barbecho, estar sin cultivar; *er ligt een groot terrein* ~ (*fig*) queda un extenso terreno por explorar
braakmiddel vomitivo; **braaksel** vómito, vomitona
braam 1 (*struik*) zarza; 2 (*vrucht*) zarzamora; 3 (*aan metaal*) rebaba
brabbelen farfullar, chapurrar; **brabbeltaal** farfulla, jerigonza
braden I *tr* asar; II *intr* asarse
braille braille *m*
braindrain fuga de cerebros
brainstormen juntar cabezas
brak salobre
braken vomitar
brallen jactarse (ruidosamente); **brallerig** jactancioso
brancard andas *vmv*, camilla, angarillas *vmv*, parihuelas *vmv*
branche ramo, línea de negocios
brand incendio; *~!* ¡fuego!; *er is* ~ hay fuego; *in* ~ *staan* arder, estar en llamas; *in* ~ *steken* prender fuego a, incendiar; *in* ~ *vliegen* encenderse *ie*; *uit de* ~ *helpen* sacar de apuros; **brandalarm** alarma de incendio
brandbaar inflamable; **brandbaarheid** inflamabilidad *v*
brand|blusapparaat, **-blusser** extintor *m*; **-bom** bomba incendiaria; **-brief** carta apremiante; **-deur** 1 (*nooddeur*) salida para caso de incendio, salida de emergencia; 2 (*brandvrije deur*) puerta a prueba de incendios
branden I *intr* 1 arder, estar ardiendo; ~ *van verlangen* (*om*) arder en deseos (de); 2 (*prikken*) picar, escocer *ue*; 3 (*mbt licht*) estar encendido; *de verwarming brandt niet* la calefacción está apagada; II *tr* 1 quemar; *zijn hand* ~ quemarse la mano; 2 (*roosteren*) tostar *ue*; *koffie* ~ tostar café; 3 (*zengen*) quemar, abrasar, calcinar; **brandend** 1 (*in vlammen*) ardiendo, en llamas; ~ *van verlangen* (*om*) ardiendo en deseos (de); 2 (*mbt zon, hitte*) ardiente, abrasador *-ora*; *een ~e zon* un sol que pega; 3 (*aangestoken*) encendido; *de ~e kachel* la estufa encendida; 4 (*fig*) candente; *een* ~ *probleem* un problema candente; 5 *goed* ~ (*mbt hout, tabak*) de buena combustión; **brander** quemador *m*, mechero; (*gaspit ook:*) boquilla; **branderig** 1 (*mbt geur*) a quemado, a chamusquino; 2 ~ *gevoel* escozor *m*, quemazón *v*
brandewijn aguardiente *m*
brand|gang cortafuego *m*; **-gat** quemadura; **-gevaar** riesgo de incendio; **-hout** leña
branding rompiente *m*, cachones *mmv*
brand|kast caja de caudales; **-lucht** olor *m* a quemado; **-melder** avisafuegos *m*, indicador *m* de incendios; **-merk** hierro, marca; (*fig*) estigma *m*; **-merken** marcar (al fuego); (*fig*) estigmatizar; **-netel** ortiga; **-plek** quemadura
brandpunt 1 (*van stralen*) foco; 2 (*temperatuur*) punto de combustión; **brandpuntsafstand** distancia focal
brand|raam (*Belg*) ventana de vidrios emplomados; **-schade** avería causada por incendio;

-scherm telón *m* metálico; **-schoon** más limpio que la patena, limpio como la plata, impecable; **-slang** manguera de incendio; **-spiritus** alcohol *m* metílico; **-stapel** hoguera
brandstichten provocar intencionalmente un fuego, incendiar; **brandstichter** incendiario; **brandstichting** incendio intencionado, delito de incendio
brandstof combustible
brandstof|besparing ahorro de combustible; **-pomp** bomba de inyección
brand|trap escalera de incendios; **-verzekering** seguro de incendio; **-vrij** a prueba de incendios
brandweer (cuerpo de) bomberos *mmv*
brandweer|kazerne parque *m* de bomberos; **-man** bombero
brand|wond quemadura; **-zalf** pomada contra las quemaduras, cerato
branie (*durf*) atrevimiento; ~ *schoppen: a*) (*drukte maken*) escandalizar; *b*) (*bluffen*) darse importancia, fanfarronear; **branieschopper** fanfarrón *m*
bravo! ¡bravo!, ¡muy bueno!
bravoure bravura; **bravourestukje** hazaña, pieza de bravura, acrobacia
Braziliaan, **Braziliaans** brasileño; **Braziliaanse** brasileña; **Brazilië** (el) Brasil
breed ancho; (*ruim*) amplio; *een meter* ~ un metro de ancho; *ze hebben het niet* ~ viven en la estrechez; *in brede kringen* en amplios círculos
breedsprakig prolijo, verboso; **breedsprakigheid** prolijidad *v*, verbosidad *v*
breedte 1 ancho, anchura; *in de* ~ de ancho, a lo ancho; *over de hele* ~*: a*) en toda la anchura, a todo lo ancho; *b*) (*mbt kop in krant*) a toda plana; **2** (*van schip*) manga; **3** (*aardr*) latitud *v*; **breedtegraad** grado de latitud; *de 9e* ~ 9 grados de latitud
breedvoerig *zie: breedsprakig*
breekbaar frágil; **breekbaarheid** fragilidad *v*
breek|ijzer palanca, palanqueta; **-punt** punto de rotura
breien hacer punto, tejer; *ze breit een trui* hace un jersey de punto
brei|garen hilo para hacer punto; **-machine** máquina de tricotar
brein cerebro; *het* ~ *zijn achter* ser el cerebro de
brei|naald aguja de hacer punto; **-steek** punto de media; **-werk** labor *v* de punto
breken I *tr* **1** romper, quebrar *ie*; (*med ook:*) fracturar; *zijn been* ~ romperse la pierna; **2** (*van licht*) refractar; **3** (*van schok*) amortiguar; **4** (*van verzet*) quebrantar; **II** *intr* romperse, quebrarse *ie*; *de wolken* ~ se disipan las nubes; ~ *met* romper con; ~ *met zijn verleden* romper con su pasado
brem retama; **bremzout** terriblemente salado
brengen 1 (*naar iem toe*) traer; *wat brengt u hier?* ¿qué le trae por aquí?; *ongeluk* ~ *over* traer desgracia a; *met zich* ~ traer consigo, implicar; *zie ook: meebrengen*; **2** (*van iem af*) llevar; *iem thuis* ~ llevar a casa a u.p., acompañar a casa a u.p.; *iem aan het twijfelen* ~ hacer dudar a u.p.; *in moeilijkheden* ~ causar dificultades; *naar de post* ~ llevar al correo; *het gesprek* ~ *op* llevar la conversación sobre; *iem ertoe* ~ *om* llevar a u.p. a; **3** *het ver* ~ llegar lejos, ir muy lejos; *het* ~ *tot* llegar a ser; *hij bracht het tot kapitein* llegó a ser capitán;
brenger, **brengster** portador, -ora
bres brecha; *in de* ~ *springen voor* salir a la defensa de
breuk 1 rotura, ruptura; *inwendige* ~ rotura interior; **2** (*scheur*) quebradura; **3** (*fig*) ruptura, rotura; distanciamiento; **4** (*rekenk*) fracción *v*, quebrado
brevet certificado, diploma *m*
bridge bridge *m*; **bridgen** jugar *ue* al bridge
brief carta; ~ *volgt* carta sigue; **briefhoofd** membrete *m*; **briefje** cartita, esquela, volante *m*; *een* ~ *van de ziekenfondsarts voor de specialist* un volante del ambulatorio para el especialista
brief|kaart tarjeta (postal); **-opener** abrecartas *m*, cortapapeles *m*; **-wisseling** correspondencia, carteo; *in* ~ *staan met* escribirse con, cartearse con, sostener correspondencia con
bries brisa
briesen bufar
brieven|besteller cartero; **-bus** buzón *m*
brieveweger pesacartas *m*
brigade brigada; **brigadier** (*politie*) cabo
brij 1 (*pap*) papas *vmv*, papilla; **2** (*vochtige massa*) pasta, masa pastosa
bril 1 gafas *vmv*; *een ijzeren* ~*letje* gafitas *vmv* de hierro; *zijn* ~ *afzetten* quitarse las gafas; *zijn* ~ *opzetten* ponerse las gafas, calarse las gafas; *over zijn* ~ *heen kijken* mirar por encima de las gafas; **2** (*van WC*) asiento
briljant I *bn* brillante; **II** *zn* brillante *m*
brillekoker estuche *m* para las gafas
brilmontuur montura de las gafas
brisant altamente explosivo
Brit británico
brits catre *m*
Brits británico; **Britse** británica
broche broche *m*, alfiler *m*, prendedor *m*
brochure folleto; (*uitgebreid:*) cuaderno
brodeloos sin pan, sin empleo, sin recursos; *iem* ~ *maken* dejar sin empleo a u.p., dejar en la calle a u.p.
broeden 1 empollar, incubar; *duiven* ~ *in het bos* las palomas crían en el monte; **2** (*fig*) ~ *op* tramar, rumiar, incubar
broeder 1 hermano; **2** (*verpleger*) enfermero; **broederlijk** fraternal; **broederschap 1** (*broeders zijn*) fraternidad *v*, hermandad *v*; **2** (*r-k*) cofradía, hermandad *v*, congregación *v*; **3** (*groep*) gremio
broed|kip clueca; **-machine** incubadora; **-plaats** criadero
broeds clueca; **broedsel** cría, nidada; **broed-**

tijd 1 (*seizoen*) época de la cría; 2 (*duur*) incubación *v*
broeien 1 (*mbt hooi*) calentarse *ie*, fermentar; 2 (*dreigen*) prepararse; *er broeit wat* algo se prepara; **broeierig** bochornoso
broeikas estufa (caliente), invernadero; **broeikaseffect** efecto invernadero; **broeinest** criadero
broek pantalón *m*, pantalones *mmv*; *korte ~* pantalón corto, short *m*; *lange ~* pantalón largo; *iem achter de ~ zitten* andar detrás de u.p., estar encima de u.p., atosigar a u.p.; *het in zijn ~ doen* hacerse encima; *in zijn ~ plassen* orinarse; *voor de ~ geven* dar una azotaina; *zij heeft de ~ aan* es ella la que lleva los pantalones; **broekje** (*damesondergoed*) bragas *vmv*
broek|luier bragapañal *m*, pañal *m* braguilla; **-pak** conjunto pantalón, traje *m* pantalón; **-rok** falda (de) pantalón
broekspijp pernera, pierna del pantalón
broekzak bolsillo del pantalón; *kennen als zijn ~* conocer como la palma de su mano
broer hermano; **broertje** hermanito; *daar heb ik een ~ aan dood* lo detesto
brok trozo, pedazo; *een ~ in de keel* un nudo en la garganta; *~ken maken* causar daño, echar a perder las cosas
brokaat brocado
brokkelen *intr* 1 (*mbt brood*) desmigajarse, desmenuzarse; 2 (*mbt steen*) deshacerse; (*mbt muur*) desmoronarse; **brokkelig** 1 (*kruimelig*) desmenuzable; 2 (*mbt muur*) desmoronadizo, carcomido; 3 (*fig*) fragmentario; **brokkenmaker** persona propensa a causar accidentes; **brokstuk** 1 fragmento; (*flard*) retazo; *~ken van gesprekken* retazos de conversaciones; 2 (*rest*) *de ~ken* los restos; (*afval*) los residuos
brom|beer gruñón *m*; **-fiets** ciclomotor *m*
brommen 1 (*mbt insekt*) zumbar; 2 (*mbt persoon*) gruñir, refunfuñar, rezongar; 3 (*in gevangenis*) estar a la sombra, estar en chirona; **brommer** ciclomotor *m*; **brommerig** gruñón *-ona*, malhumorado
brompot *zie: brombeer*
brom|stem vozarrón *m*; **-tol** trompa; **-vlieg** moscardón *m*
bron 1 fuente *v*, manantial *m*; 2 (*fig*) origen *m*, fuente *v*; *~nen van bestaan* recursos; *~ van inkomsten* fuente de ingresos; *~ van inlichtingen* fuente informativa; *uit goede ~* de buena fuente, de buena tinta
bronchitis bronquitis *v*
brons bronce *m*; **bronstijd** edad *v* del bronce
bronst celo, brama; **bronstig** en celo; **bronsttijd** brama
bron|taal lengua fuente, lengua original; **-tekst** texto original, texto fuente; **-vermelding**: *met ~* mencionando la fuente; **-water** agua de manantial, agua viva
bronzen I *ww* broncear; II *bn* de bronce
brood pan *m*; *bruin ~* pan moreno; *ons dagelijks ~* el pan nuestro de cada día; *oud ~* pan duro; *vers ~* pan fresco, pan tierno; *volkoren ~* pan integral; *wit ~* pan blanco; *hij ziet er geen ~ in* no le ve la ventaja; *iem het ~ uit de mond stoten* quitarle a u.p. el pan de la boca; *zijn ~ verdienen* ganarse el pan; *de mens leeft niet bij ~ alleen* no sólo de pan vive el hombre
brood|bakker panadero; **-bakkerij** panadería; **-beleg** *zie: beleg*; **-dronken** exuberante, desenfrenado
broodje panecillo; *belegd ~* bocadillo, (*fam*) bocata; *als warme ~s over de toonbank gaan* venderse como pan caliente; *zoete ~s bakken* andarse con paños calientes
brood|korst corteza de pan; **-kruim** migajas *vmv* de pan, migas *vmv* de pan; **-mager**: *~ worden* quedarse en los huesos; **-mandje** panera; **-nijd** envidia profesional; **-nodig** muy necesario; **-rooster** tostador *m*; **-vorm** molde *m* para el pan
broom bromo
broos frágil, quebradizo; **broosheid** fragilidad *v*
bros (*mbt koek*) crujiente, fácilmente desmenuzable; *zie ook: broos*
brouwer fabricante *m* de cerveza; **brouwerij** fábrica de cerveza; *leven in de ~ brengen* darle vida al negocio; **brouwsel** brebaje *m*, potingue *m*, mejunje *m*, pócima
brr! ¡uf!
brug 1 puente *m*; 2 (*gymn*) (barras *vmv*) paralelas *vmv* || *over de ~ komen* soltar *ue* la mosca, pagar
Brugge Brujas
bruggehoofd cabeza de puente
brug|klas primer grado de la enseñanza secundaria, grado de orientación; **-leuning** pretil *m* de puente; **-pensioen** (*Belg*) pensión *v* de retiro anticipado; **-wachter** guardapuentes *m*
brui: *er de ~ aan geven* mandarlo todo a paseo
bruid novia; **bruidegom** novio
bruids|bed lecho nupcial; **-boeket** ramo de novia; **-dagen** días *mmv* que preceden a la boda; **-japon** vestido de novia; **-mars** marcha nupcial; **-meisje** doncella de honor; **-nacht** noche *v* de bodas; **-paar** novios *mmv*; **-schat** dote *m,v*; **-sluier** velo nupcial; **-taart** pastel *m* de boda
bruikbaar 1 servible, útil, utilizable; (*te benutten*) aprovechable; *~ zijn* servir *i*; 2 (*mbt plan*) factible, viable; **bruikbaarheid** 1 (*nut*) utilidad *v*; 2 (*uitvoerbaarheid*) viabilidad *v*
bruikleen préstamo (de uso); *in ~* prestado
bruiloft boda, bodas *vmv*; *zilveren ~* bodas de plata; *gouden ~* bodas de oro; **bruiloftsgast** invitado a la boda
bruin I *bn* 1 marrón, castaño; *~ café* café *m* a la antigua; *~e suiker* azúcar *m* moreno, azúcar *m* negro; *het vlees ~ braden* dorar la carne; *ze ~ bakken* (*fig*) exagerar (la nota); 2 (*gebruind*) moreno; *~ worden: a*) (*door zon*) broncearse, tostarse *ue*, ponerse moreno; *b*) (*mbt vlees*) dorarse; II *zn* (color *m*) marrón *m*,

color *m* café; **bruinen** I *tr* 1 (*van vlees*) dorar; 2 (*mbt zon*) broncear, tostar *ue*, poner moreno; II *intr zie: bruin worden*; **bruingrijs** pardo
bruinkool lignito
bruisen 1 (*schuimen*) espumar; 2 (*koken*) hervir *ie, i*; 3 (*borrelen*) borbotar, burbujear; 4 (*mbt zee*) rugir
brullen (*mbt leeuw*) rugir; (*loeien*) bramar; (*gillen*) dar alaridos; (*schreeuwen*) vociferar; ~ *van pijn* rugir de dolor, bramar de dolor
Brussel Bruselas *v*; ~*s lof* endibia
brutaal 1 insolente, impertinente, descarado; (*fam*) fresco; ~ *zijn tegen* insolentarse con; *neem me niet kwalijk dat ik zo* ~ *ben* perdóneme el atrevimiento; 2 (*gedurfd*) atrevido; **brutaliteit** insolencia, impertinencia, descaro, desplante *m*, desfachatez *v*; (*fam*) frescura
bruto bruto; ~ *nationaal produkt* producto nacional bruto; *afk* PNB; ~ *register ton* tonelada de registro bruto; *afk* TRB; ~ *salaris* masa salarial
bruusk brusco, repentino; **bruuskeren** desairar; **bruuskheid** brusquedad *v*
bruut I *bn* bruto, brutal; ~ *geweld* fuerza bruta; II *zn* bruto, bestia
BTW *Belasting Toegevoegde Waarde* Impuesto sobre el Valor Añadido; *afk* IVA
budget presupuesto
buffel búfalo; **buffelen** jamar, hartarse
buffer tope *m*, parachoques *m*; **bufferzone** zona tope
buffet 1 (*meubel*) aparador *m*; 2 (*café, op station*) fonda, buffet *m*; 3 (*tapkast*) mostrador *m*, barra; 4 (*koud buffet*) buffet *m* frío, bufé *m* (frío)
bui 1 (*regen*) chubasco, aguacero; *verspreide* ~*en* chubascos dispersos; *af en toe een* ~ chubascos ocasionales; 2 (*stemming*) humor *m*; *de boze* ~ *is over* ha pasado el nublado; *als hij een goede* ~ *heeft* cuando está de buenas; *hij heeft een slechte* ~ está de pésimo humor, está de malas
buidel bolsa; **buideldier** marsupial *m*, didelfo
buigen I *tr* 1 doblar; ~ *en strekken* doblar y estirar; *zijn knie* ~ doblar la rodilla; *recht* ~ enderezar; 2 (*neigen*) inclinar; *het hoofd* ~*: a*) (*lett*) inclinar la cabeza; *b*) (*fig*) someterse, ceder; *zich* ~*: a*) (*lett*) inclinarse; *b*) (*fig*) someterse, ceder; *zie ook: buigen II; zich opzij* ~ inclinarse a un lado; *liever* ~ *dan barsten* antes doblar que quebrar; 3 *zich* ~ *over* dedicar su atención a, estudiar; II *intr* 1 doblarse; *de takken* ~ *onder het gewicht* las ramas se doblan por el peso; 2 (*buiging maken*) inclinarse; 3 ~ (*voor*) (*zich onderwerpen*) ceder (a, ante), someterse (a); 4 (*mbt weg*) torcer *ue*; *de weg buigt naar rechts* el camino tuerce a la derecha; **buiging** 1 (*groet*) inclinación *v*; *een* ~ *maken* inclinarse; 2 (*van stem*) modulación *v*; **buigzaam** 1 flexible, doblegable, dúctil; 2 (*van persoon*) dócil, dúctil; **buigzaamheid** flexibilidad *v*
buiïg lluvioso, inestable
buik 1 vientre *m*; (*fam*) barriga, tripa; (*maag*) estómago; *dikke* ~ panza; *man met een dikke* ~ (*fam*) barrigudo, barrigón *m*, panzudo; *een* ~ *hebben* tener tripa; *hij krijgt een* ~ va echando tripa, cría barriga, echa panza; *ik heb pijn in mijn* ~ me duele la barriga; *liggend op zijn* ~ boca abajo, tendido de bruces; *hij sleepte zich voort op zijn* ~ se arrastró sobre el vientre; *dat kun je wel op je* ~ *schrijven* ya te lo puedes quitar de la cabeza, no hay tu tía; *ik heb er mijn* ~ *vol van* estoy harto, estoy hasta la coronilla; 2 (*holte*) abdomen *m*; 3 (*van fles, vliegtuig*) panza, vientre *m*
buik|griep gastroenteritis *v*; **-holte** cavidad *v* abdominal; **-danseres** bailarina del vientre
buikig panzudo, tripudo, ventrudo; **buikje** pancita, tripita
buik|landing aterrizaje *m* con el tren eclipsado, aterrizaje *m* sobre la panza; **-loop** diarrea; **-pijn** dolor *m* de vientre; (*fam*) dolor *m* de tripas; **-riem**: *de* ~ *aanhalen* apretarse *ie* el cinturón, ajustar la correa; **-spier** músculo abdominal; **-spreker** ventrílocuo
buil chichón *m*, bulto; *daar kun je je geen* ~ *aan vallen* no hace falta seguro para eso; **builenpest** peste *v* bubónica
buis 1 tubo; 2 (*tv*) pequeña pantalla, tele *v*; 3 (*in radio*) válvula, lámpara, tubo
buis|frame armazón *m* tubular; **-lamp** lámpara tubular; **-leiding** tubería, cañería; **-vormig** tubular, en forma de tubo
buit botín *m*, despojos *mmv*
buitelen dar tumbos; **buiteling** 1 tumbo; 2 (*van acrobaat*) voltereta
buiten I *vz* 1 (*niet in*) fuera de; ~ *gebruik* fuera de uso; ~ *gevaar* fuera de peligro; ~ *werking stellen* (*van regels*) anular; *oorzaken* ~ *zijn wil* causas extrañas a su voluntad; ~ *mij om* a mis espaldas; *het gaat* ~ *ons om* es externo a nosotros; ~ *zichzelf* (*van woede*) fuera de sí; ~ *zichzelf zijn van vreugde* no caber en sí de alegría; *zich er* ~ *houden, er* ~ *blijven* no meterse en el asunto; *er* ~ *laten* dejar a un lado, dejar fuera; *laat haar er* ~ déjala a ella fuera del asunto; 2 (*behalve*) fuera de, excepto, aparte de; 3 (*zonder*) sin; ~ *mijn medeweten* sin saberlo yo; ~ *mijn schuld* sin culpa mía; *ik kan niet* ~ *deze boeken* no puedo prescindir de estos libros; *ik kan niet* ~ *jou* no puedo pasarme sin ti; II *bw* 1 (*niet binnen*) fuera; ~ *blijven* quedarse fuera; *de hele nacht* ~ *blijven* quedarse a la intemperie toda la noche; *naar* ~ afuera; *hij mag niet naar* ~ no puede salir; *naar* ~ *hollen* correr afuera; *naar* ~ *kijken* mirar afuera; *naar* ~ *optreden* actuar *ú* en público; *niet naar* ~ *treden* quedarse en la sombra; *alle grenzen te* ~ *gaan* exceder a los límites; *zich te* ~ *gaan aan attenties* excederse en atenciones; *zich te* ~ *gaan aan alcohol* abusar del alcohol; *van* ~ por fuera, al exterior; *iem van* ~ (*van platteland; niet betrokken*) u.p. de fuera; *invloeden*

van ~ influencias de fuera; *van* ~ *af* desde fuera; *van* ~ *gezien* visto desde fuera; 2 (*buiten de stad*) en el campo; ~ *wonen* vivir en el campo || *van* ~ *kennen* saberse de memoria; *van* ~ *leren* aprender de memoria; III *zn* casa de campo, finca

buiten|aards extraterrestre; **-af**: *van* ~ desde fuera; **-baarmoederlijk** extrauterino, ectópico; **-bad** piscina al aire libre; **-band** neumático, cubierta; **-beentje** tipo raro; **-bekleding** forro exterior; **-bocht** curva exterior; **-boordmotor** (motor *m*) fuera borda *m*; **-deur** puerta de la calle; **-echtelijk** fuera de matrimonio; (*mbt kind ook:*) natural; **-gewoon** I *bn* extraordinario; ~ *onderwijs* enseñanza especial; II *bw* sobremanera, extraordinariamente; ~ *mooi* de inusitada belleza; **-huis** casa de campo; **-kansje** golpe *m* de suerte, ganga; *hij heeft een* ~ le ha caído una breva, le ha salido una ganga; **-kant** exterior *m*

buitenland, buitenlander extranjero; **buitenlands** extranjero, del extranjero; *~e reis* viaje *m* al extranjero; *~e produkten* productos del extranjero; *~e schuld* deuda exterior; *~e Zaken* Asuntos Exteriores; **buitenlandse** extranjera

buiten|leven vida en el campo; **-lucht** aire *m* libre; **-maat** medida externa; **-om** por fuera; **-opname** exterior *m*; **-schools**: *~e activiteiten* actividades *vmv* extraescolares

buitenshuis fuera de casa; **buitenslands** fuera del país

buiten|sluiten excluir; **-spel** fuera (de juego); **-spiegel** retrovisor *m* exterior

buitensporig excesivo, desmedido, exorbitante, extravagante; **buitensporigheid** extravagancia

buiten|sport deporte *m* al aire libre; **-staander** no iniciado, profano, persona ajena al asunto

buitenste de fuera, más exterior

buiten|verblijf residencia campestre; **-waarts** hacia fuera; **-wereld** mundo exterior; *voor de* ~ de puertas afuera; **-wijk** barrio periférico, arrabal *m*; (*neg*) suburbio; *~en* afueras; **-zijde** (lado) exterior *m*

buitmaken apoderarse de

bukken agacharse, acurrucarse

buks escopeta

bul 1 (*van paus*) bula; 2 (*diploma*) diploma *m*

bulderen 1 (*mbt wind*) rugir, bramar; 2 (*mbt kanon*) tronar *ue*; 3 (*mbt persoon*) bramar, vociferar; ~ *van het lachen* reír *i* a carcajadas

buldog buldog *m*

Bulgaars búlgaro; **Bulgarije** Bulgaria

bulken: ~ *van het geld* nadar en la riqueza

bulklading carga a granel

bulldozer bulldozer *m*, motoniveladora

bullebak cascarrabias *m*, traganenes *m*

bullepees vergajo

bulletin boletín *m*

bult 1 (*buil*) chichón *m*, bulto; 2 (*bochel, ook van kameel*) joroba

bumper parachoques *m*

bundel 1 (*slordig pak*) hato, lío, envoltorio; 2 (*van papieren*) legajo; 3 (*halmen, takken*) haz *m*, fajo, gavilla; 4 (*bankbiljetten*) fajo; 5 (*boek*) tomo, colección *v*, volumen *m*; 6 (*lichtbundel*) haz *m*; **bundelen** 1 unir, coordinar, concentrar; *krachten* ~ aunar *ú* fuerzas; 2 (*van artikelen*) reunir *ú* en un volumen; **bundeling** unión *v*, concentración *v*

bungalow bungalow *m*; **bungalowtent** tienda-bungalow *v, mv tiendas-bungalow*

bungelen balancear

bunker 1 (*mil*) bunker *m*, casamata; 2 (*voor kolen*) carbonera; **bunkeren** 1 tomar combustible; 2 *zie: buffelen*

bunzing turón *m*

burcht castillo, fortaleza

bureau 1 (*schrijftafel*) escritorio, mesa para escribir; 2 (*kantoor*) oficina; (*vertrek*) despacho; (*administratie*) administración *v*; 3 (*van politie*) comisaría; *hij moet op het* ~ *komen* tiene que declarar

bureaucratie burocracia; **bureaucratisch** burocrático

buren|gerucht alboroto (nocturno); **-hulp** ayuda entre vecinos; **-overlast** molestias *vmv* entre vecinos

burgemeester alcalde *m,v*; ~ *en wethouders* (*vglbaar:*) el alcalde y los tenientes de alcalde

burger 1 (*van stad, land*) ciudadano; 2 (*burgerman, -vrouw*) burgués, -esa; 3 (*niet mil*) civil *m*; *in* ~ de paisano; **burgerbevolking** población *v* civil; **burgerij** 1 (*klasse*) burguesía, clase *v* media; 2 (*bevolking*) ciudadanos *mmv*; **burgerkleding** traje *m* de paisano; **burgerlijk** 1 (*van staatsburger*) civil; ~ *recht* derecho civil; *~e staat* estado civil; *~e stand* registro civil; 2 (*van burgerstand*) burgués *-esa*; 3 (*neg*) cursi, vulgar, hortera

burger|luchtvaart aviación *v* civil; **-oorlog** guerra civil; **-rechtelijk** civil; de derecho civil; *~e aansprakelijkheid* responsabilidad civil; **-rechten** derechos civiles

burgerschap ciudadanía

burgerwacht (*vglbaar:*) vigilantes *mmv* ciudadanos, guardia cívica

bus 1 (*blik*) lata, bote *m*; 2 (*voor brieven*) buzón *m*; *op de* ~ *doen* echar al buzón; 3 (*openbaar vervoer*) autobús *m*; (*voor excursie*) autocar *m* || *nu is het afwachten wat er uit de* ~ *komt* y ahora, a ver el resultado; *hij kwam als winnaar uit de* ~ resultó ganador

bus|halte parada de autobús; **-kruit** pólvora; *hij heeft het* ~ *niet uitgevonden* no ha inventado la pólvora; **-lichting** recogida de las cartas

buste busto; **bustehouder** sostén *m*

butagas (gas *m*) butano

butagas|fles bombona (de gas butano); **-fornuis** cocina de (gas) butano; **-kachel** estufa de (gas) butano

butler mayordomo

button chapa

buur vecino, -a; **buurland** país *m* vecino; **buurman** vecino

buurt 1 barrio; *rosse* ~ barrio rojo; 2 (*nabijheid*) cercanía; *hier in de* ~ cerca de aquí, aquí cerca; *het moet hier ergens in de* ~ *zijn* debe de ser por aquí; *in de* ~ *blijven* no alejarse mucho; *ik was toevallig in de* ~ acerté a pasar por aquí; *iem uit de* ~ vecino, -a; *blijf uit zijn* ~ no te acerques a él

buurt|bewoner, **-bewoonster** vecino, -a; *de* ~*s* los vecinos, el vecindario; **-dienst** (*ivm bus*) servicio de cercanías; **-huis** casa del barrio

buurtschap caserío

buurtspoorweg servicio de cercanías

buurvrouw vecina

b.v. *bijvoorbeeld* por ejemplo; *afk* p. ej.

B.V. *besloten vennootschap* (*vglbaar:*) sociedad *v* de responsabilidad limitada; *afk* SRL

c (*muz*) do *m*

ca. *circa* unos, -as, aproximadamente

cabaret teatro (musical y) satírico; **cabaretier** cabaretista *m* humorista *m* satírico

cabine cabina

cacao cacao; **cacaopoeder** cacao en polvo, polvos *mmv* de cacao

cachet caché *m*

cactus cacto

cadans cadencia

cadeau regalo; ~ *geven* dar de regalo, regalar; *iem iets* ~ *geven* regalar u.c. a u.p.; ~ *krijgen* recibir de regalo; *dat kun je van mij* ~ *krijgen* (*iron*) te lo regalo; **cadeaubon** bono-regalo, vale *m* por un regalo

café café *m*, bar *m*; **caféhouder**, **caféhoudster** dueño, -a de un café

cafeïne cafeína; **cafeïnevrij** descafeinado

cafetaria cafetería

caissière cajera

caisson cajón *m*

cake bizcocho, cake *m*, pan *m* de huevos

calculatie cálculo

calorie caloría; **caloriearm** bajo en calorías

calvinist calvinista *m*; **calvinistisch** calvinista

camee camafeo

camera cámara; **cameraman** cámara *m*, operador *m* de cámara, cameraman *m, mv cameramen*; **cameraploeg** equipo de cámara

camouflage camuflaje *m*; **camoufleren** camuflar

campagne campaña; *een* ~ *voeren tegen* hacer una campaña contra

camping camping *m*

campus ciudad *v* universitaria, recinto universitario

Canada (el) Canadá *m*; **Canadees** *bn* canadiense

canaille canalla

canapé canapé *m*, sofá *m*

Canarisch canario; *de* ~*e eilanden* las Islas Canarias

canon canon *m*; **canoniek** canónico; ~ *recht* derecho canónico

cantate cantata

canvas lona

cao *collectieve arbeidsovereenkomst* convenio colectivo (de trabajo); **cao-loon** salario colectivo

capabel capaz

capaciteit 1 capacidad *v*; (*van zaal, stadion*) capacidad, aforo; 2 (*van motor*) potencia

cape capa
capillair capilar
capitonneren acolchar
capitulatie capitulación *v*, rendición *v*; **capituleren** capitular
capriool cabriola
capsule cápsula
capuchon capucha
carambole carambola
caravan remolque *m*, caravana
carbon (*papier*) papel *m* carbón
carburator carburador *m*
cardanas árbol *m* cardán, eje *m* cardán
cardiogram cardiograma *m*; **cardiologie** cardiología; **cardioloog** cardiólogo
cargadoor corredor *m* de buques, corredor *m* marítimo
Caribisch caribe; *het ~ gebied* el área del Caribe; *de ~e zee* el (Mar) Caribe
cariës caries *v*
carillon carillón *m*
carnaval carnaval *m*
carrière carrera; *~ maken* hacer carrera
carrosserie carrocería
carte: *à la ~* a la carta; *~ blanche* carta blanca
carter cárter *m*
cartograaf cartógrafo; **cartografie** cartografía
casco casco; **cascoverzekering** 1 (*van schip*) seguro de casco; 2 (*van auto*) seguro de daños propios
cash-o-mat, **cash point** (*geldautomaat*) cajero automático
casino casino
cassatie casación *v*; *in ~ gaan* acudir en casación
cassave yuca, mandioca
cassette 1 (*met band*) casete *v*; 2 (*etui, doosje*) estuche *m*; **cassettebandje** cinta (de casete); *onbespeeld ~* cinta virgen; **cassetterecorder** casete *m*
cassis bebida de grosellas negras
castagnetten castañuelas, palillos; *het geklepper van ~* el repicar de castañuelas
Castiliaan, **Castiliaans** castellano; **Castiliaanse** castellana; **Castilië** Castilla
catacomben catacumbas
Catalaan catalán *m*; **Catalaans** catalán *-ana*; **Catalaanse** catalana
catalogiseren catalogar; **catalogus** catálogo
Catalonië Cataluña
catamaran catamarán *m*
catarre catarro
catastrofaal catastrófico; **catastrofe** catástrofe *v*
catechisatie enseñanza del catecismo, catequesis *v*
categorie categoría; **categorisch** categórico
causaal causal
causerie charla; **causeur** charlista *m*
cavalerie caballería; **cavalerietroepen** tropas acorazadas
cavia cavia, cobaya, cobayo, conejillo de Indias
cd disco compacto
ceder cedro
ceintuur cinturón *m*
cel 1 (*vertrek*) celda; 2 (*biol; pol*) célula; 3 *zie: cello*; **celdeling** división *v* celular
celibaat celibato; **celibatair** celibatario
celkern núcleo celular
cellist, **celliste** violoncelista *m,v*; **cello** violoncelo
cellofaan celofán *m*
cellulose celulosa
Celsius Celsio; *18 graden ~* 18 (grados) centígrados
cel|stof celulosa; **-straf** prisión *v* (en régimen) celular; **-wand** pared *v* celular; **-weefsel** tejido celular
cement cemento
censureren censurar; **censuur** censura
cent céntimo; *die paar ~en* esos cuatro cuartitos; *ik heb geen ~* no tengo ni (un) céntimo; *het kan me geen ~ schelen* (no) me importa un bledo; *zonder een ~* sin una perra; **centimeter** 1 centímetro; *afk* cm; 2 (*meetlint*) cinta métrica
centraal 1 central; *centrale verwarming* calefacción *v* central; 2 (*mbt ligging*) céntrico; **centrale** central *v*; **centralisatie** centralización *v*; **centraliseren** centralizar
centreren (*van tekst*) centrar en medio, dejar centrado en medio
centrifugaalpomp bomba centrífuga
centrifuge centrifugadora
centrum centro; *stemmen van het politieke ~* votos centristas
ceremonie ceremonia; **ceremonieel** *bn* ceremonial, con solemnidades; **ceremoniemeester** maestro de ceremonias
certificaat certificado
cervelaatworst (*vglbaar:*) salchichón *m*
cesium (*chem*) cesio
cessie cesión *v*
chagrijn malhumor *m*; **chagrijnig** malhumorado
chalet chalet *m*, chalé *m*
champagne champán *m*
champignon champiñón *m*
chantage chantaje *m*; **chanteren** hacer chantaje, chantajear; **chanteur** chantajista *m,v*
chaos caos *m*; **chaotisch** caótico
chaperonneren hacer de carabina con
chapiter capítulo
charitatief caritativo
charlatan charlatán *m*
charmant encantador *-ora*, simpático; **charme** encanto, gracia, donaire *m*; **charmeren** encantar; **charmeur**: *een ~* un Don Juan
charter (*scheepv*) fletamento; **chartervlucht** vuelo chárter, vuelo fletado
chassis chasis *m*, bastidor *m*
chauffeur, **chauffeuse** chófer *m,v*

chauvinisme chovinismo, patriotismo
chef jefe *m*; **cheffin** jefa; **chefkok** cocinero jefe, jefe de cocina
chemicaliën materias químicas; **chemicus** químico; **chemie** química; **chemisch** químico; ~ *reinigen* limpiar en seco; **chemotherapie** quimioterapia
cheque cheque *m*; *blanco* ~ cheque en blanco; **chequeboek** libro de cheques, talonario
chic I *bn* elegante; II *zn* elegancia
chicane argucia, trapacería, chicana
Chileen, **Chileens** chileno; **Chileense** chilena; **Chili** Chile *m*
chili|peper, **-poeder** chile *m*
chimpansee chimpancé *m*
China (la) China; **Chinees** chino; **Chinese** china; **Chinese Muur**, **de** la Gran Muralla
chip (*comp*) chip *m*, microplaqueta
chips (*zoutje*) patatas fritas, patatas chips
chirurg cirujano, -a; **chirurgie** cirugía; *plastische* ~ cirugía plástica, cirugía estética; **chirurgisch** quirúrgico
chloor cloro; **chloorhoudend** cloroso
chloroform cloroformo
chocola chocolate *m*; **chocolaatje** chocolatina
chocolade|hagel fideos *mmv* de chocolate; **-melk** chocolate *m* en taza; **-reep** barra de chocolate
choke estrangulador *m*
cholera cólera *m*
cholesterol colesterol *m*
choqueren escandalizar
choreograaf, **choreografe** coreógrafo, -a; **choreografie** coreografía
christelijk cristiano; **christen** cristiano, -a; **christendom** (*geloof*) cristianismo; **christenheid** cristiandad *v*; **christin** cristiana; **Christus** Cristo, Jesucristo; *na* ~ después de Jesucristo; *afk* d. de J.C.; *voor* ~ antes de Jesucristo; *afk* a. de J.C.
chromosoom cromosoma *m*
chronisch crónico
chroom cromo; **chroomstaal** acero al cromo
cichorei achicoria
cijfer 1 cifra, número; *in ~s uitgedrukt* en forma numérica, en cifras; *de laatste ~s* (*van lot*) las terminaciones; 2 (*beoordeling*) nota, calificación *v*; **cijferen** *zn* cálculo escrito, cálculo numérico; **cijferlijst** lista de calificaciones
cilinder cilindro
cilinder|inhoud cilindrada; **-kop** culata; **-vormig** cilíndrico
cineast, **cineaste** cineasta *m,v*
cipier carcelero, -a, guardián, -ana
cipres ciprés *m*
circa unos, unas, aproximadamente
circuit circuito
circulaire circular *v*
circulatie circulación *v*; *in ~ brengen* poner en circulación; *uit de ~ zijn* estar fuera de circulación; **circuleren** circular
circus circo
cirkel círculo; **cirkelen** dar vueltas
cirkel|omtrek circunferencia; **-vormig** circular; **-zaag** sierra circular
citaat cita
citadel ciudadela
citer cítara
citeren citar
citroen limón *m*
citroen|kwast limón *m* natural; **-limonade** 1 (*siroop*) jarabe *m* de limón; 2 (*drank*) limonada; **-pers** exprimelimones *m*; **-sap** zumo de limón; **-schijfje** raja de limón; **-schil** corteza de limón
citrusvruchten agrios, (frutos) cítricos
civiel civil; *~e zaak* causa civil; **civiliseren** civilizar
civisme (*Belg*) civismo
claim (*op*) crédito (contra), reclamación *v* (contra), pretensión *v* (contra); (*recht op*) derecho (a); *een ~ hebben op* (*recht hebben op*) tener derecho a; **claimen** reclamar
clan clan *m*
clandestien clandestino
classicisme clasicismo
classificatie clasificación *v*; **classificeren** clasificar
clausule cláusula, estipulación *v*
claxon claxon *m*, bocina; **claxonneren** tocar la bocina
clement clemente, indulgente; **clementie** clemencia, indulgencia
clerus clero
cliché tópico, cliché *m*, lugar *m* común
cliënt, **cliënte** cliente *m,v*; **clientèle** clientela
clignoteur intermitente *m*
climax clímax *m*
clitoris clítoris *m*
closet|papier papel *m* higiénico; **-pot** taza del inodoro
closetrol rollo de papel higiénico; **closetrolhouder** portarollos *m*
close-up primer plano
clou detalle *m*, gracia, chispa chiste *m*
clown payaso, clown *m*, clon *m*
club club *m*, *mv clubes, clubs*
cm *centimeter* centímetro; *afk* cm
coach (*sp*) preparador *m*, entrenador *m* (deportivo)
coalitie coalición *v*
cocaïne cocaína
cockerspaniel cocker *m*
cockpit cabina de mando, cabina (del piloto)
cocktail cóctel *m*, cocktail *m*; **cocktailparty** cóctel *m*
cocon capullo
code clave *v*, cifra; **codenummer** (*Belg*) número (de identificación) personal; **coderen** poner en cifra
codicil codicilo
coëducatie coeducación *v*
coëfficiënt coeficiente *m*

coëxistentie coexistencia; *vreedzame ~* coexistencia pacífica
cognac coñac *m*
coïtus coito
cokes coque *m*
col cuello vuelto
colbert chaqueta, americana
collaborateur colaboracionista *m,v*
collecte colecta; (*voor goed doel ook:*) postulación *v*; *een ~ houden* hacer una colecta; **collecteren** hacer una colecta; (*op straat ook:*) postular
collectie colección *v*; **collectief** *zn, bn* colectivo; *zie ook: cao*
collega colega *m,v*
college 1 (*lichaam*) colegio; *~ van Bestuur* (*univ*) Junta Directiva; *rechterlijk ~* tribunal *m* colegiado; 2 (*univ*) clase *v*; *~ geven* dar clase, dictar clases; *~ lopen* seguir *i* clases
college|geld (derechos *mmv* de) matrícula; **-uur** hora lectiva; **-zaal** aula
collegiaal I *bn* de (buen) colega; II *bw* como (buen) colega; **collegialiteit** solidaridad *v* profesional
collier collar *m*
colloquium coloquio
colonne columna
colportage venta de puerta en puerta
coltrui jersey *m* de cuello vuelto
Columbia Colombia; **Columbiaan**, **Columbiaans** colombiano
Columbus: *Christoffel ~* Cristóbal Colón
column columna, recuadro; **columnist**, **columniste** columnista *m,v*
combinatie combinación *v*; **combinatietang** pinzas *vmv* de combinación; **combineren** combinar
come-back reaparición *v*, vuelta a la escena
comfort comodidad *v*, confort *m*; **comfortabel** cómodo, confortable
comité comité *m*, comisión *v*
commandant comandante *m*; **commandatuur** comandancia; **commanderen** I *tr* mandar, ordenar; *ik laat mij niet ~* no acepto órdenes de nadie; II *intr* mandar; **commando** 1 (*bevel*) voz *v* de mando; 2 (*gezag; groep*) comando; *het ~ voeren over* estar al mando de
commando|brug puente *m* de mando; **-post** puesto de mando
commentaar comentario; *~ leveren op* comentar; **commentator**, **commentatrice** comentarista *m,v*
commercieel comercial; *-ciële muziek* música comercializada
commissariaat 1 (*van politie*) cargo de comisario; 2 (*van nv, Ned*) cargo de miembro del Consejo de Vigilancia; **commissaris** 1 (*van politie*) comisario; 2 (*van nv, Ned*) miembro del Consejo de Vigilancia
commissie 1 (*comité*) comisión *v*, comité *m*; (*om voorstel voor te bereiden ook:*) ponencia; *gemengde ~* comisión mixta; *~ van advies* comisión consultativa; *~ van goede diensten* comisión de buenos oficios; *~ van ontvangst* comité de recepción; 2 (*opdracht, provisie*) comisión *v*; **commissiebasis**: *op ~* a base de comisión
commode cómoda
communautair comunitario
commune comuna
communicatie comunicación; **communicatiemiddelen** medios de comunicación; **communicatiestoornis** fallo en la comunicación; **communicatiewetenschap** ciencias *vmv* de la información; **communiceren** comunicar; *~de vaten* vasos comunicantes
communie comunión *v*; *te ~ gaan* comulgar; *zijn eerste ~ doen* hacer la primera comunión
communiqué comunicado, parte *m*; *een gezamenlijk ~* un comunicado conjunto
communisme comunismo; **communist**, **communiste** comunista *m,v*; **communistisch** comunista; *~ gezind* procomunista
compact compacto; **compact disc** disco compacto
compagnie compañía
compagnon socio, -a
comparant, **comparante** compareciente *m,v*; **comparitie** comparecencia
compartiment 1 compartimiento; 2 (*in trein*) departamento
compensatie compensación *v*; (*schadeloosstelling*) indemnización *v*; **compensatiekas** (*Belg*) caja de compensación; **compenseren** compensar
competent competente; **competentie** competencia; *dat valt niet onder mijn ~* no es de mi competencia, no es de mi incumbencia
competitie competición *v*; (*sp ook:*) liga; **competitiewedstrijd** partida de competición, partida de liga
compilatie compilación *v*
compleet I *bn* completo; II *bw* completamente, por completo; *ik ben het ~ vergeten* se me olvidó por completo; **complet** conjunto; **completeren** completar
complex I *zn* complejo; II *bn* complejo
complicatie complicación *v*; **compliceren** complicar
compliment cumplido; *iem een ~ maken* dirigir un cumplido a u.p., felicitar a u.p.; *mijn ~en!* ¡enhorabuena!; *zonder ~en* sin cumplidos; **complimenteren** (*met*) cumplimentar (por), felicitar (por); **complimenteus** halagador *-ora*, elogioso
component componente *m*; **componeren** componer; **componist**, **componiste** compositor, -ora
compositie composición *v*; **compositiefoto** retrato-robot *m*
compost abono compuesto
compressie compresión *v*; **compressor** compresor *m*; **comprimeren** comprimir
compromis arreglo, avenencia, compromiso;

tot een ~ komen llegar a una avenencia; **comprometteren** comprometer, poner en un compromiso
computer ordenador *m*, computador *m*, computadora; *personal ~* ordenador personal
computer|bestand fichero computerizado; **-kunde** técnica del ordenador; **-programmeur** programador *m* de ordenadores; **-spelletje** juego electrónico
concentratie concentración *v*
concentratie|kamp campo de concentración; **-vermogen** capacidad *v* de concentración
concentreren (*op*) concentrar (en), centrar (en); *zich ~ (op)* concentrarse (en)
concept 1 (*begrip*) concepto; 2 (*ontwerp*) proyecto; *eerste* (*ruwe*) *~* borrador *m*
conceptie concepción *v*
conceptovereenkomst proyecto de contrato
concern grupo (de empresas)
concert concierto; **concerteren** dar un concierto
concert|meester primer violinista *m*, concertino; **-zaal** sala de conciertos; **-zanger**, **-zangeres** concertista *m,v*, cantante *m,v* de conciertos
concessie concesión *v*; (*licentie ook:*) licencia; *~s doen* hacer concesiones
conciërge conserje *m,v*, portero, -a
concilie concilio
concluderen (*uit*) deducir (de), inferir *ie, i* (de), concluir (de), sacar en conclusión (de); **conclusie** conclusión *v*; *de ~ trekken dat* sacar la conclusión de que; *tot de ~ komen dat* llegar a la conclusión de que
concordaat concordato
concours concurso; *~ hippique* concurso hípico
concreet concreto; **concreto**: *in ~* concretamente
concubinaat concubinato
concurrent, **concurrente** competidor, -ora; **concurrentie** competencia; *moordende ~* competencia encarnizada; *oneerlijke ~* competencia desleal; *iem ~ aandoen* hacer competencia a u.p.
concurrentie|strijd lucha de competidores; **-vermogen** competitividad *v*
concurreren (*met*) competir *i* (con); **concurrerend** competidor *-ora*; *~e prijzen* precios competitivos
condensatie condensación *v*; **condensator** condensador *m*; **condenseren** condensar; **condenswater** agua condensada, agua de condensación
conditie condición *v*; *in goede ~: a*) (*toestand*) en buenas condiciones, en buen estado; *b*) (*sp*) en buena forma; *om in ~ te blijven* para guardar la forma; *zie ook: voorwaarde*; **conditietraining** entrenamiento físico general, entrenamiento intensivo para ponerse en forma
condoleantie pésame *m*, condolencia; **condoleren** dar el pésame; *ik condoleer je* te acompaño
condoom condón *m*, preservativo; (*pop*) goma
condor cóndor *m*
conducteur (*in trein*) revisor *m*; (*in tram*) cobrador *m*
confectie confección *v*
confectie|beurs feria de la confección; **-industrie** industria de la confección; **-kleding** ropa hecha, ropa confeccionada; **-pak** traje *m* de confección; **-zaak** tienda de confecciones
conferencier animador *m*, humorista *m*, charlista *m*
conferentie conferencia, asamblea; **confereren** celebrar una conferencia, conferenciar
confessioneel confesional
confidentie confidencia
confisqueren confiscar, decomisar
conflict conflicto; *gewapend ~* conflicto armado; *het ~ in het Midden-Oosten* el conflicto de Oriente Medio; *in ~ komen met* entrar en conflicto con
conform conforme a, de acuerdo con, en conformidad con; **conformisme** conformismo
confrontatie confrontación *v*; (*jur, met verdachte*) careo; **confronteren**: *~ met* confrontar con; *geconfronteerd worden met* verse confrontado con
confuus confuso
congé: *iem zijn ~ geven* despedir *i* a u.p.
conglomeraat conglomerado
congregatie congregación *v*, cofradía
congres congreso; **congresganger**, **congresgangster** congresista *m,v*; **congreslid** (*VS*) congresista *m,v*, miembro del congreso
congruent congruente; **congruentie** congruencia
conjunctuur coyuntura; *dalende ~* coyuntura descendiente; *opgaande ~* coyuntura ascendiente
connectie 1 (*verbinding*) conexión *v*, relación *v*; 2 *~s* contactos, conocidos, amigos
conrector vicerrector *m*
consciëntieus concienzudo, escrupuloso
consensus consenso
consequent consecuente; **consequentie** consecuencia
conservatief conservador *-ora*; **conservatisme** conservatismo
conservator, **conservatrice** conservador, -ora
conservatorium conservatorio
conserveermiddel conservativo, conservante *m*, conservador *m*; **conserven** conservas; **conservenfabriek** fábrica de conservas; **conserveren** conservar, proteger
consideratie consideración *v*; *zonder ~ voor* sin consideración a; *weinig ~ hebben met* tener poco aguante con
consignatie consignación *v*; **consigne** consigna
consistent consistente; *~ vet* grasa consistente
console consola
consolideren consolidar

consorten (*neg*) socios
constant constante, firme; **constante** elemento constante
constateren comprobar *ue*, constatar
consternatie consternación *v*
constitutie constitución *v*; **constitutioneel** constitucional
constructie construcción *v*, estructura; **constructief** constructivo; **constructietekening** plano de construcción; **construeren** construir
consul cónsul *m,v*; (*vrouw ook:*) consulesa; *~-generaal* cónsul *m,v* general; **consulaat** consulado; *~-generaal* consulado general; **consulair** consular
consulent, **consulente** asesor, -ora, consultor, -ora
consult consulta; **consultatiebureau** (*voor moeder en kind, vglbaar:*) dispensario maternoinfantil; **consulteren** consultar
consument consumidor, -ora; (*gebruiker*) usuario, -a; **consumentenbond** (*in Sp*) Organización *v* de Consumidores y Usuarios; *afk* OCU
consumentisme consumismo; **consumeren** consumir
consumptie 1 (*in café*) consumición *v*; 2 (*verbruik*) consumo; *niet geschikt voor ~* impropio para el consumo; **consumptiecijfers** tasa de consumo; **consumptief** consuntivo
consumptie|goederen bienes *mmv* de consumo; **-maatschappij** sociedad *v* de consumo
contact contacto; *los ~* (*techn*) contacto flojo; *nauw ~* contacto estrecho; *~ onderhouden met* mantenerse en contacto con; *~ opnemen* (*met*) tomar contacto (con); *in ~ komen met* entrar en contacto con; *het opnemen van ~* la toma de contacto
contact|doos enchufe *m*; **-lenzen** lentes *vmv* de contacto; **-persoon** contacto; *~ in vakbond* enlace *m* sindical; **-sleuteltje** llave *v* de contacto
container contenedor *m*; **containerschip** portacontenedores *m*
contant contante; *~e betaling* pago al contado; *~ geld* dinero contante; *à ~* al contado; **contanten** dinero contante, metálico, (dinero) efectivo
continent continente *m*; **continentaal** continental
contingent contingente *m*, cuota
continubedrijf industria de régimen continuo; **continueren** continuar *ú*; **continuïteit** continuidad *v*
contourverlichting (*van vrachtauto*) luces *vmv* de posición
contrabande contrabando
contrabas contrabajo
contraceptie contracepción *v*; **contraceptief** contra(con)ceptivo, anticonceptivo; *-tieve middelen* contraceptivos
contract contrato, convenio; *een ~ sluiten met* firmar un contrato con; *op ~* (*mbt aanstelling*) contratado; **contractant**, **contractante** contratante *m,v*; **contractbreuk** incumplimiento del contrato; **contracteren** contratar; **contractpartijen** partes *vmv* contratantes; **contractueel** contractual; *zich ~ binden* obligarse por contrato
contramine: *in de ~ zijn* llevar la contraria, estar de mal humor
contrapunt contrapunto
contraspionage contraespionaje *m*
contrast contraste *m*; **contrasteren** contrastar
contribuant, **contribuante** contribuyente *m,v*; **contributie** cuota
controle control *m*, inspección *v*, revisión *v*; *de ~ passeren* pasar por el control; *aan een strenge ~ onderworpen worden* ser objeto de un control riguroso; *iets onder ~ krijgen* conseguir *i* dominar u.c.
controle|lampje lamparita de control, luz *v* piloto, luz *v* indicadora, bombilla piloto; **-maat** medida de control; **-post** puesto de control
controleur inspector *m*; **controller** controller *m*
controverse controversia
conveniëren convenir
conventie 1 (*overeenkomst*) convención *v*, convenio; 2 *~s* (*soc*) conveniencias (sociales), convencionalismo; **conventioneel** convencional; *-nele wapens* armas convencionales
convocatie convocatoria; **convoceren** convocar
coöperant (*Belg*) cooperante *m,v* (al desarrollo); **coöperatie** (sociedad *v*) cooperativa; **coöperatief** cooperativo
coöptatie cooptación *v*
coördinatie coordinación *v*; **coördinator**, **coördinatrice** coordinador, -ora; **coördineren** coordinar
copieus copioso
corduroy I *zn* pana; **II** *bn* de pana
corner (*sp*) córner *m*, saque *m* de esquina; *een ~ plaatsen* botar desde el rincón, botar desde la esquina
cornflakes copos de maíz
corps cuerpo; *~ de ballet* cuerpo de ballet; *~ diplomatique* cuerpo diplomático; **corpsgeest** (*bij politie*) conciencia corporativista, espíritu *m* corporativo
corpulent corpulento, grueso
correct correcto; **correctie** corrección *v*; **correctioneel** (*Belg*) (de derecho) penal
correspondent, **correspondente** 1 corresponsal *m,v*; 2 (*op kantoor*) encargado, -a de la correspondencia; **correspondentie** correspondencia; *de ~ voeren* llevar la correspondencia; **correspondentieadres** dirección *v* postal; **corresponderen** corresponderse; *~ met: a*) (*overeenkomen*) corresponder con; *b*) (*brieven schrijven*) corresponderse con, cartearse con

corrigeren 1 corregir *i*; 2 (*beoordelen*) calificar
corrosie corrosión *v*
corrupt corruptible, fácil de sobornar, sobornable; corrupto; **corruptie** 1 (*verschijnsel*) corruptela; 2 (*geval*) soborno, cohecho, corrupción *v*
corvee faena
cosmetica productos *mmv* de belleza, productos *mmv* de tocador, cosméticos *mmv*
Côte d'Azur Costa Azul
couchette litera; **couchetterijtuig** coche *m* de literas
counterpart contraparte *v*
coupe 1 (*snit*) corte *m*; ~ *soleil* mechas *vmv*, rayitos *mmv* de luz, transparencias *vmv*; 2 (*glas*) copa
coupé departamento
couperen 1 (*kaartsp*) destajar; 2 (*van staart*) cortar la cola a
couplet estrofa
coupon 1 cupón *m*; 2 (*lap*) retal *m*
coupure 1 (*in film*) corte *m*; 2 (*bankbiljet*) billete *m*
courant I *bn* corriente; II *zn* 1 (*munt*) moneda; 2 (*krant*) periódico
coureur corredor *m*
couvert 1 (*envelop*) sobre *m*; *onder* ~ en sobre cerrado; 2 (*bestek*) cubierto
couveuse incubadora
cowboy vaquero; **cowboyfilm** película del Oeste, western *m*
c.q. *casu quo* o en su caso, casu quo
craquelé cuarteado
crawlen nadar a (estilo) crol, nadar el crawl
creatie creación *v*; **creatief** creativo, creador *-ora*; **creativiteit** espíritu *m* creador, creatividad *v*
crèche guardería (infantil)
credit crédito; (*boekhouden*) haber *m*; **creditcard** (*van bank*) tarjeta de crédito; (*van instelling*) tarjeta de pago; **crediteren** abonar en cuenta, acreditar; **crediteur** acreedor *m*; **creditnota** nota de abono; **creditsaldo** saldo acreedor
creëren crear
crematie cremación *v*, incineración *v*; **crematorium** crematorio
crème crema; **crèmebehandeling** (*van haar*) mascarilla
cremeren incinerar
creool criollo
crêpe 1 (*voor zolen*) crep *m*, crepé *m*; 2 (*stof*) crespón *m*; **crêpepapier** papel *m* elástico
creperen reventar *ie*
cricket cricket *m*; **cricketer** jugador *m* de cricket
criminaliteit criminalidad *v*, delincuencia; **crimineel** 1 criminal; 2 (*fig*) horrible
crisis crisis *v*; *een* ~ *doormaken* atravesar *ie* una crisis
criterium criterio
criticus crítico
cross, cross-country carrera campo través
cru duro, crudo
crucifix crucifijo
cruise crucero
crypt cripta
cryptogram criptograma *m*
Cuba Cuba; **Cubaan, Cubaans** cubano
culinair culinario
culmineren (*in*) culminar (en)
cultiveren cultivar
cultureel cultural
cultus culto
cultuur 1 (*beschaving*) cultura; 2 (*het kweken*) cultivo; *in* ~ *brengen* poner en cultivo; 3 (*van bacterieën*) caldo de cultivo; **cultuurgeschiedenis** historia de la cultura
cumulatie acumulación *v*; **cumuleren** *intr* acumularse
cup (*van beha*) copa
Curaçao Curazao
curatele tutela; (*vroeger:*) curatela; *onder* ~ *stellen* someter a curatela; *onder* ~ *gesteld* sujeto a tutela; **curator** 1 (*voogd*) tutor *m*; (*vroeger:*) curador *m*; 2 (*in faillissement*) administrador *m* oficial; 3 (*van school*) miembro de una comisión de vigilancia
curettage raspado
curieus curioso, peculiar; **curiositeit** curiosidad *v*
curriculum curriculum *m* (vitae), historial *m* personal y profesional
cursief *bw* en letra cursiva, en letra bastardilla, en itálica
cursist, cursiste alumno, -a, cursillista *m,v*, estudiante *m,v*
cursor cursor *m*
cursus (*schooljaar; jaarcursus*) curso; (*korter:*) cursillo; *een* ~ *in weven* un cursillo de tejido; *schriftelijke* ~ curso por correspondencia
curve (*in grafiek*) trazo, gráfica
cyclaam ciclamen *m*
cycloon ciclón *m*
cycloop cíclope *m*
cyclus ciclo
cylinder *zie: cilinder*
cynicus cínico; **cynisch** cínico; **cynisme** cinismo
cytologie citología

Ddd

d (*muz*) re *m*
daad acción *v*, acto; *geen woorden maar daden* hechos y no palabras; *de ~ bij het woord voegen* unir la acción a la palabra; *de ~ bij het woord voegend* diciendo y haciendo; **daadwerkelijk** efectivo, activo
daags: *tweemaal ~* dos veces al día
daar I *bw* allí, ahí; *~ komen ze* ya vienen; *tot ~* hasta allí; II *vw* ya que, puesto que, como, comoquiera que, porque, pues; *~ hij ziek was* ya que estaba malo
daaraantoe: *dat is tot ~* eso no es tan grave
daar|achter (allí) detrás; *~ is de tuin* detrás está el jardín; **-bij** 1 (*in de buurt*) cerca de allí, al lado; 2 (*bovendien*) además; **-binnen** (allí) dentro; **-boven** (allí) arriba, encima (de él); **-buiten** 1 (*niet binnen*) (allí) fuera; 2 (*bovendien*) fuera de eso; **-door** 1 (*reden*) por ello, por eso; 2 (*erdoorheen*) a través; *zie je die straat? daar moet je door* ¿ves esa calle? tienes que pasar por ella; 3 (*door een poort*) por debajo; *als je ~ loopt* si pasas por debajo
daarentegen al contrario, en cambio
daargelaten aparte de, dejando aparte; *uitzonderingen ~* salvo excepciones
daar|ginds (por) allí; **-heen** allá; **-in** (allí) dentro; *en ~ zit een pen* y dentro hay una pluma; **-mee** con esto, con ello; *en ~ uit* y sanseacabó; **-na** después (de ello), a continuación, más tarde; *direct ~* acto seguido; *kort ~* poco después; *enkele dagen ~* a los pocos días; *de zondag ~* el domingo siguiente; **-naast** al lado (de ello); **-om** por ello, por eso, por (lo) tanto, en vista de ello; *waarom? nou, ~!* ¿por qué? ¡porque sí!; **-onder** 1 (*van plaats*) (por) debajo; 2 (*te midden van*) entre ellos; *~ bevindt zich* entre ellos hay; **-op** 1 (*van plaats*) encima; 2 (*van tijd*) después; *zie ook: daarna*; **-over** 1 (*overheen*) por (encima de); *zie je die rivier? daar moet je over* ¿ves ese río? tienes que cruzarlo; 2 (*aangaande*) sobre ello, sobre eso, de ello; *~ kan ik je het volgende zeggen* de ello puedo decirte lo siguiente; **-tegenover** 1 (*van plaats*) (allí) enfrente; 2 (*bij tegenstelling*) por otra parte; *~ staat zijn ernst* por otra parte hay su seriedad; **-toe** para ello, con tal fin, al efecto; **-tussen** entre ellos; **-uit** de ello; *~ vloeit voort* de ello se deduce; **-voor** 1 (*doel*) para eso, con ese fin; *ben je ~ gekomen?* ¿a eso has venido?; 2 (*tijd*) antes; *heel kort ~* muy poco antes; 3 (*plaats*) (allí) delante, enfrente
dadel dátil *m*
dadelijk *bw* inmediatamente, en seguida, al instante; *ik ben ~ terug* ahora vuelvo, poco tardo; *ze herkende me niet ~* tardó en conocerme
dadelpalm (palmera) datilera
dader autor, -ora; *onbekende ~s* autores ignorados, autores desconocidos; *de ~ ligt op het kerkhof* y adivina quién te dio
dading transacción *v*
dag día *m*; *~!: a*) (*bij begroeting*) ¡hola!, ¡buenos días!; *b*) (*bij afscheid*) ¡adiós!; *als de ~ van gisteren* como si de ayer se tratara; *de ~ tevoren* el día anterior; (*een*) *dezer ~en* un día de estos; *goede ~ zeggen* dar los buenos días; *de hele ~* todo el día; *hij kan iedere ~ komen* puede venir de un día a otro; *de oude ~* la vejez, la tercera edad; (*op*) *de volgende ~* (*bw bep*) al día siguiente; *vrije ~* día libre, día feriado; *een vrije ~* (*op*)*nemen* tomarse un día libre; *wat voor ~ is het?* ¿qué día es?, ¿en qué día estamos?; *op wat voor ~ valt het?* ¿en qué día cae?; *~ worden* amanecer; *het begon ~ te worden* empezaba a amanecer; *het was al ~* había amanecido ya, ya era de día; *aan de ~ leggen* mostrar *ue*, desplegar *ie*; *aan de ~ treden* revelarse, manifestarse *ie*, hacerse notorio; *~ in ~ uit* un día y otro, día tras día; *het wordt met de ~ erger* cada día es peor; *om de ~* cada dos días, un día sí y otro no, en días alternos; *later op de ~* avanzado el día; *op de ~ af* exactamente; *op een goede ~* el día menos pensado, el mejor día; *van ~ tot ~* de día en día; *voor ~ en dauw* muy de madrugada, con el alba; *voor de ~ halen* sacar; *voor de ~ komen: a*) (*verschijnen*) aparecer; *b*) (*mbt gebreken*) revelarse; *voor de ~ komen met* (*verrassen*) salir con; *voor de ~ ermee!* bueno, ¡desembucha! || *het is kort ~* falta poco (tiempo)
dagblad diario; **dagbladpers** prensa diaria
dagboek diario; (*vertrouwelijk*) diario íntimo
dagelijks I *bn* diario, cotidiano, de cada día; *de ~e bezigheden* las ocupaciones diarias; *het ~ leven* la vida cotidiana; II *bw* diariamente, cada día, todos los días
dagen 1 (*dag worden*) amanecer; 2 (*fig*) *het begint mij te ~* comienzo a comprender
dageraad aurora
dagindeling horario de la jornada
dagje: *een ~ uit* un día de excursión; *het was me het ~ wel!* ¡vaya diíta!; *een ~ ouder worden* ir envejeciendo; **dagjesmensen** excursionistas *mmv*, turistas *mmv*
dagkaart billete *m* para un día
dag|koers 1 (*op beurs*) cotización *v* del día; 2 (*wisselkoers*) cambio del día; **-licht** luz *v* del día; *bij ~* a la luz del día; *dat kan het ~ niet verdragen* no aguanta la luz del día; *in een kwaad ~ stellen* mostrar *ue* bajo un aspecto desfavorable; **-loner** jornalero, peón *m*; **-retour** billete *m* de ida y vuelta; **-schotel** plato del día; **-taak** tarea para un día; *volle ~* dedicación *v* exclusiva, dedicación *v* absoluta; **-tocht** excursión *v* de un día

dagvaarden citar, emplazar; **dagvaarding** (cédula de) citación *v*, (cédula de) emplazamiento
dag|verblijf 1 (*in ziekenhuis*) salón *m*; 2 (*opvang voor kinderen, bejaarden*) semi-internado; **-werk**: *daar zou je ~ aan hebben* ya no tendrías un momento libre
dak tejado, techo; *rieten ~* techo de paja; *onder één ~* bajo el mismo techo; *en dan krijg ik het op mijn ~* y después soy yo el que carga con todo; *van de ~en schreeuwen* pregonar a bombo y platillos
dak|bedekking cubierta (del tejado); **-goot** canalón *m*
dakje: *het gaat van een leien ~* todo es coser y cantar, marcha como la seda
dak|kamer guardilla, ático, buhardilla; **-kapel** buhardilla, guardilla; **-leer** cuero para techos
dakloos sin techo, sin hogar
dak|pan teja; **-raam** claraboya; **-spant** cabriada; **-tuin** terraza ajardinada; **-verdieping** ático; **-vilt** fieltro para techados
dal valle *m*
dalen 1 (*naar beneden gaan*) descender *ie*, bajar; 2 (*verminderen*) disminuir, bajar, decaer; *de prijs daalt* baja el precio; *de produktie daalt* decae la producción; **daling** descenso; (*fig ook:*) baja; *de ~ van de peseta* la baja de la peseta; *de ~ van het levenspeil* el descenso del nivel de vida
dam 1 dique *m*; 2 (*stuwdam*) presa; 3 (*sp*) dama
damast damasco
dambord tablero de damas, damero
dame 1 señora; *de finale ~s* la final femenina; 2 (*partner*) pareja; 3 (*in schaakspel*) *zie: koningin*
dames|blad revista para señoras; **-fiets** bicicleta de señora; **-kapper** peluquero de señoras
dammen jugar *ue* a las damas
damp vapor *m*; **dampen** humear; **dampend** humeante; **dampkring** atmósfera
dam|schijf pieza, ficha; **-spel** juego de damas, damas *vmv*; **-wand** tablestacado
dan I *bw* 1 entonces; *~ help ik je niet* entonces no te ayudo; *als jij gaat, ~ ga ik ook* si vas tú, voy yo también; 2 *~ ook* a consecuencia, por tanto, conque; (*fam*) así pues; II *vw* que; *groter ~* mayor que; *hij is rijker ~ jij* es más rico que tú; *hij is aardiger ~ ik dacht* es más simpático de lo que creía
dancing salón *m* de baile, dancing *m*
danig *bw* mucho, bastante, de lo lindo
dank gracias *vmv*; (*dankbaarheid*) agradecimiento; *~ u* (muchas) gracias; *geen ~* de nada, no hay de qué, no se merece; *wilt u hem mijn ~ overbrengen* déle Ud. las gracias de mi parte; *~ zij* gracias a, debido a
dankbaar agradecido; *ik ben u er ~ voor* se lo agradezco; **dankbaarheid** gratitud *v*, agradecimiento; *uit ~* en señal de gratitud; *om zijn ~ tot uiting te brengen* para expresar su agradecimiento
danken 1 *~ voor* agradecer; *ik dank u voor uw aandacht* le agradezco su atención; *u ~d voor het vertrouwen* agradeciéndole la confianza; *u bij voorbaat ~d* anticipándole las gracias; 2 *~ aan, te ~ hebben aan* deber a; *waaraan heb ik uw bezoek te ~?* ¿a qué debo su visita?; *hij heeft zijn succes aan zijn vader te ~* debe su éxito a su padre; *je hebt het aan jezelf te ~* es tu propia culpa; **dankwoord** palabras *vmv* de agradecimiento
dans baile *m*, danza; *hij is de ~ ontsprongen* ha huído de la quema, se ha escabullido a tiempo; **dansen** bailar; (*minder gebruikt:*) danzar; **danser**, **danseres** 1 bailarín, -ina; 2 (*flamenco*) bailaor, -ora
dans|kunst arte *m* de bailar; **-les** clase *v* de baile; **-muziek** música de baile; **-paar** pareja de baile; **-pas** paso de baile; **-school** academia de baile; **-vloer** pista de baile
dapper valiente, valeroso; **dapperheid** valor *m*, valentía
dar zángano
darm 1 intestino; *dikke ~* intestino grueso; *dunne ~* intestino delgado; *twaalfvingerige ~* duodeno; 2 (*als worstvel*) tripa
darm|kanaal tubo intestinal; **-stoornissen** trastornos intestinales
dartel retozón *-ona*, juguetón *-ona*; **dartelen** retozar, juguetear
das 1 (*stropdas*) corbata; *zijn ~ losmaken* desanudarse la corbata; 2 (*sjaal*) bufanda; *dat deed hem de ~ om* esto le dio la puntilla; 3 (*dier*) tejón *m*
dashboard panel *m* de mandos, salpicadero
dat I *aanw vnw* ese, esa, eso; (*verderaf:*) aquel, aquella, aquello; *wat is ~?* ¿qué es eso?, eso ¿qué es?; *ben jij ~?* ¿eres tú?; *zo, ~ is ~* bueno, ya está; *ook ~ nog!* y ¡encima eso!; *~ is een vliegtuig* eso es un avión; *~ zijn de vleugels* aquéllas son las alas; *hoe weet je ~?* ¿cómo lo sabes?; II *betr vnw* que, el que, el cual; *de dag ~* el día en que; III *vw* que; *ik wil ~ je gaat* quiero que vayas
databank banco de datos
dateren 1 fechar; *een brief gedateerd 3 maart 1985* una carta fechada 3 de marzo de 1985; *de brief is niet gedateerd* la carta no lleva fecha; *hij was gedateerd ...* llevaba la fecha de ...; 2 *~ van* datar de
datgene: *~ wat* lo que
datum fecha; *op ~* (*ordenen*) por orden de fecha
dauw rocío
daveren retumbar; *~d applaus* salva de aplausos, ovación *v*; *~d succes* éxito clamoroso
d.d. *de dato* de fecha de; *~ 31 mei* del 31 de mayo
DDR *Duitse Democratische Republiek* República Democrática Alemana; *afk* RDA
de el, la, los, las; *hij is dé man* es la persona indicada
dealer distribuidor *m*, representante *m*; (*bij*

auto's) concesionario; (*in drugs*) traficante *m*; (*kleine drugshandelaar, fam*) camello
debat debate *m*, discusión *v*; **debatteren** discutir
debet debe *m*, débito
debet|nota nota de débito; **-post** adeudo; **-saldo** saldo deudor
debiel débil mental
debiteren cargar en cuenta; *grappen* ~ gastar bromas; **debiteur** deudor *m*
debuteren debutar; **debuut** debut *m, mv debuts*, estreno
decaan 1 (*van faculteit*) decano; 2 (*beroepsadviseur*) asesor *m* en orientación profesional
decadent decadente; **decadentie** decadencia
december diciembre
decennium decenio, década
decentralisatie descentralización *v*
decharge descargo; *getuige à* ~ testigo *m,v* de descargo
decibel decibelo; *afk* dB; **decimaal** decimal; *-male breuk* fracción *v* decimal; ~ *stelsel* sistema *m* decimal; **decimeren** diezmar; **decimeter** decímetro
declameren recitar, declamar
declaratie 1 (*kostenopgave*) nota por gastos; 2 (*rekening*) cuenta (de los honorarios); (*van advocaat*) minuta; **declareren** (*van kosten*) pasar notas por gastos
decoderen descifrar
decolleté escote *m*
decor decorado; **decoratie** 1 (*versiering*) decoración *v*; 2 (*onderscheiding*) condecoración *v*; **decoreren** 1 (*versieren*) decorar; 2 (*onderscheiden*) condecorar; **decorum** decoro
decoupeerzaag (*elektr*) sierra mecánica de calar
decreet decreto; **decreetgevend** (*Belg*) autorizado para dictar decretos, facultado para decretar; **decreetgeving** (*Belg*) legislación *v* mediante decreto; **decretaal** (*Belg*) decretal
deeg masa, pasta; **deegrol** rodillo pastelero
1 deel 1 parte *v*, porción *v*; *drie delen suiker* tres partes de azúcar; ~ *hebben aan* participar en, tener parte en; ~ *uitmaken van* formar parte de, ser parte (integrante) de; *de landen die* ~ *uitmaken van de EG* los países que integran la CE; *samenstellende delen* elementos constitutivos; *ten* ~ *vallen aan* caer en suerte a, tocar a, corresponder a; *ten dele, voor een* ~ en parte, parcialmente; *voor een groot* ~ en gran parte; 2 (*van boek*) tomo
2 deel 1 (*dorsvloer*) era; 2 (*plank*) tabla, tablón *m*
deelbaar divisible
deel|betaling pago parcial; **-genoot**: *iem* ~ *maken van iets* comunicar u.c. a u.p., hacer a u.p. partícipe de u.c.; **-gerechtigheid** derecho de participación (en los beneficios)
deelneemster 1 participante *v*; 2 (*sp*) concursante *v*, competidora
deelnemen (*aan, in*) participar (en), tomar parte (en); ~ *aan de verkiezingen* (*zich verkiesbaar stellen*) presentarse para las elecciones; ~ *aan een tv-quiz* concursar en la televisión; **deelnemer** 1 participante *m*; *de ~s aan de gemeenschappelijke markt* los copartícipes del mercado común; 2 (*sp*) concursante *m*, competidor *m*; **deelneming** 1 participación *v*; 2 (*medeleven*) sentimiento; *mijn oprechte* ~ mi más sentido pésame; *zijn* ~ *betuigen* dar el pésame
deelregering (*Belg*) gobierno regional
deels en parte
deeltijd|arbeid trabajo a tiempo parcial; **-baan** empleo a tiempo parcial
deeltje partícula; **deeltjesversneller** acelerador *m* de partículas, ciclotrón *m*
deelverzameling subconjunto
deelwoord participio
Deen danés *m*; **Deens** danés *-esa*; **Deense** danesa
defaitisme derrotismo
defect I *zn* defecto, falta; II *bn* defectuoso, averiado; ~ *zijn* no funcionar
defensie defensa; **defensief** defensivo
defilé desfile *m*; **defileren** desfilar
definiëren definir; *niet te* ~ indefinible; **definitie** definición *v*; **definitief** definitivo
deftig 1 elegante, distinguido, aristocrático; (*fam*) de postín; *een ~e buurt* un barrio elegante; *een heel ~e familie* una familia distinguida; (*fam*) una familia de mucho postín; ~ *doen* (*fam*) darse postín; ~ *spreken* hablar con finura; 2 (*plechtig*) solemne, formal; *~e taal* lenguaje *m* formal
degelijk I *bn* 1 (*stevig*) sólido; 2 (*diepgaand*) detenido, concienzudo; II *bw* (*grondig*) detenidamente; *wel* ~ claro que sí, ya lo creo; *hij heeft wel* ~ *geschreven* claro que escribió
degen espada
degene: ~ *die* el que, la que, quien; *~n die* los que, las que, quienes
degradatie 1 degradación *v*; 2 (*sp*) descenso; **degraderen** degradar
deinen balancearse; **deining** 1 (*mbt schip*) balanceo; 2 (*mbt zee*) oleaje *m*; 3 (*opschudding*) conmoción *v*
dek 1 (*scheepv*) cubierta; *aan* ~ *komen* salir a cubierta; 2 (*deken*) manta
dekbed edredón *m*
1 deken manta
2 deken 1 (*godsd*) deán *m*; 2 (*van orde van advocaten*) decano
dekenkist arca
dekhengst (caballo) semental *m*
dekken 1 cubrir; *de schade is gedekt* el daño está cubierto; *de merrie laten* ~ hacer cubrir la yegua; 2 (*van tafel*) poner; *de tafel* ~ poner la mesa; 3 *zich* ~ *tegen* cubrirse contra, asegurarse contra; **dekking** cobertura; ~ *van de risico's* cobertura de los riesgos; *ter* ~ *van de kosten* para reembolsar los gastos; ~ *zoeken* ponerse bajo resguardo, ponerse al abrigo

dek|laag capa cubridora; **-lading** carga de cubierta; **-mantel** capa; *onder de ~ van* so capa de, bajo pretexto de; *als ~ dienen voor* servir *i* de tapujo a
dekolonisatie decolonización *v*; **dekolonisatieproces** proceso decolonizador
deksel tapa
dekzeil lona (alquitranada)
delegatie delegación *v*; **delegeren** (*aan*) delegar (en)
delen 1 (*verdelen*) dividir, partir; *het verschil ~* partir la diferencia; *door midden ~* partir por la mitad; *8 gedeeld door 2 is 4* 8 dividido por 2 son 4; **2** (*gezamenlijk hebben*) compartir; *ik deel uw mening niet* no comparto su opinión; *de maaltijd ~ met* compartir la comida con; **3** *~ in* compartir en, participar en; *~ in de vreugde* compartir en la alegría
delfstof mineral *m* (de extracción)
delibereren deliberar
delicatessen comestibles *mmv* finos
delict delito
deling 1 división *v*; **2** (*verdeling*) partición *v*
delinquent, delinquente delincuente *m,v*
delta delta
delta|vliegen *zn* vuelo en ala delta; **-vliegtuig** (avión *m*) deltoide *m*
delven 1 (*van graf*) cavar; **2** (*van delfstof*) extraer; *het ~ van metalen* la extracción de metales
demagoge demagoga; **demagogie** demagogia; **demagogisch** demagógico; **demagoog** demagogo
demi-finale semifinal *v*
demissionair dimisionario
demobiliseren desmovilizar
democraat, democrate demócrata *m,v*; **democratie** democracia; **democratisch** democrático; **democratiseren** democratizar; **democratisering** democratización *v*
demonstrant, demonstrante manifestante *m,v*; **demonstratie 1** (*betoging*) manifestación *v*; **2** (*het tonen*) demostración *v*; (*van bv sport*) exhibición *v*; **demonstratief** demostrativo; **demonstreren 1** (*betoging houden*) manifestarse *ie*; **2** (*tonen*) mostrar *ue*, demostrar *ue*
demontage desmontaje *m*; **demonteren** desarmar, desmontar
demoraliseren desmoralizar
dempen 1 (*van sloot*) cerrar *ie*, cegar *ie*; **2** (*van licht, geluid, schok*) amortiguar; *met gedempte stem* en voz baja; **demper 1** (*van piano*) apagador *m*; **2** (*van viool*) sordina
den pino
denderen resonar *ue*, retumbar; **denderend** magnífico, bárbaro, de órdago
Denemarken Dinamarca
denkbaar imaginable, concebible
denkbeeld idea, noción *v*; **denkbeeldig** imaginario, ficticio
denken 1 *~* (*aan*) pensar *ie* (en); (*zich indenken*) imaginarse, figurarse; (*op het idee komen*) ocurrírsele u.c. a u.p.; *denk je heus dat ...?* ¿piensas en serio que ...?; *ze mogen ~ wat ze willen* que piensen lo que quieran; *wat denkt u wel!* ¡qué se imagina Ud!; *dat dacht ik al* ya me lo imaginaba; *dat kun je wel ~* ya te puedes figurar; *waarom denkt u dat?* ¿qué le hace pensar así?; *wie had dat kunnen ~!* ¡quién lo hubiera pensado!; *dat geeft te ~* eso da que pensar; *geen ~ aan!* ¡ni pensarlo!; *daar had ik niet aan gedacht* no se me había ocurrido; *ik moet er niet aan ~* no lo quiero ni pensar; *ze dacht er net zo over als ik* pensaba lo mismo que yo, coincidía conmigo; *hoe denk je over hem?* ¿qué piensas de él?, ¿qué opinión tienes de él?; *je kunt er 3 dagen over ~* piénsalo 3 días; *er anders over ~* pensar de otra manera; **2** (*menen*) creer; *ik dacht dat je sliep* te creía dormido; *hij denkt dat ik in Parijs zit* me cree en París; *ik denk van wel* creo que sí, me imagino que sí; *je moet niet ~ dat* no creas que; **3** *~ aan* (*zich herinneren*) acordarse *ue* de; *zul je aan me ~?* ¿te acordarás de mí?; *hij denkt helemaal niet meer aan ...* ya no se acuerda para nada de ...; *denk er aan je medicijnen in te nemen* acuérdate de tomar tus medicinas; *hij denkt aan alles* está en todo; *denk aan uw lichten!* atención a sus luces
denk|vermogen facultad *v* de pensar, inteligencia, entendimiento; **-wijze** modo de pensar
denne|appel piña; **-boom** pino; **-naald** hoja de pino, pinocha
deodorant desodorante *m*
departement departamento
depenaliseren (*Belg*) despenalizar; **depenalisering** (*Belg*) despenalización *v*
dependance anexo
deponeren depositar
deportatie deportación *v*
deposito, depot depósito
deppen 1 (*met vocht*) mojar ligeramente; **2** (*van wond*) secar
depressie depresión *v*; **depressief** depresivo
deprimeren deprimir; **deprimerend** deprimente
deputatie diputación *v*
derde I *bn* tercero; **II** *zn* **1** (*deel*) tercio, tercera parte; **2** (*persoon*) tercero, -a, tercera persona; **derderangs** (*fig*) de quinta categoría
deren perjudicar, doler *ue*; *wat niet weet, wat niet deert* ojos que no ven, corazón que no siente
dergelijk tal, semejante, parecido; *en ~e* y otras cosas por el estilo, etcétera; *of iets ~s* o algo parecido, o algo por el estilo
dermate hasta tal punto, de tal manera
dertien trece; **dertiende I** *bn* decimotercio, decimotercero; *vrijdag de ~: a*) viernes el trece; *b*) (*ongeluksdag*) martes y trece; **II** *zn* trezavo
dertig treinta; **dertigste I** *bn* trigésimo; **II** *zn* treintavo, trigésima parte *v*; **dertigtal** treintena

des: ~ *te beter* tanto mejor; ~ *te meer, daar* tanto más cuanto
desalniettemin no obstante, así y todo
desbetreffend respectivo, relativo, correspondiente
deserteren desertar; **deserteur** desertor *m*; **desertie** deserción *v*
desgevraagd 1 (*op verzoek*) de desearse; 2 (*ondervraagd*) interrogado al respecto, al ser preguntado
desgewenst si así se desea, a petición
desillusie desilusión *v*
desinfectie desinfección *v*; **desinfectiemiddel** desinfectante *m*
deskundig experto, perito, entendido; **deskundige** experto, perito; **deskundigenrapport** informe *m* pericial; **deskundigheid** pericia, conocimientos *mmv* (del perito)
desnoods si hace falta, en caso de necesidad, en último caso
desondanks a pesar de ello
despoot déspota *m*
dessert postre *m*
dessin dibujo
destijds en aquel tiempo, por aquel entonces
detacheren destacar
detail detalle *m*, pormenor *m*; *en* ~ (*handel*) al por menor; *in ~s* con todo detalle, detalladamente; *in ~s treden* entrar en detalles
detail|handel comercio minorista, comercio al por menor; **-prijs** precio al por menor; **-verkoop** venta al por menor
detective 1 (*persoon*) detective *m*; 2 (*roman*) novela policíaca
detoneren (*uit de toon vallen*) desentonar
deugd virtud *v*; *de* ~ *in het midden* en término medio va la virtud; *het doet me* ~ me agrada; **deugdelijk** 1 (*stevig*) sólido, seguro; 2 (*mbt argument*) válido; **deugdzaam** virtuoso
deugen: *niet* ~ no servir *i*, no valer nada; *hij deugt nergens voor* no sirve para nada; **deugniet** (*kind*) niño travieso, niña traviesa, tunante, -anta
deuk bollo, abolladura; *het is een* ~ *in zijn prestige* ha quedado mellado su prestigio
deuntje aire *m*, musiquilla
deur puerta; *een open* ~ (*fig*) una perogrullada; *openslaande ~en* balcones *mmv*; *tweedelige* ~ puerta de dos hojas; *ik ben de* ~ *niet uit geweest* no me he movido de casa; *de* ~ *voor iems neus dichtslaan* dar a u.p. con la puerta en las narices; *dat doet de* ~ *dicht* ya es el colmo, hasta allí podíamos llegar; *met de* ~ *slaan* dar un portazo; *met de* ~ *in huis vallen* ir directamente al grano; *met gesloten ~en* a puerta cerrada; *voor de deur staan* (*fig*) acercarse, avecinarse; *de oorlog staat voor de* ~ la guerra está encima
deur|bel timbre *m*; **-dranger** cierrapuerta; **-knop** pomo; **-opener** (*in flat*) portero eléctrico; **-opening** marco de la puerta, vano; **-post** jamba
deurwaarder agente *m* judicial, oficial *m* del juzgado; **deurwaardersexploot** 1 notificación *v* (de agente judicial); 2 (*dagvaarding*) citación *v*
deux-pièces dos piezas *m*
devaluatie devaluación *v*
devies divisa, lema *m*; **deviezen** divisas, moneda extranjera
deze este, esta, estos, estas; ~ *en gene* varias personas; ~ *of gene* alguna persona
dezelfde 1 el mismo; 2 (*identiek*) igual; *ze hebben* ~ *schoenen aan* llevan zapatos iguales
dia diapositiva; **diadeem** diadema *m*; **diafragma** diafragma *m*
diagnose diagnóstico; *een* ~ *stellen* emitir diagnóstico, formular un diagnóstico
diagonaal I *zn* diagonal *v*; II *bn* diagonal; III *bw* en diagonal
diamant diamante *m*; *~en slijpen* tallar diamantes
diamant|naald aguja de diamante; **-slijper** diamantista *m*
diameter diámetro
dia|projector proyector *m* para diapositivas; **-raampje** marco para diapositivas
diarree diarrea
dicht 1 cerrado; *de gordijnen zijn* ~ las cortinas están cerradas; 2 (*dicht op elkaar*) denso; *~e baard* barba cerrada; ~ *bos* bosque *m* espeso; ~ *gebladerte* tupido follaje *m*; *~e mist* niebla densa; *een ~e regen* una apretada lluvia; ~ *weefsel* tejido tupido; 3 (*niet lekkend*) estanco
dichtbevolkt de densa población, densamente poblado
dichtbij I *bw* cerca; II *vz* cerca de, junto a, en las proximidades de
dicht|doen cerrar *ie*; (*van gordijnen ook:*) correr; **-draaien** cerrar *ie*
dichten 1 (*verzen maken*) escribir poesía; 2 (*dichtmaken*) tapar; **dichter** poeta *m*; **dichteres** poetisa; **dichterlijk** poético
dicht|gaan cerrarse *ie*; **-gooien** 1 (*van deur*) cerrar *ie* con fuerza; 2 (*van kuil*) cerrar *ie*, tapar
dichtheid densidad *v*
dicht|knijpen apretar *ie*; **-knopen** abotonar, abrochar; **-maken** cerrar *ie*; (*van gat*) tapar; **-spijkeren** clavar; **-trekken** I *tr* (*van deur*) cerrar *ie*; II *intr* (*mbt lucht*) cerrarse *ie*; *de lucht trekt weer dicht* el cielo se cierra de nuevo
dictaat 1 (*het dicteren*) dictado; 2 (*aantekeningen*) apuntes *mmv*
dictator dictador *m*; **dictatuur** dictadura
dictee dictado; **dicteren** dictar
die I *aanw vnw* ese, esa, esos, esas; (*verderaf:*) aquel, aquella, aquellos, aquellas; *meneer* ~ *en* ~ el señor fulano; II *betr vnw* que, el que, el cual
dieet régimen *m, mv regímenes*, dieta; *op* ~ *zijn* estar a régimen; **dieetvoeding** alimentos *mmv* de régimen, alimentos *mmv* dietéticos
dief ladrón *m*; (*fam*) caco; *houdt de ~!* ¡a ése!, ¡al ladrón!; *~je met verlos spelen* jugar *ue* a policías y ladrones; **diefstal** robo, hurto

dienaar servidor *m*, sirviente *m*; **dienares** sirvienta
dienblad bandeja
dienen 1 servir *i*; *waarmee kan ik u ~?* ¿en qué puedo servirle?; *van die brutaliteiten ben ik niet gediend* no tolero esas impertinencias; **2** *~ als* servir de; *nergens toe ~* no servir para nada; **3** (*behoren*) deber; **4** (*jur*) verse; *de zaak dient maandag* la causa se ve el lunes || *ijs en weder ~de* si el tiempo lo permite
dienst servicio; *geheime ~* servicio secreto; *geneeskundige ~* servicio de sanidad; *een ~ bewijzen* prestar un servicio; *~ doen* prestar servicio, funcionar; *~ doen als slaapkamer* hacer de dormitorio; *~ hebben* estar de turno, estar de guardia; *~ nemen* (*mil*) alistarse; *buiten ~* fuera de servicio; *buiten ~ stellen* poner fuera de servicio; *in ~ hebben* tener empleado, tener a su servicio; *in ~ nemen* contratar; *in ~ stellen* poner en servicio; *in ~ treden* incorporarse; *in ~ zijn* hacer el servicio (militar); *in ~ zijn van* estar al servicio de, estar a sueldo de; *vertrouwende u hiermee van ~ te zijn geweest* confiando haberles sido útil a Uds.; *gebruikmaken van iems ~en* aceptar los servicios de u.p.
dienst|auto coche *m* oficial; **-betrekking** *zie: dienstverband*; **-bode** criada, muchacha; **-doend** de turno, de guardia
diensten|centrum (*vglbaar:*) centro cívico (municipal); **-sector** sector *m* (de) servicios
dienst|geheim secreto oficial; **-jaar** año de servicio; **-meisje** muchacha, sirvienta; **-order** orden *v*; **-personeel** personal *m* doméstico, criados *mmv*
dienstplicht servicio militar; **dienstplichtig** de edad militar
dienst|regeling horario (de servicio); **-tijd** (*mil*) servicio activo; **-verband** relación *v* laboral, relación *v* de trabajo; *tijdelijk ~* contratación *v* temporal; **-verlenend**: *~e instellingen* entidades *vmv* de servicios; **-verlening** prestación *v* de servicios; **-weigeraar** objetor *m* de conciencia; **-woning** residencia oficial
dientengevolge a consecuencia, por tanto
dienwagen mesita de ruedas, carrito
diep profundo; (*fig ook:*) hondo; *~e genegenheid* afecto entrañable; *~e oogkassen* órbitas hundidas; *~er maken* aprofundizar
diep|bedroefd profundamente entristecido; **-gaand** detenido; *een ~ onderzoek* una investigación detenida, un exhaustivo estudio; **-gang** calado; **-liggend** (*mbt ogen*) hundido
diepte profundidad *v*; *in de ~ zagen we* en lo hondo vimos
diepte|psychologie psicología de lo profundo; **-punt** fondo; *een ~ bereiken* tocar fondo
diep|vries congelación *v* rápida; **-vrieskast** congelador *m*; **-vriesprodukten** productos (ultra)congelados, congelados
diepzee|visser pesquero de alta mar; **-visserij** pesca de altura
diepzinnig profundo
dier animal *m*
dierbaar querido
dieren|arts veterinario; **-bescherming** protección *v* de los animales; **-rijk** mundo animal; **-tuin** (jardín *m*) zoológico; **-winkel** tienda de animales
dier|geneeskunde veterinaria; **-kunde** zoología
dierlijk animal
dier|proef experimento con animales (de laboratorio); **-soort** especie *v* (animal)
dies: *en wat ~ meer zij* etcétera
diesel (*brandstof*) gasóleo
diesel|motor motor *m* Diesel; **-olie** aceite *m* Diesel, gasóleo
diëtist, **diëtiste** dietético, -a
dievenbende banda de ladrones
differentieel diferencial *v*
difterie difteria
diggelen: *aan ~ slaan* hacer pedazos
digitaal digital
dij muslo; **dijbeen 1** (*bovenbeen*) muslo; **2** (*bot*) fémur *m*
dijk dique *m*; *aan de ~ zetten* poner en la calle
dijk|doorbraak rotura de un dique; **-schouw** inspección *v* de los diques
dik 1 grueso; (*mbt persoon ook:*) gordo; *~ boek* libro voluminoso; *een 2 meter ~ke laag ijs* una capa de hielo de 2 metros de espesor; *~ maken* hacer engordar; *~ worden* engordar, ganar peso, (*fam*) echar carnes; **2** (*mbt haar, saus*) espeso; **3** (*opgezwollen*) hinchado; *~ke ogen* ojos hinchados || *~ doen* darse tono, darse postín; *maak je niet ~!* ¡no te preocupes!, ¡no te pongas así!; *~ke vrienden* amigos inseparables; *er ~ op liggen* ser obvio; *door ~ en dun* a todo trance
dik|doenerig fanfarrón *-ona*; **-huidig 1** de piel gruesa, paquidermo; **2** (*fig*) insensible
dikkerd gordo, -a
dikte 1 (*omvang*) grueso; **2** (*van laag*) espesor *m*; **3** (*van persoon*) gordura
dikwijls a menudo, frecuentemente
dikzak gordo, -a
dilemma dilema *m*
dimlicht luz *v* de cruce; **dimmen 1** (*mbt auto*) poner luz *v* de cruce; **2** (*binnenshuis*) bajar la luz; **dimmer** regulador *m* (de voltaje)
diner cena; (*feestelijk*) banquete *m*; **dineren** cenar
ding cosa; *ik zou er een lief ~ voor geven dat* daría cualquier cosa por que
dingen: *~ naar* pretender, aspirar a
dinsdag martes *m*
diploma diploma *m*
diplomaat diplomático; **diplomatenkoffertje** maleta diplomática; **diplomatie** diplomacia; **diplomatiek** diplomático; *langs ~e weg* por vía diplomática
direct I *bn* directo, inmediato; *~e uitzending* emisión *v* en directo; **II** *bw* en seguida; *~ daarna* acto seguido; *~ werkend* de acción *v* direc-

ta; *ze herkende me niet* ~ tardó en conocerme; **direct-drive** tracción *v* directa
directeur director, -ora; (*manager*) gerente *m,v*; **directie** gerencia, dirección *v*
directie|keet cabina del director; **-lid** directivo; **-niveau** nivel *m* direccional; **-secretaris** secretario de dirección
directoraat-generaal dirección *v* general; **directrice** directora
dirigent, **dirigente** director, -ora de orquesta; **dirigeren** dirigir
discipline disciplina; *ijzeren* ~ férrea disciplina
disc jockey disc jockey *m*, pinchadiscos *m*
disconto descuento; **discontokrediet** (*Belg*) crédito de descuento
discotheek discoteca
discreet discreto
discriminatie discriminación *v*, marginación *v*; **discriminerend** discriminatorio
discus (*sp*) disco
discussie discusión *v*, debate *m*; *de* ~ *leiden* dirigir el debate, hacer de moderador; **discussiëren** discutir
discuswerpen *zn* lanzamiento de disco
diskdrive unidad de discos, dispositivo de disco
diskette disco (floppy)
diskrediet: *in* ~ desacreditado; *in* ~ *brengen* desacreditar, desprestigiar
diskwalificeren descalificar; *zich* ~ descalificarse
dissertatie tesis *v*
dissident, **dissidente** disidente *m,v*
distantiëren: *zich* ~ *van* distanciarse de
distel cardo, abrojo
distilleerderij destilería; **distilleerketel** alambique *m*, aparato de destilar; **distilleren** destilar
distribueren distribuir, repartir; **distributie** (*bij schaarste*) racionamiento
district distrito
dit *aanw vnw* este, esta, esto; ~ *zijn mijn boeken* éstos son mis libros; *dit is een roos* esto es una rosa; *over ~jes en datjes praten* hablar de quisicosas
dividend dividendo
d.m.v. *door middel van* por medio de, mediante
dobbelen jugar *ue* a los dados; **dobbelsteen** dado
dobber corcho, veleta; *dat was een harde ~!* ¡vaya tostón!; **dobberen** flotar
docent, **docente** profesor *m, soms v*, -ora, docente *m,v*, enseñante *m,v*; *de ~en* el profesorado; *vaste ~en* profesorado de plantilla; **doceren** enseñar; (*plechtiger:*) impartir docencia, impartir enseñanza
doch mas, pero
dochter hija; **dochtermaatschappij** (empresa) filial *v*
doctor doctor, -ora; *afk* Dr., Dra.; **doctoraalexamen** (*vglbaar:*) licenciatura; ~ *doen* (*vglbaar:*) licenciarse; **doctoraat** doctorado; **doctorandus** (*vglbaar:*) licenciado, -a; *afk* Ldo., Lda.
document documento; **documentaire** (película) documental *v*; **documenteren** documentar
dode muerto, -a; **dodelijk** I *bn* mortal; II *bw* mortalmente
dodemansknop dispositivo hombre muerto
doden 1 matar; *twee personen werden gedood* resultaron muertas dos personas; 2 (*van bacteriën*) destruir; **dodenherdenking** conmemoración *v* de los muertos (en la guerra)
doedelzak gaita (gallega), cornemusa
doe-het-zelf bricolaje *m*, hágalo Usted mismo; **doe-het-zelf set** kit *m* de bricolaje; **doe-het-zelver** bricolador *m*, manitas *m*
doek 1 tela; 2 (*schildersdoek*) lienzo; 3 (*toneel*) telón *m*; *het* ~ *gaat op* sube el telón; 4 (*scherm*) pantalla; 5 (*lap*) trapo; *met zijn arm in een* ~ con el brazo en un cabestrillo; *uit de ~en doen* explicar; **doekje** trapito; *een* ~ *voor het bloeden* una dedada de miel; *er geen ~jes om winden* no andar con rodeos || *open* ~ llamada a escena
doel 1 fin *m*, objeto, objetivo, meta; *het beoogde* ~ el fin perseguido; *het* ~ *heiligt de middelen* el fin justifica los medios; *zijn* ~ *bereiken* alcanzar la meta, lograr sus aspiraciones; *een* ~ *nastreven* perseguir *i* un objeto; *zich een* ~ *stellen* definir su objetivo, fijarse un objetivo; *zijn* ~ *voorbijschieten* fallar por exceso de medios, pasarse de listo; *met het* ~ *om* con el fin de, con el objeto de; *op zijn* ~ *afgaan* ir a lo suyo; *hij ging direct op zijn* ~ *af* iba directo a su objetivo; *tot dit* ~ al efecto, a este fin; *maatregelen die tot* ~ *hebben* medidas encaminadas a; *zonder bepaald* ~ sin meta fija, sin norte fijo; 2 (*sp*) gol *m*, meta, portería; *door het* ~ *gaan* cruzar
doel|bewust decidido, resuelto; **-einde** objetivo, finalidad *v*; *voor militaire ~n* de aplicación *v* militar; *voor vreedzame ~n* para fines pacíficos
doelen: ~ *op* referirse *ie, i* a, aludir a
doel|groep grupo meta, destinatarios *mmv*, recipiendarios *mmv*; **-lat** larguero; **-lijn** línea de gol
doelloos 1 sin objeto; *zijn leven was* ~ su vida no tenía objeto; 2 (*nutteloos*) inútil
doelman portero, guardameta *m*, (*Am*) arquero
doelmatig eficaz, apropiado, eficiente; **doelmatigheid** eficacia
doel|paal poste *m*; **-punt** gol *m*, tanto; *een* ~ *maken* meter un gol, marcar un gol; **-sparen** (*Belg*) (plan *m* de) ahorro sistemático; **-stelling** objetivo; *buiten de ~en vallen* no estar en consonancia con la finalidad; **-taal** lengua meta, lengua receptora, lengua terminal; **-treffend** eficaz; **-wit** blanco
doemen: *gedoemd om* condenado a

doen I *ww* **1** hacer; *je doet maar!* ¡haz lo que quieras!; *dat had je nooit moeten* ~ no debiste hacerlo nunca; *wat komt hij ~?* ¿a qué ha venido?; *wat zullen we nu ~?* y ahora ¿qué hacemos?; *jij moet er ook wat voor* ~ también tienes que poner algo de tu parte; *een ontdekking* ~ hacer un descubrimiento; *een stap* ~ dar un paso; *er is nog veel te* ~ queda mucho por hacer; **2** (*maken dat*) hacer; ~ *gelden* hacer valer; ~ *lachen* hacer reír; ~ *toekomen* enviar *i*; **3** ~ *aan:* ~ *aan sport* hacer deporte, practicar deporte; *er meer aan* ~ dedicarle más tiempo; *er is niets meer aan te* ~ ya no tiene arreglo, ya no tiene remedio; *ik kon er niets aan* ~ no lo pude remediar; *niemand kon er iets aan* ~ *dat* nadie tenía la culpa de que; **4** ~ *alsof* hacer como si; *hij doet alsof hij slaapt* se hace el dormido; *hij deed alsof hij boos was* fingió enojo; *ze* ~ *alsof ze niets horen* simulan no oír; **5** *erbij* ~ añadir; **6** *erin* ~ meter, poner; *suiker in de koffie* ~ echar azúcar en el café; *je hoeft er geen suiker in te* ~ no tienes que ponerle azúcar; *iets in zijn zak* ~ meterse u.c. en el bolsillo; **7** ~ *in* (*handelen in*) tener un negocio de, dedicarse a; *hij doet in wijn* tiene un negocio de vinos; **8** *erover* ~ (*bezig zijn*) tardar; *hij deed er 20 minuten over* tardó 20 minutos en hacerlo, le tomó 20 minutos; **9** *ertoe* ~ importar; *het doet er niet toe* no importa, no hace al caso; *dat doet er minder toe* es lo de menos; **10** *het* ~ *met* (*zich behelpen*): *daar kan ik het mee* ~ con eso me puedo arreglar; *daar kan je het mee ~!* (*fig, fam*) ¡chúpate ésa!, ¡tómate ésa!; **11** ~ *zonder* prescindir de; *ik kan het niet zonder* ~ no puedo prescindir de ello; **12** *te ~: niet te* ~ imposible de hacer; *je krijgt met mij te* ~ me oirás; *het is hem om het geld te* ~ anda detrás del dinero; *te* ~ *hebben met* sentir *ie, i* pena por; *ik heb met de stakker te* ~ me da lástima el pobre; *er is veel te ~: a*) (*werk*) hay mucho trabajo; *b*) (*vermaak*) hay de todo; II *zn*: ~ *en laten* comportamiento; *zijn gewone* ~ *en laten* su vida habitual; *hij is niet in zijn gewone* ~ no es el de siempre, está raro; *uit zijn* ~ desorientado, despistado; *ze werd vroeg wakker voor haar* ~ se despertó temprano para ella; **doende**: ~ *zijn met* ocuparse de; *al* ~ *aanpassen* adaptar sobre la marcha; *al* ~ *leert men* andando se aprende a andar; **doenlijk** factible, viable
doetje dengue *m*, vulnerable *m,v*
doezelen dormitar
dof **1** (*mbt kleur, oppervlak*) mate, apagado, sin brillo; ~ *maken* deslustrar, empañar; ~ *worden* deslustrarse, perder *ie* el brillo; **2** (*mbt geluid, pijn*) sordo, apagado; **3** (*somber, stil*) triste, mudo
doffer palomo
dofheid falta de brillo
dog (perro) dogo
dogma dogma *m*
dok dique *m*; *drijvend* ~ dique flotante
doka *zie: donker*
dokken pagar, soltar *ue* la mosca, aflojar la bolsa
dokter médico; (*vrouw*) médico *v*, médica; *naar de* ~ *gaan* ir a ver a un médico, consultar a un médico; **dokteren**: ~ *aan* arreglar, apañar
dokters|assistent, **-assistente** asistente *m,v* de médico, auxiliar *m,v* del consultorio de un médico; **-attest** certificación *v* médica
dol **1** (*verrukt*) loco; ~ *zijn op* estar loco por, morirse *ue, u* por; (*fam*) pirrarse por, estar chiflado con; *hij is* ~ *op muziek* le encanta la música, la música le gusta horrores; **2** (*woedend*) furioso, frenético; *het maakt hem* ~ le saca de quicio; **3** (*mbt hond*) rabioso || *door het ~le heen* fuera de sí; *dat wordt al te* ~ ya pasa de castaño oscuro; **dolblij**: ~ *zijn* no caber en sí de alegría, rebosar de felicidad
dolen vagar
dolfijn delfín *m*
dolgraag con el mayor gusto, con muchísimo gusto; *ik zou* ~ *willen* me gustaría muchísimo
dolk puñal *m*
dollar dólar *m*
1 dom (*kathedraal*) catedral *v*
2 dom estúpido, tonto, memo, necio; ~ *gepraat* sandeces *vmv*; *~me streek* burrada; *het was* ~ *van me* fue una tontería mía; ~ *zijn* no tener dos dedos de frente; *bepaald niet* ~ *zijn* no tener pelo de tonto; *zich van de ~me houden* hacerse el desentendido, hacerse el loco, no darse por aludido
domein dominio; *~en* patrimonio del Estado
domheid estupidez *v*, necedad *v*, sandez *v*, memez *v*
domiciliëren domiciliar; **domiciliëring** domiciliación *v*
dominant dominante
dominee pastor *m* protestante
domineren dominar
Dominicaans: *~e Republiek* República Dominicana
dominospel dominó
domkop imbécil *m,v*, mentecato, -a
dommelen dormitar
domoor tonto, bobo
dompelen sumergir; **dompeling** inmersión *v*, sumersión *v*
domper: *ergens een* ~ *op zetten* hacer de apagavelas, hacer de bombero
dompteur, **dompteuse** domador, -ora (de fieras)
domweg sencillamente, simplemente
donateur, **donatrice** contribuyente *m,v*, donante *m,v*; **donatie** donativo
donder trueno; *daar kun je* ~ *op zeggen!* ¡eso, darlo por descontado!; *geen* ~ nada de nada, ni pizca; *geen* ~ *doen* no hacer nada; *geen* ~ *begrijpen* no entender *ie* ni jota; *iem op zijn* ~ *geven: a*) (*slaag*) dar una paliza a u.p.; *b*) (*mondeling*) reñir *i* a u.p., cantar las cuarenta a u.p.

donderdag jueves *m*; *witte* ~ jueves santo
donderen I *intr* 1 tronar *ue*; *het dondert* truena, está tronando; 2 (*vallen*) caer; *hij donderde de trap af* cayó escalera abajo dando tumbos; II *tr* (*gooien*) arrojar; **donderend** ensordecedor -*ora*; **donderjagen** armar un follón; **donders** I *bn* condenado, maldito, dichoso; II *bw*: ~ *lastig*: *a*) (*hinderlijk*) rematadamente molesto; *b*) (*moeilijk*) una verdadera lata, complicadísimo; III *tw*: ~! ¡caray!; **donderwolk** nube *v* de tormenta; *een gezicht als een* ~ cara de pocos amigos; (*pop*) cara de mala leche
donker I *bn* 1 oscuro; (*somber*) sombrío; ~*e kamer* cámara oscura; 2 (*mbt lucht*) nuboso, oscuro, encapotado; *het wordt* ~ oscurece, se hace de noche, cae la noche; II *bw*: ~ *kijken* mirar con ojos sombríos; III *zn* oscuridad *v*; *bij* ~ (cuando hace) de noche; *in het* ~ en la oscuridad, a oscuras; *tegen* ~ al anochecerro
donkerblond rubio oscuro, castaño oscuro
donor (*van bloed*) donante *m,v*; **donorcodicil** carné *m* de donante
dons plumón *m*; **donsdeken** edredón *m*; **donsvest** (*bodywarmer*) plumífero; **donzen** de plumón
dood I *zn* muerte *v*; ~ *door schuld* homicidio culpable; *een gewelddadige* ~ *sterven* morir *ue, u* a mano airada; *een natuurlijke* ~ *sterven* morir *ue, u* de muerte natural; *een plotselinge* ~ una muerte repentina; *een zachte* ~ *sterven* tener una muerte dulce; *de* ~ *vinden* quedar muerto; *dat zou zijn* ~ *zijn* le costaría la vida; *als de* ~ *zijn voor* tener un miedo mortal de; *bij de* ~ *van* a la muerte de; *hij is ten dode opgeschreven* le han desahuciado; *ter* ~ *brengen* dar muerte; *ter* ~ *veroordelen* condenar a muerte; *om de dooie* ~ *niet!* ¡ni hablar!; II *bn* muerto; ~ *of levend* vivo o muerto; *meer* ~ *dan levend* más muerto que vivo; *zo* ~ *als een pier* muerto y bien muerto; *het is hier een dooie boel* esto está muy muerto; ~ *punt* punto muerto; *op* ~ *spoor*: *a*) (*lett*) en vía muerta; *b*) (*fig*) en un callejón sin salida; *zich* ~ *houden* hacerse el muerto; *zich* ~ *lachen* morirse *ue, u* de risa; *zich* ~ *schrikken* tener un susto de muerte; *zich* ~ *vervelen* aburrirse mortalmente; *zich* ~ *werken* matarse a trabajar, matarse trabajando
dood|bloeden desangrarse; **-doener** tapaboca, manta de viaje; **-drukken** ahogar, matar apretando; **-eenvoudig** sencillísimo; **-eerlijk** de lo más honrado; **-ernstig** serio como un ajo; **-gaan** morir *ue, u*; (*fam*) palmar, diñarla; **-geboren** nacido muerto; **-gemakkelijk** facilísimo, coser y cantar; **-gewicht** peso muerto; **-gewoon** completamente normal; **-goed** más bueno que el pan; **-kalm** estoico, impasible; **-kist** ataúd *m*, féretro; **-leuk** como si nada; **-lopen** no tener salida; ~*de weg* calle *v* sin salida; **-moe**, **-op** muerto de cansancio, rendido, hecho polvo; ~ *zijn* no poder tenerse
doods mortal
doods|angst miedo mortal, angustia mortal; *in* ~ con el corazón en un puño; **-bang** muerto de miedo; ~ *zijn* (*fam*) tener más miedo que siete viejas; **-bed** lecho de muerte; **-benauwd** *zie: doodsbang*; **-bericht** esquela mortuoria; **-bleek** lívido, pálido como la muerte
doodschieten matar a tiros, matar de un tiro
doods|hoofd calavera; **-kleed** mortaja; **-klok** campana fúnebre; *de* ~ *luiden* tocar a muerte
dood|slaan matar a golpes, matar a palos; **-slag** homicidio
doods|nood agonía; **-oorzaak** causa de la muerte; **-schrik** susto mortal; **-strijd** agonía; *in* ~ agonizante
dood|steek puñalada de muerte; (*fig*) golpe *m* mortal; **-steken** apuñalar; **-stil**: *het was er* ~ hacía un silencio de muerte; *hij stond* ~ estaba totalmente inmóvil; **-straf** pena de muerte, pena capital
doods|verachting desprecio de la muerte; *met* ~ desdeñando la muerte; **-vijand** enemigo mortal
dood|tij marea muerta; **-vallen** caerse muerto; **-verven**: ~ *als* nominar para; **-vonnis** sentencia de muerte; **-vriezen** morir *ue, u* helado; **-ziek** enfermo de muerte; **-zonde** pecado mortal; **-zwijgen** ignorar, pasar en silencio
doof sordo; ~ *aan een oor* sordo de un oído; ~ *zijn voor* desentenderse *ie* de, hacer caso omiso de; *zo* ~ *als een kwartel* sordo como una tapia; *Oostindisch* ~ *zijn* hacer oídos de mercader; *zich* ~ *houden* hacerse el sordo; **doofheid** sordera
doof|pot: *iets in de* ~ *stoppen* echar tierra a u.c.; **-stom** sordomudo
dooi deshielo
dooier yema (del huevo)
doolhof laberinto, dédalo
doop bautizo; (*sacrament*) bautismo; **doopsgezind** menonita; **doopvont** pila bautismal
door I *vz* 1 (*tijd, plaats*) por, a través de; ~ *het raam* por la ventana; ~ *de eeuwen heen* a través de los siglos, a lo largo de los siglos; ~ *de week* entre semana; 2 (*oorzaak*) por, ante, por motivo de, a causa de; ~ *de schaarste* por la escasez, ante la escasez; *het was geschreven* ~ *mijn broer* fue escrito por mi hermano; II *bw* por; ~ *en* ~ a fondo; ~ *en* ~ *eerlijk* honrado a carta cabal; *hij is er* ~ ha aprobado; *het kan er mee* ~ puede pasar; *aan een stuk* ~ ininterrumpido; *de hele film* ~ a lo largo de la película; *de hele gang* ~ a lo largo del pasillo; *het hele land* ~ por todo el país; *de hele nacht* ~ toda la noche
doorbakken 1 (*mbt brood, cake*) recocido; 2 (*mbt biefstuk*) bien hecho, muy hecho
door|berekenen repercutir, cargar en cuenta del comprador; *de laatste verhogingen hebben we niet -berekend* las últimas subidas no las hemos repercutido; **-betalen** seguir *i* pagando; **-betaling** pago ininterrumpido (de sueldo); **-bijten** 1 partir con los dientes, morder

ue; 2 (*fig*) hacer un esfuerzo; **-bladeren** hojear
doorboren 1 (*boren*) perforar, taladrar; 2 (*doorheen gaan*) atravesar *ie*
doorbraak ruptura; (*fig*) innovación *v*, ruptura, gran paso adelante
door|breken I *intr* 1 (*mbt stok, dijk*) romper(se); 2 (*mbt zon*) disipar la niebla, atravesar *ie* la niebla; II *tr* romper; **-brengen** pasar; *de tijd ~ met lezen* pasar el tiempo leyendo; **-buigen** *intr* doblarse
doordacht bien pensado, bien meditado
doordat porque, debido a
door-de-weeks (de) entre semana
door|draven exagerar, no parar; **-drijven** llevar adelante; *zijn plan ~* llevar adelante su plan; *zijn zin ~* imponer su voluntad
'doordringen 1 penetrar, filtrarse, calar; *de kou drong door zijn kleren heen* el frío calaba sus ropas; 2 *~ tot: a*) (*lett*) penetrar hasta; *b*) (*fig*): *het dringt niet tot hem door dat* no se da cuenta de que, no se percata de que
door'dringen penetrar; *iem ervan ~ dat* convencer a u.p. de que
doordringend penetrante; **doordrongen**: *~ zijn van* estar convencido de que
doordrukken: *iets er ~* presionar por lograr u.c.
dooreen (*door elkaar*) todos juntos, sin orden ni concierto
dooreten seguir *i* comiendo; *eet eens door!* ¡come un poco más de prisa!, ¡termina ya de comer!
door|gaan 1 continuar *ú*, seguir *i*; *~ met studeren* seguir estudiando; *~ met zijn werk* continuar su trabajo; *als het zo -gaat* de seguir así las cosas, a este paso; *dat kan zo niet ~* eso no puede seguir así; 2 *~ op* continuar hablando de, insistir en; 3 (*lopen door*) pasar por; 4 (*plaatshebben*) celebrarse, tener lugar; *niet laten ~* suspender; *de staking ging niet door* la huelga no tuvo lugar; 5 *~ voor* pasar por, ser tenido por; *laten ~ voor* hacer pasar por; **-gaand**: *~e reiziger* viajero en tránsito; *~e trein* tren *m* directo; *~ verkeer* tráfico de tránsito; **-gaans** generalmente, en general, comúnmente, por lo común; **-gang** paso, pasillo; *~ vinden* tener lugar
doorgeven pasar; *informatie ~* pasar información
doorgewinterd experimentado, ducho; (*gehard*) aguerrido
doorgroefd curtido, arrugado
doorgronden calar, penetrar
doorhakken cortar
doorhalen 1 (*doorstrepen*) tachar, borrar, cancelar; *~ wat niet verlangd wordt* táchese lo que no interese; *~ wat niet van toepassing is* táchese lo que no proceda; 2 (*niet slapen*) trasnochar; **doorhaling** tachadura
doorhebben calar; *ik heb je door* te veo venir, te veo el juego; *nu heb ik het door* ahora caigo
doorheen a través; *we moeten er ~* tendremos que aguantar, tenemos que pasar adelante; *er ~ zijn: a*) (*afhebben*) tener terminado; *b*) (*geslaagd zijn*) haber aprobado; *zich er ~ slaan: a*) (*zich redden*) defenderse *ie*; *b*) (*met goede afloop*) salir airoso
door|jagen: *er ~* (*van geld*) gastarse; **-kijken** (*snel bekijken*) pasar una rápida mirada por
doorkneed: *~ in* versado en
door|knippen cortar; **-koken** cocer *ue* bien; **-komen** 1 pasar; *er is geen ~ aan: a*) (*lett*) no se puede pasar; *b*) (*fig*) no hay salida airosa posible; 2 (*mbt zon*) *zie: doorbreken*; **-krijgen** 1 (*van iem*) calar, penetrar; 2 (*van iets*) caer en la cuenta de; **-laten** dejar pasar
'doorleven seguir *i* viviendo
door'leven (*beleven*) vivir
door|lezen I *tr* leer rápidamente, repasar; II *intr* seguir *i* leyendo; **-lichten** hacer la radiografía de; **-liggen** decentarse
doorloop paso, pasaje *m*
'doorlopen 1 seguir *i* andando; *weer ~* reemprender la marcha; 2 (*sneller:*) acelerar el paso; *flink ~* ir a buen paso; *loop door!* ¡tira para adelante!; 3 (*mbt kleuren*) correrse; 4 (*lopen door*) atravesar *ie*, recorrer; 5 (*mbt koffie*) filtrarse, pasar, colarse *ue*; *de koffie loopt door* el café se está filtrando; *de koffie laten ~* colar *ue* el café
door'lopen (*van cursus*) cursar, seguir *i*, terminar
doorlopend continuo; *~e voorstelling* sesión *v* continua; **doorloper** crucigrama *m* blanco
doormaken pasar por
doormidden en dos
doorn espina, púa; *het is me een ~ in het oog* no puedo verlo
doornat calado hasta los huesos
doornemen repasar
doornenkroon corona de espinas
Doornroosje la Bella durmiente del bosque
door|praten I *intr* continuar *ú* hablando; II *tr* discutir; **-prikken** pinchar
doorregen: *~ spek* tocino entreverado
door|regenen lloverse *ue*; *de tent regent door* la tienda se llueve; **-reis** tránsito; *op ~ zijn* estar de paso; **-reisvisum** visado de tránsito
door|reizen atravesar *ie*, recorrer; **-rijden** 1 seguir *i*, continuar *ú*; (*na ongeval*) no detenerse; 2 (*sneller:*) ir más de prisa, darse prisa; 3 (*rijden door*) atravesar *ie*; **-rijhoogte** altura de paso; **-roesten** gastarse por oxidación; **-schemeren** 1 filtrarse, traslucirse; 2 *laten ~* insinuar *ú*, indicar veladamente, dejar vislumbrar; **-scheuren** romper; (*van papier ook:*) rasgar
doorschijnend 1 (*mat*) traslúcido; 2 (*helder*) transparente
doorslaan 1 (*mbt stop*) fundirse, quemarse, saltar; *er is een stop -geslagen* se ha quemado un fusible; 2 (*bij verhoor*) cantar (de plano); 3 *doen ~* (*van balans*) hacer inclinar; 4 (*mbt muur*) sudar, rezumar

doorslag copia al carbón || *de ~ geven* decidir; **doorslaggevend** determinante, decisivo; *~ zijn* ser el factor decisivo, prevalecer
door|slikken tragar(se); **-smeren** lubricar, lubrificar; **-snede** sección *v*, corte *m*; **-snee** medio; *de ~ Spanjaard* el español medio; *een ~ monster* una muestra representativa; *in ~* por término medio

'doorsnijden cortar
door'snijden cruzar, surcar, atravesar *ie*
doorspekken: *~ met* entreverar de, sembrar *ie* de; **doorspekt**: *~ met* veteado de, lleno de, salpicado de
door|spelen 1 seguir *i* jugando; 2 (*muz; vervolgen*) seguir *i* tocando; 3 (*muz; doornemen*) repasar; 4 (*doorgeven*) pasar; **-spoelen** (*van WC*) tirar de la cadena; **-spreken** *zie: doorpraten*
door'staan aguantar, resistir, pasar por, salir con bien de
'doorsteken perforar || *-gestoken kaart* componenda
door'steken atravesar *ie*
doorstrepen tachar, rayar
door|stroming paso; **-stroomsnelheid** velocidad *v* de paso
doortastend enérgico; **doortastendheid** energía, decisión *v*
doortimmerd sólido
doortocht paso; *zich een ~ banen* abrirse paso
doortrapt astuto, taimado
door|trekken 1 (*van land*) recorrer; 2 (*van weg*) prolongar; 3 (*van wc*) tirar de la cadena
doortrokken: *~ van* imbuido de, empapado de
door|vaarhoogte altura de paso; **-vaart** paso; **-varen** 1 (*varen door*) pasar por; 2 (*voortgaan*) seguir *i* navegando; 3 (*sneller:*) ir más rápido, darse prisa; **-verbinden** comunicar; **-verkoop** reventa; **-verkopen** revender; *om later door te verkopen* para su posterior reventa
doorvoed bien nutrido, bien alimentado
doorvoer tránsito; **doorvoeren** (*van maatregelen*) poner en práctica, llevar a la práctica; **doorvoerhaven** puerto de tránsito
door|waadbaar vadeable; *-bare plaats* vado; **-waakt** en vela; **-weekt** empapado, como una sopa
doorwerken I *intr* 1 seguir *i* trabajando; 2 *~ in* (*beïnvloeden*) repercutir en, tener repercusiones en, incidir en, influir en; II *tr* estudiar a fondo
doorwrocht muy elaborado, muy trabajado
door|zagen 1 serrar *ie*; 2 (*fig*) machacar; **-zakken** 1 (*mbt vloer*) hundirse; 2 (*mbt kabel*) aflojarse; 3 (*drinken*) emborracharse; **-zenden** enviar *í*, reexpedir *i*
doorzetten I *intr* perseverar; no cejar; (*een doorzetter zijn*) tener constancia y tenacidad; II *tr* llevar adelante; **doorzetter** voluntarista *m*, persona (constante y) tenaz; **doorzettingsvermogen** perseverancia, tesón *m*
doorzeven: *~ met kogels* acribillar a balazos
doorzichtig 1 (*lett*) transparente, diáfano; 2 (*fig*) evidente; *een ~ excuus* una excusa floja
door|zien: *iem ~* descubrir a u.p., verle el juego a u.p.; *iets ~* penetrar u.c., comprender u.c.; **-zoeken** registrar
doos 1 caja; 2 (*gevangenis*) chirona; *in de ~ stoppen* poner a la sombra
dop 1 (*van ei, noot*) cáscara; 2 (*van erwt*) vaina; 3 (*van fles*) tapón *m*, cápsula; 4 (*van pen*) capuchón *m* || *in de ~* (*ivm beroep*) en agraz
dope estimulante *m*
dopen 1 (*godsd*) bautizar; 2 (*indopen*) mojar
doperwt guisante *m*
doping doping *m*, dopaje *m*, uso de estimulantes; *~ toepassen* doparse
dopmoer tuerca, capuchón *m*
doppen 1 (*van ei*) descascarar, quitar la cáscara de; 2 (*van erwten, bonen*) desvainar, desgranar
dopsleutel llave *v* tubular
dor árido, seco; **dorheid** sequedad *v*, aridez *v*
dorp pueblo; (*kleiner:*) aldea; **dorpeling** aldeano, -a
dorps|bewoner aldeano, -a; **-gek** tonto del pueblo; **-huis** (*centrum*) casa del pueblo; **-plein** plaza (del pueblo)
dorsen trillar
dors|machine trilladora
dorst sed *v*; *~ naar kennis* sed de saber; **dorsten**: *~ naar* ansiar, tener sed de; **dorstig** sediento; **dorstlessend** que apaga la sed
dorsvlegel mayal *m*
doseren dosificar; **dosering** dosificación *v*; **dosis** dosis *v*; *te grote ~* sobredosis *v*
dossier 1 expediente *m*, dossier *m*; *een ~ aanleggen* reunir *ú* documentación; (*strafr; bij verdenking*) formar expediente, abrir expediente; 2 (*map*) legajo
dot 1 (*haar*) maraña; 2 *~ watten* puñado de algodón (en rama); (*klein:*) pedacito de guata; 3 (*schatje*) monada
douane 1 (*instelling*) aduana; 2 (*beambte*) aduanero
douane|beambte empleado de la aduana; **-formaliteiten** trámites *mmv* aduaneros, gestión *v* de aduana; **-kantoor** aduana; **-rechten** derechos de aduana, derechos arancelarios; **-tarieven** tarifas aduaneras, aranceles *mmv*; **-verklaring** declaración *v* de aduana
double (*sp*) doble *m*, partida por parejas
doublé doublé *m*, dublé *m*, sobredorado
doubleren (*school*) repetir *i* el curso
douche 1 ducha; 2 (*fig*) *een koude ~* un jarro de agua fría; **douchen** *intr* ducharse, tomar una ducha
dove sordo, -a; **dovemansoren**: *dat is niet tegen ~ gezegd* no ha caído en saco roto
doven apagar, extinguir
dozijn docena
Dr. *doctor* doctor, -ora; *afk* Dr., Dra.
draad 1 hilo; *hij heeft geen droge ~ aan zijn lijf* está mojado hasta los huesos, está como una

sopa; *de ~ kwijtraken* perder *ie* el hilo; *de ~ weer opvatten* retomar el hilo, volver *ue* a coger el hilo; *de ~ in de naald steken* enhebrar la aguja; *tegen de ~* a contrapelo; *tot op de ~ versleten* (completamente) raído; *voor de ~ komen met* salir con; 2 (*metaal*) alambre *m*, hilo; 3 (*vezel*) fibra; 4 (*van schroef*) filete *m*, rosca; **draadglas** vidrio armado; **draadje** hililllo; *elke dag een ~ is een hemdsmouw in het jaar* poco a poco hila la vieja el copo; *aan een zijden ~ hangen* estar pendiente de un hilo; **draadloos** sin hilo; **draadnagel** clavo de alambre

1 draagbaar *zn* camilla

2 draagbaar *bn* portátil

draagkracht 1 capacidad *v*; 2 (*financ*) posibilidades *vmv* económicas, capacidad *v* financiera; *naar ~* a sus posibilidades

draaglijk llevadero, aguantable, soportable

draag|moeder madre *v* alquilada, madre *v* de alquiler; **-vermogen** capacidad *v* de carga; **-vlak** superficie *v* de apoyo; **-vleugelboot** aerodeslizador *m*; **-wijdte** alcance *m*, envergadura

draai giro; *~ om de oren* bofetada; *zijn ~ vinden* centrarse; *zijn ~ niet kunnen vinden* estar descentrado; **draaibaar** rotativo, giratorio

draai|bank torno; **-boek** guión *m*; **-cirkel** círculo de vuelta, diámetro de giro; **-deur** puerta giratoria

draaien I *tr* 1 hacer girar, dar vueltas a; 2 (*techn*) tornear; 3 (*telef*) marcar (un número); 4 (*opnemen, van film*) rodar *ue*; 5 (*vertonen, van film*) dar, proyectar; 6 (*van lp*) poner; 7 *zich ~* volverse *ue*; 8 *zich eruit ~* librarse hábilmente; II *intr* 1 girar, dar vueltas; (*mbt schip*) virar; *mijn hoofd draait ervan* mi cabeza es una devanadera; *het hele huis draait om de zoon* toda la casa se mueve en torno del hijo; *naar rechts ~* (*mbt auto*) efectuar ú giro a la derecha; *eromheen ~* andar con rodeos; *ergens in ~* (*fig*) entrar por enchufe; 2 (*mbt motor*) marchar, funcionar; (*mbt wind*) cambiar; 3 (*mbt film*) darse, proyectarse; *waar draait die film?* ¿dónde dan esa película?; III *zn* 1 (*mbt motor*) marcha, funcionamiento; 2 (*aan draaibank*) torneado; 3 (*opnemen, van film*) rodaje *m*

draaier 1 (*techn*) tornero; 2 (*leugenaar*) mentiroso; **draaierig** mareado; **draaierigheid** mareo; **draaiing** rotación *v*

draai|kolk torbellino, remolino, vorágine *v*; **-kruk** taburete *m* giratorio; **-molen** tiovivo, caballitos *mmv*; **-orgel** organillo; **-plateau** plato giratorio; **-punt** punto de giro; **-richting** sentido de rotación; **-schijf** (*van pottebakker*) torno; **-spit** asador *m*; **-stoel** silla giratoria; **-tafel** (*grammofoon*) plato (giratorio); **-tol** veleta

draak 1 dragón *m*; 2 (*toneelstuk*) dramón *m* || *de ~ steken met* tomar a guasa, tomar a broma, burlarse de; (*fam*) pitorrearse de

drab hez *v*, heces *vmv*, poso

dracht 1 (*kleding*) atuendo, traje *m*; 2 (*draagtijd*) preñez *v*; **drachtig** preñada; **drachtigheid** preñez *v*

draf trote *m*; *in ~* al trote; *op een ~* corriendo

dragen I *tr* 1 llevar; *een jurk ~* llevar un vestido; *een naam ~* llevar un nombre; *vrucht ~* dar frutos; 2 (*verdragen*) sobrellevar, sufrir; *het verlies niet kunnen ~* no poder sobrellevar la pérdida; *de gevolgen ~* sufrir las concecuencias; *ik kan het niet langer ~* no aguanto más; 3 (*van kosten*) pagar; *de kosten ~* (*ook:*) correr con los gastos; *de verantwoordelijkheid ~* cargar con la responsabilidad; II *intr* 1 (*bereik hebben*) alcanzar; 2 (*mbt wond*) supurar, enconarse

dragend (*techn*) de soporte, de apoyo; **drager** 1 portador *m*; 2 (*van ziekte*) vector *m*

dragline excavadora

dragonder 1 (*soldaat*) dragón *m*; 2 (*vrouw*) marimacho

drainage drenaje *m*; **draineren** drenar

dralen demorarse, tardar

drama drama *m*; **dramatisch** dramático; **dramatiseren** dramatizar; **dramatisering** dramatización *v*; **dramaturg** asesor *m* de programación

drang 1 (*druk*) presión *v*; 2 (*verlangen*) afán *m*; *hij voelde de ~ om* sintió el prurito de; **dranghek** valla de contención, valla de emergencia

drank 1 bebida; 2 (*med*) poción *m*; *sterke ~* bebidas *vmv* alcohólicas; *aan de ~ zijn* ser borracho, darse a la bebida; **drankbestrijding** lucha contra el alcoholismo; **drankje** *zie: drank*; **drankmisbruik** alcoholismo, abuso de bebidas alcohólicas; **drankverkoop** venta de bebidas alcohólicas

draperen drapear; **draperie** colgadura

drassig pantanoso; *~ terrein* pantano, ciénaga, marisma

drastisch drástico, radical

draven 1 trotar, ir al trote; 2 (*sloven*) afanarse

dreef: *op ~ helpen* encaminar, sacar a flote; *op ~ zijn* estar en forma

dreg anclote *m*, rastra, rezón *m*; **dreggen** rastrear

dreigbrief carta conminatoria; **dreigement** amenaza, conminación *v*; **dreigen** (*met*) amenazar (con); *het werk dreigt stil te komen liggen* el trabajo amenaza paralizarse; **dreigend** amenazador *-ora*, conminatorio; **dreiging** amenaza, amago; (*op handen zijn*) inminencia; *een ~ van storm* un amago de tempestad

dreinen lloriquear

drek mierda

drempel umbral *m*

drenkeling persona caída al agua 1 (*verdronken*) ahogado; 2 (*na schipbreuk*) náufrago

drenken 1 (*van vee*) abrevar; 2 (*bevochtigen*) impregnar

drentelen callejear

dresseren amaestrar

dressoir aparador *m*
dressuur 1 adiestramiento; 2 (*van paarden*) doma
dreumes chiquillo
dreun 1 estampido, estruendo; 2 (*leestoon*) ritmo monótono || *iem een ~ geven* dar un sopapo a u.p., dar un puñetazo a u.p.; **dreunen** 1 retumbar; 2 (*opdreunen*) leer en tono monótono
dribbelen 1 corretear, andar con pasos de gallina; 2 (*sp*) driblar
drie tres; *~ aan ~ lopen* marchar de tres en fondo
drie|delig tripartito, de tres partes; **-dimensionaal** tridimensional; **-dubbel** triple
Drieëenheid: *de Heilige ~* la Santísima Trinidad
driehoek triángulo; **driehoekig** triangular; **driehoeksverhouding** situación *v* triangular (de amores)
driehonderd trescientos; **driehonderdjarig** tricentenario
drie|klank trítono; **-kleur** tricolor *m*
Driekoningenfeest Epifanía, día *m* de Reyes, día *m* de los Reyes Magos
driekwart tres cuartos; **driekwartsmaat** compás *m* de tres por cuatro
drieling trillizos, -as *mv*
driemaal tres veces; *~ is scheepsrecht* a la tercera va la vencida; **driemaandelijks** trimestral; **driemanschap** triunvirato
drie|master navío de tres palos; **-sprong** bifurcación *v*, encrucijada
driestuiversroman folletín *m*
drie|tal terno; *een ~* unos tres; **-tand** tridente *m*
drievoud: *in ~* en triple, por triplicado; **drievoudig** triple
drieweg|doos (*elektr*) caja de tres bocas; **-stekker** enchufe *m* de tres clavijas, enchufe *m* triple
driewieler triciclo
drift 1 (*boosheid*) rabia, cólera; 2 (*scheepv*) deriva; *op ~ raken* irse a la deriva; **driftbui** 1 arrebato de cólera, ataque *m* de rabia; 2 (*van kind*) rabieta, berrinche *m*; **driftig** 1 (*boos*) encolerizado, colérico, rabioso; *~ worden* encolerizarse; *~ zijn* tener mala sangre, enfurecerse fácilmente; 2 (*heftig*) violento; **driftkikker** cascarrabias *m,v*
drijf|anker ancla flotante; **-hout** madera flotante; **-ijs** hielos *mmv* flotantes, hielos *mmv* a la deriva; **-jacht** batida; **-kracht** fuerza propulsora
drijfnat chorreando, como una sopa
drijf|riem correa (de transmisión); **-veer** (*fig*) móvil *m*; **-vermogen** flotabilidad *v*; **-zand** arena movediza
drijven I *intr* 1 (*niet zinken*) flotar, sobrenadar; *blijven ~* mantenerse a flote; 2 (*nat zijn*) estar chorreando; II *tr* 1 (*van zaak*) llevar; 2 *~* (*tot*) llevar (a), conducir (a), impulsar (a), mover *ue* (a); *gedreven door nieuwsgierigheid* llevado por la curiosidad, a impulso de la curiosidad; 3 (*van metalen*) repujar; **drijvend** flotante; *~e bok* grúa flotante
dril 1 (*stof, textiel*) dril *m*; 2 (*gelei*) gelatina; **drilboor** barrena helicoidal; **drillen** ejercitar, instruir
dringen I *intr* 1 empujar; *niet ~!* ¡no empujen!; *door de menigte ~* abrirse paso entre la multitud; 2 (*urgent zijn*) apremiar, urgir; *de tijd dringt* urge el tiempo; II *tr* empujar; *iem opzij ~* empujar a u.p. (a un lado), apartar a u.p.; *iem van zijn plaats ~* (*fig*) suplantar a u.p.;
dringend urgente, apremiante; *~ geval* caso de urgencia; *in een ~e behoefte voorzien* llenar una necesidad apremiante; *~ nodig hebben* necesitar urgentemente
drinkbaar potable; **drinkbaarheid** potabilidad *v*
drinkbak (*voor vee, vogel*) bebedero
drinken I *ww* 1 beber; (*gebruiken*) tomar; *geef me iets te ~* dame algo de beber; *alles door elkaar ~* mezclar; *stevig ~* beber fuerte; *een glaasje teveel ~* beber una copita de más, beber más de la cuenta; *wat wil je ~?* ¿qué quieres tomar?; *deze wijn is wel te ~* se deja beber este vino; 2 *~ op* beber por, brindar por; *daar moet op gedronken worden!* ¡hay que mojarlo!; II *zn* 1 (*het drinken*) beber *m*; 2 (*drank*) bebida;
drinker bebedor *m*; *matig ~* bebedor moderado; *onmatig ~* bebedor inmoderado
drink|gelag bacanal *m*; **-plaats** bebedero; **-water** agua potable
droef *zie: droevig*; **droefenis** tristeza, pena
droefgeestig melancólico; **droefgeestigheid** melancolía
droevig 1 (*bedroefd*) triste, apenado, afligido; 2 (*akelig*) triste, lamentable
droge: *op het ~* en tierra, en seco; **drogen** I *tr* 1 secar; (*afdrogen ook:*) enjugar; *zijn handen ~* enjugarse las manos, secarse las manos; *de was te ~ hangen* colgar *ue* a secar la lavada, poner a secar la ropa; 2 (*kunstmatig*) deshidratar; II *intr* secarse
drogist droguero; **drogisterij** droguería; **drogisterijartikelen** (artículos de) droguería
drol chorizo
drom multitud *v*, muchedumbre *v*, enjambre *m*; *in dichte ~men* en nutridos grupos
dromedaris dromedario
dromen (*van*) soñar *ue* (con); *naar ~* soñar cosas malas; *hardop ~* soñar alto; **dromer** soñador, -ora; **dromerig** soñador *-ora*
drommel: *een arme ~* un pobre diablo; **drommels!** ¡caray!
dronk (*teug*) trago; *een kwade ~ hebben* tener mala bebida, tener el vino atravesado; **dronkaard** borracho; **dronken** borracho, ebrio; *~ zijn* estar borracho; (*pop*) tener una merluza, tener una curda; *~ van vreugde* ebrio de alegría; **dronkenschap** embriaguez *v*, ebriedad *v*, borrachera; *in staat van ~* en estado de embriaguez

droog seco; (*dor*) árido; ~ *brood* pan *m* seco; *droge stof* (*van melk*) extracto seco; *droge theorie* teoría árida; *droge wijn* vino seco; *hij had een droge keel* tenía la garganta seca, sentía sequedad en la garganta; *het is al een hele tijd* ~ hace rato que no llueve; *het zal wel* ~ *blijven* no creo que llueva; ~ *worden* secarse; *hij zei* ~ dijo en tono seco; *nog niet* ~ *achter de oren zijn* tener la leche en los labios

droog|automaat (máquina) secadora; **-dok** dique *m* seco

droogje: *op een* ~ *zitten* no tener nada que beber

droog|kap (casco) secador *m*; **-koken** quedar sin agua; (*aanzetten*) pegarse; **-leggen** (*van land*) desecar; **-legging** 1 desecación *v*; 2 (*alcoholverbod*) prohibición *v* de venta de alcohol; **-lijn** cuerda para tender la ropa; **-maken** secar; **-rek** secador *m*, tendedero

droogte 1 (*van weer*) sequía; 2 (*van grond, betoog*) sequedad *v*, aridez *v*

droom 1 sueño; 2 (*droombeeld*) ensueño; *het is een* ~! ¡es un sueño!; *de stoutste dromen* los sueños más descabellados; *herinneringen uit dromen* recuerdos oníricos; **droombeeld** fantasma *m*, ensueño

1 drop *zie: druppel*

2 drop (*snoep*) regaliz *m*

dropping desembarco

drs. *doctorandus* (*vglbaar:*) licenciado, -a; *afk* ldo., lda.

drug droga, estupefaciente *m*; *hard* ~*s* drogas fuertes; *soft* ~*s* drogas blandas

drug|gebruik consumo de drogas; **-gebruiker** drogadicto

drugs|dealer (narco)traficante *m*; (*kleine dealer, fam*) camello; **-handel** narcotráfico; **-handelaar** narcotraficante *m*; **-verslaafde** drogadicto, -a; **-verslaving** drogadicción *v*

druif uva; *blauwe* ~ uva negra

druilerig lluvioso, gris

druipen gotear; ~ *van het bloed* chorrear sangre; **druiper** gonorrea

druipnat empapado, calado, chorreando agua, como una sopa

druip|neus moquita; **-rek** (*voor afwas*) escurreplatos *m*; **-steengrot** cueva de estalactitas

druiven|oogst cosecha de uvas, (época de la) vendimia; **-pers** prensa (para uvas); **-pluk** *zie: druivenoogst*; **-plukker**, **-plukster** vendimiador, -ora; **-teelt** viticultura; **-tros** racimo de uvas

druive|pit grano de uva; **-sap** zumo de uvas; **-suiker** dextrosa, azúcar *m* de uva

1 druk *zn* 1 presión *v*; *atmosferische* ~ presión atmosférica; *mentale* ~ presión mental; ~ *uitoefenen op* ejercer presión sobre, presionar a; *onder* ~ a presión, bajo presión, sometido a presión; *onder een te grote* ~ (*fig*) con una excesiva carga de stress; 2 (*uitgave*) edición *v*; *de eerste* ~ *is uitverkocht* la primera edición está agotada; *in* ~ en letras de molde; *klaarmaken voor de* ~ preparar para la imprenta

2 druk I *bn* 1 (*mbt straat*) concurrido, animado, muy transitado; (*mbt café ook:*) frecuentado; *het was niet* ~ no iba mucha gente; *het is erg* ~: *a*) (*met mensen*) hay mucha gente; *b*) (*met verkeer*) hay mucho tráfico; *c*) (*met werk*) hay mucho trabajo; *een* ~*ke luchthaven* un aeropuerto de gran movimiento; *een* ~ *verkeer* un tráfico intenso; 2 (*mbt persoon; beweeglijk*) vivaz, inquieto, bullicioso; 3 (*bezet*) atareado, muy ocupado; *het* ~ *hebben* estar muy ocupado; 4 (*mbt dag*) ajetreado; 5 (*mbt kleuren, patroon*) vivo, abigarrado || *zich* ~ *maken* (*over*) preocuparse (de); *maak je niet* ~ no te preocupes; II *bw* 1 (*levendig*) con animación; *er werd* ~ *gepraat* fue animada la conversación; ~ *bezig* en pleno trabajo; ~ *bezocht* frecuentado

drukfout error *m* de imprenta, errata

drukken I *tr* 1 (*duwen*) oprimir, apretar *ie*; (*van hand*) estrechar; *de hand* ~ estrechar la mano; *iem iets op het hart* ~ encarecer u.c. a u.p., decir u.c. encarecidamente a u.p.; *hij drukte haar aan zijn borst* la estrechó contra el pecho; *een kus* ~ *op* depositar un beso en; *op de schakelaar* ~ pulsar el interruptor; *tegen zich aan* ~ estrechar contra sí; 2 (*van boek*) imprimir; 3 *zich* ~ escurrir el bulto, escaquearse; II *intr* 1 ~ *op* (*bezwaren*) pesar sobre, cargar sobre; *de schuld drukt zwaar op hem* pesa sobre él la culpa; 2 ~ *op* (*een knop*) pulsar, tocar, oprimir, apretar *ie*; **drukkend** pesado; *het is* ~ hace un tiempo pesado, hace bochorno; **drukker** 1 impresor *m*; 2 *zie: drukknoop*; **drukkerij** imprenta

druk|knoop automático, clec *m*; **-knop** botón *m*; **-kunst** (arte *m* de la) imprenta; **-letter** letra de molde, carácter *m*, *mv caracteres* tipográfico; **-meter** manómetro; **-pers** prensa (tipográfica); **-proef** prueba (de imprenta)

drukte 1 (*gewoel*) ajetreo, movimiento, agitación *v*, barullo, trajín *m*; *de* ~ *van de bezoekdag* el ajetreo del día de visita; *een vrolijke* ~ una alegre agitación; *kouwe* ~ pamplinas *vmv*; 2 (*toeloop*) afluencia, concurrencia, aglomeración *v* (de gente); 3 (*veel werk*) mucho trabajo; **druktemaker**, **druktemaakster** alborotador, -ora

drukwerk impresos *mmv*

drumband banda de percusión; **drummer** batería *m*; **drums** batería

druppel gota; *het is de* ~ *die de emmer doet overlopen* la última gota hace rebasar la copa; *als twee* ~*s water* como dos gotas de agua; *een paar* ~*s* (*regen*) cuatro gotas; *een* ~ *op een gloeiende plaat* una gota de agua; **druppelen** gotear; (*mbt tranen*) correr; **druppelsgewijs** gota a gota, con cuentagotas

D-trein tren *m* directo, (tren *m*) expreso

dubbel I *bn* doble; ~*e punt* dos puntos *mmv*; ~ *spel spelen* jugar *ue* con dos barajas, hacer doble juego; II *bw* doblemente; ~ *betalen* pagar el doble; ~ *zien* ver doble; ~ *zo duur* dos veces más caro; III *zn* doble *m*

dubbel|ganger, **-gangster** doble *m,v*; **-mandaat** (*Belg*) acumulación *v* de funciones; **-parkeren** I *ww* estacionar en doble fila; II *zn* estacionamiento doble; **-spel** 1 (*sp*) doble *m*; (*in golf*) partido de dos contra dos; 2 (*fig*) doble juego; **-spion** espía *m,v* doble; **-spoor** 1 (*trein*) vía doble; 2 (*taperecorder*) pista doble
dubbeltje moneda de diez céntimos; *het is een ~ op zijn kant* la pelota está en el tejado; *ieder ~ omkeren* mirar cada peseta
dubbelvouwen doblar
dubbelzinnig ambiguo, equívoco; *een ~e moraal* una moral de dos caras
dubben vacilar
dubieus dudoso; **dubio**: *in ~ staan* dudar
duchten temer
duel duelo, desafío
duet dúo
duf 1 (*muf*) mohoso; *het ruikt hier ~* huele a cerrado; 2 (*suf*) soñoliento, atontado
duidelijk claro; (*vanzelfsprekend*) evidente, obvio; (*zichtbaar*) ostensible, manifiesto; *een ~ voorbeeld* un claro ejemplo, un ejemplo demostrativo; *in ~e woorden* en palabras claras, en palabras inequívocas; *~ maken* explicar, aclarar; *~ worden* ponerse en claro, aclararse; *het is maar al te ~* es demasiado evidente; *het is mij niet erg ~* no lo veo muy claro; **duidelijkheid** claridad *v*; *voor de ~* para mayor claridad; *een gegeven dat aan ~ niets te wensen overlaat* un dato por demás significativo
duiden: *~ op* indicar
duif paloma; *onder iems duiven schieten* contraminar, competir *i* deshonestamente
duig: *in ~en vallen* venirse abajo, fracasar
duik zambullida; (*salto*) salto; *een ~ nemen: a*) (*baden*) zambullirse; *b*) (*mbt duiker*) bucear; **duikboot** submarino
duikelen dar volteretas
duiken 1 (*in zwembad*) tirarse de cabeza, zambullirse; (*met mooie sprong*) saltar; 2 (*mbt duiker*) bucear; 3 (*mbt duikboot*) sumergirse; 4 (*mbt vliegtuig*) bajar en picado; 5 *~ in* (*fig*) meterse de lleno en; 6 *ineen ~* agazaparse, encogerse; *ineengedoken* agazapado, acurrucado; **duiker** buzo; (*bij brandweer*) submarinista *m*
duiker|helm casco de buzo; **-klok** campana de buzo; **-pak** escafandra; **-uitrusting** equipo de buzo
duik|plank trampolín *m*; **-vlucht** (vuelo en) picado
duim 1 pulgar *m*; *~en draaien* estar mano sobre mano; *iem onder de ~ houden* dominar a u.p., tenerle metido en un puño a u.p.; *iets uit zijn ~ zuigen* inventar u.c.; *hij zuigt het uit zijn ~* son inventos suyos; 2 (*maat*) pulgada; **duimbreed**: *geen ~ wijken* no ceder un palmo; **duimen** hacer votos, cruzar los dedos; **duimpje**: *op zijn ~ kennen* saberse al dedillo
duim|schroef: *iem de -schroeven aanleggen* apretar *ie* las clavijas a u.p.; **-stok** metro plegable

duin duna
duister 1 oscuro; 2 (*somber*) sombrío; *een ~ verleden* un pasado tenebroso; *in het ~ blijven* permanecer en la nebulosa; *in het ~ tasten* estar en oscuras; 3 (*fig*) oscuro, misterioso, abstruso; **duisternis** oscuridad *v*
duit moneda; *geen rooie ~ hebben* no tener un cuarto; *een ~ in het zakje doen* meter baza, meter su cuchara
Duits alemán *-ana*; **Duitse** alemana; **Duitser** alemán *m*; **Duitsland** Alemania
duivel diablo, demonio; *des ~s* furioso; *als je over de ~ spreekt, trap je op zijn staart* hablando del rey de Roma por la puerta asoma; *loop naar de ~!* ¡vete al diablo!; **duivelin** diablesa; **duivels** diabólico, satánico; *~ maken* enfurecer, hacer rabiar
duiven|houder criador *m* de palomas; **-teelt** cría de palomas; **-til** palomar *m*
duizelen: *het duizelt me* me da vueltas la cabeza; **duizelig** mareado; *~ maken* dar vértigo, marear; *hij werd ~* se le fue la cabeza; *zonder ~ te worden* sin sentir vértigo; **duizeligheid** mareo; **duizeling** vértigo; **duizelingwekkend** vertiginoso
duizend mil; *~ en een nacht* las mil y una noches; **duizendmaal** mil veces; *~ dank* un millón de gracias; **duizendpoot** ciempiés *m*; **duizendste** milésimo; **duizendtal** millar *m*
dukdalf amarradero
dulden 1 (*verdragen*) aguantar, soportar; 2 (*toelaten*) tolerar
dump saldos *mmv* del ejército; **dumpen** reventar *ie* los precios, vender a precios de batalla; **dumping** dumping *m*; **dumpprijs** precio dumping, precio de saldo
dun 1 delgado, fino; 2 (*mbt haar*) ralo; 3 (*mbt lucht*) enrarecido; 4 (*mbt saus*) poco espeso || *~ bevolkt* poco poblado; *met een ~ stemmetje* con un hilo de voz
dunk opinión *v*; *een hoge ~ hebben van* tener muy buena opinión de; **dunken**: *mij dunkt* me parece; *zoals het u goed dunkt* como Ud. lo tenga a bien
dunnetjes: *~ overdoen* probar *ue* otra vez
duo dúo
dupe víctima; **duperen** causar perjuicio, perjudicar
duplicaat duplicado; **duplo**: *in ~* por duplicado
duren durar, continuar *ú*, seguir *i*; *lang ~* (*ook:*) prolongarse; *het duurt lang voor hij komt* tarda mucho en llegar; *het duurde een half uur voor de dokter kwam* tardó media hora en llegar el médico; *het duurde niet lang of…* no transcurrió mucho tiempo sin que …; *de tijd duurde lang* el tiempo pasaba despacio; *zolang het duurt* mientras (la cosa) dure, por el tiempo que dure
durf audacia, atrevimiento; **durven** atreverse a; *ik durf te beweren* me atrevo a afirmar; *tegen die kinderen durf je wel* con esos niños te

atreves; *laat ze komen als ze* ~ que se atrevan a venir
dus conque, por (lo) tanto, según eso
duster bata
dutje: *een* ~ *doen* echar un sueño, descabezar un sueñecito; (*'s middags*) echar una siesta
1 duur duración *v*; *op den* ~ a la larga; *deze muziek wordt op den* ~ *vervelend* esta música acaba por aburrir; *de vreugde was van korte* ~ la alegría duró poco; *van onbepaalde* ~ de duración ilimitada; *voor de* ~ *van een maand* por un mes
2 duur I *bn* caro; ~ *worden* hacerse caro; *erg* ~ *zijn* estar por las nubes, ser carísimo; *hoe* ~ *is het?* ¿cuánto cuesta?, ¿cuánto vale?, ¿qué precio tiene?; II *bw* caro; *zijn leven* ~ *verkopen* vender cara la vida; ~ *betalen* pagar caro
duurte carestía; **duurtetoeslag** plus *m* de carestía de vida
duurzaam 1 duradero, perdurable, estable; 2 (*solide*) sólido, fuerte
duw empujón *m*; *een* ~ *geven* dar un empujón; ~ *met elleboog* codazo; **duwen** empujar; *elkaar* ~ darse empellones
dwaal|licht fuego fatuo; **-spoor**: *iem op een* ~ *brengen* despistar a u.p.
dwaas I *bn* tonto, necio; *zó* ~ *was ik* fui tan tonto como todo esto; II *zn* tonto, necio; **dwaasheid** 1 (*handeling*) tontería, necedad *v*, tontada; (*fam*) primada; 2 (*verschijnsel*) tontería, estulticia, estupidez *v*
dwalen errar *ie*; **dwaling** error *m*, aberración *v*
dwang coacción *v*, fuerza; (*jur*) coerción *v*; *onder* ~ a la fuerza, por fuerza, bajo coacción
dwang|arbeid trabajos *mmv* forzados; **-bevel** requerimiento (de pago), intimación *v*; **-buis** camisa de fuerza; **-maatregel** medida coercitiva; **-neurose** neurosis *v* compulsiva, neurosis *v* obsesiva; **-positie** situación *v* forzosa; **-som** cláusula penal; **-verkoop** venta forzosa
dwarrelen (*mbt bladeren*) arremolinarse, revolotear; (*mbt sneeuw*) caer en revoloteo
dwars I *bn* 1 transversal, diagonal; 2 (*fig*) ~ *zijn* llevar la contraria; II *bw* a través; *zijn stoel* ~ *zetten* colocar la silla de lado; ~ *door het veld* a campo través; *er* ~ *doorheen gaan* pasar a través; ~ *op de golven* de través a las olas
dwars|balk viga transversal; **-beuk** nave *v* de crucero, transepto; **-bomen** contrariar *í*; **-fluit** flauta travesera; **-liggen** hacer la contra, llevar la contraria; **-ligger** (*spoorw*) durmiente *m*; **-straat** calle *v* transversal; **-zitten** 1 (*tegenwerken*) contrariar *í*; 2 (*hinderen*) molestar, fastidiar; preocupar
dweil bayeta, trapo; **dweilen** fregar *ie*, baldear
dwepen: ~ *met* apasionarse por, morirse *ue, u* por; **dweper** fanático, exaltado; **dweperij** fanatismo, exaltación *v*
dwerg enano
dwingen (*om*) 1 obligar (a); *door omstandigheden gedwongen* obligado por las circunstancias; 2 (*met geweld*) forzar *ue* (a), coaccionar (a); *hij laat zich niet* ~ no se deja coaccionar;
dwingend coactivo, compulsivo, imperativo; *een ~e noodzaak* una necesidad imperiosa
d.w.z. *dat wil zeggen* es decir
dynamiet dinamita
dynamo dínamo, dinamo

Eee

e (*muz*) mi *m*
e.a. *en andere(n)* y otros, -as
eau de cologne colonia, agua de Colonia
eb marea baja, bajamar *v*
ebbehout (madera de) ébano
echec fracaso
echo eco; **echoën** hacer eco; **echolood** ecosonda, sondeadora al eco; **echoscopie** ecoscopia
1 echt *zn* matrimonio; *in de ~ treden* contraer matrimonio; *in de ~ verbinden* casar
2 echt I *bn* auténtico, genuino, verdadero, de verdad, legítimo; *een ~e kerel* todo un hombre; II *bw* de verdad; *ik kan ~ niet* de verdad que no puedo; *het is ~ gebeurd* es una historia verdadera; *het is ~ waar* es cierto de verdad
echtelijk conyugal, matrimonial
echter sin embargo, no obstante
echt|genoot esposo, cónyuge *m*, marido; **-genote** esposa, cónyuge *v*, mujer *v*
echtheid autenticidad *v*
echtpaar matrimonio, esposos *mmv*
echtscheiding divorcio; **echtscheidingsprocedure** juicio de divorcio
ecologie ecología; **ecologisch** ecológico
econome economista; **econometrie** econometría; **economie** economía; *geleide ~* economía dirigida, economía planeada; *een gezonde ~* una economía sana; **economisch** económico; **econoom** economista *m,v*
Ecu ECU *m*
Ecuador (el) Ecuador; **Ecuadoriaans** ecuatoriano
eczeem eccema *m*, eczema *m*
e.d. *en dergelijke* y cosas parecidas, etcétera
edammer: *~ kaas* queso de bola, queso Edam
edel 1 noble; *de ~en* los nobles; 2 (*mbt steen*) precioso
edelachtbare (*vglbaar:*) su señoría
edelmoedig generoso; **edelmoedigheid** generosidad *v*
edelsmeedkunst orfebrería; **edelsmid** orfebre *m*
edelsteen piedra preciosa
editie edición *v*; *extra ~* edición extra(ordinaria)
eed juramento; *de ~ op de vlag* la jura de bandera; *een ~ afleggen* prestar juramento, jurar; *een ~ afnemen* tomar juramento; *onder ede verklaren* declarar bajo juramento
EEG *Europese Economische Gemeenschap* Comunidad *v* Económica Europea; *afk* CEE
eekhoorn ardilla
eelt callo; **eeltachtig** calloso
een I *lidw* un, una; *~ zekere Pedro* cierto Pedro, un tal Pedro; II *telw* 1 (*bijvgl*) un, una; *één* un solo, una sola; 2 (*zelfst*) uno, una; *ik ken er maar één* conozco a uno solo; *op één na de grootste* el segundo más grande; *~ van tweeën: of je gaat of je belt op* una de dos: o te vas o llamas; *~ voor ~* uno por uno, uno a uno, uno a la vez, de uno en uno; III *onbep vnw*: *~ dezer dagen* un día de éstos; *~ en ander* una y otra cosa, todo ello; *~ of ander boek* algún libro; *de ene vergadering na de andere* reunión tras reunión; *~ van mijn vrienden* uno de mis amigos, alguno de mis amigos; *hij is ~ en al eenvoud* es todo sencillez
een|akter pieza en un acto; **-cellig** unicelular
eend pato, ánade *m,v*; *lelijk ~je* patito feo
eendagsvlieg efímera, cachipolla
eender I *bn* igual; *het is mij ~* me es igual; II *bw* igualmente
eendimensionaal unidimensional
eendracht concordia; *~ maakt macht* la unión hace la fuerza; **eendrachtig** unido, unánime, conforme
eenfrankstuk (*Belg*) moneda de un franco
eengezinswoning vivienda unifamiliar
eenheid unidad *v*
eenheids|prijs 1 (*gelijke prijs*) precio uniforme; 2 (*prijs per stuk*) precio unitario; **-staat** estado unitario; **-wet** (*Belg*) ley *v* marco
eenhoorn unicornio
eenjarig de un año
eenkamerflat estudio
eenkennig que no quiere saber de extraños, tímido, esquivo; (*mbt kind ook:*) niño de mamá, niño de papá
eenling individuo
eenmaal 1 una vez; *~ per jaar* una vez al año; *~ andermaal, derdemaal* a la una, a las dos, a las tres; *het is nu ~ zo* no se le puede hacer nada, no se puede cambiar; *ik ben nu ~ zo* es que soy así; *als hij ~ begint* … una vez que comienza …; *toen we ~ thuis waren* una vez en casa; 2 (*ooit*) algún día; *zie ook: eens*; **eenmalig** único, por una sola vez
eenmans|bedrijf empresa individual; **-school** escuela de maestro único
eenparig I *bn* 1 (*eenstemmig*) unánime; 2 (*gelijkmatig*) uniforme; II *bw* 1 (*eenstemmig*) unánimemente; 2 (*gelijkmatig*) uniformemente
eenpersoons individual; **eenpersoonshuishouden** hogar *m* individual; **eenpersoonskamer** habitación *v* individual
eenrichtingsverkeer dirección *v* única
eens I *bw* 1 una vez, un día; *~ en voor al* de una vez por todas; *dat is ~ en nooit weer* una y no más; *meer dan ~* más de una vez; *nog ~* otra vez; *nu ~ dit dan weer dat* ahora esto ahora lo otro, unas veces esto otras veces lo otro; *ik denk wel ~* … algunas veces pienso …; *~ zal ik je weerzien* algún día te volveré a ver; *er was ~*

había una vez, érase (una vez); *~ op een nacht* una noche; 2 (*vroeger*) en otro tiempo; 3 (*niet vertaald*): *kom ~ hier* ven aquí; 4 *niet ~* ni, ni siquiera; II *bn*: *het ~ worden* llegar a un acuerdo, ponerse de acuerdo; *het ~ zijn* (*met*) estar de acuerdo (con), estar conforme (con), coincidir (con); *het ermee ~ zijn dat* convenir en que; *hij was het met mij ~* coincidía conmigo, estaba de acuerdo conmigo

eensgezind I *bn* conforme, unánime; II *bw* unánimemente; **eensgezindheid** concordia, armonía, conformidad *v*

eensklaps de repente, de pronto

eenstemmig I *bn* 1 (*muz*) unísono; 2 (*fig*) unánime; II *bw* 1 (*muz*) al unísono; 2 (*fig*) unánimemente; **eenstemmigheid** consenso, unanimidad *v*

eentje uno; *je bent me er ~* eres de lo que no hay; *in z'n ~* solo

eentonig monótono; **eentonigheid** monotonía

eenvormig uniforme; **eenvormigheid** uniformidad *v*

eenvoud sencillez *v*, simplicidad *v*; **eenvoudig** I *bn* sencillo; (*simpel*) simple; II *bw* sencillamente, simplemente

eenwording integración *v*, unificación *v*; *de ~ van Europa* la integración de Europa

eenzaam solitario, solo; (*afgezonderd*) aislado; *een ~ bestaan* una vida solitaria; *-zame opsluiting* incomunicación *v*; *het is hier ~* éste es un lugar solitario; *zich ~ voelen* sentirse *ie, i* solo; **eenzaamheid** soledad *v*; (*afzondering ook:*) aislamiento; *een gevoel van ~* una sensación de soledad

eenzijdig 1 unilateral; 2 (*van voedsel*) uniforme

eer honor *m*; (*eergevoel ook:*) honra; *de maaltijd ~ aandoen* hacer honores a la comida; *zijn naam ~ aandoen* hacer honor a su nombre; *~ bewijzen* rendir *i* honores; *de laatste ~ bewijzen* tributar el postrer homenaje; *ik heb de ~* (*om*) tengo el honor de; *ere wie ere toekomt* a tal señor tal honor; *in ere houden: a*) (*eren*) honrar, respetar; *b*) (*handhaven*) mantener; *ik stel er een ~ in, ik reken het mij tot een ~* lo tengo a honra, lo considero un honor; *naar ~ en geweten* según mi leal saber y entender; *op mijn ~* palabra de honor; *ter ere van* en honor de; *tot ~ strekken* honrar; **eerbaar** honesto, casto, virtuoso; **eerbaarheid** honestidad *v*, decencia; **eerbewijs** homenaje *m*

eerbied respeto, consideración *v*, acatamiento; *uit ~ voor* por respeto a, por consideración a; *~ hebben voor* tener respeto a, respetar; **eerbiedig** respetuoso; **eerbiedigen** respetar; **eerbiedwaardig** respetable, digno de respeto; (*mbt ouder mens ook:*) venerable

eerder I *bn* anterior; II *bw* antes; *hoe ~ hoe beter* cuanto antes mejor; *ik kan niet ~ dan vrijdag* no puedo hasta el viernes; *het zou ~ een last zijn dan een steun* sería un estorbo más que un apoyo; *het zou ~ lastig zijn* sería más bien molesto

eergevoel sentimiento del honor, dignidad *v*

eergisteren anteayer

eerherstel rehabilitación *v*

eerlijk I *bn* 1 honrado, íntegro, sincero; *~ spel* juego limpio; 2 (*openhartig*) franco; II *bw* honradamente; *iem ~ behandelen* darle a u.p. un trato justo; *alles gaat ~ toe* no hay ningún fraude; *~ spelen* jugar *ue* limpio; *~ gezegd* francamente (dicho), a decir verdad, hablando con franqueza; **eerlijkheid** 1 honradez *v*, sinceridad *v*; 2 (*openheid*) franqueza

eerst I *bn* primero; *de ~e* (*eerstgenoemde*): *a*) (*van twee*) aquel; *b*) (*van reeks*) el primero; *de ~e de beste die langskomt* el primero que pase, cualquiera que pase; *hij is de ~e de beste niet* no es un cualquiera; *~e hulp* primeros auxilios *mmv*; *en ik in de ~e plaats* y yo como el que más; *ten ~e* primero, en primer lugar; *voor het ~* por primera vez; II *bw* primero, primeramente; *zie ook: pas*

eersteklas (de) primera clase

eerstelijnshulp atención *v* primaria

eersterangs de primer orden

eerst|genoemde *zie: eerst I*; **-komend**, **-volgend** próximo, que viene

eervol honorífico, honroso; *~le vermelding* mención *v* honorífica; **eerzaam** honesto, honrado; **eerzucht** ambición *v*; **eerzuchtig** ambicioso

eetbaar 1 (*geschikt om te eten*) comestible; 2 (*niet vies*) comible, comedero

eet|gerei utensilios *mmv* de mesa; **-gewoonten** costumbres *vmv* alimentarias; **-hoek** (*meubels*) (juego de) comedor *m*; **-huis** casa de comidas; **-kamer** comedor *m*; **-lepel** cuchara; *afgestreken ~* cucharada rasa; *een ~ vol* una cucharada; *volle ~* (*met kop*) cucharada con colmo; **-lust** apetito, ganas *vmv* (de comer); *gebrek aan ~* inapetencia; *geen ~ hebben* no tener apetito, estar desganado; *de ~ opwekken* abrir el apetito; **-servies** servicio de mesa; **-tafel** mesa de comedor; **-waren** alimentos, víveres *mmv*, comestibles *mmv*, viandas; **-zaal** comedor *m*

eeuw siglo; (*lange tijd ook:*) eternidad *v*; *vanaf het begin van deze ~* en lo que va del siglo; *ik heb je in geen ~en gezien* hace siglos que no te veo; **eeuwenoud** secular; **eeuwig** eterno, perpetuo; *voor ~* para siempre; **eeuwigheid** eternidad *v*; *tot in alle ~* por los siglos de los siglos; **eeuwwisseling** fin *m* de siglo, finales *mmv* del siglo; *na de ~* a primeros del siglo

effect 1 (*uitwerking*) efecto; *~ hebben* surtir efecto; 2 *~en* (títulos) valores *mmv*

effecten|beurs bolsa de valores; **-makelaar** (*vglbaar:*) agente *m,v* de cambio y bolsa; **-markt** mercado de valores

effectief efectivo, eficaz; *~ vermogen* potencia efectiva

effen liso; *met een ~ gezicht* sin inmutarse; **effenen** allanar; **effenheid** lisura

efficiency eficiencia, eficacia; **efficiënt** eficiente
eg rastra, grada
E.G. *Europese Gemeenschappen* Comunidades *vmv* Europeas; *afk* CE
egaal llano, liso; **egalitair** igualitario
egel erizo
eggen I *ww* rastrear, gradar; II *zn* gradeo
ego ego; **egoïsme** egoísmo; **egoïst**, **egoïste** egoísta *m,v*; **egoïstisch** egoísta
Egypte Egipto; **Egyptisch** egipcio
EHBO primeros auxilios *mmv*
ei huevo; *gebakken* ~ huevo frito; *hard gekookt* ~ huevo duro; *Russisch* ~ ensaladilla rusa; *zacht gekookt* ~ huevo pasado por agua; *~eren voor zijn geld kiezen* ceder, poner a mal tiempo buena cara
eier|dooier yema; **-dop** cáscara; **-dopje** huevera; **-klopper** batidor *m* de huevos; **-stok** ovario
eigen propio; *de ~ aard* el carácter peculiar; *~ weg* camino particular; *zich iets ~ maken* familiarizarse con u.c.; *zich kennis ~ maken* adquirir *ie* conocimientos; *ik heb ~ geld getrokken* (*in loterij*) me han devuelto el dinero; *~ aan* propio de, inherente a; *met ~ lift* con ascensor independiente; *op ~ kosten* por cuenta propia; *op ~ kracht* a pulso; *uit ~ beweging* por propia iniciativa
eigenaar propietario; (*baas*) dueño
eigenaardig peculiar, raro, especial; **eigenaardigheid** peculiaridad *v*
eigenares propietaria; (*bazin*) dueña
eigenbelang interés *m* (propio); *uit ~ handelen* obrar por (el propio) interés, obrar interesadamente
eigendom propiedad *v*; *~ zijn van* ser propiedad de, pertenecer a
eigen|dunk presunción *v*, suficiencia; **-gereid** individualista; **-handig** por, de su (propia) mano; (*door mij*) *~ geschreven* de mi puño y letra, de mi propia mano; **-liefde** amor *m* propio
eigenlijk I *bn* verdadero, real; II *bw* en realidad, en el fondo, a decir verdad, propiamente dicho
eigenmachtig arbitrario
eigennaam nombre *m* propio
eigenschap cualidad *v*; (*van zaak ook:*) propiedad *v*; *slechte ~* vicio, defecto
eigentijds moderno, contemporáneo
eigen|waan vanidad *v*, presunción *v*; **-waarde**: *gevoel van ~* dignidad *v*
eigenwijs 1 (*dwars*) testarudo; 2 (*betweterig*) pedante; **eigenwijsheid** 1 (*dwarsheid*) testarudez *v*; 2 (*ijdelheid*) pedantería
eigenzinnig voluntarioso, indisciplinado; **eigenzinnigheid** voluntariosidad *v*, indocilidad *v*, obstinación *v*; *uit ~* por capricho
eik, **eikeboom**, **eikehout** roble *m*
eikel 1 bellota; 2 (*anat*) glande *m*, bálano
eiken *bn* de roble; **eikeschors** corteza de roble
eiland isla; **eilandbewoner** isleño
eind 1 fin *m*, final *m*; *~ mei* a últimos de mayo, a finales de mayo; *een ~ maken aan* poner fin a, poner término a; *slecht aan zijn ~e komen* acabar mal; *te dien ~e* al efecto, a tal fin; *ten ~e lopen* (*mbt geldigheid*) expirar; *het jaar loopt ten ~e* el año toca a su fin; *ten ~e raad* desesperado; *tot een goed ~e brengen* llevar a buen fin; 2 (*concr; uiteinde*) cabo, extremo; *aan het ~ van het dorp* a la salida del pueblo; *aan het kortste ~ trekken* llevar la peor parte; *aan het langste ~ trekken* llevar la mejor parte; *het bij het rechte ~ hebben* acertar *ie*, tener razón; 3 (*afstand*) distancia; *een heel ~ verder* mucho más lejos; *daarmee kom ik een heel ~* con eso me arreglo
eind|beslissing decisión *v* final, decisión *v* definitiva; **-bestemming** destino final; **-cijfers** cifras finales; **-diploma** (*van basisschool, vglbaar:*) certificado de graduado escolar; (*van vervolgonderwijs, vglbaar:*) certificado de fin de estudios; (*van havo, vwo, vglbaar:*) (diploma *m* de) bachillerato, grado de bachiller; **-doel** meta (final)
einde: *dat is het ~!* ¡es el disloque!; *zie ook: eind*
eindejaars|geschenk (*Belg*) aguinaldo; **-toelage**, **-uitkering** (*Belg*) paga (extraordinaria) de fin de año
eindelijk por fin; *wil je nu ~ je mond houden* quieres callarte de una vez; **eindeloos** infinito, interminable
einder horizonte *m*
eindexamen examen *m* final; *zie ook: einddiploma*
eindig finito; **eindigen** I *tr* terminar, acabar, concluir; II *intr* terminar(se), acabar(se), concluir(se), finalizar; *ze eindigden met een lied* terminaron con una canción; *het eindigde met een strop* terminó en un fracaso; *zij eindigde met te zeggen* concluyó diciendo
eindje 1 (*stukje; van touw*) trozo; *de ~s aan elkaar knopen* tener justo para vivir al día, hacer equilibrios para vivir; 2 (*afstand*) poca distancia; *een ~ om lopen* dar una vuelta
eind|meet (*Belg*) meta; **-oordeel** juicio definitivo; **-produkt** producto final; **-punt** 1 punto final, término; 2 (*van bus, tram*) final *m* de línea; **-resultaat** resultado final; **-sprint** recta final; **-stand** posición *v* final; **-station** término, estación *v* final; **-streep** meta, línea de llegada; **-wedstrijd** encuentro final, final *v*
eis 1 exigencia; (*vereiste*) requisito; *de ~en* (*voor examen*) las exigencias; *de gestelde ~en* las condiciones exigidas; *hoge ~en stellen* exigir mucho; *~en stellen aan* imponer exigencias a; *aan de ~en voldoen* cumplir las condiciones, llenar los requisitos, reunir *ú* las condiciones, satisfacer las exigencias; 2 (*jur*) demanda; *een ~ indienen* formular demanda; *van zijn ~ afzien* desistir de su pretensión; *~ tot betaling* requerimiento de pago; *de ~ van de Officier* (*van Justitie*) la petición fiscal; 3 (*pol*) reivin-

dicación *v*; **eisen** exigir; (*opeisen*) reclamar; *iets van iem ~* exigir u.c. a u.p., exigir u.c. de u.p.; **eisenpakket** tabla reivindicativa, paquete *m* de reivindicaciones; **eiser**, **eiseres** (*jur*) demandante *m,v*, actor, -ora
eiwit 1 clara de huevo; 2 (*stof*) proteína, albúmina; **eiwitgehalte** contenido de proteínas; **eiwitrijk** rico en proteínas
ekster urraca; **eksteroog** ojo de gallo, callo
elan ímpetu *m*, entusiasmo; *zonder ~ bw* desvaídamente
elasticiteit elasticidad *v*; **elastiek** elástico, goma; **elastieken** elástico; **elastiekje** gomita, gomilla, goma; **elastisch** elástico
elders en otro sitio, en otra parte; *overal ~* en cualquier otra parte, en todas partes menos aquí
elegant elegante; **elegantie** elegancia, gracia
elektricien electricista *m*; **elektriciteit** electricidad *v*; **elektriciteitsmeter** contador *m* para el consumo de electricidad; **elektrificeren** electrificar; **elektrisch** eléctrico; *de ~e installatie* el equipo de energía eléctrica; *~ schema* esquema *m* de conexiones eléctricas; *~ lassen ww* soldar *ue* por electricidad; **elektriseren** electrizar
elektrode electrodo
elektrokuteren electrocutar
elektromotor electromotor *m*
elektronenflits flash *m* electrónico
elektronika electrónica; **elektronisch** electrónico
elektrotechniek electrotecnia; **elektrotechnisch** electrotécnico
element 1 elemento; *in zijn ~ zijn* estar en su elemento; 2 (*van pick up*) cápsula; **elementair** elemental; *~e vaardigheden* destrezas básicas
elf once; **elfde** I *bn* onceno, undécimo; *te ~der ure* a última hora; II *zn* undécimo, onceavo, onzavo
elfendertigst: *op zijn ~* a paso de tortuga
elfje hada, ninfa
elftal (*sp*) equipo
elimineren eliminar
elitair elitista; **elite** élite *v*; **elitecorps** cuerpo de élite
elk 1 (*bijvgl*) cada, todos los, todas las; (*allemaal*) todo; (*ieder willekeurig*) cualquiera; *~ jaar* cada año, todos los años; *in ~ land* en todo país; 2 (*zelfst*) cada uno, cada una
elkaar se, mutuamente, el uno al otro, unos a otros; *ze helpen ~* se ayudan (unos a otros); *het hangt van leugens aan ~* es una sarta de embustes; *dat schrijf je aan ~* se escribe en una palabra; *achter ~* uno detrás de otro; *bij ~* juntos; *door ~* sin orden; *alles door ~ drinken* mezclar; *in ~ zetten* armar, montar, ensamblar; *goed in ~ zitten* estar bien construido; *met ~* juntos; *na ~* uno después de otro; *naast ~* juntos, uno al lado de otro; *onder ~* (*samen*) entre sí; *op ~* uno encima de otro; *ik ken ze niet uit ~* siempre los confundo; *het is voor ~* la cosa está arreglada
elleboog codo; *ze achter de -bogen hebben* matarlas callando; *hij heeft ze achter de -bogen* es un mátalas callando; *hij is door zijn -bogen heen* tiene los codos agujereados; *met de ~ aanstoten* dar con el codo; *met de -bogen werken* abrirse paso a codazos; *met de -bogen op tafel* de codos en la mesa
ellende miseria; (*ongeluk*) desgracia; **ellendig** miserable, deplorable
ellenlang kilométrico, muy largo, interminable
ellips 1 (*wisk*) elipse *v*; 2 (*gramm*) elipsis *v*; **elliptisch** elíptico
elpee elepé *m*, disco de larga duración, microsurco
Elzas: *de ~* Alsacia; *~-Lotharingen* Alsacia-Lorena; **Elzassisch** alsaciano
emaille esmalte *m*; **emailleren** esmaltar; *geëmailleerde naamplaten* placas de hierro esmaltado
emancipatie emancipación *v*
emballage embalaje *m*
embleem emblema *m*
embolie embolia
embryo embrión *m*
emeritus jubilado
emigrant, **emigrante** emigrante *m,v*; **emigratie** emigración *v*; **emigreren** emigrar
eminentie eminencia
emissie emisión *v*
emmer cubo, balde *m*; **emmeren** dar la lata
emolumenten emolumentos
emotie emoción *v*; **emotioneel** 1 emocional; *het -nele leven* la vida emocional; 2 (*ontroerend, snel ontroerd*) emotivo
emplacement patio (ferroviario), patio de maniobras
emplooi empleo; **employé**, **employée** empleado, -a
emulgator emulgente *m*; **emulsie** emulsión *v*
en 1 y; (*voor beklemtoonde i:*) e; *vader ~ zoon* padre e hijo; *én mooi én groot zijn* ser tanto bonito como grande; *~?* y ¿qué?; 2 (*wisk*) más, y
en bloc todo junto, todos juntos, en bloque
enclave enclave *m*
encycliek encíclica (papal)
encyclopedie enciclopedia
endeldarm recto
endossement endoso; **endosseren** endosar
enenmale: *ten ~* totalmente, absolutamente
energie energía
energie|besparing ahorro de energía; **-bron** fuente *v* energética; **-crisis** crisis *v* energética
energiek enérgico
energie|produktie producción *v* energética; **-verbruik** consumo energético; **-voorziening** abastecimiento energético
enerzijds por una parte, de un lado
eng 1 (*nauw*) estrecho; 2 (*griezelig*) escalofriante, espeluznante, horripilante
engagement 1 (*pol*) compromiso; 2 (*verloving*) noviazgo

engel ángel *m*; *je bent een ~* eres un cielo; **engelachtig** angelical
Engeland Inglaterra
engelengeduld santa paciencia
Engels inglés *-esa*; *~e sleutel* llave *v* inglesa; **Engelse** inglesa; **Engelsman** inglés *m*
engeltje angelito
engerd ogro
en gros al por mayor
engte (*nauwe plaats*) estrecho
enig I *bn* único; *~ kind* hijo, -a único, -a; *als ~e bagage* por todo equipaje; *wat ~!* ¡qué bueno!, ¡qué maravilloso!; *het ~e is dat* ... lo único que pasa es que ...; *~ in zijn soort* único en su género; II *vnw* alguno, un poco de, algo de; *~e boeken* algunos libros; *heb je ~ idee?* ¿tienes alguna idea?; *te ~er tijd* en cualquier momento; *zonder ~e moeite* sin ningún problema, sin dificultad alguna; **enigermate** en cierta medida, hasta cierto punto; **enigszins** algo, un poco, un tanto
1 enkel *zn* (*anat*) tobillo
2 enkel I *bn* 1 alguno; (*mv*) algunos, unos pocos, unos cuantos; *geen ~* ninguno; *een ~e keer* alguna vez, alguna que otra vez, pocas veces, de tarde en tarde; *geen ~e keer* ninguna vez; *hij gaf me geen ~e hulp* no me prestó ninguna ayuda; *er waren ~e vrienden* había unos cuantos amigos, había algunos amigos; 2 (*enkelvoudig*) solo; *één ~e keer* una sola vez; *~e reis* viaje *m* de ida, billete *m* sencillo; *een ~e sok* un calcetín desparejado; II *zn*: *~en* algunos; III *bw* solamente, sólo, únicamente
enkeling individuo; *een ~* muy poca gente; **enkelspel** (*sp*) simple *m*, partido individual; **enkelspoor** vía única; **enkelvoud** singular *m*
en masse en masa
enorm enorme, tremendo; *deze wijn is niet ~* este vino no es triunfal
en passant de paso
enquête encuesta, sondeo de opinión; *een ~ houden* efectuar *ú* una encuesta; **enquêteformulier** cuestionario; **enquêteur**, **enquêtrice** encuestador, -ora, sondeador, -ora
ensceneren escenificar
entameren entablar
enten injertar
enteren abordar; *~!* ¡al abordaje!
enthousiasme entusiasmo; **enthousiast** (*over*) entusiasta (de)
entree entrada; *vrij ~* entrada libre; **entreeprijs** precio de entrada
entrepot depósito aduanero, depósito franco
entstof vacuna
envelop sobre *m*
enz. *enzovoort* etcétera; *afk* etc.
enzym enzima
epidemie epidemia
epiloog epílogo
episch épico; **episode** episodio
epitheton epíteto
epos poema *m* épico, epopeya
epuratie (*Belg*) depuración *v*, purga
equivalent equivalente *m*
er allí; (*vaak onvertaald*): *~ is, ~ zijn* hay; *ik heb ~ nog drie* me quedan tres; *ik heb ~ nóg drie* tengo tres más; *~ wordt verondersteld* se supone; *we zijn ~* ya llegamos; *~ zijn mensen die zeggen* ... hay quien dice ...
erachter detrás; **eraf** *zie: af*
erbarmelijk muy triste, deplorable, lamentable, lastimero
ere *zie: eer*
ere|baantje empleo honorífico; **-boog** arco triunfal; **-burger** ciudadano de honor; **-code** código de honor; **-divisie** división *v* de honor; **-doctor** doctor *m* honoris causa; **-gast** invitado, -a de honor; **-lid** miembro de honor
eren honrar
ere|penning medalla de honor; **-schuld** deuda de honor; **-voorzitter** presidente *m* de honor; **-wacht** guardia de honor; **-woord** palabra de honor; *op mijn ~!* ¡(bajo mi) palabra de honor!; **-zaak** asunto de honor
erf 1 (*grond bij boerderij*) terreno; (*omheind, met kippen*) corral *m*; 2 (*bij woonhuis*) solar *m*; 3 (*jur*) predio
erf|deel porción *v* de la herencia, herencia; **-dienstbaarheid** servidumbre *v*
erfelijk hereditario; *~ belast zijn* sufrir una tara hereditaria; **erfelijkheid** herencia; **erfelijkheidsleer** genética; **erfelijkheidsonderzoek** examen *m* genético
erfgenaam, **erfgename** heredero, -a; **erfgoed** herencia; *ouderlijk ~* patrimonio
erflaatster, **erflater** causante *m,v*
erf|opvolging sucesión *v*; **-pacht** arrendamiento; **-zonde** pecado original
erg I *bn* malo, serio, grave, fuerte; *hij heeft ~e pijn* le duele mucho; *dat vind ik niet ~* no me importa, no me molesta; II *bw* mucho; *ik heb het ~ nodig* lo necesito mucho; III *zn*: *~ hebben in* reparar en, darse cuenta de; *zonder ~* sin intención, sin querer
ergens 1 en alguna parte, en algún sitio; *~* (*in de buurt*) por ahí; *hier ~* por aquí; 2 (*in enig opzicht*) de alguna manera
erger peor; *~ worden* empeorar, ponerse peor, agravarse, agudizarse, aumentar, recrudecerse; *als het niet ~ is* si no es más que eso; *om ~ te voorkomen* para evitar peores males
ergeren irritar, enojar, fastidiar; *het ergert hem vreselijk* (*fam*) le levanta ampollas; *zich ~* irritarse, enojarse, picarse, (*moreel:*) escandalizarse; **ergerlijk** enojoso; **ergernis** fastidio, disgusto, irritación *v*
ergonomie ergonomía
ergst peor; *het ~ is* ... lo peor es ...
erin dentro
erkennen 1 (*toegeven*) reconocer, admitir; *dat moet erkend worden* preciso es reconocerlo; 2 (*van titel*) convalidar, homologar; *~ als* reconocer como; (*officieel*) *erkend* autorizado, homologado; **erkenning** 1 reconocimiento; 2 (*van titel*) convalidación *v*

erkentelijk agradecido, reconocido; **erkentelijkheid** agradecimiento, gratitud *v*; *uit ~ voor* en reconocimiento de
erker (*vglbaar:*) mirador *m*
ernst 1 (*serieusheid*) seriedad *v*; *in ~* en serio; 2 (*van ziekte*) gravedad *v*; **ernstig** serio, grave; *hij werd ~* se puso serio; *de toestand van de zieke is ~* el enfermo se halla en estado grave; *op ~e toon* en tono grave
eronder debajo; **erop** encima
erosie erosión *v*
erotiek erotismo; **erotisch** erótico
erts mineral *m*; **ertslaag** yacimiento de minerales
eruit fuera
ervaren I *ww* experimentar; II *bn* experimentado, experto, avezado, versado; **ervaring** experiencia
erven I *ww* heredar; II *zn* herederos
ervoor (*plaats*) delante, enfrente
erwt guisante *m*
es fresno
escorte escolta, convoy *m*
eskader escuadra; **eskadron** escuadrón *m*
eskimo esquimal *m*
espresso (café *m*) exprés *m*; **espresso-apparaat** cafetera exprés
essay ensayo
essehouten de fresno
essence, **essentie** esencia; **essentieel** esencial
estafette relevo; **estafetteloop** carrera de relevos
ester éster *m*
etage piso
etalage escaparate *m*; **etalagepop** maniquí *m*; **etaleren** exhibir
etaleur, **etaleuse** decorador, -ora de escaparates, escaparatista *m,v*
etappe etapa
eten I *ww* comer; (*'s avonds:*) cenar; *flink ~* comer fuerte, comer mucho; *eet smakelijk!* ¡que aproveche(n)!; *warm ~* cenar caliente; *te ~ geven* dar de comer; *te ~ vragen* invitar a comer, convidar; *uit ~ gaan* salir a cenar; II *zn* comida; (*avondeten*) cena; *~ geven* dar de comer; *het ~ klaarmaken* hacer la comida; *na het ~* después de comer
etens|lucht olores *mmv* de cocina; **-resten** sobras de la comida, restos de la comida; **-tijd** hora de comer; (*'s avonds*) hora de cenar
eter 1 (*gast*) invitado, convidado; 2 *een flinke ~* buen comedor *m*; *hij is een goede ~* (*ook:*) tiene buen diente
ether éter *m*
ethiek ética; **ethisch** ético
etiket etiqueta, rótulo; **etiketteren** etiquetar, rotular
etmaal veinticuatro horas
ets aguafuerte *m*; **etsen** grabar al agua fuerte; **etser** aguafuertista *m*, grabador *m* al agua fuerte
ettelijke varios, bastantes
etter 1 pus *m*; 2 (*persoon*) mal bicho, pelma *m,v*; **etteren** supurar, formar pus
etude estudio
etui estuche *m*
eucharistie eucaristía
eufemisme eufemismo
euforie euforia; **euforisch** eufórico
Europa Europa; **Europees** europeo
euthanasie eutanasia
euvel mal *m*, achaque *m*, desperfecto; *~ duiden* tomar a mal; *een ~ verhelpen* corregir *i* un desperfecto
evacuatie evacuación *v*; **evacueren** evacuar
evangelie evangelio
even I *bn* par; *~ getal* número par; *~ of oneven spelen* jugar *ue* a pares o nones; *het is mij om het ~* me da igual; II *bw* 1 (*gelijk*) tan, tanto; *jouw pen is ~ duur als de mijne* tu pluma vale tanto como la mía; *ze zijn ~ duur* tienen el mismo precio; 2 (*eventjes*) un rato, un momento; *daar hebben we wel ~ werk aan* tenemos faena para rato
evenaar ecuador *m*
evenals lo mismo que, (al) igual que, como
evenaren igualar
evenbeeld réplica, (viva) imagen *v*
eveneens también, asimismo
evenement evento
evengoed 1 (*niettemin*) no obstante, con todo, a pesar de ello, tampoco; 2 (*ook*) también; **evenmin** tampoco
evenredig proporcional; *omgekeerd ~ aan* en razón inversa de; *recht ~ aan* directamente proporcional a; **evenredigheid** proporción *v*, proporcionalidad *v*
eventjes *zie: even II*
eventualiteit eventualidad *v*; **eventueel** I *bn* eventual, posible; *een ~ probleem* un problema eventual; II *bw* eventualmente, si procede; *als zij ~ komt* si acaso viene
evenveel tanto; *hij heeft ~ werk als ik* tiene tanto trabajo como yo; **evenwel** sin embargo, pero
evenwicht equilibrio; *het ~ bewaren* guardar el equilibrio, no perder *ie* el equilibrio; *het ~ herstellen* corregir *i* el equilibrio; **evenwichtig** equilibrado
evenwijdig (*aan*) paralelo (a); *~ lopen met* correr paralelo a
evenzeer tanto, igualmente; *~ als* tanto como, lo mismo que; **evenzo** igualmente, asimismo, de igual modo
evergreens canciones *vmv* imperecederas
evolutie evolución *v*; **evolutieleer** teoría de la evolución
ex ex, anterior, antiguo
examen examen *m*; *een ~ afleggen* (*in*), *~ doen* (*in*) examinarse (de, en), pasar un examen (de); *voor het ~ slagen* aprobar *ue* (el examen), salir aprobado
examen|centrum (*Belg*) centro para exámenes (de conducción); **-commissie** tribunal *m* de

examen; **-opgaven** preguntas del examen, temas *mmv*
examinator, **examinatrice** examinador, -ora; **examineren** examinar
excentriek excéntrico, extravagante, estrafalario
exces exceso, desmán *m*
exclusief I *bn* exclusivo; II *bw* exclusive
excursie excursión *v*
excuseren disculpar, excusar; **excuus** excusa, disculpa; *zijn ~ aanbieden voor* presentar sus excusas por
executeur-testamentair albacea *m,v*, ejecutor *m* testamentario, ejecutora testamentaria; **executie** ejecución *v*
exemplaar ejemplar *m*
exercitie ejercicios *mmv*
exotisch exótico
expansie expansión *v*
expediteur agente *m* de transportes; **expeditie** expedición *v*; **expeditiebedrijf** empresa de transportes
experiment experimento, experiencia; **experimenteel** experimental; **experimenteren** experimentar
expert experto, perito, entendido; **expertise** peritaje *m*
expliciet explícito
exploitant explotador *m*; **exploitatie** explotación *v*; **exploitatiekosten** gastos de explotación; **exploiteren** explotar; (*misbruiken ook:*) abusar de
explosie explosión *v*; **explosief** explosivo
exponent exponente *m*
export exportación *v*; **exporteren** exportar; **exporteur** exportador *m*; **exportfirma** casa de exportación
exposant expositor *m*; **exposeren** exponer; **expositie** exposición *v*
expres adrede, de propósito, intencionadamente; **expresbrief** carta urgente; **expresse**: *per ~* por correo urgente
expressie: *lichamelijke ~* expresión *v* corporal; **expressief** expresivo
expresweg (*Belg*) autovía
extern externo
extra I *bn* extraordinario, extra, adicional; II *bw* extra, especialmente; *~ zorgvuldig* con cuidado especial; *~ berekenen* cargar extra; III *zn* extra *m*, plus *m*
extralegaal (*Belg*) extralegal
extreem extremo
extrovert extravertido, extrovertido
ezel 1 burro, asno; 2 (*van schilder*) caballete *m*; **ezelin** burra, asna
ezels|brug truco para recordar u.c., ayuda mnemotécnica, truco de retención memorística; **-oor** (*in boek*) doblez *v*

f (*muz*) fa *m*
fa. *firma* firma, casa
faam fama, renombre *m*
fabel fábula; **fabelachtig** fabuloso
fabricage|fout defecto de fabricación, tara de fábrica; **-proces** procedimiento de fabricación
fabriceren fabricar, manufacturar; **fabriek** fábrica
fabrieks|arbeider obrero de fábrica; **-garantie** garantía de fabrica; **-hal** nave *v* (de taller); **-merk** marca de fábrica; **-prijs** precio de fábrica; **-wijk** barrio industrial, barrio fabril
fabrikaat producto, fabricación *v*, manufactura; *eigen ~* de fabricación casera; *Nederlands ~* fabricado en Holanda, de fabricación holandesa; **fabrikant** fabricante *m*
façade fachada
faciliteit facilidad *v*; *~en: a*) facilidades; *b*) (*apparatuur*) instalaciones *vmv*
factor factor *m*
factotum factótum *m*
factureren I *ww* facturar; II *zn* facturación *v*; **factuur** factura; *voorlopige ~* factura provisional; *een ~ uitschrijven* extender *ie* una factura; **factuurbedrag** importe *m* de la factura
facultatief facultativo, opcional, no obligatorio; *~ stellen* dejar a la discreción; **faculteit** facultad *v*
fagot fagot *m, mv fagots*; **fagottist**, **fagottiste** fagotista *m,v*, fagot *m*
failliet quebrado, en quiebra; *~e boedel* masa de la quiebra; *~ gaan* quebrar *ie*; *~ verklaren* declarar en quiebra; **faillissement** quiebra
fair justo
fait accompli hecho consumado
fakir faquir *m*
fakkel antorcha; **fakkeloptocht** desfile *m* con antorchas
falen 1 (*tekortschieten*) fallar; (*mbt persoon ook:*) equivocarse; 2 (*mislukken*) fracasar
faliekant totalmente, por completo
Falklandeilanden Islas Malvinas
familiair familiar; **familie** familia; *we zijn ~ van elkaar* somos parientes
familie|aangelegenheid asunto familiar; **-banden** vínculos familiares, lazos de familia; **-bedrijf** empresa familiar; **-graf** sepulcro de (la) familia; **-lid** 1 (*verwant*) pariente *m,v*; *naaste -leden* parientes cercanos; 2 (*gezinslid*) miembro de la familia; **-naam** apellido; **-wapen** escudo de armas; **-zaak** empresa de fami-

lia; **-ziek** enfamiliado, muy pegado a los suyos
fan admirador, -ora, forofo, -a, fan *m,v*; (*sp*) hincha *m*
fanaat fanático, maníaco, maniático; **fanaticus** fanático; **fanatiek** fanático; ~ *verdedigen* defender *ie* a ultranza
fancy-fair bazar *m*
fanfare 1 (*mil, signaal*) toque *m* de clarines; **2** (*korps*) banda
fantaseren I *intr* fantasear; II *tr* inventar, imaginar; **fantasie** fantasía, imaginación *v*; **fantast** iluso, soñador *m*; **fantastisch** fantástico
farce farsa
farmaceutisch farmacéutico; **farmacie** farmacia
fascineren fascinar; hechizar; **fascinerend** fascinante, fascinador *-ora*
fascisme fascismo; **fascist** fascista *m*; (*fam*) facha *m*; **fascistengroet**: *de ~ brengen* saludar brazo en alto
fase fase *v*, etapa
fat dandi *m*, petimetre *m*
fataal funesto, fatal; **fatalisme** fatalismo
fatsoen 1 (*netheid*) buenas costumbres *vmv*, decencia, decoro, honestidad *v*, dignidad *v*; **2** (*goede manieren*) buenos modales *mmv*; *zijn ~ houden* tener formalidad; *met goed ~* con dignidad, en conciencia, si se quiere quedar bien; *voor zijn ~* por el qué dirán; **fatsoeneren** componer, arreglar, adecentar; **fatsoenlijk 1** (*net*) decente; **2** (*eerlijk*) honrado, honesto
fauna fauna
fauteuil butaca, sillón *m*
favoriet favorito
fax telefax *m*
fazant faisán, -ana
februari febrero
federaliseren federar; **federalisering** federación
federatie federación *v*
fee hada
feed-back realimentación *v*
feeëriek maravilloso
feeks bruja, arpía
feest fiesta; (*plechtig:*) festividad *v*; *dat ~ gaat niet door!* ¡no habrá tal!
feest|artikelen artículos de fiesta, artículos de cotillón; **-dag** fiesta, día *m* festivo; *vaste ~* fiesta fija; *wisselende ~* fiesta movible; **-drukte** bullicio de (la) fiesta
feestelijk festivo; **feestelijkheid** festejo, festividad *v*
feest|maal banquete *m*; **-neus 1** (*lett*) nariz *v* de cartón; **2** (*persoon*) juerguista *m,v*; **-vieren** celebrar una fiesta
feilbaar falible; **feilloos** sin falta
feit hecho; *strafbaar ~* hecho punible, hecho delictivo; *voldongen ~* hecho consumado; *in ~e zie: feitelijk*; **feitelijk** I *bn* real, de hecho, fáctico, factual; II *bw* de hecho, en efecto, virtualmente
fel 1 vehemente; **2** (*mbt kleur*) (muy) vivo; (*schel*) estridente; **3** (*mbt woorden*) apasionado; (*bijtend*) mordaz; **4** (*mbt kou*) intenso; **5** (*mbt pijn*) agudo, intenso; **6** (*mbt strijd*) encarnizado; **7** (*mbt licht*) deslumbrante; *in de ~le zon* en pleno sol; *de zon is erg ~* pega el sol
felicitatie felicitación *v*, enhorabuena, parabién *m*; **feliciteren** (*met*) felicitar (por), dar la enhorabuena (por), congratular (por); (*wel-*) *gefeliciteerd!: a*) ¡felicidades!, ¡enhorabuena!; *b*) (*met verjaardag*) ¡feliz cumpleaños!
feminisme feminismo; **feministe**, **feministisch** feminista
feodaal feudal
fervent ferviente
festival festival *m*
feuilleton novela por entregas
fiasco fracaso
fiat fíat *m*, consentimiento, visto bueno
fiche ficha
fictie ficción *v*; **fictief** ficticio
fier arrogante, orgulloso; **fierheid** arrogancia, orgullo
fiets bicicleta; (*fam*) bici *v*; *per ~* en bicicleta
fiets|band neumático de bicicleta; **-bel** timbre *m* (de la bicicleta)
fietsen ir en bicicleta; *leren ~* aprender a montar en bicicleta
fietsen|rek portabicicletas *m*, soporte *m* para bicicletas; **-stalling** aparcamiento para bicicletas
fietser ciclista *m*; *een enthousiaste ~* (*fam*) un pedalier
fiets|ketting cadena de rodillos; **-pad** pista para ciclistas; (*fam*) carril-bici *m, mv carriles-bici*; **-pomp** inflador *m*, bomba de bicicleta; **-tas** bolsón *m* de bici(cleta), ciclobolsa; **-tocht** excursión *v* en bicicleta
figuratief figurativo; **figuur** figura; *een ~ slaan* hacer el ridículo, (*fam*) dar el numerito; *een goed ~ slaan* quedar bien; *een slecht ~ slaan* quedar mal; **figuurlijk** figurado; **figuurzaag** sierra de calar
fijn 1 fino; *~ zand* arena fina; *~e kam* peine *m* de púas estrechas; **2** (*prettig*) bueno, agradable; *~!* ¡qué bien!; *ik vind lezen ~* me gusta leer; *zij vindt het ~ om weg te gaan* le alegra irse; *er het ~e van weten* conocer los detalles
fijn|besnaard delicado, sensible; **-gevoelig** *zie: fijnbesnaard*; **-korrelig** de grano fino; **-maken** pulverizar, triturar; **-proever** gastrónomo; (*fig*) conocedor *m*; **-stelling** ajuste *m* de precisión
fijntjes con sutileza, sutilmente, con cierta ironía
fijnwrijven triturar
fiks *zie: flink*
filatelie filatelia
1 file caravana; (*opstopping*) embotellamiento
2 file (*comp*) fichero, archivo
fileren filetear; **filet** filete *m*
filevorming *zie: file*

filiaal filial *v*, sucursal *v*
Filippijnen: *de* ~ las (Islas) Filipinas; **Filippijns** filipino
film película; (*bioscoopfilm ook:*) film *m*, filme *m*; (*avondvullend*) largometraje *m*
film|acteur actor *m* de cine; **-actrice** actriz *v* de cine; **-camera** cámara cinematográfica; **-doek** pantalla cinematográfica
filmen rodar *ue*, filmar
film|journaal noticiario (cinematográfico); **-keuring** censura de películas; **-liefhebber** cinéfilo, aficionado de cine
filmpje (*klosje*) rollo (de película)
film|regisseur director *m* cinematográfico, director *m* de cine; **-ster** estrella de cine; **-studio** estudio (de cine); **-vertoning** proyección *v* de una película
filosoferen filosofar; **filosofie** filosofía; **filosoof** filósofo
filter filtro; (*rooster*) rejilla; **filtersigaret** cigarrillo con filtro; **filtreerpapier** papel *m* filtrante; **filtreren** I *ww* filtrar; II *zn* filtraje *m*, filtración
Fin finlandés *m*
finaal (*totaal*) completo, total; *finale kwijting* finiquito; **finale** final *v*; *de* ~ *dames* la final femenina; *de* ~ *heren* la final masculina; **finalist**, **finaliste** finalista *m,v*
financieel (*ivm het geldwezen*) financiero; (*ivm persoonlijke financiën*) económico; **financiën** finanzas; *Ministerie van* ~ Ministerio de Hacienda; *openbare* ~ hacienda pública; **financieren** financiar; **financiering** financiación *v*, financiamiento; **financieringstekort** déficit *m* de financiación
fineer chapa de madera; **fineren** chapear
finesse: *tot in de* ~*s* en sumo detalle
finish 1 (*eindstreep*) meta; 2 (*afwerking*) acabado; ~*ing touch* retoque *m*, último toque *m*
Finland Finlandia; **Fins** finlandés *-esa*
firma firma, casa
firmament firmamento
firmanaam razón *v* social; **firmant** socio
fiscaal fiscal; **fiscus** fisco, administración *v* fiscal
fit sano, en forma
fitting portalámparas *m*
fixeer fijador *m*; **fixeerbad** baño fijador
fjord fiordo
flacon frasco
fladderen revolotear
flair habilidad *v*, mundología, soltura, listeza
flakkeren temblar *ie*
flamberen flamear
flamingo flamenco
flanel franela
flaneren pasearse
flank flanco
flap (*van boek*) solapa; **flaporen** orejas gachas; **flappen**: *eruit* ~ dejar escapar, decir de buenas a primeras; **flapuit**: *een* ~ una persona suelta de lengua
flarden jirones *mmv*, harapos, andrajos; *aan* ~ hecho jirones; *aan* ~ *scheuren* hacer jirones
flat piso, apartamento
flater pifia, error *m*, metedura de pata; *een* ~ *slaan* cometer una pifia, (*fam*) tirarse una plancha
flatgebouw edificio de apartamentos
flatteren favorecer; **flatteus** favorecedor *-ora*
flauw 1 (*zoutloos, saai*) soso, insípido; 2 (*kinderachtig*) infantil, poco gracioso; *een* ~*e grap* una broma sin gracia; 3 (*vaag*) vago; *ik heb zo'n* ~ *idee* tengo una vaga idea; *ik heb geen* ~ *idee* no tengo la menor idea, no tengo ni idea; 4 (*mbt kleur, glimlach*) pálido, débil; *een* ~*e glimlach* una vaga sonrisa; 5 (*mbt licht*) tenue; 6 (*mbt markt*) flojo || ~ *zijn van de honger* estar muerto de hambre; **flauwekul** bobadas *vmv*; **flauwiteit** broma insípida, insipidez *v*; **flauwte** desmayo, desvanecimiento, desfallecimiento; **flauwtjes** (*vaag*) vagamente; (*zacht, zwak*) débilmente; ~ *glimlachen* sonreír pálidamente; **flauwvallen** desmayarse, desvanecerse, perder el conocimiento
flens (*techn*) brida; **flensje** (*vglbaar:*) crepe *m,v*
fles 1 botella; *uit de* ~ *drinken* (*fam*) beber a morro; 2 (*zuigfles*) biberón *m* || *op de* ~ *gaan* quebrar *ie*; **flesje** botellín *m*, botellita; (*flacon*) frasco
flesopener abrebotellas *m*, destapador *m*
flesse|bier cerveza de botella; **-gas** gas *m* envasado; **-melk** leche *v* en botella
flessen timar, estafar; **flessentrekker** estafador *m*, timador *m*; **flessentrekkerij** timos *mmv*
flets pálido, débil
fleurig alegre, vivo
flexibel flexible; (*fig ook:*) versátil; **flexibiliteit** flexibilidad *v*; (*fig ook:*) versatilidad *v*
flikflooien hacer arrumacos, hacer carantoñas
flikker marica *m*, maricón *m*, gay *m* || *iem op zijn* ~ *geven* dar una paliza a u.p.; **flikkeren** 1 (*mbt licht*) parpadear, destellear; 2 (*fonkelen, mbt ogen*) relucir, brillar; **flikkerend** centelleante; **flikkering** (*van licht*) parpadeo, oscilación *v*, destello; **flikkerlicht** 1 (*noodlantaarn*) señal *v* a destellos, linterna de señales, luz *v* intermitente; 2 (*zwak licht*) luz *v* vacilante
flink I *bn* 1 (*sterk*) fuerte, vigoroso; 2 (*dapper*) valiente; *wees* ~! ¡sé valiente!; 3 (*aanzienlijk*) notable, considerable; *een* ~*e griep* una gripe de cuidado; *een* ~*e wandeling* una buena caminata; II *bw* enérgicamente, con fuerza; *iem* ~ *de waarheid zeggen* decir a u.p. cuatro verdades
flirt 1 (*het flirten*) flirteo; 2 (*persoon*) flirt *m*, ligue *m*; **flirten** flirtear
flits 1 (*plots licht*) centelleo, relámpago; 2 (*fot*) flash *m*; **flitsen** (*fot*) disparar el flash; **flitsend** genial, despampanante; **flitser** disparador *m* de flash

flodder 1 (*persoon*) persona desaliñada; 2 *losse* ~ cartucho de fogueo; **flodderen** chapucear, hacer mal las cosas; **flodderig** 1 (*wijd*) muy ancho, muy holgado; 2 (*slordig gedaan*) poco cuidado, chapucero

flonkeren centellar, brillar, destellar, relucir, resplandecer; **flonkering** centelleo, destello

floreren florecer, prosperar

fluisteren susurrar, bisbisear, cuchichear; **fluistering** susurro, cuchicheo

fluit 1 (*muz*) flauta; 2 (*van trein e.d.*) pito || *hij weet er geen ~ van* no sabe ni jota; **fluiten** 1 (*met mond; mbt kogel*) silbar; 2 (*mbt trein, scheidsrechter*) silbar, tocar el pito; 3 (*muz*) tocar la flauta; 4 (*mbt vogel*) cantar

fluitist, **fluitiste** flautista *m,v*

fluit|ketel hervidor *m*; **-signaal** silbato

fluor flúor *m*; **fluoriseren** fluorar

fluweel terciopelo; **fluwelen** de terciopelo; **fluwelig** aterciopelado

fnuikend fatal, funesto

foedraal estuche *m*, funda

foefje truco

foeilelijk feísimo

foerier furriel *m*

foeteren refunfuñar

foetus feto

föhn secador *m* (de mano); **föhnen** secar a mano

fok trinquete *m*

fokken criar *í*; **fokker** criador *m*; **fokkerij** 1 (*het fokken*) cría; 2 (*plaats*) criadero

folder folleto

folie lámina, hoja

folioformaat tamaño (de) folio

folklore folklore *m*; **folkloristisch** folklórico

follow-up continuidad *v*, continuación *v*

folteraar torturador *m*; **folteren** torturar; (*fig ook:*) atormentar; **foltering** tortura, tormento

fonds fondo; *zie ook: ziekenfonds*

fonds|patiënt paciente *m* asegurado en el seguro obligatorio de enfermedad; **-spreekuur** hora de consulta para los asegurados en el seguro obligatorio

fonkelen, **fonkeling** *zie: flonkeren, flonkering*

fonkelnieuw flamante

fontein fuente *v*; (*groot, kunstzinnig ook:*) fontana; **fonteintje** lavamanos *m*, lavabo pequeño

fooi propina

foppen hacer una broma; (*bedriegen*) engañar; **fopperij** broma; (*licht bedrog*) engañifa, filfa; **fopspeen** chupete *m*

force majeure fuerza mayor

forceren forzar *ue*; (*van deur ook:*) violentar; (*van slot:*) fracturar

forel trucha; **forellenkwekerij** criadero de truchas

forens persona que viaja diariamente entre su casa y el trabajo; **forensentrein** tren *m* suburbano

forfait: *à ~* a precio alzado

formaat tamaño; *een tegenstander van ~* un adversario de talla

formaliteit trámite *m*, formalidad *v*; (*vereiste*) requisito; *een zuivere ~* una cosa de puro trámite; *de ~en vervullen* cumplir los trámites

formatie 1 formación *v*; 2 (*van personeel*) plantilla (orgánica)

formatteren dar formato, formatar

formeel formal

formeren formar

formidabel formidable, colosal

formule fórmula; **formuleren** formular, expresar; **formulering** forma de expresión, manera de formular; (*schriftelijk:*) redacción *v*; **formulier** formulario, modelo, hoja

fornuis cocina; *4-pits elektrisch ~* cocina eléctrica de 4 placas

fors robusto, grande y fuerte, fornido

fort fortaleza

fortuin fortuna; *zijn ~ zoeken* buscar fortuna; **fortuinlijk** afortunado

fosfor fósforo

fossiel I *bn* fósil; II *zn* fósil *m*

foto foto *v*, fotografía; *~'s nemen* sacar fotos

foto|album álbum *m* para fotos; **-geniek** fotogénico

fotograaf, **fotografe** fotógrafo, -a; **fotograferen** fotografiar *í*, sacar fotografías; *het ~ onder water* la fotografía submarina; **fotografisch** fotográfico

fotokopie fotocopia; **fotokopieerapparaat** fotocopiadora, máquina para hacer fotocopias; **fotokopiëren** fotocopiar, hacer fotocopias

foto|model modelo *m,v*; **-montage** montaje *m* fotográfico, fotomontaje *m*; **-toestel** cámara, aparato fotográfico, máquina (fotográfica); **-zetwerk** fotocomposición *v*

fouilleren registrar, cachear; **fouillering** registro, cacheo

fournituren mercería

fout I *zn* 1 (*vergissing*) falta, error *m*; *een menselijke ~* un fallo humano; *een ~ begaan* incurrir en un error, cometer una falta; *de gemaakte ~* el error cometido; 2 (*defect*) falta, defecto, desperfecto; *de ~en van het systeem* las deficiencias del sistema; II *bn* equivocado, erróneo, malo

foyer foyer *m*

fraai hermoso; **fraaiheid** hermosura

fractie fracción *v*; *de liberale ~* la fracción liberal; *in een ~ van een seconde* en una fracción de segundo

fragment fragmento; **fragmentarisch** fragmentario

framboos 1 (*vrucht*) frambuesa; 2 (*struik*) frambueso

frame armadura, armazón *m*; (*van fiets ook:*) cuadro

Française francesa

franco franco, con portes pagados

franje fleco, flecos *mmv*; (*fig:*) adornos *mmv*
frank I *zn* franco; II *bn*: ~ *en vrij* totalmente libre
frankeerkosten gastos de franqueo; **frankeren** franquear
Frankrijk Francia
1 Frans francés *-esa*; *in het* ~ en francés; *met de* ~*e slag* a la ligera
2 Frans Francisco; (*fam*) Paco, Curro; *een vrolijke* ~ un tipo alegre
fransman (*Belg*) temporero flamenco en Francia
Fransman francés *m*; **Franstalig** francoparlante, de habla francesa
frappant sorprendente
frase frase *v*; *holle* ~*n* palabras vacías
frater hermano
fraude (delito de) fraude *m*; ~ *plegen* cometer fraude; **frauduleus** fraudulento
freak *zie: fanaat*
freelance independiente, libre, freelance; ~ *werken* trabajar por su cuenta; ~ *werker* trabajador *m* independiente, trabajador *m* sin contrato
frees fresadora
freewheelen ir con rueda libre
fregat fragata
frequentie frecuencia
fret 1 (*dier*) hurón *m*; 2 (*boor*) barrenita
freudiaans freudiano
frezen fresar
Fries *bn* frisón *-ona*; **Friesland** Frisia
frik dómine *m*, pedante *m,v*
frikadel (*vglbaar:*) albóndiga, salchicha frita
fris fresco; (*opgefrist*) refrescado; *zo* ~ *als een hoentje* fresco como una rosa; *ik heb behoefte aan* ~*se lucht* necesito respirar; *het is geen* ~ *zaakje* no es nada limpio; *het wordt* ~ (*mbt weer*) refresca; **frisdrank** refresco, bebida refrescante; **frisheid** frescura, frescor *m*; **frisjes** fresquito; *het is* ~ hace fresquito
frites patatas fritas; **friteuse** freidora; **frituren** freír *í* en aceite
frivool frívolo
frommelen arrugar, estrujar
fronsen arrugar el ceño; *het voorhoofd* ~ arrugar la frente; *de wenkbrauwen* ~ fruncir las cejas
front frente *m*; **frontaal** frontal; ~ *botsen* chocar de frente
fruit fruta, frutos *mmv*
fruiten sofreir *í*
fruithandel frutería; **fruithandelaar** frutero
fruit|pers exprimidor *m* de frutas; **-test** frutero
frustreren frustrar
f-sleutel clave *v* de fa
fuchsia fucsia
fuif fiesta; **fuifnummer** juerguista *m,v*
fuik buitrón *m*, nasa
functie función *v*; (*baan ook:*) cargo; *in* ~ *treden* entrar en funciones, tomar posesión de su cargo; *in zijn* ~ *van* en su calidad de
functie|beschrijving clasificación *v* de tareas; **-toets** tecla de función; **-vervulling** desempeño de la función
functionaris funcionario; *hoge* ~ alto cargo, alto mando
functioneel funcional
functioneren funcionar; *zie ook: fungeren*
fundament fundamento, fundación *v*; **fundamentalisme** fundamentalismo; **fundamenteel** fundamental, básico, esencial; **fundatie** base *v*; **fundatieplaat** placa de fundación, bancada; **funderen** (*op*) fundar (en), cimentar (en); (*fig ook:*) fundamentar (en), basar (en); **fundering** fundamento(s), cimentación *v*, base *v*
fungeren: ~ *als* hacer las veces de, hacer funciones de
fuseren fusionarse; (*mbt pol partijen*) amalgamarse; **fusie** fusión *v*; *een* ~ *aangaan* fusionarse; ~ *door overneming* fusión mediante absorción
fusilleren fusilar
fust barril *m*
fut energía
fysiotherapeut, **fysiotherapeute** fisioterapeuta *m,v*; **fysiotherapeutisch** fisioterapéutico; **fysiotherapie** fisioterapia

fra

Ggg

g 1 *gram* gramo; *afk* g; **2** (*muz*) sol *m*
gaaf sano; entero, íntegro, intacto; ~ *fruit* fruta sana; ~ *gebit* dentadura sana
gaan 1 ir; *de bel gaat* suena el timbre; *daar gaat ie!* ¡ahí va!; *het gaat niet* no es posible, no puede ser; *hoe gaat het?* ¿qué tal?; *hoe gaat het met u?* ¿cómo está?, ¿cómo le va?, ¿qué tal le va?; *hoe gaat het met je moeder?* ¿qué es de tu madre?; *het ga je goed!* ¡que te vaya bien!; *ga ik zo goed?* ¿voy bien por aquí?; *het ging hem goed* le iban bien las cosas; *de film ging heel goed* la película tuvo mucho éxito; *die films gaan nu niet meer* (*zijn verouderd*) estas películas están pasadas de moda; *het gaat zo niet langer* no puede seguir así; *het gaat slecht met de zaak* el negocio va mal; *waar gaat deze weg heen?* ¿dónde va este camino?; *zo gaat het in de wereld* el mundo es así; *bij de marine* ~ entrar en la marina de guerra; *bij een partij* ~ afiliarse a un partido; ~ *boven* tener preferencia sobre; *er gaat niets boven een glas wijn* nada mejor que una copa de vino; *er* ~ *20 mensen in de zaal* caben 20 personas en la sala; *er* ~ *100 koekjes in een kilo* entran 100 galletas en un kilo; *in de politiek* ~ entrar en política; ~ *naar* ir a, acudir a; *het gaat om zijn leven* es cuestión de vida o muerte; *daar gaat het om* ahí está la cosa; *waar het om gaat is* de lo que se trata es; *daar gaat het niet om* no se trata de eso; ~ *over* (*behandelen*) tratar de; ~ *over Utrecht* viajar por Utrecht; *te ver* ~ exagerar, ir demasiado lejos; *ergens tegenin* ~ salir al paso de u.c.; **2** (*weggaan*) irse; *nou, ik ga* bueno, me voy; *ga naar je kamer* vete a tu cuarto; *u kunt* ~ puede Ud. retirarse; *laten we* ~*!* ¡vamos!, ¡vámonos!; *ik moet* ~ tengo que irme; **3** ~ + *onbep w* ir a; *als je erover gaat denken* si te pones a pensar en ello; ~ *eten in de stad* ir a comer a la ciudad; *men is* ~ *geloven* se ha dado en creer; *ik ga even kijken of* voy a ver si; *iem* ~ *opzoeken* ir a ver a u.p.; *het gaat regenen* va a llover; *je zult het leuk* ~ *vinden* terminará por gustarte, terminarás por apreciarlo
gaande en marcha, en curso; *de* ~ *en komende man* los que van y los que vienen; *wat is er* ~*?* ¿qué ocurre?, ¿qué pasa?; *er is een oorlog* ~ hay una guerra en marcha; *het gesprek* ~ *houden* hacer el gasto de la conversación, mantener la conversación; **gaandeweg** poco a poco, gradualmente
gaans: *een uur* ~ una hora andando
gaap bostezo
gaar 1 cocido, tierno; *goed* ~ tierno, bien hecho; *niet* ~ medio crudo; *te* ~ pasado; **2** (*moe*) hecho polvo || *halve gare* medio tonto
gaarne con mucho gusto; ~ *zien wij uw bericht tegemoet* esperamos sus siempre gratas noticias; *zie ook: graag*
gaas 1 (*textiel*) gasa; **2** (*metaal*) tela metálica
gaatje agujerito; **gaatjestang** sacabocados *m*, tenazas *vmv* punzonadoras
gadeslaan observar, contemplar
gading: *van iems* ~ *zijn* convenir a u.p., ser del agrado de u.p.; *er is niets van mijn* ~ *bij* no hay nada que me convenga
gaffel (*op zeilboot*) cangrejo
gage paga, sueldo, salario
gajes chusma, plebe *v*, gentuza, populacho
gal bilis *v*, hiel *v*
gala (fiesta de) gala; *in* ~ de gala; **galabal** baile *m* de gala; **galadiner** banquete *m* de gala
galant galante; **galanterie** galantería, cortesía
galblaas vesícula biliar
galei galera; **galeiboef**, **galeislaaf** galeote *m*
galerij galería
galg horca; *hij groeit op voor* ~ *en rad* es carne de horca, está criado para la mala vida; **galgehumor** humor *m* negro, humor *m* macabro
Galicië Galicia
gallicisme galicismo
galm eco, resonancia; **galmen** resonar *ue*, retumbar
galon galón *m*
galop galope *m*; *korte* ~ medio galope; *in gestrekte* ~ a galope tendido; **galopperen** galopar
galsteen cálculo biliar
galvanisch galvánico; **galvaniseren** galvanizar
gamma gama; **gammastraal** rayo gama; **gammawetenschappen** ciencias sociales
gammel desvencijado, derrengado, cochambroso
1 gang 1 (*in huis*) pasillo, corredor *m*; **2** (*in mijn; door dier gemaakt*) galería
2 gang 1 (*wijze van lopen*) manera de andar; **2** (*vaart*) velocidad *v*; *op* ~ *komen* ganar velocidad; **3** (*bij maaltijd*) plato; **4** (*voortgang*) curso, marcha; *de* ~ *van zaken* la marcha de las cosas, el curso de los acontecimientos; *deze* ~ *van zaken* este procedimiento; *voor de goede* ~ *van zaken* para la buena marcha de las cosas; *ga je* ~ (*je doet maar*) haz lo que quieras; *gaat uw* ~*!* (*na u*) pase Ud., Ud. primero; *je gaat je* ~ *maar* es cuenta tuya, allá tú; *rustig zijn* ~ *gaan* no dejarse distraer, dedicarse a lo suyo; *zijn gewone* ~ *gaan: a*) (*mbt zaak*) continuar *ú* su marcha habitual, seguir *i* su curso normal; *b*) (*mbt persoon*) llevar su vida normal; *in de stad gaat alles zijn gewone* ~ en la ciudad hay normalidad; *iem zijn* ~ *laten gaan* dejar hacer a u.p. (su voluntad); *iems* ~*en nagaan* vigilar a u.p.; *zo blijf je aan de* ~ así no se acaba nunca;

aan de ~ *houden* mantener en marcha; *ik kon niet aan de* ~ *komen* no podía decidirme a empezar; *ik kon de motor niet aan de* ~ *krijgen* no conseguí hacer arrancar el motor; *aan de* ~ *zijn:* a) (*mbt persoon*) estar trabajando; b) (*mbt voorstelling*) haber empezado; *de onderhandelingen die aan de* ~ *zijn* las negociaciones en curso; *zij zijn weer aan de* ~ *geweest* otra vez han estado haciendo de las suyas; *alles is in volle* ~ todo está en plena marcha; *de fabriek is weer op* ~ la fábrica funciona otra vez; *op* ~ *brengen* activar; *op* ~ *komen* avanzar

gangbaar corriente

gangboord corredor *m*, pasillo

gangetje 1 (*doorgang*) pasillo estrecho; 2 (*voortgang*) curso; *het gaat zo z'n* ~ la cosa marcha así así

gang|maker 1 iniciador *m*; 2 (*sp*) el que marca el paso; **-pad** pasillo

gangster gángster *m*, pistolero

gannef mangante *m*

1 gans ganso, -a, oca; *domme* ~ boba, mema, alma de cántaro

2 gans *zie: geheel*

ganzenbord (juego de la) oca

ganzepas paso de ganso, fila india

gapen 1 (*geeuwen*) bostezar; 2 (*mbt afgrond*) abrirse (mucho); ~*de wond* herida muy abierta; **gaping** 1 (*gat*) agujero; 2 (*leemte*) laguna, hueco, vacío, abertura

gappen mangar, robar

garage 1 (*stalling*) garaje *m*; 2 (*werkplaats*) taller *m*; **garagist** (*Belg*) 1 (*garagehouder*) dueño de un taller de automóviles; 2 (*automonteur*) mecánico de automóviles

garanderen garantizar; **garant** garante *m*; *zich* ~ *stellen voor* garantizar, salir garante por; **garantie** garantía; ~ *tegen fabrieksfouten* garantía contra todo defecto de fabricación; **garantiebewijs** (certificado de) garantía; **garantiefonds** fondo de garantía

1 garde (*mil*) guardia

2 garde (*klopper*) batidor *m*

garderobe 1 (*bewaarplaats*) guardarropa; 2 (*kleding*) vestidos *mmv*, ropa

gareel (*tuig*) collera y arreos *mmv*; *in het* ~ *brengen* encarrilar

garen hilo, hilado; *wollen* ~ hilado lanero; *zijden* ~ hilado de seda; *ergens* ~ *bij spinnen* sacar provecho de u.c.

garnaal quisquilla, camarón *m*; *grote* ~ gamba

garneren guarnecer, adornar; **garnering** guarnición *v*, adornos *mmv*; **garnituur** *zie: garnering*

garnizoen guarnición *v*

gas gas *m*; *vloeibaar* ~ gas líquido, gas licuado; ~ *geven* acelerar, pisar el acelerador; ~ *loslaten* soltar *ue* el acelerador; ~ *minderen* cortar el gas; *met vol* ~ a todo gas, con el acelerador a fondo

gas|aansteker encendedor *m* mecánico (de gas), mechero; **-bel** bolsa de gas; **-brander** quemador *m* de gas; **-druk** presión *v* del gas; **-fles** bombona; **-fornuis** cocina de gas; **-geiser** calentador *m* de gas

gashoudend gaseoso

gas|kachel estufa de gas; **-kamer** cámara de gas; **-kraan** llave *v* del gas; **-leiding** 1 tubería de gas; 2 (*hoofdleiding*) gaseoducto; **-lek** fuga de gas; **-masker** máscara antigás, careta antigás; **-meter** contador *m* del gas; **-oven** horno de gas; **-pedaal** (pedal *m* del) acelerador *m*

gast huésped, -eda; (*genodigde ook:*) invitado, -a; *je bent vandaag mijn* ~ hoy invito yo

gast|arbeider trabajador *m* extranjero; **-dirigent** director *m* de orquesta invitado; **-docent** profesor *m* visitante

gastenboek álbum *m* de visitantes

gast|heer anfitrión *m*, huésped *m*; **-land** país *m* anfitrión; **-rol** papel *m* de actor invitado

gastronomie gastronomía

gastvrij hospitalario, acogedor *-ora*; **gastvrijheid** hospitalidad *v*, espíritu *m* acogedor

gastvrouw anfitriona, huéspeda

gas|vergiftiging intoxicación *v* por gas; **-verwarming** calefacción *v* de gas; **-vlam** llama de gas

gat 1 agujero, abertura; (*in dijk, muur ook:*) brecha; ~ *in de begroting* agujero en el presupuesto; ~ *in het hoofd* descalabradura; ~ *in vliegtuigromp* boquete *m* en el fuselaje; *een* ~ *maken in* agujerar, agujerear; *ik zie er geen* ~ *meer in* no sé por dónde darlas, no tengo salida; *hij heeft een* ~ *in zijn hand* es un despilfarrador; *een* ~ *in de dag slapen* seguir *i* durmiendo hasta bien entrado el día; *een* ~ *in de lucht springen* darse con un canto en los pechos; *met* ~*en erin* agujereado; *het ene* ~ *met het andere stoppen* tapar un agujero para abrir otro; *niet voor één* ~ *te vangen zijn* no ahogarse en un vaso de agua, no arredrarse por tan poco; 2 (*achterwerk*) culo; 3 (*kuil, in weg*) bache *m*; 4 (*dorpje*) pueblucho, pueblo de mala muerte

gaten: *in de* ~ *hebben, krijgen* percatarse de, barruntar; *in de* ~ *houden* (*volgen*) espiar *í*; *houd hem in de* ~*!* ¡no le pierdas de vista!

gauw I *bn* rápido; II *bw* pronto, rápidamente; *hij sliep* ~ *in* se durmió al poco rato; *hij schreef niet* ~ tardó en escribir; *zo* ~ *mogelijk* cuanto antes; **gauwdief** ratero; **gauwigheid**: *in de* ~ de prisa, corriendo

gave 1 donación *v*, dádiva; (*fig ook:*) don *m*; *de* ~ *van het woord* el don de la palabra; 2 ~*n* (*talenten*) talentos, dotes *vmv*

gazelle gacela

gazeuse gaseosa

gazon césped *m*

geaardheid carácter *m*, naturaleza

geaccidenteerd accidentado, desigual, escabroso, quebrado

geacht distinguido, estimado; *Geachte Heer,* (*ook:*) Muy señor mío:

geadresseerde destinatario

geaffecteerd *zie: gemaakt*

geagiteerd inquieto, agitado

gealarmeerd alarmado, alertado

geallieerd aliado

geanimeerd animado

gearmd cogidos del brazo

geassocieerd asociado

geavanceerd avanzado, perfeccionado

gebaand: *~e wegen* caminos trillados

gebaar gesto; (*lett ook:*) ademán *m*; *mooi ~* hermoso gesto; *gebaren maken* gesticular

gebaard barbudo

gebaat: *~ zijn bij* beneficiarse de; *hier kan niemand bij ~ zijn* esto no puede beneficiar a nadie

gebabbel charlas *vmv*, cotorreo, charloteo, cháchara

gebak pasteles *mmv*, pastas *vmv*; **gebakje** pasta, pastel *m*; **gebakstel** juego de pastas

gebarentaal lenguaje *m* de gestos, señas *vmv*

gebazel desatinos *mmv*, simplezas *vmv*, tonterías *vmv*

gebed oración *v*, rezo; **gebedenboek** devocionario, libro de oraciones; **gebedsgenezing** curación *v* por la fe

gebeente huesos *mmv*, esqueleto

gebeier campaneo

gebelgd ofendido, disgustado

gebergte montaña, sierra

gebeten: *~ zijn op* tener mala voluntad a, tener manía a, tener tirria a

gebeuren pasar, ocurrir, acontecer, acaecer; *het ongeluk gebeurde gisteren* el accidente se produjo ayer, el accidente sobrevino ayer; *zulke dingen ~* son cosas que pasan; *alsof er niets gebeurd was* como si nada hubiera pasado, como si tal cosa; *dat is nog nooit gebeurd* nunca se ha dado el caso; *wat gebeurd is, is gebeurd* lo pasado, pasado está; *wat er ook gebeure* pase lo que pase, a todo trance; *kom, het is zo gebeurd* vamos, es un momento nada más; *dat is zo gebeurd* se hace en un instante; *dat zal niet ~* no caerá esa breva; *het moet ~* tiene que hacerse; *moet dat nu direct ~?* ¿ha de ser en seguida?; **gebeurtenis** acontecimiento, suceso

gebied 1 región *v*, zona; (*pol*) territorio; *vijandig ~* territorio enemigo; 2 (*fig*) terreno, dominio, campo, materia; *op het ~ van* en materia de, en el campo de; *op economisch ~* en materia económica

gebieden ordenar, mandar; *voorzichtigheid is geboden* hace falta mucha precaución; **gebiedend** imperativo; *~e wijs* imperativo

gebit dentadura

gebladerte follaje *m*, hojas *vmv*; (*lit*) fronda

geblaf ladrido

geblèr berridos *mmv*

geblesseerd lesionado

gebloemd floreado, de flores

geblokletterd (*Belg*) con grandes titulares

geblokt a cuadros

gebocheld jorobado, cheposo

gebod orden *v*, mandato; *de tien ~en* los diez mandamientos, el decálogo

geboefte gentuza, chusma

gebogen encorvado, doblado; *~ over* doblado sobre, inclinado sobre

gebonden 1 (*vast*) atado, ligado; *~ zijn* (*fig*) no ser libre; 2 (*mbt boek*) encuadernado; 3 (*mbt saus*) espeso

geboorte nacimiento; *de zorg voor en na de ~* la higiene antenatal y postnatal

geboorte|aangifte declaración *v* de nacimiento; **-akte** partida de nacimiento; **-bewijs** certificación *v* de inscripción de nacimiento; **-datum** fecha de nacimiento; **-grond** suelo natal; **-jaar** año de nacimiento; **-land** país *m* natal; **-lijst** (*Belg*) lista (de regalos) de nacimiento

geboorten|beperking limitación *v* de la natalidad; **-cijfer** (índice *m* de) natalidad *v*; **-controle** control *m* de la natalidad; **-golf** oleada demográfica; **-regeling** *zie: geboortencontrole*; **-register** registro de los nacimientos

geboortig: *~ uit* natural de

geboren 1 nacido; *een ~ redenaar* un orador nato; *blind ~* ciego de nacimiento; *~ en getogen in* nacido y educado en; *~ worden* nacer; 2 (*meisjesnaam*) apellido de soltera

geborgenheid seguridad *v*, amparo

gebotteld embotellado

gebouw edificio; **gebouwd**: *goed ~* (*mbt mens*) bien plantado, de buena planta

gebr. *gebroeders* hermanos; *afk* hnos.

gebraad carne *v* asada, asado

gebrand quemado; *~ glas* vidrio de color || *~ zijn op* tener mucho interés en

gebreid de punto; *~e goederen* géneros de punto

gebrek 1 (*fout*) falta, defecto, desperfecto; *lichamelijk ~* tara física, defecto físico; *vrij van ~en* libre de defectos; 2 (*tekort*) falta, carencia; *er is een ~ aan artsen* faltan médicos; *~ aan ruimte* falta de espacio; *~ hebben aan* carecer de, tener en falta; *wij hebben aan niets ~* no nos falta nada; *~ krijgen aan* comenzar *ie* a echar en falta; *~ lijden* estar necesitado, ser pobre; *er begon ~ te komen aan melk* empezó a faltar la leche; *bij ~ aan bewijs* por falta de pruebas; *bij ~e daaraan* en su defecto; *in ~e blijven* faltar a su compromiso; **gebrekkig** insuficiente, defectuoso, deficiente

gebroken roto; *~ getal* número quebrado; *~ lijn* línea quebrada; *~ wit* color *m* hueso; *hij was ~* estaba roto; *met ~ stem* con voz cascada

gebrom 1 (*gezoem*) zumbido; 2 (*gegrom*) gruñido

gebruik 1 (*benutting*) uso, empleo, utilización *v*; *~ maken van: a*) (*gebruiken*) hacer uso de, servirse *i* de, aprovechar, valerse de; *~ maken van de gelegenheid* aprovechar la oportunidad; *~ maken van een recht* valerse de un derecho; *b*) (*genieten*) beneficiarse de; *~ maken* *van medische verzorging* beneficiarse de asistencia médica; *buiten* ~ fuera de uso, en desuso; *buiten* ~ *raken* caer en desuso; *in* ~ *zijn* estar en uso; *met* ~ *van keuken* con derecho a cocina; *ten* ~*e van* para (el) uso de; *voor direct* ~ de consumo inmediato; *gereed voor* ~ para (el) uso inmediato; *voor uitwendig* ~ para uso externo; 2 (*gewoonte*) uso, costumbre *v*; 3 (*verbruik*) consumo; **gebruikelijk** usual, acostumbrado, habitual; *algemeen* ~ *zijn* ser de uso común; *zoals* ~ en la forma acostumbrada; **gebruiken 1** usar, emplear, aprovechar; 2 (*eten, drinken*) tomar; *wat wilt u* ~? ¿qué quiere tomar?; 3 (*verbruiken*) consumir || *ik zou wel nieuwe schoenen kunnen* ~ me vendría muy bien un nuevo par de zapatos; **gebruiker 1** usuario; 2 (*verbruiker*) consumidor *m*; **gebruikmaking**: *met* ~ *van* utilizando, empleando, sirviéndose de

gebruiks|aanwijzing modo de empleo; **-goederen** bienes *mmv* de consumo; **-klaar** listo para el uso; **-recht** derecho de uso; **-waarde** valor *m* de uso

gebruind tostado, bronceado

gebrul 1 (*van mens*) voces *vmv*, vociferaciones *vmv*, rugidos *mmv*; 2 (*van leeuw*) rugido; 3 (*van stier*) bramido

gebulder 1 (*van kanon*) estampido; 2 (*van mens*) *zie: gebrul*

gecapitonneerd acolchado

gecharmeerd: *hij was* ~ *van haar* le gustaba mucho

gecommitteerde delegado, -a

gecompliceerd complicado, complejo

gedaagde demandado, -a

gedaan hecho; *de gedane pogingen* los esfuerzos realizados; *gedane zaken nemen geen keer* a lo hecho, pecho; *het is met hem* ~ está acabado; *'t is niets* ~ de nada sirve; *hij kreeg het* ~ lo consiguió

gedaante figura; (*vaag:*) bulto; *zich in zijn ware* ~ *vertonen* quitarse la máscara; **gedaanteverandering** metamorfosis *v*, transformación *v*

gedachte 1 pensamiento, idea; *vreemde* ~*n* ideas extrañas; *mijn eerste* ~ *was* mi primer pensamiento fue; *haar* ~*n waren steeds bij hem* sus pensamientos no se apartaban de él; *hij glimlachte bij de* ~ *dat* sonreía al pensar que; *in* ~*n* ensimismado, absorto, abstraído; *in* ~*n verzonken* abismado en sus pensamientos; *in sombere* ~*n verzonken* hundido en negros pensamientos; *in* ~ *ben ik bij je* con el pensamiento estoy contigo; *ik was er niet met mijn* ~ *bij* estuve con la imaginación perdida; *dat bracht me op de* ~ eso me dio la idea; *hoe kwam je op die* ~? ¿cómo se te ocurrió?; *op twee* ~*n hinken* vacilar entre dos modos de ver, no saber a qué carta quedarse; *tot andere* ~*n brengen* hacer cambiar de idea; *iets uit zijn* ~ *zetten* quitarse u.c. de la cabeza, desechar u.c. de su cerebro; *van* ~ *veranderen* cambiar de idea; *van* ~*n wisselen* cambiar impresiones; 2 (*herinnering*) recuerdo; *houd dat in* ~ recuérdalo, no lo olvides; **gedachteloos** distraído

gedachten|gang curso de pensamientos, orden *m* de ideas; **-lezen** adivinar el pensamiento; **-wisseling** cambio de ideas; **-wolkje** balón *m*

gedachtig recordando

gedag: ~ *knikken* saludar con la cabeza; ~ *zeggen* saludar; ~ *zwaaien* saludar con la mano

gedecideerd decidido, resuelto

gedeelte parte *v*; *aflevering in* ~*n* entrega escalonada; *betaling in* ~*n* pagos *mmv* parciales; **gedeeltelijk** parcial

gedegen detenido, concienzudo; *een* ~ *studie* un estudio detenido; *een* ~ *voorbereiding* una preparación concienzuda

gedekt (*mbt kleur*) poco vivo, apagado, suave

gedempt apagado

gedenkboek libro conmemorativo

gedenken conmemorar

gedenk|plaat placa conmemorativa; **-steen** lápida recordatoria; **-teken** monumento

gedeponeerd: ~ *handelsmerk* marca registrada

gedeputeerde diputado *m,v*; (*vrouw ook:*) diputada

gedetailleerd detallado, pormenorizado, en detalle

gedetineerde preso, -a

gedeukt abollado

gedicht poesía; (*lang:*) poema *m*

gedienstig servicial, atento, obsequioso; **gedienstige** sirvienta

gedierte bichos *mmv*

gedijen prosperar, florecer

geding pleito, causa, proceso; *kort* ~ (*vglbaar:*) juicio sumario; *in het* ~ *zijn* estar en juego

gediplomeerd diplomado, titulado, calificado

gedistilleerd (*drank*) licores *mmv*

gedistingeerd refinado, aristocrático

gedoe jaleo, follón *m*; *het is een heel* ~ es mucho follón

gedoemd: ~ *om* condenado a, llamado a, destinado a

gedogen tolerar

gedonder trueno; *dat* ~! ¡semejante murga!, ¡esa lata!, ¡esa tabarra!

gedrag conducta; (*concreter:*) comportamiento; *onbesproken* ~ conducta intachable, conducta irreprochable; *bewijs van goed* ~ certificado de buena conducta

1 gedragen: *zich* ~ portarse, comportarse; *zich* ~ *naar* actuar *ú* conforme a, seguir *i*

2 gedragen *bn* solemne, elevado

gedrags|code código de comportamiento; **-lijn** línea de conducta; **-regel** regla de conducta; **-wetenschappen** ciencias del comportamiento, ciencias de la conducta

gedrang apreturas *vmv*; *in het* ~ *komen* correr riesgo, ser amenazado

gedreun retumbo, fragor *m*, estruendo
gedreven inspirado; ~ *door* llevado por; ~ *door de noodzaak* por imperativo de la necesidad
gedrocht monstruo, esperpento; **gedrochtelijk** monstruoso
gedrongen 1 (*mbt mens*) rechoncho, achaparrado; 2 (*mbt stijl*) conciso
gedroogd (*mbt bloem*) disecado
gedruis ruido, rumor *m*
geducht temible
geduld paciencia; *mijn ~ is op* se me acaba la paciencia; *je moet maar ~ hebben!* ¡paciencia y barajar!; *iems ~ op de proef stellen* poner a prueba la paciencia de u.p.; **geduldig** paciente
gedurende 1 (*tijdens*) durante; 2 (*voor de duur van*) por (espacio de)
gedurfd atrevido, audaz
gedurig continuo, incesante
gedwee dócil, sumiso; **gedweeheid** docilidad *v*, sumisión *v*
gedwongen 1 forzado; *een ~ glimlach* una sonrisa forzada; 2 (*verplicht*) obligatorio, forzoso
geëigend apropiado
geel I *bn* amarillo; ~ *worden* ponerse amarillo, amarillear; II *zn* (*van ei*) yema; **geelzucht** ictericia
geëmailleerd esmaltado
geëmotioneerd emocionado
geen 1 (*bijvgl*) no (*voor het ww*); (*met nadruk:*) ningún, -una, ni un, ni una; ~ *vogel zingt* no canta ningún pájaro; *ik versta ~ woord* no entiendo ni una palabra; *ik heb ~ zin* no tengo ganas; 2 (*zelfst*) ninguno; ~ *van de meisjes* ninguna de las niñas; *ik ken er ~* no conozco (a) ninguno; **geenszins** de ninguna manera, en absoluto, de ningún modo
geest 1 espíritu *m*; *de ~ van de tijd* el espíritu del tiempo; *de ~ geven* exhalar el espíritu, dar el alma, entregar el alma; *in de ~ van* del tipo de; *woorden in dezelfde ~* palabras de igual tenor; 2 (*zetel van het denken*) mente *v*; *een bekrompen ~* una mente estrecha; *een heldere ~* una mente lúcida; *tegenwoordigheid van ~* presencia de ánimo; *het staat me duidelijk voor de ~* lo veo muy claro; *zich voor de ~ halen* recordar *ue*, evocar; 3 (*verschijning*) aparecido, espectro, fantasma *m*; *boze ~en* espíritus *mmv* malignos; **geestdodend** monótono, embotador *-ora*
geestdrift entusiasmo; **geestdriftig** entusiasta, entusiasmado
geestelijk 1 (*onstoffelijk*) espiritual; *de ~e vader* el padre espiritual; 2 (*verstandelijk*) mental, psíquico; ~ *gestoord* perturbado mental, enajenado; ~ *onvolwaardig* deficiente mental, retrasado mental; *~e vermogens* facultades *vmv* mentales, poderes *mmv* mentales; 3 (*kerkelijk*) espiritual, religioso; **geestelijke** (*r-k*) clérigo, eclesiástico; (*prot*) pastor *m*; **geestelijkheid** clero
geestes|gesteldheid, **-houding** mentalidad *v*, estado de ánimo, condición *v* del espíritu; **-kind** fruto del espíritu; **-toestand** estado de ánimo; **-wetenschappen** (*vglbaar:*) humanidades *vmv*; **-ziek** enfermo mental
geestig ocurrente, ingenioso; (*grappig*) gracioso; *hij was echt ~* tenía verdadera gracia
geest|kracht fuerza mental; **-rijk**: ~ *vocht* licor *m*, bebida alcohólica; **-vermogen** *zie: geestelijk*; **-verruimend** psicodélico, ensanchador *-ora* de la mente
geestverwant I *bn* congenial; II *zn* espíritu *m* congenial; **geestverwantschap** congenialidad *v*, afinidad *v* de espíritu
geeuw bostezo; **geeuwen** bostezar
gefingeerd fingido
geflikflooi zalamerías *vmv*, zalemas *vmv*, embelecos *mmv*, arrumacos *mmv*
geflonker centelleo, destello, destellos *mmv*
gefluit 1 silbido; (*met fluitje ook:*) pitido; 2 (*muz*) tocar *m* la flauta
gefortuneerd rico, adinerado
gefundeerd fundado
gegadigde 1 (*sollicitant*) candidato, -a, aspirante *m,v*; 2 (*bij koop*) interesado, -a
gegeneerd acobardado
gegeven I *bn* dado; *op een ~ ogenblik* en un momento dado; II *zn* dato; *persoonlijke ~s: a*) datos personales; *b*) (*in bestand*) filiación *v*
gegiechel risas *vmv* tontas
gegijzelde rehén *m*, secuestrado, -a
gegil gritos *mmv*, voces *vmv*; (*schel:*) chillidos *mmv*
gegoed adinerado, rico
gegomd engomado
gegons zumbido
gegoochel juegos *mmv* (de manos)
gegoten: *als ~ zitten* estar (como) de molde; *het pak zit hem als ~* el traje le está clavado, el traje le queda (que ni) pintado
gegrinnik risitas *vmv*, risas *vmv* sofocadas
gegrom gruñidos *mmv*
gegrond fundado; ~ *zijn op* fundarse en, estar basado en; *niet ~ zijn* carecer de fundamento
gehaaid astuto, taimado, zorro
gehaast: ~ *zijn* tener prisa
gehakt carne *v* picada; **gehaktbal** bola de carne; (*klein:*) albóndiga
gehalte contenido, grado, índice *m*, porcentaje *m*; *met een hoog ~ aan alcohol* de fuerte graduación (alcohólica); ~ *aan suiker* índice de azúcar
gehandicapt deficiente, minusválido, disminuido, subnormal; *geestelijk ~* disminuido psíquico; *lichamelijk ~* disminuido físico; *het ~ zijn* la minusvalía
gehangene: *in het huis van de ~ spreekt men niet van de strop* no se nombra la soga en casa del ahorcado
gehard 1 (*mbt staal*) templado, endurecido; 2 (*fig*) curtido, endurecido; aguerrido
geharrewar dimes y diretes *mmv*

gehaspel chapucería; (*spraak*) farfulla
gehavend 1 (*aangetast*) estropeado, averiado, maltratado, deteriorado; *zwaar* ~ (*toegetakeld*) maltrecho; 2 (*in lompen*) andrajoso; 3 (*aan flarden*) hecho jirones, roto
gehecht: ~ *aan: a*) (*lett*) unido a; *b*) (*fig*) encariñado con, apegado a; *ik ben* ~ *aan* tengo apego a, siento devoción a; **gehechtheid** apego, cariño, devoción *v*
geheel I *bn* todo, entero, completo, total; ~ *Spanje* toda España; *de gehele wereld* el mundo entero; II *bw* totalmente, enteramente, por completo, completamente; ~ *of gedeeltelijk* en todo o en parte; *in het* ~ *niet* en absoluto, en nada, para nada; III *zn* conjunto, todo, unidad *v*, totalidad *v*, total *m*; *één compleet* ~ una sola unidad completa; *een ondeelbaar* ~ un todo indivisible; *een* ~ *vormen met* formar un conjunto con, formar cuerpo con; *in zijn* ~ en su totalidad, en conjunto; *over het* ~ *genomen gunstig* favorable en un todo
geheelonthouder abstemio; **geheelonthouding** abstinencia (del alcohol)
geheim I *bn* secreto; (*ongeoorloofd ook:*) clandestino; ~ *agent* agente *m* secreto; ~*e zender* emisora clandestina; ~ *houden* guardar secreto, mantener oculto; II *zn* secreto, misterio; *het is een publiek* ~ es un secreto a voces, es del dominio público; *een* ~ *bewaren* guardar un secreto; *een* ~ *delen* compartir un secreto; *in het* ~ en secreto, a escondidas; **geheimhouding** silencio, secreto, sigilo; ~ *opleggen* imponer silencio; **geheimschrift** escritura cifrada, cifra; **geheimzinnig** misterioso; ~ *doen* hacerse el misterioso, andar con tapujos; **geheimzinnigdoenerij** misterio, secreteo; **geheimzinnigheid** sigilo, misterio
gehemelte paladar *m*
geheugen memoria, recuerdo; *zijn* ~ *laat hem in de steek* le falla la memoria; *zijn* ~ *opfrissen* refrescar la memoria; *dit alles ligt nog vers in het* ~ aún está muy vivo el recuerdo de todo ello; **geheugenverlies** pérdida de la memoria, amnesia
gehoor 1 (*vermogen*) oído; ~ *geven aan* prestar oído a, acceder a; ~ *geven aan de oproep* secundar la convocatoria; *geen* ~ *geven aan* desoír, desatender *ie*; *ik kreeg geen* ~ (*telef*) no tuve respuesta, no contestaban; ~ *vinden* ser escuchado; *op het* ~ *spelen* tocar de oído; *ten gehore brengen* tocar; 2 (*publiek*) audiencia; 3 (*geluid*) ruido, sensación *v*
gehoor|apparaat audífono; **-gang** conducto del oído; **-orgaan** órgano auditivo
gehoorsafstand distancia auditiva; *binnen* ~ al alcance del oído
gehoorzaal auditorio, auditórium *m*
gehoorzaam obediente; **gehoorzaamheid** obediencia; *blinde* ~ obediencia ciega, obediencia incondicional; **gehoorzamen** obedecer
gehorig ruidoso
gehouden: ~ *om, te* obligado a; *ik acht mij* ~ *om* ... considero mi deber ...
gehucht caserío, aldea
gehuichel hipocresía
gehuil 1 lloro, llanto; 2 (*van wolf*) aullido
gehuld: ~ *in* envuelto en
gehumeurd: *goed* ~ de buen humor; *slecht* ~ de mal humor, malhumorado
gehurkt en cuclillas
gehuwd casado
geijkt 1 (*gewoon*) usual, acostumbrado; 2 *zie: ijken*
geil lascivo, cachondo, lujurioso
geïllustreerd ilustrado; *rijk* ~ con profusa ilustración
geïnteresseerd interesado; *hevig* ~ ávidamente interesado
geintje broma
geïrriteerd irritado; (*fam*) amoscado, picado
geiser calentador *m* (de agua)
geit cabra; **geitebok** macho cabrío; **geiteleer** cuero de cabra
gejaag (*haast*) prisas *vmv*; **gejaagd** apresurado, agitado, nervioso
gejammer lloriqueo, quejas *vmv*
gek I *bn* 1 loco, idiota; (*dwaas ook:*) tonto, necio; *iem* ~ *maken* traer de cabeza a u.p.; ~ *worden* volverse *ue* loco; (*fam*) perder *ie* la chaveta; *ben je* ~ (*geworden*)? ¿estás loco?; *het is om* ~ *te worden* es para volverse loco; *hij wordt er nog eens* ~ *van* acabará en loco; *hij is niet* ~ no tiene pelo de tonto; *doen of je* ~ *bent* hacerse el loco; *dat zou nog zo* ~ *niet zijn* no sería ninguna locura, no estaría mal; *de redenering was niet* ~ el razonamiento no era desatinado; *het is te* ~ *om los te lopen* es el colmo; *hij was* ~ *met zijn zoon* estaba chiflado con el hijo; *ik heb me er* ~ *naar gezocht* me he vuelto loco buscándolo; *op de* ~*ste momenten* cuando menos se piensa; *op de* ~*ste plaatsen* donde menos se piensa; 2 (*grappig*) gracioso; 3 (*vreemd*) curioso, extraño; 4 ~ *op* loco por; *hij is* ~ *op soep* la sopa le gusta con locura; II *zn* loco, -a, idiota *m,v*; (*dwaas ook:*) tonto, -a, necio, -a, bobo, -a, mentecato, -a; *autorijden als een* ~ conducir como un loco, conducir a lo bruto; *een* ~ *kan meer vragen dan honderd wijzen kunnen beantwoorden* más puede un necio preguntar que cien sabios contestar; *gevaarlijke* ~ loco criminal; *heb je ooit zo'n* ~ *gezien?* ¡será mentecato!; *voor de* ~ *houden: a*) (*spotten*) burlarse de u.p., mofarse de u.p.; *b*) (*bedriegen*) engañar a u.p., tomarle el pelo a u.p.
gekakel 1 cacareo; 2 (*gepraat*) cháchara
gekanker reniegos *mmv*, renegar *m*
gekant: ~ *zijn tegen* estar en contra de, oponerse a
gekheid (*dwaasheid*) tontería; (*grap*) broma, guasa; *dat is geen* ~ no es para reírse, lo digo en serio; *alle* ~ *op een stokje, zonder* ~ bromas aparte; ~ *maken* bromear; ~ *maken over* guasearse de, chancearse de

gekibbel disputas *vmv*, altercados *mmv*
gekietel cosquilleo
gekken|huis 1 manicomio; 2 (*fig*) casa de locos; **-werk** locura, desatino, disparate *m*
gekleed 1 ~ (*in*) vestido (de); *hij was armoedig ~* vestía pobremente; *goed ~* bien vestido; *keurig ~* trajeado con decencia; *slecht ~* mal trajeado; *in het zwart ~* vestido de negro; 2 (*net*) formal; *~ pak* traje *m* formal, traje *m* de etiqueta
geklets 1 (*gebabbel*) cháchara, charla; 2 (*praatjes*) habladurías *vmv*, cotorreo, chismes *mmv*, murmuración *v*
gekleurd de color, en color
geklots chapoteo
geknal, geknetter petardeo
geknipt: *~ zijn voor* ser lo pintado para, estar hecho para
geknoei 1 (*slordig werk*) chapucería; 2 (*vies gedoe*) porquería; 3 (*bedrog*) enredos *mmv*, embrollos *mmv*, cabildeo, enjuagues *mmv*
geknoopt: *~ tapijt* alfombra de nudo
gekonkel manejos *mmv*, tretas *vmv*, chanchullos *mmv*
gekreun gemido
gekrioel hervidero, hormigueo
gekruid 1 condimentado, sazonado; 2 (*pikant*) picante
gekuist 1 (*mbt boek*) expurgado; 2 (*mbt taal*) decente, escogido
gekunsteld rebuscado, afectado, amanerado; **gekunsteldheid** rebuscamiento, amaneramiento, afectación *v*
gekwebbel cotorreo, parloteo
gel gel *m* (de fijación)
gelaagd estratificado, en capas
gelaat rostro, faz *v*
gelaats|kleur color *m* del rostro, color *m* de la tez; **-trekken** rasgos, facciones *vmv*; **-uitdrukking** gesto, expresión *v*
gelach risas *vmv*; *een luid ~* una gran risotada
geladen cargado, explosivo
gelag (*rekening*) cuenta; *het ~ betalen* pagar el gasto, pagar los platos rotos, pagar los vidrios rotos; *dat is een hard ~* es trago duro
gelang: *naar ~ van* según, a medida de; *al naar ~* según
gelasten ordenar, mandar
gelaten resignado
gelatine gelatina; **gelatinepudding** jalea
gelazer fastidio; *hou op met dat ~!* ¡déjate ya de dar la lata!
geld dinero; (*munt*) moneda; *contant ~* dinero contante, dinero efectivo; *kinderen half ~* niños a mitad de precio; *vals ~* moneda falsa; *het ~ groeit me niet op de rug* no soy millonario; *je ~ of je leven!* ¡la bolsa o la vida!; *~ bijeenbrengen* reunir *ú* dinero, recaudar fondos; *~ slaan uit* sacar dinero de; *~ als water verdienen* forrarse, hacer mucho dinero, ganar dinero a espuertas; *goed in zijn ~ zitten* estar bien de dinero; *met ~ bereik je alles* con dinero todo se consigue, el dinero lo puede todo, por dinero baila el perro; *met ~ smijten* tirar el dinero por la ventana; *te ~e maken* realizar; *voor geen ~* por nada del mundo; *waar voor zijn ~ krijgen* sacarle el jugo al dinero
geld|automaat cajero automático; **-belegging** inversión *v*; **-boete** multa; **-eenheid** unidad *v* monetaria
geldelijk (*financieel*) económico, financiero; (*monetair*) monetario
gelden valer, ser válido, aplicarse, estar vigente, tener vigencia, regir *i*; *~ als* considerarse como; *dat geldt niet* eso no vale; *in dit geval geldt het niet* no es aplicable a este caso; *dat geldt ook voor de anderen* lo mismo se aplica a los demás; *algemeen ~* tener validez general; *zich doen ~* hacerse valer, imponerse; *zijn invloed laten ~* hacer valer su prestigio; *de ~de prijzen* los precios que rigen, los precios corrientes
geldgebrek falta de dinero, escasez *v* de dinero
geldig válido, valedero; (*mbt maatregel*) vigente; *~ zijn* tener validez; *~ verklaren* convalidar; **geldigheid** validez *v*; (*van maatregel*) vigencia; **geldigheidsduur** 1 (*van paspoort*) plazo de validez; 2 (*van verdrag*) plazo de vigencia
geldingsdrang afán *m* de imponerse
geld|kist arca; **-klopperij** sacacuartos *m*, sacadineros *m*; **-koers** tipo de interés; **-kwestie** cuestión *v* de dinero; **-la** caja; **-lening** préstamo de dinero; **-middelen** recursos financieros; **-nood** falta de dinero, estrechez *v*, estrechez de medios; **-ontwaarding** desvalorización *v* monetaria, depreciación *v* de la moneda; **-schieter** prestamista *m*; **-som** suma, cantidad *v* de dinero; **-soort** moneda; **-stuk** moneda; **-uitgifte-automaat** cajero automático; **-zaken** asuntos económicos; **-zorgen** preocupaciones *vmv* económicas
geleden hace; (*in zinnen in verl tijd:*) hacía; *hoelang is dat ~?* ¿cuánto tiempo hace?, ¿cuánto hace de esto?; *heel kort ~* hace muy poco; *nog maar enkele jaren ~* hace pocos años; *jaren ~* años atrás; *een eeuw ~* hace un siglo; *wat is dat een tijd ~!* ¡el tiempo que hace!; *dat was heel lang ~* de esto hacía muchos años
geleding 1 (*biol*) articulación *v*; 2 (*laag; fig*) estamento; *maatschappelijke ~en* estamentos sociales; **geleed** articulado
geleerd erudito, científico; **geleerdheid** erudición *v*, ciencia; *een wonder van ~* un pozo de ciencia
gelegen 1 situado, sito; *~ aan de rivier* situado a orillas del río; *~ zijn in* (*mbt fout*) enraizar en, radicar en; 2 (*passend*) conveniente, oportuno; *te ~er tijd* en el momento oportuno; *het komt mij nu niet ~* ahora no me conviene || *er is mij veel aan ~ dat* me interesa muchísimo que, tengo mucho interés en que; *zij*

lieten zich niets aan mij ~ liggen no se preocuparon por mí
gelegenheid 1 ocasión *v*; *gunstige ~* oportunidad *v*; *de ~ doet zich voor* se presenta la oportunidad; *de ~ maakt de dief* la ocasión hace al ladrón; *de ~ hebben om* tener la ocasión de; *bij ~* si se tercia (la ocasión), cuando se presente la ocasión; *bij dergelijke -heden* en ocasiones así; *geen ~ voorbij laten gaan om* no perder oportunidad de; *iem in de ~ stellen om* permitir a u.p., brindar a u.p. la ocasión de; *op eigen ~* por su cuenta; *ter ~ van* con motivo de; *van de ~ gebruik maken* aprovechar la oportunidad; 2 (*ruimte, café*) local *m*, lugar *m*; *een deftige ~* un sitio elegante; (*fam*) un lugar de postín
gelegenheids|aanbieding (oferta de) ocasión *v*; **-gezicht** cara de circunstancias; **-kleding** traje *m* de etiqueta
gelei jalea; **geleiachtig** gelatinoso
geleid (*mbt projectiel*) teledirigido; **geleide** 1 acompañamiento; 2 (*mil*) escolta; (*van vloot*) convoy *m*; **geleidehond** perro lazarillo; **geleidelijk** I *bn* gradual, escalonado, progresivo; II *bw* gradualmente, poco a poco; *~ verdwijnen* ir desapareciendo; **geleiden** 1 conducir, llevar, acompañar; 2 (*natk*) conducir; **geleidend** conductor *-ora*; *slecht ~* mal conductor; **geleiding** conducción *v*; **geleidingsvermogen** conductividad *v*
gelet: *~ op* en atención a, visto
geletterd erudito
geleuter tonterías *vmv*, bobadas *vmv*
gelid 1 (*gewricht*) articulación *v*; 2 (*mil*) fila; *in het ~ gaan staan* formar filas
geliefd 1 querido; 2 (*favoriet*) favorito, preferido; **geliefde** querido, -a, amor *m*; **geliefkoosd** *zie: geliefd*
gelieven *ww* servirse *i*, tener a bien; *gelieve mij te berichten* sírvase comunicarme
gelig amarillento
gelijk I *bn* igual, idéntico, similar, parecido, análogo; *~ spel* empate *m*; *~ (spel) maken* (*sp*) igualar; *~e tred houden met* sincronizarse con; *het is mij ~* me es igual; *de klok loopt altijd ~* el reloj siempre anda en punto; *zij zijn ~ voor de wet* son iguales ante la ley; *in ~e mate* en igual medida; *van ~e leeftijd* de la misma edad; II *bw* 1 (*op dezelfde wijze*) igualmente, de la misma manera; *~ delen* repartir por igual, dividir en partes iguales; *~ denken* pensar *ie* del mismo modo; *~ spelen* empatar; 2 (*op dezelfde tijd*) a la misma hora, en el mismo momento; III *zn* razón *v*; *het ~ is aan zijn kant* la razón está de su parte, tiene la razón de su parte; *iem ~ geven* dar la razón a u.p.; *ik geef hem groot ~* le doy toda la razón; *daarin heb je ~* ahí llevas razón; *hopelijk heb je ~* ojalá tengas razón, ojalá aciertes; *u hebt ~* tiene Ud. razón, dice Ud. bien; IV *vw* como; **gelijkbenig** isósceles; **gelijke** igual *m,v*; *zijn ~ niet vinden* no encontrar *ue* parangón, no tener igual; **gelijken**: *~ op* parecerse a; *een goed ~d portret* un retrato de gran parecido; *zie ook: lijken*; **gelijkenis** 1 parecido, semejanza; 2 (*parabel*) parábola
gelijk|gerechtigd paritario; **-gezind** correligionario
gelijkheid 1 igualdad *v*; *~ van kansen* igualdad de oportunidades; 2 (*gelijkenis*) similitud *v*
gelijk|hoekig equiángulo; **-lopen** (*mbt klok*) andar bien, andar en punto; **-luidend** idéntico, similar; *~ afschrift* copia fiel, copia conforme
gelijkmaken 1 igualar; *met de grond ~* arrasar; 2 (*sp*) empatar; **gelijkmaker** (*sp*) marcador *m* simultáneo, tanto del empate
gelijk|matig I *bn* constante, uniforme; *~e verdeling* distribución *v* uniforme; II *bw* por igual; **-moedig** ecuánime; **-namig** del mismo nombre; **-richter** rectificador *m*; **-schakelen** igualar, (e)standardizar
gelijksoortig similar; **gelijksoortigheid** similitud *v*
gelijk|spanning tensión *v* continua; **-spel** empate *m*; **-spelen** empatar; **-staan** 1 (*sp*) estar empatados; 2 *~ aan* ser igual a, equivaler a
gelijkstellen (*met*) igualar (con), equiparar (a); **gelijkstelling** igualación *v*
gelijk|stroom corriente *v* continua, corriente *v* directa; **-teken** signo de igualdad
gelijktijdig I *bn* simultáneo; II *bw* simultáneamente, al mismo tiempo; **gelijktijdigheid** simultaneidad *v*
gelijk|trekken (*fig*) equiparar, homogeneizar; *de lonen ~* homogeneizar los sueldos; **-vloers** en el piso bajo, al nivel del suelo; *~e kruising* cruce *m* a nivel; **-vormig** semejante, análogo; *~e driehoeken* triángulos semejantes
gelijkwaardig equivalente, del mismo valor; **gelijkwaardigheid** equivalencia
gelijk|zetten poner en hora; **-zijdig** equilátero
gelinieerd rayado
gelispel ceceo
gelofte voto
geloof 1 (*godsd*) creencia, fe *v*; *hoop, ~ en liefde* fe, esperanza y caridad; *het ~ in God* la creencia en Dios; *het katholieke ~* la fe católica; 2 (*vertrouwen*) crédito, fe *v*; *~ hechten aan* prestar crédito a; *op goed ~ aannemen* aceptar a ojos cerrados
geloofs|artikel artículo de fe; **-belijdenis** profesión *v* de fe; **-brieven** (cartas) credenciales *vmv*; **-ijver** fervor *m* religioso; **-leer** doctrina (religiosa); **-overtuiging** convicción *v* religiosa; **-vervolging** persecución *v* religiosa; **-vrijheid** libertad *v* de cultos
geloofwaardig creíble, verosímil, fidedigno, digno de crédito, veraz; **geloofwaardigheid** credibilidad *v*, veracidad *v*
geloop ir y venir *m*
geloven creer; *ik geloof stellig dat* doy por seguro que; *ik voor mij geloof dat* ... para mí que ...; *geloof dat maar!* ¡no lo dudes!; *dat kan ik*

niet ~ no lo puedo creer, me resisto a creerlo; *ze kon het maar niet* ~ no acababa de creerlo; *rotsvast* ~ creer a pie(s) juntillas; *het verder wel* ~ dejar las cosas como están; *niet te* ~ increíble; ~ *aan, in* creer en || *je moet eraan* ~ es tu turno, te toca a ti
gelovig piadoso; **gelovige** creyente *m,v*, fiel *m,v*
geluid ruido; (*toon*) sonido
geluid|dempend antisónico, silenciador *-ora*; **-dicht** a prueba de ruidos
geluidloos sin ruido, silencioso, insonoro
geluids|band cinta magnetofónica, cinta sonora; **-barrière** barrera del sonido; *de* ~ *doorbreken* romper la barrera sónica; **-bron** fuente *v* sonora; **-effect** efecto sonoro, efecto acústico; **-film** película sonora; **-golf** onda sonora; **-grens**: *boven de* ~ supersónico; *onder de* ~ subsónico; **-hinder** molestia por el ruido, contaminación *v* acústica, ruidos *mmv* molestos; ruidos ambientales; **-isolatie** aislamiento contra el ruido, aislamiento acústico; **-leer** acústica; **-meting** medición *v* acústica; **-niveau** nivel *m* del ruido, nivel *m* sonoro; **-opname** grabación *v* sonora; **-overlast** *zie: geluidshinder*; **-spoor** banda sonora; **-sterkte** intensidad *v* sonora; **-technicus** técnico del sonido; **-trilling** vibración *v* acústica
geluimd *zie: gehumeurd*
geluk 1 (*gevoel*) felicidad *v*, dicha; 2 (*bof*) (buena) suerte *v*; *wat een* ~*!* ¡qué suerte!; *veel* ~*!* ¡que tengas suerte!, ¡mucha suerte!; *meer* ~ *dan wijsheid* más suerte que entendimiento; *tot zijn* ~ para su suerte; *het* ~ *is niet met hem* la suerte le es adversa; ~ *brengen* traer suerte; *zijn* ~ *beproeven* probar *ue* suerte; *het is nog een* ~ *dat, je mag van* ~ *spreken dat* y menos mal que || *op goed* ~ al buen tuntún
gelukken conseguirse *i*, lograrse; *het is niet gelukt* no ha habido manera, no ha habido forma; *zie ook: lukken*
gelukkig I *bn* 1 feliz, dichoso; (*door omstandigheden:*) afortunado; *~e afloop* final *m* feliz; ~ *toeval* feliz casualidad *v*; *ik prijs mij* ~ *dat* es para mí una gran satisfacción que; ~ *zijn: a*) ser feliz; *b*) (*boffen*) tener suerte; *zo* ~ *zijn om* tener la suerte de; 2 (*succesvol*) afortunado; *een ~e gedachte* una idea afortunada; II *bw* afortunadamente, felizmente, por suerte; ~ *maar!* ¡menos mal!
geluks|dag día *m* de suerte; **-kind** niño de la bola; *hij is een* ~ ha nacido de pie; **-poppetje** mascota; **-telegram** telegrama *m* de felicitación
gelukwens felicitación *v*, congratulación *v*, voto de felicidad; **gelukwensen** (*met*) felicitar (por), congratular (por), dar la enhorabuena (por)
gelukzalig 1 beato; 2 (*zeer gelukkig*) muy feliz, dichoso; **gelukzaligheid** beatitud *v*
gelukzoeker hombre *m* de fortuna, aventurero
gelul rollo; *dat is* ~ es un rollo
gemaakt afectado, forzado, artificial; **gemaaktheid** afectación *v*, artificialidad *v*
gemaal 1 (*pomp*) estación *v* de bombeo, instalación *v* de bombeo; 2 (*echtgenoot*) consorte *m*, cónyuge *m*, esposo
gemachtigde apoderado
gemak 1 (*comfort*) comodidad *v*; *er zijn* ~ *van nemen* tumbarse a la bartola; *iem op zijn* ~ *stellen: a*) (*geruststellen*) tranquilizar a u.p.; *b*) (*gezellig maken*) hacer que u.p. se sienta como en su casa; *zich op zijn* ~ *voelen* sentirse *ie, i* a gusto; *zich niet op zijn* ~ *voelen* sentirse *ie, i* molesto, sentirse *ie, i* incómodo; *van alle ~ken voorzien* con todas las comodidades; 2 (*geen moeite*) facilidad *v*; *met* ~ fácilmente; *op zijn* ~ a sus anchas, tranquilamente || *hou je* ~*!* ¡no te pongas así!; **gemakkelijk** 1 fácil, sencillo; *het was ~er gezegd dan gedaan* era más fácil decirlo que hacerlo; *dat is* ~ *gezegd, jij hebt* ~ *praten* eso es muy fácil de decir; *het zou zo* ~ *kunnen zijn!* ¡con lo fácil que esto podría ser!; 2 (*geriefelijk*) cómodo; *maak het u* ~ póngase cómodo; **gemakshalve** por mayor comodidad; **gemakzucht** pereza; **gemakzuchtig** comodón *-ona*, acomodaticio, poltrón *-ona*
gemalin consorte *v*, cónyuge *v*, esposa
gemarineerd adobado, en escabeche
gemaskerd enmascarado; ~ *bal* baile *m* de máscaras
gematigd 1 moderado; 2 (*mbt klimaat*) templado; **gematigdheid** 1 moderación *v*, lenitud *v*; 2 (*mbt klimaat*) templanza
gember jengibre *m*
gemeen 1 (*vals*) malo, ruin, canalla, malvado, soez, infame; *gemene streek* canallada; *dat is* ~ es muy malo eso, es una vergüenza; 2 (*gemeenschappelijk*) común; *grootste gemene deler* máximo común divisor *m*; *kleinste gemene veelvoud* mínimo común múltiplo; *iets* ~ *hebben* tener u.c. en común; *gemene zaak maken met* conchabarse con; 3 (*gewoon*) común, corriente; ~ *soldaat* soldado raso
gemeend sincero
gemeengoed propiedad *v* común
gemeenheid maldad *v*, bajeza, vileza, ruindad *v*
gemeenplaats lugar *m* común, tópico
gemeenschap 1 (*het gemeen hebben*) comunidad *v*; ~ *van goederen* comunidad de bienes; *buiten* ~ *van goederen* en régimen de separación de bienes; 2 (*groep*) comunidad *v*; *de Europese* ~ la Comunidad Europea; *afk* CE; 3 (*omgang*) contacto; *seksuele* ~ acceso carnal, relaciones *vmv* sexuales, contacto sexual; **gemeenschappelijk** I *bn* común, conjunto; *~e markt* mercado común; II *bw* conjuntamente, en común, colectivamente; ~ *handelen* actuar *ú* juntos; ~ *hebben* tener en común
gemeenschapszin sentido social; (*burgerzin*) espíritu *m* cívico, civismo
gemeente 1 (*aardr*) municipio, término muni-

cipal; 2 (*bestuurlijk*) municipalidad *v*, ayuntamiento; 3 (*r-k*) parroquia; (*prot*) comunidad *v*
gemeente|ambtenaar funcionario municipal; **-belasting** impuesto municipal; **-bestuur** municipalidad *v*, ayuntamiento, cabildo, consistorio; **-garantie** (*op huis, vglbaar:*) protección *v* oficial; **-huis** ayuntamiento, casa consistorial; **-kas** caja municipal
gemeentelijk municipal
gemeente|ontvanger recaudador *m* municipal; **-politie** policía municipal; **-raad** concejo, corporación *v*
gemeenteraads|lid concejal, -ala; **-verkiezingen** elecciones *vmv* municipales
gemeente|reiniging servicio municipal de limpieza; **-secretaris** secretario del ayuntamiento; **-verordening** ordenanza municipal; **-werken** obras públicas
gemeenzaam familiar
gemelijk malhumorado, desabrido
gemenebest mancomunidad *v*; *het Britse* ~ la Mancomunidad Británica
gemengd 1 mixto; ~ *bedrijf* (*landb*) empresa agropecuaria; *~e commissie* comisión *v* mixta; *~e gevoelens* sentimientos contradictorios; *~e lading* carga general; *~e sla* ensalada mixta; 2 (*mbt nieuws*) variado
gemeubileerd amueblado
gemiddeld I *bn* medio; *de ~e snelheid* la (velocidad) media; II *bw* por término medio, en promedio; *dat is ~ f 100* es una media de 100 fls; **gemiddelde** promedio, media, término medio
gemis (*aan*) falta (de); *een groot* ~ un gran vacío, una gran pérdida
gemoed corazón *m*, alma; *in ~e* en conciencia; *in ~e overtuigd* íntimamente convencido; *de ~eren waren verhit* estaban excitados los ánimos; *de ~eren doen bedaren* apagar los ánimos; **gemoedelijk** amable, jovial, sociable
gemoeds|aandoening emoción *v*; **-gesteldheid** disposición *v* de ánimo; **-rust** paz *v* mental; **-toestand** estado de ánimo
gemoeid: *mijn leven is er mee* ~ me va en ello la vida; *er zou een bedrag van f 50 mee ~ zijn* en ello iría una suma de fls 50
gemompel murmullos *mmv*
gemopper refunfuños *mmv*
gems gamuza
gemunt 1 *zie: munten*; 2 *het ~ hebben op* tenerla tomada con; *dat was op mij* ~ eso iba por mí; *ze hebben het op mij* ~ la tienen tomada conmigo, me las tienen juradas; *ze hebben het op uw geld* ~ andan detrás de su dinero
gemutst: *goed* ~ de buen humor
genaamd llamado
genade 1 (*goddelijk:*) gracia; *grote ~!* ¡por Dios!; 2 (*barmhartigheid*) misericordia, merced *v*, piedad *v*, clemencia; *~!* ¡merced!; *overgeleverd aan de ~ van* a merced de; *zonder* ~ sin piedad; 3 (*vergiffenis*) gracia, perdón *m*; ~ *schenken* perdonar, indultar; *geen ~ vinden bij* no encontrar *ue* gracia a los ojos de; *om ~ smeken* suplicar la gracia, pedir *i* clemencia
genadebrood: ~ *eten* vivir de la caridad
genadeloos despiadado
genade|schot tiro de gracia; **-slag** golpe *m* de gracia
genadig 1 (*mbt God*) misericordioso; 2 (*mbt persoon*) clemente, indulgente || *er ~ afkomen* salir con suerte de u.c.
gênant violento; **gêne** empacho, rubor *m*
gene: *deze en* ~ algunas personas
genealogie genealogía
geneesheer médico; *behandelend* ~ médico encargado del tratamiento; *controlerend* ~ médico de control; **geneesheer-directeur** director *m* médico (de un hospital)
geneeskracht virtud *v* curativa, efecto curativo, calidad *v* medicinal; **geneeskrachtig** curativo; *~e kruiden* hierbas medicinales
geneeskunde medicina; *alternatieve* ~ medicina alternativa, medicina no convencional; **geneeskundig** médico, facultativo; *~e behandeling* tratamiento médico; *~e dienst* servicio de sanidad
genees|middel medicina, medicamento, remedio (curativo); **-wijze** tratamiento terapéutico, tratamiento curativo; *alternatieve* ~ tratamiento médico alternativo
genegen: ~ *om, tot* inclinado a, dispuesto a; *niet ~ om* reacio a, renuente a; **genegenheid** afecto; (*inniger:*) cariño; ~ *opvatten voor iem* cobrarle afecto a u.p., tomarle cariño a u.p.
geneigd: ~ *tot* propenso a, inclinado a, dado a; *ik ben ~ te denken dat* me inclino a pensar que
generaal general *m*
generalisatie generalización *v*; **generaliseren** generalizar
generatie generación *v*; *de huidige* ~ la generación presente; **generatiekloof** gap *m* generacional, brecha generacional
generator generador *m*
generen: *zich ~ (om)* sentir *ie, i* vergüenza (de), tener reparo (en); *geneer je niet* no tengas reparo; *hij geneerde zich het te zeggen* le dio reparo decirlo
genetica genética; **geneticus** genetista *m*; **genetisch** genético
Genève Ginebra
genezen I *tr* curar; *iem voor ~ verklaren* dar por curada a u.p., dar de alta a u.p.; II *intr* curarse, sanar; (*mbt persoon ook:*) reponerse, restablecerse, ponerse bueno; **genezing** curación *v*; (*van persoon ook:*) restablecimiento
geniaal genial; **genialiteit** genialidad *v*
1 genie (*gave; persoon*) genio, gran talento
2 genie (*mil*) ingeniería
geniepig disimulado
genies estornudos *mmv*
genieten (*van*) gozar (de), disfrutar (de), deleitarse (en, con); *een goede gezondheid* ~ gozar (de) buena salud; ~ *van het uitzicht* disfrutar

de la vista; *we hebben erg genoten* hemos disfrutado mucho || *onderwijs ~* recibir enseñanza
genitaliën (órganos) genitales *mmv*
genodigde invitado, -a
genoeg bastante, suficiente; *~ daarover!* ¡basta ya!; *~ hebben van* estar harto de; *als je ~ van me hebt* si te aburres de mí; *~ krijgen van* hartarse de, cansarse de; *hij kreeg er nooit ~ van* nunca se saciaba; *er zijn ~ dokters* hay suficientes médicos; *alsof dat nog niet ~ was* por si fuera poco; *zo is het ~* así basta, con eso basta, así es bastante; *je kunt niet voorzichtig ~ zijn* toda prudencia es poca; *meer dan ~* más que suficiente; *er is meer dan ~* hay de sobra; *we hebben meer dan tijd ~* nos sobra tiempo; *ik ben niet deskundig ~ om* no soy lo bastante experto como para; **genoegdoening** satisfacción *v*
genoegen gusto, placer *m*, agrado; *~ doen* dar gusto; *om hem ~ te doen* para darle gusto, para agradarle; *ik heb het ~ om* tengo el gusto de, me es grato, tengo el placer de; *~ nemen met* contentarse con; *daar neem ik geen ~ mee* con eso no me conformo; *~ vinden in* hallar gusto en; *met alle ~, met het grootste ~* con mucho gusto, con el mayor gusto; *is het naar ~?* ¿está Ud. contento?; *tot groot ~ van zijn vader* con gran satisfacción de su padre; *ik zie tot mijn ~* veo con mucho gusto; *tot ~!* ¡adiós señor!, ¡adiós señora!, ¡hasta la próxima!
genoemd mencionado, expresado, (pre)citado, dicho; *de ~e datum* la fecha señalada; *~e firma* la casa de referencia; *de streek waarnaar de wijn ~ is* la región que da nombre al vino
genoodzaakt: *zich ~ zien om* verse en la necesidad de, verse obligado a
genootschap asociación *v*, sociedad *v*
genot 1 (*vreugde*) gozo, placer *m*, deleite *m*; (*het genieten ook:*) goce *m*; *het is een ~ ernaar te kijken* da gloria verlo, es un regalo para los ojos; *onder het ~ van een goed glas wijn* saboreando un vaso de vino, al amor de un vaso de vino; 2 (*gebruik*) disfrute *m*; **genotmiddel** estimulante *m*
genre género
Gent Gante *m*
gentleman caballero
geoefend entrenado, ejercitado
geografie geografía; **geografisch** geográfico
geologe geóloga; **geologie** geología; **geologisch** geológico; **geoloog** geólogo
geoorloofd permitido, lícito; *het zij ons ~* séanos lícito
gepaard 1 (*in paren*) en parejas; 2 *~ aan, met* acompañado de; *het gaat met hoge kosten ~* implica grandes gastos
gepast 1 (*geschikt*) adecuado, ajustado, debido, conveniente; *~e maatregelen* medidas adecuadas; 2 (*behoorlijk*) conveniente, correcto; 3 (*mbt geld*) preciso, justo; *met ~ geld betalen* pagar con cambio
gepatenteerd patentado
gepeins meditaciones *vmv*; *in ~ verzonken* absorto en sus pensamientos
gepeld: *~e rijst* arroz *m* sin cascarilla
gepensioneerde jubilado, -a, pensionista *m,v*
gepeperd 1 picante; 2 (*mbt prijs*) exagerado, excesivo
gepeupel populacho
gepikeerd amostazado, amoscado, picado, ofendido; *gauw ~ zijn* ser muy susceptible
geploeter trajín *m*, trabajo de negros
geporteerd: *~ zijn voor* ser partidario de
gepraat 1 charlas *vmv*, hablar *m*, conversaciones *vmv*; 2 (*neg*) palabrería
geprikkeld irritado; *zie ook: gepikeerd*
gepromoveerd: *~ zijn* tener título de doctor
gepruil lloriqueos *mmv*
geraakt *zie: gepikeerd*
geraamte esqueleto; (*techn ook:*) estructura, armazón *v*
geraas ruido
geraden aconsejable; *het is je ~* harías bien en seguir mi consejo, no te atrevas a hacer otra cosa; *ik acht het ~* creo que es aconsejable
gerafeld deshilachado, desflecado
geraffineerd 1 (*mbt olie*) refinado; 2 (*subtiel*) refinado, sutil, ingenioso; 3 (*sluw*) astuto, intrigante
geraken *zie: raken*
geranium geranio
gerant gerente *m*
geratel 1 (*van trein*) traqueteo; 2 (*van schrijfmachine*) tableteo
1 gerecht (*eten*) plato
2 gerecht (*jur*) I *zn* juzgado; *iem voor het ~ brengen* encausar a u.p., poner pleito a u.p.; *een zaak voor het ~ brengen* llevar a juicio un asunto; *voor het ~ verschijnen* comparecer en juicio; II *bn* justo
gerechtelijk judicial; *~e verkoop* venta judicial; *~ vervolgen* perseguir *i* por vía judicial
gerechtigd (*om*) autorizado (a); **gerechtigheid** justicia
gerechts|gebouw palacio de justicia, juzgado, audiencia; **-hof** corte *v* de apelación; (*vglbaar:*) audiencia; **-kosten** costas, gastos del litigio; **-zitting** audiencia, sesión *v* (del tribunal)
geredeneer razonamientos *mmv*
gereed listo; (*af ook:*) terminado; *~ maken* preparar; *zie ook: klaar*; **gereedheid**: *in ~ brengen* preparar, acondicionar; **gereedschap** herramientas *vmv*, útiles *mmv*, enseres *mmv*
gereformeerd calvinista
geregeld regular, fijo; *een ~e bezoeker* (*van café*) cliente *m* habitual, cliente *m* asiduo; *op ~e tijden* a intervalos regulares
gerei útiles *mmv*, enseres *mmv*
gerekt prolongado
geremd (*fig*) cohibido
gerèn carreras *vmv*

gerenommeerd reputado, famoso, renombrado
gereserveerd reservado
gereutel estertor *m*
geriatrie geriatría, gerontología
geribd (*mbt staal*) estriado
gericht I *zn*: *het jongste* ~ el Juicio Final; II *bn*: ~ *op* tendente a, encaminado a
gerief comodidades *vmv*; **geriefelijk** cómodo, confortable; **geriefelijkheid** comodidad *v*
gerimpeld (*kleding*) fruncido
gering escaso, poco, reducido, exiguo; *uiterst* ~ mínimo; *dat is niet* ~ no es para menos; *~e kans* remota posibilidad *v*; *een ~e dunk hebben van iem* tener en poco a u.p.; *bij de ~ste aanleiding* con el más mínimo pretexto
geringschatten menospreciar, tener en poco; **geringschattend** despectivo
gerinkel tintineo
geritsel 1 (*van bladeren*) susurro; 2 (*van papier*) crujido
Germaan germano; **Germaans** germánico
gerochel estertor *m*
geroddel chismes *mmv*, comadrerías *vmv*; (*het roddelen*) comadreo
geroep voces *vmv*, gritos *mmv*; **geroepen**: *zich ~ voelen om* sentirse *ie, i* llamado a; *je komt als* ~ llegas oportunamente, llegas como agua de mayo
geroezemoes murmullo (de voces), ronroneo
gerommel (*geraas*) estruendo
geronk ronquido
geronnen coagulado
gerontoloog gerontólogo
geroutineerd versado, experto
gerst cebada
gerucht 1 (*geluid*) ruido, rumor *m*; 2 (*praatje*) rumor *m*, voz *v*, especie *v*; *vals* ~ bulo, rumor *m* falso; *het ~ gaat dat* se corre la voz de que, circula el rumor de que; *er gaan ~en dat* se rumorea que
geruim considerable
geruis 1 (*ritseling*) susurro; 2 (*van zijde*) crujido, frufrú *m*; **geruisloos** silencioso, sin ruido
geruit a cuadros; *~e rok* (*ook*:) falda escocesa
gerust tranquilo; ~ *geweten* conciencia tranquila; *ik durf ~ te beweren* no tengo reparo en afirmar; *je kunt het ~ meenemen* puedes llevártelo; *wees daar maar ~ op* no te preocupes, no te intranquilices; *hij is er niet ~ op* está algo intranquilo, no se fía; **geruststellen** tranquilizar; **geruststellend** tranquilizador *-ora*; **geruststelling** (*rustig gevoel*) tranquilidad *v*
geschakeerd: *rijk* ~ rico de matices
geschakeld: *~e bungalows* chalets *mmv* adosados
geschater carcajadas *vmv*
gescheiden 1 (*jur*) divorciado; 2 (*niet samen*) separado
geschenk regalo; **geschenkbon** vale *m* por un regalo
geschetter 1 (*geraas*) estruendo; 2 (*van trompet*) trompetazos *mmv*; 3 (*opschepperij*) jactancias *vmv*
geschieden ocurrir, suceder, tener lugar, efectuarse *ú*
geschiedenis historia; *algemene* ~ historia universal; *een nare ~ un* asunto desagradable; *oude* ~ historia antigua; **geschiedenisleraar** profesor *m* de historia
geschiedkundig histórico; **geschiedschrijver** historiador *m*; **geschiedschrijving** historiografía
geschift 1 (*gek*) chiflado, chalado; 2 (*mbt melk*) cortado
geschikt 1 (*passend*) adecuado, apropiado, apto, indicado, conveniente; *een ~ moment* un momento apropiado, un momento oportuno; *het was niet bepaald een ~ moment* el momento no era el más indicado; *het lijkt me nu niet* ~ ahora no me parece oportuno; ~ *maken voor* habilitar para; *ik ben niet ~ voor ...* no soy quien para ...; ~ *zijn voor een baan* servir *i* para un empleo; *zeer ~ zijn voor* prestarse admirablemente a; *dat is ~ voor mijn doel* conviene a mis propósitos; 2 (*sympathiek*) simpático
geschil controversia, diferencia, conflicto; **geschillencommissie** comisión *v* de conflictos; **geschilpunt** punto litigioso, punto de discordia
geschokt 1 (*door verdriet*) apenado; 2 (*door ergernis*) escandalizado
geschoold 1 (*onderlegd*) instruido; 2 (*mbt personeel*) especializado, capacitado, calificado
geschreeuw vocerío, gritos *mmv*, voces *vmv*, gritería; *veel ~ en weinig wol* mucho ruido y pocas nueces
geschrift escrito
geschubd escamoso
geschut artillería
gesel flagelo; **geselen** azotar, flagelar
gesitueerd situado
gesjacher 1 (*handel*) trapicheo, chalaneo, cambalaches *mmv*; 2 (*gekonkel*) chanchullo
geslaagd conseguido, acertado; *~e keus* elección *v* acertada; *~ roman* novela acertada
geslacht 1 (*familie*) familia, linaje *m*; 2 (*gramm; biol*) género; 3 (*sekse*) sexo; **geslachtelijk** sexual
geslachts|boom árbol *m* genealógico; **-daad** acto sexual; **-delen** partes *vmv* (sexuales); **-drift** instinto sexual; **-gemeenschap** contacto sexual; **-orgaan** órgano sexual; **-rijpheid** pubertad *v*; **-ziekte** enfermedad *v* venérea
geslagen (*somber*) abatido; *als een ~ hond* como un perro apaleado
geslenter callejeo
geslepen 1 (*sluw*) astuto, taimado, ladino; 2 *zie: slijpen*; **geslepenheid** astucia
gesloten 1 cerrado; (*op slot*) cerrado con llave; 2 (*mbt persoon*) metido para (a)dentro, reservado, reconcentrado; **geslotenheid** reconcentración *v*

gesluierd velado
gesmeerd: *het gaat ~* va como una seda
gesnik sollozos *mmv*
gesnoep comer *m* golosinas, golosinear *m*
gesnurk ronquidos *mmv*
gesorteerd surtido; *goed ~ zijn* (*in*) tener buen surtido (de), estar bien surtido (de)
gesp hebilla
gespannen tenso, tirante; *~ situatie* situación *v* tensa; *~ spier* músculo tenso; *~ verhoudingen* relaciones *vmv* tirantes; *hij maakt een ~ indruk* se le ve tenso; *mijn zenuwen waren ~* tenía los nervios de punta; *op ~ voet staan met* estar enemistado con
gespatieerd espaciado
gespeend: *~ van* desprovisto de
gespierd musculoso, membrudo; *~e taal* lenguaje *m* vigoroso
gespreid: *~e betaling* pago fraccionado
gesprek conversación *v*; (*telef ook:*) conferencia; *een ~ voeren* sostener una conversación; *het ~ op iets anders brengen* cambiar de tema; *in ~ zijn* (*telef*) comunicar; *het nummer is in ~* el número comunica, suena la señal de comunicación
gespreks|leider, **-leidster** moderador, -ora; **-partner** interlocutor, -ora
gesprongen (*mbt huid, lippen*) agrietado
gespuis chusma, gentuza
gestaag constante, continuo
gestalte figura, estatura; *~ krijgen* tomar forma, tomar cuerpo
gestamel tartajeo, balbuceo
gestand: *zijn woord ~ doen* cumplir con su palabra
geste gesto
gesteente piedra, roca; (*geol*) mineral *m*
gestel constitución *v*
gesteld 1 *~ dat* suponiendo que; **2** *~ zijn op* tener simpatía por, apreciar; *iedereen was op hem ~* todos le tenían aprecio; *ik ben niet erg op hem ~* no es santo de mi devoción; *~ zijn op goede manieren* apreciar los buenos modales || *binnen de ~e tijd* antes del tiempo fijado; *zich ~ zien tegenover* enfrentarse con; **gesteldheid** estado, condición *v*, situación *v*
gestemd: *gunstig ~* (*jegens*) bien dispuesto (hacia)
gesternte constelación *v*; *mijn goede ~* mi buena estrella
gesticht asilo
gesticuleren gesticular, accionar
gestoei retozos *mmv*
gestoffeerd tapizado, vestido, con alfombra y cortinas
gestommel ruidos *mmv*
gestoord perturbado
gestotter balbuceo, tartajeo, tartamudeo
gestreept a rayas, rayado
gestrekt tendido; *~e galop* galope *m* tendido; *~e hoek* ángulo llano
gestroomlijnd fusiforme, de líneas aerodinámicas, aerodinámico
gesuis zumbido
gesukkel (*ziekten*) achaques *mmv*
gesyndikeerd (*Belg*) sindicado, sindicalizado
getailleerd entallado
getal número; *in ~len uitgedrukt* en forma numérica; *in groten ~e* en gran número; *ten ~e van* en número de
getalm tardanza
getalwaarde valor *m* numérico
getand dentado
getapt popular
getij marea; *zie ook: tij*; **getijdenboek** breviario
getij|haven puerto de marea; **-tafel** tabla de mareas
getik 1 (*van klok*) tic tac *m*, latido; **2** (*met vinger*) golpecitos *mmv*, golpeteo; **getikt** chiflado, chalado
getintel hormigueo
getjilp gorjeo
getoeter bocinazos *mmv*
getokkel punteado
getralied enrejado, con rejas
getrappel 1 (*van paard*) piafar *m*; **2** (*van baby*) pataleo
getrapt escalonado
getreiter vejaciones *vmv*
getreuzel remoloneo, tardanza, pereza
getroffen 1 (*mbt gebied*) afectado, siniestrado; **2** (*mbt persoon*) afectado; (*verdrietig*) apenado, impresionado; *diep ~ door* hondamente impresionado por
getrommel tamborileo
getroosten: *zich moeite ~* no ahorrar esfuerzos; *zich opofferingen ~* hacer sacrificios
getrouw fiel; *dat zijn oude ~en* son de los de toda la vida; *zie ook: trouw*
getto ghetto
getuige testigo *m,v*; *een vrouwelijke ~* una testigo; *goede ~n* (*informatie*) buenos informes *mmv*; *~ zijn van* ser testigo de; *ten ~ waarvan* en testimonio de lo cual; **getuigedeskundige** perito testigo; **getuigen I** *tr* testificar, atestiguar, dar testimonio de, declarar; **II** *intr* comparecer como testigo; *~ tegen* declarar en contra; *~ van* dejar constancia de, atestiguar, mostrar *ue*, ser testimonio de; *zijn werk getuigt van inzet* de su obra se desprende el esfuerzo; *mijn broer kan ~* mi hermano no me dejará mentir; **getuigenis** testimonio; *~ afleggen* dar testimonio
getuigen|verhoor examen *m* de testigos; **-verklaring** declaración *v* de testigos
getuigschrift certificado
geul zanja, surco
geüniformeerd de uniforme
geur olor *m*; (*heerlijk:*) fragancia, perfume *m*; (*geur en smaak*) aroma *m*; *in ~en en kleuren* con pelos y señales, con todo lujo de detalles; **geuren** oler *ue*; *het geurt heerlijk* huele muy bien, desprende un olor muy rico; **geurig** fragante, oloroso, aromático

gevaar peligro, riesgo; ~ *lopen* (*om*) correr peligro (de), peligrar (de), correr el riesgo (de); *het ~ is geweken* ha pasado el nublado; *buiten ~ zijn* estar fuera de peligro; *in ~ brengen* poner en peligro; *met ~ voor zijn leven* arriesgando su vida; *op ~ af van* con riesgo de; **gevaarlijk** peligroso; *een ~ persoon* un tipo de cuidado
gevaarte coloso, fábrica
geval caso; *het ~ doet zich voor dat* se da el caso de que; *het ~ wil dat* el caso es que; *zo'n ~ kan zich voordoen* puede darse ese caso; *dat is niet het ~* no hay tal (cosa); *in het ~ dat hij niet verschijnt* en el caso de que no aparezca; *in het ergste ~* en el peor de los casos; *in geen ~* de ningún modo, en absoluto; *in ieder ~: a*) en todo caso, de todos modos, de todas formas; *b*) (*duidelijk*) a toda luz, a todas luces; *in het tegenovergestelde ~* de lo contrario; *in het uiterste ~* en caso extremo, en último caso; *van ~ tot ~* caso por caso; *voor het ~ je het niet weet* por si no lo sabes
gevangen preso; *iem ~ houden* tener presa a u.p.; **gevangenbewaarder** carcelero; **gevangene** prisionero, -a, preso, -a, encarcelado, -a; *politiek ~* preso político; **gevangenis** prisión *v*, cárcel *v*; *in de ~ stoppen* meter en prisión, encarcelar
gevangenis|oproer motín *m* carcelario; **-straf** (pena de) prisión *v*; *~ ondergaan* estar en prisión, estar en la cárcel; **-wezen** sistema *m* penitenciario
gevangennemen aprisionar, hacer prisionero, aprehender, coger preso, prender, capturar; **gevangenneming** detención *v*, captura
gevangenschap 1 prisión *v*; 2 (*van dieren*) cautividad *v*, cautiverio
gevangenzetten encarcelar, meter en prisión, meter en la cárcel
gevaren|driehoek triángulo reflectante; **-teken** (*verkeer*) señal *v* preventiva
gevat vivo, agudo; *~ zijn* saber replicar
gevecht lucha, combate *m*, batalla; *een verbitterd ~* una enconada batalla; *zware ~en* duros combates; *buiten ~ stellen* poner fuera de combate
gevechts|eenheid unidad *v* de combate; **-klaar** preparado para el combate; **-vliegtuig** avión *m* de combate, caza *m*
geveinsd fingido, simulado
gevel fachada; (*statig:*) frontispicio
geven 1 dar; *een gil ~* dar un grito; *zijn oordeel ~* emitir su juicio; *zal ik je soep ~?* ¿te sirvo sopa?; *een teken ~* hacer una seña; *geef eens hier!* ¡trae!, ¡dame!, ¡deja!; 2 (*theat*) poner; *wat wordt er gegeven?* ¿qué ponen?; 3 (*cadeau geven*) dar, regalar; *het is beter te ~ dan te ontvangen* más vale dar que recibir; 4 *eraan ~* dejar; *het roken eraan ~* dejar de fumar; *zijn werk eraan ~* sacrificar el trabajo; *zijn zaken eraan ~* retirarse del negocio; 5 *~ om* querer; *hij geeft er niets om* lo tiene en poco; *hij geeft veel om haar* la quiere mucho; *zij geeft veel om het uiterlijk* le interesa mucho el exterior; 6 *zich ~ aan* dedicarse a; 7 (*hinderen*) importar; *dat geeft niet* no importa; *wat geeft dat nou?* ¿qué más da?; *wat geeft het of je erover praat?* ¿a qué sirve hablar del asunto?; *het gaf allemaal niets* todo fue en vano, no se consiguió nada || *zich gewonnen ~* darse por vencido; **gever** dador *m*
gevest empuñadura, puño
gevestigd establecido; *~ te* domiciliado en; *~e belangen* intereses *mmv* creados; *~e mening* opinión *v* establecida, opinión *v* consagrada
gevierd aplaudido
gevit críticas *vmv*
gevlamd (*mbt hout*) veteado
gevlekt manchado
gevleugeld alado, alígero
gevlij: *in het ~ komen bij* congraciarse con
gevoel 1 (*zintuig*) tacto; *op het ~* con el tacto; 2 (*inzicht*) sentido; *~ voor humor* sentido del humor; *~ voor verhoudingen* sentido de la proporción; 3 (*gewaarwording*) sentimiento, sensación *v*; *~ van warmte* sensación de calor; **gevoelig** 1 (*mbt persoon*) sensible, sensitivo, susceptible, emotivo; 2 (*mbt huid*) sensible, delicado; *een ~e snaar raken* tocar un punto sensible; 3 (*hevig*) considerable, sensible; *een ~e klap* un golpe sensible; *een ~ verlies* una sensible pérdida; 4 (*mbt film*) sensible a la luz; **gevoeligheid** sensibilidad *v*, emotividad *v*; **gevoelloos** 1 (*mbt mens*) impasible, sin corazón; 2 (*verdoofd*) insensible; (*verstijfd*) entumecido, dormido
gevoels|leven vida afectiva; **-mens** persona sentimental, persona emotiva; **-waarde** valor *m* afectivo; **-zenuw** nervio sensitivo
gevoelvol lleno de sentimiento
gevogelte 1 pájaros *mmv*; 2 (*pluimvee*) aves *vmv* de corral
gevolg 1 (*stoet*) séquito, comitiva; 2 (*resultaat*) resultado, efecto, consecuencia; *de ~en* (*nasleep*) las secuelas; *als ~ van* por efecto de, a consecuencia de, como resultado de, a resultas de; *als ~ daarvan* de rechazo; *een ~ zijn van* ser resultado de, obedecer a, venir dado de; *~ geven aan: a*) (*een opdracht*) dar cumplimiento a; *b*) (*een verzoek*) acceder a, atender *ie*; *geen ~ geven aan* desoír, desatender *ie*; *de ~en ondervinden van* sufrir los efectos de; *met goed ~* con éxito; *een examen met goed ~ afleggen* aprobar *ue* un examen; *ten ~e hebben* resultar en, traer consigo, acarrear, conllevar; **gevolgtrekking** conclusión *v*; *~en maken* sacar conclusiones
gevolmachtigd apoderado, con plenos poderes; (*mbt minister*) plenipotenciario
gevonden: *~ voorwerpen* hallazgos
gevorderd avanzado; *cursus voor ~en* cursillo de perfeccionamiento
gevraagd solicitado; *de meest ~e produkten* los productos más solicitados

gevreesd temido
gevuld **1** (*mbt lip, arm*) lleno; **2** (*mbt pastei*) relleno
gewaad vestidura, ropaje *m*
gewaagd atrevido, arriesgado, aventurado, osado; *~e scènes* escenas osadas
gewaarworden notar, percatarse de, observar, otear, percibir; **gewaarwording** sensación *v*; *een rare ~* una sensación extraña
gewag: *~ maken van* mencionar
gewapend armado; *~ beton* hormigón *m* armado; *~ polyester* poliéster *m* reforzado; **gewapenderhand** a mano armada
gewas cultivo
gewatteerd acolchado, aguatado, guateado
gewauwel cháchara, habladurías *vmv*
geweer fusil *m*, rifle *m*
geweer|kogel bala de fusil; **-kolf** culata (del fusil); **-loop** cañón *m* del fusil; **-schot** tiro de fusil; **-vuur** fuego de fusilería
geweest: *die is er ~* la ha palmado
gewei cornamenta, cuerna
geweld violencia, fuerza; *~ gebruiken* usar la violencia; *zich ~ aandoen* violentarse, esforzarse *ue*; *met ~ binnendringen* entrar por la fuerza; *met alle ~* a todo trance; *met alle ~ iets willen doen* obstinarse en hacer u.c. empeñarse en hacer u.c.; *voor het ~ buigen* ceder a la fuerza; **gewelddaad** acto de violencia; **gewelddadig** violento; **geweldig** enorme, tremendo, formidable; *zijn ~e kracht* su tremenda fuerza, su prodigiosa fuerza; *deze wijnen zijn niet ~* estos vinos no son triunfales; *zich ~ amuseren* divertirse *ie, i* en grande; **geweldloosheid** no violencia; **geweldpleging** violencia, fuerza
gewelf bóveda; **gewelfd** abovedado; *~ voorhoofd* frente *v* abombada
gewend (*aan*) acostumbrado (a), habituado (a); *~ zijn om* estar acostumbrado a, acostumbrar, soler *ue*; *ik ben ~ laat te eten* acostumbro cenar tarde
gewenst conveniente
gewest región *v*; **gewestelijk** regional
gewest|executieve (*Belg*) gobierno regional; **-materie** (*Belg*) cuestión *v* regional; **-plan** (*Belg*) plan *m* regional; **-raad** (*Belg*) parlamento regional; **-regering** (*Belg*) *zie gewestexecutieve*
geweten conciencia; *zijn ~ knaagt* le pesa su mala conciencia, le remuerde la conciencia; *een goed ~ hebben* tener la conciencia tranquila; *een slecht ~ hebben* tener la conciencia sucia; *met een volkomen gerust ~* con absoluta tranquilidad de conciencia; **gewetenloos** desalmado, sin conciencia, sin escrúpulos; **gewetenloosheid** falta de conciencia
gewetens|bezwaarde objetante *m* de conciencia; **-dwang** coacción *v* moral; **-onderzoek** examen *m* de conciencia; **-vraag** caso de conciencia; **-wroeging** remordimiento de conciencia; *ik heb geen ~* no me remuerde la conciencia
gewettigd legítimo, justificado
geweven tejido
gewezen ex, antiguo, que fue; *de ~ directeur* el que fue director, el ex director
gewicht peso; *soortelijk ~* peso específico; *~ heffen* levantar pesos; *~ in de schaal leggen* tener peso; *hij is zijn ~ in goud waard* vale su peso en oro; *weer op ~ komen* recobrar el peso; *zaak van ~* asunto de peso; **gewichtheffen** *zn* levantamiento de pesos
gewichtig importante; *~ doen* darse tono, darse aire de importancia; **gewichtigdoenerij** empaque *m*, aire *m* de importancia
gewichtloos sin peso
gewichts|besparing ahorro de peso; **-toename** aumento de peso; **-verdeling** distribución *v* del peso; **-vermindering** disminución *v* de peso
gewiekst ducho, muy listo, vivo
gewijd sagrado; *in ~e aarde* en sagrado
gewild **1** (*gezocht*) solicitado, popular; **2** (*gemaakt*) afectado
gewillig dócil, de buena voluntad
gewin beneficios *mmv*, ganancias *vmv*, lucro
gewis seguro
gewoel animación *v*, movimiento
gewond herido; *licht ~* levemente herido, con heridas leves; *zwaar ~* herido de gravedad, gravemente herido; **gewonde** herido, -a
gewoon **I** *bn* **1** corriente, normal, usual, habitual, acostumbrado, común; *gewone breuk* fracción *v* común; *de gewone burger* el ciudadano de a pie; *de gewone man* (*in Sp*) el español de a pie; *de gewone mensen* el común de las gentes; *op het gewone uur* a la hora acostumbrada; *~ zijn* acostumbrar, soler *ue*; *hij was ~ vroeg te beginnen* solía comenzar temprano; **2** (*alledaags*) ordinario; **II** *bw* **1** (*zoals altijd*) como siempre; *we gingen ~ door* seguimos como si tal cosa, seguimos como si nada; **2** (*simpelweg*) simplemente; *ik begrijp het ~ niet* es que simplemente no lo entiendo; *maar hij hoort me ~ niet* pero él nada, ni me oye; **gewoonlijk** de costumbre, de ordinario, normalmente, habitualmente; *~ eet hij thuis* suele comer en casa; **gewoonte** **1** (*persoonlijk*) costumbre *v*, hábito; *slechte ~* vicio; *een ~ worden* venir a ser una costumbre; *dat is niet onze ~* no es costumbre nuestra; *dat was een ~ van hem* era en él una costumbre; *naar ~* como siempre, como de costumbre; **2** (*algemeen gebruik*) uso, costumbre *v*
gewoonte|dier animal *m* de costumbre; **-drinker** bebedor *m* habitual, ebrio habitual; **-mens** rutinario, -a; **-recht** derecho consuetudinario
gewoonweg sencillamente
gewricht articulación *v*; **gewrichtsreumatiek** artritis *v* reumática
gewriemel hormigueo
gewroet hurgar *m*
gewrongen (*fig*) artificial, afectado

gezag autoridad *v*; *ouderlijk* ~ autoridad paterna; *zijn ~ doen gelden* imponerse; ~ *voeren over* estar al mando de, mandar; *aan zijn ~ onderwerpen* reducir a la obediencia; *met ~ bekleden* conferir *ie, i* autoridad; *op eigen* ~ por iniciativa propia, por propia autoridad; *een man van* ~ una autoridad; **gezaghebbend** prestigioso; **gezagsdrager** autoridad *v*; **gezagvoerder** capitán *m*, comandante *m*

gezamenlijk I *bn* 1 colectivo, conjunto, combinado; *~e inspanning* esfuerzo conjunto; *~e onderneming* empresa conjunta; *voor ~e rekening* por cuenta común; 2 (*samen*) juntos; *we doen het* ~ lo hacemos (todos) juntos; II *bw* conjuntamente; ~ *optreden* actuar *ú* conjuntamente, actuar *ú* mancomunadamente, actuar *ú* de mancomún

gezang canto

gezanik machaconería

gezant, gezante enviado, -a; **gezantschap** legación *v*

gezapig sosegado, reposado

gezegde 1 dicho, refrán *m*; 2 (*gramm*) predicado; *naamwoordelijk* ~ predicado nominal; *werkwoordelijk* ~ predicado verbal

gezegeld sellado, timbrado

gezegend bendito; ~ *met aardse goederen* favorecido de bienes de fortuna; ~ *zijn zij die ...* bienaventurados los que ...

gezeglijk obediente, dócil

gezellig 1 (*mbt mens*) sociable, simpático; 2 (*mbt ruimte*) acogedor *-ora*; (*knus*) coquetón *-ona*; ~ *avondje* velada; *het is er* ~ hay ambiente; **gezelligheid** 1 (*mbt mens*) sociabilidad *v*, carácter *m* sociable; *ik hou van* ~ me gusta la compañía, me gusta que haya gente; 2 (*mbt ruimte*) ambiente *m*, intimidad *v*

gezelschap 1 compañía; acompañamiento; ~ *houden* acompañar; *in ~ van* en compañía de, acompañado de; 2 (*groep*) grupo; 3 (*vereniging*) asociación *v*

gezelschaps|dame dama de compañía; **-reis** viaje *m* organizado; **-spel** juego de sociedad

gezet (*dik*) metido en carnes, más bien gordo || *op ~te tijden* a horas regulares

gezeten (*in goede doen*) acomodado, situado

gezeur 1 (*problemen*) lata; *wat een ~!* ¡qué lata!; *hou op met je* ~ no me des más lata; *daar krijgen we ~ mee* nos darán la lata; 2 (*geklaag*) quejas *vmv*

gezicht 1 (*vermogen, het zien*) vista; *dat is een prachtig* ~ es una vista muy hermosa; *het is een naar* ~ es desagradable a la vista; *het was géén* ~ había que verlo; *in het ~ van* a la vista de; *in het ~ komen* aparecer; *op het eerste* ~ a primera vista, al primer vistazo; *uit het ~ verdwijnen* perderse *ie* de vista; *iem van ~ kennen* conocer a u.p. de vista; 2 (*gelaat*) cara; (*lit*) rostro; *iem in zijn ~ kijken* mirarle la cara a u.p.; *iem in het ~ slaan* dar una bofetada a u.p.; *iem in zijn ~ uitlachen* reírse *í* de u.p. en la cara; *iem iets in zijn ~ zeggen* decirle a u.p. u.c. en la cara; *met het ~ naar de deur* de cara a la puerta; *met een vertrokken* ~ con la cara contraída; *het staat op zijn ~ te lezen* se le nota en la cara, se le conoce en la cara, lo lleva en la cara; 3 (*gelaatsuitdrukking*) cara, gesto; *een lang* ~ (*fig*) cara larga; *een lang ~ zetten* ponerse carilargo; *een zuur ~ zetten* poner cara de vinagre, torcer *ue* el gesto; *~en trekken* hacer visajes, hacer muecas; *hij trok een verwonderd* ~ puso cara de extrañeza; *met een boos* ~ con gesto de enfado || *zijn ~ redden* salvar la fachada

gezichts|bedrog ilusión *v* óptica; **-hoek** ángulo visual; **-kring** horizonte *m*; **-masker** máscara facial; **-orgaan** órgano de la vista, órgano visual; **-punt** punto de vista; **-veld** campo visual; **-verlies** (*fig*) pérdida de prestigio; **-vermogen** vista

gezien 1 visto, en atención a; ~ *de situatie* en vista de la situación; *voor ~ tekenen* poner el visto bueno (en); 2 (*geacht*) respetado, estimado, bien visto

gezin familia; *een groot* ~ una familia numerosa; *met een ~ (om voor te zorgen)* con cargas familiares

gezind: *iem goed ~ zijn* tenerle buena voluntad a u.p.; *iem slecht ~ zijn* tenerle mala voluntad a u.p.; *Amerikaans* ~ proamericano; **gezindheid** tendencia, inclinaciones *vmv*, disposición *v*; *anti-Amerikaanse* ~ ideas *vmv* antiamericanas; *politieke* ~ filiación *v* política; **gezindte** creencia religiosa, religión *v*; *voor alle ~n* para todas las confesiones

gezins|budget presupuesto familiar; **-hereniging** reunificación *v* familiar, reunificación *v* de familias; **-hoofd** cabeza *m* de familia; **-leven** vida en familia; **-lid** miembro de la familia; **-planning** planificación *v* familiar; **-verband**: *in* ~ en (régimen de) familia; (*met het gezin*) en plan familiar; **-verzorgster** (*vglbaar:*) asistente *v* social-doméstica

gezocht 1 (*gevraagd*) muy solicitado, buscado; 2 (*gekunsteld*) artificial, afectado, rebuscado

gezond 1 sano; ~ *verstand* sentido común; *zo ~ als een vis* sano como una manzana; ~ *en wel* sano y salvo; ~ *blijven* conservar la salud; *weer ~ worden* recobrar la salud; ~ *zijn* estar bien de salud; 2 (*goed voor de gezondheid*) sano, saludable; *een ~e ervaring* una experiencia saludable; *een ~ klimaat* un clima sano; **gezondheid** 1 salud *v*; *slechte* ~ mala salud; *zwakke* ~ salud débil; *de ~ ondermijnen* minar la salud; *op je ~!* ¡a tu salud!; *dat is een teken van* ~ es señal de que hay salud; 2 (*effect*) salubridad *v*; *de ~ van het klimaat* la salubridad del clima

gezondheids|leer higiene *v*; **-redenen**: *om* ~ por motivos de salud, por imperativos de salud; **-zorg** atención *v* sanitaria, asistencia sanitaria; *openbare* ~ sanidad *v* pública

gezouten salado

gezwam parloteo, verbosidad *v*, charlatanería, palabrería
gezwel tumor *m*; *goedaardig* ~ tumor benigno; *kwaadaardig* ~ tumor maligno
gezwerf vagabundeo
gezwets majaderías *vmv*
gezwind veloz
gezwoeg ajetreo, bregar *m*
gezwollen 1 hinchado; 2 (*fig*) ampuloso, pomposo, rimbombeante, hinchado
gezworen jurado
ghost-writer negro (literario)
gids 1 (*persoon*) guía *m,v*; 2 (*boek*) guía
giechelen reírse *í* tontamente, cuchichear entre risitas
giek 1 (*van zeil*) botavara; 2 (*van hijskraan*) pluma, brazo
gier 1 (*vogel*) buitre *m*; 2 (*mest*) estiércol *m* líquido
gieren 1 (*mbt wind*) bramar; 2 (*mbt banden*) chirriar, gañir; 3 ~ *van het lachen* partirse de risa, reír *í* a carcajadas
gierig avaro, tacaño, avariento, sórdido, roñoso; (*fam*) cutre; **gierigaard** avaro, -a, tacaño, -a, roñoso, -a; **gierigheid** avaricia, tacañería
gietbui chaparrón *m*, chubasco, aguacero
gieten I *tr* 1 (*schenken*) echar; 2 (*van metaal*) fundir; 3 (*in vorm*) moldear, vaciar *í*; *in dezelfde vorm* ~ vaciar en el mismo molde; *het pak zit je als gegoten* el traje te sienta que ni de molde; II *intr* 1 (*regenen*) llover *ue* a cántaros; 2 (*sproeien*) regar *ie*; **gieter** regadera; **gieterij** (taller *m* de) fundición *v*; **gietijzer** hierro fundido; **gietvorm** molde *m* (de colada)
gif veneno; **gifbeker** copa de veneno; **gifgas** gas *m* tóxico
gift donación *v*, donativo
giftand diente *m* venenoso; **giftig** 1 venenoso, tóxico; 2 (*fig*) picado
gigant gigante *m*; **gigantisch** gigante, gigantesco, colosal
gij Usted; (*mv*) Ustedes
gijzelaar rehén *m*; **gijzelen** 1 secuestrar, tomar rehenes; 2 (*wegens schuld*) encarcelar por deudas; **gijzelhouder** secuestrador *m*; **gijzeling** 1 secuestro; 2 (*wegens schuld*) prisión *v* por deudas
gil grito, chillido
gilde gremio
gillen gritar, chillar; dar alaridos; *het is om te* ~ (*pop*) es la monda
ginds I *bn* aquel; II *bw* allí
ginnegappen bromear
gips yeso, escayola; *in het* ~ *doen* enyesar, escayolar
gips|afdruk impresión *v* en yeso; **-afgietsel** vaciado (en yeso); **-verband** (vendaje *m*) enyesado; *een* ~ *aanleggen* enyesar
giraffe jirafa
gireren remitir por giro, girar; **giro** giro, transferencia
giro|afrekening extracto de cuenta; **-betaalkaart** cheque *m* de pago (con garantía del banco postal); **-biljet** orden *m* de giro; **-dienst** servicio de giro postal
giromaat cajero automático (del banco postal)
giro|overschrijving transferencia por giro postal; **-pas** tarjeta de garantía (del banco postal); **-rekening** cuenta de giro (postal)
gis vivo, avispado, espabilado, despierto
gispen censurar, criticar, reprender
gissen conjeturar; *naar iets* ~ tratar de adivinar u.c.; **gissing** conjetura; ~*en doen* hacer cábalas
gist levadura; **gisten** fermentar
gisteravond anoche; **gisteren** ayer
gister|middag ayer tarde; **-ochtend** ayer por la mañana
gisting fermentación *v*
gitaar guitarra; **gitarist**, **gitariste** guitarrista *m,v*
gitzwart negro (como el) azabache
glaasje 1 copita, chato; *te diep in het* ~ *kijken* tomarse unas copitas de más, beber más de la cuenta; 2 (*van microscoop*) platina
glaceren glasear
glad I *bn* liso; (*strak*) terso; ~*de huid* piel tersa; *een* ~ *oppervlak* una superficie lisa 1 (*door ijs*) resbaladizo; *zich op* ~ *ijs begeven* meterse en terreno resbaladizo; 2 (*van aal*) escurridizo; 3 (*slim*) cuco, astuto || *dat is nogal* ~ es lógico; II *bw* fácilmente; *het gaat hem* ~ *af* le resulta fácil; *dat zal hem niet* ~ *zitten* no lo va a conseguir, no se saldrá con la suya; *ik ben het* ~ *vergeten* se me olvidó completamente
glad|geschoren bien afeitado; **-harig** de pelo liso
gladheid 1 lisura; (*strakheid*) tersura; 2 (*door ijs*) estado resbaladizo; *door de* ~ a causa del hielo
gladjanus viejo zorro, tipo astuto
glad|strijken (*met strijkbout*) planchar; (*met handen, van jurk*) desarrugar; (*van haar*) alisar; *hij streek zijn haar glad* se alisó el pelo, se atusó el pelo; **-wrijven** pulir
glans brillo, resplandor *m*, lustre *m*; **glansloos** sin brillo; **glansmiddel** abrillantador *m*; **glansrijk** brillante, magnífico; *een* ~ *succes* un éxito rotundo, un éxito brillante; **glansrol** papel *m* de lucimiento; **glansverf** pintura brillante
glanzen brillar, resplandecer; *gaan* ~ tomar brillo; ~*d papier* papel *m* glaseado
glas 1 (*materiaal*) vidrio; *zijn eigen glazen ingooien* echarse tierra al propio tejado; 2 (*in bril, ruit*) cristal *m*, vidrio; ~ *in lood* cristales emplomados; 3 (*zonder voet*) vaso; (*met voet*) copa; **glasbak** depósito para vidrio
glasblazen soplar vidrio; **glasblazerij** vidriería
glas|hard duro como el vidrio; ~ *ontkennen* negar *ie* rotundamente; **-helder** claro como el agua

glas-in-lood-raam ventana de vidrios emplomados
glasnost transparencia
glas|plaat placa de vidrio; **-snijder** cortavidrios *m*; **-verzekering** seguro de (rotura de lunas y) cristales; **-vezel** fibra de vidrio; **-werk** cristalería; **-wol** lana de vidrio, vidrio hilado
glazen de vidrio; **glazenier** vidriero
glazenwasser lavavidrios *m*, limpiacristales *m*
glazig vidrioso
glazuren vidriar; **glazuur** 1 (*van tand*) esmalte *m*; ~ *van tanden* esmalte dental; 2 (*op taart*) glaseado; 3 (*op aardewerk*) vidriado
gletsjer glaciar *m*
gleuf 1 ranura, surco, hendidura; 2 (*opening*) abertura, rendija
glibberen resbalar; **glibberig** 1 (*mbt weg*) resbaladizo; 2 (*mbt paling*) escurridizo
glijbaan tobogán *m*; **glijden** deslizarse; *hij liet het in zijn zak* ~ lo hizo desaparecer en el bolsillo
glimlach sonrisa; **glimlachen** sonreír *i*; *flauwtjes* ~ sonreír débilmente
glimmen brillar; ~ *als een spiegel* brillar como un espejo; **glimmend** brillante, lustroso
glimp atisbo, vislumbre *m*; *een glimp opvangen van iets* entrever u.c.
glimworm luciérnaga, cocuyo
glinsteren resplandecer, relucir, centellear; **glinstering** resplandor *m*, centelleo, destello
glippen deslizarse; *laten* ~ dejar escapar
globaal global; **globe** globo (terrestre); **globetrotter** trotamundos *m*
gloed 1 (*straling*) resplandor *m*; (*warmte*) calor *m*; 2 (*vuur, fig*) fervor *m*, ardor *m*; **gloednieuw** flamante; **gloedvol** fervoroso, ardiente, ardoroso
gloeidraad filamento (incandescente); **gloeien** arder; *zijn wangen* ~ le arden las mejillas; **gloeiend** (*heet*) ardiendo; *er* ~ *bij zijn* ser cogido en el acto; **gloeilamp** bombilla, lámpara incandescente
glooien inclinarse; **glooiing** vertiente *v*, pendiente *v*
glorie gloria; **glorierijk** glorioso
glucose glucosa
gluiperd taimado, solapado; **gluiperig** disimulado, solapado
glunderen estar lleno de júbilo, estar radiante
gluren espiar *í*; **gluurder** mirón *m*
glycerine glicerina
gniffelen (*om*) reírse *i* por lo bajo (de)
gnuiven *zie: gniffelen*
goal 1 (*punt*) gol *m*, tanto; 2 (*doel*) portería
gobelin tapiz *m*
god dios; *God zij dank* gracias a Dios; *de Griekse ~en* los dioses griegos; *Gods water over Gods akker laten lopen* dejar que ruede la bola; *zo waarlijk helpe mij God almachtig* así me asista Dios todopoderoso; *God weet waar* Dios sabe dónde; *van God verlaten* dejado de la mano de Dios; **goddank** gracias a Dios; **goddelijk** divino; **goddeloos** sin dios, descreído, impío; (*slecht*) malvado; **godendom** dioses *mmv*; **godgans**: *de ~e dag* todo el santo día; **godgeklaagd**: *het is* ~ es una vergüenza, clama al cielo, ¡qué baldón!; **godgeleerdheid** teología; **godheid** divinidad *v*; **godin** diosa
godsdienst religión *v*; **godsdienstig** religioso, devoto
godsdienst|ijver fervor *m* religioso; **-oefening** culto, servicio divino; **-onderwijs** enseñanza de religión; **-oorlog** guerra de religión; **-vrijheid** libertad *v* de cultos; **-waanzin** manía religiosa
gods|lasteraar, **-lasteraarster** blasfemo, -a, blasfemador, -ora; **-lastering** blasfemia; **-lasterlijk** blasfemo
godsvrucht devoción *v*, piedad *v*; **godswil**: *om* ~ por (el amor de) Dios
god|verdomme: ~*!* ¡coño!, ¡cojones!, ¡leñe!, ¡la leche!; **-vergeten** maldito; **-vruchtig** piadoso, devoto
goed I *bn* bueno; *~e morgen* buenos días; ~ *blijven* (*mbt eetwaar*) conservarse bien; *het weer blijft* ~ el tiempo sigue bueno; *elke tas is* ~ cualquier bolso vale; *die is ~!* ¡ésa sí que es buena!; *is het zo ~?* ¿está bien así?; *het is maar ~ dat hij komt* menos mal que viene; *in schrijven is hij niet zo* ~ el escribir no es su fuerte; *hij is* ~ *in talen* se le dan muy bien los idiomas; *zo* ~ *zijn om* tener la bondad de; *weest u zo* ~ *om* tenga Ud. a bien, haga el favor, sírvase; *waar is dat* ~ *voor?* ¿a qué viene eso?; *dat is niet* ~ *voor je* no te conviene; *hij is nergens* ~ *voor* no sirve para nada, no vale para nada; *hij was zo* ~ *niet of hij moest betalen* no tuvo más remedio que pagar; *als ik het* ~ *heb* si no me equivoco; *op een* ~ *ogenblik* en un momento dado; II *bw* bien; ~ *bedoeld* bien intencionado; *het* ~ *hebben* vivir bien; *als ik me* ~ *herinner* si no recuerdo mal; *het* ~ *maken* estar bueno; *zo gaat u* ~ así va bien; *je weet maar al te* ~ de sobra sabes, demasiado sabes; *alles* ~ *en wel* bueno está lo bueno; *zo* ~ *en zo kwaad als het gaat* mal que bien || *zo* ~ *als* virtualmente, casi; *zo* ~ *als niets* casi nada; *een* ~ *half uur* media hora larga, más de media hora; III *zn* 1 (*het goede*) bien *m*; *verandering ten ~e* cambio favorable; *dat zal je* ~ *doen* te hará bien; *ik kon geen* ~ *bij hem doen* la tenía tomada conmigo; *zich te* ~ *doen* (*aan*) regalarse (con); *ten ~e komen aan* beneficiar a, redundar en beneficio de; *te veel van het ~e* demasiado; 2 (*zaak*) bien *m*; *het hoogste* ~ el supremo bien; *onroerend* ~ bien inmueble; 3 (*materiaal*) materia; 4 (*kleren*) ropa
goedaardig 1 bondadoso; (*fam*) bonachón *-ona*; 2 (*mbt ziekte*) benigno
goed|doen sentar *ie* bien; *de rust deed hem goed* el reposo le sentó bien; **-dunken** *zn* parecer *m*, buen juicio; *naar* ~ a discreción
goedemiddag buenas tardes; **goedemorgen** buenos días; **goedenacht** buenas noches;

gla

goedenavond buenas noches; **goedendag** buenos días *mmv*; *~ zeggen* saludar, dar los buenos días
goederen 1 bienes *mmv*; *~ en diensten* bienes y servicios; 2 (*koopwaar*) géneros, mercancías
goederen|lift montacargas *m*; **-loods** almacén *m*; **-trein** tren *m* de carga, (tren *m* de) mercancías *m*; **-verkeer** tráfico de mercancías; **-wagon** vagón *m* de mercancías
goedertierenheid clemencia, misericordia
goedgeefs generoso, liberal; **goedgeefsheid** generosidad *v*, liberalidad *v*
goedgehumeurd de buen humor
goedgelovig crédulo; **goedgelovigheid** credulidad *v*
goedgezind benévolo; *iem ~ zijn* tener buena voluntad a u.p.
goedgunstig benévolo; **goedgunstigheid** benevolencia
goedheid bondad *v*
goedhouden, zich dominarse; *hou je goed!* ¡que te vaya bien!, ¡ánimo!
goedkeuren 1 aprobar *ue*; *de notulen ~* aprobar el acta; 2 (*mbt arts*) admitir; **goedkeurend** aprobatorio; *~e woorden* palabras de aprobación; **goedkeuring** aprobación *v*; *zijn ~ hechten aan* aprobar *ue*, conceder el visto bueno a, impartir su aprobación a; *de ~ wegdragen* merecer la aprobación
goedkoop I *bn* barato, económico; *~ maken* abaratar, hacer barato; *-koper worden* abaratarse, ponerse más barato; *~ is duurkoop* lo económico sale caro; *~ gekleed zijn* (*fam*) ir de baratillo; II *bw* barato, a bajo precio; **goedkoopte** baratura
goedlachs con la risa fácil; *~ zijn* tener la risa fácil
goedmaken 1 (*van ruzie*) componer; 2 (*van fout*) remediar, reparar
goedmoedig bonachón *-ona*
goedpraten justificar, disculpar, explicar
goedschiks: *~ of kwaadschiks* por las buenas o por las malas
goedvinden I *ww* aprobar *ue*, consentir *ie, i* (en); *vind je goed als ik het raam opendoe?* ¿me dejas que abra la ventana?; *ik vind het niet goed dat je weggaat* no te consiento que te vayas; *hij vindt alles goed* todo le es igual, todo le parece bien; *als je moeder het -vindt* si está de acuerdo tu madre; II *zn* consentimiento, aprobación *v*; *met wederzijds ~* de común acuerdo, de mutuo consenso
goedzak, goeierd buenazo, pedazo de pan
goelasj carne *v* estofada a la húngara
goeroe gurú *m*
goesting (*Belg*) 1 (*lust*) ganas *vmv*, gana; *tegen zijn ~* de mala gana, a regañadientes, contra su voluntad; 2 (*genoegen, smaak*) gusto
gok riesgo; *de ~ wagen* tentar *ie* la suerte
gok|automaat tragaperras *m*; **-baas** dueño de una casa de juego; **-huis** casa de juego
gokken jugar *ue*, apostar *ue*; **gokker** jugador *m*; **gokspel** juego de suerte, juego de azar
golf 1 ola; *groene ~* ola verde; *grote ~* (*ook fig*) oleada; *een ~ van misdrijven* una oleada de crímenes; *een ~ van protest* una ola de protestas; 2 (*in haar; op radio*) onda; *de korte ~* la onda corta; 3 (*baai*) golfo; 4 (*sp*) golf *m*
golf|baan campo de golf; **-beweging** ondulación *v*, movimiento ondulatorio; **-breker** rompeolas *m*, escollera; **-karton** cartón *m* ondulado; **-lengte** longitud *v* de onda; **-plaat** chapa ondulada; **-slag** oleaje *m*; **-speler** jugador *m* de golf, golfista *m*
Golfstroom Corriente *v* del Golfo
golven I *tr* (*van haar*) ondular; II *intr* 1 (*mbt haar*) ondular; 2 (*mbt vlakte, water*) ondear; **golvend** 1 (*mbt haar*) ondulado; 2 (*mbt vlakte*) ondulante; **golving** ondulación *v*
gom 1 goma; 2 (*vlakgom*) goma de borrar; **gomrand** (*op envelop*) nema
gondel góndola
gong gong *m*
goniometrie goniometría
gonzen zumbar
goochelaar prestidigitador *m*; **goochelarij** juego de manos, prestidigitación *v*; **goochelen** hacer juego de manos
goochem espabilado, avispado
goodwill fondo de comercio, goodwill *m*
gooi tiro, lanzamiento; *ergens een ~ naar doen* probar *ue* suerte con u.c.; **gooien** echar, tirar, lanzar; *met de deur ~* dar un portazo; *het ~ op* (*toeschrijven aan*) achacarlo a; *het op een akkoordje ~* llegar a un arreglo
goor escuálido, sucio; (*fam*) cutre
goot 1 (*in straat*) cuneta, arroyo; 2 (*op dak*) canalón *m*, canal *m*; **gootsteen** pila, fregadero
gordel 1 (*ceintuur*) cinturón *m*; 2 (*kring*) círculo; 3 (*middel*) cintura; *grepen onder de ~* (*sp*) presas de cintura abajo; **gordelroos** (herpe *m,v*) zona
gordijn 1 cortina; *het ijzeren ~* la cortina de hierro, el telón de acero; 2 (*in theater*) telón *m*
gordijn|rail rail *m* guía; **-roede** (*zwaar:*) barra de cortina; (*voor vitrage*) varilla de visillo; **-stof** tela para cortinas
gorgeldrank gargarismo; **gorgelen** hacer gárgaras
gort avena mondada
gortig: *het te ~ maken* cargar la mano, exagerar, ir demasiado lejos
Goten godos; **gotiek** gótico; **gotisch** gótico
gouache gouache *m*
goud oro; *het is niet alles ~ wat er blinkt* no es oro todo lo que reluce
goud|ader filón *m* de oro, vena de oro, veta de oro; **-blond** rubio; **-draad** hilo de oro
gouden de oro; *~ bruiloft* bodas *vmv* de oro; *~ eeuw* edad *v* de oro
goud|geel dorado; **-gehalte** ley *v*; **-haantje** abadejo, reyezuelo; **-kleur** color *m* de oro; **-klompje** pepita de oro; **-koorts** fiebre *v* del oro; **-mijn** mina de oro; **-prijs** precio del oro
goudsbloem maravilla

goud|schaaltje: *op een ~ wegen* escoger escrupulosamente; **-smid** orfebre *m*; **-staaf** lingote *m* de oro; **-stuk** moneda de oro; **-vis** pez *m* de colores; **-zoeker** buscador *m* de oro
gouvernante institutriz *v*; **gouvernement** gobierno; **gouverneur** gobernador *m*
gozer chaval *m*, joven *m*
graad grado; *12 graden Celsius* 12 grados centígrados; *2 graden onder nul* 2 grados bajo cero; *een ~ halen* graduarse *ú*; *in de hoogste ~* en sumo grado; **graadmeter** indicador *m*
graaf conde *m*; **graafschap** condado
graafwerk obras *vmv* de excavación
graag I *bn* ansioso; **II** *bw* con (mucho) gusto; *~ of niet* lo toma o lo deja; *nog wat thee? ja ~* ¿un poco más de té? sí con mucho gusto, sí gracias; *ik geef het je ~* te lo doy con mucho gusto, me gusta dártelo; *hij wilde het ~ weten* tenía muchas ganas de saberlo
graaien revolver *ue*, hurgar
graan cereales *mmv*, grano; (*tarwe*) trigo
graan|bouw cultivo de cereales; **-handelaar** comerciante *m* en granos, cerealista *m*; **-korrel** grano; **-oogst** cosecha de cereales, cosecha de trigo; **-overschot** excedentes *mmv* de trigo, sobrantes *mmv* de cereales; **-pakhuis** granero; **-produktie** producción *v* de grano, producción *v* triguera; **-schuur** granero; **-silo** silo de trigo
graantje: *een ~ meepikken* sacar algún provecho
graat espina; *niet zuiver op de ~ zijn* no ser de confianza; *ik val van de ~* tengo un hambre que no veo
grabbel: *te ~ gooien* tirar por la ventana; (*mbt geld ook:*) despilfarrar; **grabbelen 1** (*in zak, la*) hurgar, revolver *ue*; **2** (*op grond*) recoger
gracht 1 (*in stad*) canal *m*; **2** (*om fort*) foso
gracieus gracioso, elegante
gradatie gradación *m*
gradenboog arco graduado
graderen graduar *ú*
gradueel gradual
graf tumba, sepulcro, sepultura, fosa; *zwijgen als het ~* ser una tumba, callarse como un muerto; *je graaft je eigen ~* estás cavando tu propia fosa; *met een been in het ~ staan* estar con un pie en el hoyo, estar con un pie en la sepultura
grafelijk condal
graffiti, **graffito** pintada
grafheuvel túmulo
graficus grafista *m,v*; **grafiek 1** gráfico; **2** (*kunst*) arte *m* gráfico
grafiet grafito
grafisch gráfico; *de ~e kunsten* las artes gráficas; *~e voorstelling* representación *v* gráfica
graf|kamer cámara sepulcral; **-kelder** cripta, panteón *m*
grafologie grafología; **grafoloog** grafólogo
graf|rede oración *v* fúnebre; **-schennis** profanación *v* de sepulcros; **-schrift** epitafio; **-steen** losa (sepulcral), lápida; **-stem** voz *v* cavernosa; **-tombe** tumba
gram gramo; *tien gram* diez gramos
grammatica gramática; **grammaticaal** gramatical
grammofoon gramófono; **grammofoonplaat** disco
granaat 1 granada, obús *m*; **2** (*steen*) granate *m*
granaat|appel granada; **-scherf** esquirla, casco de granada; **-trechter** embudo de granada; **-vuur** fuego de obuses
grandioos imponente, grandioso
graniet granito; **granieten** de granito
grap broma, guasa; (*fam*) chunga; (*mop*) chiste *m*; *geen ~pen!* ¡déjate de bromas!; *dat is geen ~* no es ninguna broma; *~pen maken* bromear, gastar bromas; *kun je niet tegen een ~?* ¿no se te puede gastar una broma?; *voor de ~* en (son de) broma
grapefruit toronja, pomelo
grapjas bromista *m*, guasón *m*; **grappig** gracioso, divertido; *het ~e van de zaak* lo gracioso del caso; *wat ~!* ¡qué gracia!
gras hierba; *je moet er geen ~ over laten groeien* no puedes perder un instante; *iem het ~ voor de voeten wegmaaien* ganar a u.p. por la mano; *met ~ begroeid* herboso
gras|duinen curiosear; **-etend** herbívoro; **-halm** brizna de hierba; **-land** pasto, prados *mmv*; **-maaier** cortacéspedes *m*, cortadora de césped; **-veld** césped *m*, pradera; **-vlakte** pradera; **-zode** césped *m*, tepe *m*
gratie 1 (*sierlijkheid*) gracia; **2** (*van straf*) gracia, indulto; *hij kreeg ~* fue indultado || *in de ~ vallen* caer en gracia; *in de ~ zijn* encontrarse en gracia; *uit de ~ zijn* estar en desgracia; *bij iem uit de ~ raken* perder *ie* la simpatía de u.p.; **gratificatie** paga extraordinaria, gratificación *v*; **gratis I** *bn* gratis, gratuito; **II** *bw* gratis
1 grauw *zn* populacho
2 grauw *bn* **1** pardo, ceniciento, gris; **2** (*mbt gelaat*) terroso; **grauwen** gruñir; **grauwheid** color *m* gris
graveernaald buril *m*, punta
graven cavar, excavar; *een kuil ~* cavar un hoyo; *een put ~* abrir un pozo
graveren grabar; **graveur** grabador *m*
gravin condesa
gravitatie gravitación *v*
gravure grabado
grazen pastar || *te ~ nemen* (*bedriegen*) timar; *ze hebben hem flink te ~ gehad* le han dejado muy mal parado; **grazig** herboso
greep 1 (*het grijpen*) agarrón *m*; *een ~ naar de macht* un asalto al poder; **2** (*handvat*) asidero; (*steel*) mango; **3** (*bij worstelen*) presa
greintje: *geen ~* ni ápice, ni pizca
grendel 1 (*op deur*) cerrojo; (*klein:*) pestillo, pasador *m*; *de ~ dichtschuiven* correr el pestillo; *de ~ openschuiven* descorrer el pestillo; **2** (*van geweer*) cerrojo

grenehout pino
grens 1 (*van land*) frontera; *aan de ~* en la frontera; *over de ~* más allá de las fronteras; 2 (*van terrein*) lindero; 3 (*begrenzing*) límite *m*; *binnen de grenzen van* dentro de los términos de; *binnen zekere grenzen* dentro de ciertos límites; *het is op de ~ van waanzin* raya en la locura; *het gaat alle grenzen te buiten* pasa de los límites; *zijn ~ bereiken* (*fig*) tocar techo
grensbewaker guardafrontera *m*; **grensbewaking** vigilancia de fronteras
grens|gebied zona fronteriza; **-geval** caso límite; **-herziening** corrección *v* de las fronteras; **-incident** incidente *m* fronterizo; **-overschrijding** cruce *m* de frontera, paso de frontera; **-paal** mojón *m* (fronterizo); **-rechter** (*sp*) juez *m* de línea; **-verleggend** pionero; **-wacht** guardafrontera *m*
grenzeloos sin límites, ilimitado; **grenzen**: *~ aan* 1 lindar con, limitar con, confinar con; *~d aan* lindante con; 2 (*fig*) rayar en; *dit grenst aan het misdadige* raya en lo criminal; 3 *aan elkaar ~* (*mbt kamers*) estar contiguos
greppel zanja; *een ~ dichtgooien* tapar una zanja; *een ~ graven* abrir una zanja
gretig ansioso, con muchas ganas
grief 1 (*wrok*) (motivo de) queja; 2 (*bezwaar*) objeción *v*
Griek griego; **Griekenland** Grecia; **Grieks** griego
grienen lagrimear, llorar
griep gripe *v*
griesmeel sémola
grietje chavala
grieven ofender, herir *ie, i*, agraviar; **grievend** penoso
griezel espeluzno, horror *m*; **griezelen** estremecerse; *doen ~* dar grima, horripilar; *je griezelt ervan* te da grima; **griezelfilm** película de miedo; **griezelig** escalofriante; *hij is ~ slim* es tan listo que da miedo; **griezelverhaal** cuento de miedo
grif rápidamente; *~ toegeven* admitir de buena gana, conceder algo fácilmente
griffie secretaría (del juzgado); **griffier** secretario (judicial)
griffioen grifo
grijns mueca, risa sarcástica; **grijnzen** hacer una mueca; *hij grijnsde breed* reía de oreja a oreja
grijpen coger, asir, echar mano de; (*stevig:*) agarrar; *~ in* (*mbt tandwiel*) engranar con; *~ naar* tratar de coger, tratar de agarrar(se a); *om zich heen ~* ganar terreno; *voor het ~ liggen* estar al alcance de la mano, estar a mano; **grijper** (*techn*) cuchara, cucharón *m*; **grijperkraan** grúa draga, grúa de cucharón
grijs gris; (*mbt haar ook:*) encanecido; (*fig, econ*) sumergido, subterráneo; *~ haar* canas *vmv*, pelo cano; *hij begint ~ te worden* va teniendo canas; *grijze materie* (*hersens*) substancia gris; *in de grijze oudheid* en la más remota antigüedad; **grijsaard** anciano, viejo; **grijzig** grisáceo
gril capricho, antojo; *een ~ van het lot* un capricho de la suerte
grill parrilla; **grillade** parrillada; **grilleren** asar a la parrilla; *gegrilleerd vlees* parrillada
grillig 1 caprichoso; 2 (*mbt vorm*) irregular; **grilligheid** 1 caprichosidad *v*; 2 (*van vormen*) irregularidad *v*
grimas mueca; **grime** maquillaje *m*; **grimeren** maquillar
grimmig 1 ceñudo, cejijunto, colérico; 2 (*onbuigzaam*) inflexible
grind grava, cascajo, guijo, cascajillo
grinniken reírse *i* por lo bajo, reírse *i* entre dientes; **grinnikend** con una risita (irónica)
grip garra
grissen (*uit*) arrebatar (de)
groef 1 ranura; 2 (*rimpel*) arruga
groei crecimiento; (*ontwikkeling*) desarrollo; **groeibon** (*Belg*) bono de ahorro (con prima); **groeien** crecer; *hij is te hard gegroeid* ha crecido demasiado deprisa; *ergens overheen ~* (*fig*) perder *ie* u.c. con la edad; **groeihormoon** hormona del crecimiento
groen I *bn* verde; *~e kaart* carta verde; *~e partij* (*vglbaar:*) movimiento ecologista, los verdes *mmv*; *~e zeep* jabón *m* blando; *~ worden* ponerse verde; (*mbt plant ook:*) verdear; *het werd me ~ en geel voor ogen* la cabeza me daba vueltas; **II** *zn* 1 (*kleur*) verde *m*; 2 (*planten*) verdor *m*; **groenachtig** verdoso
Groenland Groenlandia; **Groenlands** groenlandés *-esa*
groenstrook espacio verde, espacio ajardinado; (*groter:*) zona verde, corredor *m* verde;
groente verdura, hortaliza
groente|boer verdulero; **-soep** sopa de verduras; **-tuin** huerto; **-winkel** verdulería
groentijd noviciado, período de novatadas; **groentje** novato, novicio, bisoño
groenvoer forraje *m*
groep 1 grupo; *een ~ dansers* un cuadro de bailarines; 2 (*elektr*) circuito derivado; **groeperen** agrupar; **groepering** agrupación *v*
groeps|bewustzijn conciencia de grupo; **-leider**, **-leidster** (*in kinderhuis*) educador, -ora; (*in kamp*) monitor, -ora; **-les** clase *v* colectiva; **-praktijk** (*vglbaar:*) consulta médica colectiva, consultorio con un colectivo de médicos; **-therapie** terapia de grupo; **-verband**: *in ~* en grupo
groet saludo; *de ~en aan …* saludos a …, recuerdos a …; *doe hem de ~en* salúdale de mi parte; *met vriendelijke ~* (*in brief*) con un saludo atento; **groeten** saludar
groeve 1 (*graf*) fosa, hoyo; 2 (*kuil*) pozo, hoyo; 3 (*mijn*) mina; 4 (*steengroeve*) cantera; **groeven** 1 ranurar, acanalar, estriar *í*; 2 (*rimpels maken*) arrugar
groezelig sucio, mugriento
grof 1 (*mbt persoon*) rudo, grosero; 2 (*mbt*

zaak) tosco, basto; 3 (*mbt kam*) de púas anchas, de púas separadas; **grofgebouwd** fornido, huesudo; **grofheid** grosería, rudeza, tosquedad *v*; *-heden zeggen* decir groserías; **grofkorrelig** de grano grueso

grog grog *m*

grol chuscada, bufonada

grommen gruñir

grond 1 (*vloer*) suelo, piso; *op de ~ vallen* caer al suelo; 2 (*aarde, bodem*) tierra, suelo; (*bodem ook:*) fondo; *vruchtbare ~* suelo fértil; *aan de ~ lopen* (*mbt schip*) encallar, embarrancar; *aan de ~ zitten* tocar fondo; *ik had wel door de ~ willen zinken* quisiera que me tragara la tierra; *in de ~ boren* echar a pique; *in de ~ geboord worden* irse a pique, (*fig ook:*) venirse abajo; *te ~e gaan* perderse *ie*, arruinarse; *te ~e richten* perder *ie*, arruinar; llevar a la ruina; *uit de ~ van mijn hart* del fondo de mi corazón; *van de koude ~* cultivado al aire libre; *van de ~ komen* (*mbt vliegtuig*) despegar; *vaste ~ onder de voeten hebben* pisar terreno firme; 3 (*land*) tierra; *hij bezit veel ~* posee grandes tierras; *stuk ~* terreno, parcela; 4 (*basis*) fundamento, base *v*, fondo; (*reden*) motivo, razón *v*; *een ~ van waarheid* un fondo de verdad; *in de ~* básicamente, fundamentalmente, esencialmente, en el fondo; *er zijn goede ~en om* hay buenas razones para; *op ~ van* en base a, a base de, por motivos de, a causa de, en virtud de; *op goede ~en* con buenas razones; *van alle ~ ontbloot zijn* carecer de todo fundamento

grond|beginsel principio básico; **-begrip** concepto básico; **-belasting** impuesto sobre el suelo; **-bezit** propiedad *v* de tierras; **-bezitter** propietario (de tierras), terrateniente *m*

gronden 1 (*verven*) imprimar, dar la primera mano; 2 *~ op* basar en, fundar en

grond|fout error *m* básico; **-gebied** territorio; geografía; **-gedachte** idea básica; **-geschil** fondo del litigio; **-getal** base *v*

grondig profundo, intenso, detenido; *~e hervorming* reforma a fondo; *~e kennis* conocimientos *mmv* profundos; *~ onderzoek* examen *m* detenido; **grondigheid** detenimiento

grond|legger, **-legster** fundador, -ora; **-legging** fundación *v*; **-onderzoek** exploración *v* del suelo; **-oorzaak** causa fundamental; **-personeel** personal *m* de tierra, trabajadores *mmv* de tierra; **-plaat** placa de fundación; **-regel** principio, regla fundamental; **-slag** fundamento, base *v*, cimiento; *belastbare ~* (*belasting*) base liquidable; *de ~ leggen voor* sentar *ie* las bases de, cimentar; *ten ~ liggen aan* estar a la base de; **-soort** suelo; **-speculatie** especulación *v* del suelo; **-stewardess** azafata de tierra; **-stof** materia prima, primera materia; **-toon** 1 (*muz*) nota tónica; 2 (*fig*) tono fundamental; **-troepen** tropas de tierra; **-verf** pintura de primera mano, imprimación *v*, (pintura de) fondo; **-verzakking** hundimiento (del suelo); **-vesten** I *ww* fundar; II *zn* fundamentos; **-vlak** (superficie *v* de) base *v*; **-vorm** forma primitiva; **-water** agua subterránea

grondwet constitución *v*; *in strijd met de ~* anticonstitucional; **grondwettelijk** constitucional

grondzeil lona del suelo

groot 1 grande; *een ~ deel* (una) gran parte; *~ licht* (*auto*): *a*) (*lamp*) faro; *b*) (*stand*) luz de carretera; *een ~ pianist* un gran pianista; *grote weg* carretera (principal); *drie maal zo ~ als* tres veces más grande que; *in het ~* al por mayor; *het ~ste deel* la mayor parte; 2 (*van postuur*) alto; *~ worden* crecer; *hij werd steeds groter* crecía más y más; 3 (*volwassen*) grande, mayor; *als ik ~ ben* cuando sea mayor; *de grote mensen* los mayores; 4 (*uitgestrekt*) vasto, grande

groot|boek libro mayor; **-brengen** educar, criar *í*; sacar adelante

Groot-Brittannië (la) Gran Bretaña

grootgrondbezit latifundismo; **grootgrondbezitter** latifundista *m*, gran propietario

groothandel comercio al por mayor

grootheid 1 grandeza; 2 (*persoon*) personaje *m* importante; 3 (*wisk*) cantidad *v*; **grootheidswaanzin** megalomanía

groot|hertog gran duque *m*; **-hertogdom** gran ducado; **-hertogin** gran duquesa

groothoeklens objetivo gran angular

groothouden, zich dominarse

grootindustrie gran industria; **grootindustrieel** gran industrial *m*, capitán *m* de industria

grootmeester gran maestro

grootmoeder abuela

grootmoedig magnánimo, generoso; **grootmoedigheid** magnanimidad *v*, generosidad *v*

grootouders abuelos

groots grande, grandioso; **grootscheeps** en gran estilo, en gran escala

grootspraak jactancia, bravatas *vmv*

grootsteeds de gran ciudad

grootte 1 (*afmeting*) tamaño, dimensiones *vmv*; *op ware ~* de tamaño natural; *ter ~ van* del tamaño de; 2 (*lengte van persoon*) estatura, talla; *opgesteld naar ~* ordenado por estatura; 3 (*hoeveelheid*) cuantía; *de ~ van het kapitaal* la cuantía del capital; 4 (*grootsheid*) magnitud *v*, grandeza

grootvader abuelo

grootwinkelbedrijf cadena de establecimientos comerciales

gros 1 (*12 dozijn*) gruesa, doce docenas; 2 (*meerderheid*) grueso, mayoría; **grossier** mayorista *m*; **grossiersprijs** precio al por mayor

grot cueva

grotendeels en gran parte, en su mayor parte

grotesk grotesco

gruis 1 polvo; 2 (*van steenkool*) carbonilla;

gruizelementen: *aan* ~ hecho añicos, hecho trizas
grut: *het kleine* ~ los pequeños, la gente menuda, los peques
gruwel horror *m*; *het is mij een* ~ me horroriza, me da horror, lo aborrezco; **gruweldaad** atrocidad *v*; **gruwelfilm** película de miedo; **gruwelijk** horroroso, atroz, abominable; **gruwelkamer** cámara de horrores; **gruwelverhaal** cuento de miedo; **gruwen**: ~ *van* aborrecer; *ik gruw ervan* me horroriza, lo aborrezco
g-sleutel clave *v* de sol
Guatemala Guatemala; **Guatemalteeks** guatemalteco
guerrilla guerrilla
guillotine guillotina
Guinees: ~ *biggetje* cochinillo de Indias
guirlande guirnalda
guit pícaro, bribón *m*; **guitig** pícaro, travieso, vivo
gul generoso, liberal
gulden florín *m*
gulheid generosidad *v*, liberalidad *v*
gulp bragueta
gulzig voraz, glotón *-ona*, ávido; ~ *eten* glotonear; **gulzigaard** glotón, -ona, comilón, -ona; **gulzigheid** glotonería, avidez *v*, voracidad *v*
gummi goma, caucho; **gummiknuppel** porra de goma; **gummilaars** bota de goma
gunnen 1 conceder; *het is je gegund* te lo mereces; *hij gunt mij het licht in de ogen niet* me tiene una envidia mortal; *zonder zich rust te* ~ sin concederse un descanso; **2** (*bij inschrijving*) adjudicar; **gunning** adjudicación *v*
gunst favor *m*; *iem een* ~ *bewijzen* hacer un favor a u.p.; *een* ~ *vragen* pedir *i* un favor; *in de* ~ *staan bij* gozar del favor de u.p.; *ten* ~*e van* a favor de, en favor de, en beneficio de; *ten* ~*e komen van* redundar en beneficio de; *uit de* ~ *zijn bij* haber perdido el favor de; **gunsteling**, **gunstelinge** favorito, -a; (*hist*) privado, -a; **gunstig** favorable; (*goed gezind*) propicio; (*voordelig*) beneficioso, ventajoso; ~ *bekend staan* gozar de buena reputación; ~ *gelegen* convenientemente situado; *het lot is ons* ~ *gezind* la suerte nos favorece; ~*e invloed* influencia benefactora; ~ *stemmen* aplacar; ~*e voorwaarden* condiciones *vmv* favorables, condiciones *vmv* ventajosas; *zich* ~ *voordoen* mostrarse *ue* del lado favorable; *zich* ~ *over iem uitlaten* hablar de u.p. en términos favorables; *bij* ~ *weer* si hace buen tiempo, si el tiempo lo permite; *in het* ~*ste geval* en el caso más favorable
guts gubia, escoplo de media caña; **gutsen** chorrear
guur rudo, desapacible; *een* ~ *klimaat* un clima riguroso
gym *zie: gymnastiek, gymnasium*
gymnasiast, **gymnasiaste** (*vglbaar:*) estudiante *m,v* de bachillerato; **gymnasium** (centro de) enseñanza preuniversitaria; (*vglbaar:*) instituto de bachillerato
gymnast, **gymnaste** gimnasta *m,v*; **gymnastiek** gimnasia
gymnastiek|leraar, **-lerares** profesor, -ora de gimnasia; **-zaal** gimnasio
gymschoen playera, zapato de tenis
gynaecologe ginecóloga; **gynaecologie** ginecología; **gynaecologisch** ginecológico; **gynaecoloog** ginecólogo
gyroscoop giroscopio

Hh*h*

ha: *~!* ¡ah!
haag seto
Haag: *Den ~* La Haya
haai tiburón *m*; *naar de ~en gaan* irse a pique; **haaievin** aleta de tiburón
haak 1 gancho, garfio; *aan de ~ slaan* enganchar, pescar; **2** (*hengelsp*) anzuelo; **3** (*aan deur, raam*) aldabilla, ganchito; **4** (*kapstok*) percha; **5** (*telef*) horquilla; *hij hing de hoorn op de ~* cortó la comunicación; **6** (*van haak en oog*) corchete *m*; *er zitten veel haken en ogen aan* tiene sus bemoles; **7** (*leesteken*) paréntesis *m*; *vierkante ~* corchete *m*; *tussen ~jes* entre paréntesis; *tussen twee ~jes* a propósito || *het is niet in de ~: a*) (*niet correct*) no es como debe ser, no es correcto; *b*) (*verdacht*) es sospechoso, huele mal; **haaknaald** ganchillo, aguja de gancho
haaks I *bn* **1** rectangular; **2** (*fig*) *er ~ tegenover staan* estar diametralmente opuesto; **II** *bw* en ángulo recto
haakwerk labor *m* de ganchillo
haal 1 (*aan sigaar*) chupada; **2** (*met pen*) trazo, plumazo; **3** (*krab*) arañazo || *aan de ~ gaan* poner pies en polvorosa, salir escapado
haalbaar factible, alcanzable; **haalbaarheid** factibilidad *v*, consecución *v*
haan 1 gallo; *daar kraait geen ~ naar* nadie se va a enterar; **2** (*van geweer*) gatillo; *de ~ overhalen* apretar *ie* el gatillo; **haantje** gallito; *~ de voorste* el gallito
1 haar *zn* pelo, cabello; (*op lichaam*) pelo, vello; *dik ~* pelo espeso; *een dot ~* una maraña de pelo; *dun ~* pelo ralo; *een grijze ~* una cana; *grijzend ~* pelo canoso; *opgestoken ~* peinado alto; *spijt hebben als haren op zijn hoofd, zich de haren uit het hoofd trekken* mesarse los cabellos, tirarse de los pelos; *zijn haren rezen ten berge* se le pusieron los pelos de punta; *het scheelde een ~ of* estuvo en un pelo que, por poco; *het scheelde een ~ of ik …* estuve en un tris de …; *het scheelde een ~ of het plan was mislukt* el plan estuvo a pique de venirse abajo; *iem geen ~ krenken* no tocar un pelo de la ropa a u.p.; *zijn ~ kammen, zijn ~ opmaken* peinarse; *zijn ~ verliezen* quedarse sin pelo; *zijn wilde haren verliezen* sentar *ie* cabeza; *elkaar in de haren vliegen* enzarzarse; *zijn ~ wassen* lavarse la cabeza; *elkaar in de haren zitten* andar a la greña; *met donker ~* pelioscuro; *met lang ~* de pelo largo, melenudo; *met rood ~* pelirrojo; *er iets met de haren bijslepen* traer u.c. por los cabellos; *alles op haren en snaren zetten om* hacer lo imposible por, mover *ue* cielo y tierra para; *tegen de haren in* a contrapelo
2 haar I *pers vnw* (*lijd vw*) la; (*meew vw*) le; (*na vz*) ella; *~ geef ik niets* a ella no le doy nada; *deze pen is van ~* esta pluma es de ella, esta pluma es suya; **II** *bez vnw* su; (*met nadruk*) su …de ella, el …suyo; *~ boek* su libro (de ella), el libro suyo
haard 1 estufa; *open ~* chimenea; **2** (*huis*) hogar *m*; *eigen ~ is goud waard* no hay nada como la propia casa; **3** (*van brand, opstand*) foco; **4** (*broeiplaats*) semillero, nido; **haardplaat** aislafuego
haar|droogkap (casco) secador *m*; **-fijn** *bw* minuciosamente; *~ uitleggen* explicar con pelos y señales; **-kloven** hilar muy fino, sutilizar; **-kloverij** sutilezas *vmv*; **-lak** laca; **-lok** mechón *m* (de pelo); **-lotion** loción *v* capilar; **-netje** redecilla; **-scherp 1** (*mbt foto*) muy nítido; **2** (*precies*) muy preciso; **-scheurtje** grieta capilar, grieta muy fina; **-speld** horquilla; (*knipje*) sujetadora; **-uitval** caída del pelo, caída del cabello; **-versteviger** acondicionador *m*; **-vlecht** trenza
haas 1 liebre *v*; **2** (*van rund, varken*) solomillo; **haasje**: *hij is het ~* está listo, está perdido; *~ over spelen* saltar a pídola
1 haast *zn* prisa, prisas *vmv*; *~ hebben* (*om*) tener prisa (por); *ik heb er geen ~ mee* no me corre prisa; *er is veel ~ bij* corre mucha prisa; *~ maken met* darse prisa en
2 haast *bw* casi, por poco; *het was ~ onleesbaar* era poco menos que ilegible
haasten apresurar, dar prisa; *zich ~* (*om*) darse prisa (por), apresurarse (a); *haast je niet* no te des prisa; *zonder zich te ~* sin prisas; **haastig I** *bn* apresurado, con prisa; **II** *bw* de prisa, apresuradamente
haat (*tegen*) odio (a); *~ voelen jegens* tener odio a, odiar; **haatdragend** rencoroso
hachelijk crítico, precario, penoso; *~e kwestie* asunto vidrioso; *~ moment* momento apurado
hachje pellejo; *bang zijn voor zijn ~* temer por su vida
hagedis lagarto
hagel 1 granizo; (*zwaar:*) pedrisco; **2** (*om te schieten*) perdigones *mmv*
hagel|bui granizada; **-slag** (*chocola*) fideos *mmv* de chocolate; **-steen** trozo de granizo; **-wit** blanco como la nieve
hak 1 (*van schoen*) tacón *m*; *hoge ~ken* tacones altos; *schoenen met platte ~ken* zapatos llanos; *met de ~ken over de sloot* por los pelos; **2** (*spade*) azada || *iem een ~ zetten* hacerle una trastada a u.p.; *van de ~ op de tak springen* saltar de un asunto a otro; **hakblok** tajo
haken I *tr* (*vasthaken*) enganchar; *blijven ~* engancharse; *haar rok bleef ~* se le enganchó la falda; **II** *intr* (*handwerken*) hacer ganchillo; **hakenkruis** cruz *v* gamada, esvástica

hakhout leña de corte
hakkelen tartamudear, farfullar, tartajear
hakken 1 (*met bijl*) hachear; (*doorklieven*) hender *ie*; **2** (*fijnhakken*) picar; **3** (*vitten*) criticar; **haksel** paja cortada
hal 1 (*vestibule*) vestíbulo, zaguán *m*; **2** (*zaal*) sala; **3** (*fabriekshal*) nave *v*; **4** (*voor exposities*) pabellón *m*
halen 1 buscar, venir por, ir por; ~ *en brengen* traer y llevar; *geld van de bank* ~ retirar dinero del banco; *ik haal even een stoel* voy a buscar una silla, voy a traer una silla; *waar haal je het vandaan?* (*fig*) ¿cómo se te ocurre?; *ik ga even brood* ~ voy a comprar pan; *ga je moeder eens* ~ ve y busca a tu madre; *ik kom de brief* ~ vengo por la carta; *morgen komt hij meer* ~ mañana vendrá por más; *ze komen me* ~ vienen a buscarme; *laten* ~ mandar por; *de dokter laten* ~ llamar al médico, ir por el médico, ir a buscar al médico; **2** (*bereiken*) alcanzar; *goede cijfers* ~ tener buenas notas; *een diploma* ~ obtener un diploma; *het eind van de maand* ~ llegar hasta fines del mes; *zal hij het ~?* (*mbt zieke*) ¿saldrá de ésta?; *ik kan het niet ~: a*) (*met tijd*) el tiempo no me alcanza; *b*) (*met geld*) no me alcanza el dinero; *een hoge noot* ~ (*muz*) alcanzar una nota alta; *de trein* ~ alcanzar el tren; *de voorpagina* ~ lograr la primera plana, salir en grandes titulares; **3** ~ *bij: dat haalt het niet bij* no tiene comparación con, no se puede comparar con; **4** *erbij* ~ traer; *de kaart erbij* ~ acudir al mapa, traer el mapa; *iem erbij ~: a*) (*erbij betrekken*) introducir a u.p.; *b*) (*te hulp roepen*) recurrir a u.p., consultar a u.p.; **5** *door elkaar* ~ mezclar, confundir; *hij haalt alles door elkaar* lo confunde todo; **6** ~ *uit* sacar de; *uit zijn zak* ~ sacar del bolsillo; *alles uit het weekend* ~ aprovechar (hasta lo último) el fin de semana || *de kam door zijn haar* ~ pasarse el peine por los cabellos
half I *bn* medio; *halve cirkel* semicírculo; ~ *juli* a mediados de julio; *een halve liter* medio litro; *halve maan* media luna; *halve maatregel* medida ineficaz; *het is* ~ *vier* son las tres y media; *voor* ~ *geld* a mitad de precio; **II** *bw* a medias; *het werk is* ~ *af* el trabajo está a medio hacer, el trabajo está a medio acabar; *een* ~ *afgebouwd huis* una casa a medio construir; ~ *gek* medio loco; ~ *open* entreabierto; ~ *verstaan* entender *ie* a medias; *niet* ~ *zo veel* ni la mitad; *je weet niet* ~ ni de lejos sabes; *ik weet het zo* ~ *en* ~ lo sé más o menos
halfautomatisch semiautomático
half|bewolkt semicubierto; **-bloed** mestizo, -a; **-broer** medio hermano; **-donker**: *in het* ~ a media luz; **-dood** medio muerto; **-doorlatend** semipermeable; **-dronken** medio borracho; **-edelsteen** piedra semipreciosa; **-fabrikaat** producto semimanufacturado, semiproducto; **-geleider** semiconductor *m*; **-gesloten** semicerrado; ~ *ogen* (*ook:*) ojos entornados; **-jaar** medio año, seis meses *mmv*, semestre *m*; **-jaarlijks** semestral, cada seis meses, cada semestre; **-linnen** semihilo; **-luid** en voz baja; **-naakt** medio desnudo; **-rond I** *bn* semirredondo; **II** *zn* hemisferio; *noordelijk* ~ hemisferio norte
halfslachtig ambiguo, poco enérgico
half|stok a media asta; **-vol 1** (*mbt glas*) a medio llenar; **2** (*mbt melk*) semidesnatado; **-zacht 1** (*zwak*) débil, blando, irresoluto; **2** (*gek*) chiflado; **-zuster** media hermana; **-zwaargewicht** peso semipesado
hallo: ~*!* ¡hola!; (*iem aanroepend*) ¡oiga! (*aan telef:*) *a*) (*bij opnemen*) ¡diga!; *b*) (*bij opbellen*) ¡oiga!
halm tallo; (*van koren*) paja; (*van gras*) brizna
halogeenlamp faro halógeno
hals 1 cuello; ~ *over kop* precipitadamente, atropelladamente; *om de* ~ *vallen* abrazar, abrazarse al cuello de; *zich op de* ~ *halen* traerse, atraerse, incurrir en; *zich veel ellende op de* ~ *halen* acarrearse mil disgustos; **2** (*kraag*) cuello; **3** (*halsuitsnijding*) escote *m*; *met lage* ~ escotado || *onnozele* ~ bobalicón, -ona, simplón, -ona, simplote, -ota
hals|ader vena del cuello, vena yugular; **-band** collar *m*; (*van hond*) collera
halsbrekend suicida, muy arriesgado, muy peligroso
hals|misdaad crimen *m* capital; **-slagader** arteria cervical, carótida; **-snoer** collar *m*
halsstarrig obstinado, terco, testarudo, tozudo; **halsstarrigheid** obstinación *v*, terquedad *v*, porfía
halster cabestro
hals|wervel vértebra cervical; **-wijdte** ancho de cuello
halt alto; ~*!* ¡alto!; ~ *maken* hacer alto; *een* ~ *toeroepen aan* poner el freno a, atajar, dar el alto a; **halte** parada
halvefrank, **halvefrankstuk** (*Belg*) moneda de medio franco
halvemaan media luna
halveren partir por la mitad, reducir a la mitad
halverwege a mitad de camino; ~ *de ochtend* a media mañana
ham jamón *m*; *gekookte* ~ jamón de York; *rauwe* ~ jamón (serrano); **hamburger** hamburguesa
hamer martillo; (*van hout*) mazo; *onder de* ~ *brengen* vender en subasta (pública); **hameren** (*op*) martillear (sobre), insistir (en), hacer hincapié (en); *iets erin* ~ *bij iem* meterle u.c. en la cabeza a u.p.; **hamerslag** martillazo; **hamertje** (*in piano*) macillo
hamster hámster *m*; **hamsteraar** acaparador *m*; **hamsteren** acaparar; *het* ~ *van zeep* el acaparamiento de jabón
hand mano *v*; ~*en thuis* las manos quietas, hablar sin pegar; ~*en vol geld* dinero a montones; *ja, het is zijn* ~ (*handschrift*) sí, es su letra;

vele ~en maken licht werk entre muchos el trabajo, más llevadero; *zijn ~en staan verkeerd* tiene manos de trapo; *de ene ~ wast de andere* una mano lava a la otra; *daar draai ik mijn ~ niet voor om* eso es un juego para mí; *de ~ drukken* apretar *ie* la mano, estrechar la mano; *iem een ~ geven* darle la mano a u.p.; *zijn ~en vrij hebben* tener las manos libres; *de ~ houden aan de regels* hacer respetar las reglas; *iem de ~ boven het hoofd houden* respaldar a u.p., apoyar a u.p.; *de ~en ineenslaan* unir las fuerzas; *ik kom ~en tekort* no tengo tantas manos, no doy abasto; *iem de vrije ~ laten* dejar las manos libres a u.p.; *de ~ leggen op* echar mano de; *de laatste ~ leggen aan* dar la última mano a, dar los últimos toques a; *zijn ~en vuil maken* ensuciarse las manos; *de ~en uit de mouwen steken* arrimar el hombro; *zijn ~ uitsteken* alargar la mano, extender *ie* la mano; *zijn ~en wassen in onschuld* lavarse las manos; *geen ~ voor ogen zien* no ver ni los dedos de la mano; *aan ~en en voeten binden* atar de pies y manos; *aan de ~ doen* insinuar *ú*, sugerir *ie, i*; *wat is er aan de ~?* ¿qué pasa?; *alsof er niets aan de ~ was* como si (no pasara) nada, con una cara de viva la virgen; *achter de ~ hebben* tener en reserva; *bij de ~ hebben* tener a mano; *bij de ~ pakken* coger de la mano; *~ in ~* cogidos de la mano; *ik heb het niet alleen in de ~* no depende sólo de mí; *in de ~ houden* dominar; *in ~en krijgen* (*te pakken krijgen*) hacerse con; *alle boeken die ik in ~en kreeg* todos los libros que caían en mis manos; *in andere ~en overgaan* cambiar de manos; *in ~en vallen van* caer en manos de; *in zijn ~en wrijven* frotarse las manos; *in goede ~en zijn* estar en buenas manos; *met de ~* a mano; *met harde ~* con mano dura; *met de ~en over elkaar* mano sobre mano; *met ~en vol* a puñados; *met beide ~en aangrijpen* coger con ambas manos; *met lege ~en terugkomen* volver *ue* con las manos vacías; *met ~ en tand verdedigen* defender *ie* con uñas y dientes; *met de ~en in het haar zitten* estar desesperado; *iem naar zijn ~ zetten* someter a u.p. a su voluntad; *niets om ~en hebben* no tener nada que hacer; *onder de ~* mientras tanto; *onder ~en hebben* (*van karwei*) tener entre manos; *onder ~en nemen: a*) (*van werk*) atacar, emprender; *b*) (*van iem*) sentar *ie* la mano a; *op ~en en voeten* a gatas, a cuatro pies; *iem op ~en dragen* adorar a u.p., llevar en palmas a u.p.; *op zijn ~en lopen* ir de cabeza; *op ~en zijn* avecinarse; *~ over ~ toenemen* ganar terreno, ir creciendo; *ter ~ nemen* abordar; *ter ~ stellen* entregar, poner en manos; *uit de eerste ~* de primera mano; *uit de ~ lopen* salirse de madre, desbordar; *het liep totaal uit de ~* fue el desmadre; *van ~ tot ~* de mano en mano; *van de ~ doen* deshacerse de; *van de ~ gaan* venderse; *van de ~ wijzen* descartar, rehusar; *het ligt voor de ~ dat* es lógico que, es evidente que; *een voor de ~ liggende conclusie* una conclusión obvia

handarbeid trabajo manual; **handarbeider** obrero

hand|bagage equipaje *m* de mano; **-bal** balonmano; **-bereik**: *binnen ~* al alcance de la mano; **-boeien** esposas; **-boek** manual *m*; **-boor** taladro de mano, barrena de mano

handdoek toalla; *de ~ in de ring werpen* tirar la toalla; **handdoekenrek** toallero

handdruk 1 apretón *m* de mano; 2 (*op textiel*) estampado a mano

handel 1 comercio; *zwarte ~* mercado negro, estraperlo; *~ in fruit* comercio de fruta; *~ drijven* (*in*) comerciar (en), negociar (en); *in de ~ brengen* poner en venta; *in de ~ komen* salir al mercado; *niet in de ~* no se vende; 2 (*winkel*) comercio, negocio, tienda || *zijn ~ en wandel* su conducta; **handelaar** comerciante *m*, negociante *m*; (*neg*) traficante *m*; **handelbaar** tratable; **handelen** 1 (*te werk gaan*) actuar *ú*, proceder; 2 *~* (*in*) comerciar (en), tratar (en), negociar (en); (*neg*) traficar (en); 3 *~ over* tratar de

handeling acción *v*, acto; **handelingsbekwaam** capaz

handelmaatschappij sociedad *v* mercantil

handels|agent agente *m* comercial; **-artikel** artículo mercantil; **-balans** balanza comercial; **-belangen** intereses *mmv* comerciales; **-betrekkingen** relaciones *vmv* comerciales; **-correspondentie** correspondencia comercial; **-delegatie** delegación *v* comercial; **-effect** valor *m* mobiliario, efecto negociable; **-firma** casa de comercio; **-geest** espíritu *m* comercial; **-ingenieur** (*Belg*) economista *m,v* de empresa; **-kamer** sala de lo mercantil; **-krediet** crédito comercial; **-kringen** círculos comerciales; **-merk**: *gedeponeerd ~* marca registrada; **-missie** misión *v* comercial; **-naam** nombre *m* comercial; **-onderneming** empresa mercantil, empresa comercial; **-overeenkomst** contrato comercial; **-praktijk** práctica comercial; **-recht** derecho mercantil; **-rechtbank** (*Belg*) juzgado de lo mercantil; **-register** registro mercantil; **-reiziger** viajante *m*; **-rekenen** cálculo mercantil; **-transactie** operación *v* comercial, transacción *v* comercial; **-vennootschap** sociedad *v* mercantil; **-verdrag** tratado comercial; **-verkeer** comercio, intercambio comercial; **-vloot** flota mercante; **-waar** mercancías *vmv*; **-waarde** valor *m* comercial; **-wetenschappen** (*Belg*) ciencias empresariales, economía de empresa

handelwijze manera de actuar, actuación *v*, proceder *m*, modo de obrar, comportamiento

handenarbeid 1 trabajos *mmv* manuales; 2 (*schoolvak*) formación *v* manual

hand- en spandiensten servicios personales diversos

hand|föhn secador *m* de mano; **-geld** señal *v*

handgemeen agarrada, pelea, riña, reyerta; *~ worden* venirse a las manos, enzarzarse a puñetazos, enredarse a golpes

handgeschreven manuscrito, escrito a mano
handgreep manija, tirador *m*
handhaven mantener; **handhaving** mantenimiento
handicap handicap *m*
handig 1 (*vaardig*) hábil, habilidoso, diestro, mañoso; 2 (*slim, neg*) mañoso, aprovechado; ~ *persoon* (*opportunist*) vividor *m*; *een* ~ *verzinsel* un montaje; ~ *zijn* (*neg*) tener mano izquierda; **handigheid** 1 (*vaardigheid*) habilidad *v*, maño, presteza; 2 (*slimheid*) maña, habilidad *v*
handje manecilla, manita; *een* ~ *helpen* echar una manita, echar una mano; *een slap* ~ *geven* dar la mano débilmente
handkar carreta
handlanger, **handlangster** cómplice *m,v*
hand|leiding manual *m*; **-omdraai**: *in een* ~ en una vuelta de manos, en un dos por tres; **-oplegging** imposición *v* de las manos; **-rem** freno de mano; *de* ~ *aanzetten* asegurar el freno de mano; *van de* ~ *afzetten* soltar *ue* el freno de mano
handschoen guante *m*; *iem met fluwelen ~en aanpakken* tratar con muchos miramientos a u.p.; **handschoenenkastje** (*in auto*) cajuela de los guantes
hand|schrift 1 manuscrito; 2 letra escrita; *een goed* ~ *hebben* tener buena letra; **-stand** pino; **-tas** bolso
handtastelijk (*opdringerig*) sobón *-ona*; ~ *worden: a*) (*gaan vechten*) llegar a las manos; *b*) (*aanraken*) ponerse sobón; **handtastelijkheden** (*aanraking*) manoseo, toqueteo, sobadura
handtekening firma; (*van beroemdheid*) autógrafo; *valse* ~ firma falsificada; **handtekeningenactie** recogida de firmas
handvaardigheid 1 habilidad *v* manual; 2 (*schoolvak*) formación *v* manual
handvat empuñadura, asidero, puño; (*steel*) mango; (*oor*) asa
handvest: ~ *van de V.N.* Carta de las Naciones Unidas
handvormsteen ladrillo moldeado a mano
handwarm de temperatura de mano, templado
handwerk 1 (*het werken*) trabajo manual; 2 (*niet machinaal gemaakt*) trabajo hecho a mano; **handwerken** hacer labores; **handwerksman** artesano
handwoordenboek diccionario manual
handzaam manejable
hane|balk: *onder de ~en* en el desván; **-gekraai** canto del gallo; **-poot**: *-poten* (*schrift*) patas de araña, garabatos
hangar hangar *m*
hangen (*aan*) I *intr* colgar *ue* (de); *er is weinig van blijven* ~ se ha pegado muy poco; *staan te* ~ perder *ie* el tiempo, hacer el gandul, haraganear; *het hoofd laten* ~ bajar la cabeza; *ze* ~ *erg aan elkaar* están muy unidos; *aan iems lippen* ~ estar pendiente de las palabras de u.p.; *hij bleef met zijn jas aan een spijker* ~ se le enganchó el abrigo en un clavo; ~ *aan de traditie* estar apegado a la tradición, tener apego a la tradición; *de nevel hangt boven de rivier* la niebla flota sobre el río; ~ *over* extenderse *ie* sobre; *de nevel hangt over het veld* la bruma se extiende sobre el campo; *het haar hangt over zijn schouders* el cabello le baja por los hombros; *haar jurk hangt tot op de grond* el vestido le llega hasta los pies; II *tr* colgar *ue* (de), suspender (de); *met* ~ *en wurgen* a duras penas; **hangend** pendiente, colgante; *de zaak is* ~ está pendiente el asunto; *~e schouders* hombros caídos
hang- en sluitwerk herrajes *mmv*, bisagras *vmv* y cerraduras *vmv*
hanger 1 (*voor jas*) percha; 2 (*sieraad*) colgante *m*; **hangerig** sin ganas de nada, decaído, apático
hang|ijzer: *heet* ~ patata caliente; **-kast** (armario) ropero; **-lamp** lámpara colgante; **-mat** hamaca; **-oren** orejas gachas; **-slot** candado; **-snor** bigotes *mmv* caídos
hansworst payaso
hanteerbaar manejable; *makkelijk* ~ de fácil manejo; **hanteren** manejar
hap bocado; *een* ~ *nemen* dar un bocado; *geen* ~ *eten* no probar *ue* bocado; *ik kan geen* ~ *naar binnen krijgen* no puedo pasar bocado || *een* ~ *geld* un dineral
haperen 1 (*bij spreken*) titubear; *haar stem haperde* le quebró la voz; *met ~de stem* con voz entrecortada; 2 (*niet goed functioneren*) fallar, no funcionar bien; *hapert er iets aan?* ¿hay algo que anda mal?; *zonder* ~ sin problema alguno; **hapering** 1 (*storing*) fallo, tropiezo, dificultad *v*; 2 (*bij spreken*) vacilación *v*
hapje: *een* ~ *eten* tomar un bocado; *een* ~ *tussendoor* un tentempié; **happen** 1 morder *ue*, picar; 2 (*fig*) darse por aludido, picar; **happig** (*op*) deseoso (de), ávido (de); *ik ben er niet* ~ *op* no me atrae
hard I *bn* 1 duro; *~e cijfers* cifras convincentes; *~e woorden* palabras duras; *er kwam een ~e uitdrukking in zijn ogen* se endurecía su mirada; ~ *worden* endurecerse; *het gaat* ~ *tegen* ~ es una lucha sin perdón, es una lucha sin cuartel; 2 (*mbt geluid*) fuerte, alto; *een ~e knal* un fuerte estampido; II *bw* 1 (*hardvochtig*) duramente; 2 (*hevig*) mucho, recio; *het regent* ~ llueve mucho; ~ *slaan* golpear recio; 3 (*mbt geluid*) alto; ~ *praten* hablar alto; *hij blafte zo* ~ *hij kon* ladraba a más no poder; *~er!* ¡más alto!; 4 (*snel*) velozmente; *rij niet te ~!* ¡no corras (demasiado)!; *te* ~ *rijden* conducir a demasiada velocidad; *veel te* ~ *rijden* excederse en velocidad; *hij kan ~er lopen dan ik* corre más que yo || *ik denk er* ~ *over om te emigreren* pienso seriamente emigrar; ~ *maken* (*van bewering*) corroborar, cimentar
hardboard tabla de conglomerado duro, cartón *m* prensado

harden 1 (*techn*) templar, endurecer; 2 (*fig*) curtir; *gehard in de strijd* curtido en la lucha
hardgekookt duro
hardhandig I *bn* brusco, duro, violento; II *bw* con mano dura
hardheid dureza
hardhorend duro de oído, tardo de oído
hardleers torpe, cerrado de mollera
hardloopwedstrijd carrera pedestre, carrera a pie; **hardlopen** *zn* pedestrismo; **hardloper** corredor *m*, velocista *m,v*; *~s zijn doodlopers* no llega mejor el que más corre, no por mucho madrugar amanece más temprano
hardnekkig 1 (*mbt persoon*) tenaz, obstinado, porfiado, persistente; 2 (*mbt zaak*): *een ~ gerucht* un rumor persistente; **hardnekkigheid** tenacidad *v*, obstinación *v*, empeño
hardop en voz alta
hardrijden *zn* carrera (de velocidad); **hardrijder** (*op schaats*) patinador *m* de velocidad
hardware hardware *m*, componentes *mmv*, máquina, equipo, soporte *m* físico
harem harén *m*, harem *m*
harerzijds de su parte (de ella)
harig peludo
haring 1 (*vis*) arenque *m*; *als ~en in een ton* como sardinas en lata; 2 (*van tent*) estaca, estaquilla
haring|kaken *zn* saladura de arenques; **-vangst** pesca del arenque
hark rastrillo; *stijve ~* tieso como un ajo, un tipo estirado; **harken** rastrillar
harlekijn arlequín *m*
harmonie 1 armonía; 2 (*orkest*) banda; **harmoniëren** (*met*) armonizar (con), ser a tono (con); **harmonieus** armonioso; **harmonika** acordeón *m*; **harmonisch** armonioso
harnas arnés *m*, armadura; *iem tegen zich in het ~ jagen* enajenarse la voluntad de u.p.; *in het ~ sterven* morir *ue, u* uncido al carro
harp arpa; **harpist**, **harpiste** arpista *m,v*
harpoen arpón *m*; **harpoeneren** arponar, arponear
hars resina; **harsachtig** resinoso; **harsen** untar con resina
hart corazón *m*; (*van kool ook:*) cogollo; *het ~ van een bloem* el centro de una flor; *mijn ~ draaide om in mijn lijf, mijn ~ stond stil* me dio un vuelco el corazón; *zijn ~ begon sneller te kloppen* se le aceleró el corazón; *het ~ klopte hem in de keel* tenía el corazón en la garganta; *waar het ~ vol van is, loopt de mond van over* de lo que está lleno el corazón habla la boca; *zijn ~ op de juiste plaats hebben* tener el corazón en su sitio; *het ~ op de tong hebben* llevar el corazón en la mano; *ik heb het ~ niet om* no me atrevo a, no tengo corazón para; *ik hou mijn ~ vast bij de gedachte* tiemblo ante la idea; *zijn ~ ophalen aan* gozar intensamente de; *een ~ onder de riem steken* animar; *zijn ~ uitstorten* descargar el pecho; *zijn ~ uitstorten bij iem* sincerarse con u.p., abrirse con u.p., desahogarse con u.p.; *hij heeft het aan zijn ~* padece del corazón; *dat ligt mij na aan het ~* me llega al alma; *het gaat me aan mijn ~* me duele, se me clava en el corazón; *in zijn ~* en su fuero interno, (*fam*) en sus adentros; *in zijn ~ is hij socialist* es socialista de corazón; *in de grond van zijn ~* en el fondo de su corazón; *in ~ en nieren* hasta la médula, hasta los tuétanos; *met ~ en ziel* con alma y vida, en cuerpo y alma; *met bloedend ~* con el corazón sangrante; *met kloppend ~* con el corazón temblando; *het wordt mij bang om het ~* se me encoge el corazón; *iets op zijn ~ hebben* tener algo en el papo, querer desahogarse; *met mijn hand op mijn ~* ¡palabra de honor!; *iets ter ~e nemen* no echar en saco roto u.c., tomar a pecho u.c.; *wat hij zei was mij uit het ~ gegrepen* me leyó el pensamiento; *het moet me van het ~ dat* tengo que confesar que; *niet van ~e* de mala gana; *van ganser ~e* de todo corazón, con toda el alma; *ik hoop van ~e* espero de corazón
hart|aanval ataque *m* cardíaco; **-chirurgie** cirugía cardíaca
hartelijk efusivo, cálido, afectuoso, afectivo, cariñoso; (*gastvrij*) acogedor; *~e groeten* un saludo cordial, un afectuso saludo; **hartelijkheid** efusión *v*, afectividad *v*, cordialidad *v*
hartelust: *naar ~* a (su) gusto
harten (*kaartsp*) corazón *m*; (*in Sp*) copa
hart- en vaatziekten enfermedades *vmv* cardiovasculares
hartgrondig sincero, profundo
hartig salado; *een ~ woordje met iem spreken* decirle a u.p. cuántas son cinco
hartinfarct infarto de corazón
hartje: *in het ~ van Madrid* en pleno corazón de Madrid; *~ zomer* en pleno verano
hart|klep válvula cardíaca; **-klopping** palpitación *v*; **-kwaal** dolencia del corazón, enfermedad *v* del corazón; **-operatie** operación *v* cardíaca; **-patiënt** enfermo del corazón; **-roerend** conmovedor *-ora*; **-slag** latido del corazón; **-specialist** cardiólogo
hartstikke totalmente; *~ goed* estupendo
hartstilstand parada cardíaca
hartstocht pasión *v*, apasionamiento; **hartstochtelijk** I *bn* frenético, apasionado; II *bw* con frenesí, frenéticamente, con pasión
hart|streek región *v* cardíaca; **-transplantatie** transplante *m* de corazón; **-verlamming** parálisis *v* cardíaca; **-verscheurend** desgarrador *-ora*; **-versterking** tentempié *m*; **-verwarmend** gratificante
hasj hachís *m*
haspel carrete *m*; (*draagbaar, voor kabel*) portacables *m*
hatelijk malévolo, maligno, áspero, sarcástico; **hatelijkheid** 1 (*opmerking*) sarcasmo, pulla; 2 (*gedrag*) malignidad *v*
haten odiar; *hij was nogal gehaat* era bastante odiado
haute couture alta costura

have bienes *mmv*; *levende* ~ bienes *mmv* semovientes; **haveloos 1** (*voddig*) andrajoso; 2 (*vervallen*) destartalado
haven puerto; ~ *van bestemming* puerto de destino; ~ *van herkomst* puerto de procedencia
haven|arbeider trabajador *m* del puerto, cargador *m* de muelle; **-faciliteiten** facilidades *vmv* portuarias; **-geld** derechos *mmv* de puerto, derechos *mmv* de muelle; **-hoofd** malecón *m*; **-loods** piloto de puerto; **-meester** capitán *m* de puerto; **-politie** policía del puerto; **-stad** puerto
haver avena; *ik ken hem van ~ tot gort* le conozco como si lo hubiera parido
haver|klap: *om de* ~ cada dos por tres; **-mout** copos *mmv* de avena
havik halcón *m*; **haviksneus** nariz *v* aguileña
havo *hoger algemeen voortgezet onderwijs* enseñanza general secundaria; (*vglbaar:*) bachillerato (sin C.O.U.)
hazelip labio leporino
hazelnoot avellana; **hazelnootpasta** crema al chocolate con avellanas
haze|pad: *het ~ kiezen* despedirse *i* a la francesa, escurrir el bulto; **-peper** estofado de liebre; **-slaapje** duermevela *m*, sueño ligero
hbo *hoger beroeps onderwijs* enseñanza profesional superior; (*vglbaar:*) escuelas *vmv* universitarias
hbs (instituto de) enseñanza secundaria
hé: *~!* (*om aandacht te trekken*) ¡oye!
hè 1 *~?* ¿no?; *het is koud ~?* hace frío ¿no?; **2** *~!* (*bij teleurstelling*) ¡ay!; *~, wat jammer!* ¡ay, qué pena!
headhunter cazacerebros *m*, cazador de cabezas *m*
hearing audiencia
hebbelijkheid costumbre *v* irritante
hebben I 1 *hulpww* haber; *ik heb gegeten* he comido; 2 *zelfst ww* tener; *~ is ~ maar krijgen is de kunst* más vale tener que no desear; *je weet wat je hebt, maar niet wat je krijgt* más vale lo viejo conocido que lo nuevo por conocer, más vale malo conocido que bueno por conocer; *zo, dat ~ we wel gehad* bueno, ya está; *een of twee, dan ~ we het wel gehad* (*dat was alles*) uno y dos y pare Ud. de contar; *daar heb je hem* ya viene; *het arm ~* ser pobre; *het warm ~* tener calor; *daar heb ik het* ya lo tengo; *mag ik het ~?* ¿me lo das?; *jou moet ik ~* voy a por ti, a ti te buscaba; *wat heb je?* (*wat scheelt je*) ¿qué te pasa?; *ik wil dat niet ~* no lo tolero; *dat lawaai kan ik niet ~* no soporto ese ruido; *daar heb ik niets aan* para nada me sirve; *ik heb er niet veel aan gehad* no me ha valido mucho; *wat ~ we eraan om ...?* ¿qué sacamos de ...?; *je weet wat je aan hem hebt* con él uno sabe a qué atenerse; *het aan zijn hart ~* sufrir del corazón; *het ~ over* hablar de; *daar wilde ik het net over ~* a eso iba; *ik weet niet waar je het over hebt* no sé de qué hablas, no sé a qué te refieres; *ik heb er niets tegen* no tengo inconveniente; *hij heeft wel iets van zijn moeder* se parece un poco a su madre; *...van heb ik jou daar* ...de padre y muy señor mío; *ik moet niets van hem ~* no me es nada simpático; **II** *zn*: *zijn hele ~ en houden* todo lo que se tiene, todo su haber, (*fam*) todo el cotarro; **hebberig** avaricioso, codicioso; *hij is erg ~* (*fam*) es una urraca
hebzucht avaricia, codicia; **hebzuchtig** avaricioso, codicioso
hecht firme, fuerte; **hechten 1** (*vastmaken*) sujetar; *ergens geen waarde aan ~* no darle importancia a u.c.; *ik hecht aan traditie* tengo apego a la tradición; *zich ~ aan* tomar cariño a; 2 (*van wond*) suturar; **hechtenis** prisión *v*, detención *v*; (*vglbaar:*) arresto; *voorlopige ~* prisión preventiva, prisión provisional; *in ~ nemen* detener; **hechting** sutura; (*fam*) punteadas *vmv*; **hechtpleister** esparadrapo, tira adhesiva
hectare hectárea; **hectogram** hectogramo; **hectoliter** hectolitro; **hectometer** hectómetro
heden hoy; *het ~* el hoy, el presente; *~ ten dage* hoy por hoy; *tot op ~* hasta hoy; *van 1800 tot ~* desde 1800 a la fecha; **hedenavond** esta noche; **hedendaags** de hoy
heel I *bn* **1** (*niet stuk*) entero, íntegro; *er bleef niets van hem ~* le dejaron como un trapo; 2 (*totaal*) total, completo, todo; *een hele tijd* bastante tiempo; *de hele tijd* todo el tiempo; *het hele volk* todo el pueblo; *door ~ Europa* por toda Europa; **II** *bw* muy; *~ anders* muy distinto; *~ goed* muy bien, muy bueno; *~ veel* muchísimo
heelal universo
heelhuids sano y salvo
heen: *~ en terug gaan* ir y venir, ir y volver *ue*; *~ en weer lopen* ir de un lado a otro, ir de aquí para allá; *ergens ~* a alguna parte; *nergens ~* a ninguna parte; *waar ga je ~?* ¿adónde vas?; *daar gaat een uur mee ~* toma una hora; *waar moet dat ~?* (*fig*) ¿cómo va a terminar eso?; *om zich ~ kijken* mirar alrededor || *ik ben door mijn papier ~* se me ha acabado el papel
heen|gaan 1 irse; 2 (*sterven*) fallecer; **-komen** *zn*: *een goed ~ zoeken* salvarse; **-lopen**: *luchtig over iets ~* pasar por alto u.c.; **-reis** viaje *m* de ida; *heen- en terugreis* (viaje *m* de) ida y vuelta; **-stappen**: *over iets ~* no dar importancia a u.c., pasar de largo u.c.; **-weg**: *op de ~* en el camino de ida
heer 1 señor *m*; (*gentleman*) caballero; *de ~ des huizes* el dueño de la casa; *dames en heren* señoras y señores; *de finale heren* la final masculina; *hij is daar ~ en meester* allí es el amo; *~ en meester zijn over* ser dueño y señor de; 2 (*kaartsp*) rey *m*
Heer: *onze lieve ~* Nuestro Señor *m*
heerlijk 1 (*fijn*) maravilloso; *een ~ kind* una delicia de crío; *dat zou ~ zijn!* ¡qué bueno se-

ría!, ¡sería estupendo!; *we hebben het ~* lo pasamos de maravilla; 2 (*mbt eten*) delicioso; 3 (*mbt weer*) maravilloso, muy hermoso
heerschappij señorío, supremacía, dominio
heersen 1 gobernar *ie*; (*mbt vorst ook:*) reinar; *~ over* gobernar *ie*; 2 (*mbt onrust*) reinar; *er heerst griep* hay gripe, reina la gripe; **heersend** 1 (*mbt klasse*) dominante, dirigente; *de ~e orde* el orden vigente; 2 (*mbt wind, kou*) reinante, imperante; **heerser, heerseres** soberano, -a; **heerszuchtig** despótico, autoritario, imperioso
heertje: *het ~ zijn: a*) (*goedgekleed*) ir muy elegante; *b*) (*vrij van zorgen*) estar en la gloria
hees ronco, afónico, enronquecido; **heesheid** ronquedad *v*, afonía
heester arbusto; (*laag:*) mata
heet 1 (muy) caliente; *de koffie is* (*te*) *~* el café quema; *hete lucht* aire *m* caliente; 2 (*fig; mbt klimaat*) cálido, caluroso; *hete dag* día *m* de mucho calor; *hete luchtstreken* zonas tórridas; *het is erg ~* hace mucho calor; *het begint ~ te worden* empieza a apretar el calor; 3 (*pikant*) picante || *~ van de naald* de tinta fresca, fresco, recién salido del horno, calentito aún; *in het ~st van de strijd* en lo más duro de la pelea
heet|gebakerd irascible, de genio pronto; *hij is ~* tiene el genio vivo; **-hoofd** tipo impulsivo
hefboom palanca
heffen 1 (*optillen*) levantar, alzar; 2 (*van belasting*) imponer, recaudar; **heffing** 1 (*van belasting*) imposición *v*, recaudación *v*, exacción *v*; 2 (*toeslag*) recargo, tasa
heft mango; *het ~ in handen hebben* tener la sartén por el mango
heftig vehemente, impetuoso; *een ~ debat* un movido debate; *een ~e scène* una escena borrascosa; *op ~e toon* (*ontstemd*) en tono destemplado; **heftigheid** vehemencia, impetuosidad *v*
hef|truck carretilla elevadora; **-vermogen** capacidad *v* de levantamiento; **-werktuig** máquina elevadora
heg seto; *~ noch steg weten* no conocer nada; **heggeschaar** tijeras *vmv* de perfilar, recortasetos *m*
heiblok martinete *m*
heide 1 (*plant*) brezo; 2 (*gebied*) brezal *m*
heiden pagano; *~en* (*ook:*) gentiles *mmv*; **heidens** pagano; *een ~ kabaal* un ruido de todos los demonios
heien hincar pilotes; *het ~* el pilotaje
heiig nebuloso, calinoso, calimoso; *het is ~* hay neblina
heil bien *m*, bienestar *m*; *het ~ van de ziel* la salvación del alma; *hij zag er geen ~ in* no lo veía muy favorable
Heiland: *de ~* el Salvador
heilig I *bn* santo, sagrado; *de ~e Geest* el Espíritu Santo; *het ~e Land* la Tierra Santa; *de ~e Schrift* la Sagrada Escritura, la Santa Biblia; *de ~e Stoel* la Santa Sede; *~ verklaren* canonizar; II *bw* santamente; *ergens ~ van overtuigd zijn* estar firmemente convencido de u.c.; **heiligdom** santuario; **heilige** santo, -a; **heiligen** santificar; **heiligenbeeld** (imagen *v* de) santo; **heiligheid** santidad *v*; *Zijne ~* Su Santidad; **heiligschennis** sacrilegio, profanación *v*
heilloos fatal, funesto
heilzaam saludable, benéfico
heimelijk I *bn* secreto, disimulado, clandestino, furtivo; (*slinks*) subrepticio; *~e blik* mirada furtiva; *~e liefde* amor *m* disimulado; II *bw* con disimulo, en secreto, solapadamente, a escondidas, furtivamente, subrepticiamente; **heimelijkheid** misterio, secreto, disimulo
heimwee nostalgia, añoranza; (*fam*) murria; *~ hebben naar* añorar
heinde: *van ~ en ver* de todas partes
heipaal pilote *m*
hek 1 valla; (*van metaal ook:*) verja; 2 (*koorhek, toegangshek*) verja
hekel disgusto, asco, aversión *v*; *een ~ hebben aan* sentir *ie, i* aversión hacia; *ik heb er een ~ aan* (*fam*) me da tirria; *hij heeft een ~ aan hotels* le cargan los hoteles; *een ~ hebben aan iem* tener manía a u.p.; *ik heb geen ~ aan studeren* no me disgusta el estudio; **hekelen** criticar, satirizar
hekkesluiter el último (en hacer u.c.)
heklicht (*scheepv*) farol *m* de popa
heks bruja
heksen|jacht caza de brujas; **-ketel** pandemónium *m*; **-proces** proceso por brujería; **-toer**: *dat is een ~* es un trabajo ímprobo, es un trabajo de mil demonios, es poner una pica en Flandes
hekserij brujería, magia, hechicería
hekwerk 1 (*railing*) barandilla; 2 (*sierhek*) enrejado
1 hel *zn* infierno; *loop naar de ~* vete al infierno; *de weg naar de ~ is geplaveid met goede voornemens* el infierno está empedrado de buenas intenciones
2 hel *bn* 1 (*mbt licht*) vivo, resplandeciente; 2 (*mbt kleur*) vivo, chillón *-ona*
helaas desgraciadamente, por desgracia
held héroe *m*; *~ op sokken* bragazas *m*, gallina *m*
helden|daad hazaña, acto heroico; **-dicht** poema *m* épico; **-moed** valor *m* heroico; **-verering** culto de los héroes
helder 1 (*mbt geluid*) claro, sonoro; 2 (*niet dof*) brillante, claro; *~e hemel* cielo despejado; *~e kleuren* colores *mmv* vivos; *~ water* agua clara, agua pura; 3 (*duidelijk*) claro; *~e uiteenzetting* exposición *v* clara || *een ~ hoofd* una cabeza despejada; *een ~ ogenblik* (*van geesteszieke*) un intervalo lúcido, un momento lúcido; **helderheid** claridad *v*
helderziend clarividente; **helderziendheid** clarividencia
heldhaftig heroico; **heldhaftigheid** heroísmo

heldin heroína
hele (*rekenk*) entero; *de ~n eruit halen* sacar los enteros
heleboel: *een ~* un montón de, gran cantidad de, muchísimos
helemaal enteramente, totalmente, completamente, por completo; *~ niet* en absoluto, ni mucho menos; *~ niet moeilijk* nada difícil; *het is ~ niet koud* no hace nada de frío; *hij is ~ niet veranderd* no ha cambiado (en) lo más mínimo, no ha cambiado nada; *het kwam ~ niet in hem op* ni siquiera se le ocurría; *niet ~* no ...del todo; *het is niet ~ op* no se ha acabado del todo; *~ tot de brug* hasta el mismo puente
1 helen (*jur*) encubrir
2 helen (*genezen*) curar; *de tijd heelt alle wonden* el tiempo cicatriza todas las heridas; *zijn wonden ~ slecht* tiene mala encarnadura
heler encubridor *m*; (*fam*) perista *m,v*
helft mitad *v*; *eerste ~* (*sp*) primera parte, primer tiempo; *ieder de ~* la mitad para cada uno; *ieder de ~ betalen* ir a medias; *iets meer dan de ~* un poco más de la mitad; *we zijn op de ~ van het boek* estamos a mitad del libro; *voor de ~ gevuld* a medio llenar; *voor de ~ van de prijs* a mitad de precio
helikopter helicóptero
heling encubrimiento
hellebaard alabarda
hellen 1 inclinarse; 2 (*mbt schip*) escorar; **hellend** inclinado, pendiente, en declive
helleveeg arpía, fiera
helling 1 pendiente *v*, declive *m*, vertiente *m*; *alles moet op de ~* hay que cambiarlo todo, hay que revisarlo todo; 2 (*scheepv*) grada; *de ~ aflopen* deslizarse por la grada
helm casco; **helmstok** barra del timón
helpen 1 ayudar, asistir; (*in nood*) socorrer; *help!* ¡socorro!; *een handje ~* echar una mano; *iem ~ uitstappen* ayudar a bajar a u.p.; *iem ergens overheen ~* (*fig*) ayudar a u.p. a sobreponerse a u.c.; *iem ~ met* ayudar a u.p. en; *hij is niet meer te ~* ya no se puede hacer nada por él; 2 (*van nut zijn*) servir *i*, ser útil, valer; *ons protest hielp niets* de nada valieron nuestras protestas; *...en het helpt allemaal niets* ...y como si nada; 3 (*in winkel*) atender *ie*; *wordt u al geholpen?* ¿ya le atienden?; 4 *~ aan* procurar; *iem aan een baan ~* procurarle un empleo a u.p.; *iem aan geld ~* proporcionar dinero a u.p.; *kunt u mij ~ aan ...?* ¿puede Ud. obtenerme ...?
hels 1 infernal; *een ~ lawaai* un ruido infernal; 2 (*boos*) furioso; *~ maken* enfurecer
hem (*lijd vw*) lo, le; (*meew vw*) le; (*na vz*) él; *~ zag ze niet* (a él) no le vio; *de pen is van ~* la pluma es suya, la pluma es de él
hemd 1 camiseta; *hij heeft geen ~ aan zijn lijf* no tiene donde caerse muerto; *in zijn ~ staan* quedar en ridículo; *in zijn ~ zetten* dejar en ridículo, dejar burlado; *iem tot op het ~ uitkleden* (*fig*) dejar a u.p. sin camisa; *tot op zijn ~ toe nat* calado hasta los huesos; 2 (*overhemd*) camisa; **hemdjurk** traje *m* camisero; **hemdsmouw** manga de camisa
hemel cielo; *~ en aarde bewegen* mover *ue* cielo y tierra; *hij moest ~ en aarde bewegen om haar te overtuigen* le costó Dios y ayuda convencerla; *in de ~ komen* ir al cielo; *in de zevende ~* en el séptimo cielo, en la gloria; *onder de blote ~* a campo raso, a la intemperie; *als uit de ~ gevallen* caído como del cielo; **hemelhoog**: *~ prijzen* poner en el cielo, poner por las nubes; **hemellichaam** astro; **hemels** celestial
hemels|blauw azul celeste, azul cielo; **-breed** 1 enorme; *een ~ verschil* una diferencia enorme; 2 (*mbt afstand*) en línea recta; **-naam**: *in ~* por Dios; *waarom in ~?* ¿a santo de qué?
hemeltergend que clama al cielo
Hemelvaartsdag Ascensión *v*
1 hen *zn* gallina
2 hen *pers vnw* (*mnl*) los, les; (*vrl*) las; (*na vz*) ellos, ellas; *samen met ~* junto con ellos; *die tuin is van ~* ese jardín es suyo, ese jardín es de ellos
hendel manivela
hengel caña; **hengelaar** pescador *m* de caña; **hengelen** 1 pescar con caña; 2 *~ naar* (*fig*) buscar; **hengelsport** pesca con caña
hengsel 1 asa; 2 (*scharnier*) bisagra, gozne *m*
hengst caballo padre, semental *m*
hennep cáñamo
hens: *alle ~ aan dek!* ¡todos sobre cubierta!
her: *~ en der* aquí y allá; *eeuwen ~* hace muchos siglos
herademen respirar con alivio
herbeleggen reinvertir *ie, i*; **herbelegging** reinversión *v*
herbenoemen nombrar de nuevo
herbeplanting replantación *v*
herberg venta, posada, mesón *m*; **herbergen** alojar, hospedar; **herbergier**, **herbergierster** mesonero, -a, posadero, -a
herbewapenen rearmar; **herbewapening** rearme *m*
herdenken conmemorar; **herdenking** conmemoración *v*; **herdenkingsrede** discurso conmemorativo
herder 1 pastor *m*; 2 *Duitse ~* pastor *m* alemán; **herderin** pastora; **herderlijk** pastoral; **herdershond** perro pastor
herdruk reimpresión *v*, reedición *v*; **herdrukken** reimprimir
herenhuis casa residencial
herenigen reunificar; **hereniging** reunificación *v*
heren|kapper peluquero (de caballeros); **-leventje** vida de gran señor; **-mode** moda masculina
herexamen (*vglbaar:*) segunda convocatoria; (*fam*) repesca
herfst otoño; **herfstachtig** otoñal
herfst|draden barbas del diablo, hilos de María; **-kleuren** tonos de otoño; **-vakantie** vacaciones *vmv* de otoño

hergroeperen reagrupar
herhaald repetido; *~e malen* repetidas veces, repetidamente
herhalen 1 repetir *i*, reiterar; *uitentreuren ~* repetir hasta la saciedad; *in het kort ~* resumir, sintetizar; 2 (*van leerstof*) repasar; **herhaling** 1 repetición *v*, reiteración *v*; 2 (*op school*) repaso
herhuisvesting realojamiento
herindeling redistribución *v*
herinneren 1 *iem aan iets ~* recordar *ue* u.c. a u.p.; *wil je me eraan ~?* ¿me lo quieres recordar?; 2 *zich ~* recordar *ue*, acordarse *ue* de; *als ik me goed herinner* si no recuerdo mal; *voor zover ik me herinner* que yo recuerde; *ik herinner het mij maar vaag* de eso sólo conservo un vago recuerdo, sólo lo recuerdo vagamente; *hij kon zich mij nog ~* se acordaba todavía de mí; *een voorval dat ik mij duidelijk herinner* un suceso del que conservo clara memoria; **herinnering** recuerdo; *een vage ~* una vaga reminiscencia; *de ~ levend houden* mantener vivo el recuerdo; *~en ophalen* desenterrar *ie* recuerdos; *hij had er een slechte ~ aan* le quedaba mal recuerdo; *bij de ~ daaraan* al recordarlo; *ter ~ aan* en recuerdo de
herkansing segunda convocatoria; (*fam*) repesca
herkenbaar reconocible, identificable
herkennen reconocer; **herkenning** reconocimiento; **herkenningsmelodie** (*radio*) sintonía
herkiesbaar reelegible; *iem die zich ~ stelt* candidato, -a a la reelección; *zich niet ~ stellen* no presentarse a la reelección; **herkiesbaarheid** reelegibilidad *v*
herkomst origen *m*, procedencia
herkrijgen recobrar, recuperar
herleiden (*tot*) reducir (a); **herleiding** reducción *v*
hermetisch hermético
hernia hernia; (*in de rug*) hernia vertebral
hernieuwen renovar; **hernieuwing** renovación *v*
heroïne heroína
heropenen volver *ue* a abrir; **heropening** reapertura
heroveren reconquistar; **herovering** reconquista
herrie 1 (*lawaai*) escándalo, alboroto; *~ maken* armar escándalo; 2 (*ruzie*) gresca, agarrada, trifulca; **herrieschopper** gamberro
herrijzen resucitar; **herrijzenis** resurrección *v*
herroepbaar revocable; **herroepen** revocar, anular; *een bepaling ~* derogar una disposición; *zijn mening ~* desdecirse
herscheppen crear de nuevo, recrear
herscholen reentrenar, readaptar; (*omscholen*) reconvertir *ie, i*; **herscholing** reentrenamiento; (*omscholing*) reconversión *v* profesional
hersen|bloeding hemorragia cerebral
hersenen, hersens cerebro, sesos; *zijn ~ afpijnigen* devanarse la cabeza; *hij heeft een goed stel ~* es un chico capaz; *iem de ~ inslaan* romperle a u.p. la crisma, aplastarle a u.p. el cráneo
hersen|operatie operación *v* del cerebro; **-pan** cráneo; **-schim** quimera; **-schudding** conmoción *v* cerebral; **-spoeling** lavado de cerebro; **-vliesont steking** meningitis *v*
herstel recuperación *v*, restablecimiento; *economisch ~* recuperación económica; *een spoedig ~* (*van zieke*) un pronto restablecimiento; *~ in functie* reintegración *v* en una función; *~ van de betrekkingen* restablecimiento de las relaciones; *symptomen van ~* síntomas *mmv* recuperativos; **herstellen** I *tr* reparar, arreglar, subsanar; (*verbeteren*) corregir *i*; *een fout ~* corregir una falta, reparar una falta 1 (*in oude toestand brengen*) restablecer; *het evenwicht ~* corregir *i* el desequilibrio, restablecer el equilibrio; *de monarchie ~* restablecer la monarquía; *iem in zijn ambt ~* reintegrar a u.p. en su cargo; *in ere ~* rehabilitar; 2 (*van kleren*) remendar *ie*; 3 *zich ~* reponerse; II *intr* recobrarse, restablecerse; *hij is hersteld* se ha restablecido; *hij is ~de* está reponiéndose, está convaleciente; **herstellingsoord** sanatorio, casa de convalecencia
herstructurering reestructuración *v*
hert ciervo; **hertenkamp** parque *m* de ciervos
hertog duque *m*; *de ~ van Alva* el duque de Alba; **hertogdom** ducado; **hertogelijk** ducal; **hertogin** duquesa
hertrouwen volver *ue* a casarse, contraer nuevo matrimonio, casarse por segunda vez
heruitzending retransmisión *v*
hervatten reanudar, reemprender; **hervatting** reanudación *v*, reinicio
her|verkaveling redistribución *v* de terrenos; (*vglbaar:*) concentración *v* parcelaria; **-verzekering** reaseguro
hervormd reformado, protestante; **hervormen** reformar
herwinnen recobrar, recuperar
herzien revisar; *~e druk* edición *v* reelaborada, edición *v* revisada; *een besluit ~* revisar una decisión; *zijn stellingen ~* rectificar sus posiciones; **herziening** revisión *v*; *~ van de grens* reajuste *m* de la frontera; *~ van de lonen* revisión salarial; *~ van het onderwijs* reforma de la enseñanza
het I *lidw* el, la; *~ goede* lo bueno; *dit is hét moment* es el momento más indicado, es el momento por excelencia; II *pers vnw* lo, la; *ik weet ~ niet* no (lo) sé; *ben jij ~?* ¿eres tú?; *ik ben ~* soy yo
heteluchtverwarming calefacción *v* por aire caliente
heten llamarse; (*ivm achternaam ook:*) apellidarse; *hoe heet hij?: a*) (*alg*) ¿cómo se llama?; *b*) (*ivm voornaam*) ¿cuál es su nombre?; *c*) (*ivm achternaam*) ¿cuál es su apellido?

heterdaad: *op* ~ en flagrante, in fraganti; (*fam*) con las manos en la masa
heterogeen heterogéneo
heteroseksueel heterosexual
hetgeen lo que, lo cual
hetzelfde lo mismo, otro tanto; ~ *kan gezegd worden van* otro tanto cabe decir de; *het is mij* ~ me da igual; *het is overal* ~ es lo mismo en todas partes, en todas partes cuecen habas; *wat op* ~ *neerkomt* lo que es lo mismo; (*van*) ~*!* ¡igualmente!
hetzij sea, ya, bien; ~ *nu,* ~ *straks* sea ahora, sea después
heuglijk feliz
heulen: ~ *met* hacer causa común con; *wegens* ~ *met de vijand* por inteligencia con el enemigo
heup cadera; *hij heeft het op zijn* ~*en* le ha dado no sé qué, está que bota
heup|been hueso ilíaco; **-gewricht** articulación *v* de la cadera; **-wiegend** contoneándose; **-wijdte** medida de cadera
heus I *bn* verdadero, auténtico, de verdad; II *bw* de verdad; *ik begrijp je* ~ *wel!* ¡no creas, (que) te entiendo!; *ik weet* ~ *wel wat ik doe* sé lo que me hago
heuvel cerro, colina; **heuvelachtig** accidentado
hevig violento, fuerte, vehemente, intenso; *een* ~*e crisis* una aguda crisis; **hevigheid** violencia, fuerza, intensidad *v*; *met verdubbelde* ~ con redoblado ardor
hiel talón *m*; *de* ~*en lichten* poner pies en polvorosa, escabullirse, alzar el vuelo; *iem op de* ~*en zitten* pisar los talones a u.p., irle a u.p. a los alcances; **hielenlikker** lamebotas *m*
hier aquí; ~ *en daar* aquí y allá; *met* ~ *en daar een grijze haar* con alguna que otra cana; **hierachter** detrás
hiërarchie jerarquía; *ambtelijke* ~ escalafón *m*; **hiërarchisch** jerárquico
hier|bij con ello; ~ *deel ik u mede* por la presente le comunico; ~ *komt nog dat* a esto se añade que; **-binnen** aquí dentro; **-boven** arriba; **-door** por ello; *en* ~ *komt het dat* y a esto se debe que; **-heen** acá; **-in** (aquí) dentro; **-langs** por aquí, por este lado; **-na** después, a continuación; ~ *te noemen* denominado en adelante; **-naast** (aquí) al lado; *de kamer* ~ el cuarto contiguo; *de mensen van* ~ la gente de al lado
hiernamaals: *het* ~ el más allá, la vida de ultratumba, (*fam*) el otro barrio
hiëroglief jeroglífico
hier|om por esto, por este motivo; **-omtrent** sobre el particular, sobre este punto; **-onder** abajo; ~ *bevond zich* entre ellos se hallaba; **-op** encima; *wat is* ~ *uw antwoord?* ¿cuál es su respuesta?; **-over** 1 (*overheen*) por encima; 2 (*aangaande*) de ello; ~ *spreek ik liever niet* prefiero no hablar de ello; **-tegenover** 1 enfrente; 2 (*fig*) por otra parte; **-toe** con este fin, para este fin; **-uit** de ello, de esto; **-voor** 1 (*doel*) para esto; 2 (*tijd*) antes (de esto)
hieuwen levar; *het anker* ~ levar el ancla
hifi alta fidelidad *v*
high (*door drugs*) alucinado, (*fam*) colgado
hijgen jadear; **hijgend** jadeante
hijsen izar; *zich* ~ *op* encaramarse a; **hijskabel** cable *m* para izar; **hijskraan** grúa
hik hipo; *de* ~ *hebben* tener hipo; *hij kreeg de* ~ le entró el hipo; **hikken** hipar
hilariteit hilaridad *v*
hinde corza, cierva
hinder molestia; *hij heeft er geen* ~ *van* no le molesta; **hinderen** 1 (*belemmeren*) poner obstáculos a; *dat hindert niet* no importa; 2 (*ergeren*) molestar, estorbar, importunar; **hinderlaag** emboscada; *iem in een* ~ *lokken* tender *ie* una emboscada a u.p.; *in een* ~ *liggen* estar emboscado; **hinderlijk** molesto, enojoso, incómodo; **hindernis** obstáculo, estorbo, traba; *een* ~ *nemen* salvar un obstáculo, salvar un escollo, salvar una barrera; ~*sen uit de weg ruimen* quitar trabas; *race met* ~*sen* carrera de obstáculos; **hinderpaal** *zie: hindernis*; **hinderwet** (*vglbaar:*) reglamento de actividades molestas, insalubres, nocivas y peligrosas
hindoe hindú *m,v*; **hindoeïsme** hinduísmo; **hindoes** hindú; **Hindoestaans** indostano
hinkelen saltar a la pata coja
hinken cojear, renquear; *op twee gedachten* ~ vacilar entre dos ideas; **hinkepoot** paticojo, -a
hippie hippie *m,v*, hippy *m,v*
hispanist, **hispaniste** hispanista *m,v*
historicus historiador, -ora; **historisch** histórico
hit (*succes*) éxito
hitte calor *m*
hitte|bestendig resistente al calor, calorífugo; **-golf** ola de calor
H.M. *Hare Majesteit* Su Majestad; *afk* S.M.
ho: ~*!* ¡alto!; ~ *maar!* ¡ni pensarlo!
hobbel desigualdad *v*, desnivel *m*; **hobbelen** (*schokken*) dar sacudidas; (*schommelen*) balancear; **hobbelig** desigual, rugoso, irregular; **hobbelpaard** caballito (de balancín)
hobby hobby *m*, afición *v*
hobo oboe *m*; **hoboïst**, **hoboïste** oboísta *m,v*
hockey hockey *m* (sobre hierba)
hocus pocus *tw* abracadabra
hoe 1 *vrag* cómo; ~ *dan ook* de todas formas; ~ *zo?* ¿cómo?, ¿cómo es eso?; *en* ~*!* ¡y tanto!; ~ *diep is het?* ¿qué profundidad tiene?; ~ *groot is het?* ¿qué tamaño tiene?; ~ *laat is het?* ¿qué hora es?; ~ *breed is de tafel?* ¿cuál es el ancho de la mesa?; ~ *is het gebeurd?* ¿cómo fue?; *je weet niet* ~ *ik gehold heb* no sabes cómo he corrido, no sabes lo que he corrido; *je weet niet* ~ *vervelend zo'n lezing is* no sabes lo aburrido que es tal conferencia; *ik wil weten* ~ *of wat* quiero saber a qué atenerme; 2 ~ *...ook* por más que ...; ~ *hij ook riep* por más que gritara, por mucho que gritara; ~ *duur het ook is* por

muy caro que sea, por más caro que sea; ~ *het ook zij* sea de ello lo que fuera; ~ *dan ook* sea lo que sea, de cualquier modo; 3 ~ *meer* ... cuanto más ...; ~ *meer* ~ *beter* cuanto más mejor; ~ *langer* ~ *duurder* cada vez más caro; ~ *meer hij nadacht, des te treuriger werd hij* (cuanto) más pensaba, más se entristecía

hoed sombrero; *met zijn* ~ *op* con el sombrero puesto

hoedanigheid calidad *v*

hoede cuidado, guardia, custodia; *onder de* ~ *van* al cuidado de, bajo la custodia de; *iem onder zijn* ~ *nemen* hacerse cargo de u.p.; *op zijn* ~ *zijn* estar en guardia, estar alerta, estar sobre aviso; **hoeden** guardar; *zich* ~ *voor* guardarse de

hoedeplank (*in auto*) bandeja trasera

hoedje: *onder één* ~ *spelen met* estar conchabando con, estar en connivencia con

hoef casco; **hoefijzer** herradura

hoegenaamd: ~ *niet* en absoluto, ni mucho menos; ~ *niets* nada en absoluto

hoek 1 (*wisk*) ángulo; *overstaande* ~*en* ángulos alternos; *scherpe* ~ ángulo agudo; *stompe* ~ ángulo obtuso; 2 (*in kamer*) rincón *m*; *in alle* ~*en en gaten* por todos los rincones, por doquier; 3 (*buitenhoek*) esquina; *om de* ~ a la vuelta de la esquina; *op de* ~ en la esquina; *het huis ligt op de* ~ la casa hace esquina; 4 (*gereedschap*) escuadra || *brutaal uit de* ~ *komen* (*fam*) soltar *ue* una fresca; **hoekig** anguloso; **hoekijzer** hierro angular; **hoekje** rinconcito; *het* ~ *omgaan* ir al otro barrio, hincar el pico, pasar a mejor vida

hoek|schop córner *m*, saque *m* de esquina; **-slag** (*sp*) gancho; **-stuk** pieza angular; **-tand** colmillo

hoelang (por) cuánto tiempo

hoenderpark granja (avícola)

hoepel aro; **hoepelen** jugar *ue* al aro; **hoepelrok** guardainfante *m*

hoer puta, prostituta; (*pop*) zorra

hoera: ~*!* ¡viva!; **hoerageroep** vítores *mmv*

hoes funda; *de* ~ *van de lp* la funda del disco; **hoeslaken** sábana (de) funda

hoest tos *v*; *vastzittende* ~ tos agarrada; **hoestbui** acceso de tos, golpe *m* de tos; **hoestdrank** jarabe *m* para la tos; **hoesten** toser; **hoesttablet** pastilla contra la tos

hoeve granja, finca, quinta

hoeveel 1 *vrag* cuánto; ~ *is het?* ¿cuánto es?; 2 ~ *ook* por mucho que, por más que; ~ *ik ook van je hou* por mucho que te quiera; **hoeveelheid** cantidad *v*; **hoeveelste** cuánto; *de* ~ *is het?* (*datum*) ¿a cuántos estamos?

hoeven: *niet* ~ no tener que

hoever: *in* ~*re* hasta qué punto

hoewel aunque, a pesar de que

hoezeer cuánto; ~ *het mij ook spijt* por más que lo sienta

hof corte *v*; *de* ~ *van Eden* el jardín de Edén; *iem het* ~ *maken* hacer la corte a u.p., cortejar a u.p.; *aan het* ~ en la corte; **hofdame** dama de palacio, dama de honor

hoffelijk cortés, galante; **hoffelijkheid** cortesía, galantería

hofhouding corte *v*

hofje beguinaje *m*, beaterio

hof|leverancier proveedor *m* de la corte; **-meester** mayordomo; **-nar** bufón *m*

hogedrukpomp bomba de alta presión

hoger superior; ~ *personeel* personal *m* superior; **hogerhand**: *van* ~ desde arriba, por parte de la autoridad

Hogerhuis: *het* ~ la Cámara de los Lores

hogerop más arriba

hogeschool escuela superior

hok 1 (*voor hond*) caseta; 2 (*voor varkens*) pocilga; 3 (*voor kippen*) gallinero; 4 (*voor wilde dieren*) jaula; 5 (*schuurtje*) cobertizo; 6 (*berghok*) trastero; 7 (*kamer*) cuchitril *m*; **hokje** 1 (*op formulier*) casilla; 2 (*voor schildwacht*) garita, casilla; 3 (*stemhokje, kleedhokje*) cabina; 4 (*kamertje*) cubículo; **hokjesgeest** sectarismo

1 hol *zn* 1 (*van wild dier*) guarida, cubil *m*, madriguera; *in het* ~ *van de leeuw* en la boca del lobo; 2 (*van konijn*) madriguera; 3 (*grot*) cueva, antro, caverna

2 hol: *iems hoofd op* ~ *brengen* volverle *ue* loco a u.p., entontecer a u.p.; *op* ~ *slaan* desbocarse

3 hol *bn* hueco; ~*le as* eje *m* hueco; ~*le frasen* frases *vmv* huecas; ~ *klinkende frasen* frases *vmv* resonantes; *de* ~*le zijde* el lado cóncavo

holbewoner cavernícola *m*, troglodita *m*

holding holding *m*, sociedad *v* holding

Holland Holanda; **Hollander** holandés; **Hollands** holandés *-esa*; **Hollandse** holandesa

hollen correr; *het is* ~ *of stilstaan* pasa de un extremo a otro; **holletje**: *op een* ~ de una corrida

hologram holograma *m*

holster pistolera

holte cavidad *v*

homecomputer *zie: huiscomputer*

homeopathie homeopatía; **homeopathisch** homeopático

hommel abejorro

homo, **homofiel** *zn* homosexual *m*, gay *m*; (*fam*) sarasa *m*, marica *m*, maricón *m*

homogeen homogéneo; **homogeniteit** homogeneidad *v*

homologatie homologación; **homologatiecommissie** (*Belg*) comisión *v* para la homologación (de diplomas)

homoseksualiteit homosexualidad *v*; **homoseksueel** *bn* homosexual; *zie ook: homo*

homp pedazo; (*van brood ook:*) cacho

hond perro; *jonge* ~ cachorro; *ik ben zo ziek als een* ~ me siento muy mal; *blaffende* ~*en bijten niet* perro ladrador, poco mordedor; *de* ~ *in de pot vinden* quedarse sin comer; *slapende* ~*en wakker maken* peor es meneallo || *rode* ~ rubéola

honde|hok caseta del perro; **-kennel** perrera; **-leven** vida perra, vida de perros; **-ras** raza canina

honderd ciento; ~ *boeken* cien libros; *enige ~en* unos cientos, unas centenas, unos centenares; ~ *procent* el cien por ciento; *voor de volle ~ procent* (*fig*) con todas las de la ley; *bij ~en* a centenares || *alles liep in het ~* todo fue mal, fue un desastre, todo iba de cabeza; **honderdduizend** cien mil; **honderdjarig**: ~ *bestaan* centenario; **honderdjarige** *zn* centenario, -a; **honderdste** I *bn* centésimo; II *zn* centésima parte *v*, centavo; **honderduit**: ~ *praten* charlar por los codos

honde|wacht guardia de cuartillo; **-weer** tiempo de perros

honds grosero; **hondsdagen** canícula; **hondsdolheid** rabia

honen mofarse de; **honend** con mofa

Hongaars húngaro; **Hongarije** Hungría

honger hambre *v*; (*pop*) gazuza; ~ *hebben* tener hambre; *ik heb geen ~* (*trek*) no tengo ganas; *ik kreeg ~* me entró hambre; ~ *lijden* pasar hambre, sufrir hambre; **hongerdood** muerte *v* de hambre; **hongeren**: ~ *naar* ansiar, anhelar, suspirar por; **hongerig** hambriento; (*fig ook:*) famélico

honger|lap tragón, -ona; *een verschrikkelijke ~* un tragón de miedo; **-lijder** muerto de hambre; **-loon** salario de miseria, sueldo mísero, sueldo de hambre; (*fam*) mierda de sueldo

hongersnood hambre *v*

hongerstaking huelga de hambre

honing miel *v*

honing|bij abeja (doméstica); **-pot** puchero de la miel; **-raat** panal *m*; **-zoet** melifluo, meloso

honk (*huis*) casa; **honkbal** béisbol *m*; **honkvast** casero

hoofd 1 cabeza; *mijn ~ staat niet naar* no estoy (de humor) para; *het ~ bieden aan* afrontar, hacer frente a; *zich het ~ breken* devanarse los sesos, quebrarse la cabeza; *het ~ buigen* (*fig*) claudicar; *ik heb er een hard, zwaar hoofd in* lo veo muy difícil; *het ~ houden bij* no distraerse de; *het ~ boven water houden* mantener la cabeza fuera del agua; *zijn ~ kwijtraken* perder *ie* la cabeza; *zijn ~ naar buiten steken* asomar la cabeza; *zijn ~ stoten: a*) (*lett*) golpearse la cabeza, darse un coscorrón; *b*) (*fig*) llevarse un chasco; *aan het ~ staan van* encabezar, estar al frente de; *zich aan het ~ stellen van* ponerse al frente de; *niet goed bij zijn ~ zijn* no estar bien de la cabeza, ser medio tonto, no estar en su cabal juicio; *boven het ~ hangen* venir encima; *het is me door het ~ gegaan* se me ha olvidado; *hij kreeg het in zijn ~ om* se le ocurrió, se le antojó, le dio por; *haal het niet in je ~!* ¡no se te ocurra!; *zich iets in zijn ~ halen* antojársele u.c. a u.p., metérsele a u.p. u.c. en la cabeza; *met gebogen ~* con la cabeza gacha; *naar het ~ stijgen* subir a la cabeza; *over het ~ zien* no reparar en, no fijarse en, pasar por alto; *uit ~e van* en concepto de; *uit zijn ~ praten* quitar de la cabeza; *uit het ~ spelen* tocar de memoria; *zich iets uit het ~ zetten* desechar u.c.; *zet dat maar uit je ~!* ¡quítatelo de la cabeza!; *zich voor het ~ schieten* dispararse un tiro en la cabeza; *iem voor het ~ stoten* desairar a u.p.; 2 (*leider*) jefe, jefa; (*van school*) director, -ora; *het ~ van het gezin* el cabeza de (la) familia, el jefe de familia; *het ~ van de staat* el jefe del estado; 3 (*van brief*) encabezamiento; 4 (*van tafel, bed*) cabecera; *aan het ~ van de tafel* en la cabecera de la mesa

hoofd|aannemer contratista *m,v* principal; **-agentschap** agencia general; **-akte** (*vglbaar:*) diploma *m* de profesor de EGB; **-altaar** altar *m* mayor; **-ambtenaar** alto funcionario; **-arbeid** trabajo intelectual; **-arbeider** empleado administrativo; **-arbeider** trabajador *m* intelectual; **-artikel** artículo de fondo; **-bestanddeel** elemento esencial; **-bestuur** dirección *v* central, dirección *v* general; **-bewoner** inquilino principal; **-bezwaar** inconveniente *m* principal; **-boekhouder** jefe *m* contable; **-brekens**: *het kost heel wat ~* da muchos quebraderos de cabeza; **-bureau** (*van politie*) jefatura (de distrito); **-commissaris** comisario en jefe; **-conducteur** jefe *m* del tren; **-dek** cubierta principal; **-doek** pañuelo; **-doel** objeto principal; **-eigenschap** cualidad *v* esencial; **-einde** cabecera

hoofdelijk por cabeza, solidario; ~ *aansprakelijk zijn voor* responder solidariamente de; *~e stemming* voto individual, votación *v* nominal

hoofd|film película base (del programa); **-gebouw** edificio principal; **-gerecht** plato principal; **-huid** cuero cabelludo; **-huis** (*Belg*) casa matriz, oficina principal; **-ingang** entrada principal; **-ingenieur** ingeniero jefe; **-inspecteur** inspector *m* general; **-kantoor** casa matriz, oficina principal, sede *v*; **-kleur** color *m* primario; **-kraan** llave *v* de paso; **-kussen** almohada; **-kwartier** cuartel *m* general; **-letter** (letra) mayúscula; **-luis** piojo, piojos *mmv*; **-man** jefe *m*; **-menu** (*comp*) menú *m* principal; **-motief** motivo principal; **-oorzaak** causa principal; **-persoon** protagonista *m,v*, figura central; **-pijn** dolor *m* de cabeza; *ik heb ~* me duele la cabeza; **-plaats** capital *v*; **-postkantoor** central *v* de correos; **-prijs** premio mayor; (*in loterij*) gordo; **-redacteur** redactor *m* (en) jefe; (*in Sp ook:*) director *m*; **-rekenen** cálculo mental; **-rol** papel *m* central, papel *m* principal; **-schakelaar** (*elektr*) interruptor *m* general; **-schotel** plato principal; **-schuldige** principal culpable *m,v*; **-stad** capital *v*; **-stel** brida, cabezada; **-steun** (*in auto*) reposacabeza *m*, apoyacabeza *m*; **-straat** calle *v* principal; **-stuk** capítulo; **-telwoord** número cardinal; **-thema** tema *m* principal; tema *m* estrella; **-vak** materia principal; **-verkeersweg** carretera principal;

-verpleegster enfermera en jefe; **-voedsel** alimento principal; **-werktuigkundige** jefe *m* mecánico
hoofdzaak lo principal, punto esencial; **hoofdzakelijk** principalmente, especialmente
hoofd|zin oración *v* principal; **-zonde** pecado capital
hoog 1 alto, elevado; (*mbt prijs ook:*) subido; *hoe ~ is ...?* ¿qué altura tiene ...?; *de muur is 2 meter ~* la pared tiene 2 metros de alto; *vier ~* en el cuarto piso; *~ grijpen* picar alto, apuntar alto; *belachelijk hoge prijs* precio exorbitante; *hoge rug* hombros subidos; *~ in aanzien staan* gozar de gran prestigio; *met een hoge rug* cargado de hombros; *op hoge leeftijd* a una edad muy avanzada; *het lijkt me te ~ gegrepen* me parece demasiado ambicioso; *hoger onderwijs* enseñanza superior; *de prijzen worden hoger* suben los precios; 2 (*mbt stem, muz*) agudo || *het hoge woord moet eruit* hay que decir la verdad; *het wordt ~ tijd dat* ya es hora de que; *het zit me ~* me sabe muy mal, lo tomo muy a pecho; *iets bij ~ en bij laag volhouden* mantenerse en sus trece (a todo trance)
hoogachten respetar; **hoogachtend** (muy) atentamente; **hoogachting** respeto, estima, consideración *v*
hoog|begaafd superdotado; **-bouw** edificios *mmv* altos; **-conjunctuur** coyuntura alta; **-dravend** rimbombante, ampuloso; **-gebergte** alta montaña; **-geplaatst** de (alta) categoría; **-gerechtshof** Tribunal *m* Supremo; **-gespannen**: *~ verwachtingen* gran expectación *v*; **-glans** *bn* de gran brillo
hooghartig altanero, altivo; **hooghartigheid** altivez *v*, altanería
Hoogheid: *Zijne ~* Su Alteza; *Hare Koninklijke ~* Su Alteza Real
hoog|houden (*van traditie*) mantener, respetar; **-land** altiplanicie *v*, meseta, tierras *vmv* altas
hoogleraar catedrático, -a
hooglijk altamente
hoogmis misa mayor
hoogmoed soberbia, presunción *v*; **hoogmoedswaanzin** megalomanía
hoog|nodig urgente; *het ~e* lo imprescindible; **-oplopend** (*Belg*) apasionado, vehemente; **-oven** alto horno; **-schatten** tener en gran estima; **-seizoen** alta temporada; **-spanning** alta tensión *v*
hoogspannings|kabel cable *m* de alta tensión; **-mast** torre *v* de alta tensión
hoogspringen *zn* salto de altura
hoogst I *bn* el más alto; *het ~e goed* el supremo bien; II *bw* 1 (*zeer*) sumamente, extremadamente; *~ verbaasd* sumamente sorprendido; 2 (*hooguit*) como mucho, como máximo || *op zijn ~* a lo más, a lo sumo
hoogstaand noble, de elevados principios
hoogsteigen: *de koning in ~ persoon* el mismísimo rey
hoogstens *zie: hoogst II*
hoogstwaarschijnlijk muy probable, sumamente probable
hoogte altura; (*niveau*) nivel *m*; *de ~ van de uitkering* el importe del subsidio; *een zekere ~ bereiken* alcanzar cierto nivel; *~ krijgen* (*mbt vliegtuig*) ganar altura; *~ krijgen van* entender *ie*; *ik krijg er geen ~ van* no saco nada en claro; *van vrouwen krijg je geen ~!* ¡cualquiera entiende a las mujeres!; *in de ~ gaan* (*mbt prijs*) subir; *in de ~ tillen* alzar en alto; *op een ~ van 3000 m* a 3000 m de altura; *op de ~ blijven* seguir *i* al corriente; *op de ~ houden* tener al corriente, tener al tanto, mantener informado; *op de ~ stellen van* informar de, enterar de; *iem op de ~ stellen van de voorgeschiedenis* poner en antecedentes a u.p.; *zich op de ~ stellen van* enterarse de, imponerse de; *op de ~ zijn van* estar enterado de, estar al corriente de, estar al tanto de; *zij die niet op de ~ zijn* los no iniciados; *op de ~ zijn met* (*verstand hebben van*) entender *ie* de, tener buenos conocimientos de, estar familiarizado con; *ter ~ van* a la altura de; *tot op zekere ~* hasta cierto punto; *uit de ~ bekijken* mirar por encima del hombro; *hij praat een beetje uit de ~* habla un poco altanero || *de ~ krijgen* achisparse, ponerse piripi
hoogte|lijn curva de nivel; **-meter** altímetro; **-punt** momento cumbre, momento culminante, punto álgido, colmo; **-vrees** vértigo de las alturas; **-zon** lámpara de rayos ultravioleta
hoogtijdag gran día *m*, día *m* de fiesta
hoog|uit *zie: hoogst II*; **-vlakte** meseta, altiplanicie *v*; **-vlieger**: *hij is geen ~* no es ninguna lumbrera
hoogwaardig de alta calidad; **hoogwaardigheidsbekleder** alto dignatario
hoogwater marea alta
hooi heno; *teveel ~ op zijn vork nemen* querer abarcar demasiado; *je moet niet teveel ~ op je vork nemen* quien mucho abarca, poco aprieta; *te ~ en te gras* ocasionalmente, esporádicamente, sin orden ni concierto; **hooiberg** pajar *m*; **hooien** hacer heno; **hooikoorts** fiebre *v* del heno, catarro de los henos; **hooivork** bieldo, horca
hoon burlas *vmv*; **hoongelach** risas *vmv* burlonas
1 hoop (*stapel*) montón *m*, pila; *te ~ lopen* apiñarse
2 hoop esperanza; *er is weinig ~ dat* hay escasas esperanzas de que; *de ~ koesteren dat* abrigar la esperanza de que; *goede ~ hebben dat het lukt* estar muy esperanzado de tener éxito; *alle ~ opgeven* abandonar toda esperanza; *zijn ~ vestigen op* poner sus esperanzas en; *in de ~ dat* esperando que; *op ~ van zegen* a la buena de Dios
hoop|gevend esperanzador *-ora*; **-vol** prometedor *-ora*, esperanzador *-ora*; *een ~ vooruitzicht* una perspectiva halagüeña

hoorbaar audible, perceptible
hoorcollege clase *v* magistral
hoorn 1 (*van dier*) cuerno, asta; *op de ~s nemen* cornear; 2 (*telef*) auricular *m*; *de ~ neerleggen* colgar *ue* el auricular; *de ~ opnemen* descolgar *ue* el auricular; 3 (*muz*) corno, trompa; 4 (*schelp*) concha; 5 (*van ijs*) barquillo
hoornen *bn* de cuerno; (*van schildpad*) de concha
hoornist trompa *m*, corno
hoorspel radioteatro, comedia radiofónica; **hoorzitting** audiencia
hop lúpulo
hopelijk según espero, según esperamos, ojalá; *~ ben je weer beter* ojalá estés mejor; **hopeloos** desesperado; (*mbt zieke*) desahuciado; *een ~ geval* un caso perdido
hopen esperar; *ik hoop van wel* espero que sí; *ik hoop dat hij komt* espero que venga, ojalá (que) venga; *laten we het ~* ojalá; *het is niet te ~* no es de esperar
hor mosquitero; alambrera
horde 1 (*bende*) masa, banda, horda; *in ~n* en tropel; 2 (*sp*) valla; **hordenloop** (carrera de) vallas *vmv*
horeca hostelería
horen 1 oír; *hoor eens!* ¡oye!; *nou, je hoort het* lo que oyes; *laat maar eens ~* tú dirás; *zo mag ik het ~* así se habla; *zichzelf graag ~* escucharse; *een lawaai dat ~ en zien je vergaat* un ruido de todos los demonios; 2 (*vernemen*) saber, aprender; *ik heb gehoord dat* me han dicho que; *we hebben niets meer van hem gehoord* no hemos vuelto a saber de él, no hemos tenido más noticias suyas; *u zult nog van mij ~* (*dreigend*) ya sabrá de mí; *je hoort hier van alles* uno se entera de muchas cosas aquí; *van ~ zeggen* de oídas; 3 (*verhoren, van getuigen*) oír, tomar declaración a; 4 (*passen*) ser debido; *zó hoort het, zo hoort het te zijn* así debe ser, así es como debe ser; *zoals het hoort* como es debido, como Dios manda; *weten hoe het hoort* tener buenos modales; *waar hoort dit?* ¿de dónde es esto?; *u hoort hier niet* éste no es su sitio; *deze ~ bij elkaar* éstos van juntos, éstos hacen juego; *zie ook: behoren*
horizon horizonte *m*; *de wijde ~* el dilatado horizonte; **horizontaal** horizontal
horloge reloj *m*; *automatisch ~* reloj de autocuerda; *op zijn ~ kijken* consultar el reloj; **horlogebandje** correa (de reloj); **horlogemaker** relojero
hormoon hormona; *met hormonen behandeld* (*mbt vlees*) hormonado; **hormoonbehandeling** tratamiento con hormonas
horoscoop horóscopo; *een ~ trekken* hacer un horóscopo
hors d'oeuvre entremeses *mmv*
horten: *met ~ en stoten* a topetazos, a trompicones
horzel tábano
hospes, hospita dueño, -a (de la casa)
hospitaal hospital *m*
hospitant, hospitante estudiante *m,v* en prácticas (de fin de carrera), oyente *m,v* que hace prácticas (de magisterio); **hospiteren** hacer prácticas (de magisterio)
hossen bailotear
hostess 1 (*receptioniste*) azafata, recepcionista; 2 (*gastvrouw*) anfitriona
hostie hostia
hot: *van ~ naar haar* de acá para allá
hot dog perro caliente
hotel hotel *m*; (*eenvoudig:*) hostal *m*; **hotelbedrijf** (*branche*) ramo hostelero
hoteldebotel tarumba, turulato
hotelier hotelero; **hotelletje** 1 hotel *m* pequeño; 2 (*neg*) hotelucho
hotelschool escuela hostelera
hotsen dar trompicones
houdbaar 1 (*mbt stelling*) sostenible; 2 (*mbt eten*): *~ zijn* conservarse; **houdbaarheid** conservabilidad *v*
houden 1 (*niet teruggeven*) quedarse con, guardar; *je mag het boek ~* quédate con el libro, (*fam*) el libro quédatelo; 2 (*van vergadering*) celebrar; *een tentoonstelling ~* celebrar una exposición; 3 (*hebben*) tener; *hij hield een pen in zijn hand* tenía una pluma en la mano; *het ~ van honden* la tenencia de perros; 4 (*van belofte*) cumplir con; *zijn woord niet ~* faltar a su palabra; 5 (*van rede*) pronunciar, dar; 6 (*van lachen*) (con)tener; *hij kon zijn lachen niet ~* no podía contener la risa; 7 *zich ~* mantenerse; *zich ernstig ~* mantenerse serio; *zich goed ~* dominarse, contenerse; *het weer hield zich goed* el tiempo seguía bueno; 8 *~ aan: iem aan zijn woord ~* cogerle a u.p. la palabra; *zich ~ aan* atenerse a, observar, cumplir (con), acatar; 9 *bij zich ~* guardarse; *een brief bij zich ~* guardarse una carta; 10 *zich ~ bij: houd je maar bij je werk* no te distraigas de tu trabajo; 11 *het erop ~ dat* considerar que; 12 *uit elkaar ~* distinguir; 13 *~ van: a*) (*beminnen*) querer, (*lit*) amar; *ze ~ veel van elkaar* se quieren mucho; *b*) (*lekker, leuk vinden*) gustar; *ik houd van peren* me gustan las peras; *hij hield niet van spelletjes* no era amigo de juegos; 14 *zich ver ~ van* mantenerse apartado de; 15 *~ voor* tomar por, tener por, confundir con; *iemand hield hem voor Marx* alguien le confundía con Marx; *waar houdt u mij voor?* ¿por quién me toma Ud.?; *iets voor onmogelijk ~* juzgar imposible u.c.; 16 *voor zich ~* guardarse; *houd je adviezen maar voor je!* ¡guárdate tus consejos para ti! || *rechts ~* circular por la derecha, ceñirse *i* a la derecha
houder 1 (*van paspoort, aandeel*) titular *m*, tenedor *m*; 2 (*standaard*) soporte *m*
houdgreep (*sp*) llave *v*, presa
houding actitud *v*, postura, posición *v*; *afwachtende ~* actitud de espera; *een ~ aannemen* adoptar una actitud; *zijn ~ bepalen* elegir *i* su actitud; *zich een ~ geven* ocultar su emba-

razo; *in de* ~ en posición de firmes; *in de* ~ *gaan staan* cuadrarse, ponerse firme; *van* ~ *veranderen* cambiar de postura
hout 1 madera; *groot stuk* ~ (*balk*) madero; *dat snijdt geen* ~ no es eficaz; *uit hetzelfde* ~ *gesneden* cortado con la misma tijera; 2 (*brandhout*) leña
hout|bewerking carpintería; (*fijner:*) artesanía en madera, labrado de madera; **-blazers** instrumentos de viento de madera; **-blok** leño, tronco, madero
houten *bn* de madera; ~ *been* pierna de palo; **houterig** torpe, desmañado, desgarbado
houthakker leñador *m*
houthandel comercio de maderas, comercio maderero; **houthandelaar** comerciante *m* de maderas, maderero
houtje: *op zijn eigen* ~ por iniciativa propia, solo completamente; *op een* ~ *bijten* no tener nada que comer
hout|lijm cola para madera, cola fuerte; **-nerf** nervadura
houtskool carbón *m*; (*om te tekenen ook:*) carboncillo
hout|snede xilografía, grabado en madera; **-snijder** grabador *m* en madera; **-snijwerk** talla en madera; **-snip** (*biol*) becada; **-vuur** fuego de leña; **-werk** (*bouwk*) maderaje *m*, enmaderado; **-wol** virutas *vmv* (de madera); **-worm** carcoma; **-zaag** sierra para madera; **-zagerij** serrería
houvast asidero, agarradero
houwdegen (*fig*) espadachín *m*, bravucón *m*, matón *m*
houweel piqueta, pico; **houwen** cortar
hoveling cortesano
hozen 1 achicar; 2 (*hard regenen*) llover *ue* a cántaros
hufter paleto, bruto, patán *m*
huichelaar, **huichelaarster** hipócrita *m,v*; **huichelachtig** hipócrita; **huichelarij** hipocresía; **huichelen** fingir, disimular
huid 1 (*van mens*) piel *v*; (*van gezicht ook:*) cutis *m*; *de* ~ *vol schelden* poner como un trapo; *zijn* ~ *duur verkopen* vender caro el pellejo; *met* ~ *en haar* completamente; *tot op de* ~ *nat* calado hasta los huesos; 2 (*van dier*) piel *v*, cuero; *ongelooide* ~*en* pieles sin curtir; *de* ~ *verdelen voor de beer geschoten is* repartirse la piel del lobo; 3 (*van schip*) forro
huid|aandoening afección *v* cutánea; **-arts** dermatólogo, -a; **-beplating** forro exterior
huidig actual; *de* ~*e voorzitter* el hoy presidente, el presidente actual; *de* ~*e samenleving* la sociedad contemporánea; *tot op de* ~*e dag* hasta el día de hoy
huid|kanker cáncer *m* cutáneo; **-kleur** color *m* de la piel; **-plaat** plancha del casco; **-plooi** repliegue *m* de la piel; **-transplantatie** trasplantación *v* cutánea, injerto de la piel; **-uitslag** erupción *v* cutánea; (*licht:*) sarpullido; **-ziekte** enfermedad *v* de la piel
huif toldo; **huifkar** carro con toldo
huig úvula, campanilla
huilbui ataque *m* de llanto; **huilebalk** llorón, -ona; **huilen** 1 (*mbt mens*) llorar; *heel erg* ~ llorar a lágrima viva, deshacerse en lágrimas; *gauw* ~ tener el llanto fácil; 2 (*mbt wind, wolf*) aullar *ú*, ulular; **huilerig** lloroso
huis 1 casa; *ouderlijk* ~ casa paterna; *tweede* ~ casa segunda; *vrijstaand* ~ vivienda aislada; ~ *en haard* casa y hogar; *heer des huizes* dueño de la casa; *vrouw des huizes* ama de casa; *in* ~ *nemen* recoger en su casa, acoger en casa; *naar* ~ a casa; *naar* ~ *brengen* acompañar a casa; *niet om over naar* ~ *te schrijven* nada del otro mundo; *uit zijn* ~ *zetten* echar de casa; *van* ~ *gaan* salir de casa; *van* ~ *zijn* estar fuera; *van* ~ *uit* originalmente, por su casa; 2 (*techn*) caja, cuerpo
huis|arrest arresto domiciliario; *onder* ~ *gesteld* sometido a régimen de arresto domiciliario; **-arts** 1 (*beroep*) médico, -a general; 2 (*vaste arts*) médico, -a de cabecera, médico, -a de familia; **-baas** dueño (de una casa), propietario; **-bezoek** visita a domicilio; **-brandolie** fuel oil *m*; **-computer** ordenador *m* casero, ordenador familiar; **-concert** concierto casero; **-deur** puerta de la calle; **-dier** animal *m* doméstico
huiselijk hogareño, casero; (*huishoudelijk*) doméstico; ~ *leven* vida de familia, vida del hogar, vida hogareña; ~ *man* hombre *m* casero, hombre *m* de su casa, hombre *m* hogareño; ~*e sfeer* ambiente *m* hogareño
huis|genoot habitante *m* de la misma vivienda; **-gezin** familia
huishoudbeurs (*tentoonstelling*) feria del Hogar
huishoudelijk doméstico; ~*e artikelen* artículos para el hogar; *elektrische* ~*e apparaten* aparatos electrodomésticos; ~*e bezigheden* tareas domésticas, faenas caseras; ~ *gebruik* uso doméstico; ~*e uitgaven* gastos domésticos
huishouden I *zn* 1 (*het besturen*) gobierno de la casa, manejo de la casa; *een* ~ *van Jan Steen* la casa de tócame Roque; *een* ~ *beginnen* poner casa; *het* ~ *doen* llevar la casa, ocuparse de la casa; 2 (*gezin*) familia; II *ww* ocuparse de la casa, llevar la casa || *vreselijk* ~ causar estragos; **huishoudfolie** film *m* transparente; **huishoudgeld** dinero para los gastos domésticos
huishouding *zie: huishouden I*
huishoud|kunde economía doméstica; **-onderwijs** enseñanza de artes domésticas; **-school** escuela del hogar
huishoudster ama de llaves
huishuur alquiler *m* de la casa
huisje 1 casita; 2 (*van slak*) concha
huis|kamer (cuarto de) estar *m*, living *m*; **-knecht** criado; **-meester** conserje *m*, encargado; **-middeltje** remedio casero; **-mus** 1 gorrión *m*; 2 (*persoon*) tipo casero; **-personeel**

personal *m* doméstico; **-raad** ajuar *m* (familiar), menaje *m*, muebles *mmv* y enseres *mmv*; **-sleutel** llave *v* de la casa; **-telefoon** teléfono interior

huis-, tuin- en keuken- ordinario, para andar por casa

huisvader padre *m* de familia

huisvesten alojar, hospedar; **huisvesting** alojamiento

huis|vlijt artesanía doméstica; **-vredebreuk** allanamiento de morada; **-vriend** amigo de la casa; **-vrouw** ama de casa; (*als beroep, in akten*) sus labores, *afk* s.l.; **-vuil** basuras *vmv* caseras; **-waarts** a casa, hacia casa; **-werk** (*voor school*) deberes *mmv*; **-zoeking** registro (de la casa); ~ *doen* registrar la casa

huiveren estremecerse, sentir *ie, i* un escalofrío; **huiverig 1** (*koud*) tembloroso, escalofriado; **2** (*bang*): ~ *zijn* tener un poco de miedo; *hij was wat* ~ se mostraba algo reacio; *ik was een beetje* ~ *voor hem* me inspiraba cierta prevención; **huivering** escalofrío, estremecimiento; **huiveringwekkend** espeluznante, estremecedor *-ora*, escalofriante

huizen vivir, tener la casa; *ze* ~ *achter* detrás tienen la casa

hulde homenaje *m*; ~ *brengen aan* rendir *i* homenaje a; **huldebetoon** homenaje *m*; **huldeblijk** muestra de respeto; **huldigen 1** (*van persoon*) rendir *i* homenaje a; **2** (*van mening*) adoptar, tener, haber adoptado; **huldiging** homenaje *m*

hullen: ~ *in* envolver *ue* en; *gehuld in* envuelto en

hulp 1 ayuda, asistencia; (*in nood ook:*) auxilio, socorro; ~ *op ruime schaal* ayuda copiosa; *de eerste* ~ la primera cura, los primeros auxilios; *eerste* ~ *bij ongelukken* (primer) socorro; *medische* ~ asistencia médica; ~ *verlenen* prestar ayuda; *om* ~ *roepen* pedir *i* socorro; *iem te* ~ *snellen* acudir en ayuda de u.p., correr en auxilio de u.p.; **2** (*helper*) ayudante *m,v*; ~ *in de huishouding* asistenta

hulp|aggregaat grupo auxiliar; **-behoevend** necesitado de ayuda; (*invalide*) inválido; (*zwak*) débil; (*arm*) pobre, indigente, necesitado; **-bron** recurso

hulpeloos desamparado; **hulpeloosheid** desamparo

hulp|middel medio auxiliar; *~en* (*ook:*) recursos; **-ploeg** equipo de emergencia; **-post** (*med*) casa de socorro; **-postkantoor** estafeta de correos; **-stuk** accesorio; **-troepen** tropas auxiliares

hulp|vaardig servicial, dispuesto a ayudar; **-verlening** prestación *v* de ayuda; *wederzijdse* ~ asistencia recíproca; **-werkwoord** (verbo) auxiliar *m*

huls 1 (*van patroon*) cápsula; **2** (*techn*) buje *m*, manguito

hulst acebo

humaan humano, humanitario; **humaniora** (*Belg*) humanidades *vmv*; **humanisme** humanismo; **humanitair** humanitario

humeur humor *m*; *een goed* ~ *hebben, in een goed* ~ *zijn* estar de buen humor; *een slecht* ~ *krijgen* ponerse de mal humor; *uit zijn* ~ *zijn* estar de mal humor; **humeurig 1** (*in slecht humeur*) malhumorado; **2** (*grillig*) caprichoso

hummeltje cosita

humor humorismo; *gevoel voor* ~ sentido del humor; **humorist** humorista *m*; **humoristisch** humorista

humus humus *m*, mantillo, tierra vegetal

hun I *pers vnw* les; (*met nadruk*) a ellos, a ellas; **II** *bez vnw* su, sus; *de ~nen* los suyos

Hun *zn* huno

hunebed dolmen *m*

hunkeren: ~ (*naar*) ansiar, anhelar, suspirar por; (*uit heimwee*) añorar

huppelen 1 (*springen*) brincar, dar brincos; **2** (*dansen*) bailotear

hups vivo

huren alquilar, tomar en alquiler

hurken I *zn*: *op de* ~ acurrucado, en cuclillas; **II** *ww* ponerse en cuclillas, acurrucarse, agacharse

hurk-w.c. inodoro a la turca

hut 1 (*armoedig:*) choza, casucha, chabola, barraca; **2** (*klein huis*) cabaña; *de* ~ *van Oom Tom* la cabaña del tío Tom; **3** (*op boot*) camarote *m*, cabina; **hutkoffer** baúl *m*

hutspot (*vglbaar:*) puchero, cocido

huur 1 (*het huren*) alquiler *m*; ~ *en verhuur* alquiler activo y pasivo; **2** (*prijs*) alquiler *m*, renta; *te* ~ (*opschrift*) se alquila

huur|auto coche *m* de alquiler; **-contract** (*van huis*) contrato de inquilinato, contrato de alquiler

huurder 1 (*van huis*) inquilino; **2** (*van kamer*) huésped *m*

huur|huis casa de alquiler, casa alquilada; **-koop** (*vglbaar:*) venta-locación *v*, venta a plazos; **-moordenaar** asesino a sueldo; **-opbrengst** renta; **-prijs** (precio de) alquiler *m*; **-verhoging** aumento del alquiler; **-waarde** (*vglbaar:*) valor *m* imponible

huwbaar casadero; *-bare leeftijd* edad *v* casadera

huwelijk matrimonio; (*het huwen ook:*) casamiento; *burgerlijk* ~ matrimonio civil; *kerkelijk* ~ matrimonio canónico; *een burgerlijk* ~ *sluiten* casarse por lo civil; *in het* ~ *treden* casarse, contraer matrimonio; *ten* ~ *vragen* pedir *i* en matrimonio; **huwelijks**: *~e staat* estado de matrimonio; *~e voorwaarden* capitulaciones *vmv* matrimoniales

huwelijks|aankondiging (*kaart*) parte *m* de boda; **-aanzoek** petición *v* de mano, pretensión *v* matrimonial; **-advertentie** anuncio con fines matrimoniales, solicitud *v* de pareja; **-band** lazo matrimonial, vínculo conyugal; **-bed** lecho conyugal; **-bootje**: *in het* ~ *stappen* casarse; **-feest** boda; **-geschenk** regalo de

boda; **-leven** vida conyugal; **-lijst** (*Belg*) lista de (regalos de) bodas; **-nacht** noche *v* de bodas; **-plechtigheid** ceremonia nupcial; **-reis** viaje *m* de novios; **-trouw** fidelidad *v* conyugal; **-voorwaarden** *zie: huwelijks*
huwen casarse, contraer matrimonio
huzaar húsar *m*; **huzarensla** ensaladilla rusa
hyacint jacinto
hygiëne higiene *v*; **hygiënisch** higiénico
hygrometer higrómetro
hyper|modern ultramoderno; **-nerveus** hipernervioso; **-ventilatie** hiperventilación *v*
hypnose hipnosis *v*; **hypnotisch** hipnótico; **hypnotiseren** hipnotizar; **hypnotiseur** hipnotizador *m*
hypothecaris hipotecario; **hypotheek** hipoteca; *tweede ~* subhipoteca; *met ~ bezwaard* gravado con hipoteca
hypotheek|akte acta hipotecaria; **-gever** deudor *m* hipotecario; **-nemer** acreedor *m* hipotecario
hysterie histeria, histerismo; **hysterisch** histérico

Iberisch ibérico; *het ~ schiereiland* la Península (Ibérica)
ideaal I *bn* ideal; II *zn* ideal *m*; **idealiseren** idealizar; **idealisme** idealismo; **idealist**, **idealiste** idealista *m,v*; **idealistisch** idealista
idee idea; (*besef*) noción *v*; (*mening*) opinión *v*, parecer *m*; *een schitterend ~* una luminosa idea; *ik heb zo'n ~ dat* se me hace que; *ik heb geen flauw ~* no tengo la más remota idea, no tengo la menor idea, no tengo ni idea; *je hebt er geen ~ van hoe moeilijk het is* no puedes imaginarte lo difícil que es, no tienes idea de lo difícil que es; *een ~ verwezenlijken* llevar a la práctica una idea; *naar mijn ~* según mi opinión; *hij bracht me op het ~* él me lo sugirió; *hoe kwam je op het ~?* ¿cómo se te ocurrió?; **ideeënbus** buzón *m* de ideas; **idee-fixe** idea fija
idem ídem
identiek idéntico; **identificatie** identificación *v*; **identificeren** identificar; **identiteit** identidad *v*
identiteits|bewijs tarjeta de identidad, documento de identidad; **-controle** (*Belg*) control *m* de tarjetas de identidad; **-kaart** tarjeta de identidad
idiomatisch idiomático; **idioom** usos *mmv* idiomáticos
idioot I *bn* idiota; II *zn* idiota *m,v*, imbécil *m,v*
idool ídolo
idylle idilio; **idyllisch** idílico
ieder 1 (*bijvgl*) cada, todos los, todas las; *~e dag* cada día, todos los días; *~ ogenblik* de un momento a otro, en cualquier momento; *~e drie jaar* cada tres años; *~e zoveel jaar* cada equis años; 2 (*zelfst*) cada uno, cada una, todos, todas, todo el mundo; *~ voor zich* cada uno para sí; **iedereen 1** todo el mundo, todos; 2 (*onverschillig wie*) cualquiera; (*fam*) cada hijo de vecino, cualquier hijo de vecino
iel delgado, delgaducho
iemand alguien; (*uit groep*) alguno, -a
iep olmo
Ier irlandés; **Ierland** Irlanda; **Iers** irlandés *-esa*; **Ierse** irlandesa
iets I *onbep vnw* algo; *is er ~?* ¿hay algo?; *zo ~*, *~ dergelijks* cosa semejante, algo por el estilo; *~ grappigs* una cosa graciosa, algo gracioso; *beter ~ dan niets* algo es algo; *dat is echt ~ voor mijn moeder* es muy propio de mi madre, es muy de mi madre; *zonder ~ te zeggen* sin decir nada; II *bw* algo, un poco; *het is ~ beter* es algo mejor; **ietsje** un poquito, un poquitín

ijdel 1 (*hol, vergeefs*) vano; **2** (*mbt persoon*) vanidoso, presumido, ufano; **ijdelheid** vanidad *v*; (*van persoon ook:*) presunción *v*; **ijdeltuit** persona vanidosa

ijken contrastar, aforar, calibrar, marcar

1 ijl *bn* enrarecido; (*fig*) diáfano

2 ijl *zn*: *in aller ~ zie: ijlings*

1 ijlen (*in koorts*) delirar, desvariar *í*

2 ijlen (*zich haasten*) apresurarse

ijlings a toda prisa, a escape, a toda velocidad, a todo andar

ijs 1 hielo; *het ~ breken* romper el hielo; *zich op glad ~ wagen* aventurarse; *goed beslagen ten ~ komen* venir bien preparado; *niet over één nacht ~ gaan* andar sobre seguro; **2** (*eetbaar*) helado

ijs|baan pista de patinaje; **-beer** oso polar; **-beren** *ww* andar de un lado a otro; **-berg** iceberg *m*; **-bloemen** flores *vmv* de escarcha; **-blokje** cubito de hielo

ijselijk horrible, terrible, escalofriante

ijs|emmer cubo para el hielo; **-gang** hielo flotante; **-hockey** hockey *m* sobre patines, hockey *m* sobre hielo

ijsje helado, heladito

ijs|kast nevera, refrigerador *m*, frigorífico; *in de ~* (*fig*) congelado; **-koud** helado, glacial; *het is ~* hace muchísimo frío; *een ~e wind* un viento glacial; **-laag** capa de hielo

IJsland Islandia; **IJslands** islandés *-esa*

ijs|lolly polo; **-man** heladero; **-pegel** aguja de hielo, carámbano; **-salon** heladería; **-tijd** glaciación *v*, época glacial; **-vogel** martín *m* pescador; **-vrij 1** (*zonder ijs*) libre de hielos; **2** *~ hebben* tener asueto para poder patinar

IJszee: *Noordelijke ~* Océano Ártico; *Zuidelijke ~* Océano Antártico

ijver diligencia, asiduidad *v*, aplicación *v*, afán *m*; *vurige ~* fervor *m*, ardor *m*; *zich vol ~ toeleggen op* dedicarse con empeño a; **ijveraar** fanático; **ijveren**: *~ voor* tratar de conseguir, defender *ie* con denuedo; **ijverig I** *bn* aplicado, diligente, hacendoso, laborioso; **II** *bw* con diligencia, con celo; *~ bezig zijn met* dedicarse con empeño a, estar muy ocupado en

ijzel escarcha; **ijzelen** escarchar; *het heeft geijzeld* hay escarcha

ijzen (*bij*) estremecerse (ante)

ijzer hierro; *men moet het ~ smeden als het heet is* al hierro candente batir de repente; *men kan geen ~ met handen breken* no hay que pedir imposibles; **ijzerdraad** alambre *m* de hierro; **ijzeren** de hierro; (*fig ook:*) férreo; *~ long* pulmón *m* de acero

ijzer|erts mineral *m* de hierro; **-gieterij** fundición *v* de hierro; **-houdend** ferrífero; **-sterk** indestructible; **-tijd** época del hierro; **-vreter** matamoros *m*, matón *m*; **-waren** ferretería; **-winkel** ferretería; **-zaag** sierra de metales

ijzig helado, glacial

ijzingwekkend escalofriante, aterrador *-ora*

ik yo; *het ~* el yo; **ikzelf** yo mismo, yo misma

illegaal ilegal, clandestino; **illegaliteit** (*verzet*) resistencia

illusie ilusión *v*; *alle ~s ontnemen* desilusionar

illustratie ilustración *v*; *ter ~* (*fig*) a título ilustrativo; **illustreren** ilustrar

image imagen *v* (pública)

imaginair imaginario

IMF *Internationaal Monetair Fonds* Fondo Monetario Internacional; *afk* FMI

imitatie imitación *v*; **imiteren** imitar

imker apicultor *m*

immens inmenso, enorme

immers pues; *hij was er ~?* él estaba ¿no?, él estaba ¿verdad?; *ik kan* (*het*) *~ niet!* ¡si no puedo!

immigrant, **immigrante** inmigrante *m,v*; **immigratie** inmigración *v*; **immigreren** inmigrar

immobiliën (*Belg*) bienes *mmv* inmuebles

immobiliën|agentschap (*Belg*) agencia inmobiliaria; **-maatschappij**, **-vennootschap** (*Belg*) sociedad inmobiliaria

immoreel inmoral

immuun (*voor*) inmune (a); *~ maken voor* inmunizar contra

impasse estancamiento, callejón *m* sin salida; *in een ~ geraken* quedar estancado

imperiaal baca

imperialisme imperialismo; **imperialistisch** imperialista

implicatie implicación *v*; **impliceren** implicar

implosie implosión *v*

imponeren impresionar; **imponerend** impresionante, imponente

import *zie: invoer*; **importeur** importador *m*

impotent impotente; **impotentie** impotencia

impregneren impregnar

impresario empresario

improvisatie improvisación *v*; **improviseren** improvisar

impuls impulso; **impulsief** impulsivo

in en; (*binnenin ook:*) dentro de; *~ en buiten de stad* dentro y fuera de la ciudad; *dat wil er bij mij niet ~* no me cabe en la cabeza; *ze was ~ het zwart* estaba (vestida) de negro || *~ zijn* estar de moda

inachtneming: *met ~ van* con arreglo a, de acuerdo con, teniendo en cuenta

inademen aspirar, inspirar, inhalar

inbeelden, **zich** imaginarse; **inbeelding 1** (*fantasie*) figuraciones *vmv*, quimeras *vmv*; **2** (*verwaandheid*) vanidad *v*, presunción *v*, ufanía

inbegrepen inclusive, incluido, comprendido; *~ zijn in* ir comprendido en, incluirse en; *de BTW is bij de prijzen ~* la IVA va incluida en los precios; *niet ~* excluido, exclusive; **inbegrip**: *met ~ van* con inclusión de, incluyendo, inclusive

inbeslagneming confiscación *v*, requisa

in|binden I *tr* encuadernar; **II** *intr* (*zich matigen*) amainar, moderarse, recoger velas; **-bla-**

zen (*techn*) inyectar; *nieuw leven* ~ dar nueva vida a; **-blikken** enlatar
inboedel muebles *mmv*, ajuar *m*, efectos *mmv* mobiliarios; **inboedelverzekering** seguro combinado de incendio-robo
inboeten: ~ *aan* perder *ie*
inboezemen (*van meelij, liefde*) inspirar; (*van angst*) infundir
inboorling, inboorlinge indígena *m,v*, nativo, -a
inbouwapparaat aparato empotrable
inbouwen empotrar, encastrar; *ingebouwde kast* alacena
inbouwoven horno encastrable
inbraak (robo con) fractura, (robo con) escalamiento; **inbraakbeveiliging** sistema *m* antirrobo; (*concr*) dispositivo antirrobo; **inbraakverzekering** seguro contra robo (con fractura)
inbreken escalar, entrar por fuerza, cometer un robo con fractura; (*via deur*) violentar la puerta; **inbreker** ladrón *m*, escalador *m*
inbreng aporte *m*, aportación *v*; ~ *in geld* aportación *v* dineraria; ~ *in natura* aportación *v* en especie; **inbrengen** 1 aportar; *kapitaal* ~ aportar capital; *veel in te brengen hebben* tener mucha influencia; *niet veel in te brengen hebben* (*fam*) no pintar nada; 2 (*naar binnen voeren*) introducir; 3 *iets* ~ *tegen* objetar u.c. contra; *daar is niets tegen in te brengen* es inapelable, es incontestable
inbreuk infracción *v*, transgresión *v*; ~ *maken op* infringir, transgredir, quebrantar
inburgeren (*mbt woord, gebruik*) tomar carta de naturaleza; (*mbt persoon*) acostumbrarse; *hij is helemaal ingeburgerd* se siente como en su casa
incasseren cobrar, percibir; (*fig*) encajar; **incasseringsvermogen** capacidad *v* de encaje
incasso cobro, cobranza; *ter* ~ para su cobro; **incassobureau** agencia de cobros
incest incesto; **incestueus** incestuoso
inchecken I *ww* facturar; **II** *zn* facturación *v*
incident incidente *m*; **incidenteel** incidental
inciviek (*Belg*) colaboracionista; **incivisme** (*Belg*) delincuencia política, traición *v*; falta de civismo
inclusief inclusive, con inclusión de; *f 30* ~ fls 30 incluido el servicio
incognito *bw* de incógnito
inconsequent inconsecuente; **inconsequentie** inconsecuencia
incourant 1 poco corriente; 2 (*mbt fonds*) no cotizado
incubatietijd período de incubación
indammen poner dique a, encauzar, contener; (*fig ook:*) poner coto a; **indamming** contención *v*
indelen 1 (*verdelen*) dividir; 2 (*ordenen*) clasificar; 3 (*plaatsen bij*) incorporar en, colocar con; 4 (*van dag*) organizar, planear; **indeling** 1 (*verdeling*) división *v*; 2 (*ordening*) clasificación *v*; 3 (*plaatsing*) colocación *v*, incorporación *v*; 4 (*planning*) organización *v*; 5 (*van huis*) distribución *v*
indenken 1 concebir *i*; *niet in te denken* inconcebible; 2 *zich* ~ imaginarse, figurarse, concebir; *dat kan ik me* ~ ya me lo imagino; *hij kon zich niet* ~ *dat* no podía concebir que; *zich* ~ *in* darse cuenta de, hacerse cargo de
inderdaad en efecto, efectivamente, realmente
inderhaast de prisa, precipitadamente
indertijd hace tiempo, en aquel entonces
indeuken abollar, hundir
index índice *m*; ~(*cijfer*) *van de kosten van levensonderhoud* índice del costo de vida; **indexaanpassing** (*Belg*) indexación *v*; **indexeren** indexar, indiciar; **indexering** indexación *v*; (*van pensioen*) revalorización *v* automática
India la India
Indiaan, Indiaans indio; **Indiaanse** india
Indiaas indio
Indië: *Oost*-~ las Indias orientales; *West*-~ las Indias occidentales
indien si; *zie ook: als*
indienen (*van verzoek*) presentar; *een klacht* ~ (*jur*) interponer querella, presentar una querella; **indiening** presentación *v*
indiensttreding incorporación *v*, entrada en servicio, alta; *onmiddellijke* ~ incorporación *v* inmediata; *de* ~ *van een werknemer* el alta de un empleado; *tijdstip van* ~ fecha de entrada, fecha de incorporación
indigestie indigestión *v*
indigo añil *m*, índigo
indikken espesar, concentrar
indirect indirecto
indiscreet indiscreto, poco delicado
individu 1 individuo; 2 (*figuur, type*) tipo; *een vreemd* ~ un tipo raro; **individueel** individual
indommelen dormitarse, adormecerse, adormilarse
Indonesië Indonesia; **Indonesisch** indonesio
indopen mojar
indringen penetrar; *zich* ~: *a*) entrometerse, entremeterse, meterse, inmiscuirse; *b*) (*via relaties, in baan*) enchufarse, colarse *ue*; *c*) (*in gezelschap*) meterse, mezclarse (indiscretamente), colarse *ue*, introducirse (indebidamente); **indringer** intruso; **indringerig** inoportuno, entrometido, indiscreto; **indringerigheid** inoportunidad *v*, indiscreción *v*, entrometimiento; **indringster** intrusa
indruisen: ~ *tegen* atentar contra, ser contrario a, ir en contra de, ser una infracción a
indruk 1 impresión *v*; *een* ~ *krijgen* hacerse una idea; *de eerste* ~ la primera impresión; *wat het meeste* ~ *maakte* ... lo que impresionó más ...; *een goede* ~ *krijgen van* formarse un buen concepto de; *een goede* ~ *maken* hacer buena impresión; *veel* ~ *maken* impresionar mucho; ~*ken opdoen* recoger impresiones; *de* ~ *wekken dat* dar la sensación de que; 2 (*afdruk, spoor*) huella, impronta, vestigio; **indrukken**

apretar *ie*, oprimir; *een ingedrukte veer* un muelle apretado; *de knop* ~ oprimir el botón || *de kop* ~ reprimir, contrarrestar; **indrukwekkend** impresionante, imponente
indruppelen instilar, introducir gota a gota
industrialiseren industrializar; **industrie** industria; *de voornaamste ~ën* las industrias básicas; *zware* ~ industria pesada
industriecomplex complejo industrial
industrieel I *bn* industrial; II *zn* industrial *m*
industriegebied zona industrial, polígono industrial
indutten dormitarse, adormecerse
ineen juntos
ineen|draaien torcer *ue*; **-duiken** agazaparse, encogerse; (*hurken*) acurrucarse; **-frommelen** arrugar, estrugar; **-krimpen** encogerse; *het hart doen* ~ encoger el ánimo; **-lopen** (*mbt kamers*) comunicar
ineens de pronto, de repente, repentinamente, de improviso; ~ *of in gedeelten betalen* pagar de una vez o varias; *een som* ~ una suma de una vez, una suma que se da en un solo pago
ineen|storten venirse abajo, derrumbarse; **-strengelen** entrelazar; **-zakken** 1 hundirse, derrumbarse; 2 (*mbt persoon*) caerse, desplomarse
inenten vacunar; **inenting** vacunación *v*; **inentingsbewijs** certificado de vacunación
infaam infame
infanterie infantería
infecteren infectar; **infectie** infección *v*
infiltratie infiltración *v*; **infiltreren** (*in*) *intr* infiltrarse (en)
inflatie inflación *v*
inflatie|spiraal espiral *v* inflacionista; **-toeslag** tasa inflacionaria
influisteren decir al oído, susurrar; (*fig ook:*) insinuar *ú*
informatica informática; **informaticabranche** sector *m* informático
informatie información *v*, informes *mmv*; ~ *inwinnen*, ~ *vragen* pedir *i* informes; ~ *geven*, ~ *verstrekken* suministrar informes; *ter* ~ a título informativo; **informatiebron** fuente *v* informativa; **informatief** informativo
informeel 1 (*niet officieel*) semi-oficial, oficioso; 2 (*eenvoudig*) informal
informeren 1 (*inlichtingen vragen:*) ~ *naar, over* pedir *i* informes sobre, de; 2 (*inlichtingen geven:*) ~ *over* dar informes sobre, de, informar de, informar acerca de
infrastructuur infraestructura
ingaan 1 entrar en; *het bos* ~ internarse en el bosque; *een straat* ~ entrar en una calle, meterse en una calle; 2 (*van kracht worden*) entrar en vigor, empezar *ie* a regir; 3 ~ *op* tomar en consideración; ~ *op een aanbod* aceptar una oferta; ~ *op een verzoek* acceder a un ruego; *dieper* ~ *op* ahondar en, penetrar en, entrar en; 4 ~ *tegen: a*) (*mbt persoon*) oponerse a, protestar contra; *b*) (*mbt feit*) atentar contra, ser contrario a; *dit bevel gaat in tegen de normen* esta orden atenta contra las normas;
ingang entrada; *met* ~ *van* a partir de
ingebeeld 1 (*ijdel*) presumido, presuntuoso; 2 (*denkbeeldig*) imaginario
ingeboren innato
ingebouwd 1 (*mbt kast*) empotrado; 2 (*mbt microfoon*) incorporado
ingebrekestelling constitución *v* en mora
ingebruikneming puesta en servicio
in|gehouden contenido; *een* ~ *lachen* una risa ahogada; **-gekankerd** inveterado, arraigado; **-gemaakt** en conserva; **-genaaid** (*mbt boek*) en rústica
ingenieur ingeniero, -a; *raadgevend* ~ ingeniero asesor, ingeniero consultor
in|genomen: ~ *met* contento con, de, satisfecho de; *iedereen is ermee* ~ es a gusto de todos; *met zichzelf* ~ complaciente consigo mismo; **-gericht** amueblado; *~e keuken* cocina amueblada; **-gesloten** (*bijgaand*) incluido, adjunto; **-gespannen** *bw* con mucha atención, detenidamente; **-gestort**: *half* ~ semiderruido; *zie ook: instorten*
ingetogen modesto, recogido; **ingetogenheid** modestia
ingevallen hundido; ~ *wangen* mejillas hundidas
ingeven 1 (*van pil*) administrar; 2 (*mbt hart*) dar, decir; *wat uw hart u ingeeft* lo que le diga el corazón; **ingeving** ocurrencia, corazonada, inspiración *v*
ingevoerd: ~ *in: a*) (*bekend met*) versado en, bien informado de, entendido en; *b*) (*met goede relaties*) relacionado en, bien introducido en
ingevolge conforme a, de acuerdo con; ~ *uw verzoek* accediendo a su ruego
ingewanden intestinos; **ingewandskwaal** mal *m* intestinal
ingewijd iniciado; **ingewijde** *zn* iniciado, -a
ingewikkeld complicado, complejo; *om het niet* ~ *te maken* para no complicar las cosas; *om het nog ~er te maken* para mayor complejidad; **ingewikkeldheid** complejidad *v*
ingeworteld arraigado
ingezetene habitante *m,v*, residente *m,v*
ingezonden: ~ *brieven* cartas de los lectores, cartas al director
ingooien (*van ruit*) romper
ingrediënt ingrediente *m*
ingreep intervención *v*; *chirurgische* ~ intervención quirúrgica; *een* ~ *verrichten bij iem* intervenir (quirúrgicamente) a u.p.
ingrijpen 1 intervenir; *dankzij het snelle* ~ gracias a la rápida intervención; 2 (*effect hebben*) afectar, incidir; 3 (*in elkaar grijpen*) engranar;
ingrijpend drástico, radical
inhaalverbod prohibición *v* de adelantar; (*opschrift:*) prohibido adelantar
in|haken: *ergens op* ~ coger el hilo, meter baza en la conversación; **-hakken**: ~ *op* arremeter

contra; *dat hakt erin* eso te hace rascar los bolsillos
inhalator inhalador *m*; (*verstuiver*) aerosol *m*
inhalen 1 (*binnenhalen*) recoger; *de kabel* ~ recoger el cable, recuperar cadena; *de netten* ~ recoger las redes, cobrar las redes; **2** *iem* ~ (*ontvangen*) (salir a) recibir a u.p.; **3** (*dmv snelheid*) alcanzar, dar alcance a; (*voorbijkomen*) adelantar, pasar; (*mbt auto ook:*) efectuar *ú* adelantamiento; *het* ~ el adelantamiento; **4** (*van schade, tijd*) recuperar; *de verloren tijd* ~ recuperar el tiempo perdido
inhalig (*gierig*) avaro, avariento; (*gretig*) ávido; **inhaligheid** (*gierigheid*) avaricio; (*gretigheid*) avidez *v*
inhechtenisneming detención *v*
inheems del país, indígena, nativo; *de ~e gewoonten* las costumbres nativas; ~ *produkt* producto del país, producto nacional
inherent (*aan*) inherente (a)
inhoud 1 contenido; (*strekking*) tenor *m*; *korte* ~ sumario; **2** (*opgave*) índice *m* (de materias); **3** (*capaciteit*) capacidad *v*, cabida; **inhoudelijk** *bw* en cuanto al contenido; **inhouden I** *tr* **1** (*bevatten*) contener; **2** (*beheersen*) retener, reprimir; *zijn adem* ~ retener la respiración; *zijn lachen* ~ ahogar la risa; *zijn paard* ~ detener el caballo; *zijn tranen* ~ contener las lágrimas; *zich* ~ contenerse; (*dulden, niets laten merken*) aguantarse; **3** (*betekenen*) implicar, entrañar; *dit houdt niet in dat ...* esto no implica que ...; *dit houdt geen risico in* esto no supone ningún riesgo; **4** (*niet uitbetalen*) retener, deducir, descontar *ue*; *op het loon* ~ retener del salario; **II** *intr* retener la marcha, aminorar la velocidad; **inhouding** retención *v*, descuento; ~ *op het loon* descuento salarial; **inhoudingstabel** tabla de retenciones; **inhoudsmaat 1** medida de capacidad; **2** (*inhoud*) capacidad *v*, cabida; **inhoudsopgave** índice *m* (de materias)
inhuldigen 1 (*inwijden*) inaugurar; **2** (*van persoon*) investir *i* con la dignidad de; **inhuldiging** (*van vorst*) investidura
inhuren alquilar
initiatief iniciativa; *particulier* ~ iniciativa privada; *het* ~ *nemen* tomar la iniciativa; *op wiens ~?* ¿a cuya iniciativa?; *op eigen* ~ por propia iniciativa; **initiatiefnemer** iniciador *m*, autor *m*
injectie inyección *v*; *~s geven* poner inyecciones; **injectiespuit** jeringa, jeringuilla
inkapselen envolver *ue*
inkeer (*bezinning*) reflexión *v*; (*berouw*) arrepentimiento; *tot* ~ *brengen* hacer arrepentirse; *tot* ~ *komen* arrepentirse *ie, i*
inkeping muesca, entalladura
in|keren: *tot zichzelf* ~ recogerse en sí mismo; **-kijken** mirar (rápidamente)
inklaren despachar (en la aduana); **inklaring** gestión *v* de aduana, trámite *m* aduanero, despacho en la aduana
in|kleden presentar, dar cierta forma a; (*op schrift ook:*) redactar, formular; **-koken** reducirse
inkomen I *ww* **1** (*binnenkomen*) llegar, entrar; **2** *ergens* ~ (*fig*) imaginarse u.c.; *daar kan ik* ~ ya me lo imagino, ya me hago cargo; *ik moet er even* ~ tengo que tomar el hilo || *daar komt niets van in!* ¡eso, ni hablar!; **II** *zn* ingresos *mmv*, renta; *belastbaar* ~ base *v* imponible, ingresos imponibles; *het jaarlijks* ~ los ingresos anuales; *het nationale* ~ la renta nacional; *een goed* ~ *hebben* contar *ue* con buenos ingresos; *zie ook: inkomsten*; **inkomensverdeling** reparto de los ingresos
inkomsten ingresos, entradas; ~ *per hoofd* ingresos per cápita; *de* ~ *uit belasting* (*van de staat*) la recaudación por impuestos; *vervangende* ~ ingresos sustitutivos; **inkomstenbelasting** impuesto sobre la renta; (*officiële naam in Sp*) impuesto general sobre la renta de las personas físicas
inkoop compra; *inkopen doen* hacer compras, hacer la compra; **inkopen** comprar; **inkoper** (*handel*) encargado de compras
inkorten acortar; (*van tekst ook:*) condensar
inkrimpen I *tr* reducir, restringir; **II** *intr* reducir los gastos; **inkrimping** reducción *v*, restricción *v*
inkt tinta
inkt|lint cinta entintada; **-pot** tintero; **-vis** calamar *m*, pulpo; **-vlek** borrón *m*, mancha de tinta
inkuilen almacenar en fosos
inkwartieren alojar
inlaatklep válvula de admisión
inladen cargar, embarcar
inlander nativo, -a, indígena *m,v*
inlassen insertar, intercalar, interpolar; *een pauze* ~ hacer una pausa
inlaten 1 admitir, dejar entrar; **2** *zich* ~ *met* mezclarse con, juntarse con, tener trato con; *ik wil mij daar niet mee* ~ no quiero tener nada que ver con eso; *ik wil me niet met hem* ~ no quiero tratos con él
inleg 1 (*bij bank*) imposición *v*; **2** (*bij spel*) puesta; **3** (*aanbetaling*) entrada; **inleggen 1** (*van geld*) depositar, imponer; **2** (*bij spel*) poner; **3** (*van groente*) conservar; **4** (*van figuur, in hout*) taracear, incrustar
inleg|kruisje protegeslip *m*; **-vel** hoja suplementaria, encarte *m*; **-werk** incrustado, taracea, mosaico; **-zool** plantilla
inleiden introducir; **inleidend** introductor *-ora*, preliminar; *~e besprekingen* conversaciones preliminares; *het ~e gedeelte* la parte introductora; **inleider 1** introductor *m*; **2** (*spreker*) ponente *m*, conferenciante *m*; **inleiding 1** introducción *v*; (*van akte*) encabezamiento; (*voorwoord ook:*) prefacio, nota preliminar; **2** (*toespraak*) ponencia, discurso
inleven: *zich* ~ *in* identificarse con
inleveren I *tr* entregar; **II** *intr* hacer sacrificios,

sacrificar parte de los ingresos; **inlevering** entrega; *tegen ~ van* contra entrega de
inlichten (*over*) informar (de, acerca de), dar informes (sobre); *niemand kon mij ~* nadie me pudo dar razón; **inlichting** informe *m*; *~en* (*ook:*) informaciones *vmv*; *~en geven over* dar informes sobre; *~ inwinnen over* informarse acerca de; *~en verstrekken* facilitar informes, suministrar informes; *~en vragen over* pedir *i* informes sobre; *nadere ~en* más informaciones; *voor ~en bij de portier* (*opschrift*) razón: portería; **inlichtingendienst** servicio de información; *geheime ~* servicio secreto
in|lijsten encuadrar, enmarcar; **-lijven** incorporar, anexar, anexionar; **-lopen** 1 entrar en; *een straat ~* tomar por una calle; 2 (*winnen*) ganar; *zijn achterstand ~* recuperar el atraso; 3 *er ~* caer en la trampa, hacer el primo; (*happen, fig*) picar; *iem erin laten lopen* engañar a u.p., hacer caer en la trampa a u.p.; **-luiden** inaugurar, abrir; **-luizen** *zie: inlopen*
inmaak 1 conservación *v*; 2 (*produkten*) conservas *vmv*; **inmaken** (*van groente, fruit*) conservar; (*van vlees*) adobar, poner en adobo, conservar; (*van vis*) escabechar, poner en escabeche, conservar || *iem ~* arrollar a u.p., derrotar a u.p., hacer morder el polvo a u.p.
inmenging ingerencia, intromisión *v*, intervención *v*
inmiddels entretanto, mientras (tanto)
innemen 1 (*eten, drinken*) tomar; *een pil ~* tomar una píldora; 2 (*van lading*) cargar, tomar; 3 (*bezetten*) ocupar; *de plaats ~ van* sustituir a; *ruimte ~* ocupar espacio; 4 (*van standpunt*) adoptar; 5 (*van jurk*) estrechar; 6 *iem tegen zich ~* predisponer a u.p. en contra de sí; 7 *iem voor zich ~* ganarse a u.p., ganar la simpatía de u.p.; **innemend** simpático, encantador *-ora*; **innemendheid** encanto, simpatía
innen cobrar, percibir; (*van belasting*) recaudar
innerlijk I *bn* íntimo, interior; *het ~ leven* la vida interior; II *zn* fuero interno, interior *m*, mente *v*, adentros *mmv*; *in zijn diepste ~* en lo más íntimo de su alma
innig entrañable, íntimo, intenso; *~e gevoelens* sentimientos entrañables; *~e wens* íntimo deseo
inofficieel extraoficial
inpakken 1 (*inwikkelen*) envolver *ue*; 2 (*van koffer*) hacer; *ik moet nog ~* aún tengo que hacer las maletas; 3 (*warm:*) abrigar; *pak je goed in!* ¡abrígate bien!; 4 *iem ~* (*fig*) dejar aturdida a u.p. || *je kunt wel ~* ya te puedes despedir, se te acabó, ya no pintas nada aquí
in|palmen ganarse, engatusar; **-passen** encajar; **-peperen**: *ik zal het hem ~* me las pagará; **-pikken** mangar, birlar; **-plakken** pegar; **-polderen** poner diques a, ganar al mar; **-pompen** (*fig*) inculcar, machacar; **-prenten** *zie: inpompen*; **-ramen** montar, poner un marco a; **-regenen**: *het regent in* entra la lluvia; **-rekenen** detener
inrichten 1 (*regelen*) arreglar, disponer; *zijn leven ~* organizar su vida; *het zo ~ dat* componérselas para que; 2 (*van huis*) decorar y amueblar; 3 *zich ~* poner casa; **inrichting** 1 (*regeling*) disposición *v*, organización *v*; 2 (*van huis*): *a*) (*indeling*) distribución *v*; *b*) (*meubilair*) muebles *mmv*, mobiliario; 3 (*instelling*) establecimiento, centro; *hij zit in een ~* está internado; *psychiatrische ~* clínica psiquiátrica, hospital *m* mental
inrijden 1 entrar en; (*van straat ook:*) tomar por; *verboden in te rijden* dirección *v* prohibida; 2 (*van nieuwe auto*) rodar *ue*; *ingereden worden* estar en rodaje; 3 (*van paard*) habituar *ú* al freno; **inrit** entrada
inroepen recurrir a, invocar
inruil cambio; **inruilen** cambiar; *~ tegen* cambiar por, entregar en cambio de; **inruilwaarde** valor *m* de cambio
inruimen: *plaats ~* hacer sitio
inschakelen 1 (*elektr*) conectar, enchufar; 2 (*erbij betrekken*) recurrir a; 3 (*aanstellen*) contratar; **inschakeling** 1 (*elektr*) conexión *v*, puesta en funcionamiento; 2 (*aanstelling*) contratación *v*; 3 (*beroep op*) recurrir *m*; *de ~ van een psycholoog* el recurrir a un psicólogo
inschenken servir *i*, echar; *schenk me iets in!* ¡ponme algo!
inschepen embarcar; *zich ~* embarcar(se); **inscheping** 1 (*van persoon*) embarco, embarcación *v*; 2 (*van vracht*) embarque *m*
inscheuren I *tr* rasgar, desgarrar; II *intr* desgarrarse
inschieten: *erbij ~* perder *ie*
inschikkelijk complaciente, contemporizador *-ora*, acomodadizo, indulgente; **inschikkelijkheid** contemporización *v*, complacencia, indulgencia; **inschikken** correrse, arrimarse más
inschrijfdatum: *uiterste ~* fecha límite de inscripción; **inschrijfgeld** 1 (*alg*) gastos *mmv* de inscripción; 2 (*bij club*) cuota de entrada; 3 (*bij univ*) matrícula
inschrijven 1 inscribir, registrar, asentar *ie*; 2 (*van leerling, schip*) matricular; *zich ~: a*) (*zich opgeven, alg*) apuntarse; *b*) (*voor cursus*) inscribirse, matricularse; 3 *~ op* suscribir; *~ op aandelen* suscribir acciones; 4 (*bij aanbesteding*) concursar, licitar; **inschrijver** 1 (*op aandelen*) suscriptor *m*; 2 (*bij aanbesteding*) concursante *m*, licitador *m*; **inschrijving** 1 (*op lijst, in register*) inscripción *v*, registro; *~ in het bevolkingsregister* empadronamiento; 2 (*van leerling, schip*) matriculación *v*; 3 (*voor aanbesteding*) licitación *v* pública, oferta; 4 (*boeking*) asiento, entrada; 5 (*op lening*) suscripción *v*
inschrijvings|formulier hoja de inscripción; **-plaat** (*Belg*) (placa de) matrícula; **-taks** (*Belg*) impuesto de circulación; **-voorwaarden** (*bij aanbesteding*) pliego de condiciones
insekt insecto

insekten|beet picada de insecto; **-leer** entomología; **-poeder** polvo insecticida
insekticide insecticida *m*
inseminatie: *kunstmatige* ~ inseminación *v* artificial
insgelijks igualmente
insigne insignia
inslaan I *tr* 1 (*van spijker*) meter, clavar, introducir, fijar; 2 (*van weg*) tomar (por); 3 (*stukslaan*) romper; *de hersenen* ~ romper la crisma, partir el cráneo; *een ruit* ~ romper un cristal; *met ingeslagen schedel* con el cráneo destrozado; 4 (*inkopen*) comprar, hacer provisión de, abastecerse de, proveerse de; II *intr* 1 (*mbt bliksem*) caer; 2 (*succes hebben*) tener éxito, causar sensación; **inslag** 1 (*van projectiel*) impacto; 2 (*trek*) rasgo, carácter *m*; 3 (*van weefsel*) trama; *zie ook: schering*
in|slapen 1 dormirse *ue, u*, quedar dormido; *doen* ~ adormecer; 2 (*sterven*) pasar a mejor vida, fallecer; **-slikken** tragar; *hele lettergrepen* ~ tragarse sílabas enteras; **-sluimeren** *zie: indommelen*
insluipen 1 introducirse furtivamente, colarse *ue*; 2 (*mbt fout*) deslizarse, introducirse; **insluiper** intruso, uno que se ha colado; **insluiping** intrusión *v*
in|sluiten 1 (*bijvoegen*) incluir, acompañar; 2 (*mil*) envolver *ue*, copar, aislar *í*; **-smeren** untar; (*met crème ook:*) embadurnar; **-sneeuwen** ser bloqueado por la nieve
insnijden hacer una incisión; **insnijding** incisión *v*; (*in terrein*) quebradura
inspannen 1 (*van paard*) uncir; 2 *zich* ~ (*om*) esforzarse *ue* (en, por); **inspannend** duro, exigente, arduo; **inspanning** esfuerzo; *vergeefse* ~ esfuerzo vano; *met* ~ *van alle krachten* poniendo el mayor esfuerzo; *zonder enige* ~ sin ningún esfuerzo
inspecteren 1 inspeccionar; 2 (*mil*) pasar revista a; **inspecteur** inspector *m*; **inspectie** 1 inspección *v*; 2 (*staf*) (cuerpo de) inspectores *mmv*; **inspectrice** inspectora
inspelen: ~ *op* adaptarse a, seguir *i* el rumbo de
inspiratie inspiración *v*; **inspireren** inspirar
inspraak participación *v*; (*medezeggenschap*) cogestión *v*
in|spreken: *iem moed* ~ levantar el ánimo a u.p., alentar *ie* a u.p., animar a u.p.; ~ *op geluidsband* registrar en cinta; **-springen** 1 (*bijspringen*) venir en ayuda; *voor iem* ~ sustituir a u.p.; 2 (*mbt huis*) estar más atrás; 3 (*bij alinea*) sangrar, dejar un espacio libre
inspuiten inyectar; **inspuiting** inyección *v*
instaan: ~ *voor* responder de, garantizar; ~ *voor de echtheid* garantizar la autenticidad
instabiel inestable
installatie 1 instalación *v*; 2 (*concr*) equipo, instalaciones *vmv*; 3 (*in ambt*) investidura; **installeren** instalar; (*van commissie*) fundar, crear; *zich* ~ instalarse; *geïnstalleerd worden in een functie* tomar posesión de un cargo
instandhouding mantenimiento, conservación *v*
instantie 1 entidad *v*, autoridad *v*, organismo; *de bevoegde* ~ la autoridad competente; *officiële* ~ organismo oficial; 2 (*in rangorde*) instancia; *de hoogste* ~ la última instancia; *in eerste* ~ en primera instancia
instapkaart (*luchtv*) tarjeta de embarque
in|stappen (*in voertuig*) subir a; *de kamer* ~ entrar en el cuarto; **-steken** meter, introducir; *een draad in de naald steken* enhebrar la aguja
instellen 1 (*oprichten*) establecer, crear, formar; 2 (*van instrument*) ajustar, regular; (*fot*) enfocar; 3 *zich* ~ *op* prepararse para; 4 (*van onderzoek*) incoar, iniciar, abrir; *een onderzoek* ~ *tegen iem* abrir expediente a u.p.; *een vordering tegen iem* ~ entablar demanda contra u.p.; *een vervolging* ~ *tegen iem* formar causa a u.p.; 5 (*invoeren*) introducir; **instelling** 1 institución *v*, establecimiento; entidad *v*, centro, organismo; 2 (*fot*) enfoque *m*; 3 (*van instrument*) ajuste *m*, reglaje *m*, reajuste *m*; 4 (*houding*) actitud *v*; *persoonlijke* ~ actitud *v* personal
instemmen: ~ *met* estar de acuerdo con, asentir *ie, i* a, coincidir con, aprobar *ue*; **instemming** asentimiento, aprobación *v*, aquiescencia, conformidad *v*; *met* ~ *van* con el consentimiento de; *met algemene* ~ de común consenso
instigatie: *op* ~ *van* instigado por, por instigación de
instinct instinto
instituut institución *v*, instituto
instoppen (*in bed*) arropar; *de lakens* ~ remeter las sábanas
instorten 1 venirse abajo, derrumbarse; 2 (*mbt persoon, fig*) hundirse, sufrir un bache; **instorting** derrumbamiento, desmoronamiento; (*fig ook:*) colapso
instructeur instructor *m*; **instructie** instrucción *v*; **instructieboekje** libro de instrucciones; **instructief** instructivo; **instructrice** instructora
instrueren instruir
instrument instrumento; **instrumentaal** instrumental; **instrumentarium** instrumental *m*; **instrumentenbord** tablero de mandos; (*luchtv*) tablero de instrumentos, cuadro de instrumentos; **instrumentmakerij** taller *m* de instrumentos
instuderen (*leren*) estudiar; (*repeteren*) ensayar
instuif guateque *m*
intact intacto, entero, íntegro
inteelt endogamia
integendeel al contrario
integer íntegro, honesto, recto
integraal integral, completo; **integratie** integración *v*; **integreren** (*in*) integrar (en)
integriteit integridad *v*
intekenaar suscriptor *m*; **intekenen** (*op*) apun-

tarse (para); (*zich abonneren*) suscribirse (a); ~ *op aandelen* suscribir acciones; **intekenlijst** lista
intellect intelecto; **intellectueel** intelectual *m,v*
intelligent inteligente, listo; **intelligentie** inteligencia; **intelligentiepeil** nivel *m* intelectivo; **intelligentiequotiënt** cociente *m* de inteligencia; *afk* IQ *m*
intens intenso; **intensief** intensivo; **intensiteit** intensidad *v*
Intensive Care (Unidad *v* de) Vigilancia Intensiva; *afk* UVI; (Unidad de) Cuidados Intensivos; *afk* UCI
intentie intención *v*; **intentieverklaring** carta de intenciones
inter|amerikaans interamericano; **-disciplinair** interdisciplinario
interen comerse el capital, gastar el capital
interessant interesante; **interesse** (*in*) interés *m* (por); **interesseren** interesar; *zich ~ voor* interesarse en, por, sentir *ie, i* interés por; *het interesseert je geen klap* no tienes interés ni por el forro
interest interés *m*, intereses *mmv*; *zie ook: rente*
interface interfaz *m*
intergewestelijk interregional
interieur interior *m*
interim: *ad ~* interino; **interimaris** (*Belg*) profesor interino, (profesor) sustituto
interlandwedstrijd partido internacional
interlocaal interurbano
intermezzo intermedio
intern interno; (*inwonend*) residente; *~e geneeskunde* medicina interna; **internaat** internado
internationaal internacional; *de Internationale* la Internacional
interneren internar; **internist** internista *m,v*
Interpol Interpol *v*
interpretatie interpretación *v*, versión *v*; **interpreteren** interpretar
interprofessioneel (*Belg*) interprofesional
interregionaal (*Belg*) interregional
interventie intervención *v*; **interventieprijs** precio de intervención
interview entrevista, interviú *m*; **interviewen** entrevistar, interviuvar
intiem íntimo; *~ zijn met* ser íntimo de
intimidatie intimidación *v*; **intimideren** intimidar
intimiteit intimidad *v*; *ongewenste ~en* vejaciones *vmv* sexuales, acoso sexual
intocht entrada solemne
intomen refrenar; *zich ~* refrenarse
intrede ingreso; *~ in de EG* ingreso en la CE, adhesión *v* a la CE; *zijn ~ doen* hacer su aparición; *opnieuw zijn ~ doen* hacer su reaparición; **intreden** (*mbt herfst*) comenzar *ie*; *de dood trad in* se produjo la muerte
intrek: *zijn ~ nemen* alojarse, instalarse; **intrekbaar 1** (*lett*) retráctil, replegable; *-bare wielen* ruedas retráctiles; **2** (*herroepbaar*) revocable; **intrekken I** *tr* **1** (*lett*) retraer, recoger, ocultar; **2** (*herroepen*) retirar, revocar, anular, suprimir; *een bepaling ~* derogar una disposición; *een oproep tot staking ~* desconvocar una huelga; *een uitkering ~* suspender una prestación; *een verklaring ~* desdecirse de una declaración, retractarse de una declaración; **3** (*van buik*) meter; *met ingetrokken buik* con el estómago metido; **II** *intr* **1** (*in huis*) ir a vivir en, ocupar; **2** (*mbt vloeistof*) penetrar; **intrekking** (*herroeping*) revocación *v*, anulación *v*, supresión *v*; (*van woorden*) retractación *v*
introducé, **introducée** invitado, -a; **introduceren** invitar, introducir; **introductie** introducción *v*
introvert introvertido
intussen entretanto, mientras tanto
inval 1 invasión *v*; (*om te plunderen*) incursión *v*, correría; (*van politie*) entrada, redada, batida; *een ~ doen: a*) (*alg*) invadir, hacer una incursión; *b*) (*mbt politie*) entrar, hacer una redada; **2** (*idee*) ocurrencia, idea || *het is daar de zoete ~* tienen la casa abierta a todo el mundo
invalide I *bn* incapacitado, imposibilitado, impedido, inválido; (*door oorlog*) mutilado; *~ worden door een ongeval* quedar incapacitado a causa de un accidente; **II** *zn* persona incapacitada; **invalidewagentje** sillón *m* de ruedas; **invaliditeit** incapacidad *v* física, invalidez *v*
invallen 1 caer en; **2** (*instorten*) caerse, derrumbarse, venirse abajo, quedar en ruinas; **3** (*ontstaan*) sobrevenir; *de kou viel in* sobrevino el frío; *de nacht valt in* se hace de noche; **4** (*muz*) entrar; (*zingend*) entrar, ponerse a cantar; (*op instrument*) entrar, ponerse a tocar; **5** *voor iem ~* sustituir a u.p., reemplazar a u.p.; **invaller** sustituto; **invalshoek** ángulo de incidencia; **invalster** sustituta
invasie invasión *v*, irrupción *v*
inventaris inventario; *de ~ opmaken* hacer el balance
investeerder inversor *m*, inversionista *m*; **investeren** invertir *ie, i*; **investering** inversión *v*
investerings|krediet crédito a la inversión; **-maatschappij** sociedad *v* de inversión; **-politiek** política de inversión, política inversionista
invetten engrasar
invloed influencia, influjo; *~ hebben op* influir en, repercutir en, incidir en; *~ hebben op iem* tener influencia con u.p.; *~ uitoefenen op* ejercer influencia en; *een gunstige ~ hebben op* repercutir beneficiosamente en, tener una influencia favorable en, influir favorablemente en; *het heeft geen merkbare ~* no influye apreciablemente; *een nadelige ~ hebben* perjudicar; *een schadelijke ~ hebben op* producir un efecto dañino en; *onder ~* (*van alcohol*) en estado de embriaguez, bajo los efectos del alco-

hol; *onder ~ van* (*als gevolg van*) a influjo de, por la influencia de; **invloedrijk** influyente
invoegen insertar; **invoegstrook** carril *m* de acceso, carril *m* de entrada
invoer importación *v*; **invoeren** 1 (*uit buitenland*) importar; 2 (*introduceren*) introducir, implantar; *verbeteringen ~* introducir mejoras; **invoerrechten** derechos de entrada, derechos de importación; *vrij van ~* exento de derechos de entrada
invriezen congelar
invrijheidsstelling puesta en libertad
invulformulier formulario
invullen 1 (*van formulier*) llenar, rellenar; *volledig ingevuld* debidamente cumplimentado; 2 (*van naam*) poner
inwendig I *bn* interior, interno; *niet voor ~ gebruik* no ingerible; *het ~e* la parte interior, el interior; II *bw* para sus adentros
inwerken 1 (*van persoon*) orientar, iniciar; *zich ~ in* iniciarse en, familizarse con; 2 *~ op* actuar *ú* sobre, afectar, influir en; *op elkaar ~* influirse mutuamente; (*op zich*) *laten ~* asimilar, digerir *ie, i*, dejar penetrar; *het idee op zich laten ~* hacerse a la idea; **inwerking** efecto, influencia; **inwerkingstelling** accionamiento
inwijden 1 (*godsd*) consagrar; 2 (*openen*) inaugurar; 3 (*voor het eerst gebruiken*) estrenar; 4 *iem ~ in* iniciar a u.p. en; **inwijding** 1 (*godsd*) consagración *v*; 2 (*opening*) inauguración *v*; 3 (*in geheim*) iniciación *v*
inwijkeling (*Belg*) inmigrante *m,v*; **inwijken** (*Belg*) inmigrar
in|willigen acceder a; *een verzoek niet ~* (de)-negar *ie* una solicitud; **-winnen** pedir *i*, recabar; *advies ~ bij* pedir consejo a, tomar consejo de, consultar a, asesorarse con; *inlichtingen ~* recabar informes; **-wisselen** (*voor, tegen*) cambiar (por), canjear (por)
inwonen vivir en casa de u.p., vivir realquilado; *~de kinderen* hijos que viven en compañía de sus padres; **inwoner** habitante *m*, vecino; **inwoning**: *~ hebben* tener realquilados; *plaats van ~* domicilio; *zie ook: kost*; **inwoonster** habitante *v*, vecina
inworp saque *m*
inzage examen *m*; *ter ~* para su examen; *ter ~ liggen* poder consultarse, poder examinarse, exhibirse, encontrarse *ue* de manifiesto, quedar a disposición
inzake acerca de, respecto a
inzakken hundirse, derrumbarse
inzamelen postular; **inzameling** postulación *v*
inzegenen bendecir; **inzegening** bendición *v*
inzenden enviar *í*, mandar; *ingezonden brieven* cartas de los lectores, cartas al director; **inzender** (*op tentoonstelling*) expositor *m*; (*op prijsvraag*) concursante *m*; **inzending** (*voor tentoonstelling*) aportación *v*, envío
inzepen dar jabón; *zich ~* (*voor scheren*) darse jabón
inzet 1 (*in spel*) puesta; (*bij wedden ook:*) postura, apuesta; 2 (*bij verkiezing*) cuestión *v* esencial; 3 (*toewijding*) dedicación *v*, denuedo; 4 (*bij veiling*) precio inicial, primera postura; 5 (*muz*) comienzo, ataque *m*; **inzetten** I *tr* 1 (*van ruit*) poner, colocar; 2 (*invoegen*) insertar; 3 (*beginnen*) comenzar *ie*, iniciar; 4 (*in spel*) hacer su puesta, poner; (*verwedden*) jugarse *ue*, apostar *ue*; 5 (*plaatsen*) destacar; *300 agenten ~* destacar a 300 agentes; 6 *zich ~* esforzarse *ue*, rendir *i*; *de groep wil zich volledig blijven ~* el equipo quiere seguir rindiendo al máximo; II *intr* 1 (*muz*) comenzar *ie*, empezar *ie* a tocar; (*van lied*) entonar; 2 (*beginnen*) comenzar *ie*
inzicht comprensión *v*, discernimiento, criterio, entendimiento; *een helder ~ hebben* ver claras las cosas
inzien I *ww* 1 (*bekijken*) dar un vistazo a, mirar rápidamente; 2 (*begrijpen*) darse cuenta de, comprender, hacerse cargo de; *ik begin in te zien dat* voy dándome cuenta de que; *ik zie niet in waarom* no veo el por qué; *ik zie het somber in: a*) (*moeilijk*) lo veo difícil; *b*) (*noodlottig*) veo muy grave la cosa; II *zn*: *mijns ~s* a mi parecer, en mi opinión; *bij nader ~* pensándolo mejor
inzinken hundirse; **inzinking** (*fig*) depresión *v*; (*terugval, van zieke*) recaída, bajón *m*
inzitten: *ergens mee ~* no saber qué hacer; *ergens over ~* apurarse, preocuparse, estar en un apuro; **inzittende** ocupante *m,v*; *alle ~n* (*van schip, vliegtuig*) *kwamen om* todos los que iban a bordo perecieron
IQ *zie: intelligentiequotiënt*
Iraans iraní
Irak Irak *m*; **Irakees** iraquí
Iran Irán *m*
iris 1 (*anat*) iris *m*; 2 (*plantk*) lirio
ironie ironía; **ironisch** irónico
irreëel irreal
irrelevant irrelevante
irrigatie riego, irrigación *v*; **irrigeren** regar *ie*, irrigar
irriteren irritar
islam islam *m*; **islamitisch** islamita
isolatie aislamiento; **isolatieband** cinta de aislar, cinta aislante; **isolatiemateriaal** relleno aislante
isoleercel celda de aislamiento; **isolement** aislamiento; **isoleren** aislar *í*; (*van gevangene*) incomunicar; **isolerend** aislante, aislador *-ora*; *~ vermogen* poder *m* aislante; **isoleringspolitiek** política aislacionista
Israël Israel *m*; **Israëlisch** israelí; **Israëlitisch** israelita
Italiaan italiano; **Italiaans** italiano; **Italiaanse** italiana; **Italië** Italia
i.v.m. *in verband met* en relación con
ivoor marfil *m*; **ivoren** *bn* de marfil

Jj

ja sí; ~ *zeggen* decir que sí; *met* ~ *beantwoorden* contestar afirmativamente
jaar año; *hij is 40* ~ tiene 40 años; *je zou hem 50* ~ *geven* se le podía echar 50 años; *vandaag is ze 25* ~ *geworden* hoy ha cumplido 25 años; *je bent nu bijna 18* ~ vas a cumplir 18 años; *hij was net 18* ~ tenía 18 años mal cumplidos; *het hele* ~ *door* todo el año; *nog vele jaren!* ¡que cumpla muchos más!; *de wilde jaren* la edad loca; *de jaren dertig* la década de los treinta; *hij heeft twee* ~ *rechten gedaan* tiene dos cursos de derecho; *een* ~ *van te voren* con un año de antelación; *om de drie* ~ cada tres años; *eens per* ~ una vez por año, una vez al año; *vanaf zijn zesde* ~ a partir de los seis años
jaar|abonnement suscripción *v* para un año, abono para un año; **-beurs** feria de muestras; **-gang** año; **-genoot**, **-genote** compañero, -a, alumno, -a de la misma promoción; **-getijde** estación *v* (del año)
jaarlijks anual
jaar|markt feria (anual); **-ring** cerco anual; **-tal** año; **-telling** era; **-vergadering** reunión *v* anual, asamblea anual; **-verslag** memoria (anual), informe *m* (anual); **-wedde** sueldo anual; **-wisseling** año nuevo, traspaso (del año)
jacht 1 (*schip*) yate *m*; 2 (*jagen*) caza; ~ *maken op* cazar; *op* ~ *gaan* salir de caza; **jachtakte** licencia de caza; **jachtclub** club *m* náutico
jachten *intr* darse prisa, apresurarse
jacht|geweer escopeta de caza; **-haven** puerto deportivo; **-hond** perro de caza
jachtig presuroso, apresurado
jacht|opziener guarda *m* de caza; **-vergunning** (*Belg*) licencia de caza; **-vliegtuig** caza *m*; **-wachter** (*Belg*) guarda *m* de caza
jack cazadora, chamarra
jacquet chaqué *m*
jagen 1 cazar; (*op*) *leeuwen* ~ cazar leones; 2 (*haasten*) *zie: jachten*; 3 ~ *naar* perseguir *i*, andar detrás de; 4 *erdoor* ~ (*van geld*) gastarse, malgastar || *zich een kogel door het hoofd* ~ levantarse la tapa de los sesos; *iem op kosten* ~ causarle gastos a u.p.; **jager** cazador *m*
jaguar jaguar *m*
jakhals chacal *m*
jakkeren I *tr* (*van paard*) reventar *ie*; **II** *intr* ajetrearse; *zie ook: jachten*
jakkes: ~*!* ¡fff ...!, ¡pfff ...!, ¡fu ...!, ¡uf ...!
jaknikker bomba de balancín
jakobsladder (*baggermolen*) draga de rosario
jakobsschelp concha de Santiago
jaloers (*op*) envidioso (de), celoso (de); ~ *maken* causar envidia; *hij is* ~ *op je* te tiene envidia
1 jaloezie envidia; (*in liefde*) celos *mmv*
2 jaloezie (*rolgordijn*) persiana, celosía
jam mermelada, confitura
Jamaica Jamaica; **Jamaicaans** jamaicano
jammer lástima; *het is erg* ~ es una gran lástima; *ik vind het erg* ~ *voor hem* me da pena por él; *wat* ~*!* ¡qué lástima!; ~ *genoeg wel* desgraciadamente sí; **jammeren** lamentarse, gimotear, gemir *i*, quejarse; **jammerlijk I** *bn* calamitoso, desgraciado; *in* ~*e toestand* en un estado calamitoso; **II** *bw* tremendamente
jampot compotera
jamsession sesión *v* de música improvisada
Jan Juan; ~ *en alleman* todo el mundo, todo hijo de vecino; ~*, Piet en Klaas* Fulano, Mengano y Zutano; *een* ~ *Lul* un Juan Lanas; ~ *Modaal* el empleado medio; ~ *met de pet* (*in Sp*) el español de a pie
janboel (*rommel*) desbarajuste *m*, desorden *m*; (*vies:*) porquería
jan-boerenfluitjes: *op zijn* ~ chapuceramente, con las patas de atrás
janken 1 ulular, aullar *ú*; 2 (*huilen*) llorar
jantje-van-leiden: *zich met een* ~ *van iets afmaken* eludir u.c., zafarse de u.c.
januari enero; *de maand* ~ el mes de enero
Japan (el) Japón; **Japanner** japonés *m*; **Japans** japonés *-esa*, nipón *-ona*; **Japanse** japonesa
japon vestido
jarenlang I *bn* de muchos años; ~*e vriendschap* amistad *v* de años; **II** *bw* durante años
jargon jerga
jarig: ~ *zijn* cumplir años; *vandaag ben ik* ~ hoy es mi cumpleaños || *...dan ben je nog niet* ~ ...entonces estás bueno
jarretel liga; **jarretelgordel** portaligas *m*
jas 1 (*overjas*) abrigo; *zonder* ~ a cuerpo; 2 (*colbert*) chaqueta, americana; 3 (*witte jas*) bata; **jasje** *zie: jas*
jasmijn jazmín *m*
jasses *zie: jakkes*
jatten mangar, sobar
Java Java; **Javaans** javanés *-esa*
jawel: ~*!* ¡sí!, ¡que sí!
jawoord sí *m*
jazz jazz *m*; **jazz-muziek** música jazz
je I *pers vnw* 1 (*ondw*) tú; 2 (*na vz*) ti; 3 (*meew vw, lijd vw*) te; **II** *onbep vnw* (*men*) uno; ~ *went aan alles* uno se acostumbra a todo; **III** *bez vnw* tu; ~ *boek* tu libro || *dat is jè van het* mejor no hay
jee: *o* ~*!* ¡ay!, ¡madre mía!
jegens para con
Jehovagetuige testigo *m,v* de Jehová
jenever ginebra; **jeneverstokerij** destilería de ginebra
jengelen lloriquear
jennen hacer rabiar, importunar

jerrycan bidón *m*
jetfoil aerodeslizador *m*; **jetset**: *de* ~ la jet
jeugd juventud *v*
jeugd|bescherming (*Belg*) protección *v* de menores; **-bijstand** (*Belg*) *zie: jeugdbescherming*; **-herberg** albergue *m* de juventud
jeugdig juvenil
jeugd|leider, **-leidster** monitor, -ora; **-liefde** amor *m* de la juventud; **-misdaad** delincuencia juvenil; **-puistjes** acné *m* juvenil; **-rechtbank** (*Belg*) tribunal *m* de menores; **-rechter** (*Belg*) juez *m,v* de menores; **-vereniging** asociación *v* juvenil; **-werkloosheid** paro juvenil, paro joven
jeuk picor *m*, picazón *m*; **jeuken** picar, dar picazón; *mijn handen* ~: *a*) (*om te slaan*) se me van las manos; *b*) (*zin hebben*) tengo unas ganas tremendas (de); **jeukpoeder** polvos *mmv* de picapica
jewelste *zie: welste*
jezuïet jesuita *m*
Jezus Jesús *m*, Jesucristo
jicht gota
jij tú; **jijen en jouen** I *ww* tutear; II *zn* tuteo
j.l. *jongstleden* último, próximo pasado; *afk* ppdo
jobstijding mala noticia
jobstudent (*Belg*) estudiante *m,v* que trabaja
jochie chavalillo, mocito, muchachito
jockey jockey *m,v*
jodenbuurt barrio judío; (*hist*) judería; **jodendom** 1 (*leer*) judaísmo; 2 (*mensen*) judaísmo, judíos *mmv*; **jodenvervolging** persecución *v* de los judíos; **jodin** judía
jodium yodo; **jodiumtinctuur** tintura de yodo
Joegoslaaf yugo(e)slavo; **Joegoslavië** Yugoslavia; **Joegoslavisch** yugo(e)slavo; **Joegoslavische** yugo(e)slava
joekel cosa enorme
joelen gritar
jofel estupendo
joggen hacer footing, practicar footing; **jogging** (*Belg*) (*pak*) traje *m* de footing, chandal *m*; **joggingpak** traje *m* de footing, chandal *m*
joker (*kaartsp*) comodín *m*; *voor* ~ *staan* hacer el ridículo, quedar en ridículo
jokkebrok mentiroso, -a; **jokken** mentir *ie, i*
jol yola
jolig jocoso, alegre, divertido; (*mbt persoon ook*:) jovial; *op* ~*e toon* en tono festivo
jong I *bn* joven; ~ *en oud* viejos y jóvenes; ~*e kinderen* niños de poca edad, niños de corta edad; ~*e man* joven *m*; *de* ~*e mensen* los jóvenes *mmv*, la gente joven, la juventud; ~*e vrouw* joven *v*; ~*e wijn* vino nuevo; *hij was al* ~ *weduwnaar* era viudo desde muy joven; *hij is nog wel erg* ~ aún es muy niño; *ik voel me weer* ~ vuelvo a sentirme joven; *weer* ~ *worden* rejuvenecerse; *in zijn* ~*e jaren* en su juventud, en sus años mozos; II *zn* cría; ~*en werpen* parir
jongejonge vaya, vaya
jongeling joven *m*, adolescente *m*; **jongelui** jóvenes *mmv*, gente *v* joven; (*bij aanspreken*) chicos *mmv*, muchachos *mmv*
1 jongen *zn* muchacho, chico; (*jonger*:) niño; (*joch*) chaval *m*, rapaz *m*
2 jongen *ww* parir, tener cría; *de hond heeft gisteren gejongd* la perra tuvo cría ayer
jongensachtig de muchacho
jongens|jaren niñez *v*, juventud *v*; **-school** escuela de niños
jonger más joven, menor; *mijn zus is 3 jaar* ~ *dan ik* mi hermana tiene 3 años menos que yo, mi hermana es 3 años más joven que yo; *ik ben* ~ *dan jij* soy menor que tú; *hij lijkt* ~ *dan hij is* aparenta menos años de los que tiene
jongetje chiquillo, muchachito
jonggehuwden recién casados
jongleren hacer juegos malabares; **jongleur** malabarista *m,v*
jongs: *van* ~ *af aan* desde niño, desde muy joven; **jongst** menor, más joven; *de* ~*e gebeurtenissen* los últimos sucesos, los sucesos más recientes; *mijn* ~*e zus* mi hermana menor, mi hermana más pequeña; **jongstleden** *zie: j.l.*
jood, **joods** judío; **joodse** judía
jool alegría, jolgorio; ~ *maken* andar de jarana, divertirse *ie, i*
Joost: *dat mag* ~ *weten* vete a saber; ~ *mag weten waar* quién sabe dónde
Jordaans jordano; **Jordanië** Jordania
jota jota; *ik snap er geen* ~ *van* no entiendo ni jota
jou (*meew vw, lijd vw*) te; (*na vz*) ti; ~ *wil ik niet zien* (a ti) no quiero verte; *met* ~ contigo; *ik hou van* ~ te quiero; *die vriend van* ~ ese amigo tuyo; *dat is voor* ~ es para ti
joule joule *m*, julio
journaal 1 (*bioscoop*) noticiario; (*tv*) telediario; 2 (*boekhouden*) libro diario; **journalist**, **journaliste** periodista *m,v*; **journalistiek** periodismo
jouw tu; (*met nadruk*) el ...tuyo; ~ *geval* el caso tuyo; ~ *ouders* tus padres, los padres tuyos
joviaal jovial
jubelen exultar, dar gritos de júbilo; **jubelend** exultante, jubiloso; **jubeltenen** dedos de los pies para arriba
jubileren celebrar una fiesta conmemorativa; **jubileum** fiesta conmemorativa
juchtleer piel *v* de Rusia
judassen hacer rabiar, atormentar; **judasstreek** traición *v*
judo judo
juf señorita; (*op school ook*:) maestra; **juffershondje** perro faldero; *beven als een* ~ temblar *ie* como un azogado; **juffrouw** señorita
juichen dar gritos de alegría, vitorear, dar vivas
juist I *bn* exacto, correcto; *de* ~*e datum* la fecha exacta; *op het* ~*e moment* en el momento oportuno; II *bw* precisamente, justamente; ~ *daarom* por eso mismo; *ja*, ~*!* ¡tú lo has dicho!; *ik wou* ~ *weggaan* precisamente me marcha-

ba; *zo ~* hace un momento; *~er gezegd* dicho con más propiedad; **juistheid** exactitud *v*, corrección *v*
juk yugo; *een ~ ossen* una junta de bueyes; **jukbeen** pómulo; *uitstekende ~deren* pómulos pronunciados
juli julio; *de maand ~* el mes de julio
jullie I *pers vnw* (*ondw; na vz*) vosotros, vosotras; (*meew vw, lijd vw*) os; II *bez vnw* vuestro
jumper jersey *m*
jungle jungla; (*oerwoud*) selva
juni junio; *begin ~* a principios de junio
junior júnior, hijo; *de heer Bon ~* el sr. Bon hijo
junk, junkie yonqui *m,v*, adicto, -a
juridisch jurídico; **jurist, juriste** jurista *m,v*
jurk vestido
jury jurado; *wie zitten er in de ~?* ¿quiénes forman el jurado?; **jurylid** miembro del jurado
jus salsa; *~ d'orange* jugo de naranja; **juskom** salsera
justitie judicatura, justicia; *ministerie van ~* ministerio de justicia; **justitieel** judicial
jute yute *m*
juweel joya, alhaja; **juwelenkistje** joyero; **juwelier** joyero; **juwelierswinkel** joyería

kaak quijada, mandíbula || *aan de ~ stellen* poner en evidencia, denunciar
kaak|been (hueso) maxilar *m*; **-slag** puñetazo (en la mandíbula)
kaal 1 (*mbt hoofd*) pelado, calvo; *~ worden* quedarse sin pelo; 2 (*mbt vogel*) desplumado; *~ plukken* (*fig*) desplumar, esquilmar; 3 (*mbt boom, veld*) desnudo; 4 (*mbt jas, kleed*) deslucido, rayado || *een kale boel* una cosa sin gracia; **kaalgeknipt** (con) la cabeza rapada, con el pelo cortado al cero; **kaalgeschoren** (*mbt schaap*) esquilado; **kaalheid** calvicie *v*; **kaalslag** desmonte *m* total, deforestación *v*
kaap cabo; **kaapstander** cabrestante *m*
Kaapverdisch caboverdeano; *~e Eilanden* Islas de Cabo Verde
kaars vela; *stompje ~* cabo de vela; **kaarsje**: *dat moet je met een ~ zoeken* hay que buscarlo con candil; **kaarslicht** luz *v* de vela; **kaarsrecht** (derecho) como una vela; **kaarsvet** sebo
kaart 1 (*briefkaart*) tarjeta; 2 (*landkaart*) mapa *m*; *in ~ brengen* levantar un mapa de; 3 (*toegangskaart*) billete *m* (de entrada); 4 (*speelkaart*) naipe *m*, carta; *een spel ~en* una baraja; *de ~ leggen* echar las cartas; *~ spelen* jugar *ue* a las cartas; *zijn ~en op tafel leggen, open ~ spelen* poner las cartas boca arriba; *zich niet in de ~ laten kijken* esconder el juego; *iem in de ~ spelen* hacerle el juego a u.p.; *alles op één ~ zetten* jugárselo *ue* todo a una sola carta; 5 (*bij bingo, lotto*) cartón *m*; *een ~ vol krijgen* hacer un cartón (completo); 6 (*systeemkaart*) ficha; 7 (*menukaart*) carta; 8 (*bij voetbal*): *gele ~* cartulina amarilla || *hij was van de ~* estaba desconcertado, había perdido el aplomo; **kaarten** jugar *ue* a los naipes, jugar *ue* a las cartas
kaarten|bak fichero; **-huis** castillo de naipes
kaartje 1 (*visitekaartje*) tarjeta; 2 (*treinkaartje*) billete *m*, ticket *m*; 3 (*toegangskaartje*) entrada, billete *m*, ticket *m*
kaart|spel 1 juego de naipes; 2 (*spel kaarten*) baraja; **-systeem** fichero; **-verkoop** venta de billetes, venta de localidades
kaas queso; *hij heeft er geen ~ van gegeten* no entiende nada de eso; *zich de ~ van het brood laten eten* no saber defenderse, dejarse explotar, dejarse esquilmar
kaas|boer quesero; **-fabriek** quesería, fábrica de quesos; **-fondue** fundido de queso; **-korst** corteza del queso; **-markt** mercado de quesos; **-schaaf** cortalonchas *m* de queso

kaatsen: *wie kaatst moet de bal verwachten* donde las dan las toman; **kaatsspel** (*vglbaar:*) (juego de) pelota
kabaal ruido, escándalo, alboroto; *een vreselijk* ~ un ruido de todos los demonios
kabbelen murmurar
kabel 1 (*scheepv, touw*) cabo, amarra; 2 (*elektr*) cable *m*; **kabelbaan** funicular *m*, teleférico
kabeljauw bacalao *m* (fresco)
kabel|net red *v* de cables; **-televisie** televisión *v* por cable
kabinet 1 (*ministerraad*) gabinete *m*, consejo de ministros; 2 (*kast*) cómoda; 3 (*vertrek*) gabinete *m*
kabinets|crisis crisis *v* ministerial; **-formateur** persona encargada de formar un nuevo gobierno; **-formatie** formación *v* de un nuevo gobierno
kabouter enano, duende *m*; **kaboutertje** duendecillo
kachel I *zn* estufa; II *bn* borracho
kadaster catastro, registro de la propiedad
kadaver cadáver *m*
kade muelle *m*
kader 1 (*mil; van partij*) cuadros *mmv*; (*in bedrijfsleven ook:*) directivos *mmv*, mandos *mmv*; 2 (*fig*) marco, cuadro; *in het* ~ *van* en el cuadro de
kader|akkoord acuerdo marco; **-functie** cargo directivo; **-wet** ley *v* marco
kadetje bollo
kaf ahechadura(s), granzas *vmv*; *het* ~ *van het koren scheiden* separar el grano de la paja
kaft (*omslag*) cubierta, forro; **kaftpapier** papel *m* de forrar
kajak kayak *m*
kajuit cabina
kak caca, mierda
kakelbont abigarrado
kakelen cacarear, cloquear; (*fig*) cotorrear
kaketoe cacatúa
kakken cagar
kakkerlak cucaracha
kalebas calabaza
kalender calendario; **kalenderjaar** año civil, año natural, año calendario
kalf ternero, -a, becerro, -a; *als het* ~ *verdronken is dempt men de put* después de muerto le dieron caldo, acordarse de Santa Bárbara cuando truena
kalfs|karbonade chuleta de ternera; **-lapje** filete *m* de ternera; **-vlees** (carne *v* de) ternera
kali (*landb*) potasa
kaliber calibre *m*; *hij is niet van voldoende* ~ (*voor die functie*) le queda grande la chaqueta
kalium potasio
kalk 1 cal *v*; *gebluste* ~ cal muerta; *ongebluste* ~ cal viva; 2 (*calcium*) calcio; **kalkaanslag** incrustación *v* calcárea; **kalken** I *tr* (*wit maken*) encalar, blanquear, enjalbegar; II *intr* garabatear, escribir (con mala letra); **kalkhoudend** calcáreo, calizo
kalkoen pavo
kalk|oven horno de cal; **-steen** piedra caliza
kalm tranquilo, quieto, calmoso, sosegado; *~e zee* mar tranquilo; *de zee was* ~ el mar estaba en calma; ~ *blijven* mantenerse tranquilo, guardar la calma; ~ *worden* tranquilizarse, calmarse; **kalmeren** I *tr* calmar, tranquilizar; II *intr* calmarse, sosegarse; **kalmerend** *zie: middel*; **kalmpjes** tranquilamente; **kalmte** calma, tranquilidad *v*, serenidad *v*; *zijn* ~ *verliezen* perder *ie* la serenidad, perder *ie* los estribos
kalven parir; *de koe heeft gekalfd* ha parido la vaca
kalverliefde amor *m* de la edad del pavo
kam 1 peine *m*; 2 (*van haan, berg*) cresta; 3 (*van viool*) puente *m*, caballete *m* || *over één* ~ *scheren* medir *i* con el mismo rasero, poner en el mismo saco
kameel camello; **kameelhaar** lana de camello
kameleon camaleón *m*
kamer 1 cuarto, habitación *v*, pieza; *donkere* ~ cuarto oscuro; *eenpersoons* ~ habitación individual; *tweepersoons* ~ habitación doble; *de* ~ *doen* limpiar el cuarto; *op ~s wonen* vivir en habitaciones, vivir (independientemente) en un cuarto, vivir realquilado; 2 (*college*) cámara; ~ *van koophandel en fabrieken* Cámara de Comercio y Fábricas; *Eerste* ~ Cámara Alta, Primera Cámara, Senado; *Tweede* ~ Cámara Baja, Segunda Cámara, Congreso (de los Diputados), Cámara de los Diputados
kameraad camarada *m,v*, compañero, -a; **kameraadschap** compañerismo, camaradería; **kameraadschappelijk** fraternal, de compañeros
kamer|bewoner, **-bewoonster** inquilino, -a (de una habitación); (*in pension*) huésped, -eda; **-breed**: ~ *tapijt* alfombra(do) de pared a pared, alfombra(do) de muro a muro; **-debatten** discusiones *vmv* parlamentarias; **-genoot**, **-genote** compañero, -a de cuarto; **-jas** bata; **-lid** 1 (*van 1e Kamer*) senador, -ora; 2 (*van 2e Kamer*) diputado, -a, parlamentario, -a, miembro del Congreso; **-meisje** camarera; **-muziek** música de cámara; **-scherm** biombo; **-temperatuur** temperatura del local, temperatura del ambiente; **-thermostaat** termostato de habitación
kamertje habitacioncita, cuartecito; (*neg*) cuartucho; *heel klein* ~ cuarto como un puño
kamer|verkiezingen (elecciones *vmv*) legislativas; **-zetel** escaño (en el Congreso)
kamfer alcanfor *m*; **kamferkist** cofre *m* de alcanfor
kamgaren (tejido) estambre *m*, lana peinada
kamille manzanilla
kammen peinar
kamp 1 campo; (*met tenten*) campamento; *het* ~ *opbreken* levantar el campo; *het* ~ *opslaan* instalar el campo; 2 (*concentratiekamp*) campo de concentración

kampeerbusje autocaravana; **kampeerder**, **kampeerster** campista *m,v*; **kampeerterrein** camping *m*
kampen: *te ~ hebben met* tener que luchar contra, verse confrontado con
kamperen hacer camping, acampar; (*het*) ~ acampada
kamperfoelie madreselva
kampioen campeón *m*; **kampioenschap** campeonato
kamp|rechter árbitro; **-syndroom** síndrome *m* concentracionario; **-vuur** fogata
kan jarra, jarro; *het is in ~nen en kruiken* todo está arreglado; *het onderste uit de ~ willen hebben* querer aprovechar al máximo; *wie het onderste uit de kan wil, krijgt het lid op de neus* codicia desordenada, trae pérdida doblada
kanaal canal *m*; *het Kanaal* el Canal de la Mancha
Kanaaltunnel túnel *m* del Canal
kanalisatie canalización *v*; **kanaliseren** canalizar
kanarie canario; **kanariegeel** amarillo canario
kandelaar candelero, palmatoria
kandidaat candidato, -a; (*sollicitant*) aspirante *m,v*; *iem ~ stellen* presentar como candidato a u.p., proponer a u.p.; *zich ~ stellen voor* presentar su candidatura para, presentarse como candidato para; **kandidaat-notaris** pasante *m,v* de notario; **kandidaatsexamen** (*Ned*) examen *m* de candidatura; **kandidaatstelling** candidatura
kandij azúcar *m* cande
kaneel canela
kangoeroe canguro
kanjer: *een ~ van een vis* un pez enorme
kanker cáncer *m*
kankeraar renegón, -ona, protestón, -ona, quejón, -ona, quejica *m,v*
kankerbestrijding lucha contra el cáncer
kankeren gruñir, renegar *ie*
kanker|gezwel carcinoma *m*; **-patiënt**, **-patiënte** enfermo, -a de cáncer, canceroso, -a; **-verwekkend** cancerígeno
kannibaal caníbal *m*, antropófago; **kannibalisme** canibalismo
kano canoa, piragua; **kanoën** ir en canoa
kanon cañón *m*; **kanonneerboot** cañonero; **kanonnevlees** carne *v* de cañón; **kanonschot** cañonazo; **kanonskogel** bala de cañón
kano|sport piragüismo; **-vaarder**, **-vaarster** piragüista *m,v*, canoísta *m,v*
kans 1 posibilidad *v*, probabilidad *v*; *~ op mislukken* probabilidad de fallo; *~ op regen* probabilidad de lluvias, lluvias probables; *~ van slagen* probabilidad de éxito; *een redelijke ~ van slagen* una razonable posibilidad de éxito; *er is weinig ~ dat* es difícil que; *er is alle ~ dat* es fácil que; *de ~ lopen om* correr el riesgo de; 2 (*gelegenheid*) oportunidad *v*; *gelijke ~en* igualdad *v* de oportunidades; *de ~en staan gelijk* las probabilidades son las mismas; *de ~en zijn gekeerd* se han vuelto las tornas; *geef hem een ~* dale una oportunidad; *geen ~ hebben om* no tener ocasión de; *een ~ wagen* tentar *ie* la suerte; *de ~ schoon zien om* aprovechar la oportunidad para; *ik zie wel ~ het te doen* veo la posibilidad de hacerlo; *hij zag ~ te ontsnappen* se las arregló para escapar, pudo escapar; **kansarm** con pocas posibilidades
kansel púlpito; **kanselarij** cancillería; **kanselier** canciller *m*
kans|rekening cálculo de probabilidades; **-spel** juego de azar, juego de suerte
1 kant (*kantwerk*) encaje *m*
2 kant 1 (*zijde*) lado, cara; (*lit*) faz *v*; *de financiële ~* la faz económica; *goede ~* (*van stof*) cara; *verkeerde ~* (*van stof*) envés *m*, revés *m*; *de verschillende ~en van de zaak* los diferentes aspectos del asunto; *aan deze ~* de este lado, por la parte de acá; *aan één ~* de un lado; *aan de ene ~* por un lado, por una parte; *aan de andere ~* por otro lado, por otra parte; *een vel, aan twee ~en beschreven* una hoja escrita por las dos carillas; 2 (*richting*) dirección *v*, lado, parte *v*; *welke ~ gaat u op?* ¿qué dirección va a tomar?; *de ~ die het gesprek uitging* el rumbo que tomaba la conversación; *aan alle ~en* de todos lados, por todos lados; *naar alle ~en* hacia todos lados; *van alle ~en* de todas partes; *van de andere ~ komen* venir en dirección contraria; *ik, van mijn ~* yo por mi parte; *van vaders ~* por parte del padre; 3 (*rand*) canto; *op z'n ~ zetten* poner de canto; 4 (*oever, rand van weg*) borde *m*, orilla; *dat raakt ~ noch wal* no tiene nada que ver; 5 (*marge*) margen *m* || *ze is aan de magere ~* es más bien flaca; *over zijn ~ laten gaan* dejar pasar; *iem van ~ maken* matar a u.p.; *zich van ~ maken* quitarse la vida, suicidarse
kanteel almena
kantelen I *tr* (*in schuine stand:*) ladear, inclinar; (*ondersteboven:*) volcar *ue*; *niet ~!* ¡no volcar!; II *intr* volcarse *ue*
kanten: *zich ~ tegen* oponerse a
kantine cantina, cafetería
kantje (*van brief*) página, cara, carilla || *er de ~s aflopen* trabajar lo menos posible; *het was op het ~ af* ha sido por los pelos
kanton (*jur*) cantón *m*
kanton|gerecht (*Ned*) juzgado de cantón; (*vglbaar:*) juzgado de paz, juzgado de primera instancia; **-rechter** (*Ned*) juez *m,v* de cantón; (*vglbaar:*) juez *m,v* de distrito, juez de paz
kantoor oficina; (*vertrek ook:*) despacho; (*van advocaat*) bufete *m*
kantoor|bediende empleado, -a (de oficina), administrativo, -a; **-behoeften** útiles *mmv* de escritorio; **-boekhandel** papelería; **-uren** horas de oficina
kanttekening nota marginal, acotación *v*
kap 1 (*van non*) toca; 2 (*van monnik*) capucha; 3 (*van station*) marquesina; 4 (*van motor*) cubierta; 5 (*van open auto*) capota; 6 (*van lamp*)

pantalla; 7 (*van huis*) techo; *twee onder een ~* dos casas bajo un mismo tejado
kapel 1 capilla; 2 (*muziekkorps*) banda
kapelaan capellán *m*
kapen secuestrar; **kaper** 1 secuestrador, -ora; (*van vliegtuig ook:*) pirata *m* aéreo; 2 (*piraat*) corsario, pirata *m*; *er zijn ~s op de kust* hay moros en la costa; **kaping** secuestro
kapitaal I *zn* capital *m*; *dat kost kapitalen* cuesta un riñón, cuesta un ojo de la cara; II *bn* capital, mayúsculo; *~ herenhuis* casa señorial; **kapitaalkrachtig** acaudalado, adinerado; *~ zijn* contar *ue* con cuantiosos medios; **kapitaalvlucht** fuga de capital(es), evasión *v* de capitales; **kapitalisme** capitalismo; **kapitalist** capitalista *m*; **kapitalistisch** capitalista
kapiteel capitel *m*
kapitein capitán *m*; (*schipper*) patrón *m*
kapittel capítulo; *een stem in het ~ hebben* tener voz en el capítulo; **kapittelen** sermonear
kapje 1 (*van dienster*) cofia; 2 (*capuchon*) capucha
kap|laars bota alta de goma; **-mes** machete *m*
kapok kapoc *m*
kapot roto; (*fam*) hecho trizas; (*niet in orde*) descompuesto; *ik ben er ~ van* estoy hecho polvo; *~ gaan* romperse, estropearse; *~ maken* romper, estropear, despedazar; *~ slaan* romper, hacer pedazos; *zich ~ werken* matarse trabajando
kappen 1 (*van bomen*) cortar, talar; *het ~ van bomen* la tala de árboles; 2 (*van haar*) peinar || *je moet ermee ~* hay que terminar con eso
kapper peluquero
kappertje alcaparra
kapsalon peluquería
kapseizen zozobrar, volcar *ue*
kapsel peinado
kapsones: *~ hebben* darse aires, presumir, darse importancia
kapster peluquera
kap|stok percha, perchero; **-tafel** tocador *m*
kapucijner 1 (*vglbaar:*) garbanzo marrón; 2 *~ monnik* capuchino
kar 1 carro, carreta; 2 (*fiets*) bici *v*
karaat quilate *m*
karabijn carabina
karaf garrafa
karakter carácter *m, mv caracteres*; índole *m*; *een bijzonder ~ dragen* revestir *i* un carácter especial; **karaktereigenschap** cualidad *v* de carácter; **karakteriseren** caracterizar; **karakteristiek** I *bn* característico; II *zn* característica; **karakterloos** sin carácter, sin principios; **karaktertrek** rasgo característico
karamel caramelo; **karameliseren** caramelizar, acaramelar
karate karate *m*
karavaan caravana
karbonade chuleta
kardinaal I *zn* cardenal *m*; II *bn* cardinal; *het -nale punt* el punto cardinal, el punto vital, el punto clave
karig 1 (*niet gul*) parco, tacaño; *~ met woorden* parco en palabras; 2 (*sober, mbt maal*) parco, frugal; 3 (*mbt beloning*) exiguo; 4 (*mbt middelen*) escaso; **karigheid** 1 parquedad *v*; 2 (*schaarsheid*) escasez *v*
karikaturaal caricaturesco; **karikatuur** caricatura
karkas 1 esqueleto; 2 (*fig*) carcamal *m*
karnemelk suero (de la leche); **karnen** batir la leche, hacer mantequilla, mantequear
karper carpa
karpet alfombra
karretje 1 carretilla (de mano); *iem voor zijn ~ spannen* servirse *i* de u.p.; 2 (*wandelwagen*) coche *m* silla; 3 (*fiets*) bici *v*
karrevracht carretada
kar'tel cártel *m*, sindicato; *een ~ vormen* (*mbt bedrijven*) constituirse en cártel
'kartel 1 (*van mes*) diente *m*; 2 (*beschadiging*) muesca, portillo, melladura; **kartelen** dentellar, hacer muescas en; *gekarteld* dentado, dentellado, serrado
kartel|mes cuchillo dentado; **-rand** borde *m* dentado, borde *m* dentellado, dientes *mmv*
karteren hacer un mapa de, levantar un plano de; **kartering** cartografía, levantamiento de planos
karton 1 cartón *m*; (*dun:*) cartulina; 2 (*doos*) caja de cartón; **kartonnen** *bn* de cartón
karwats látigo
karwei faena, tarea; *een heel ~* todo un trabajo; **karweitje** (*klusje*) chapuza, trabajito, pequeño arreglo; *die ~s mag hij opknappen!* de esos menesteres ¡que se encargue él!
karwij comino, alcaravea
kas 1 (*voor geld*) caja; *de ~ houden* llevar la caja; *goed bij ~ zijn* andar bien de dinero, estar en fondos; *slecht bij ~ zijn* andar mal de fondos, estar escaso de dinero; *er met de ~ vandoor gaan* alzarse con los fondos; 2 (*van oog*) cuenca; 3 (*broeikas*) invernadero, estufa
kas|boek libro de caja; **-bon** (*Belg*) bono de caja; **-cheque** (*Ned*) cheque *m* para retirar fondos de la propia cuenta de giro postal; **-geld** dinero en caja, efectivo en caja; **-groenten** hortalizas de invernadero
kasjmier cachemir *m*, cachemira
kasregister *zie: kassa*
kassa 1 caja (registradora); 2 (*loket*) taquilla; **kassabon** vale *m* de caja; **kassier** cajero, -a
kast 1 armario; (*kleine muurkast*) alacena; *ingebouwde ~* armario empotrado; 2 (*van klok, piano*) caja; 3 (*groot gebouw*) edificio enorme; *een ~ van een huis* un caserón || *op de ~ zitten* (*boos zijn*) subirse a la parra
kastanje 1 (*vrucht*) castaña; *de ~s uit het vuur halen* sacar las castañas del fuego; 2 (*tamme, boom*) castaño; 3 (*wilde, boom*) castaño de Indias; **kastanjebruin** (de color) castaño
kaste casta
kasteel 1 castillo; 2 (*schaaksp*) torre *v*
kastekort déficit *m* de caja

kastelein tabernero
kastijden castigar
kastje armarito; *hij wordt van het ~ naar de muur gestuurd* va de la Ceca a la Meca, le traen de acá para allá
kasvruchten frutos de invernadero
kat gato, -a; *de Gelaarsde ~* el gato con botas; *~ en muis spelen* jugar *ue* al gato y al ratón; *een ~ in het nauw maakt rare sprongen* gato acorralado peligro insospechado; *in het donker zijn alle ~ten grauw* de noche todos los gatos son pardos; *als ~ en hond leven* llevarse como perro(s) y gato(s); *als een ~ in een vreemd pakhuis* como gallina en corral ajeno; *als de ~ van huis is dansen de muizen* cuando el gato no está los ratones bailan; *de ~ de bel aanbinden* llevar el gato al agua, poner el cascabel al gato; *hij heeft een ~ in de zak gekocht* le dieron gato por liebre, le hicieron la venta de la burra ciega; *de ~ uit de boom kijken* verlas venir; *de ~ in het donker knijpen* hacer u.c. a hurtadillas; **katachtig** felino, gatuno
katalysator catalizador *m*
katapult 1 (*hist*) catapulta, trabuco; 2 (*speelgoed*) tirador *m* de goma, tiragomas *m*
kater 1 gato; 2 (*fig*) resaca
katern cuadernillo
katheder cátedra
kathedraal catedral *v*
kathode cátodo
katholicisme catolicismo; **katholiek** católico
katje 1 gatito; *zij is geen ~ om zonder handschoenen aan te pakken* hay que usar con ella guante blanco, hay que tratarla con muchos miramientos; *als ~s muizen, mauwen ze niet* cuando el gato caza no maúlla; 2 (*van wilg*) flor *v* del sauce
katoen algodón *m*; *bedrukte ~* algodón estampado; *gebleekte ~* algodón blanqueado || *iem van ~ geven* zurrarle a u.p. la badana; **katoenen** *bn* de algodón
katoen|industrie industria algodonera; **-plant** algodonero; **-plantage** algodonal *m*; **-pluis** algodón *m* en rama; **-spinnerij** hilandería
katoog ojo de gato (*ook steen en reflector*)
katrol polea; **katrolblok** caja de polea
katte|bak cubeta de aseo del gato; **-belletje** nota, cuatro letras *vmv*; **-kop** (*fig*) antipática; **-kwaad** travesuras *vmv*, diabluras *vmv*; **-pis**: *dat is geen ~* no es moco de pavo
katterig malucho; **katterigheid** modorra
kattig áspero, desabrido; **kattigheid** genio áspero
katzwijm desvanecimiento, desmayo
kauw grajo
kauwen masticar, mascar; **kauwgom** chicle *m*, goma de mascar
kavel parcela, lote *m*
kaviaar caviar *m*
kazen (*dik worden*) cuajarse
kazerne cuartel *m*; **kazerneleven** vida de cuartel, vida cuartelera
keel garganta; *de ~ afsnijden* cortar el cuello, degollar *ue*; *iem de ~ dichtknijpen* estrangular a u.p.; *een ~ opzetten* ponerse a gritar; *bij de ~ grijpen* agarrar por el cuello; *iets niet door de ~ kunnen krijgen* tener u.c. atravesada en la garganta; *hij kreeg een brok in de ~* se le hizo un nudo en la garganta; *de woorden bleven hem in de ~ steken* se le atragantaron las palabras; *iem naar de ~ vliegen* abalanzarse sobre u.p.; *iem het mes op de ~ zetten* poner a u.p. el puñal al pecho, poner a u.p. entre la espada y la pared; *het hangt me de ~ uit* estoy harto, estoy hasta la coronilla
keel|aandoening afección *v* de la garganta; **-amandelen** amígdalas; **-gat** garganta; (*fam*) gaznate *m*; *in het verkeerde ~ schieten* caerle u.c. muy mal a u.p.; **-holte** faringe *v*; **-kanker** cáncer *m* de la garganta; **-klank** gutural *v*; **-klep** epiglotis *v*
keel-, neus- en oorarts otorrinolaringólogo, -a
keel|ontsteking inflamación *v* de la garganta, angina, faringitis *v*, laringitis *v*; **-pijn** dolor *m* de garganta; *ik heb ~* me duele la garganta
keep corte *v*, muesca, incisión *v*
keepen ser portero, ser guardameta; **keeper** portero, guardameta *m*; (*Am*) arquero
keer 1 (*draai*) vuelta; 2 (*maal*) vez *v*; *de ene ~ … en de andere ~* … una vez … y otra vez …, unas veces … y otras veces …; *een enkele ~* alguna (que otra) vez; *het is een enkele ~ voorgekomen* se han dado casos aislados; *geen enkele ~* ninguna vez, nunca; *een heel enkele ~* muy de vez en cuando, muy de tarde en tarde; *een paar ~* unas (cuantas) veces; *in één ~* de una (sola) vez, de un golpe; *op een ~* una vez, un día; *~ op ~* repetidas veces; *het kost f 10 per ~* cuesta fls 10 cada vez; *voor één ~* por una (sola) vez; *voor deze ~* por esta vez; *voor de zoveelste ~* por enésima vez, por tantísima vez
keer|kring trópico; **-punt** momento crucial, punto de inflexión; **-zijde** otra cara, otro lado; (*van medaille*) reverso; *de ~ van de medaille* el reverso de la medalla; (*van stof, papier*) revés *m*, dorso
keet 1 (*schuur*) tinglado; (*voor werklieden*) barraca; 2 (*rommel*) desbarajuste *m*; *~ schoppen* armar jaleo
keffen ladrar
keg cuña
kegel 1 cono; 2 (*sp*) bolo; **kegelbaan** bolera; **kegelen** jugar *ue* a los bolos; (*het*) *~* bolos *mmv*
kei 1 piedra; (*straatsteen*) adoquín *m*; (*kiezelsteen*) guijarro; *op de ~en staan* estar en la calle; 2 (*uitblinker*) as *m*, águila *m*; **keihard** duro como el mármol; *~ schreeuwen* gritar a voz en cuello; *~ werken* trabajar a tope
keilen (*smijten*) arrojar, tirar; (*met een steentje over water*) hacer pijotas
keizer emperador *m*; **keizerin** emperatriz *v*; **keizerlijk** imperial; **keizerrijk** imperio; **kei-**

zerskroon corona imperial; **keizersnede** (incisión *v*) cesárea
kelder sótano; (*voor wijn*) bodega || *naar de ~ gaan* (*scheepv*) ir a pique; **kelderen** (*mbt prijzen*) derrumbarse; **kelderluik** trampa
kelen degollar *ue*, cortar el pescuezo
kelim (*tapijt*) kilim *m*
kelk cáliz *m*
kelner camarero, -a
Kelt *zn* celta *m*; **Keltisch** celta
kemphaan gallo de pelea; (*fig ook:*) matón *m*
kenau marimacho
kenbaar: *~ maken* manifestar *ie*, hacer saber
kengetal indicativo, prefijo
kenmerk característica, rasgo característico; **kenmerken** caracterizar; *zich ~ door* caracterizarse por; **kenmerkend** (*voor*) característico (de), típico (de)
kennel perrera
kennelijk obvio, evidente, notorio, manifiesto; *hij is ~ boos* es obvio que está enfadado, por lo visto está enfadado
kennen 1 conocer; *leren ~* conocer; *goed ~* conocer mucho; *slecht ~* conocer poco; *zich doen ~ als* darse a conocer como, mostrar *ue* ser, acreditarse de; *hij kent geen bescheidenheid* no conoce la modestia; *ik ken hem aan zijn stem* le (re)conozco por su voz; *te ~ geven* dar a conocer, manifestar *ie*, expresar, dar a entender; *iem van gezicht ~* conocer a u.p. de vista; *ik ken hem ergens van* le conozco de algo; *ik ken die naam ergens van* ese nombre me suena; **2** (*geleerd hebben*) saber; *zijn les ~* saber su lección; *van buiten ~* saber de memoria || *iem in iets ~* informar a u.p. de u.c.; *zich niet laten ~* no mostrar *ue* sus sentimientos, seguir *i* impasible
kenner conocedor, -ora, experto, -a; **kennersblik** mirada de conocedor
kennis 1 conocimiento; *grondige ~* conocimiento(s) profundo(s); *~ dragen, hebben van* tener conocimiento de, estar enterado de, quedar impuesto de; *~ geven* (*van*) anunciar, dar parte (de), participar; *~ maken met* conocer, hacer el conocimiento de; *~ nemen van* tomar nota de, enterarse de; *buiten mijn ~* sin saberlo yo, sin mi conocimiento; *in ~ brengen met* poner en contacto con, introducir con; *in ~ stellen van* informar de, hacer saber; *met ~ van zaken* con conocimiento de causa; *ter ~ brengen van* dar a conocer a, poner en conocimiento de; *ter ~ komen van iem* llegar al conocimiento de u.p.; *het vergaren van ~* la adquisición de conocimientos; **2** (*wetenschap*) ciencia, saber *m*; *de boom der ~* el árbol de la ciencia; **3** (*bekende*) conocido, -a, amigo, -a; **4** (*bewustzijn*) conocimiento; *bij ~ komen* recobrar el conocimiento, volver *ue* en sí; *buiten ~ zijn* estar sin conocimiento, estar sin sentido
kennis|geving aviso, notificación *v*; *iets voor ~ aannemen* enterarse de u.c. sin más consecuencias; **-making** primer encuentro; **-neming** examen *m*; *ter ~* para su información, para su conocimiento; **-overdracht** transmisión *v* de conocimientos
kennissenkring círculo de amigos
kenschetsen caracterizar
kenteken 1 distintivo, característica; **2** (*van auto*) matrícula
kenteken|bewijs permiso de circulación; **-plaat** (placa de) matrícula
kenteren zozobrar; (*fig*) cambiar; **kentering** (*fig*) cambio
keper: *iets op de ~ beschouwen* estudiar detenidamente, examinar a fondo; *op de ~ beschouwd* bien mirado, mirado a fondo, visto bien de cerca
keramiek cerámica
kerel hombre *m*, tío, tipo; *wees een ~!* ¡sé hombre!; *een ~ uit één stuk* un tío con toda la barba; **kereltje** muchachito, rapaz *m*, rapazuelo
keren I *tr* **1** volver *ue*; *een jas ~* dar la vuelta a un abrigo; *zich niet kunnen wenden of ~* no poder revolverse; *hoe je het ook wendt of keert* por más vueltas que se le dé; *zich ~ tegen* oponerse a, revolverse *ue* contra; (*zich*) *ten goede ~* tomar buen cariz; (*zich*) *ten kwade keren* tomar mal cariz; *in zichzelf gekeerd* concentrado en sí mismo, ensimismado; **2** (*tegenhouden*) desviar *í*, apartar; **II** *intr* dar la vuelta; *de kansen zijn gekeerd* se han vuelto las tornas; *de wind is gekeerd* el viento ha cambiado; *per ~de post* a vuelta de correo
kerf corte *m*, muesca, entalladura; **kerfstok**: *hij heeft wat op zijn ~* tiene algo sobre la conciencia
kerk iglesia; (*prot ook:*) templo; *naar de ~ gaan: a*) ir a la iglesia; *b*) (*r-k*) ir a misa, atender *ie* misa
kerk|bezoek frecuentación *v* del culto; **-dienst** servicio (religioso), culto (divino)
kerkelijk eclesiástico, religioso; *~ huwelijk* matrimonio canónico
kerker cárcel *v*
kerke|raad junta administrativa de una iglesia protestante; **-zakje** bolsa para recoger limosnas en la iglesia
kerk|ganger, **-gangster** feligrés, -esa; **-genootschap** comunidad *v* religiosa, agrupación *v* religiosa; **-hof** cementerio, camposanto; **-klok 1** (*uurwerk*) reloj *m* de la iglesia; **2** (*luidklok*) campana (de la iglesia); **-muziek** música religiosa, música sagrada; **-plein** plaza de la iglesia; **-raam** vidriera, ventanal *m*; **-rat**: *zo arm als een ~* más pobre que una rata
kerks devoto
kerk|toren torre *v* de (la) iglesia; **-uil** lechuza; **-voogd** (*r-k*) prelado; (*prot*) mayordomo; **-vorst** prelado, príncipe *m* de la Iglesia; **-zang 1** canto litúrgico; **2** (*lied*) cántico, himno
kermen gemir *i*
kermis feria, verbena; *het is niet alle dagen ~* no todos los días es fiesta, hay más días que

longanizas; *hij kwam van een koude ~ thuis* se llevó un chasco
kermis|bed catre *m*, cama improvisada; **-kraam**, **-tent** barraca de feria, puesto de feria; **-terrein** real *m* (de la feria); **-wagen** carromato, caravana
kern núcleo; (*fig ook:*) médula, eje *m*, cogollo, meollo; *de ~ van de zaak* el fondo de la cuestión, el núcleo del asunto; *een ~ van waarheid* un fondo de verdad
kernachtig 1 (*krachtig*) firme, sustancial; 2 (*beknopt*) conciso; **kernachtigheid** 1 (*kracht*) fuerza; 2 (*beknoptheid*) concisión *v*
kern|afval residuos *mmv* nucleares; **-bewapening** armamento nuclear; **-centrale** central *v* nuclear, planta nuclear; **-energie** energía nuclear; **-fusie** fusión *v* nuclear; **-fysica** física nuclear; **-gezond** sano como una manzana, lleno de salud; **-kop** ojiva nuclear, cabeza atómica; **-onderzoek** investigación *v* nuclear; **-ploeg** (*sp*) equipo seleccionado; **-probleem** problema *m* capital, cuestión *v* capital; **-proef** prueba nuclear; **-punt** punto meollo, punto esencial; tema *m* estrella; **-reactor** reactor *m* nuclear; **-splijting**, **-splitsing** desintegración *v* nuclear, fisión *v* nuclear, escisión *v* nuclear; **-stop** alto a la producción de armamento nuclear, alto a la bomba atómica; **-wapen** arma nuclear
kerrie curry *m*
kers cereza; *steeltje aan de ~* rabo de la cereza
kerse|bloesem flor *m* de cerezo; **-boom** cerezo
kersen|brandewijn kirsch *m*, aguardiente *m* de guindas; **-jam** mermelada de cerezas
kersepit hueso de (la) cereza
kersrood rojo cereza
kerst|avond (*24 dec.*) Nochebuena; **-boom** árbol *m* de Navidad; **-dag** día *m* de Navidad
kerstenen cristianizar
kerst|feest fiesta de Navidad, (Pascua de) Navidad *v*; *vrolijk ~!* ¡Felices Pascuas!; **-geschenk** regalo de Navidad, aguinaldo; **-gratificatie** paga extraordinaria de Navidad; **-kaart** christmas *m*, tarjeta de Navidad; **-kind** Niño Jesús; **-lied** villancico; **-man** Papá *m* Noel
Kerstmis Navidad *v*
kerst|nacht noche *v* de Navidad, Nochebuena; **-stal** belén *m*, nacimiento; **-tijd** Navidades *vmv*, época navideña; **-vakantie** vacaciones *vmv* de Navidad; **-versiering** adornos *mmv* de Navidad
kersvers recién hecho, muy fresco
kervel perifollo; *dolle ~* cicuta
kerven hacer muescas en, entallar
ketchup ketchup *m*, salsa de tomate
ketel caldera; (*fluitketel*) hervidor *m*, calentador *m* de agua
ketel|dal valle *m* cerrado; **-huis** cuarto de calderas, cámara de calderas; **-lapper** calderero (ambulante); **-steen** incrustaciones *vmv*
keten cadena; **ketenen** encadenar
ketsen 1 (*mbt geweer*) fallar; 2 (*bij biljart*) pifiar
ketter hereje *m,v*; *vloeken als een ~* jurar como un carretero; **ketteren** rabiar, renegar *ie*, vociferar; **ketters** heterodoxo
ketting 1 (*sieraad*) collar *m*; 2 (*van metaal*) cadena; *~ tegen (fiets)diefstal* cadena antirrobo; *de hond aan de ~ leggen* atar al perro; *een schip aan de ~ leggen* (*beslag leggen*) embargar un buque
ketting|botsing choque *m* en cadena; **-brief** (carta de la) cadena de la buena suerte; **-brug** puente *m* colgante; **-draad** (hilo de) urdimbre *m*; **-kast** cubrecadena *m*; **-papier** papel *m* continuo; **-reactie** reacción *v* en cadena; **-roker** fumador *m* en cadena; **-steek** punto cadena, (punto de) cadeneta; **-zaag** sierra de cadena (sin fin), motosierra
kettinkje cadenita
keu taco
keuken cocina; *ingerichte ~* cocina amueblada
keuken|afval desperdicios *mmv* de cocina; **-doek** 1 (*vaatdoek*) trapo de cocina; 2 (*theedoek*) paño de cocina; **-gerei** batería de cocina, utensilios *mmv* de cocina, cacharros *mmv*; **-machine** trituradora; **-meidenroman** folletín *m*, novela rosa; **-rol** rollo de (papel de) cocina; **-wekker** avisador *m* cuentaminutos; **-zout** sal *v* de cocina
keur 1 selección *v*; *een ~ van* un selecto surtido de, una selecta variedad de; 2 (*het beste*) lo mejor, lo selecto; 3 (*op goud*) contraste *m*; **keuren** 1 examinar, probar *ue*; (*van eten*) inspeccionar; 2 (*van goud*) aquilatar; (*van metalen*) ensayar; 3 (*med*) examinar, reconocer; 4 (*proeven*) probar *ue* || *iem geen blik waardig ~* no dignarse mirar a u.p.
keurig I *bn* 1 (*verzorgd, mbt persoon*) pulcro, impecable; (*mbt ruimte ook:*) limpio, bien arreglado; 2 (*fatsoenlijk*) decente, correcto; II *bw* pulcramente, impecablemente, decentemente, religiosamente; *hij betaalde ~ de wijn* pagó religiosamente el vino
keuring examen *m*, inspección *v*; (*med*) reconocimiento (médico); **keuringsdient** servicio de inspección alimenticia; (*vglbaar:*) servicio de Sanidad (pública)
keur|korps cuerpo escogido; **-meester** 1 inspector *m* (de sanidad); 2 (*van metalen*) ensayador *m*
keurslijf corpiño, justillo, corsé *m*; *in een ~ zitten* (*fig*) no tener libertad de movimientos
keur|troepen tropas escogidas; **-vorst** (príncipe *m*) elector *m*
keus elección *v*, selección *v*; *een ruime ~* un extenso surtido; *een ~ doen* elegir *i*, escoger; *een goede ~ doen* acertar *ie* en la elección; *een ~ doen uit* seleccionar entre; *wij hebben geen ~* no tenemos opción, no tenemos más remedio; *u hebt geen andere ~* no tiene otra alternativa; *ik heb een ruime ~* tengo donde escoger; *zijn ~ vestigen op* decidirse por; *naar ~* a elegir, a

elección; *uit vrije* ~ de libre elección; *voor de* ~ *geplaatst* puesto a optar; *iem voor de* ~ *stellen* colocar a u.p. en la disyuntiva
keutel cagarruta
keuterboer campesino modesto
keuze *zie: keus*
keuze|schakelaar (conmutador *m*) selector *m*; **-vak** materia optativa
kever escarabajo
kg *kilogram* kilogramo; *afk* kg *mv kgs*
kibbelen disputar, reñir *i*
kibboets kibutz *m, mv kibutzim*
kidnappen secuestrar; **kidnapping** secuestro
kieken sacar una foto; **kiekje** foto *v*
1 kiel (*jak*) blusón *m*, túnica
2 kiel (*scheepv*) quilla
kiele-kiele: *het was* ~ fue por un pelo
kiel|halen pasar bajo la quilla; **-zog** estela; *in het* ~ *van iem* siguiendo a u.p. a dos pasos, a imitación de otro; **-zwaard** orza de deriva
kiem germen *m*; *in de* ~ en germen; *in de* ~ *smoren* sofocar en su origen, abortar
kiem|cel célula germinal; **-dodend** germicida; **-drager** portador *m* de gérmenes
kiemen germinar; (*spruiten*) brotar
kiem|kracht poder *m* germinativo; **-omhulsel** albumen *m*; **-vrij** esterilizado
kien espabilado, despierto
kienspel lotería de cartones; (*vglbaar:*) bingo
kiepauto camión *m* con caja volquete; **kiepen**, **kieperen** volcar *ue*, voltear; **kiepkar** volquete *m*
kier 1 (*van deur*) resquicio; *de deur staat op een* ~ la puerta está entornada; **2** (*spleet*) grieta, intersticio; **kieren** (*mbt deur*) tener holgura
1 kies *zn* muela; *een* ~ *laten trekken* sacarse una muela
2 kies *bn* delicado, considerado
kiesarrondissement (*Belg*) circunscripción *v* (electoral)
kiesbaar elegible
kies|brief (*Belg*) papeleta de voto; **-deler** cociente *m* electoral; **-district** distrito electoral
kiesheid delicadeza, consideración *v*, tacto; **kieskauwen** comer con desgana
kieskeurig exigente, delicado, escogido; (*aanstellerig*) remilgado; **kieskeurigheid** exigencia, delicadeza; (*aanstellerij*) remilgos *mmv*
kieskring circunscripción *v* (electoral)
kiespijn dolor *m* de muelas; *ik kan hem missen als* ~ me hace tanta falta como los perros en misa
kies|platform (*Belg*) programa *m* electoral; **-recht** (derecho de) sufragio, (derecho de) voto; *algemeen* ~ sufragio universal; *personen die passief en actief* ~ *hebben* elegibles *mmv* y electores *mmv*; **-register** censo electoral; **-schijf** disco (selector); **-stelsel** sistema *m* electoral; **-toon** señal *v* para marcar; **-wet** ley *v* electoral
kietelen hacer cosquillas; *zie ook: kriebelen*
kieuw agalla, branquia

keu

kieviet ave *v* fría, frailecillo
kiezel guijo, grava, gravilla; (*grof:*) guijarros *mmv*; **kiezelsteen** guijarro, canto (de río), canto rodado
kiezen 1 (*uitkiezen*) escoger, elegir *i*; *zij werden gekozen* fueron elegidos, resultaron electos; *iem tot voorzitter* ~ elegir presidente a u.p; *uit hun midden* ~ elegir de su seno, elegir de entre sus miembros; *we hebben het niet voor het* ~ no nos es dado escoger; **2** ~ *voor* (*uit twee dingen*) optar por; **3** (*stemmen*) votar || *je moet* ~ *of delen* lo tomas o lo dejas, hay que tomar una decisión
kiezer elector *m*, votante *m*; *zwevende* ~ elector flotante; *de* ~*s* el electorado
kift: *dat is de* ~! ¡pura envidia!, ¡están verdes!; **kiften** discutir, disputar
kijf: *buiten* ~ incuestionable, indiscutible
kijk: *zijn* ~ *op de zaak* su visión del asunto; *een goede* ~ *op* una certera visión de; *een sombere* ~ *op* un concepto pesimista de; *er is geen* ~ *op* no hay la menor probabilidad; *hij heeft daar geen* ~ *op* no entiende nada de eso; *te* ~ *lopen* exponerse, llamar la atención; *te* ~ *zetten* exponer, llamar la atención sobre; *tot* ~! ¡hasta otra!
kijk|cijfers densidad *v* de audiencia, estadística de espectadores; **-dag** día *m* de exposición; **-dichtheid** nivel *m* de audiencia; **-doos** mundonuevo
kijken mirar; *boos* ~ poner cara de enfado; *kijk eens!* ¡mira!; *kijk eens aan!* ¡vaya, vaya!; *ga eens* ~ vete a ver; *ik ga even* ~ *of* ... voy a ver si ...; *ga liever* ~ *wat ze doen* mira más bien lo que hacen; *iem die pas komt* ~ uno recién salido del cascarón; *laat me eens* ~ déjame ver; ~ *staat vrij* no cuesta nada mirar, mirar es libre, por mirar no hacen pagar; *daar komt heel wat bij* ~ no es nada fácil; ~ *naar iets* mirar u.c.; *naar het eten* ~ (*zorgen voor*) cuidar de la comida, atender *ie* la comida; *naar de tv* ~ ver la televisión; *op zijn horloge* ~ mirar el reloj, consultar el reloj; *hij kijkt niet op een paar gulden* no le importan unos florines más o menos; *ik stond ervan te* ~ estaba asombrado, me extrañaba mucho; **kijker 1** espectador *m*; (*van tv*) telespectador *m*, televidente *m*; **2** (*toekijker*) mirón *m*, curioso; **3** (*instrument*) prismáticos *mmv*, anteojos *mmv*, gemelos *mmv*
kijk|gat mirilla; **-geld** (*Ned*) impuesto sobre la posesión de un televisor
kijkje: *een* ~ *nemen* ir a ver lo que pasa, echar una mirada
kijk|lustig curioso, mirón *-ona*; **-spel** espectáculo
kijven reñir *i*, pelearse
kik: *zonder een* ~ *te geven* sin decir ni pío, sin rechistar, sin decir esta boca es mía; **kikken**: *je hoeft maar te* ~ con sólo hacer el gesto, no tienes más que insinuarte
kikker rana
kikker|billetje anca de rana; **-visje** renacuajo

kikvorsman hombre *m* rana *mv hombres rana*
kil fresco, frío y húmedo; (*fig*) frío; **kilheid** frío; (*fig*) frialdad *v*
kilo|gram kilogramo; *afk* kg *mv kgs*; **-meter** kilómetro; *afk* km *mv kms*
kilometer|stand kilometraje *m*; **-teller** contador *m* kilométrico, cuentakilómetros *m*; **-vreter** tragakilómetros *m*
kilte frío; (*in avond*) relente *m*
kim horizonte *m*
kimkiel quilla lateral, quilla de balance
kimono bata, kimono
kin barbilla; (*lit*) mentón *m*
kina quina
kind 1 (*zoon, dochter*) hijo, -a; *het oudste ~* el hijo mayor; *ze heeft drie ~eren* tiene tres hijos; *geen ~eren hebben* no tener familia; *een gezin met veel ~eren* una familia numerosa; 2 (*jong mens*) niño, -a, chiquillo, -a, chico, -a, (*fam*) nene *m*, nena; *ik ben geen klein ~ meer!* ¡ni que me chupara el dedo!; *zij is geen ~ meer* ya no es ninguna niña; *hij is er ~ aan huis* es como si fuera de la familia; *als ~* de niño; *ik ben het ~ van de rekening* (*fam*) yo tengo que pagar el pato, tengo que pagar los vidrios rotos; *een ~ van zijn tijd* un hijo de su época; *hij heeft ~ noch kraai* no tiene a nadie en el mundo; *je hebt er geen ~ aan* no molesta en lo más mínimo; *een ~ krijgen* tener un niño, (*fam*) tener familia; *het ~ bij de naam noemen* llamar las cosas por su nombre, llamar al pan pan y al vino vino; *een ~ verwachten* esperar un niño; *het ~ met het badwater weggooien* tirar al bebé con el agua sucia
kinderachtig pueril, infantil; *wees niet zo ~!* ¡no seas chiquillo!, ¡no sea Ud. niño!; *niet ~ zijn* (*fig*) no andarse con chiquitas; **kinderachtigheid** puerilidad *v*, infantilismo
kinder|arbeid trabajo de menores; **-arts** pediatra *m,v*; **-bed** camita, cama de niño; **-bescherming** protección *v* de menores; *raad voor de ~* tribunal *m* tutelar de menores; **-bewaarplaats** guardería infantil; **-bijslag** subsidio familiar, plus *m* familiar, puntos *mmv* (familiares); **-dagverblijf** guardería (infantil); **-feest** fiesta infantil; **-fiets** bicicleta de niño; **-hoofdje** 1 cabeza de niño; 2 (*kei*) adoquín *m*; **-jaren** (años de la) infancia; **-juffrouw** niñera; **-kaartje** billete *m* de niño; **-kamp** colonia infantil, campamento de niños; **-kleding** ropas *vmv* para niños; **-ledikantje** cuna, camita
kinderlijk 1 pueril, infantil, aniñado; 2 (*naïef*) cándido, inocente; *het is ~ eenvoudig* es un juego de niños, es coser y cantar
kinderloos sin hijos; **kinderloosheid** esterilidad *v*; *ongewenste ~* esterilidad *v* involuntaria
kinder|meisje niñera; **-menu** menú *m* para niños; **-moord** asesinato de un niño; (*van pasgeborene*) infanticidio; **-oppas** cuidador, -ora de niños, canguro; **-rechter** juez *m,v* de menores; **-schoen** zapato de niño; *nog in de ~en staan* estar en los comienzos, hallarse en los primeros balbuceos; *de grondwet staat nog in de ~en* la constitución no ha hecho más que echar a andar; **-slot** seguro para los niños; **-spel**: *het is ~ voor me* es un juego para mí, es una bagatela; **-sterfte** mortalidad *v* infantil; **-tehuis** hogar *m* infantil; **-verlamming** poliomielitis *v*, parálisis *v* infantil; **-verzorging** puericultura; **-voorstelling** espectáculo para niños, función *v* para niños; **-wagen** cochecito de niño; **-weegschaal** pesabebés *m*; **-wereld** mundo infantil; **-ziekenhuis** clínica pediátrica; **-ziekte** enfermedad *v* infantil
kinds chocho; *~ worden* ir chocheando, volver *ue* a la infancia; **kindsbeen**: *van ~ af* desde niño, desde la infancia; **kindsdeel** (*vglbaar:*) hijuela; **kindsheid** 1 (*jeugd*) niñez *v*, infancia; 2 (*van oudere*) chochez *v*
kinine quinina
kink: *er is een ~ in de kabel gekomen* ha surgido algo imprevisto, menuda la que nos ha venido sin llamarla
kinkhoest tos *v* ferina
kinriem (*van helm*) barboquejo
kiosk quiosco
kip gallina; (*als gerecht*) pollo; *er als de ~pen bij zijn* acudir aprisa para sacar su parte; *praten als een ~ zonder kop* decir tonterías, decir gansadas; *~ ik heb je* ya te tengo; *je ziet er geen ~* no se ve un alma; *met de ~pen op stok gaan* acostarse *ue* con las gallinas; **kiplekker** perfectamente bien
kippe|bouillon caldo de gallina; **-boutje** muslo de pollo; **-ëi** huevo de gallina; **-gaas** tela metálica
kippen|fokkerij granja avícola; **-hok**, **-ren** gallinero
kippe|soep sopa de gallina; **-vel** carne *v* de gallina; *daar krijg ik ~ van* se me pone la carne de gallina; **-voer** alimento para las gallinas
kippig miope
kirren 1 arrullar; 2 (*mbt baby*) hacer gorgoritos
kist 1 caja; (*mooi, oud:*) arca; 2 (*doodkist*) ataúd *m*, féretro; **kisten** (*van doden*) poner en el ataúd || *ik laat me niet ~* a mí no me la van a dar
kit pegamento, masilla
kitsch I *zn* cursilería, kitsch *m*; II *bn* kitsch, cursi
kittig vivo, desenvuelto, vivaracho
kiwi kiwi *m*
k.k. *kosten koper* cargo comprador; *afk* c.c.
klaaglijk quejumbroso, plañidero
klaag|muur muro de las lamentaciones; **-schrift** querella; **-vrouw** plañidera; **-zang** lamentación *v*, elegía
klaar 1 (*helder*) claro; *klare taal* lenguaje *m* claro; *~ wakker* muy despierto, despierto como reo en capilla; *zo ~ als een klontje* claro como el agua; 2 (*gereed*) listo; (*af*) terminado; *~, af!* ¡listos! !ya!; *~ is Kees!* ¡ya está (hecho)!; *ik ben ~: a*) (*om*) estoy listo (para); *b*) (*ik heb het*

af) he terminado; *ik ben zo* ~ estoy terminando; *het is zo* ~ se hace en un instante; *alles staat* ~ todo está dispuesto; *ze waren* ~ *met ontbijten* habían terminado el desayuno; ~ *om te schieten* con las armas apercibidas; ~ *om te springen* pronto a saltar

klaarblijkelijk *bw* obviamente, evidentemente, por lo visto

klaarheid: *tot* ~ *brengen* aclarar

klaar|houden tener listo, tener preparado, tener a mano; **-komen** 1 terminar; 2 (*seks*) experimentar el orgasmo; (*pop*) tenerlo, venirle; **-krijgen** terminar; **-leggen** preparar, dejar preparado; **-licht**: *op* ~*e dag* en pleno día; **-liggen** estar preparado; **-maken** preparar, disponer; *het eten* ~ (*ook:*) hacer la comida; *iem voor een examen* ~ preparar a u.p. para un examen; *zich* ~ prepararse; *ik maak me vast klaar* me voy preparando; **-over** servicio de seguridad para cruzar la calle escolar; **-spelen**: *het* ~ (*om*) arreglárselas (para), apañárselas (para); **-staan** estar listo; ~ *om te helpen* estar dispuesto a prestar ayuda; *altijd voor iedereen* ~ estar siempre a la disposición de todos; **-stomen** preparar con clases intensivas; **-zetten** preparar

klaas: *een houten* ~ un pasmarote, un estafermo

klacht 1 queja; *uw* ~ *betreffende* ... su queja tocante a ...; *bij de minste* ~ *die ik over je krijg* a la menor queja que tenga de ti; 2 (*jur*) querella; *een* ~ *indienen* (*bij gerecht*) presentar una querella, interponer una querella; 3 (*handel*) reclamación *v*; **klachtenboek** libro de reclamaciones

klad 1 (*vlek*) mancha de tinta, borrón *m*; 2 (*ruwe versie*) borrador *m*; *het* ~ *en het net* el borrador y la copia en limpia; *iets in het* ~ *schrijven* escribir u.c. en borrador || *de* ~ *zit erin* ya no es como antes, la cosa está parada; *de* ~ *erin brengen* estropear, malmeter, echar a perder; *iem bij de* ~*den pakken* agarrar a u.p. por la solapa; **kladblok** borrador *m*

kladden 1 (*mbt kinderen*) borrajear, garrapatear; 2 (*mbt schilder*) pintarrajear; **kladderaar** garabatista *m*

klad|papier papel *m* (de) borrador; **-schilder** pintor *m* de brocha gorda, pintamonas *m*

klagen (*over*) quejarse (de); (*weeklagen*) lamentar, gemir *i*; *zijn nood bij iem* ~ confiar *i* sus penas a u.p.; *ik heb geen reden tot* ~ no tengo por qué quejarme; **klager** (*jur*) querellante *m*; **klagerig** quejoso, quejumbroso; (*zeurderig*) quejicoso

klakkeloos: ~ *overnemen: a*) (*overschrijven*) copiar *i* sin más; *b*) (*van mening*) adoptar a ojos cerrados

klakken chasquear

klam frío y húmedo

klamboe mosquitero

klamp abrazadera, grapa

klandizie clientela

klank sonido; *een mooie* ~ *hebben* sonar *ue* bien; *die naam heeft een bekende* ~ *voor mij* ese nombre me suena; *in de* ~ *van zijn stem* en el tono de su voz

klank|beeld retrato radiofónico; **-gat** (*viool*) ese *v*; **-kast** caja de resonancia; **-kleur** timbre *m*; **-leer** fonética; **-nabootsend** onomatopéyico; **-rijk** sonoro

klant cliente *m,v*; (*in winkel ook:*) parroquiano, -a

klanten|binding atracción *v* de clientes; **-kring** clientela, clientes *mmv* (habituales)

klap 1 golpe *m*; (*zacht:*) palmada; (*met zweep*) latigazo; ~ *in het gezicht* bofetada; *de eerste* ~ *is een daalder waard* el golpe primero da dos veces, acometer hace vencer; *de* ~ *op de vuurpijl* el coronamiento, la apoteosis, el gran finale; *ik begrijp er geen* ~ *van* no entiendo ni gorda; *hij voert geen* ~ *uit* no da golpe; *hij weet er geen* ~ *van* no lo sabe ni por el forro, no sabe ni jota; *in één* ~ de un golpe, de una vez; 2 (*tegenslag; fig*) golpe *m*, ducha de agua fría

klap|band pinchazo, reventón *m* (de un neumático); **-bankje** asiento abatible; **-deur** puerta de batiente; **-hek** verja de batiente

klaplopen vivir de gorra, gorronear; **klaploper** gorrón *m*, sablista *m*, parásito, aprovechado

klappen 1 (*mbt zweep*) restallar; *in de handen* ~ palmotear, batir palmas, aplaudir; *hij klapte hard in zijn handen* hizo sonar unas fuertes palmadas; 2 *in elkaar* ~: *a*) (*mbt persoon*) tener un colapso; *b*) (*mbt zaak*) hundirse, venirse abajo

1 klapper 1 (*map*) carpeta; 2 (*register*) registro, lista, índice *m*

2 klapper 1 (*voetzoeker*) buscapiés *m*; 2 (*hoogtepunt*) culminación *v*, apoteosis *v*, acabóse *m*, súmmum *m*, plato fuerte

klapperboom cocotero, coco

klapperen 1 tabletear; 2 (*mbt zeil*) flamear, restallar; 3 (*mbt deur*) dar golpes; 4 (*mbt tanden*) castañetear; *zie ook: klappertanden*

klapper|pistool pistola de juguete, pistola de fulminantes; **-tanden** dar diente con diente; *hij -tandde* le castañeteaban los dientes

klappertje (*speelgoed*) fulminante *m*

klap|roos amapola; **-stoel** silla plegable, silla de tijera; (*in theater*) asiento abatible; **-stuk** 1 (*vlees*) carne *v* de estofado; 2 *zie: klapper*; **-tafel** 1 (*tegen wand*) mesa abatible; 2 (*opvouwbaar*) mesa plegable; **-wieken** aletear; **-zoen** beso sonoro

klare: *oude* ~ ginebra

klaren: *het* ~ arreglárselas

klarinet clarinete *m*; **klarinettist**, **klarinettiste** clarinete *m,v*, clarinetista *m,v*

klaroen clarín *m*; **klaroenstoot** toque *m* de clarín

klas 1 (*niveau, op school*) clase *v*, grado, curso; 2 (*in trein*) clase *v*; *tweede* ~ *reizen* viajar en segunda; 3 (*lokaal*) (sala de) clase *v*; (*groot:*) aula

klas|genoot, **-genote** compañero, -a de clase; **-lokaal** sala de clase; (*groot:*) aula

klasse 1 *zie: klas*; 2 (*kwaliteit*) categoría; *van grote* ~ de gran categoría, de primer orden; 3 (*soc*) clase *v* (social)

klasse|bewustzijn conciencia de clase; **-boek** diario de clase; **-geest** espíritu *m* de clase; **-justitie** justicia clasista; **-leraar**, **-lerares** tutor, -ora

klassement calificación *v*, clasificación *v*, puntuación *v*

klassenstrijd lucha de clases

klasseren clasificar; **klassering** clasificación *v*

klasse|tegenstellingen divisiones *vmv* de clase; **-vertegenwoordiger**, **-vertegenwoordigster** delegado, -a de curso

klassiek clásico; *~e muziek* música clásica

klassikaal: ~ *onderwijs* enseñanza en clase

klateren murmurar

klatergoud oropel *m*

klauteraar, **klauteraarster** trepador, -ora; **klauteren** (*op*) trepar (a), encaramarse (a, en)

klauw garra; (*van roofdier ook:*) zarpa; *klap met* ~ zarpazo; *in iems ~en vallen* caer entre las garras de u.p.; **klauwhamer** martillo de uña

klavecimbel clavicémbalo

klaver trébol *m*; **klaverblad** 1 hoja de trébol; 2 (*verkeer*) cruce *m* en trébol; **klaveren** (*kaartsp*) trébol *m*; (*Sp kaartsp*) bastos *mmv*; **klavertjevier** trébol *m* de cuatro hojas

klavier 1 (*toetsenbord*) teclado; 2 (*piano*) piano

kleden vestir *i*; *zich* ~ vestirse *i*; *zich goed* ~ vestir bien; *zich slecht* ~ vestir mal; *zich warm* ~ abrigarse (bien), ponerse ropa de (mucho) abrigo; *zich* ~ *in* vestir de; *hij is altijd in het zwart gekleed* siempre viste de negro; **klederdracht** traje *m* regional; **kledij** indumentaria, vestimenta, atuendo, ropas *vmv*

kleding ropa, vestido; (*bovenkleding*) vestidos *mmv*; (*tenue, sp*) atuendo; ~ *en schoeisel* el vestido y el calzado; *gedragen* ~ ropa usada; *gepaste* ~ vestimenta adecuada; *ongewone* ~ *zie: kledij; zie ook: kleren*

kleding|hoes funda para ropa; **-stang** barra de colgar; **-stuk** prenda de vestir

kleed 1 (*op vloer*) alfombra; 2 (*op tafel*) tapete *m*; (*tafellaken*) mantel *m*; 3 (*aan wand*) tapiz *m*; 4 (*jurk*) vestido; *zie ook: kleren*

kleedhokje cabina, caseta

kleedje 1 (*op vloer*) alfombrilla; 2 (*op tafel*) carpetita

kleedkamer 1 cuarto de vestir, vestidor *m*; 2 (*sp*) vestuario, cabina; 3 (*theat*) camarín *m*, camerino

kleef|band cinta adhesiva, cinta engomada; **-kracht** poder *m* adhesivo, poder *m* adherente; **-middel** adhesivo; **-pleister** esparadrapo, parche *m*, emplasto; **-stof** gluten *m*

kleer|borstel cepillo (para ropa); **-hanger** percha; **-kast** ropero; **-maker** sastre *m*

kleermakers|firma sastrería, taller *m* de sastre; **-zit**: *in* ~ sentado a lo sastre; *in* ~ *gaan zitten* ponerse a lo sastre

kleerscheuren: *er zonder* ~ *van afkomen* salir bien parado de una empresa ruinosa

klef 1 (*mbt brood*) mal cocido, pastoso; 2 (*plakkerig; fig*) pegajoso

klei arcilla; *uit de* ~ *getrokken figuur* patán *m*, rústico; **kleiachtig** arcilloso; **kleien** modelar arcilla

klei|grond tierra arcillosa; **-laag** capa arcillosa

klein 1 pequeño, diminuto; (*mbt postuur*) pequeño, bajo, bajito; (*mbt aantal*) reducido; *heel* ~ muy pequeñito, chiquito, chiquitito; *de ~e* (*baby*) la criatura; *een* ~ *beetje* un poquito; *een heel* ~ *beetje* muy poquito; *~e boeren* modestos labradores *mmv*; ~ *Duimpje* Pulgarcito; *~e letter* minúscula; *een ~e 40 procent* un 40 por 100 escaso; *een ~e vergissing* un pequeño error; *een ~e 3 weken* unas 3 semanas escasas; *~e winkelier* pequeño comerciante; ~ *beginnen* comenzar *ie* con (casi) nada, empezar *ie* por poco; ~ *schrijven* escribir con letra menuda; *zich* ~ *voelen* sentirse *ie, i* pequeño, sentirse *ie, i* poca cosa; *toen ik* ~ *was* de pequeño, cuando pequeño; *in het* ~ *verkopen* vender al por menor; *met ~e stappen* a pasos cortos; *over een ~e twee weken* en menos de quince días; *deze schoenen zijn me te* ~ estos zapatos me están cortos; *van* ~ *af* desde pequeño; *~er maken* hacer más pequeño, empequeñecer, achicar; *~er worden* hacerse más pequeño, empequeñecer(se); *de ~ste details* los detalles más pequeños; *tot in de ~ste details* en sumo detalle; 2 (*kleingeestig*) mezquino

Klein-Azië Asia Menor

klein|bedrijf pequeña empresa, pequeño comercio; **-beeldcamera** cámara fotográfica de imagen reducida; **-burgerlijk** pequeñoburgués *-esa*; (*fam*) hortera; **-dochter** nieta

kleine *zn* nene *m*, nena, pequeño, -a, criatura; **kleineren** denigrar, empequeñecer, achicar, tratar con menosprecio

kleingeestig mezquino; (*mbt persoon ook:*) estrecho de miras, estrecho de espíritu; **kleingeestigheid** mezquindad *v*

kleingeld (dinero) suelto, cambio

klein|handel comercio al por menor; **-handelaar** detallista *m*; **-handelsprijs** precio minorista

kleinhartig (*bangig*) apocado, pusilánime

kleinheid pequeñez *v*; **kleinigheid** nadería, nimiedad *v*, bagatela, friolera, insignificancia; *dat is geen* ~ no es para menos, no es ninguna bicoca; *hij verdient een* ~ gana una miseria; *om zo'n* ~ por tan poca cosa, por una tontería así

klein|kind nieto, -a; **-krijgen**: *iem* ~ (*fig*) meter en cintura a u.p.; (*fam*) bajar los humos a u.p.; **-kunst** artes *vmv* menores; (*theat*) género chico; **-maken** 1 (*in stukjes*) desmenuzar; 2 (*fig*) achicar, empequeñecer

kleinood joya, alhaja
kleinschalig en pequeña escala
kleinsteeds provinciano, de provincias
kleintje (*kind*) nene *m*, nena, niño, -a, pequeñito, -a, pequeñuelo, -a; *de ~s* los peques, los pequeños; *een ~ cognac* una copita de coñac; *veel ~s maken één grote* muchos pocos hacen un mucho; *op de ~s passen* (*fig*) gastar poco, mirar cada peseta; *voor geen ~ vervaard zijn* no andarse con chiquitas
kleinvee ganado menor
kleinwinkelbedrijf pequeño comercio
kleinzerig sensible al dolor, delicado, hipersensible
kleinzielig *zie: kleingeestig*
kleinzoon nieto
klem I *zn* 1 (*val*) trampa; *in de ~ zitten* estar en un aprieto, estar en un atolladero; 2 (*techn*) grapa, presilla, abrazadera; 3 (*elektr*) borne *m*, terminal *m*, clavija || *met ~* con insistencia, encarecidamente, con énfasis; II *bn*: *~ raken* atascarse, agarrotarse; *~ rijden* arrinconar
klembout perno de ajuste; **klemmen** I *tr* 1 (*techn*) acuñar, enclavar, sujetar en; 2 (*van vingers*) pillar; *hij klemde zijn vingers tussen de deur* se pilló los dedos en la puerta; 3 (*drukken*) apretar *ie*; *aan het hart ~* estrechar contra el pecho; *de tanden op elkaar ~* apretar los dientes; 4 *zich ~* crisparse; *zijn vingers ~ zich om de leuning* sus dedos se crispan en el respaldo; II *intr* (*vastraken*) atascarse, agarrotarse; (*mbt deur*) atrancarse, encajar mal; **klemmend** I *bn* 1 (*mbt betoog*) insistente, enfático, apremiante; 2 (*mbt probleem*) acuciante; II *bw zie: (met) klem*
klem|tang tenazas *vmv* de garras
klemtoon acento (tónico), acentuación *v*; *de ~ leggen op* acentuar *ú*; *de ~ valt op de tweede lettergreep* el acento carga en la segunda sílaba; **klemtoonteken** acento (ortográfico)
klep 1 (*techn*) válvula, tapa; 2 (*muz, van trompet*) llave *v*, pistón *m*; 3 (*van pet*) visera; 4 (*van envelop, tas*) solapa, tapa; 5 (*voorklep van auto*) capó *m*; (*achterklep van auto*) tapa (del maletero); 6 (*in schoorsteen, kachel, trekonderbreker*) regulador *m* de tiro
klepel badajo
kleppen 1 (*mbt klok*) repicar, tocar; 2 (*praten*) charlar, charlotear, estar habla que te habla; *zie ook: klepperen*
klepper palillo, crótalo, castañuela; **klepperen** 1 golpear, traquetear, chacolotear; 2 (*van hoeven*) chacolotear; 3 (*mbt ooievaar, castagnetten*) castañetear
kleptomaan, **kleptomane** cleptómano, -a
kleren ropa; (*bovenkleding*) vestidos *mmv*; *dunne ~* ropa de poco abrigo; *warme ~* ropa de mucho abrigo; *de ~ maken de man* el hábito hace al monje; *dat raakt zijn koude ~ niet* le deja frío, no le da frío ni calor, no hace mella; *goed in de ~ zitten* (*fam*) estar bien trajeado; *dat gaat je niet in de koude ~ zitten* esas cosas te llegan al alma; *met ~ en al* vestido y todo
klerk escribiente *m,v*
klets 1 golpe *m*; (*in gezicht*) bofetada; 2 (*kletspraat*) tonterías *vmv*; **kletsen** 1 (*geluid*) restallar, chascar, chasquear; (*op het water*) chapotear; 2 (*praten*) charlar, parlotear, platicar; (*roddelen*) cotillear, chismosear; (*onzin praten*) decir tonterías, decir bobadas
klets|kous, **-majoor** parlanchín, -ina, hablador, -ora, charlador, -ora; **-nat** empapado, mojado hasta los huesos; *~ maken* empapar; *~ zijn* estar chorreando, estar empapado; **-praatje** habladuría, pamplina
kletteren 1 sonar *ue*; (*botsend:*) chocar, golpear; 2 (*mbt regen*) caer con estrépito; *~ tegen* azotar, golpear
kleumen tener frío; (*bibberen*) tiritar
kleur 1 color *m*; (*tint*) tono; *complementaire ~* color complementario; *fletse ~* color pálido; *gebroken ~* color quebrado; *heldere ~* color alegre, color vivo; *lichte ~* color claro; *primaire ~* color primario, color fundamental; *ze kreeg een ~* le salieron los colores a la cara, se ruborizó, se sonrojó; *in felle ~en* en tonos estridentes; *van ~ veranderen* (*pol*) cambiar de chaqueta, cambiar de camisa; *van ~ verschieten* cambiar de color; 2 (*klankkleur*) timbre *m*, tono; 3 (*in kaartsp*) palo; *~ bekennen: a*) servir *i* del mismo palo, seguir *i* el palo; *b*) (*fig*) quitarse la máscara, poner las cartas boca arriba
kleur|boek libro para colorear; **-doos** caja de pinturas; **-echt** (de color) firme, (de color) sólido, (de color) resistente, que no se destiñe
kleuren I *tr* colorear, colorar; (*van foto*) virar; *gekleurde informatie* información *v* tendenciosa; II *intr* 1 colorear; *de tomaten ~ al* los tomates ya colorean; 2 (*blozen*) ponerse colorado; *zie ook: kleur*; 3 *~ bij* ir bien con, armonizar con, combinarse con
kleuren|blind daltoniano; **-dia** diapositiva en color; **-druk** impresión *v* en colores; **-film** película en color; **-foto** fotografía en color; **-gamma** gama de colores; **-pracht** colorido (espléndido); **-spectrum** espectro de colores; **-televisie** 1 televisión *v* en color; 2 (*apparaat*) televisor *m* color
kleurfilter filtro cromático, filtro de color
kleurgevoel sentido del color; **kleurgevoelig** 1 (*mbt persoon*) sensible al color; 2 (*mbt film*) ortocromático
kleurhoudend de color sólido
kleurig de tonos vivos, llamativo, vistoso
kleurkrijt tiza de colores
kleurling persona de color; *~en* gente *v* de color
kleurloos incoloro
kleur|rijk de brillante colorido, vistoso; **-schakering** tonalidad *v* (de color), matiz *m* (de color); **-shampoo** champú *m* colorante; **-spoeling** reflejo; **-stof** colorante *m*; **-vast** de color resistente; *zie ook: kleurecht*
kleuter párvulo
kleuter|klas *zie: kleuterschool*; **-leidster**

(*vglbaar:*) profesora de enseñanza preescolar, maestra de párvulos; **-onderwijs** (*vglbaar:*) enseñanza preescolar; **-school** escuela de párvulos, parvulario
kleven pegar; **kleverig** pegajoso; (*mbt persoon ook:*) empalagoso, sobón *-ona*
kliederen ensuciarlo todo; *zie ook: klodderen*
kliek 1 (*groep*) pandilla; 2 (*pol*) camarilla; 3 (*eten*) restos *mmv* de comida, sobras *vmv*
klier 1 (*med*) glándula; 2 (*persoon*) (tipo) asqueroso; **klieren** fastidiar
klieven hender *ie*
klif acantilado
klikken 1 chivarse; ~ *bij de meester* chivarse con el profesor; 2 *het klikt tussen hen* se llevan bien, congenian (muy bien), van de maravilla;
klikspaan chivato
klim subida; *het is een hele* ~ es una fatigosa subida
klimaat clima *m*; *gematigd* ~ clima templado; *streken met een hard* ~ zonas inclementes; **klimatiseren** climatizar; **klimatologisch** climatológico
klimijzer trepador *m*, garfio para trepar
klimmen subir; (*klauteren*) trepar; (*sp*) escalar; ~ *op* subirse a, sobre, encaramarse a, sobre; *bij het* ~ *der jaren* con el correr de los años; *in een boom* ~ subirse a un árbol, trepar a un árbol; *over een muur* ~ escalar un muro;
klimmer escalador *m*; (*alpinist ook:*) alpinista *m*, montañero
klimop hiedra
klim|paal cucaña; **-plant** enredadera, planta trepadora; **-rek** aparato para trepar
klimster escaladora; (*alpiniste ook:*) alpinista, montañera
klimtouw cuerda de trepar
kling: *over de* ~ *jagen* pasar a cuchillo
klingelen tintinear
kliniek clínica
klink picaporte *m*, aldaba
klinken I *intr* 1 sonar *ue*; *dat klinkt goed* suena bien; *het klinkt mij vreemd in de oren* (*het verrast mij*) me coge de nuevas; *er klonk een schot* sonó un tiro; 2 (*bij drinken*) chocar los vasos; ~ *op* brindar por; II *tr* (*techn*) remachar; **klinkend** sonoro; ~*e munt* dinero contante, efectivo; **klinker** 1 vocal *v*; 2 (*steen*) ladrillo
klink|hamer (martillo) remachador *m*; **-klaar** puro; **-nagel** remache *m*
klip roca, escollo; ~*pen* acantilado; *tegen de* ~*pen op* a más no poder; *tussen de* ~*pen door zeilen* evitar los escollos
klipper clíper *m*
klit 1 (*in haar*) nudo; 2 (*plantk*) lampazo; **klitten**: *aan iem* ~ pegarse a u.p. (como una lapa), seguir *i* a u.p. como la sombra al cuerpo
klodder 1 (*inkt*) borrón *m*, mancha; 2 (*verf*) mancha, toque *m*; 3 (*klontje*) grumo; **klodderen** embadurnar; *met verf op de muur* ~ embadurnar la pared con pintura
1 kloek *zn* gallina
2 kloek *bn* bravo, valiente
kloekmoedig *zie: 2 kloek*
klok 1 reloj *m*; *kunnen* ~ *kijken* conocer la hora; *met de* ~ *mee* a la derecha; *op de* ~ *af* en punto; *tegen de* ~ *in* a la izquierda; *hij is een man van de* ~ es muy puntual; 2 (*bel, stolp*) campana; *hij heeft de* ~ *horen luiden maar weet niet waar de klepel hangt* ha oído campanas y no sabe dónde; *iets aan de grote* ~ *hangen* publicar u.c. a los cuatro vientos, echar las campanas al vuelo; **klokgelui** toque *m* de campanas, campanadas *vmv*, repiqueteo; **klokhuis** corazón *m*; **klokje** (*bloem*) campanilla; **klokken** 1 (*mbt kip*) cloquear; 2 (*met prikklok*) fichar; ~ *bij aankomst* fichar la entrada; 3 (*sp*) medir *i* el tiempo; 4 (*mbt vloeistof*) borbotar; **klokkenspel** carillón *m*; **klokketoren** campanario; **klokslag**: ~ *twaalf* al dar las doce, a las doce en punto
klomp 1 (*brok*) pedazo; ~*je goud* pepita de oro; 2 (*schoeisel*) zueco; *nou breekt mijn* ~! ¡es el colmo!
klont 1 (*in pap, verf*) grumo; 2 (*aarde*) terrón *m*; **klonteren** formar grumos; **klonterig** grumoso; **klontje** (*suiker*) terrón *m* (de azúcar); *zie ook: klont* || *klaar als een* ~ claro como el agua
kloof 1 (*in terrein*) quebrada, hendidura, garganta; 2 (*in huid*) grieta; 3 (*fig*) abismo; *de* ~ *overbruggen* tender *ie* un puente
kloon clono
klooster convento, monasterio; *in een* ~ *gaan: a)* (*mbt vrouw*) meterse monja, tomar el velo; *b)* (*mbt man*) meterse fraile, tomar el hábito
klooster|cel celda de un convento; **-gang** claustro; **-gelofte** voto de religioso, profesión *v* religiosa; **-leven** vida monástica, vida conventual
kloosterling religioso, monje *m*, fraile *m*; **kloosterlinge** religiosa, monja
klooster|orde orden *v* religiosa; **-overste** (*vrouw*) (madre *v*) superiora, priora; (*man*) (padre *m*) superior *m*, prior *m*; **-regel** regla (monástica); **-school** colegio religioso; **-zuster** religiosa, monja
kloot 1 bola; 2 (*teelbal*) testículo; *kloten* cojones *mmv*, huevos *mmv*; **klootzak** cabrón *m*, mierda, hijo de puta
klop 1 (*op deur*) llamada; 2 (*van hart*) latido, palpitación *v* || ~ *geven* dar una paliza, pegar una tunda; **klopboor** barrena, taladro (para piedra dura); **klopjacht** batida; (*fig ook:*) redada; **kloppen** I *intr* 1 (*op deur*) llamar; *er wordt geklopt* llaman a la puerta; *binnen zonder* ~ entren sin llamar; 2 (*op tafel*) dar golpes, golpear; 3 (*op schouder*) dar palmadas; 4 (*mbt hart*) latir, palpitar; *snel* ~ latir con fuerza; *dit deed zijn hart sneller* ~ hizo acelerarse los latidos de su corazón; 5 (*mbt motor*) golpear, cojear; 6 ~ (*met*) ser conforme (a), estar de acuerdo (con), cuadrar (con);

de rekening klopt la cuenta sale, la cuenta cuadra; *dit verhaal klopt niet met de werkelijkheid* esta historia no está de acuerdo con la realidad; *de verhalen ~ niet met elkaar* las historias malcasan unas con otras; II *tr* 1 (*van kleden*) sacudir; 2 (*van eieren*) batir; *stijf ~* (*van eiwit*) montar a punto de nieve; *geklopte room* nata montada || *iem geld uit de zak ~* sacarle dinero a u.p.; **klopper** 1 (*deurklopper*) aldaba; 2 (*huish*) batidor *m*

klos 1 carrete *m*, bobina; 2 (*stuk hout*) taco (de madera) || *hij is de ~* se lleva la peor parte, está aviado

klotsen (*mbt golven*) moverse *ue*, romperse; *~ tegen* estrellarse contra

kloven hender *ie*; (*van hout, diamant*) partir

klucht farsa; **kluchtig** cómico, gracioso

kluif hueso con carne (para descarnar); *dat is een hele ~* es bocado duro, vaya tostón

kluis 1 ermita, celda; 2 (*ruimte in bank*) cámara acorazada; (*kast*) caja de caudales, caja fuerte; **kluisgat** escobén *m*

kluisteren encadenar; *aan zijn bed gekluisterd* postrado en cama

kluit pedazo, terrón *m*; *iem met een ~je in het riet sturen* entretener a u.p. con promesas vagas; *allemaal op een ~je* todos arracimados; *flink uit de ~en gewassen* robusto, fornido

kluiven roer; *~ aan een bot* roer un hueso

kluizenaar ermitaño, eremita *m*, anacoreta *m*

klungel chapucero, -a; **klungelen** 1 (*prutsen*) chapucear; 2 (*rondhangen*) holgazanear, tontear

klus: *het is een hele ~* no es ninguna bicoca, es una faena; **klusje** (*bijverdienste*) chapuza; (*in huis*) trabajito, pequeño arreglo

kluts: *de ~ kwijtraken* aturdirse, confundirse, perder *ie* la cabeza; *ik ben helemaal de ~ kwijt* no sé donde tengo la cabeza; **klutsen** batir

kluwen ovillo

knaagdier roedor *m*

knaap chico, chaval *m*, muchacho, mozo, rapaz *m*; *dat is een ~* ¡vaya ejemplar!

knabbelen mordisquear, ronchar, ronzar; *aan een koekje ~* mordisquear una galleta

knagen roer; *aan iets ~* roer u.c.; *het knaagt aan zijn geweten* le roe la conciencia

knak 1 (*bijna breuk*) quebradura; 2 (*geluid*) chasquido; *~!* ¡crac!; **knakken** quebrar, romperse con un chasquido; *de gezondheid ~* minar la salud; **knakworst** salchicha (de francfurt)

knal 1 estampido, detonación *v*, estallido, explosión *v*; 2 (*van kurk*) taponazo; 3 (*van band*) reventón *m*

knal|demper *zie: knalpot*; **-effect** efecto explosivo; **-geel** amarillo chillón

knallen 1 estallar; (*mbt geweer ook:*) detonar; 2 (*mbt motor*) petardear; **knaller** (*prijsstunt*) bombazo; **knalpot** silenciador *m*

knap I *bn* 1 (*van uiterlijk*) guapo, de buen ver, apuesto; 2 (*bekwaam*) listo, inteligente; *hij is daar heel ~ in* se le da muy bien; II *bw* bien; *dat heb je ~ gedaan* lo has hecho muy bien; *hij werd ~ vervelend* se puso muy pesado

knappen 1 (*geluid*) chasquear; 2 (*breken*) romperse con un chasquido, quebrarse; **knappend** 1 (*mbt vuur*) crepitante; 2 (*mbt koek*) curruscante; 3 (*mbt tak*) crujiente; **knapperig** *zie: knappend*

knapzak morral *m*, mochila

knar: *ouwe ~: a*) (*mbt persoon*) carcamal *m*, vejestorio; *b*) (*mbt auto*) un cacharro de auto

knarsen chirriar; *suiker knarst tussen de tanden* el azúcar cruje entre los dientes; **knarsetanden** rechinar los dientes; *hij -tandde* le rechinaban los dientes

knauw mordedura; *hij heeft een lelijke ~ gekregen* le ha afectado seriamente; *zijn gezondheid heeft een ~ gekregen* se le ha quebrantado la salud; **knauwen** 1 (*bijten*) mordisquear, roer, morder *ue*; 2 (*schaden*) afectar, quebrantar

knecht 1 (*bediende*) criado; 2 (*op boerderij*) gañán *m*

kneden 1 amasar, macerar; 2 (*fig*) moldear; **kneedbaar** plástico, pastoso; **kneedbom** bomba plástica

kneep 1 pellizco; 2 (*fig*) truco, maña; *de ~ kennen* conocer el truco; *daar zit 'm de ~* ahí está el toque

knel: *in de ~ zitten* estar en un aprieto; **knellen** apretar *ie*; *zijn vinger ~* cogerse el dedo; **knellend** opresivo; **knelpunt** punto nodal, cuello de botella

knetteren 1 chascar, chasquear; 2 (*mbt motor*) petardear; **knettergek** chiflado

kneuzen 1 (*van vinger, fruit*) magullar; 2 (*med*) contusionar; **kneuzing** contusión *v*; *~en oplopen* sufrir contusiones

knevel 1 (*snor*) bigotes *mmv*; 2 (*mondprop*) mordaza; **knevelen** 1 (*met prop*) amordazar; 2 (*binden*) atar; 3 (*onderdrukken*) tiranizar, oprimir

knibbelaar, knibbelaarster regateador, -ora; **knibbelen** regatear

knie rodilla; *de ~ën buigen* (*knielen*) hincar las rodillas, hincarse de rodillas; *door de ~ën gaan* ceder, pasar por el aro; *iets onder de ~ hebben* dominar u.c.; *op de ~ën* de rodillas; *op de ~ën dwingen* hacer doblar la rodilla; *op de ~ën vallen* doblar la rodilla, hincar la rodilla; *over de ~ leggen* zurrar la badana

knie|beschermer rodillera; **-broek** nickerbocker *m*, bombachos *mmv*, pantalón *m* a la rodilla; **-buiging** flexión *v* de rodillas; *~en maken* doblar y estirar las piernas; **-gewricht** articulación *v* de la rodilla; **-holte** corva; **-kous** media corta; **-laars** bota hasta la rodilla

knielen arrodillarse; *geknield* arrodillado, de rodillas

knie|reflex reflejo rotuliano; **-schijf** rótula

kniesoor gruñón, -ona, vinagre *m*; *een ~ die daar op let* no hay que buscar pelos al huevo

knieval (*in dans*) rodillazo; *een ~ doen voor iem* caer de rodillas ante u.p.

kniezen: *zitten* ~ estar enfurruñado
knijpen pellizcar, dar un pellizco
knijper pinza
knik 1 (*met hoofd*) inclinación *v* de la cabeza; 2 (*in weg, buis*) recodo; **knikje** (*groet*) saludo con la cabeza; **knikken** 1 (*met hoofd*) mover *ue* la cabeza; *ja* ~ asentir *ie, i* con la cabeza, mover *ue* la cabeza afirmativamente; *nee* ~ negar *ie* con la cabeza; 2 (*mbt knieën*) doblarse, flaquear; *zijn knieën* ~ se le doblan las rodillas, le flaquean las piernas
knikker canica; *niet om de ~s maar om het spel* no es por el huevo sino por el fuero; **knikkeren** jugar *ue* al gua, jugar *ue* a las canicas; *iem eruit* ~ echar a u.p.
knip 1 (*met schaar*) corte *m*, tijeretazo; 2 (*van deur*) pestillo; 3 (*van tas*) cierre *m*; 4 (*portemonnee*) portamonedas *m* || *geen ~ voor zijn neus waard zijn* no valer un pito
knip|kaart billete *m* para varios viajes; **-mes** navaja de muelle
knipogen guiñar el ojo; **knipoogje** guiño; *iem een ~ geven* hacer un guiño a u.p.
knippatroon patrón *m*
knippen I *tr* 1 cortar; *je moet je haar eens laten* ~ necesitas un corte de pelo; *heel kort geknipt* cortado al rape; 2 (*van kaartjes*) taladrar, punzar; II *intr* (*mbt ogen*) parpadear, pestañear; *met de vingers* ~ castañetear los dedos, chasquear los dedos, (*in dans*) dar pitos || *die baan is geknipt voor hem* es un empleo a su medida
knipperen 1 (*met ogen*) parpadear, guiñar; *met zijn ogen ~: a*) (*lett*) guiñar los ojos; *b*) (*fig*) no dar crédito a sus ojos, extrañarse mucho; 2 (*met lampen*) hacer señales luminosas; **knipperlicht** 1 luz *v* intermitente; 2 *~en* (*noodverlichting, van auto*) luces *vmv* de parada de emergencia
knipsel recorte *m*
knobbel 1 (*zwelling*) hinchazón *v*, nudo, bulto; 2 (*talent*) talento, dotes *vmv*; **knobbelig** nudoso; **knobbeltje** nódulo
knoei: *in de ~ zitten* estar metido en un lío; **knoeiboel** porquería; **knoeien** 1 (*slordig werken*) chapucear; 2 ~ *op* (*morsen*) ensuciar; *je knoeit vreselijk* lo ensucias todo; *zij knoeit op haar bloes* se ensucia la blusa; 3 ~ *aan* manipular; ~ *aan de motor* manipular en el motor; 4 ~ *in* (*bedriegen*) embrollar, enredar, embarullar; ~ *in de rekeningen* embrollar las cuentas; 5 ~ *met* (*levensmiddelen*) adulterar, alterar; **knoeier** 1 (*morsig*) sucio; 2 (*slordig*) chapucero, farfullero; 3 (*onbetrouwbaar*) tramposo, estafador *m*; **knoeierij** 1 (*viezigheid*) porquería; 2 (*intriges*) intrigas *vmv*, chanchullos *mmv*, manejos *mmv*; (*met geld ook:*) malversaciones *vmv*; **knoeipot** *zie: knoeier*; **knoeiwerk** chapucería, chapuza
knoest nudo; **knoestig** nudoso
knoflook ajo; **knoflookpers** exprimeajos *m*
knokkel 1 (*in vinger*) nudillo; 2 (*aan voet*) juanete *m*
knokken pelearse; **knokploeg** cuadrilla de provocadores
knol 1 tubérculo; *~len voor citroenen verkopen* dar gato por liebre; 2 (*paard*) jamelgo, rocín *m*; 3 (*gat in sok*) (*fam*) tomate *m*; **knolgewas** planta tuberosa
knoop 1 (*aan jas*) botón *m*; 2 (*in touw*) nudo; *gordiaanse* ~ nudo gordiano; *de ~ doorhakken* cortar por lo sano; *een ~ leggen* hacer un nudo; *een ~ losmaken* deshacer un nudo; *in de ~ maken* enmarañar, enredar; *in de ~ zitten: a*) (*mbt haar, zaak*) estar enredado, estar enmarañado; *b*) (*mbt persoon*) estar en un lío, estar en un apuro; *uit de ~ halen* desenredar; **knooppunt** nudo; (*van treinen ook:*) empalme *m*; **knoopsgat** ojal *m*
knop 1 (*drukknop*) botón *m*; (*elektr ook:*) interruptor *m*, llave *v*; *op de ~ drukken* apretar *ie* el botón; 2 (*aan deur*) pomo; 3 (*van stok*) empuñadura; 4 (*van bloem*) botón *m*, capullo
knopen 1 (*met touw*) anudar, atar; 2 (*dichtknopen*) abotonar
knorren 1 gruñir; (*mopperen ook:*) refunfuñar; 2 (*mbt maag*) hacer ruidos; **knorrepot** gruñón, -ona; **knorrig** gruñón *-ona*
knot 1 (*wol*) madeja; 2 (*haar*) moño
knots I *zn* maza, garrote *m*; II *bn* chiflado, loco
know-how conocimientos *mmv* (técnicos), tecnologías *vmv*, pericia
knuffelen abrazar, hacer mimos
knuist puño
knul chaval *m*, joven *m*; **knullig** torpe
knuppel 1 porra, garrote *m*; *de ~ in het hoenderhok gooien* levantar la liebre; 2 (*in vliegtuig*) palanca
knus confortable, acogedor *-ora*
knutselaar aficionado a hacer cosas en la casa, manitas *m*; **knutselen** I *ww* (*doe-het-zelf*) hacer cosas de casa por afición; II *zn* bricolaje *m*
kobalt cobalto; **kobaltblauw** azul *m* de cobalto
koddig cómico
koe vaca; *een waarheid als een ~* una verdad como un templo; *je moet geen oude koeien uit de sloot halen* no hay que sacar antiguallas; *je weet nooit hoe een ~ een haas vangt* donde menos se piensa salta la liebre, no se sabe nunca; **koehandel** regateo
koeievlaai (*poep*) boñiga de vaca
koeioneren amargar la vida; (*fam*) jorobar
koek bizcocho, pastel *m*; *het gaat er bij hen in als ~* se lo creen a pies juntillas; *alles is ~ en ei tussen hen* entre ellos pan y cebolla, son uña y carne; *dat is andere ~* es harina de otro costal; *oude ~* (*fig*) agua pasada; *voor zoete ~ aannemen* creérselo todo, tragárselo todo; *het is voor hem gesneden ~* para él es cosa de coser y cantar; **koeken** apelmazarse, coagularse; **koekepan** sartén *v*; **koekje** (*biscuit*) galleta; (*van banketbakker*) pasta
koekoek cuco, cuclillo; *dat haal je de ~!* ¡eso es

de cajón!; **koekoeksklok** reloj *m* de cuco, reloj *m* de cuclillo
koel fresco; ~ *bewaren* almacenar en sitio fresco; *het is ~er geworden* ha refrescado; *het hoofd ~ houden* conservar la mente despejada; *in ~en bloede* en sangre fría
koelbloedig I *bn* sereno, flemático; II *bw* a sangre fría; **koelbloedigheid** serenidad *v*, calma, presencia de ánimo
koel|box nevera; **-cel** cámara frigorífica
koelen 1 (*verkoelen*) enfriar *í*, refrescar; 2 (*in ijskast*) refrigerar; *~d vermogen* capacidad *v* refrigerante || *zijn woede ~ op* descargar su furia en; **koelheid** frescor *m*, frescura; (*fig*) frialdad *v*
koel|huis almacén *m* refrigerador; **-installatie** planta frigorífica; **-kast** frigorífico, nevera, refrigerador *m*; **-tas** bolsa nevera
koelte frescor *m*; **koeltjes** fríamente
koel|wagen camión *m* frigorífico; **-water** agua del radiador
koemest estiércol *m* de vaca
koepel cúpula
koeren arrullar
koerier correo, mensajero; *als ~ fungeren* actuar *ú* como correo
koers 1 (*van schip*) rumbo; *een nieuwe ~ inslaan* tomar otro rumbo; *~ zetten naar* poner rumbo a, poner proa a; *uit de ~ raken* perder *ie* el rumbo; 2 (*van effecten*) cotización *v*; 3 (*wisselkoers*) cambio; *tegen de ~ van* al cambio de
koers|daling baja; **-schommeling** fluctuación *v*; **-stijging** alza; **-verandering** cambio de rumbo
koeskoes alcuzcuz *m*
koest: *~!* ¡quieto!; *hou je ~!* ¡estate quieto!
koesteren (*goed verzorgen*) cuidar (con esmero); (*fig, van gevoelens*) abrigar, acariciar, alimentar
koetje vaquita; *over ~s en kalfjes praten* charlar un poco de todo, hablar del tiempo
koets coche *m*, carruaje *m*; **koetsier** cochero; **koetswerk** carrocería
koevoet palanca, pie *m* de cabra
koffer maleta; *grote ~* baúl *m*; *de ~s pakken* hacer las maletas; *de ~s uitpakken* deshacer las maletas 1 (*van auto*) maletero, maleta; 2 (*van schrijfmachine*) estuche *m*
koffer|ruimte maletero, maleta; **-schrijfmachine** máquina de escribir portátil
koffertje maletín *m*
koffie café *m*; *zwarte ~* café solo; *~ zetten* hacer café; *dat is geen zuivere ~* hay gato encerrado
koffie|automaat cafetera automática; **-boon** grano de café; **-dik** poso de café; **-filter** filtro de café; **-kopje** taza para café; **-maaltijd** almuerzo (frío); **-melk** (*Ned*) leche *v* muy cremosa para el café; **-molen** molinillo de café; **-plantage** plantación *v* de café, cafetal *m*; **-pot** cafetera; **-room** nata sin montar, crema; **-servies** servicio de café; *~ voor zes personen* juego café seis servicios; **-zetapparaat** cafetera (eléctrica)
kogel bala; *de ~ is door de kerk* ya es cosa hecha
kogel|gewricht articulación *v* esférica; **-lager** cojinete *m* de bolas, rodamiento de bolas; **-stoten** *zn* lanzamiento de peso; **-vrij** a prueba de balas; **-wond** herida de bala
kok cocinero
koken I *tr* cocer *ue*, guisar; (*van water*) hervir *ie, i*; II *intr* 1 (*eten bereiden*) guisar, hacer la comida, cocinar; *~ op gas* cocinar con gas; *ze kan niet ~* no sabe guisar; 2 (*mbt water*) hervir *ie, i*, bullir; *~ van woede* hervir de cólera; **kokend** (*heet*) hirviendo, hirviente
koker 1 (*buis*) tubo, cilindro; 2 (*etui*) estuche *m*; (*van karton*) canuto || *dat idee komt uit zijn ~* esa idea proviene de él, es una idea de su cosecha; **kokerrok** falda tubular
koket coqueto; **koketteren** coquetear
kokhalzen sentir *ie, i* bascas; *hij kokhalst* le da una arcada
kokkin cocinera
kokos coco
kokos|boom cocotero; **-mat** estera de fibra de coco; **-melk** leche *v* de coco; **-olie** aceite *m* de coco; **-palm** cocotero; **-vezel** fibra de coco
koks|maat pinche *m* de cocina; **-muts** gorro de cocinero
kolchoz koljoz *m*
kolder tonterías *vmv*, disparates *mmv*; *dat is ~* es (un) absurdo
kolen carbón *m*, hulla; *op hete ~ zitten* estar en ascuas
kolen|damp tufo del carbón, monóxido de carbono; **-gruis** carbonilla, carbón *m* menudo, carbón *m* en polvo; **-laag** capa de carbón; **-mijn** mina de carbón
kolf culata; **kolfje**: *dat is een ~ naar mijn hand* es un trabajo que me va
kolom columna; *in ~men plaatsen* encolumnar
kolonel coronel *m*
koloniaal colonial; **kolonialisme** colonialismo; **kolonie** colonia; **kolonisatie** colonización *v*; **kolonist** colonizador *m*
kolos coloso; **kolossaal** colosal, gigantesco
kom 1 (*voor dranken*) tazón *m*; 2 (*bebouwde kom*) casco (urbano); 3 (*waskom*) palangana; 4 (*anat*) hueco
kombuis cocina
komedie comedia; *het is allemaal ~* es pura farsa
komeet cometa *m*
komen venir, llegar; *kom, kom!* ¡vamos!; *ik kom al* ahora voy, ya voy; *dat komt later wel* hay tiempo; *hij komt er wel* ya llegará; *het ~ en gaan* el ir y venir; *dan komt Madrid* luego está Madrid; *hoe komt het dat ...?* ¿por qué será que ...?, ¿cómo es que ...?; *hoe kwam het?* ¿cómo fue?; *hoe zou het ~ dat ...?* ¿cómo será que ...?; *hoe kom ik daar?* ¿cómo voy a ese sitio?; *het komt door mij* he sido yo; *hoe kom je*

erbij! ¡qué cosas tienes!; *zo kom je er niet* así no conseguirás nada; ~ *bezoeken* venir a ver; ~ *halen* pasar por, venir en busca de; *laten* ~ hacer venir, mandar por, llamar; *de dokter laten* ~ llamar al médico; *kom hier maar zitten* siéntate aquí; *hij kwam naast me zitten* se sentó a mi lado; *aan geld* ~ obtener dinero, sacar dinero; *hoe komt hij aan het geld?* ¿de dónde saca el dinero?; *achter de waarheid* ~ descubrir la verdad; ~ *bij* llegar a; *je moet bij je vader* ~ dice tu padre que vayas; *kom vanavond bij me langs* pasa por mi casa esta noche; *door een examen* ~ aprobar *ue* un examen; *we kwamen door Jaca* pasamos por Jaca; *met dat geld kom je een heel eind* ese dinero te alcanzará, o casi; *hij kwam naar mij toe* se me acercó; *ik kon er niet op* ~ no se me ocurría; *ik kwam op dat idee* se me ocurrió esa idea; *dat komt er minder op aan* es lo de menos; *te weten* ~ saber; *we kwamen te spreken over* pasamos a hablar de; *ze kon er niet toe* ~ no se decidía; *hoe kwam u ertoe om ...?* ¿qué le llevó a ...?; *tot de overtuiging* ~ *dat* llegar al convencimiento de que; *dat komt van je gemopper* es el resultado de tus quejas; *van die reis komt niets* no se hará ese viaje; *van zijn werk* ~ salir del trabajo; ~ *voor rekening van* correr a cargo de, correr por cuenta de; **komend** próximo; *de ~de maand* el mes próximo, el mes que viene

komiek I *bn* cómico; II *zn* cómico

komijn comino

komisch *zie: komiek*

komkommer pepino; **komkommerschaaf** rodajero para pepino

komma coma

kommetje taza

kompas compás *m*, brújula

kompas|naald aguja de la brújula; **-streek** rumbo

komplot conspiración *v*, complot *m, mv complots*, compló *m*; confabulación *v*, trama; *in het* ~ *zitten* (*op de hoogte zijn*) andar en el ajo

kompres compresa; *warm* ~ paño caliente

komst venida; (*aankomst*) llegada; *op* ~ *zijn* estar en camino; *er is regen op* ~ va a llover

konijn conejo

konijne|hol conejera, madriguera de conejos; **-vel** piel *v* de conejo

koning rey *m*; *de drie ~en* los Reyes Magos; **koningin** reina; **koningschap** realeza

konings|gezind monárquico; **-huis** casa real

koninklijk 1 real; 2 (*vorstelijk, fraai*) regio, magnífico; **koninkrijk** reino

konkelaar, **konkelaarster** intrigante *m,v*; **konkelen** intrigar, enredar

kont culo

konvooi convoy *m*

kooi 1 jaula; 2 (*bed, op schip*) litera

kook: *aan de* ~ *brengen* hacer hervir; *aan de* ~ *zijn* estar hirviendo; *van de* ~ *zijn* (*fig*) estar confundido

kook|boek libro de cocina; **-kunst** arte *m* de cocina; **-plaat** placa; **-punt** (punto de) ebullición *v*; **-toestel** cocina, hornillo

kool (*plantk*) col *v*; *chinese* ~ col *m* de china; *groene* ~ col rizada; *rode* ~ lombarda; *witte* ~ repollo; *groeien als* ~ crecer que da gusto; *de* ~ *en de geit sparen* nadar entre dos aguas; *iem een* ~ *stoven* jugarle *ue* a u.p. una mala pasada; *het sop is de* ~ *niet waard* es más caro el caldo que los caracoles

kool|borstel escobilla de carbón; **-dioxyde** dióxido de carbono; **-hydraten** carbohidratos; **-monoxyde** monóxido de carbono; **-stof** carbono; **-stronk** troncho; **-vis** carbonero; **-waterstof** hidrocarburo; **-zuur** ácido carbónico

koop compra; *te* ~ *aanbieden* ofrecer en venta; *te* ~ *gevraagd* se compra; *dit is niet te* ~ no se vende; *te* ~ *zetten* poner a la venta; *te* ~ *lopen met* hacer alarde de; *op de* ~ *toe* por añadidura

koop|akte escritura de compra(venta); **-contract** contrato de compra(venta); **-gedrag** comportamiento de compra; **-handel** comercio

koopje ganga; *op een* ~ por un precio muy bajo, barato; **koopjesjager** buscagangas *m,v*

koopkracht poder *m* adquisitivo, capacidad *v* de compra

koopman comerciante *m*; **koopmansgeest** espíritu *m* mercantil

koop|prijs, -som precio de compra; **-sompolis** póliza de prima única

koopster compradora, adquiriente *v*

koopvaardij marina mercante; **koopvaardijschip** buque *m* mercante; **koopvaardijvloot** flota mercante

koopwaar mercancías *vmv*

koor coro; (*zangkoor ook:*) orfeón *m*; *in* ~ a coro

koord cuerda; (*dik:*) maroma; *het slappe* ~ la cuerda floja

koord|dansen bailar en la cuerda floja; **-danser, -danseres** funámbulo, -a

koordje cordón *m*

koor|hek reja del coro; **-knaap** monaguillo, acólito

koorts fiebre *v*, calentura; *de* ~ *neemt af* va bajando la fiebre; ~ *hebben* tener fiebre; *de* ~ *doen afnemen* bajar la fiebre; **koortsaanval** ataque *m* de fiebre; **koortsachtig** febril, afiebrado; **koortsig** con fiebre, calenturiento; **koortsthermometer** termómetro clínico; **koortsvrij** sin fiebre

kootje falange *v*

kop 1 (*hoofd; van spijker*) cabeza; ~ *dicht!* ¡a callar!; ~ *op!* ¡ánimo!; *de* ~ *indrukken* reprimir, sofocar; *de* ~ *opsteken* apuntar; *de ~pen bij elkaar steken* juntar cabezas; *zijn* ~ *in het zand steken* meter la cabeza bajo el ala, cerrar *ie* los ojos a la realidad; *een probleem bij de* ~ *nemen* afrontar un problema; *met een* ~ *als vuur*

como un cangrejo; *iem op zijn ~ geven* reñir *i* a u.p.; *iets op de ~ tikken* encontrar *ue* u.c.; *laat je niet op je ~ zitten* no te dejes dominar; *op de ~ af* exactamente; *op zijn ~* cabeza abajo; *de boel op zijn ~ zetten* ponerlo todo patas arriba; *over de ~ slaan* dar una vuelta de campana; *zich voor de ~ schieten* pegarse un tiro; *zonder ~ of staart* sin ton ni son; 2 (*krantekop*) titular *m*
kopbal cabezazo
kopen comprar; *iets van iem ~* comprarle u.c. a u.p.; *iets voor iem ~* comprar u.c. para u.p., comprarle u.c. a u.p.; *~ voor weinig geld* comprar por poco dinero
1 koper comprador *m*, adquiriente *m*
2 koper (*metaal*) cobre *m*
koper|blazers cobre *m*; **-draad** hilo de cobre, alambre *m* de cobre
koperen de cobre; *zie ook: ploert*; **koperkleurig** cobrizo, de color de cobre
koper|slager calderero; **-soldeer** cobre *m* para soldar; **-sulfaat** sulfato cúprico
kopgroep pelotón *m* de cabeza
kopie copia; *een ~ maken* sacar una copia, hacer una copia; **kopieerapparaat** copiadora; **kopieerinrichting** copistería; **kopiëren** copiar
kopij manuscrito, texto
kopje (*om te drinken*) taza; *een ~ thee* una taza de té || *~ duikelen* hacer vuelta de carnero; *iem een ~ kleiner maken* cortarle la cabeza a u.p.; *~ onder gaan* sumergirse, zambullirse
kop|lamp faro (delantero); **-loper** el (corredor) que va en cabeza
1 koppel (*riem*) cinturón *m*
2 koppel (*paar*) pareja, par *m*
koppelaar alcahuete *m*; **koppelaarster** celestina
koppelbaas subcontratista *m* ilegal (para mano de obra)
koppelen 1 acoplar, unir; 2 (*techn*) conectar; (*van treinen*) enganchar; 3 (*fig*) vincular; **koppeling** 1 acoplamiento, unión *v*, conexión *v*; 2 (*van auto*) embrague *m*; *met slippende ~* con el embrague deslizante; 3 (*van wagons*) enganche *m*; 4 (*fig*) vinculación *v*; **koppelingspedaal** (pedal *m* de) embrague *m*
koppel|stuk pieza de acople, acoplamiento; **-teken** guión *m*; **-verkoop** venta condicionada (a otra); **-werkwoord** verbo copulativo, cópula
koppig terco, tozudo, testarudo; **koppigheid** terquedad *v*, tozudez *v*, testarudez *v*
koprol vuelta de carnero
kops a través de la fila
kop|schuw (*wantrouwend*) receloso; **-station** estación *v* de cabeza; **-stoot** cabezazo, testarazo; **-stuk** (*persoon*) corifeo; **-telefoon** auriculares *mmv*; **-zorg** preocupaciones *vmv*, quebraderos *mmv* de cabeza, dolores *mmv* de cabeza
koraal 1 (*in zee*) coral *m*; 2 (*zang*) coral *m,v*;
koraaleiland isla de coral; **koraalrif** arrecife *m* de coral
Koran: *de ~* el Corán; *van de ~* coránico
kordaat resuelto
kordon cordón *m*
koren trigo, grano; *dat is ~ op zijn molen* le viene de perillas
koren|aar espiga (de trigo); **-halm** tallo (del trigo); **-schoof** gavilla (de trigo), haz *m* (de trigo); **-schuur** granero
korf cesta, cesto, canasta; (*zeer groot:*) banasta; **korfbal** (*Ned*) especie *v* de baloncesto
kornuit compañero, amigo
korporaal cabo
korps cuerpo
korrel grano; *in ~s* en forma granular; *op de ~ nemen* tomar por blanco; **korrelig** granular; **korreltje** granito, gránulo; *met een ~ zout nemen* no tomar muy a la letra
korset corsé *m*
korst 1 (*brood*) corteza; 2 (*op wond*) costra
kort I *bn* corto, breve; *~ en bondig* conciso, sucinto; *~e tijd later* al poco tiempo, poco después; *~ van duur* fugaz, de breve duración; *iem ~ houden* atar corto a u.p.; *maak het ~* sea Ud. breve; *ik zal het ~ maken* seré breve; *~e metten maken* no andarse con contemplaciones, no pararse en barras; *~ en klein slaan* hacer añicos, no dejar títere con cabeza; *in het ~* en breves palabras; *de waarheid te ~ doen* faltar a la verdad; *zich te ~ gedaan voelen* sentirse *ie, i* frustrado, sentirse *ie, i* menospreciado; *zonder te ~ te doen aan zijn verdiensten* sin menoscabo de sus méritos; *ik kom tijd te ~* me falta tiempo; *te ~ schieten in* quedarse corto en; *er zijn tien glazen te ~* faltan diez vasos; *de rok was haar te ~* la falda le quedaba corta; *tot voor ~* hasta hace poco; *~er maken* acortar; *het ~er worden van de rokken* la subida de la falda; **II** *bw* poco (tiempo); *hij bleef ~* se quedó poco tiempo; *~ daarna* poco después; *~ na* a poco de; *~ voor* poco antes de
kortaangebonden irascible
kortademig corto de respiración; (*med*) disneico
kortaf secamente
korten I *ww* acortar; *om de tijd te ~* para matar el tiempo; *~ op het loon* deducir del sueldo; *~ op uitkeringen* recortar las pensiones; **II** *zn* recorte *m*
kortgeknipt 1 (*mbt nagels*) recortado; 2 (*mbt haar*) corto; (*bijna kaal*) al rape, rapado
kortheid (*van duur*) brevedad *v*; **kortheidshalve** para mayor brevedad
korting descuento, rebaja
kortom en suma, en una palabra, en resumidas cuentas
kortsluiting corto circuito
kortwieken cortar las alas
kortzichtig miope, corto de vista; (*fig ook:*) poco previsor *-ora*; **kortzichtigheid** miopía; (*fig ook:*) imprevisión *v*

korzelig I *bn* irritado; II *bw* en tono de mal humor
kosmetica productos *mmv* de belleza; **kosmetisch** cosmético
kosmisch cósmico; *~e stralen* rayos cósmicos; **kosmologie** cosmología; **kosmonaut** cosmonauta; **kosmos** cosmos *m*
kost 1 (*onderhoud*) sustento, manutención *v*; *~ en inwoning* casa y comida, alojamiento y manutención; *zijn ogen de ~ geven* abrir bien los ojos; *de ~ verdienen* ganarse la vida, ganarse la subsistencia; *in de ~ zijn* estar en pensión; *verplichte ~ zijn* ser meta obligada; *wat doet u voor de ~?* ¿en qué trabaja Ud.?; 2 (*gerecht*) comida; *stevige ~* comida substanciosa; 3 *ten ~e van* a expensas de; 4 *zie: kosten II*
kostbaar 1 (*waardevol*) valioso, precioso; 2 (*duur*) caro, costoso; **kostelijk** 1 (*lekker*) delicioso, exquisito; 2 (*grappig*) gracioso; **kosteloos** gratuito, gratis; (*handel ook:*) sin cargo
kosten I *ww* costar *ue*; *wat kost het?* ¿cuánto vale?, ¿cuánto cuesta?, ¿qué precio tiene?; *het heeft me veel gekost* me ha salido muy caro; *dat kost me geen moeite* no me cuesta nada; *het kost veel tijd* toma mucho tiempo; II *zn* 1 (*uitgaven*) gastos, expensas; *de ~ bestrijden* sufragar los gastos; *~ maken* incurrir en gastos; *geen ~ sparen* no ahorrar gastos, no escatimar gastos; *bijdragen in de ~* contribuir al gasto; *op ~ van* por cuenta de, a expensas de; *op eigen ~* por cuenta propia; *op mijn ~* a mis expensas; 2 (*prijs*) coste *m*, costes *mmv*, costo; (*jur*) costas *vmv*; *de totale ~* el costo total; *vaste ~* costes fijos; *de ~ van de huishouding* las cargas del hogar; *de ~ van levensonderhoud* el coste de la vida; *de ~ dekken* cubrir los costos, compensar el gasto
kosten|berekening cálculo de costos; **-besparing** ahorro de gastos; **-overzicht** resumen *m* de gastos; **-raming** presupuesto de gastos; **-vergoeding** restitución *v* de los gastos, compensación *v* de gastos
koster sacristán *m*
kost|ganger, **-gangster** huésped, -eda; **-geld** pensión *v*; **-huis** pensión *v*
kostje: *zijn ~ is gekocht* está cuidado, tiene la vida asegurada
kost|prijs precio de coste; *tegen ~* (*ook:*) al costo; **-school** internado
kostuum 1 (*pak*) traje *m*; 2 (*vermomming*) disfraz *m*
kostwinner, **kostwinster** sostén *m* (de familia), mantenedor, -ora de la familia
kotelet chuleta
kotsen vomitar
kou frío; *een barre ~* un frío cortante; *~ vatten* coger frío, resfriarse *i*; *in de ~ laten staan* dejar en la estacada; *ik verhip van de ~* me hielo de frío; **koud** frío; *het ~ hebben* tener frío; *het is erg ~* hace mucho frío; *ik kreeg het ~* me entró frío; *dat laat hen ~* les deja fríos, no se afectan; *iem ~ maken* acabar con u.p., liquidar a u.p., despachar a u.p.; *~ starten* arrancar en frío; *hij werd er niet ~ of warm van* no le producía ni frío ni calor; *een film om ~ van te worden* una película que hace estremecer; **koukleum** friolero, -a
kous media; *hij kreeg de ~ op de kop* se llevó un chasco; **kousje** (*in gaslamp*) camisa
kouwelijk friolero
kozijn marco; *aluminium ~en* carpintería exterior de aluminio
kraag cuello; *zijn ~ opzetten* subir el cuello; *hij heeft een stuk in zijn ~* está bebido
kraai corneja
kraaien 1 (*mbt haan*) cantar, cacarear; 2 (*mbt baby*) cloquear de contento, gorjear
kraak (*inbraak*) palanquetazo; *een ~ zetten* dar un palanquetazo
kraak|actie campaña de ocupaciones; **-been** cartílago; **-helder** relimpio, limpiecito, pulcro; **-pand** casa ocupada ilegalmente; **-zindelijk** *zie: kraakhelder*
kraal cuenta, abalorio
kraam puesto, tenderete *m*; *het komt niet in zijn ~ te pas* no le conviene
kraam|bed: *in het ~ liggen* estar de parto; **-kliniek** (clínica de) maternidad *v*; **-verzorgster** auxiliar *v* de partera; **-vrouw** parturienta
kraan 1 grifo; *de ~ laten lopen* dejar correr el grifo; 2 (*hijskraan*) grúa; *drijvende ~* grúa flotante; 3 (*persoon*) as *m*, hacha
kraan|drijver conductor *m* de grúa; **-vogel** grulla; **-wagen** coche *m* grúa *mv coches grúa*
1 krab (*dier*) cangrejo
2 krab (*schram*) arañazo, rasguño
krabbel 1 (*briefje*) cuatro letras *vmv*; 2 *~s* (*hanepoten*) garabatos; **krabbelen** 1 *zie: krabben*; 2 (*slecht schrijven*) garabatear || *overeind ~* levantarse trabajosamente; **krabben** arañar, rascar; *op zijn hoofd ~* rascarse la cabeza
kracht 1 fuerza, vigor *m*; *zijn ~en begeven het* las fuerzas se le acaban, se le agotan las fuerzas; *het gaat mijn ~en te boven* es superior a mis fuerzas; *op ~en komen* recobrar fuerzas; *op eigen ~* por sus propios medios, por sus propias fuerzas; 2 (*geldigheid*) vigor *m*, vigencia, validez *v*; *van ~ blijven* seguir *i* en vigor, seguir *i* vigente; *van ~ worden* entrar en vigor; *van ~ zijn* estar en vigor, tener vigor, regir *i*; *niet* (*meer*) *van ~ zijn* quedar sin efecto; *op halve ~* a media (fuerza); *op volle ~: a*) (*scheepv*) a toda fuerza; *b*) (*ijverig*) a todo tren, a todo vuelo, intensamente; 3 (*werknemer*) empleado, -a; *betaalde ~en* empleados asalariados
krachtbron fuente *v* de energía
krachtdadig vigoroso, enérgico; **krachteloos** sin fuerza; **krachtig** fuerte, potente, vigoroso, enérgico
kracht|meting forcejeo; **-patser** matón *m*, bravucón *m*; **-proef** prueba de fuerza
krachtsinspanning esfuerzo
kracht|stroom corriente *v* intensa; electricidad

v para fuerza; **-verspilling** derroche *m* de energía, desperdicio de fuerzas
krak chasquido, crujido; *~!* ¡crac!
krakeling (*vglbaar:*) rosca, rosquilla
kraken I *intr* crujir; II *tr* **1** (*van noot*) cascar; **2** (*chem*) craquear, fraccionar; **3** (*van code*) descifrar; **4** (*van huis*) ocupar ilegalmente; **5** (*kritiseren*) arrastrar por el suelo; **6** (*van kluis*) descerrajar; III *zn* crujido
kraker kraker *m*, ocupante *m* ilegal
krakkemikkig desvencijado, destartalado
kram grapa
kramp espasmo, convulsión *v*; (*in kuit*) calambre *m*; *~ hebben* tener calambres; (*in buik*) retortijón *m*, retortijones *mmv*; *hij kreeg ~* sufrió un calambre; **krampachtig** crispado
kranig resuelto, decidido, capaz; *hij heeft het ~ gedaan* lo ha hecho muy bien
krankzinnig loco, insano; *~ worden* perder *ie* el juicio, perder *ie* la razón; **krankzinnige** loco, -a, trastornado, -a, alienado, -a, enajenado, -a (mental); **krankzinnigeninrichting** hospital *m* psiquiátrico, asilo; **krankzinnigheid** locura, enajenación *v* mental, trastorno mental, alienación *v*
krans corona
krant periódico, diario
kratnte|artikel artículo de prensa; **-knipsel** recorte *m* de periódico; **-kop** titular *m*
krantenbak revistero
krap 1 (*strak*) estrecho, apretado, justo; *het pak zit hem ~* el traje le viene algo justo; *die schoenen zitten me ~* estos zapatos me están estrechos; **2** (*weinig*) escaso, poco; *~ zitten* (*in geld*) tener poco dinero, andar mal de dinero; *ik zit ~ in de benzine* estoy escaso de gasolina; *~ in zijn tijd zitten* tener poco tiempo
kras I *zn* **1** (*krab*) rasguño; **2** (*op meubel, lp*) raya, rayadura; **3** (*met pen*) raya; II *bn* **1** (*mbt persoon*) fuerte, recio; **2** (*mbt maatregel*) drástico; *dat is wel heel ~* es un poco fuerte
krassen 1 rayar; **2** (*mbt vogel*) graznar; **3** (*op viool*) rascar; **krasvrij** resistente a los rasguños
krat cajón *m*, caja
krater cráter *m*; **kratermeer** lago de cráter
krats: *een ~* cuatro cuartos, una miseria
krediet crédito; *~ verlenen* conceder un crédito; *verkoop op ~* venta a crédito
krediet|gever acreedor *m*; **-instelling** institución *v* de crédito; **-nemer** deudor *m*; **-waardig** solvente
kreeft 1 (*zeekreeft*) langosta; (*rivierkreeft*) cangrejo de río; *zo rood als een ~* rojo como un cangrejo; **2** (*astrol*) Cáncer *m*
kreek cala, caleta
kreet grito; *een ~ slaken* dar un grito
krekel (*nachtsjirper*) grillo; (*dagsjirper*) chicharra, cigarra
kreng 1 (*lijk*) carroña; **2** (*mbt man*) mala bestia; (*mbt vrouw*) bruja, desgraciada
krenken 1 ofender, injuriar; **2** (*van gevoelens*) herir *ie, i*; *de trots ~* herir el orgullo; **krenkend** injurioso, insultante; **krenking** injuria, ofensa
krent 1 pasa de Corinto; **2** (*gierigaard*) tacaño, -a; **krentenbrood** pan *m* de pasas
krenterig tacaño, cicatero, roñoso, agarrado; **krenterigheid** tacañería
kreukel arruga; **kreuken** I *tr* arrugar; II *intr* arrugarse; **kreukvrij** inarrugable, resistente al arrugamiento; (*opschrift:*) no se arruga
kreunen gemir *i*, gimotear
kreupel cojo
kreupelhout maleza, monte *m* bajo, matorrales *mmv*
krib 1 (*voerbak*) pesebre *m*; **2** (*in rivier*) espigón *m*
kribbig irritable, enojadizo
kriebel cosquilleo, hormigueo, comezón *m*; **kriebelen** picar, cosquillear, hormiguear; **kriebelhoest** tos *v* de garganta; **kriebelig** (*mbt handschrift*) menudo, apretado || *je wordt er ~ van* te da no sé qué; **kriebelpootje** letra de mosca
krieken: *bij het ~ van de dag* al despuntar el día
krijgen 1 (*ontvangen*) recibir; *dat heb ik van Piet gekregen* me lo ha dado Piet; *bladeren ~* echar hojas; *hij kreeg er blaren van* le salieron ampollas; *hij kreeg een hoestbui* le dio un ataque de tos; *krijg ik een kusje van je?* ¿me das un beso?; *een ongeluk ~* tener un accidente; *hij heeft een zusje gekregen* le ha nacido una hermanita; **2** (*verkrijgen*) obtener, adquirir *ie*; (*ontvangen, van zender*) captar; *iets gedaan ~* conseguir *i* u.c.; *hij kon geen kaartje ~* se quedó sin billete; *stemmen ~* reunir *ú* votos; *werk ~* conseguir *i* (un) trabajo || *ik krijg er wat van!* ¡me da no sé qué!; *ik krijg je nog wel!* ¡ya verás!
krijgertje: *~ spelen* jugar al pillapilla, perseguirse *i*
krijgsgevangene prisionero, -a de guerra; **krijgsgevangenschap** cautiverio
krijgshaftig marcial, guerrero
krijgs|list estratagema *m*; **-macht** fuerzas *vmv* militares; **-raad** tribunal *m* militar; **-tucht** disciplina militar
krijsen chillar, dar alaridos; (*mbt baby*) berrear
krijt tiza; *in het ~ staan bij* estar endeudado con
krik gato
krimp encogimiento; *geen ~ geven* no ceder; **krimpen** encoger(se); **krimpfolie** retráctil *m*, hoja retráctil; **krimpvrij** resistente al encogimiento, que no encoge; (*opschrift:*) no encoge
kring 1 círculo; *de hoogste ~en* las altas esferas; *welingelichte ~en* medios informados; *de ~en van de glazen op het hout* las huellas de los vasos en la madera; *in brede ~en* en todos los sectores de la población; *in culturele ~en* en círculos culturales; *in kleine ~* en la intimidad; *in politieke ~en* en círculos políticos, en los ambientes políticos; **2** (*onder de ogen*) cerco, ojera; **kringelen** enroscarse

kringloop ciclo, circuito; **kringlooppapier** papel *m* reciclado
kringspier esfínter *m*
krioelen hormiguear, bullir; ~ *van* hervir *ie, i* de; *de tekst krioelt van de fouten* el texto está plagado de faltas
kriskras en todas las direcciones
kristal cristal *m*; **kristalhelder** cristalino; **kristallen** de cristal; **kristalsuiker** azúcar *m* fino
kritiek I *zn* crítica; (*recensie ook:*) reseña; *afbrekende* ~ crítica negativa, crítica demoledora; *felle* ~ duras críticas *vmv*; *opbouwende* ~ crítica positiva, crítica constructiva; *ze heeft altijd* ~ siempre está criticando; ~ *uitlokken* suscitar críticas; ~ *op* crítica de; II *bn* crítico; **kritisch** 1 (*diepgaand*) crítico; *een* ~ *onderzoek* un examen crítico; 2 (*mbt persoon, veeleisend*) exigente; (*scherpzinnig*) perspicaz, agudo; (*vitterig*) criticón, *-ona*; **kritiseren** 1 criticar; (*afkeurend ook:*) censurar; 2 (*van boek*) reseñar
kroeg taberna, tasca; **kroegbaas**, **kroegbazin** tabernero, -a
1 **kroes** (*beker*) tazón *m*
2 **kroes** *bn* crespo
kroeshaar pelo crespo
krokant crujiente
kroket croqueta
krokodil cocodrilo; **krokodilletranen** lágrimas de cocodrilo
krokus croco
krols en celo
krom 1 curvo, encorvado; *~me lijn* línea curva; 2 (*verdraaid*) torcido; *~me benen* piernas torcidas
krom|liggen matarse trabajando; **-trekken** (*mbt hout*) alabearse, combarse
kroniek crónica; **kroniekschrijver** cronista *m*
kroning coronación *v*
kronkel 1 torcedura; 2 (*in weg, rivier*) recoveco, sinuosidad *v*; **kronkelen** 1 (*mbt pad*) serpentear; 2 (*van pijn*) retorcerse *ue*; **kronkelig** serpenteante, sinuoso
kroon 1 corona; *de* ~ *spannen* llevarse la palma; 2 (*van boom*) copa; 3 (*lamp*) araña
kroon|kurk cápsula; **-prins** heredero del trono, príncipe *m* heredero; **-prinses** heredera del trono, princesa heredera
kroos lenteja de agua
kroost prole *v*, descendientes *mmv*, progenie *v*
krop 1 ~ *sla* lechuga; 2 (*gezwel*) bocio, estruma *m*; 3 (*van vogel*) buche *m*, papo
krot chabola, tugurio, infravivienda; **krottenwijk** barrio de tugurios, barrio de chabolas
kruid 1 (*groen*) hierba; *er is geen* ~ *tegen gewassen* no tiene remedio, no se le puede hacer nada; 2 *~en* (*droog*) especias, condimentos; **kruiden** *ww* sazonar; **kruidenier** 1 tendero; 2 (*winkel*) tienda (de comestibles)
kruideniers|waren comestibles *mmv*, ultramarinos; **-winkel** tienda (de comestibles)
kruidenthee infusión *v* de hierbas, tisana
kruidnagel clavo
kruien I *tr* (*verplaatsen*) transportar en carretilla; II *intr* (*mbt ijs*) deshelarse *ie*
kruier maletero, mozo de estación
kruik 1 botijo, cántaro; *de* ~ *gaat zo lang te water tot ze breekt* tanto va el cántaro a la fuente ...(que, al fin, se rompe); 2 (*voor warm water*) bolsa de agua caliente, botella de agua caliente
kruimel miga, migaja; **kruimeldief** 1 (*dief*) ladronzuelo, descuidero, chorizo; 2 (*stofzuiger*) aspirador *m* de mano; **kruimelen** I *tr* desmigar, desmigajar; II *intr* desmigarse, desmigajarse; **kruimelig** que se desmenuza con facilidad
kruin 1 (*op hoofd*) coronilla; 2 (*van boom*) copa
kruipen 1 reptar; 2 (*op handen en voeten*) andar a gatas, gatear, andar a cuatro pies; 3 (*mbt tijd*) arrastrarse, hacerse largo; 4 ~ *voor* rebajarse ante; **kruiperig** servil, rastrero
kruis 1 cruz *v*; ~ *of munt* cara o cruz; *het Rode* ~ la Cruz Roja; *een* ~ *slaan* santiguarse, persignarse, hacer la señal de la cruz; 2 (*muz*) sostenido; 3 (*in broek*) entrepierna; **kruisbeeld** crucifijo; **kruisbestuiving** alogamia; **kruisen** cruzar; *elkaar* ~ cruzarse
kruiser crucero
kruisigen crucificar; **kruisiging** crucificación *v*
kruising cruce *m*; (*van dieren ook:*) cruzamiento; **kruisje** (*bij borduren*) cruceta
kruis|koppeling articulación *v* cardán; **-kopschroef** tornillo de cabeza (hendida) en cruz; **-kopschroevedraaier** destornillador *m* de estrella; **-punt** cruce *m*, encrucijada; **-raket** misil *m* crucero; **-spin** araña crucera; **-stang** cruceta; **-steek** punto de cruz; **-tocht** cruzada; **-verhoor** interrogatorio cruzado; **-woordpuzzel** crucigrama *m*, palabras *vmv* cruzadas
kruit pólvora; *zijn laatste* ~ *verschieten* gastar el último cartucho
kruiwagen 1 carretilla; 2 (*fig*) enchufe *m*
kruk 1 (*van invalide*) muleta; 2 (*van deur*) pomo, manivela, picaporte *m*; 3 (*techn, hendel*) manivela; 4 (*zitmeubel*) banqueta, taburete *m*; 5 (*onhandig mens*) persona torpe, ignorante *m,v*; **krukas** (eje *m*) cigüeñal *m*
krul 1 (*in haar*) rizo, bucle *m*; 2 (*van hout*) viruta; **krulhaar** pelo rizado, pelo ensortijado; **krullen** I *tr* rizar, ensortijar; II *intr* rizarse, ensortijarse; **krulletje** ricito
krul|speld rulo, bigudí *m*; **-tang** rizador *m*
kubiek cúbico; *~e meter* metro cúbico; **kubus** cubo
kuchen toser
kudde 1 rebaño, manada; ~ *geiten* (*ook:*) cabrada; ~ *koeien* (*ook:*) vacada; ~ *stieren* (*ook:*) torada; 2 (*fig*) grey *v*, rebaño
kudde|dier animal *m* gregario; **-instinct** instinto de rebaño
kuieren pasearse

kuif copete *m*; (*van vogel ook:*) moño
kuiken pollo, pollito
kuil 1 hoyo, foso; **2** (*in weg*) bache *m*
kuip 1 (*bak*) tina; **2** (*ton*) cuba, tonel *m*, barril *m*
kuiperij intrigas *vmv*, enredos *mmv*, embrollos *mmv*, cabildeo
kuis casto, puro; **kuisheid** castidad *v*
kuit 1 pantorrilla; **2** (*van vis*) hueva; **kuitbeen** peroné *m*
kukeleku: ~! ¡quiquiriquí!
kul: *flauwe* ~ tontería, disparates *mmv*
kundig capaz, experto; ~ *in* experto en; **kundigheid 1** (*ervaring*) experiencia; **2** (*vaardigheid*) habilidad *v*
kunnen 1 (*in staat zijn*) poder, ser capaz de; *ik kan niet meer* no puedo más; *zodra ze konden* en cuanto les fue posible; *het kan zijn dat* puede (ser) que; *ik zal alles doen wat ik kan* haré cuanto pueda; *dit werk kan iedereen doen* este trabajo lo hace cualquiera; *je kunt gaan* puedes irte; *hoe kan hij je nu kennen?* ¿cómo te va a conocer?; *ik kan niet anders* es más fuerte que yo, no tengo más remedio; *ik kan er niet bij* (*lett en fig*) no lo alcanzo; *ik kan niet liegen* no sé mentir, no valgo para mentir; *hoe kan ik nou slapen?* ¿cómo voy a dormir?; *ze kúnnen me wat* ahí me las den (todas); *hij kon soms uren zwijgen* a veces se callaba durante horas; *het kan ermee door* puede pasar; *ik kan niet tegen zijn aanwezigheid* no aguanto su presencia; **2** (*de kunst verstaan*) saber; ~ *zwemmen* saber nadar; *ze* ~ *niets anders* no saben hacer otra cosa
kunst 1 arte *m, mv las artes*; **2** (*kunstje*) truco; *dat is de* ~ ahí está el truco; *hij verstaat de* ~ *om* ... sabe cómo ...; **3** ~*en* (*grillen*) caprichos
kunst|academie academia de bellas artes; **-been** pierna ortopédica, pierna artificial; **-criticus** crítico de arte
kunstenaar, **kunstenares** artista *m,v*
kunst|gebit dentadura postiza; **-geschiedenis** historia del arte; **-greep** artificio, truco
kunstig ingenioso
kunstijs hielo artificial
kunstje truco; *een koud* ~ un truco fácil
kunst|kenner conocedor *m* de arte, entendido en materia de arte; **-leer** cuero artificial; **-licht** luz *v* artificial; **-liefhebber** aficionado al arte; **-maan** satélite *m*; **-matig** artificial; ~*e inseminatie* inseminación *v* artificial; **-mest** fertilizante *m*, abono químico, abono artificial; **-nijverheid** artes *vmv* aplicadas, artes *vmv* industriales; **-schaatsen** *zn* patinaje *m* artístico; **-schatten** tesoros artísticos; **-schilder** pintor *m* (artista); **-stof** material *m* sintético; **-stuk** obra maestra; **-vezel** fibra sintética; **-voorwerp** objeto de arte; **-werk** obra de arte; *met kunst- en vliegwerk* recurriendo al ingenio, con todos los medios a bordo, con toda la tramoya a mano; **-zijde** seda artificial
kunstzin sentido artístico, artisticidad *v*; **kunstzinnig** artístico

kurk corcho; **kurkdroog** muy seco; **kurken** (*van flessen*) encorchar; **kurketrekker** sacacorchos *m*
kus beso
1 kussen *ww* besar
2 kussen *zn* **1** (*op bed*) almohada; **2** (*sierkussen*) cojín *m*; *stoelen met losse* ~*s* sillas con colchonetas
kussensloop funda (de almohada)
kussentje almohadilla
1 kust: *te* ~ *en te keur* en abundancia, a pedir de boca
2 kust costa, litoral *m*; *de* ~ *is vrij* ha pasado el nublado, no hay moros en la costa; *aan de* ~ en la costa; *dicht onder de* ~ *varen* navegar ciñéndose a la costa
kust|streek zona costera, litoral *m*; **-vaarder** (barco) costero, barco de cabotaje; **-vaart** cabotaje *m*, navegación *v* costera; **-vaartuig** *zie: kustvaarder*; **-visserij** pesca de bajura; **-wacht** guardacostas *m*
kut coño
kuur 1 (*gril*) capricho, antojo; *zijn maag kreeg kuren* su estómago empezó a hacer de las suyas; **2** (*med*) cura, tratamiento
kwaad I *bn* **1** (*boos*) enfadado, enojado, airado; *maak je niet* ~ no te enfades; *hij maakte haar* ~ la hizo rabiar; ~ *worden* enfadarse, disgustarse; ~ *zijn op* estar enfadado con, estar disgustado con; **2** (*kwaadaardig, slecht*) malo; *kwade trouw* malicia, mala fe; *kwade wil* mala voluntad, mala intención; *hij is niet* ~ no es mala persona; *daar steekt niets* ~*s in* no tiene nada de malo; **II** *bw* (*slecht*) mal; *dat is niet* ~ no está mal; ~ *denken van* pensar *ie* mal de; ~ *kijken* mirar con enojo; *hij kreeg het te* ~ tuvo un mal momento; *zo goed en zo* ~ *als het gaat* mal que bien; **III** *zn* mal *m*; *een noodzakelijk* ~ un mal necesario; *ze doen veel* ~ hacen mucho daño; *luisteren kan geen* ~ no hay ningún mal en escuchar, no es malo escuchar; *het minste van twee kwaden* del mal, el menos; *het ging van* ~ *tot erger* fue de mal en peor
kwaadaardig maligno; **kwaadaardigheid** malicia, malignidad *v*; **kwaaddenkend** mal pensado; **kwaadschiks** por las malas; **kwaadspreken** (*van*) hablar mal (de), murmurar (de); **kwaadsprekerij** maledicencia, difamación *v*; **kwaadwillig** malévolo, malintencionado
kwaal enfermedad *v*, mal *m*, achaque *m*
kwadraat cuadrado; *in het* ~ *verheffen* elevar al cuadrado
kwajongen pillo, tunante *m*; **kwajongensstreek** diablura, travesura; (*fam*) atrocidad *v*
kwaken 1 (*mbt kikker*) croar; **2** (*mbt eend*) graznar; **3** *zie:kwekken*
kwakkelen ser enfermizo, tener achaques
kwakzalver 1 (*oplichter*) curandero, charlatán *m*; **2** (*slechte dokter*) matasanos *m*
kwal 1 medusa; **2** (*mbt persoon*) tipo asqueroso

kwalificatie calificación *v*; **kwalificeren** (*als*) calificar (de)
kwalijk malo, desagradable; *~e praktijken* malas prácticas, prácticas pecaminosas; *een ~e zaak* un asunto nefasto; *~ nemen* tomar a mal; *neemt u mij niet ~* no me lo tome a mal; *neemt u mij niet ~, maar ...* perdóneme, pero es que ...
kwalitatief cualitativo
kwaliteit 1 (*niveau*) calidad *v*; *in zijn ~ van* en su calidad de; *van mindere ~* de calidad inferior; 2 (*eigenschap*) cualidad *v*; **kwaliteitsgarantie** garantía de calidad
kwantiteit cantidad *v*; (*wisk*) cuantidad *v*
kwantum *zie: quantum*
kwark cuajada
kwart 1 cuarto, cuarta parte *v*; *~ over twee* las dos y cuarto; *~ voor zes* las seis menos cuarto; 2 (*muz*) cuarta
kwartaal trimestre *m*
kwartel codorniz *v*; *zo doof als een ~* más sordo que una tapia
kwartet (*muz*) cuarteto
kwartfinale cuarto de final
kwartier cuarto de hora
kwartnoot negra
kwarts cuarzo; **kwartshorloge** reloj *m* de cuarzo
kwast 1 (*van schilder*) brocha, pincel *m*; 2 (*pluim*) borla; 3 (*persoon*) fantasmón *m*; 4 (*in hout*) nudo; 5 (*citroendrank*) limón *m* natural
kwebbelen charlar
kweek (*chem*) cultivo
kweek|bodem caldo de cultivo; **-plaats** criadero, vivero, semillero
kweepeer membrillo
kweken 1 cultivar; 2 (*fokken*) criar *i*; 3 (*bevorderen*) fomentar; **kweker** cultivador *m*, horticultor *m*; (*van bep ras*) obtentor *m*; **kwekerij** criadero, vivero, plantel *m*
kwekken (*praten*) cotorrear
kwelgeest mortificador *m*, diablo cojuelo
kwellen 1 atormentar; 2 (*hinderen*) molestar; **kwelling** suplicio
kwestie 1 cuestión *v*, asunto, tópico; *de ~ is dat ...* el problema es que ..., la cosa es que ...; *geen ~ van* ni hablar; *de brief in ~* la carta en cuestión; 2 (*ruzie*) disputa; *ik wil geen ~ met hem krijgen* no quiero tomarla con él
kwetsbaar vulnerable; **kwetsbaarheid** vulnerabilidad *v*
kwetsen herir *ie, i*; *iems gevoelens ~* herir los sentimientos de u.p.; *ik wil je niet ~* no quiero ofenderte; **kwetsuur** lesión *v*, herida
kwiek rápido, vivo, vivaz
kwijl baba, saliva; **kwijlen** babear
kwijnen 1 (*mbt zieke; fig*) languidecer; *het gesprek kwijnt* languidece la conversación; 2 (*mbt bloemen*) marchitarse
kwijt: *~ zijn* haber perdido; *hij is altijd zijn bril ~* siempre se le pierden las gafas; *eindelijk was ik hem ~* por fin pude deshacerme de él; *hij is zijn verstand ~* ha perdido el juicio; **kwijting** pago, finiquito; *~ verlenen* dar recibo
kwijt|raken 1 (*verliezen*) perder *ie*; 2 (*afkomen van*) deshacerse de, desprenderse de, sacarse de encima; **-schelden** perdonar, eximir de, dispensar de, liberar de; **-schrift** (*Belg*) recibo, carta de pago
kwik mercurio, azogue *m*; **kwikkolom** columna de mercurio
kwinkslag broma, chiste *m*
kwint quinta
kwis *zie: quiz*
kwispelen mover *ue* la cola
kwistig liberal, pródigo, generoso; *met ~e hand* con mano pródiga
kwitantie recibo, carta de pago

Ll*l*

l *liter* litro; *afk* l
la 1 *zie: lade*; 2 (*muz*) la *m*
laad|bak caja; **-boom** pluma; **-brug** puente *m* de carga; **-ruim** bodega (de carga); **-vermogen** capacidad *v* de carga, carga máxima
1 laag *zn* 1 capa; *een ~ verf* (*ook:*) una mano de pintura; 2 (*geol, soc*) estrato, capa; 3 (*van erts*) yacimiento || *iem de volle ~ geven* lanzarse contra u.p.; *hij kreeg de volle ~* se llevó lo suyo
2 laag *bn* 1 bajo; *lager* (*mbt prijs, kwaliteit*) más bajo, inferior; *lager stellen* (*van eisen*) reducir; *niet lager dan 10%* no inferior al 10%; *lager onderwijs zie: onderwijs*; 2 (*gemeen*) bajo, mezquino; (*sterker:*) ruin, vil, abyecto; 3 (*muz*) bajo, grave
laag-bij-de-gronds vulgar, pedestre
laagbouw edificaciones *vmv* bajas
laagconjunctuur depresión *v*, baja coyuntura
laaggeschoold 1 (*mbt werknemer*) poco calificado; 2 (*mbt werk*) poco especializado
laaghartig infame, vil; **laaghartigheid** mezquindad *v*, bajeza, vileza
laag|seizoen temporada baja; **-spanning** baja tensión *v*
laagte 1 (*mbt prijzen*) bajo nivel *m*; 2 (*aardr*) depresión *v*
laag|veen turbera; **-vlakte** llanura; (*vruchtbaar:*) vega; **-water** marea baja, bajamar *v*
laaie: *in lichter ~* ardiendo, en llamas; **laaien** arder, llamear; **laaiend 1** (*woedend*) furioso; 2 (*enthousiast*) fervoroso, ardiente
laakbaar censurable, reprensible
laan alameda, paseo, calle *v* con árboles; *iem de ~ uitsturen* poner a u.p. (de patitas) en la calle
laars bota; *hij lapt het aan zijn ~* (no) le importa un pepino, le trae sin cuidado
laat I *bn* tardío; **II** *bw* tarde; *~ in de nacht* a avanzadas horas de la noche; *beter ~ dan nooit* más vale tarde que nunca; *hoe ~ is het?* ¿qué hora es?; (*om*) *hoe ~?* ¿a qué hora?; *vragen hoe ~ het is* preguntar la hora; *...dan weet je wel hoe ~ het is* ...ya sabes por donde van los tiros, ...ya sabes a qué atenerte; *het ~ maken* trasnochar; *te ~ zijn, komen* llegar tarde, retrasarse; *het vliegtuig is 3 uur te ~* el avión lleva un retraso de 3 horas; *het wordt te ~ voor mij* se me hace tarde; *hij is wat ~* se ha retrasado un poco; *tot ~ in de nacht* hasta muy entrada la noche
laatbloeier tardío, -a
laatdunkend despectivo, desdeñoso, altivo; **laatdunkendheid** desprecio, desdén *m*, altivez *v*
laatkoers cambio de venta
laatkomer tardón, -ona
laatst I *bn* último; *zijn ~e* (*jongste*) *werk* su obra más reciente; *als ~e komen* llegar el último; (*in*) *de ~e tijd* últimamente, en los últimos tiempos; *op zijn ~* a más tardar, como tarde; *ten ~e* finalmente, por último; *tot het ~* hasta el fin; *iets van de ~e tijd* cosa reciente, cosa moderna; *voor het ~* por última vez; *voor het ~ bewaren* reservar para el final; **II** *bw* (*onlangs*) el otro día, últimamente; **laatstgenoemde** éste, el último (citado); **laatstleden** último, próximo pasado; *afk* ppdo.
laattijdig (*Belg*) tardío
label etiqueta, marbete *m*
labeur (*Belg*) trabajo duro; **labeuren** (*Belg*) afanarse
labiel inestable, desequilibrado
laborant, laborante auxiliar *m,v* de laboratorio; **laboratorium** laboratorio
labyrint laberinto
lach risa; *in de ~ schieten* soltar *ue* la risa, echarse a reír; *zij kregen de slappe ~* les dio la risa floja; **lachbui** ataque *m* de risa
lachen reír(se) *i*; (*niet luid; glimlachen*) sonreír *i*; *~ om: a*) reírse de; *b*) (*spotten met*) burlarse de; *c*) (*niet serieus nemen*) tomar a broma, tomar a risa; *hard ~* reír a carcajadas; *hartelijk ~* reír con ganas; *hij lachte als een boer die kiespijn heeft* tuvo una risa de conejo; *wie het laatst lacht, lacht het best* quien ríe el último ríe mejor, al freír será el reír; *ik moest erg ~* me dio mucha risa; *ik kon mijn ~ niet houden* no pude aguantar la risa; *laat me niet ~!* ¡no me hagas reír!; *ze lacht gauw* tiene la risa fácil; *zich dood ~, zich een ongeluk ~* morirse *ue, u* de risa, desternillarse de risa; *iem aan het ~ maken* hacer reír a u.p.; *in zichzelf ~* reírse para sus adentros, reírse por lo bajo; *om een grap ~* reír una broma, festejar una broma; *dat is niet om te ~* no es cosa de risa; *tegen iem ~* sonreír a u.p.; **lachend** (*mbt gezicht*) sonriente, risueño; (*al*) *~* riendo; **lacherig**: *~ zijn* tener la risa fácil; **lachertje** ridiculez *v*; **lachgas** gas *m* hilarante; **lachje** risita, sonrisa; *een geforceerd ~* una risita forzada
lach|lust ganas *vmv* de reír; *de ~ opwekken* mover *ue* a risa, provocar la risa; **-salvo** risotada; **-spiegel** espejo cómico, espejo burlesco, espejo deformador; **-spier**: *op de ~en werken* dar ganas de reír; **-wekkend 1** hilarante; 2 (*gek*) ridículo, irrisorio
laconiek lacónico
lacune laguna, omisión *v*
ladder 1 escala, escalera de mano; 2 (*in kous*) carrera; *~s ophalen* coger puntos a las medias; **ladderen**: *de kous laddert* se hace una carrerilla en la media
lade 1 cajón *m*; 2 (*van geweer*) caja

laden cargar; *het ~ en lossen* (las operaciones de) carga y descarga; *de verantwoordelijkheid op zich ~ voor* incurrir en la responsabilidad de
ladenkast cómoda
lading carga, cargamento; *zie ook: vracht*
laf 1 cobarde; 2 (*mbt smaak*) soso, insípido; **lafaard** cobarde *m,v*
lafenis refresco, refrigerio; (*fig*) confortación *v*, alivio
lafheid 1 cobardía; 2 (*mbt smaak*) insipidez *v*, sosería
lager I *zn* (*techn*) cojinete *m*; II *bn zie: laag*
lagerhuis Cámara de los Comunes
lagerwal: *aan ~ raken* venir a menos; (*moreel ook:*) corromperse, envilecerse
lagune laguna
lak 1 (*zegellak*) lacre *m*; 2 (*op chinese dozen, meubels*) laca; 3 (*vernis*) barniz *m*, esmalte *m*; *in de ~ zetten* laquear || *ik heb er ~ aan* (no) me importa un comino
lakei lacayo
1 laken *ww* censurar, desaprobar *ue*
2 laken *zn* 1 (*stof*) paño; 2 (*op bed*) sábana || *de ~s uitdelen* tener la sartén por el mango, llevar la batuta, cortar el bacalao; *van hetzelfde ~ een pak* tres cuartos de lo mismo, cortados con la misma tijera
lakken 1 (*verven, vernissen*) pintar con laca, barnizar; 2 (*van nagels*) esmaltar; 3 (*van brief, kurk*) sellar con lacre, lacrar
lakleer charol *m*
lakmoes tornasol *m*
laks descuidado, indolente; **laksheid** indolencia, falta de cuidado
lak|spuit pistola (para pintar); **-stempel** sello de plomo; **-verf**, **-vernis** laca, esmalte *m*, barniz *m* (para pintores); **-zegel** sello de lacre
lallen farfullar, balbucir
1 lam *zn* cordero, -a
2 lam *bn* paralítico; (*verlamd*) paralizado; *~ leggen* paralizar
lama llama *v*
lambrizering 1 (*plafond*) artesonado; 2 (*wand*) revestimiento de madera
lamel lámina; (*van jaloezieën*) tablilla
lamheid parálisis *v*; *met ~ geslagen* paralizado
lamlendig abatido, desanimado, flojo; **lamlendigheid** flojedad *v*, desanimación *v*
lammeling miserable *m,v*, desgraciado, -a
lamp lámpara; (*van auto*) faro, luz *v* || *tegen de ~ lopen* ser atrapado, ser cogido; **lampekap** pantalla
lampion farolillo (de papel)
lams|bout pierna de cordero; **-kotelet** chuleta de cordero; **-vlees** (carne *v* de) cordero; **-wol** lana de cordero
lanceer|basis rampa de lanzamiento; **-platform** plataforma de lanzamiento
lanceren lanzar; **lancering** lanzamiento
lancet lanceta
land 1 (*geen water*) tierra; *~ in zicht!* ¡tierra a la vista!; *aan ~ gaan* desembarcar, bajar a tierra; *op het ~ trekken* (*uit water*) sacar a tierra; *over ~ reizen* ir por tierra, viajar por tierra; 2 (*staat*) país *m*, nación *v*; *'s ~s wijs 's ~s eer* donde fueres, haz lo que vieres; 3 (*grondbezit*) tierras *vmv*; *een stuk ~* un terreno; 4 (*platteland*) campo || *het ~ hebben aan* detestar, aborrecer
land|arbeider obrero agrícola, trabajador *m* del campo; **-bouw** (*akkerbouw*) cultivo de tierras; *~ en veeteelt* agricultura
landbouw|bedrijf empresa agrícola, finca agrícola; (*voor landbouw en veeteelt*) empresa agropecuaria; **-beleid** política agraria
landbouwer agricultor, -ora
landbouw|gereedschap herramientas *vmv* agrícolas, aperos *mmv*; **-grond** tierras *vmv* de cultivo, tierras *vmv* de labranza; **-hogeschool** Escuela Superior de Agricultura; (*vglbaar:*) Escuela Técnica Superior de Ingenieros Agrónomos; **-krediet** crédito agrícola
landbouwkunde agronomía; **landbouwkundig** agrónomo; agropecuario; *~ ingenieur* ingeniero agrónomo
landbouw|machines maquinaria agrícola; **-produkten** productos agrícolas; **-school** escuela de agronomía, centro de formación profesional agraria; **-werktuigen** maquinaria agrícola
land|dier animal *m* terrestre; **-eigenaar**, **-eigenaresse** terrateniente *m,v*, propietario, -a (de tierras)
landelijk 1 rural, campesino; 2 (*nationaal*) nacional; **landelijkheid** carácter *m* rural
landen 1 (*mbt schip*) arribar, hacer escala en; 2 (*mbt passagiers*) desembarcar; 3 (*mbt vliegtuig*) aterrizar, tomar tierra
landengte istmo
landenwedstrijd torneo internacional
landerig aburrido, desanimado; **landerigheid** aburrimiento, fatiga, desanimación *v*
landerijen tierras, fincas rústicas
land|genoot, **-genote** compatriota *m,v*; **-goed** finca (rústica); **-hervorming** reforma agraria; **-hoofd** estribo; **-huis** chalet *m*; **-ijs** casquete *m* glaciar
landing 1 (*mbt schip*) arribada; 2 (*mbt passagiers*) desembarque *m*; 3 (*mbt vliegtuig*) aterrizaje *m*; 4 (*op de maan*) alunizaje *m*
landings|baan pista de aterrizaje; **-gestel** tren *m* de aterrizaje; **-troepen** tropas de desembarco; **-vaartuig** lancha de desembarco
landinwaarts tierra adentro
land|kaart mapa *m*; **-klimaat** clima *m* continental; **-leven** vida rural, vida en el campo; **-loper** vagabundo; **-macht** ejército de tierra, fuerzas *vmv* de tierra; **-meter** agrimensor *m*; **-meting** agrimensura; **-mijn** mina terrestre; **-ontginning** puesta en cultivo de tierras
landschap paisaje *m*; **landschapschilder** paisajista *m*
landschaps|park (*vglbaar:*) parque *m* nacional; **-schoon** belleza del paisaje

lands|grens frontera nacional; **-taal** idioma *m* nacional, lengua vernácula
land|streek región *v*; **-tong** lengua de tierra; **-verhuizer** (e)migrante *m,v*; **-verraad** alta traición *v*; **-voogd**, **-voogdes** gobernador, -ora; **-waarts** hacia (la) tierra; **-weg** camino vecinal; **-wijn** vino del país, vino corriente; **-wind** viento de tierra
lang I *bn* 1 largo; *2 meter ~ zijn* tener 2 metros de largo; *twee ~e jaren* dos años largos; 2 (*mbt gestalte*) alto; II *bw* (*lange tijd*) mucho (tiempo); *niet ~* poco tiempo; *vrij ~* bastante tiempo; *zij zijn al ~ getrouwd* llevan mucho tiempo (de) casados; *bent u hier al ~?* ¿hace mucho tiempo que está Ud. aquí?; *al ~ uitverkocht* agotado hace tiempo; *hoe ~ is het geleden?* ¿cuánto tiempo hace?; *8 jaar ~* por (espacio de) 8 años; *het is nog ~ niet zover* aún queda mucho; *zijn leven ~* toda su vida; *de uren vallen hem ~* las horas se le hacen largas; *ik kan niet ~er wachten* no puedo esperar más (tiempo) || *~ niet, bij ~e na niet* ni con mucho, ni mucho menos; *het is ~ niet gek* no está nada mal; *~ en breed* (*fig*) detenidamente, largo y tendido; *hoe ~er hoe duurder* cada vez más caro
langdradig aburrido, tedioso
langdurig largo, prolongado, de mucha duración
lange-afstands|loper corredor *m* de fondo; **-raket** cohete *m* de largo alcance
lang|gerekt 1 (*mbt duur*) (muy) prolongado; 2 (*mbt vorm*) alargado; **-harig** de pelo largo; (*mbt persoon, neg*) melenudo
langlaufen *zn* esquí *m* nórdico, esquí *m* de fondo
lang|lopend 1 (*mbt contract*) de larga duración; 2 (*mbt krediet*) a largo plazo; **-oor** 1 animal *m* de orejas largas; 2 (*ezel*) asno, burro; 3 (*haas*) liebre *v*
langpootmug mosquito
langs a lo largo de; *~ mijn huis: a)* (*aan voorzijde*) por delante de mi casa; *b)* (*aan achterzijde*) por detrás de mi casa; *~ een andere weg* por otro camino; *hij komt hier vaak ~* pasa muchas veces por aquí; *bij iem ~ gaan* pasar por casa de u.p., (*fam*) descolgarse por casa de u.p.; *kan ik even ~ komen?* ¿puedo pasar un momento?; *even ~ wippen* (*fam*) dejarse caer, descolgarse *ue*; *allemaal ~ elkaar heen praten* hablar cada uno por su cuenta || *iem er van ~ geven* darle su merecido a u.p.
langsdoorsnede corte *m* longitudinal, sección *v* longitudinal
langslaper dormilón, -ona
langspeelplaat disco de larga duración, microsurco, elepé *m*
langstlevend sobreviviente; **langstlevende** sobreviviente *m,v*
langszij al costado del barco
languit: *hij viel ~* se cayó cuan largo era, se cayó todo lo largo que era
langwerpig oblongo; (*mbt gezicht*) alargado
langzaam I *bn* lento; II *bw* lentamente, despacio; *~ maar zeker* lento y seguro; *~ aan, dan breekt het lijntje niet* poco a poco hila la vieja el copo; *-zamer gaan lopen* espaciar el paso; *-zamer gaan rijden* aminorar la velocidad, reducir la marcha; **langzaam-aan-actie** huelga de trabajo lento
langzamerhand poco a poco, paso a paso, gradualmente
lankmoedig paciente, indulgente; **lankmoedigheid** indulgencia
lans lanza; *een ~ breken voor* salir en defensa de, romper lanzas por, romper una lanza a favor de
lansiers (*Belg*) división acorazada
lantaarn farol *m*; **lantaarnpaal** farol *m*, farola, poste *m* de alumbrado
lanterfanten haraganear, holgazanear, gandulear
lap 1 trozo de tela; (*doekje*) paño; (*afgescheurd:*) trapo; *het werkt op hem als een rode ~ op een stier* le saca de quicio; *de ~pen hangen erbij* es todo jirones, son puros harapos; *een gezicht van oude ~pen* cara de vinagre; 2 (*grond*) terreno; 3 (*vlees, tekst*) trozo (largo); 4 (*sp*) vuelta; *iem een ~ bezorgen* adelantar a u.p., sacarle una vuelta de ventaja a u.p.
Lap Lapón *m*
lapje 1 *zie: lap*; 2 (*vlees*) filete *m* || *iem voor het ~ houden* tomar el pelo a u.p.
Lapland Laponia
lapmiddel parche *m*, paños *mmv* calientes
lappen 1 (*repareren*) remendar *ie*; 2 (*van ramen*) limpiar, lavar; 3 (*sp*) adelantar || *hij lapt het hem wel* ya se las arreglará; *iem iets ~* hacerle una jugada a u.p., jugarle *ue* una mala pasada a u.p.; *iem erbij ~* dar el chivatazo a u.p.
lappen|deken centón *m*; (*fig ook:*) mezcolanza; **-mand**: *in de ~ zijn* estar malucho; **-pop** muñeca de trapo
Laps lapón *-ona*; **Lapse** lapona
lapwerk (*knoeiwerk*) chapucería
larderen mechar
larie tonterías *vmv*, disparates *mmv*
larve larva
las soldadura; **lasaggregaat** grupo de soldadura; **lasapparaat** aparato de soldadura; **lasbrander** soplete *m* para soldar
laser|printer impresora láser; **-straal** rayo láser *mv rayos láser*, haz lasérico
lasnaad junta soldada, juntura soldada
lassen soldar; **lasser** soldador *m*
lasso lazo
lasstaaf varilla de soldadura
last 1 carga, gravamen *m*, peso; *sociale ~en* cargas sociales; *vaste ~en* gastos fijos; *ten ~e komen van* ser a cargo de; *uitgaven te uwen ~e* gastos por su cuenta; *ten ~e leggen* imputar; *iem tot ~ zijn* ser una carga para u.p.; *vrij van*

~en libre de cargas, libre de gravámenes; 2 (*lading*) carga, cargamento; 3 (*hinder*) molestia, estorbo; *hebt u ~ van mijn koffer?* ¿le estorba mi maleta?; *~ van reuma hebben* estar aquejado de reuma; *ik heb ~ van de warmte* me molesta el calor; 4 (*opdracht*) orden *v*, mandato; *~ geven* (*om*) mandar, dar orden (de); *op ~ van* por orden de, por encargo de; 5 (*moeilijkheden*) problemas *mmv*; *daar krijg je ~ mee* te va a causar problemas; **lastdier** bestia de carga, animal *m* de carga

laster calumnia, difamación *v*; **lasteraar, lasteraarster** calumniador, -ora; **lastercampagne** campaña difamatoria, campaña calumniosa; **lasteren** 1 calumniar; 2 (*godsd*) blasfemar; **lasterlijk** calumnioso, difamatorio; **lasterpraatjes** chismes *mmv*, calumnias

lastgeefster, **lastgever** comitente *m,v*, mandante *m,v*, principal *m,v*; **lastgeving** mandato

lasthebber mandatario

lastig 1 (*moeilijk*) difícil, complicado; 2 (*netelig*) espinoso, delicado; 3 (*veeleisend*) exigente, difícil de contentar; 4 (*hinderlijk*) molesto; *iem ~ vallen* importunar, molestar; *het iem ~ maken* poner dificultades a u.p.; 5 (*mbt kind*) díscolo, desobediente, cargante; *kinderen zijn vaak ~* dan mucha guerra los niños; 6 (*zeurderig*) pesado, fastidioso

lastpost pesado, -a, pelma *m,v*, pelmazo, -a

lat 1 listón *m*; 2 (*doellat*) larguero || *magere ~* birria, fideo

laten 1 dejar; *laat maar!* ¡déjalo!, ¡no te preocupes!; *de dingen zo ~* dejar las cosas como son; *het licht aan ~* dejar la luz encendida; *zijn gang ~ gaan* dejar hacer; *iem tijd ~* darle tiempo a u.p.; *ik heb me ~ vertellen* me han dicho; *laat het maar aan mij over* déjame hacer a mí; *achter zich ~* dejar atrás; 2 (*niet doen*) no hacer, dejar de hacer; *het drinken ~* dejar de beber; *ik kan het niet ~* no lo puedo remediar; *doe wat je niet ~ kunt* haz lo que quieras; 3 (*maken dat*) hacer; *iem anders ~ betalen* hacer que pague otro; *~ bouwen* mandar construir; *iem ~ komen* citar a u.p.; *de dokter ~ komen* llamar al médico; *laat meneer in het kantoor* pásele al señor al despacho; *een pak ~ maken* mandar hacer un traje; *~ vragen* mandar preguntar; *~ weten* hacer saber, informar (de); *~ zien* mostrar *ue*, enseñar; 4 (*leggen, zetten*) dejar; *waar zal ik het ~?* ¿dónde lo dejo?, ¿dónde lo pongo?; 5 (*aansporing*): *~ we gaan* vamos; *laat hem maar komen* bueno, ¡que venga!; *laat hij liever oppassen!* ¡que tenga cuidado!; *~ we eens zien* vamos a ver; 6 *het ~ bij* no pasar de; *ze lieten het bij dreigementen* no pasaron de amenazas; *we ~ het erbij voor vandaag* basta para hoy; *het er niet bij ~* (*zitten*) llevar la cosa adelante

latent latente

later más tarde, después; **latertje**: *het wordt een ~ voor ons* terminaremos tarde

Latijn latín *m*; **Latijns** latino

Latijns-Amerika Latinoamérica, (la) América Latina; **Latijnsamerikaans** latinoamericano

latrine letrina

latwerk enlistonado; (*hekwerk*) enrejonado; (*voor klimplanten ook:*) espaldar *m*; (*voor wijnranken*) emparrado

laurier laurel *m*; **laurierblad** hoja de laurel

lauw tibio, templado

lauweren laureles *mmv*; *~ behalen* conquistar laureles; *op zijn ~ rusten* dormirse *ue, u* sobre sus laureles; **lauwerkrans** corona de laureles

lauwheid tibieza

lava lava; **lavastroom** torrente *m* de lava

laveloos borracho perdido, como una cuba

lavement lavativa

laven: *zich ~* refrescarse

lavendel espliego, cantueso, lavanda

laveren (*scheepv*) virar de bordo; (*fig*) maniobrar

lawaai ruido; (*kabaal*) escándalo; *~ maken, ~ schoppen* meter ruido, armar escándalo; **lawaaierig** ruidoso; *het is er ~* hay mucho ruido; **lawaaimaker** alborotador *m*

lawine avalancha, alud *m*

laxeermiddel laxante *m*; **laxeren** purgar; **laxerend** laxante

lazaret lazareto

lazer: *op zijn ~ geven* dar una (buena) paliza

lbo (*vglbaar:*) enseñanza profesional de primer grado

leasing leasing *m*

lector lector *m,v*

lectuur lectura

ledematen miembros

leden|lijst lista de socios; **-tal** número de socios; **-vergadering** reunión *v* de socios

leder *zie: leer*; **lederwaren** artículos de piel, marroquinería

ledig 1 *zie: leeg*; 2 (*nietsdoend*) ocioso; **ledigen** vaciar *í*; **ledigheid** ociosidad *v*; *~ is des duivels oorkussen* la ociosidad es madre de todos los vicios

ledikant cama

leed I *zn* pena, dolor *m*, pesar *m*; II *bn*: *met lede ogen aanzien* ver con malos ojos, no ver con buenos ojos

leed|vermaak alegría por el mal ajeno; *~ hebben* bañarse en agua de rosas; **-wezen** pesar *m*; *zijn ~ betuigen* expresar su sentimiento; *tot mijn ~* con gran sentimiento de mi parte

leefbaar vividero, vivible; **leefbaarheid** vivibilidad *v*

leef|klimaat clima *m* de vida; **-milieu** medio ambiente; **-regel** régimen *m, mv regímenes* de vida

leeftijd edad *v*; *alle ~en* (*film*) (autorizado) para todos los públicos; *hij heeft er de ~ voor* está en la edad; *op ~* entrado en años; *op de ~ van* a la edad de; *van onbestemde ~* de edad indefinida; *voor zijn ~* para su edad, para la edad que tiene; **leeftijdsgrens** límite *m* de edad

lee

leef|tocht vituallas *vmv*, provisiones *vmv*, víveres *mmv*; **-wijze** modo de vida, género de vida
leeg vacío; (*mbt band ook:*) desinflado
leeg|drinken vaciar *í*, apurar; **-eten**: *zijn bord ~* terminar el plato; **-gieten** vaciar *í*; **-goed** (*Belg*) envases *mmv* vacíos; **-halen** 1 vaciar *í*; 2 (*plunderen*) saquear
leeghoofd cabeza vacía, cabeza de chorlito; **leeghoofdig** casquivano, ligero de cascos
leeg|lopen 1 (*mbt zaal*) quedar vacío; 2 (*mbt band, ballon*) perder *ie*, desinflarse, deshincharse; 3 (*nietsdoen*) holgazanear; **-loper** vago, holgazán *m*; **-maken** vaciar *í*; **-pompen** I *ww* vaciar *í* a bomba; II *zn* drenaje *m*; **-staan** (*mbt woning*) estar desocupado, estar desalquilado; **-stand** desocupación *v*
leegte vacío; (*van het bestaan, fig ook:*) oquedad *v*
leek laico, profano, lego
leem barro, arcilla
leemte vacío, laguna, hueco
leen 1 (*hist*) feudo; 2 *te ~* prestado; *te ~ geven* prestar, dar prestado; *in, te ~ hebben, krijgen* tener prestado; *te ~ vragen* pedir *i* prestado
leen|bank banco de préstamos; **-goed** feudo; **-heer** señor *m* feudal; **-man** vasallo; **-stelsel** sistema *m* feudal
leep astuto, cuco; **leepheid** astucia, marrullería
1 leer (*van jas, schoen*) cuero; (*van tas*) piel *v*; *van ~ trekken tegen* arremeter contra
2 leer 1 (*stelsel*) doctrina; 2 (*leertijd*) aprendizaje; *in de ~ gaan bij* hacerse discípulo de, pasar por la escuela de
leerachtig parecido al cuero; (*getaand, mbt huid*) curtido
leer|boek libro de texto, libro de enseñanza; **-contract** (*Belg*) contrato de aprendizaje; **-gang** curso; **-gang** 1 (*periode*) curso; 2 (*methode*) método de enseñanza; **-gast** (*Belg*) aprendiz *m*; **-geld**: *~ betalen* escarmentar
leergierig estudioso; **leergierigheid** estudiosidad *v*
leer|jaar 1 año escolar, curso escolar; 2 (*klas*) curso; **-jongen** aprendiz *m*; **-kracht** profesor, -ora; *de ~en* el personal docente, el profesorado, los enseñantes
leerling, **leerlinge** alumno, -a; (*lit*) discípulo, -a; (*iem in opleiding*) aprendiz, -iza
leerlingen|bestand alumnado; **-stelsel** formación *v* general de aprendices
leerlingverpleegster persona que estudia para enfermera
leer|looien I *ww* curtir; II *zn* curtido (de pieles); **-looier** curtidor *m*; **-looierij** curtiduría, tenería
leer|meester maestro; **-middelen** material *m* escolar, materiales *mmv* de enseñanza; **-plan** plan *m* de estudios, programa *m* de estudios
leerplicht escolaridad *v* obligatoria; **leerplichtig** (*mbt kind*) de edad escolar (obligatoria); *~e leeftijd* edad *v* escolar
leer|stellig dogmático; **-stoel** cátedra; **-stof** materia de la enseñanza, contenido de la enseñanza, programa *m*; **-stuk** dogma *m*; **-tijd** (tiempo de) aprendizaje *m*
leerwaren *zie: lederwaren*
leerzaam instructivo, aleccionador *-ora*
leesapparaat (*voor microfilms*) amplificador *m* (para leer microfilms)
leesbaar (*mbt boek*) que se lee muy bien; (*mbt handschrift ook:*) legible, descifrable
lees|blindheid dislexia; **-boek** libro de lectura; **-bril** gafas *vmv* para leer; **-kop** (*comp*) cabeza de lectura; **-lamp** lámpara para leer, lámpara para la lectura; **-stof** lectura
leest 1 horma; *op dezelfde ~ schoeien* medirlo *i* con la misma vara; 2 (*taille*) cintura, talla
lees|teken signo de puntuación; **-voer** pasto de lectura; **-zaal** sala de lectura, salón *m* de lectura; *openbare ~* biblioteca pública
leeuw 1 león *m*; 2 (*astrol*) Leo
leeuwe|bekje (*plantk*) becerra; **-deel** parte *v* del león; **-jacht** caza del león; **-kuil** cueva de los leones, pozo de los leones
leeuwentemmer, **leeuwentemster** domador, -ora de leones
leeuwerik alondra
leeuwewelp cachorro de león; **leeuwin** leona
lef agallas *vmv*, valor *m*, riñones *mmv*; (*pop*) huevos *mmv*, cojones *mmv*
leg (*mbt kip*) puesta; *kip in de ~* gallina ponedora
legaal 1 legal; 2 (*geoorloofd*) lícito
legaat legado
legalisatie legalización *v*; **legaliseren** legalizar
legateren legar
legatie legación *v*, embajada
legen vaciar *í*
legendarisch legendario; **legende** leyenda
leger 1 ejército, fuerzas *vmv* armadas; *Leger des Heils* Ejército de Salvación; 2 (*van haas*) madriguera; 3 (*van wild dier*) cubil *m*, guarida
leger|aanvoerder jefe *m* del ejército; **-commandant** comandante *m* en jefe
'legeren acampar, estacionar (tropas)
le'geren alear; **le'gering** aleación *v*
leger|kamp campamento; **-korps** cuerpo de ejército; **-leiding** alto mando (del ejército); **-onderdeel** unidad *v* (del ejército); **-predikant** pastor *m* castrense; **-stede** lecho, yacija
leges derechos *mmv*, tasa
leggen poner, colocar; (*van kabel*) tender *ie*; *opzij ~: a*) apartar; *b*) (*sparen*) ahorrar
legger 1 (*balk*) travesaño, durmiente *m*; (*spoorw*) traviesa; 2 (*register*) registro
legio muchísimos *mmv*, legión (de)
legioen legión *v*; *Legioen van Eer* Legión de Honor
legislatuur (*Belg*) legislatura
legitiem legítimo; **legitimatie** 1 (*het legitimeren*) legitimación *v*; 2 (*papier*) documentación *v*; **legitimatiebewijs** tarjeta de identi-

dad, carnet *m* (de identidad); **legitimeren, zich** acreditar su identidad; **legitimiteit** legitimidad *v*

leg|kast (armario) ropero; **-kip** gallina ponedora; **-penning** medalla; **-puzzel** rompecabezas *m*

leguaan iguana

lei (*Belg; laan*) avenida, bulevar *m*

lei pizarra; *met een schone ~ beginnen* empezar *ie* una nueva vida; **leidekker** pizarrero

leiden I *tr* **1** (*leiding geven*) dirigir; *een bijeenkomst ~* presidir una reunión; **2** (*brengen*) llevar, conducir; (*richting geven*) guiar *í*; *~ tot* llevar a, conducir a; *zich laten ~ door* dejarse guiar por; **3** (*van leven*) llevar; *een vrolijk leven ~* llevar una vida alegre; II *intr* (*sp*) estar en cabeza, ir a la cabeza; **leidend** rector *-ora*; *~ principe* principio rector; **leider 1** jefe *m*, director *m*; (*pol ook:*) líder *m*, dirigente *m*; *geestelijk ~* director espiritual; **2** (*gids*) guía *m*; **leiderschap** dirección *v*, jefatura; (*pol*) liderazgo; (*mil*) caudillaje *m*; **leiding 1** dirección *v*, mando; (*management*) gerencia; (*beheer*) administración *v*; *het ~ geven* el ejercicio del mando; *~ geven aan* dirigir; *de ~ hebben: a*) tener el mando; *b*) (*sp*) ir a la cabeza; *de ~ op zich nemen* tomar el mando; *onder ~ van* dirigido por, bajo la dirección de; *een delegatie onder ~ van* una delegación presidida por; **2** (*van gas, water*) tubería, conducto, tubo; (*elektr*) tendido, cable *m*

leiding|gevend dirigente, directivo; *~e capaciteiten* dotes *vmv* de mando; *~ personeel* directivos *mmv*, personal *m* directivo, personal *m* dirigente; **-water** agua corriente, agua del grifo

leidraad pauta, guía, hilo conductor

leidsel rienda; **leidsman** guía *m*, mentor *m*; **leidster 1** jefa, directora; **2** (*gids*) guía

leien *bn* de pizarra; **leisteen** pizarra

lek I *zn* (*gat*) agujero; (*in boot*) vía de agua; (*in dak*) gotera; (*van gas; in kerncentrale*) fuga, escape *m*; (*van nieuws*) filtración *v*; II *bn*: *~ke band* neumático pinchado, pinchazo; *~ zijn: a*) tener una fuga, tener un escape; *b*) (*mbt schip*) hacer agua; *c*) (*mbt vat, vaas*) salirse, perder *ie*; **lekbakje** recogegotas *m*, platillo escurridor; **lekkage** fuga, escape *m*, pérdida; (*van dak*) goteras *vmv*; **lekken** gotear; *zie ook: lek zijn; het dak lekt* el tejado se llueve; *het lekt in mijn kamer* en mi cuarto hay goteras

lekker I *bn* **1** (*mbt eten*) rico, sabroso; *~ eten: a*) (*met smaak*) comer con gusto; *b*) (*een goed maal genieten*) comer bien; *ik vind het ~* me gusta; **2** (*mbt weer, geur*) bueno, agradable; *het ruikt ~* huele bien || *ik ben niet ~* no me siento bien; *je bent niet ~!* ¡no estás bien de la cabeza!; *iem ~ maken* engolosinar a u.p.; II *bw het is hier ~ warm* hace un calor agradable aquí || *dank je ~!* ¡para quien lo quiera!; *ik doe het ~ (toch) niet* pues no me da la real gana de hacerlo; **lekkerbek** goloso, -a; **lekkerbekje** (*vis*) trozo de pescado frito; **lekkernij** bocado exquisito, golosinas *vmv*; **lekkers** dulces *mmv*, golosinas *vmv*; *iets ~* algo apetitoso

lel 1 (*van oor*) lóbulo; **2** (*van kalkoen*) barba; **3** (*slet*) mujerzuela; **4** (*klap*) tortazo

lelie azucena; **lelietje-van-dalen** muguete *m*, lirio de los valles

lelijk I *bn* feo; *zo ~ als de nacht* más feo que Picio; *~ woord* palabrota; II *bw*: *~ kijken* poner gesto de enfado; *het ziet er ~ uit* no promete nada bueno; *zich ~ vergissen* equivocarse de medio a medio; **lelijkerd 1** tipo feo; **2** (*fig*) antipático, -a; **lelijkheid** fealdad *v*

lemen de barro; *~ hut* casa de adobe

lemmet hoja

lende 1 (*van mens*) región *v* lumbar, riñones *mmv*; **2** (*van dier*) lomo; **lendendoek** taparrabo; **lendenen, lendestreek** *zie: lende*; **lendestuk** solomillo; (*van varken ook:*) lomo

lenen 1 (*geven*) prestar, dar prestado; **2** *iets van iem ~: a*) (*ontvangen*) tener prestado u.c de u.p., tomar prestado u.c. de u.p.; *b*) (*vragen*) pedir *i* prestado u.c. a u.p.; *het geleende* lo pedido prestado, lo tomado prestado; **3** *zich ~ voor* prestarse a; *ik leen mij daar niet voor!* ¡para eso conmigo no cuenten!; **lener 1** (*gever*) prestador *m*; **2** (*ontvanger*) prestatario

lengen (*mbt dagen*) crecer

lengte 1 longitud *v*, largo; *in de ~* longitudinalmente, a lo largo; *over de volle ~* a todo lo largo; **2** (*van persoon*) altura, estatura; *in zijn volle ~* cuan largo es; **3** (*aardr*) longitud *v*; **4** (*van film*) duración *v*; **5** (*van brief*) extensión *v*; **6** (*van schip*) eslora || *tot in ~ van dagen* hasta el fin de los tiempos

lengte|as eje *m* longitudinal; **-doorsnee** corte *m* longitudinal; **-graad** grado de longitud; **-richting** sentido longitudinal

lenig ágil, flexible; **lenigen** aliviar, mitigar; **lenigheid** agilidad *v*, flexibilidad *v*; **leniging** alivio, mitigación *v*

lening préstamo, empréstito; *een ~ sluiten* contratar un préstamo

1 lens *zn* **1** lente *v*; **2** (*fot*) objetivo

2 lens *bn*: *iem ~ slaan* romper la crisma a u.p.

lens|opening (abertura de) diafragma *m*; **-pomp** bomba de carena, bomba de achique

lente primavera; *het wordt ~* llega la primavera; **lentedag** día *m* de primavera, día *m* primaveral

lenzen *ww* achicar

lepel 1 cuchara; (*groot:*) cucharón *m*; **2** *zie: lepelvol*; **lepelen** cucharear; **lepelvol** cucharada

leperd pillo, zorro

lepra lepra; **lepralijder** leproso, -a

leraar profesor *m*

leraars|ambt profesorado, docencia, profesión *v* docente; **-kamer** sala para los profesores

leraren|korps cuerpo docente; **-opleiding** formación *v* de profesorado de enseñanza secundaria

lerares profesora
1 leren *ww* 1 (*kundigheid verwerven*) aprender; ~ *kennen* (llegar a) conocer; *al doende leert men* la práctica hace maestro; *de tijd zal het* ~ el tiempo dirá; *dat zal je* ~ eso te enseñará; *hij leert voor arts* hace estudios de médico, se prepara para médico; 2 (*onderrichten*) enseñar
2 leren *bn* de cuero
lering: *hij heeft* ~ *getrokken uit* ... ...le ha servido de lección
les 1 lección *v*; ~ *geven in* dar clase(s) de; ~ *krijgen, volgen in* tomar clase(s) de; ~ *nemen bij iem* tomar clase(s) con u.p.; *laat het een* ~ *voor je zijn!* ¡que te sirva de lección!, ¡que te sirva de escarmiento!; *iem de* ~ *lezen* dar una lección a u.p.; *niemand hoeft mij de* ~ *te lezen* de nadie he de recibir lecciones; 2 (*lesuur*) clase *v*
lesauto auto L, coche *m* de auto-escuela
lesbiënne lesbia, lesbiana; **lesbisch** lesbiano, lesbio
les|geld matrícula; **-lokaal** sala de clase; **-materiaal** material *m* didáctico; **-rooster** horario (de clases)
lessen (*van dorst*) aplacar, calmar
lessenaar pupitre *m*; (*voor muziek*) atril *m*
les|toestel, **-vliegtuig** aparato instructor, aparato de entrenamiento; **-uur** hora lectiva, hora de clase
lethargie letargo
letsel lesión *v*, lesiones *vmv*, heridas *vmv*; *inwendig* ~ lesiones internas; ~ *oplopen* sufrir lesiones, sufrir daño; *iem* ~ *toebrengen* herir *ie, i* a u.p.
letten (*op*) 1 fijarse (en), poner atención (en); ~ *op de kinderen* vigilar a los niños; *let wel!* ¡fíjese bien!, ¡entiéndase bien!; 2 impedir *i*; *niets let je* nada te lo impide
letter letra; (*lettertype ook:*) carácter *m, mv caracteres*, tipo; *kleine* ~ (letra) minúscula; *naar de* ~ al pie de la letra; **letteren** literatura, letras
letter|gieter fundidor *m* de (tipos de) imprenta; **-greep** sílaba
letterkunde literatura, letras *vmv*; **letterkundig** literario; **letterkundige** literato, -a
letterlijk I *bn* literal; II *bw* 1 literalmente; 2 (*geheel*) totalmente; *hij was* ~ *kapot* estaba lo que se dice destrozado
letter|teken carácter *m, mv caracteres*; **-type** tipo (de imprenta); **-woord** sigla; **-zetten** componer; **-zetter** cajista *m*
leugen mentira; (*ernstig:*) embuste *m*; ~ *om bestwil* mentira piadosa; *iem op een* ~ *betrappen* coger a u.p. en mentira; **leugenaar**, **leugenaarster** mentiroso, -a
leugenachtig mendaz, mentiroso; (*onwaar*) falso; **leugenachtigheid** mendacidad *v*, falsedad *v*
leugendetector detector *m* de mentiras
leuk 1 (*grappig*) divertido, gracioso; *hij vindt het* ~ le gusta, le divierte, le hace gracia; *dan is het niet* ~ *meer* así ya no tiene gracia; *ik vergeet het* ~*ste* me olvido de lo mejor; 2 (*prettig*) agradable; *wat* ~*!* ¡qué bien!; 3 (*mbt uiterlijk*) bonito, mono
leukemie leucemia
leukerd bromista *m,v*, gracioso, -a; **leukweg** sin inmutarse, como si nada
leunen (*op*) apoyarse (en); ~ *tegen* apoyarse contra; **leuning 1** (*voor arm*) brazo, descansabrazos *m*; (*voor rug*) respaldar *m*, respaldo; 2 (*van brug*) pretil *m*; 3 (*van trap*) barandilla;
leunstoel sillón *m*, butaca
leuren: ~ *met* tratar de vender
leus consigna, eslogan *m*; (*wachtwoord*) santo y seña
leut 1 (*pret*) alegría; *voor de* ~ en broma; 2 (*koffie*) café *m*; *een kopje* ~ una taza de café, un cafecito
leuteraar, **leuteraarster** persona muy habladora, parlanchín, -ina, cotorra; **leuteren** parlotear, decir tonterías; **leuterpraat** cháchara, habladurías *vmv*, chismorreo
leven I *ww* vivir; *leve de koning!* ¡viva el rey!; ~ *en laten* ~ vivir y dejar vivir; *laten* ~ (*niet doden*) perdonar la vida; *zolang ik leef* mientras viva; *die dan leeft, die dan zorgt* el que venga atrás que arree, ya veremos en su día; *hij zal niet lang meer* ~ le queda poco de vida; *er op los* ~ darse la gran vida; *van dat geld kun je niet* ~ ese dinero no alcanza para vivir; II *zn* 1 vida; *hoe staat het* ~*?* ¿qué es de tu vida?; *wat een* ~*!* ¡qué vida (ésta)!; *alsof zijn* ~ *op het spel stond* como si le fuera en ello la vida; *ik zou er mijn* ~ *voor willen geven* daría la vida por ello; *hij heeft bij die vrouw geen* ~ esa mujer le amarga la vida; *het* ~ *laten* morir *ue, u*, perder *ie* la vida; *het* ~ *schenken aan* dar a luz; *bij* ~ en vida, de vida; *bij* ~ *en welzijn* si Dios quiere; *in* ~ *blijven* salir con vida; *in* ~ *zijn* estar con vida; *om in* ~ *te blijven* para subsistir; *in* ~ *houden* mantener vivo; *in het* ~ *roepen* crear, fundar; *naar het* ~ (*getekend*) del natural; *om het* ~ *brengen* matar; *om het* ~ *komen* perecer, morir *ue, u*; resultar muerto; *op* ~ *en dood* a vida o muerte; *uit het* ~ *gegrepen* tomado de la vida (real); *nooit van mijn* ~ *heb ik zoiets lekkers gegeten* en mi vida he comido cosa más rica; *wel, heb ik van mijn* ~*!* ¡no me digas!; *voor het* ~ (*benoemd*) de por vida; *president voor het* ~ presidente *m* vitalicio; 2 (*lawaai*) ruido, tumulto; *een* ~ *als een oordeel* un ruido infernal; ~ *maken* meter ruido
levend vivo; *de herinnering* ~ *houden* mantener vivo el recuerdo; ~*e talen* lenguas vivas; *een* ~ *wezen* un ser viviente; **levendig 1** (*mbt belangstelling*) vivo; 2 (*mbt gesprek*) animado; 3 (*mbt handel*) activo; **levendigheid** viveza, animación *v*, actividad *v*; **levenloos** sin vida, muerto
levens|behoefte 1 necesidad *v* vital; 2 ~*n* (*concr*) cosas de primera necesidad; **-belang** importancia vital; **-beschouwing** ideología;

-beschrijving biografía, curriculum *m* vitae; **-dagen** vida; **-doel** objeto de la vida; **-drang** impulso vital; **-duur** 1 duración *v* de la vida; 2 (*van apparaat*) vida útil; **-echt** realista; **-ervaring** experiencia de la vida; **-genieter** epicúreo, persona que disfruta de la vida; **-gevaar** peligro de muerte; **-gevaarlijk** muy peligroso, mortal; **-gezel**, **-gezellin** compañero, -a (en la vida); (*echtgenoot*) esposo, -a; **-groot** de tamaño natural

levenskracht vitalidad *v*, fuerza vital; **levenskrachtig** vital, enérgico, vigoroso

levens|lang 1 (*mbt straf*) perpetuo; *~e gevangenisstraf* (pena de) cadena perpetua, prisión *v* perpetua; 2 (*voor het leven, mbt vruchtgebruik*) vitalicio; **-licht**: *het ~ zien* ver la luz; **-loop** (curso de la) vida; (*beschrijving*) curriculum *m* vitae, biografía; **-lustig** (de genio) alegre, gozoso de vivir

levensmiddelen provisiones *vmv*, víveres *mmv*, vituallas, comestibles *mmv*, productos alimenticios; **levensmiddelenindustrie** industria alimenticia, industria de alimentos

levens|moe cansado de la vida; **-omstandigheden** condiciones *vmv* de vida; **-onderhoud** manutención *v*, sustento, (medios *mmv* de) subsistencia; *kosten van ~* coste *m* de la vida; **-standaard** nivel *m* de vida; **-teken** señal *v* de vida

levens|vatbaar viable; **-vatbaarheid** viabilidad *v*; **-verwachting** esperanza de vida

levens|verzekering seguro de vida; **-verzekeringsmaatschappij** compañía de seguros de vida

levens|voorwaarde condición *v* vital; **-vraag** cuestión *v* vital; **-wandel** conducta; **-werk**: *zijn ~* el trabajo de su vida; **-wijsheid** sabiduría (por experiencia de la vida); **-wijze** modo de vivir

lever hígado || *iets op zijn ~ hebben* querer confesar u.c.; *fris van de ~* con franqueza; **leveraandoening** enfermedad *v* del hígado

leverancier proveedor *m*, suministrador *m*, abastecedor *m*; **leverantie** suministro, abastecimiento

leverbaar listo para entrega (inmediata), listo para ser entregado; *in 3 kleuren ~* se vende en 3 colores

leveren 1 (*verschaffen*) suministrar, proveer de, abastecer de; *bewijzen ~* suministrar pruebas, presentar pruebas; 2 (*afleveren*) entregar; 3 (*mbt motor*) desarrollar; *de motor levert 20 pk* el motor desarrolla 20 caballos || *strijd ~* rendir *i* combate, librar batalla; *goed werk ~* trabajar bien, cumplir; **levering** 1 suministro; 2 (*aflevering*) entrega

leverings|termijn, **-tijd** plazo de entrega; **-voorwaarden** condiciones *vmv* de entrega

lever|traan aceite *m* de hígado de bacalao; **-worst** embutido de hígado

lexicograaf, **lexicografe** lexicógrafo, -a; **lexicografie** lexicografía; **lexicografisch** lexicográfico

lexicon léxico

lezen 1 leer; *vluchtig ~* leer por encima; *dit boek leest makkelijk* este libro se lee con sencillez; *alles ~ wat los en vast zit* leer a todo pasto; *bijna niet te ~* poco menos que ilegible; *de angst staat op zijn gezicht te ~* lleva escrito el miedo en la cara; 2 (*van aren*) espigar; 3 (*van mis*) decir, celebrar

lezer, **lezeres** lector, -ora; **lezerspubliek** público lector, lectores *mmv*; **lezing** 1 (*het lezen*) lectura; 2 (*voordracht*) conferencia; *een ~ geven* dar una conferencia; 3 (*versie*) versión *v*

Libanees libanés *-esa*; **Libanon** el Líbano

libelle libélula

liberaal liberal; **liberalisme** liberalismo

licentie licencia; *in ~* bajo licencia; **licentiehouder** concesionario

lichaam 1 cuerpo; *naar ~ en ziel* (*volledig*) en cuerpo y alma; *over zijn hele ~* por todo el cuerpo; 2 (*instelling*) cuerpo, entidad *v*; *wetgevend ~* cuerpo legislativo

lichaams|beweging ejercicio; **-bouw** constitución *v* física; **-deel** parte *v* del cuerpo; (*arm, been*) miembro; **-gebrek** defecto físico; **-houding** porte *m*; **-kracht** fuerza física, vigor *m* corporal; **-verzorging** aseo personal; **-warmte** calor *m* del cuerpo, calor *m* corporal

lichamelijk físico, corporal; *~ letsel* daños *mmv* corporales; *~e oefening* educación *v* física

licht I *zn* luz *v*; (*van auto ook:*) faro; *groot ~* luz larga, luz de carretera; *hard, fel ~* luz cruda; *zwak ~* luz débil, luz tenue; *er ging mij een ~ op* empecé a ver claro; *iem het groene ~ geven* dar la luz verde a u.p.; *zijn ~ opsteken bij* informarse con u.p. *~ werpen op* echar luz sobre, arrojar luz sobre; *het ~ zien: a*) (*geboren worden*) ver la luz; *b*) (*verschijnen*) salir a luz; *aan het ~ brengen* poner en claro, sacar a la luz; *aan het ~ komen* descubrirse; *in het ~ van* (*ook fig*) a la luz de; *kom eens in het ~* ven a la luz; *je staat in mijn ~* me quitas la luz; *tegen het ~* al trasluz, a contraluz; || *hij is bepaald geen ~* no es ninguna lumbrera; **II** *bn* 1 (*niet donker*) claro; *het wordt ~* amanece, empieza a clarear; *het is nog ~* aún es de día; 2 (*niet zwaar, niet ernstig, mbt gewicht, pijn, verbetering*) ligero, leve; *een ~ maal* una comida ligera; *~e verwondingen* heridas leves; *vrouw van ~e zeden* mujer de vida ligera; *~ in het hoofd* algo mareado; *~er worden* (*afvallen*) perder *ie* peso; 3 (*gemakkelijk*) fácil; *het valt hem ~* le resulta fácil, no le cuesta; *~ te vergeten* fácil de olvidar; **III** *bw*: *~ ontvlambaar* (fácilmente) inflamable; *~ opvatten* tomar a la liger

licht|bak caja luminosa; **-baken** baliza luminosa de señalización; **-beeld** diapositiva; **-blauw** azul claro; **-blond** rubio (claro); **-boei** boya luminosa; **-bron** fuente *v* luminosa; **-bundel** haz *m* de luz; **-echt** resistente a la luz, (de color) firme, (de color) sólido

lichtelijk algo, un poco, un tanto
1 lichten 1 (*dag worden*) amanecer, clarear; 2 (*oplichten*) iluminarse; 3 (*bliksemen*) relampaguear; 4 (*mbt zee*) fosforecer
2 lichten 1 (*van schip*) poner a flote; 2 (*ptt*): *de bus* ~ hacer la recogida de los buzones; 3 *het anker* ~ zarpar, levar anclas || *iem van zijn bed* ~ detener a u.p. en su casa durante la noche; *iem beentje* ~ echar la zancadilla a u.p.; *de hand* ~ *met de regels* no aplicar debidamente las reglas
lichtend luminoso
lichter barcaza, gabarra
lichterlaaie *zie: laaie*
lichtgelovig crédulo; **lichtgelovigheid** credulidad *v*
lichtgeraakt susceptible, picajoso, quisquilloso; **lichtgeraaktheid** susceptibilidad *v*
licht|gevend luminoso; **-gevoelig** fotosensible; **-gewicht** (*sp*) peso ligero; **-gewond** levemente herido, herido de poca gravedad; **-golf** onda luminosa
lichting 1 (*mil*) leva, quinta; 2 (*cursusjaar*) promoción *v*; 3 (*ptt*) recogida de los buzones
lichtjaar año-luz *m, mv años-luz*
lichtje lucecita
licht|kogel bala luminosa; **-koker** patio interior; **-mast** poste *m* de alumbrado; **-metaal** metal *m* ligero; **-meter** exposímetro, fotómetro; **-net** red *v* de alumbrado eléctrico; *werkt op het* ~ funciona a la red; **-punt** 1 (*elektr*) conexión *v*; 2 (*fig*) salida remota, (rayo de) esperanza; **-reclame** luz *v* publicitaria; **-schakelaar** interruptor *m* (de la luz); **-schip** buque *m* faro; **-schuw** que teme a la luz; **-signaal** señal *v* luminosa, señal *v* de luz; **-sterkte** intensidad *v* luminosa
lichtvaardig irreflexivo, superficial, ligero; **lichtvaardigheid** irreflexión *v*, superficialidad *v*, ligereza
lichtzinnig frívolo, casquivano; **lichtzinnigheid** frivolidad *v*
lid 1 (*van familie, van instantie; anat*) miembro; *griep onder de leden hebben* estar incubando la gripe; *bevend over al zijn leden* todo tembloroso; 2 (*van vinger*) falange *v*; 3 (*van gewricht*) articulación *v*; *uit het* ~ *raken* (*van arm*) dislocarse; 4 (*van club*) miembro, socio; *de leden van de groep* los componentes del grupo; *leden van de Eerste Kamer* Senadores *mmv*; *leden van de Tweede Kamer* Diputados; ~ *worden: a*) hacerse socio; *b*) (*van partij*) afiliarse; 5 (*van wet*) párrafo, inciso; 6 (*van vergelijking*) término
lid|geld (*Belg*) cuota; **-kaart** (*Belg*) carnet *m* de socio
lidmaatschap 1 calidad *v* de miembro, condición *v* de socio; (*van vakbond*) afiliación *v*; 2 (*contributie*) cuota; *het* ~ *kost* la cuota es de; **lidmaatschapskaart** tarjeta de socio, carnet *m* de socio
lidstaat estado miembro; **lidwoord** artículo; *bepaald* ~ artículo definido; *onbepaald* ~ artículo indefinido
lied canción *v*, cantar *m*; (*muz genre*) lied *m, mv lieder*
lieden gente *v*; *het zijn goede* ~ es gente buena
liederlijk libertino, licencioso, vicioso; (*mbt taal*) obsceno
liedje canción *v*; *het oude* ~, *hetzelfde* ~ la misma canción, el mismo cantar; *het eind van het* ~ *was dat* ... total que ...
lief I *zn* 1 (*persoon*) querido, -a; 2 ~ *en leed* lo bueno y lo malo; II *bn* 1 (*bemind*) querido; *Lieve Paco,* (*briefaanhef*) Querido Paco:; 2 (*aardig*) amable, cariñoso, encantador *-ora*; *een* ~ *dier* un animal cariñoso; *lieve God!* ¡(ay) Dios mío!; *een* ~ *huisje* una casita encantadora; *ik vind haar* ~ le tengo cariño; ~ *voor iem zijn* ser cariñoso con u.p.; *meer dan mij* ~ *is* más de lo que yo quisiera; *iets voor* ~ *nemen* resignarse con u.c., contentarse con u.c.; *ik zou er een* ~ *ding voor geven dat* ... daría cualquier cosa por ...; *ik zou net zo* ~ ... casi prefiero ...; *zijn* ~*ste bezigheid* su ocupación *v* favorita
liefdadig benéfico, caritativo; **liefdadigheid** caridad *v*, beneficencia; **liefdadigheidsinstelling** institución *v* benéfica
liefde amor *m*; (*genegenheid*) cariño; (*warme belangstelling*) afición *v*, pasión *v*; *de* ~ *voor een vrouw* el amor por una mujer; *zijn* ~ *voor de kunst* su amor al arte; *hoofse* ~ amor cortés; *onbeantwoorde* ~ amor no correspondido; *zijn grote* ~ su gran amor; *met alle* ~ con mil amores, de mil amores; *uit* ~ *voor het vak* por amor a la profesión; ~ *is blind* el amor es ciego; *de* ~ *bedrijven* hacer el amor
liefdeloos sin amor; **liefdeloosheid** falta de amor
liefdes|drank filtro (de amor); **-geschiedenis** 1 (*verhaal*) historia de amor; 2 (*romance*) amores *mmv*; **-leven** vida amorosa; **-verhouding** relaciones *vmv* amorosas; **-verklaring** declaración *v* de amor; *iem een* ~ *doen* declararse a u.p.
liefde|vol cariñoso; **-werk** obra de caridad
liefelijk ameno, dulce; **liefelijkheid** encanto, amenidad *v*
liefhebben amar, querer; **liefhebbend** afectuoso; **liefhebber** aficionado; amante *m*; ~ *van lekker eten* amante de la buena mesa; *hij is een groot* ~ *van tennis* es muy aficionado al tenis, le gusta mucho el tenis; **liefhebberij** afición *v*, hobby *m*; *uit* ~ por gusto, por afición; **liefhebster** aficionada; amante *v*
liefheid dulzura, suavidad *v*; **liefje** 1 amor *m*, cariño; 2 (*minnaar*) amante *m,v*
liefkozen acariciar; **liefkozing** caricia
liefst I *bn* 1 *zie: lief*; 2 (*favoriet*) favorito, preferido, predilecto; II *bw* preferiblemente; *wat eet je het* ~? ¿qué prefieres comer?; *wie vind je het* ~? ¿a quién quieres más?; *het* ~ *zou ik* lo que más me gustaría es; *maar* ~ *f 50* nada menos que fls 50; **liefste** *zn* querido, -a

liegen mentir *ie, i*; *dat liegt er niet om* no hay más que verlo; *ik kan niet ~* yo no sé mentir; *waarom zou ik tegen je ~?* ¿por qué habría de mentirte?; *hij liegt dat hij zwart ziet* miente con toda la barba
lier 1 (*muz*) lira; *zijn ~ aan de wilgen hangen* colgar *ue* su laúd en los sauces, ahorcar los hábitos; 2 (*techn*) torno || *branden als een ~* arder como la yesca
lies ingle *v*; **liesbreuk** hernia; **lieslaarzen** botas hasta la cintura
lieveheersbeestje mariquita
lieveling 1 (*aanspreekvorm*) querido, -a, amor *m* (mío); 2 (*favoriet*) preferido, -a; **lievelings-** preferido, favorito
liever I *bn zie: lief*; **II** *bw* más bien, mejor; *~ niet* prefiero que no, mejor (que) no; *nee, ~ niet* no, mejor no; *niets ~ dan dat* nada me gustaría más; *~ willen* preferir *ie, i*; *bel hem ~ op!* ¡llámale más bien!; *ik ga ~ niet* prefiero no ir; *zou je nu niet ~ gaan?* ¿no sería mejor que te fueses?; *of ~ gezegd* o mejor dicho
lieverd encanto, sol *m*
lieverlede: *van ~* gradualmente, poco a poco
lift 1 ascensor *m*; **2** *iem een ~ geven* llevar a u.p. en coche; *ik geef je wel een ~ naar huis* te acerco a tu casa; *een ~ krijgen* ser llevado en coche; **liftbediende** ascensorista *m,v*; **liften** hacer autostop; **lifter** autostopista *m*; **liftkoker** hueco del ascensor; **liftster** autostopista
liga liga
lig|bad bañera, baño acostado; **-dagen** días *mmv* de estadía; **-geld** gastos *mmv* de estadía
liggen 1 estar, estar echado, estar tumbado, estar tendido; *in bed ~: a*) estar en la cama, estar acostado; *b*) (*mbt zieke*) estar en cama; *hij ligt te slapen* está durmiendo; *blijven ~: a*) seguir *i* acostado; *blijf maar ~* no te levantes; *b*) (*mbt sneeuw*) cuajar; *c*) (*mbt werk*) quedar sin hacer; *gaan ~: a*) (*mbt persoon*) echarse, acostarse *ue*, tenderse *ie*, tumbarse; *ik ga even ~* voy a echarme un rato; *anders gaan ~* cambiar de posición; *b*) (*mbt wind*) amainar; *laten ~: a*) (*niet opeten*) dejar (en su plato); *b*) (*vergeten*) olvidar; 2 (*zich bevinden*) estar, hallarse; *daar ligt een peer* allí hay una pera; *op het zuiden ~* estar situado al sur; *het huis ligt mooi* la casa está bien situada; **3** (*aanstaan*): *wij ~ elkaar niet zo* no simpatizamos, no congeniamos, no nos llevamos bien; *dat werk ligt hem* ese trabajo le va bien; **4** *~ aan* ser culpa de, deberse a; *het ligt aan hem* es su culpa; *aan mij zal het niet ~* por mí no ha de quedar; *als het aan mij lag* si fuese por mí; *waar ligt het aan?* ¿a qué se debe?
liggend horizontal; *~ op zijn rug* tendido de espaldas; *voorover ~* tumbado boca abajo
ligging situación *v*, ubicación *v*
lig|plaats amarradero, atracadero; **-stoel** tumbona; (*strandstoel*) hamaca
liguster alheña, aligustre *m*, ligustro
lij: *aan ~* a sotavento
lijdelijk pasivo; **lijdelijkheid** pasividad *v*
lijden sufrir, padecer; *honger ~* pasar hambre; *pijn ~* tener dolor; *schade ~* sufrir daño; *~ aan* padecer, padecer de, sufrir de, adolecer de; *hij lijdt aan een maagkwaal* padece del estómago; *~ door, onder* resentirse *ie, i* de, con; *het gezin lijdt onder de problemen* la familia se resiente de los problemas; *het land heeft geleden onder de oorlog* el país se resintió con la guerra; **lijdend** doliente, enfermo; *~ aan een hartkwaal* enfermo del corazón
lijdens|week semana santa; **-weg** calvario
lijder: *~ aan* enfermo de
lijdzaam sufrido, paciente; **lijdzaamheid** paciencia, resignación *v*
lijf cuerpo; *aan den lijve ondervinden* sentirlo *ie, i* en su propia carne; *in levende lijve* vivo, en carne y hueso, sano y salvo; *het heeft niet veel om het ~ : a*) (*niet belangrijk*) importa poco; *b*) (*makkelijk*) es fácil; *de rol is hem op het ~ geschreven* el papel le viene a la medida; *iem te ~ gaan* arremeter contra u.p., enredarse a golpes con u.p., emprenderla con u.p.; *tegen het ~ lopen* topar con, encontrarse *ue* con; *zich iem van het ~ houden* mantener a distancia a u.p.; **lijfeigene** siervo, -a; **lijfelijk** corporal, físico; **lijfje** cuerpo, corpiño
lijf|rente renta vitalicia; **-spreuk** lema *m*, divisa; **-straf** castigo corporal; **-wacht 1** (*persoon*) guardaespaldas *m*; 2 (*van koning*) guardia de corps
lijk cuerpo, cadáver *m*, muerto; *over mijn lijk* por encima de mi cadáver
lijk|auto coche *m* fúnebre; **-bleek** lívido, más pálido que un muerto
lijken 1 parecer; *dat lijkt me wel wat* no me parece mala idea; *het lijkt maar zo* es sólo apariencia; *dat lijkt nergens naar* (*geknoei*) es un desastre, es una chapucería; *om ouder te ~* para aparentar más edad; 2 (*aanstaan*) gustar, agradar; **3** *~ op* parecerse a, tener parecido con; *ze ~ erg op elkaar* se parecen mucho, son muy parecidos; *het kind lijkt op zijn moeder* el niño sale a su madre; *het begint er op te ~* va teniendo forma
lijkenhuisje depósito de cadáveres
lijk|kist ataúd *m*; **-rede** oración *v* fúnebre; **-schouwing** autopsia; **-verbranding** cremación *v*, incineración *v*; **-wade** mortaja; **-wagen** coche *m* fúnebre; **-wit** cadavérico, lívido
lijm cola (para pegar); **lijmen 1** pegar; 2 *iem ~* camelar a u.p., engatusar a u.p., hacer el artículo a u.p.; *een geschil ~* llegar a un arreglo; *de partijen ~* reconciliar los partidos
lijn 1 línea; *kromme ~* línea curva; *neergaande ~* línea descendente; *opgaande ~* línea ascendente; *rechte ~* línea recta; *over een ~ van* en línea de; 2 (*in schrift*) raya; *~en trekken op papier* rayar el papel; 3 (*touw*) cuerda; 4 (*telef; bus; verbinding*) línea; *blijft u aan de ~!* ¡no se retire!; **5** (*dieet*) línea; *aan de ~ doen* guardar la línea || *één ~ trekken: a*) (*eensgezind optre-*

den) actuar *ú* de común acuerdo, aunar *ú* esfuerzos; *b*) (*gelijk behandelen*) medir *i* con el mismo rasero; *in grote ~en* a grandes rasgos; *dat ligt meer in mijn ~* me va mejor eso; *op één ~* en la misma línea; *over de hele ~* por toda la línea; **lijndienst** servicio de línea; **lijnen** *ww* adelgazar; **lijnrecht** recto, derecho; *~ tegenover elkaar* enfrentados, diametralmente opuestos; *~ in strijd met* en contradicción completa con; **lijntekenen** *zn* dibujo lineal; **lijntje**: *langzaam aan, dan breekt het ~ niet* poco a poco hila la vieja el copo; *iem aan het ~ houden* entretener a u.p. con promesas, llevar en canciones a u.p.
lijn|trekken holgazanear, gandulear; **-vlucht** vuelo de línea; **-zaad** linaza
lijst 1 (*opsomming*) lista; *~ met namen* relación *v* nominal, nómina; 2 (*van schilderij*) marco; 3 (*richel*) cornisa; **lijstaanvoerder** cabeza *m,v* de lista; **lijstenmaker** fabricante *m* de marcos, marquista *m*
lijster tordo; **lijsterbes** (*boom*) serbal *m*
lijsttrekker cabeza *m,v* de lista
lijvig (*mbt boek*) voluminoso
lijzig tardo, lento
lijzijde sotavento
lik 1 lengüetada; 2 (*gevangenis*) chirona || *~ op stuk geven* devolver *ue* la pelota
likdoorn callo; **likdoorntinctuur** callicida
likeur licor *m*
likkebaarden relamerse; **likken** lamer
lila (de color) lila
lillen palpitar
lilliputter liliputiense *m,v*
limiet límite *m*; **limiteren** limitar
limonade limonada
linde tilo; **lindebloesem** tila, flores *vmv* de tilo
lineair lineal
lingerie lencería, ropa interior (de mujer)
linguïst, **linguïste** lingüista *m,v*; **linguïstiek** lingüística
liniaal regla; **linie** línea; **liniëren** rayar
link 1 (*sluw*) astuto; 2 (*riskant*) arriesgado
linker izquierdo
linker|bovenhoek ángulo superior de la izquierda; **-hand** mano *v* izquierda; *hij heeft twee ~en* tiene manos de trapo; **-kant** parte *v* izquierda; *aan de ~* a mano izquierda; **-rijstrook** carril *m* izquierdo; **-vleugel** ala izquierda
links I *bn* 1 izquierdo; 2 (*pol*) izquierdista, de izquierda(s); *~ is verdeeld* las izquierdas están desunidas; 3 (*linkshandig*) zurdo; 4 (*onhandig*) torpe; II *bw* a la izquierda; *~ georiënteerd* de tendencia izquierdista; *~ houden* circular por la izquierda; *naar ~* a la izquierda, hacia la izquierda; *tweede van ~* (*op foto*) segundo por la izquierda || *iem ~ laten liggen* no hacer caso a u.p., hacer el vacío a u.p., ignorar a u.p.; **linksbuiten** extremo izquierda; **linksdraaiend** de rotación izquierda
linnen I *zn* 1 lino; *ongebleekt ~* lino crudo; 2 (*bij boekbinden*) tela; *in ~ gebonden* encuadernado en tela; II *bn* de hilo
linnen|goed ropa blanca; **-kast** armario para la ropa blanca
linoleum linóleo; **linoleumsnede** grabado en linóleo
lint cinta; **lintje** (*onderscheiding*) condecoración *v*
lint|worm tenia, solitaria; **-zaag** sierra de cordón
Lions: *de ~* los Leones
lip 1 labio; *ze drukte haar ~pen op zijn voorhoofd* le puso los labios en la frente; *aan de ~pen brengen* llevar(se) a los labios; *aan iems ~pen hangen* estar pendiente de los labios de u.p.; *het lag hem op de ~pen* lo tenía a flor de labio; *zich op de ~pen bijten* morderse *ue* los labios; *het komt niet over mijn ~pen* no diré nada, no saldrá de mis labios; *er kwam geen woord over zijn ~pen* no despegó los labios; 2 (*van schoen*) lengüeta; **liplezen** leer en los labios; **lippenstift** barra de labios, lápiz *m* labial
lips|sleutel llavín *m*; **-slot** cerradura de llavín Lip(s), cerradura de seguridad
liquidatie liquidación *v*; **liquideren** liquidar; **liquiditeit** liquidez *v*
lire lira
lispelen 1 cecear; 2 (*fluisteren*) cuchichear
list astucia, artimaña, ardid *m*, estratagema *m*; **listig** astuto; (*neg*) taimado; (*pop*) zorro; **listigheid** astucia
litanie letanía
liter litro; *afk* l
literair literario; **literatuur** literatura
literatuur|geschiedenis historia de la literatura; **-lijst** lista de libros, bibliografía; **-wetenschap** ciencia de la literatura
litho litografía
lits-jumeaux camas *vmv* gemelas
litteken cicatriz *v*
liturgie liturgia; **liturgisch** litúrgico
live en vivo; **live-uitzending** emisión *v* en directo
living sala de estar, living *m*
livrei librea
lobbes: *een goeie ~* un buenazo, un bonachón, un pedazo de pan
lobby grupo de presión; **lobbyen** ejercer presiones, cabildear
locatie ubicación *v*, situación *v*
locoburgemeester (*vglbaar:*) teniente *m,v* de alcalde
locomotief locomotora, máquina
lodderig soñoliento
1 loden (*van lood*) de plomo
2 loden (*stof*) (de) paño tirolés, (de) loden *m*
loeder canalla *m*, mala bestia, mal nacido, -a, desgraciado, -a
loef: *iem de ~ afsteken* tomar la delantera a u.p., aventajar a u.p.; **loefzijde** barlovento
loeien 1 (*mbt koe*) mugir; 2 (*mbt stier*) bramar;

3 (*mbt wind*) bramar, aullar *ú*; 4 (*mbt sirene*) aullar *ú*
loens bizco; **loensen** bizquear, mirar bizco, ser bizco
loep lupa, lente *v* de aumento; *onder de ~* bajo la lupa; *onder de ~ nemen* examinar a fondo, estudiar detenidamente
loer: *iem een ~ draaien* jugar *ue* a u.p. una mala pasada; *op de ~ liggen* acechar, estar al acecho; **loeren** (*op*) acechar, espiar *í*; *ze ~ op mij* me las tienen juradas
lof alabanza, elogio; *de ~ van iem verkondigen* elogiar a u.p.; *hij verdient alle ~* merece las más cálidas alabanzas, merece todos los elogios; *boven alle ~ verheven* superior a todo elogio; *met ~* con nota de sobresaliente, con matrícula de honor; *tot ~ van* en alabanza de; **loffelijk** loable, digno de alabanza; **loffelijkheid** mérito
lof|lied canto de alabanza; **-rede** elogio; **-trompet**: *de ~ steken over* hacer grandes elogios de; **-tuiting** elogio, alabanza
1 log *bn* pesado, torpe
2 log *zn* corredera
logaritme logaritmo; **logaritmentafel** escala logarítmica
logboek cuaderno de bitácora *m*, diario (de a bordo)
loge 1 (*theat*) palco; 2 (*van vrijmetselaars*) logia
logé, **logée** alojado, -a en casa, huésped, -eda; **logeerkamer** cuarto de huéspedes; **logement** fonda, casa de huéspedes
logenstraffen desmentir *ie, i*
logeren parar, hospedarse; *~ bij familie* hospedarse en casa de unos parientes
logger lugre *m*
logies alojamiento; *~ en ontbijt* cama y desayuno
logisch lógico
logistiek logística
logo logotipo, logo
logopedie logopedia, foniatría; **logopedist**, **logopediste** logopeda *m,v*, foniatra *m,v*
lok mechón *m*
lokaal I *zn* 1 local *m*; 2 (*klas*) sala (de clase); II *bn* local
lokaas cebo, señuelo
lokaliseren localizar, ubicar; **lokaliteit** 1 local *m*, sala; 2 (*café*) establecimiento
loket ventanilla, taquilla; **lokettijden** horas de despacho; **lokettist**, **lokettiste** taquillero, -a
lokken atraer, seducir, tentar *ie*; **lokkertje** señuelo, espejuelo; **lokmiddel** señuelo, reclamo; **lokroep** reclamo
lol: *de ~ is er af* ha perdido la gracia; *~ hebben* divertirse *ie, i*; *wat hebben ze een ~!* ¡qué divertidos!; *zomaar voor de ~* así, por gusto; **lolbroek** bromista *m*; **lolletje** broma; **lollig** divertido, gracioso
lolly chupón *m*, pirulí *m*; (*kindert*) chupachup *m*
lommerd monte *m* de piedad
lommerrijk frondoso, sombreado
1 lomp *zn*: *~en* harapos, andrajos; *in ~en* andrajoso, harapiento
2 lomp *bn* grosero, mal educado, palurdo, zafio
lompheid grosería, mala educación *v*
Londen Londres *m*; **Londenaar** londinense *m*
lonen pagar; *het loont de moeite niet* no vale la pena; **lonend** remunerador *-ora*
long pulmón *m*
longdrink trago largo
long|kanker cáncer *m* del pulmón; **-ontsteking** pulmonía; **-patiënt**, **-patiënte** enfermo, -a del pulmón; **-ziekte** enfermedad *v* pulmonar
lonken echar ojeadas
lont mecha; *~ ruiken* recelar, sospechar gato encerrado; *de ~ in het kruitvat* la mecha en un barril de pólvora, la mecha en el polvorín
loochenen negar *ie*; **loochening** denegación *v*, mentís *m*
lood 1 plomo; *~ om oud ijzer* tres cuartos de lo mismo; 2 (*scheepv, bouwk*) plomada; *de muur staat niet in het ~* la pared no está a plomo || *uit het ~ geslagen* aturdido, desconcertado
loodgieter fontanero; **loodgieterswerk** fontanería
loodje: *het ~ leggen: a*) llevar la peor parte, llevar las de perder; *b*) (*sterven*) morir *ue, u*; *de laatste ~s wegen het zwaarst* lo peor viene a lo último
lood|kleurig plomizo; **-lijn** 1 (línea) perpendicular *v*; 2 (*scheepv*) sonda; **-recht** perpendicular, vertical
1 loods (*voor opslag*) tinglado, cobertizo; (*magazijn*) almacén *m*
2 loods (*scheepv*) piloto, práctico
loodsboot barco del práctico; **loodsen** pilotar
loods|geld pilotaje *m*; **-vlag** bandera de (pedir) práctico
lood|vergiftiging saturnismo; **-vrij** sin plomo; **-zwaar** pesado como el plomo
loof follaje *m*, hojas *vmv*; **loofboom** árbol *m* frondoso
loog álcali *m*, lejía
looien curtir, adobar; *zie ook: leerlooien*
look *zie: knoflook*
loom 1 lánguido; 2 (*mbt weer*) bochornoso; **loomheid** languidez *v*
loon 1 sueldo; (*van lager personeel*) salario, pago; 2 (*beloning*) remuneración *v*; *het is je verdiende ~* te está bien empleado, te lo tienes merecido; *hij kreeg zijn verdiende ~* recibió su merecido
loon|arbeid trabajo asalariado; **-belasting** impuesto sobre el sueldo; (*vglbaar in Sp:*) impuesto sobre los rendimientos del trabajo personal, retención *v* a cuenta del impuesto sobre la renta; **-dienst**: *in ~ zijn* estar a sueldo; *werknemer in ~* asalariado; **-eis** reivindicación *v* salarial; **-grens** tope *m* salarial, límite *m* sala-

rial; **-lijst** nómina; **-matiging** moderación *v* salarial; **-stijging** alza de los salarios, incremento salarial; **-stop** congelación *v* de salarios; **-strookje** tirilla

loons|verhoging aumento de sueldo(s), aumento de salario(s); **-verlaging** reducción *v* de salarios

loonzakje sobre *m* de paga

loop 1 (*gang*) paso, manera de andar; 2 (*verloop*) marcha, curso; *de ~ van de gebeurtenissen* el curso de los acontecimientos, la marcha de los sucesos; *de vrije ~ laten* dar rienda suelta a, dar paso libre a; *zijn ~ nemen* seguir *i* su curso; *in de ~ van het gesprek* a lo largo de la conversación; *in de ~ der jaren* con el paso de los años; *in de ~ van de maand* en el (trans)curso del mes; *in de ~ van de tijd* con el tiempo, andando el tiempo; 3 (*wedloop*) carrera; 4 (*van rivier; astron*) curso; 5 (*van geweer*) cañón *m* || *op de ~ gaan* largarse

loop|baan 1 (*carrière*) currículum *m* profesional; 2 (*astron*) trayectoria; **-brug** pasarela

loopgraaf trinchera; **loopgravenoorlog** guerra de trincheras

looping rizo

loopje 1 paseíto; 2 (*muz*) carrerilla || *een ~ nemen met* burlarse de, tomar el pelo a

loop|jongen recadero; **-lamp** lámpara portátil (de inspección); **-pas** paso gimnástico; **-plank** pasarela

loops en celo

loop|tijd (plazo de) vigencia; **-vlak** superficie *v* de rodadura; **-vogel** (ave *v*) corredora

loos 1 (*niet echt*) ciego, falso; (*mbt alarm*) falso; 2 (*leeg*) vacío, vano; 3 (*slim*) pícaro, astuto

loot 1 (*plantk*) vástago, retoño; 2 (*nakomeling*) vástago

lopen I *ww* 1 andar, ir, marchar; (*te voet gaan*) ir a pie, ir andando; *het is meer dan een uur ~* es más de una hora andando; *zes uur ~* seis horas de caminata; *ik ben komen ~* he venido a pie; *loopt hij er altijd zo bij?* ¿siempre va así?; *heen en weer ~* ir y venir, correr de aquí para allá; *manier van ~* (manera de) andar *m*; *vlug ~* andar a paso vivo; *vlugger gaan ~* acelerar el paso; *zo hard ze maar konden ~* a todo correr; 2 (*mbt weg*) ir; (*mbt rivier*) correr; (*mbt gebergte*) extenderse *ie*; 3 (*in werking zijn*) funcionar; *de motor loopt goed* el motor marcha bien; *het schip loopt 10 knopen* el buque marcha a 10 nudos; *de auto loopt op benzine* el coche funciona con gasolina; 4 (*mbt kraan*) correr; 5 (*mbt klok*) andar; 6 (*mbt contract*) tener vigencia; 7 (*mbt termijn, rente*) correr; 8 (*zich ontwikkelen*) marchar; *de zaak loopt goed* marcha bien la cosa; *het moet al gek ~* sería muy extraño; *we zien wel hoe het loopt* ya veremos lo que pasa; *het is verkeerd gelopen* ha salido mal; 9 *~ langs, over* pasar por; 10 *~ op* (*botsen*) dar con, chocar con; *op een mijn ~* dar con una mina || *het boek loopt goed* el libro se vende bien; *deze schoenen ~ lekker* son cómodos estos zapatos; *het loopt in de duizenden* asciende a miles; *erin ~* caer en la trampa, hacer el primo; *hij loopt naar de 30* va para los 30, ronda los 30, roza (por) los 30; *over zich laten ~* dejarse pisar, dejarse atropellar; *het loopt tegen vieren* son casi las cuatro; II *zn* andar *m*; *het op een ~ zetten* echar a correr; **lopend** corriente, pendiente, en curso; *het ~e jaar* el año en curso; *de ~e maand* el mes corriente; *~e patiënt* enfermo no hospitalizado; *~e zaken* asuntos corrientes, asuntos pendientes; *produktie aan de ~e band* producción *v* en cadena; *werk aan de ~e band* trabajo en la cadena; **loper** 1 (*persoon*) corredor *m*; 2 (*sleutel*) llave *v* maestra; (*van dief*) ganzúa; 3 (*in schaaksp*) alfil *m*; 4 (*in gang*) alfombra de pasillo; (*op trap*) alfombra de escalera

lor harapo, trapo; *een ~ van een vent* un patán, una nulidad, una birria de tío, un don Nadie; *het kan me geen ~ schelen* (no) me importa un pito; *hij weet er geen ~ van* no sabe ni eso del asunto

lord lord *m*, *mv lores*

lorgnet lentes *vmv* de pinza

lorrie vagoneta

los 1 suelto; *~ contact* contacto flojo; *~ geld* (dinero) suelto; *~ haar* cabello suelto; *~se lading* (*bulk*) cargo a granel; *~se thee* té *m* suelto; *alles wat ~ en vast zit* todo sin distinción; *~ verkopen* vender suelto; *je knoop is ~* se te ha desabrochado un botón; *je schoen is ~* llevas desatado el zapato; 2 (*afzonderlijk*) aislado; *~ van* (*afgezien van*) aparte de; *~se feiten* hechos aislados; *een enkele ~se naam* algún nombre aislado; 3 (*tijdelijk*): *~ arbeider* (obrero) temporero; *~ werk* trabajo ocasional; 4 *erop ~*: *er maar op ~ kopen* comprar a tontas y a locas; *erop ~ leven* darse la buena vida; *erop ~ schieten* disparar a discreción || *~ in de mond zijn* tener la lengua suelta, ser ligero de lengua

losbandig disoluto, licencioso, libertino, disipado; **losbandigheid** disolución *v*, disipación *v*

losbarsten estallar

losbladig de hojas sueltas, de hojas sustituibles

los|bol calavera *m*, libertino; **-breken** estallar; **-draaien** 1 (*van lamp*) aflojar; 2 (*van schroef*) destornillar, soltar *ue*; **-gaan** soltarse *ue*; (*mbt strik*) desatarse; **-geld** rescate *m*; **-geslagen** desatado; **-gooien**: *de kabels ~* desamarrar, soltar *ue* las amarras

losheid (*ongedwongenheid*) desenvoltura

losjes 1 (*niet strak*) sin apretar; 2 (*fig, luchtig*) sin darle importancia

los|knopen desabrochar; **-komen** 1 (*vrij komen*) ser puesto en libertad; 2 (*mbt vliegtuig*) despegar; 3 (*zich uiten*) dejarse ir; *zie ook: losraken*; **-kopen** rescatar; **-koppelen** desvincular; **-krijgen** 1 (*eraf krijgen*) lograr desprender; (*van kleding*) lograr desabrochar; 2 (*van knoop in touw*) lograr desanudar; 3 (*van geld*) sacar; 4 (*van belofte*) arrancar, conseguir *i*; **-laten** I *tr* soltar *ue*; *laat me los!* ¡suéltame!; *de gedachte laat me niet los* la idea no me deja; *hij liet niets los* (*fig*) no soltó prenda; II (*mbt verf*) desprenderse, soltarse *ue*

loslippig: ~ *zijn* tener la lengua (muy) suelta; **loslippigheid** indiscreción *v*

los|lopen andar suelto, andar libre; *dat zal wel* ~ eso acabará bien; *dat is te gek om los te lopen* es de lo más ridículo, es una locura; **-maken** 1 soltar *ue*; (*van touw*) desatar, desanudar; (*van knoopsluiting*) desabrochar; 2 ~ *van* desprender de; *zich* ~ *van* desprenderse, separarse de; **-prijs** rescate *m*; **-raken** soltarse *ue*, desprenderse, desatarse; **-rukken** arrancar

löss loess *m*

los|scheuren arrancar; **-schieten** saltar, desprenderse, soltarse; **-schroeven** destornillar

lossen 1 descargar; 2 (*van schot*) disparar; **lossing** (*het lossen*) descarga

los|slaan 1 separar a golpes; 2 (*mbt schip*) romper las amarras; **-springen** desprenderse

losstaan: ~ *van* no guardar relación con; **losstaand** *zie: vrijstaand*

los|stormen: ~ *op* lanzarse sobre, asaltar; **-tornen** descoser; **-trekken** 1 arrancar, separar; 2 (*van strik*) desatar

losweg sin darle importancia

los|weken despegar (remojando); **-werken**: *zich* ~ libertarse, desasirse; **-wikkelen** desenvolver *ue*

lot 1 suerte *v*, fortuna, sino; (*bestemming*) destino; *het* ~ *beslist* decide la suerte; *het* ~ *was hem gunstig gezind* la fortuna le era propicia; *hetzelfde* ~ *ondergaan* correr la misma suerte; *iem aan zijn* ~ *overlaten* abandonar a u.p. a su suerte; 2 (*loterijbiljet*) billete *m* de lotería

loten echar suertes; ~ *om iets* sortear u.c., echar a (la) suerte u.c.; ~ *tussen* echar suertes entre; **loterij** lotería; *een lot uit de* ~ una gran suerte; **loterijbriefje** *zie: lot*

lot|genoot compañero (de fatigas); **-gevallen** peripecias, aventuras

loting sorteo; *bij* ~ *bepalen* fijar por sorteo; *het systeem van* ~ *tussen de gegadigden* el procedimiento de echar suertes entre los candidatos

lotion loción *v*

Lotje: *hij is van* ~ *getikt* está chiflado, le falta un tornillo

lotsverbondenheid solidaridad *v*

lotto 1 (*loting*) lotería; 2 (*spel*) bingo

lotus loto

louche siniestro, sospechoso; (*armzalig*) de mala muerte

lounge salón *m*

louter mero, puro; *het is* ~ *domheid* es pura estupidez; **louteren** 1 purificar, depurar; 2 (*van metalen*) acendrar; **loutering** 1 purificación *v*, catarsis *v*; 2 (*van metalen*) acendramiento

loven alabar; ~ *en bieden* regatear

loyaal leal; **loyaliteit** lealtad *v*, fidelidad *v*; **loyaliteitsverklaring** profesión *v* de fidelidad

lozen 1 (*mbt waterloop*) desaguar; 2 (*wegwerken*) deshacerse de; 3 (*van zucht*) dar, echar; **lozing** 1 desagüe *m*, evacuación *v*; 2 (*van gif*) vertido

LP. *zie: elpee*

LPG gases *mmv* licuados de petróleo; *afk* GLP

LSD LSD *m*

LTS escuela técnica de primer grado; (*vglbaar:*) formación *v* profesional de primer grado

lucht 1 aire *m*; *ik heb behoefte aan frisse* ~ necesito respirar; *geen* ~ *krijgen* asfixiarse; *weer* ~ *krijgen* (*fig*) quedar desahogado; *door de* ~ *vliegen* volar por los aires; *in de open* ~ al aire libre, a la intemperie; *een slag in de* ~ (*gissingen*) conjeturas; *de kwestie is in de* ~ *blijven hangen* (*niet opgelost*) ha quedado en el aire la cuestión; *in de* ~ *schieten* disparar al aire; *in de* ~ *vliegen* (*ontploffen*) hacer explosión; *in de* ~ *laten vliegen* volar *ue*, hacer saltar; *het zit in de* ~ está en el aire, flota en el ambiente; *uit de* ~ *gegrepen* gratuito, infundado, montado al aire; 2 (*hemel*) cielo; *uit de* ~ *komen vallen* llegar como llovido del cielo; *de problemen zijn niet van de* ~ los problemas se suceden; 3 (*geur*) olor *m*; *de* ~ *van iets krijgen* olerse *ue* u.c., ventear u.c., enterarse de u.c.

lucht|aanval ataque *m* aéreo; **-afweer** defensa antiaérea; **-alarm** alarma aérea; **-ballon** globo; aeróstato; **-basis** base *v* aérea; **-bed** colchón *m* de goma, colchón *m* neumático; **-bel** burbuja; **-bezoedeling** (*Belg*) contaminación *v* aérea; **-brug** puente *m* aéreo; **-bus** aerobús *m*; **-dicht** hermético (al aire), estanco al aire; **-druk** presión *v* de aire, presión *v* atmosférica

luchten 1 (*van kamer*) airear, ventilar; 2 (*van kleding*) orear; 3 *zijn hart* ~ desahogarse; *zijn wijsheid* ~ desembuchar su ciencia || *ik kan hem niet* ~ (*of zien*) no le puedo ver (ni pintado), no le puedo tragar

luchter 1 (*lamp*) araña; 2 (*kandelaar*) candelabro

lucht|filter filtro de aire; **-foto** fotografía aérea, vista aérea; **-gekoeld** refrigerado por aire

luchthartig despreocupado; **luchthartigheid** ligereza, frivolidad *v*

luchthaven aeropuerto

luchtig 1 (*mbt maal, kleding*) ligero; ~ *gekleed* ligero de ropa; 2 (*mbt cake*) esponjoso; 3 (*zorgeloos*) despreocupado; *ergens* ~ *over doen* no darle importancia a u.c.; ~ *opvatten* tomar a la ligera

luchtje: *een* ~ *scheppen* tomar el aire, tomar el fresco; *er zit een* ~ *aan* huele a chamusquina, es sospechoso

lucht|kartering aerocartografía; **-kasteel** castillo en el aire; **-koker** tubo de ventilación

luchtkussen almohadón *m* de aire; **luchtkussenvoertuig** aerodeslizador *m*

lucht|landingstroepen tropas aerotranspor-

tadas; **-ledig** I *bn* vacío (de aire); II *zn* vacío; **-lijn** línea aérea; **-macht** fuerza(s) aérea(s); **-net** red *v* aérea; **-pijp** tráquea; **-piraat** pirata *m* aéreo; **-pomp** bomba neumática; **-post** correo aéreo; *per* ~ por avión; **-postblad** aerograma *m*; **-rooster** rejilla de aire; **-ruim** atmósfera, espacio aéreo; **-schip** aeronave *v*; **-spiegeling** espejismo; **-sprong** brinco, salto en el aire; **-streek** zona (climatológica)
luchtvaart navegación *v* aérea, aviación *v*; **luchtvaartmaatschappij** compañía aérea
lucht|verbinding comunicación *v* aérea; **-verfrisser** ambientador *m*
luchtverkeer tráfico aéreo; **luchtverkeersleiders** controladores *mmv* aéreos
lucht|verontreiniging contaminación *v* del aire, contaminación atmosférica; **-verversing** renovación *v* del aire; **-verwarming** calefacción *v* por aire; **-vloot** flota aérea
luchtwaardig en condiciones de vuelo; **luchtwaardigheid** navegabilidad *v*
lucht|weerstand resistencia del aire; **-wegen** (*med*) vías respiratorias; **-wortel** raíz *v* aérea
luchtziek mareado; **luchtziekte** mareo (de las alturas)
lucifer cerilla, fósforo; **lucifersdoosje** caja de cerillas, caja de fósforos
lucratief lucrativo, remunerador *-ora*
ludiek lúdico
luguber lúgubre, siniestro
1 lui *zn* gente *v*
2 lui *bn* perezoso, holgazán *-ana*; *~e stoel* poltrona; *ik ben ~ vandaag* hoy tengo pereza; *liever ~ dan moe zijn* haber nacido cansado
luiaard 1 *zie: luilak*; 2 (*dier*) perezoso
luid I *bn* alto, fuerte; II *bw* alto, en voz alta; **luiden** I *tr* (*van klok*) tocar; II *intr* 1 (*klinken*) sonar *ue*; 2 (*inhouden*) decir, rezar; *het spreekwoord luidt* el refrán dice; *...waarvan de tekst luidt* cuyo texto dice ...; **luidkeels** a voz en cuello, a voz en grito, a gritos, a voces
luidruchtig ruidoso, bullicioso, estrepitoso; **luidruchtigheid** ruido, bullicio
luidspreker altavoz *m*, altoparlante *m*; **luidsprekerinstallatie** megafonía
luier pañal *m*; *een schone ~ omdoen* cambiar de pañales
luieren holgazanear, haraganear
luifel tejadillo; (*van tent*) avance *m*
luiheid pereza, holgazanería
luik 1 (*scheepv*) escotilla; 2 (*in vloer*) trampa; 3 (*voor raam*) contraventana, madera
luilak perezoso, -a, gandul, -ula, holgazán, -ana
luim humor *m*
luipaard leopardo
luis 1 piojo; 2 (*op plant*) pulgón *m*
luister esplendor *m*
luisteraar, **luisteraarster** 1 (*toehoorder*) oyente *m,v*; 2 (*van radio*) radioyente *m,v*, radioescucha *m,v*; **luisterdichtheid** nivel *m* de audiencia; **luisteren** 1 escuchar; *~ naar de naam van* tener por nombre; *~ naar de radio* escuchar la radio; 2 (*gehoor geven*) hacer caso, atender *ie*; *zul je nu beter naar me ~?* ¿me vas a hacer más caso?; *hij luistert niet naar mijn raad* no atiende mis consejos; *~ naar het roer* obedecer al timón || *dat luistert heel nauw* hace falta mucha precisión, es de gran sensibilidad; **luistergeld** (*Ned*) impuesto sobre la posesión de una radio
luisterrijk espléndido, fastuoso
luit laúd *m*
luitenant teniente *m*; **luitenant-kolonel** teniente *m* coronel
luiwagen escobillón *m*, escoba
luizen: *iem erin ~* dar el timo a u.p., timar a u.p.; **luizenbaan** momio, ganga, prebenda, chollo; **luizenbos** melena
lukken: *het lukt mij* lo consigo, lo logro; *het is hem gelukt* lo ha conseguido, lo ha logrado; *niets lukt hem* tiene mal éxito en todo
lukraak al buen tuntún, al azar, sin orden ni concierto
lul polla, picha; *de ~ zijn* hacer el primo, estar jodido; **lullen** soltar *ue* el rollo, dar la lata; **lullig** 1 (*onaangenaam*) desagradable, violento; 2 (*kinderachtig*) estúpido, bobo
lumineus luminoso
lummel 1 (*domoor*) tonto, mentecato, pedazo de animal; 2 (*lomperd*) grosero, palurdo; **lummelen** holgazanear, hacerse el remolón
lunch almuerzo; **lunchen** almorzar *ue*
lunch|pakket (*in hotel*) bolsa de comida; **-pauze** descanso de mediodía; **-room** cafetería
luren: *iem in de ~ leggen* embaucar a u.p.
lurken chupar
lurven: *iem bij zijn ~ pakken* coger a u.p. (por el cuello)
lus 1 (*in touw*) lazo; 2 (*van knoopsluiting*) presilla; 3 (*ophanglusje*) cinta para colgar
lust 1 (*zin*) ganas *vmv*, deseos *mmv*; *de ~ is hem vergaan* se le han quitado las ganas, ya no le queda humor; (*seksueel*) deseo (sexual); 2 (*genot*) placer *m*, gusto; *het is een ~ om te zien* da gusto verlo, da gloria verlo, es un regalo para los ojos; *hij eet dat het een ~ is* come que es un gusto; *zingen is zijn ~ en zijn leven* cantar es todo para él
lusteloos apático, desanimado, lánguido; **lusteloosheid** apatía, inercia, languidez *v*
lusten: *ik lust* ... me gusta(n) ...; *ik lust graag appels* me gustan mucho las manzanas; *jij lust wel een stuk taart zeker?* querrás un pedazo de torta ¿verdad?; *ik lust niet meer* no puedo (comer) más, no me entra más || *hij zal ervan ~* se llevará lo suyo, tendrá su merecido; **lustig** alegre
lust|moord asesinato sexual; **-object** objeto sexual, objeto del deseo (sexual); **-oord** paraíso
lustrum lustro
Luther Lutero; **luthers** luterano

luttel exiguo, poco
luwen (*mbt wind*) amainar; (*mbt opwinding*) calmarse; (*mbt ijver*) disminuir; (*mbt vriendschap*) enfriarse *í*; **luwte**: *in de ~ van* al abrigo (de)
luxaflex persianas *vmv* de aluminio
luxe lujo; **luxeartikel** artículo de lujo
Luxemburg Luxemburgo; **Luxemburgs** luxemburgués *-esa*
luxueus lujoso, suntuoso
lyceum instituto (de segunda enseñanza)
lymfklier glándula linfática
lynchen linchar
lynx lince *m*
lyriek lírica; **lyrisch** lírico
lysol lisol *m*

m *meter* metro; *afk* m
maag estómago; *mijn ~ draait ervan om* se me revuelve el estómago; *mijn ~ rammelt* tengo el estómago como un acordeón; *een zwakke ~* un estómago delicado; *als hij een lege ~ heeft* cuando está en ayunas; *branderig gevoel in de ~* ardor *m* de estómago; *niets in zijn ~ kunnen houden* no retener nada en el estómago; *iem iets in zijn ~ splitsen* encargar u.c. a u.p., endilgar u.c. a u.p.; *ik zit ermee in mijn ~* me preocupa; *zwaar op de ~ liggen* ser indigesto, pesar en el estómago; **maagbloeding** hemorragia estomacal
maagd 1 virgen *v*; 2 (*astrol*) Virgo; **maagdelijk** virgen; **maagdelijkheid** virginidad *v*
maag- en darmstoornissen trastornos estomacales e intestinales
maag|kanker cáncer *m* del estómago; **-kramp** calambre *m* del estómago; **-kwaal** enfermedad *v* del estómago, enfermedad *v* gástrica; **-pijn** dolor *m* de estómago; **-zuur** acidez *v* estomacal, acedía; **-zweer** úlcera del estómago, úlcera gástrica
maaien segar *ie*; **maaier** segador *m*; **maaimachine** segadora; **maaiveld** nivel *m* de calle, nivel *m* de suelo
maak: *in de ~ zijn: a*) estar haciéndose; *een nieuw systeem is in de ~* se está haciendo un nuevo sistema; *b*) (*in reparatie*) estar en reparación
1 maal (*keer*) vez *v*; *drie ~ zo groot* tres veces más grande; *twee ~ zes is twaalf* dos por seis son doce
2 maal (*maaltijd*) comida; *een stevig ~* una comida sólida
maal|stroom vorágine *v*, torbellino; **-teken** signo de multiplicar
maaltijd comida; *de ~ eer aandoen* hacer honores a la comida
maan luna; *nieuwe ~* luna nueva; *het is volle ~* hace luna llena; *een nacht dat de ~ scheen* una noche en que había luna; *hij kan naar de ~ lopen* que se vaya a paseo; *ze zeiden dat hij naar de ~ kon lopen* le mandaron a paseo
maand mes *m*; *de lopende ~* el mes corriente, el mes que corre; *een ~ later* al mes; *drie ~en later* a los tres meses; *binnen een ~* antes de transcurrido un mes, dentro de un mes; *over een ~* dentro de un mes, en un mes, de aquí un mes; *per ~* por mes; *een bedrag per ~* una cantidad mensual; *eens per ~ verschijnen* tener periodicidad mensual; **maandabonnement** abono para un mes

maandag lunes *m*; *maandags* los lunes
maandblad revista mensual
maandelijks I *bn* mensual; *in ~e termijnen* en plazos mensuales, por mensualidades; II *bw* cada mes, todos los meses, mensualmente
maand|geld mensualidad *v*; **-verband** compresa(s), paño(s) higiénico(s); **-wedde** (*Belg*) sueldo mensual
maan|lander módulo lunar; **-landing** alunizaje *m*; **-landschap** paisaje *m* lunar; **-licht** luz *v* de la luna; **-oppervlak** superficie *v* lunar
maansverduistering eclipse *m* lunar
maar I *voegw* pero, (*lit*) mas; (*in tegenstelling*): *a*) sino; *het is niet wit ~ zwart* no es blanco sino negro; *b*) (*voor ww*) sino que; *het is niet lelijk, ~ het is mooi* no es feo, sino que es bonito; II *zn* pero; *er is één ~* hay un pero; III *bw* (*slechts*) sólo; *er is er ~ één* hay sólo uno || *~ al te snel* demasiado pronto; *en ~ roken* fuma que te fuma; *begin nu ~ gauw* vete comenzando ya; *hij doet ~!* ¡que haga lo que quiera!; *ga nu ~* vete ya; *geeft u ~ ham* puede darme jamón; *ik hoop ~ dat* (sólo) espero que; *ik was nog ~ net klaar met eten* acababa de comer; *als ik ~ kon!* ¡ay! si pudiera; *kon ik ~ zwemmen!* ¡quién supiera nadar!; *was ik ~ nooit gegaan* ojalá no hubiera ido
maarschalk mariscal *m*; **maarschalksstaf** bastón *m* de mariscal
maart marzo
maas malla; *de mazen van de wet* las mallas de la ley; *tussen de mazen doorglippen* deslizarse por las mallas de la red
Maas: *de ~* el Mosa
1 maat 1 medida; (*afmeting ook:*) tamaño, dimensión *v*; *maten en gewichten* pesos y medidas; *de ~ is vol* está llena la medida; *de ~ doen overlopen* llenar la medida, colmar la medida; *de ~ nemen* tomar las medidas; *kleding naar ~* ropa a medida; **2** (*van schoen*) número; *welke ~ hebt u?* ¿qué número tiene?, ¿que número calza?; **3** (*muz*) compás *m*; *een ~ rust* un compás de espera; (*de*) *~ houden* llevar el compás; *de ~ slaan* marcar el compás; *in de ~* a compás, (a)compasado, (a)compasadamente; *uit de ~* fuera de compás, desacompasado, desacompasadamente; **4** (*versmaat*) metro
2 maat (*makker*) compañero; (*in spel*) pareja
maat|beker vaso graduado, medida de cristal; **-gevend** normativo, determinante, decisivo; **-gevoel** sentido del ritmo; **-glas** vaso graduado
maatje amigo; *goede ~s worden* hacerse buenos amigos
maatjesharing arenque *m* joven salado
maat|kleding ropa (hecha) a la medida; **-lat** regla (graduada)
maatregel medida; *~en treffen* tomar medidas, adoptar medidas; *de nodige ~en* las medidas oportunas; **maatregelenpakket** paquete *m* de medidas
maatschap sociedad *v*; **maatschappelijk** social; *~ werker* asistente *m* social; *~ werkster* asistenta social; **maatschappij** sociedad *v*; (*handel ook:*) compañía; **maatschappijleer** sociología, ciencias *vmv* sociales
maatstaf norma, pauta, estándar *m*, criterio; *nieuwe -staven hanteren* aplicar nuevos valores
machinaal mecánico; *~ vervaardigd* hecho a máquina; **machine** máquina
machine|bankwerker ajustador *m*; **-geweer** ametralladora; **-kamer** sala de máquinas, cuarto de máquinas; **-olie** aceite *m* para motor, aceite *m* de máquina; **-onderdeel** pieza de máquina
machinerie maquinaria
machine|schrijven *zn* mecanografía; **-werkplaats** taller *m* de construcción y reparación de máquinas
machinist maquinista *m*
macht 1 poder *m*, potestad *v*; (*heerschappij ook:*) dominio; *de geestelijke ~* el poder espiritual; *ouderlijke ~* patria potestad; *rechterlijke ~: a*) (*instelling*) poder judicial; *b*) (*de rechters*) judicatura; *uitvoerende ~* poder ejecutivo; *de wereldlijke ~* el poder temporal; *wetgevende ~* poder legislativo; *de ~ der gewoonte* la fuerza de la costumbre; *de ~ over zichzelf* el dominio de sí mismo; *de ~ in handen krijgen* hacerse con el mando; *een grote ~ uitoefenen over iem* ejercer un gran poder sobre u.p., tener ascendiente sobre u.p.; *de ~ over het stuur verliezen* perder *ie* el dominio del volante; *aan de ~ komen* llegar al poder; hacerse con el mando; *ik ben niet bij ~e het te veranderen* no está en mi mano cambiarlo; *strijd om de ~* lucha por el poder; *uit alle ~* con todas sus fuerzas; **2** (*wisk*) potencia; *tot de vierde ~ verheffen* elevar a la cuarta potencia
machteloos impotente; **machteloosheid** impotencia
machthebber dirigente *m*, gobernante *m*
machtig I *bn* **1** poderoso; *een taal ~ zijn* dominar un idioma; *het wordt mij te ~* es demasiado para mí; *zijn gevoelens werden hem te ~* le dominó el sentimiento; **2** (*mbt eten*) sustancioso; II *bw* muy, enormemente; *~ interessant* sumamente interesante; *~ mooi* estupendo; **machtigen** apoderar, autorizar; **machtiging** poder *m*, autorización *v*; *~ verlenen* dar poder; *schriftelijke ~* poder escrito
machts|evenwicht equilibrio de fuerzas (y poderes); **-honger** apetito de poder, hambre *v* de poder; **-middel** medio coercitivo; **-misbruik** abuso de(l) poder; **-overname** toma del poder; **-sfeer** esfera de influencia; **-vacuüm** vacío de poder; **-verheffing** (*wisk*) potenciación *v*; **-vertoon** demostración *v* de poder; **-wellust** voluntad *v* de poder, ansia de mandar; **-wellusteling** maniático del poder, fanático del poder
macrobiotisch macrobiótico
macro-economie macroeconomía

made larva
madeliefje margarita (del prado), maya
madonna madona
Madrid Madrid *m*; **Madrileens** madrileño
maf 1 (*lui*) indolente, perezoso; 2 (*saai*) soso, burro; 3 (*gek*) chiflado; **maffen** dormir *ue, u*
magazijn 1 almacén *m*; 2 (*van geweer*) cargador *m*, depósito
magazijn|meester encargado del almacén; **-personeel** personal *m* de almacén
mager 1 delgado, flaco; (*ziekelijk:*) escuálido; *heel ~* descarnado; *nogal ~* (*fam*) delgaducho; *zo ~ als een lat* como un fideo; *de ~e jaren* los años de las vacas flacas; *~ worden* adelgazar, enflaquecer; 2 (*mbt vlees*) magro; *~ vlees* carne *v* magra; 3 (*mbt melk*) desnatado; *~e melkpoeder* leche *v* desnatada en polvo || *een ~ resultaat* un magro resultado; **magerte** delgadez *v*, flaqueza; **magertjes** 1 (*lett*) delgaducho, delgadito; 2 (*fig*) pobre, magro
magie magia; **magisch** mágico
magistraal magistral
magneet imán *m*; **magneetband** cinta magnética; **magneetstrip** banda magnética
magnesium magnesio
magnetisch magnético; *~ element* (*van pick-up*) cápsula magnética
magnetron-oven magnetrono, horno microondas
magnifiek magnífico, espléndido
mahonie (madera de) caoba
maillot leotardo, leotardos *mmv*
maïs maíz *m*
maïs|kolf mazorca, espiga del maíz, panoja, panocha; **-korrel** grano de maíz; **-meel** harina de maíz; **-veld** maizal *m*, campo de maíz
maîtresse querida
maizena maicena
majestatisch (*Belg*) majestuoso
majesteit majestad *v*; *Hare ~* Su Majestad; **majestueus** majestuoso
majoor comandante *m*
Majorca Mallorca; **Majorcaans** mallorquín *-ina*
mak manso
makelaar corredor *m*; *~ in onroerend goed* corredor de fincas; **makelaarskantoor** agencia inmobiliara
makelij fabricación *v*, hechura
maken 1 hacer; *ik zal ~ dat hij zwijgt* haré que calle, me encargaré de que se calle; *maak dat je weg komt!* ¡largo de aquí!; *maak het een beetje!, maak het nou!* ¡no me digas!, ¡no me vengas con historias!; *dat kun je niet ~* eso pasa de la raya, eso no se hace; *een foto ~* sacar una foto, hacer una foto; *dat maakt wel verschil* es toda una diferencia; *hij heeft het ernaar gemaakt* se lo merece, tiene su merecido; 2 (*verdienen*) ganar; 3 (*repareren*) reparar; *dat is niet meer te ~* no tiene arreglo; 4 (*verstellen*) remendar *ie*; 5 *het ~* estar, encontrarse *ue*; *hoe maak je het?* ¿cómo estás?; *hoe heb je het gemaakt?* (*gehad*) ¿qué ha sido de ti?; *maakt je moeder het goed?* ¿se encuentra bien tu mamá?; 6 *te ~ hebben met* tener que ver con; *wat heb jij daarmee te ~?* ¿qué tienes tú que ver con eso?; *en wat heb ik daarmee te ~?* ¿y a mí qué?; *wat heeft hij hier te ~?* ¿qué se le ha perdido aquí?; *daar heb ik niets mee te ~* eso no va conmigo; *dat heeft er niets mee te ~* eso no tiene nada que ver; *u hebt hier niets te ~* no se le ha perdido nada aquí; *alles wat met de reis te ~ heeft* todo lo relativo al viaje; *een kwestie waar hij niets mee te ~ heeft* un asunto que a él no le va ni le viene; *met zulke dingen heeft een vrouw niets te ~* son asuntos impropios de una mujer || *het ~: a*) (*positie bereiken*) llegar; *b*) (*succes hebben*) tener éxito; **maker** autor *m*; (*schepper*) creador, artífice *m*; (*bouwer*) constructor *m*; (*fabrikant*) fabricante *m*
make-up maquillaje *m*
makkelijk *zie: gemakkelijk*
makker compañero, camarada *m*, amigo; (*fam*) compadre *m*
makkie trabajo fácil, bicoca
makreel caballa
1 mal *zn* molde *m*, gálibo, modelo
2 mal *bn* tonto, loco, raro; *ben je ~?* ¿estás loco?; *die is een beetje ~* (*fam*) ése es lila; *het ziet er ~ uit* se ve raro
malaise depresión *v*
malaria malaria, paludismo; **malariamug** mosquito de la malaria
malen I *tr* moler *ue*; (*van suikerriet*) triturar; II *intr* 1 (*gek zijn*) estar loco, estar chalado; 2 (*ijlen*) desvariar *í*, delirar; **maling**: *ik heb er ~ aan* no me importa un pito, no me importa un comino; *ik heb ~ aan die vent* ese tío, que se vaya a paseo; *iem in de ~ nemen* tomarle el pelo a u.p.
malligheid tonterías *vmv*, disparates *mmv*
malloot mentecato, bobo
mals tierno
malversatie malversación *v*
mam, mama mamá
mammoet mamut *m*
man 1 hombre *m*; *~ van de daad* hombre de acción; *~ van zijn woord* hombre de palabra; *hij is er de ~ niet naar om* no es hombre para; *aan de ~ brengen* (tratar de) vender; *met ~ en macht* con todas sus fuerzas; *op de ~ af* sin rodeos, a boca de jarro, a quema ropa; 2 (*echtgenoot*) marido, esposo
management 1 gestión *v* (directiva), dirección *v* general, management *m*; 2 (*de managers*) dirección *v*, gerencia; **management-consultant** consultor *m* de dirección; **manager** 1 director *m*, gerente *m*; 2 (*sp*) empresario, apoderado, manager *m*
manchet 1 puño; 2 (*techn*) manguito; **manchetknopen** gemelos
manco falta (de peso), merma
mand cesto; (*groter:*) cesta, banasta, canasta; (*diep:*) banasto; *~ voor boodschappen* cesto de

compras || *door de ~ vallen* traicionarse, asomar la oreja
mandarijn mandarina
mandenmaakster, **mandenmaker** cestera, -o, canastera, -o
mandfles garrafa, garrafón *m*, bombona, damajuana
manege picadero
1 manen *ww*: ~ (*om*) exhortar, requerir *ie, i* (para que), apremiar (para que); (*eisen*) exigir, reclamar
2 manen *zn* 1 (*van paard*) crines *vmv*, crin *v*; 2 (*van leeuw; fig*) melena
maneschijn luz *v* de luna
mangat boca de hombre, pozo de acceso
mangel: *door de ~ gehaald worden* ser interrogado largamente
manhaftig valiente, bravo, resuelto; **manhaftigheid** valor *m*, bravura, valentía
maniak maniático, -a; **maniakaal** maniático
manicure manicuro, -a; **manicuren** arreglar las uñas
manie manía; (*drang*) prurito
manier 1 (*wijze*) manera, modo, forma; ~ *van doen* manera de actuar; *dat is geen ~ van doen* eso no se hace, a eso no hay derecho; *op die ~* de esa forma; *op welke ~ dan ook* de la manera que sea; 2 *~en* modales *mmv*; *hij heeft geen ~en* no tiene modales; *met goede ~en* de buenos modales, bien educado
manifest manifiesto; **manifestatie** manifestación *v*; **manifesteren** manifestar *ie*, hacer una manifestación; *zich ~* manifestarse *ie*
manipulatie manejo, manejos *mmv*, manipulación *v*; **manipuleren** manipular, influir en
manisch-depressief maniaco-depresivo
mank cojo; *~ lopen* cojear; *de vergelijking gaat ~* cojea la comparación
mankement defecto, imperfección *v*; **mankeren** 1 faltar; *zonder ~* sin falta; 2 (*ziek zijn*) estar enfermo; *wat mankeert je?* ¿qué te pasa?, ¿qué te ha dado?, ¿qué mosca te ha picado?
mankracht 1 fuerza de hombre; 2 (*mannen*) mano *v* de obra, personal *m*; *de schaarste aan ~* la escasez de mano de obra
manmoedig *zie: manhaftig*
mannelijk 1 (*sekse; gramm*) masculino; *een kind van het ~ geslacht* un hijo varón; 2 (*flink*) varonil, viril; (*fam*) macho; **mannelijkheid** 1 (*sekse*) masculinidad *v*; 2 (*kracht*) virilidad *v*, hombría
mannenkoor coro masculino
mannequin maniquí *m,v*
mannetje 1 hombrecito; 2 (*dier*) macho
manoeuvre maniobra; *~s houden* realizar maniobras; **manoeuvreren** maniobrar
manometer manómetro
mans: *hij is ~ genoeg om* él se basta para
manschappen soldados
manshoog de la altura de un hombre
mantel abrigo; *iem de ~ uitvegen* poner a u.p. como un trapo, poner verde a u.p.; *met de ~ der liefde bedekken* encubrir, disimular
mantel|organisatie organización *v* que encubre otra; (*fam*) organización *v* tapadera, organización *v* fachada; **-pak** traje *m* sastre, traje *m* de chaqueta
manufacturenwinkel mercería
manuscript manuscrito
manusje: *~ van alles* factótum *m*
man|uur hora hombre; *10 -uren* 10 horas hombre; **-wijf** marimacho
map carpeta
maquette maqueta
marathon maratón *m*; **marathonzitting** sesión *v* maratoniana
marchanderen regatear
marcheren marchar
marechaussee policía militar, gendarmería real
margarine margarina
marge margen *m,v*; **marginaal** marginal
marihuana marihuana, grifa
marine marina (de guerra); **marine-officier** oficial *m,v* de la armada, oficial *m,v* de marina
marineren escabechar, adobar, marinar
marinewerf astillero de la marina
marinier soldado (de infantería) de marina
marionet títere *m*; (*fig ook:*) comparsa
markant destacado, conspicuo, notable
markeren marcar; **markering** marcación *v*
marketing márketing *m*
markies 1 (*persoon*) marqués *m*; 2 (*scherm*) toldo; **markiezin** marquesa
markt mercado; *binnenlandse ~* mercado nacional; *buitenlandse ~* mercado exterior; *de gemeenschappelijke ~* el mercado común; *zwarte ~* mercado negro; *de ~ overspoelen* inundar el mercado; *de ~ veroveren* conquistar el mercado; *de ~ verzadigen* saturar el mercado; *in de ~ zijn voor* tener interés por; *op de ~ brengen* llevar al mercado, lanzar al mercado; *hij is van alle ~en thuis* es un estuche
markt|aandeel cuota del mercado, parte *v* del mercado; **-hal** mercado (cubierto); **-kraam** puesto; **-onderzoek** estudio del mercado, análisis *m* de mercados; **-plein** (plaza del) mercado; **-prijs** precio en el mercado; **-waarde** valor *m* comercial, valor *m* de mercado
marmelade mermelada
marmer mármol *m*; **marmeren** *bn* de mármol
Marokkaans marroquí; **Marokko** Marruecos *m*
1 mars: *hij heeft heel wat in zijn ~* tiene mucho talento, es muy dotado
2 mars (*mil*) marcha
Mars Marte *m*
marsepein mazapán *m*
marskramer buhonero, vendedor *m* ambulante
Marsmannetje habitante *m* de Marte
marstempo tempo de marcha
martelaar mártir *m*; **marteldood** martirio; **martelen** torturar, martirizar; **marteling** tortura

marter marta
marxisme marxismo; **marxist** marxista *m*; **marxistisch** marxista
mascotte mascota
masker careta, máscara; (*kosmetisch*) mascarilla; **maskerade** mascarada; **mas'keren** ocultar, encubrir
masochisme masoquismo; **masochist**, **masochiste** masoquista *m,v*; **masochistisch** masoquista
massa (*chem; menigte*) masa; (*veelheid*) montón *m*, (gran) cantidad *v*; *een ~ dingen* un montón de cosas; **massaal** 1 masivo, en masa; *massale vernietiging* destrucción *v* masiva; 2 (*mbt gebouw*) macizo
massa-fabricage fabricación *v* en masa
massage masaje *m*
massa|goederen géneros a granel; **-graf** fosa común; **-media** medios de comunicación de masas; **-mens** hombre-masa *m*; **-psychologie** psicología de masas
masseren dar masaje, masajear; **masseur**, **masseuse** masajista *m,v*
massief I *bn* macizo; II *zn* macizo
mast mástil *m*, palo; (*elektr*) poste *m*
1 mat *zn* (*vloermat*) estera
2 mat *bn* 1 (*mbt kleur*) mate; *~ geslepen* pulido mate; *~ verchroomd* cromado mate; 2 (*moe*) cansado, sin energía, desanimado
mate: *in belangrijke ~* altamente, grandemente; *in hoge ~* en gran manera, altamente, en gran medida; *in mindere ~* en menor medida, en menor cuantía; *in ruime ~* en amplia medida; *in toenemende ~* crecientemente; *in voldoende ~* en cantidad suficiente, en medida suficiente; *met ~ drinken* beber con moderación; **mateloos** desmedido, sin tasa; *een -loze eerzucht* una ambición sin tasa
materiaal material *m*; **materialist** materialista *m,v*; **materialistisch** materialista
materie materia; **materieel** material *m*; *rollend ~* material rodante, material móvil
mat|glanzend de brillo mate; **-glas** cristal *m* opalino; **-glazen** mate; *een ~ bol* un globo mate
matig moderado, mediano, modesto, regular, módico; *een ~e huur* un alquiler módico; *een ~e prijs* un precio moderado; *ik vind het maar ~* no me convence; *tegen een ~e rente* a un módico interés; **matigen** moderar; **matigheid** moderación *v*; **matiging** moderación *v*; *~ van de lonen* moderación salarial
matinee función *v* de la tarde; **matineus** madrugador *-ora*
matje (*onderzetter*) salvamanteles *m*; *op het ~ roepen* llamar a u.p. a capítulo
matras colchón *m*; **matrasdek** protector *m* de colchón
matrixprinter impresora de matriz
matroos marinero; *de matrozen* los marineros, la marinería
matteklopper mano *v* de mimbre
Mattheuspassion Pasión *v* según San Mateo
maturiteitsdiploma (*Belg*) (*vglbaar:*) (diploma *m* de) bachillerato (+ C.O.U.)
mauwen maullar *ú*, dar maullidos
mavo (*Ned*) grado medio de educación general
m.a.w. *met andere woorden* en otras palabras, dicho de otra manera
maximaal I *bn* máximo; II *bw* como máximo; **maximum** máximo, tope *m*; *~ snelheid* velocidad *v* máxima; *met ~ snelheid* a tope, a todo gas
mazelen sarampión *m*
mbo enseñanza profesional de grado medio
me (*lijd vw, meew vw*) me; (*na vz*) mí; *hij gaf het ~* me lo dio; *ga je met ~ mee?* ¿vienes conmigo?
mechanica mecánica; **mechanisch** I *bn* mecánico; II *bw* mecánicamente
medaille medalla; **medaillon** medallón *m*
mede también, asimismo; *zie ook: mee*
mede|beslissingsrecht (derecho de) codecisión *v*; **-bestuurder** codirector *m*; **-burger** conciudadano
mededeelzaam comunicativo, comunicable; **mededelen** comunicar, informar (de), participar, avisar; **mededeling** comunicación *v*, noticia; **mededelingenbord** (*in bedrijf*) tablón *m* de anuncios; (*reclamezuil*) cartelera de publicidad
mededinger competidor *m*, rival *m*
mede|eigenaar copropietario, condueño; **-klinker** consonante *v*; **-leerling** condiscípulo, compañero de colegio; **-leven** condolencia; *iem zijn ~ betuigen* (*met*) dar el pésame a u.p. (por), acompañar a u.p. en el sentimiento (por); *zie ook: meeleven*; **-lid** consocio, -a
medelijden lástima, compasión *v*; *~ hebben met iem* tener lástima de u.p., compadecer a u.p.; *ik heb ~ met hem* (*ook:*) le tengo lástima; *iems ~ opwekken* mover *ue* a la compasión a u.p.; *het wekte mijn ~* me dio lástima; *uit ~* por compasión; **medelijdend** compasivo
mede|mens prójimo; **-minnaar** rival *m*; **-ondertekenaar** cofirmante *m,v*; **-ondertekenen** contrafirmar, firmar junto con otro
medeplichtig (*aan*) cómplice (de); **medeplichtige** cómplice *m,v*; **medeplichtigheid** complicidad *v*
medereiziger compañero de viaje
medestander partidario
mede|verantwoordelijk corresponsable; **-verantwoordelijkheid** corresponsabilidad *v*
mede|werker colaborador *m*; (*aan voorstelling*) ejecutante *m*, intérprete *m*; (*theat ook:*) actor *m*; *administratief ~* administrativo; *wetenschappelijk ~* (*vglbaar:*) profesor *m,v* adjunto, auxiliar *m,v* de cátedra; *~ op een kantoor* auxiliar *m* de oficina, ayudante *m* de oficina; **-werking** colaboración *v*, concurso, cooperación *v*; *de volle ~* el pleno apoyo; *zijn ~ verlenen* prestar su concurso, prestar cola-

boración; **-werkster** colaboradora; (*aan voorstelling*) ejecutante *v*, intérprete *v*; (*theat ook:*) actriz *v*; ~ *op kantoor* auxiliar *v* de oficina, ayudante *v* de oficina; **-weten** conocimiento; *buiten ~ van zijn vrouw* sin saberlo su esposa; *met ~ van* a sabiendas de; **-zeggenschap** cogestión *v*; (*inspraak*) participación *v*

media medios *mmv* (de información, de difusión); **medialeer** teoría (general) de los medios (publicitarios)

medicijn medicamento, medicina; *~en nemen* tomar medicinas; *~en studeren* estudiar medicina; **medicijnman** (médico) brujo, curandero

medicus médico

medisch médico, facultativo; *~e hulp* asistencia médica; *~ rapport* parte *m* facultativo

meditatie meditación *v*; **mediteren** meditar

medium médium *m*

mee: *mag ik ~?* ¿me puede llevar?, ¿puedo ir yo también?

mee|brengen 1 traer; 2 (*met zich*) ~ implicar, traer (consigo), acarrear, conllevar, llevar aparejado; **-doen** (*aan*) tomar parte (en), intervenir (en); *ik doe mee met jullie* os acompaño; *~ met het cadeau* contribuir al regalo

meedogenloos despiadado

meeëter espinilla, comedón *m*

meegaan 1 venir (con), ir (con), acompañar; *ga je mee?* ¿vienes?; *ergens in ~* (*fig*) estar de acuerdo con u.c., coincidir en u.c.; *ik ga met je mee* voy contigo, te acompaño; *met zijn tijd ~* andar con el tiempo; 2 (*mbt kleding*) durar; *lang ~* durar mucho, ser fuerte; **meegaand** dócil

mee|geven I *tr* dar, enviar *í* con; II *intr* ceder, dar de sí; **-helpen** ayudar; **-komen** venir (con); *kunnen ~* (*op school*) poder *ue, u* seguir el ritmo normal; *niet kunnen ~* quedar atrasado

meel harina; **meeldraad** estambre *m*

mee|leven: *met iem ~* compartir los sentimientos de u.p.; *het hele dorp leefde met hem mee* todo el pueblo se conmovió con él; **-leveren** incluir en el suministro

meelijwekkend lastimoso, lastimero

meelopen acompañar || *alles loopt hem mee* tiene suerte en todo; **meeloper** (*fig*) satélite *m*

mee|maken vivir; *hij heeft veel meegemaakt: a*) (*alg*) tiene mucho mundo, está curtido; *b*) (*verdriet*) ha sufrido mucho; *dat zal ik niet meer ~* entonces ya no seré yo; *als ik dat nog eens kon ~* ojalá lo vean mis ojos; **-nemen** (*ergens vandaan*) llevar(se), llevar consigo; (*ergens naar toe*) traer; (*laten meerijden*) llevar, acompañar; *om mee te nemen* para llevar; **-praten** participar en la conversación; *daar kan ik van ~* no poco sé yo de esto; *met iem ~* llevar la corriente a u.p., llevarle el aire a u.p.

1 meer *zn* lago

2 meer *bw* más; *steeds ~* cada vez más; *wie nog ~?* ¿quién(es) más?; *wel ja, er kan nog ~ bij* (*iron*) llueve sobre mojado; *~ dan eens* más de una vez; *~ dan een jaar* más de un año; *iets ~ dan een maand* mes y pico; *dat schilderij is niet ~ dan een imitatie* ese cuadro no pasa de ser una simple imitación; *er is niets ~* no queda nada; *we hebben geen tijd ~* no nos queda tiempo; *geen woord ~!* ¡ni una palabra más!; *ik zal het niet ~ doen* no lo volveré a hacer; *dat heeft hij wel ~ gezegd* lo ha dicho en otras ocasiones; *te ~ daar* tanto más (cuanto) que, máxime que

meerdere I *bn zie: verscheidene*; II *zn* 1 superior *m*; 2 *het ~* (*overschot*) el surplús, lo excedente; **meerderen** (*breien*) aumentar; *doorgaan met ~* continuar *ú* los aumentos; **meerderheid** mayoría; *de overgrote ~* la inmensa mayoría; *de zwijgende ~* la mayoría silenciosa; *bij ~ van stemmen* por mayoría de votos; *in ~* en una mayoría; *in de ~ zijn* tener la mayoría; **meerderheidsbelang** participación *v* mayoritaria

meerderjarig mayor de edad; *~ worden* llegar a la mayoría de edad; *~ zijn* ser mayor de edad; **meerderjarigheid** mayoría (de edad), mayoridad *v*

mee|rekenen incluir; *niet ~* excluir; *...niet meegerekend* sin contar ...; **-rijden** (*met*) ir (con), venir (con); *zie ook: meenemen*

meerkeuzevraag (pregunta con) opciones *vmv*

meer|opbrengst: *de wet van de afnemende ~* la ley de la productividad decreciente; **-paal** poste *m* de amarre; **-partijenstelsel** multipartidismo; **-prijs** sobreprecio; **-touw**, **-tros** cabo de amarre

meervoud plural *m*; **meervoudig** plural, múltiple; *~ onverzadigd* poli-insaturado

meerwaarde plusvalía

meeslepen arrastrar; **meeslepend** cautivador *-ora*, que cautiva

meesmuilend con malicia, con una risa desdeñosa, con desdén, en tono de desprecio

meespelen participar en el juego || *dat speelt ook mee* eso también influye

meest más; *de ~e mensen* la mayoría de la gente; *dat zeggen de ~en* lo dicen los más; *dit wordt het ~ gebruikt* esto se usa más, esto se usa lo más a menudo; *hiervan houdt hij het ~* es lo que le gusta más; *dat stootte hem het ~ af* eso más que nada le repugnaba; *in de ~e gevallen* en los más casos, en la mayoría de los casos; *op zijn ~* a lo más, a lo sumo; **meestal** las más (de las) veces, la mayoría de las veces, normalmente

meestbiedende: *de ~* el mejor postor

meester maestro; (*baas*) dueño; *~ in de rechten* licenciado en derecho, licenciada en derecho; *de brand ~ worden* dominar el incendio, lograr sofocar el fuego; *zijn daden ~ zijn* ser dueño de sus propios actos; *hij is het Frans volledig ~* domina el francés; *de toestand ~ zijn* ser

dueño de la situación; *zich ~ maken van* apoderarse de, apropiarse de, adueñarse de; *zich ~ maken van de macht* acaparar el poder, hacerse con el poder; *zichzelf weer ~ worden* volver *ue* a dominarse, recobrar el dominio de sí mismo; **meesteres** maestra; **meesterlijk** I *bn* magistral, maestro; *op ~e wijze* de manera maestra; *een ~e zet* un golpe maestro; II *bw* con gran maestría, magistralmente; **meesterwerk** obra maestra
meet: *van ~ af aan* desde un principio
meetbaar medible, mensurable
meetbrief carta de arqueo
meetellen I *tr* contar *ue* (también), tener en cuenta; II *intr* contar *ue*; *dat telt niet mee* eso no cuenta
meetinstrument instrumento de medición
meetkunde geometría; *beschrijvende ~* geometría descriptiva; **meetkundig** geométrico
meetlint cinta métrica
mee|trekken arrastrar, tirar de; **-tronen**: *iem ~* persuadir a u.p. (con halagos) a que venga
meeuw gaviota
meevallen salir mejor de lo que se esperaba; *dat valt nogal mee!* (vaya,) ¡menos mal!; *het zal je ~* (*makkelijker zijn*) será menos difícil de lo que crees; **meevallertje** ganga, suerte *v*
meevoelen simpatizar
meewarig compasivo; **meewarigheid** compasión *v*
mee|werken colaborar; (*samenwerken*) cooperar; (*bijdragen*) contribuir; **-wind** viento favorable, viento trasero, viento en popa; **-zenden** acompañar, adjuntar; **-zingen** participar en el canto, cantar también; *iedereen zong met hem mee* todos cantaron con él; **-zitten** *zie: meelopen*
megafoon megáfono
megawatt megavatio
mei mayo; *twee ~* el dos de mayo
meid chica; *hoor eens, ~* oye, mujer; *het is een aardige ~* es buena chica
meikever abejorro
meineed perjurio; *~ plegen* perjurar, jurar en falso
meisje 1 niña, muchacha, chica; (*klein:*) chiquilla; *het is een ~* es niña; 2 (*dienstmeisje*) muchacha, chica; 3 (*verloofde*) novia; **meisjesachtig** de niña
meisjes|kleren ropa de niña; **-naam** 1 (*voornaam*) nombre *m* de niña; 2 (*achternaam*) apellido de soltera
mejuffrouw señorita
melaats leproso; **melaatsheid** lepra
melamine melamina
melancholie melancolía; **melancholiek** melancólico
melange mezcla
melasse melaza
melden 1 (*vermelden*) mencionar; 2 (*doen weten*) informar de, comunicar, anunciar, avisar, reportar; *iem iets ~* informar a u.p. de u.c.; *zich ~* presentarse, personarse; *zich ziek ~* darse de baja por enfermedad; **melding** mención *v*; *~ maken van* hacer mención de
melig 1 (*lett*) harinoso; 2 (*vervelend*) pesado; 3 (*lacherig*) tonto
melk leche *v*; *gecondenseerde ~* leche condensada; *magere ~* leche desnatada; *volle ~* leche entera, leche con toda su crema; *veel in de ~ te brokkelen hebben* mover *ue* los hilos, tener vara alta; *hij heeft niet veel in de ~ te brokkelen* su actuación no tiene peso; **melkachtig** lechoso
melk|boer lechero; **-bus** bidón *m* de leche; **-centrale** central *v* lechera; **-chocola** chocolate *m* con leche
melken I *ww* ordeñar; II *zn* ordeño; *het machinaal ~* el ordeño mecánico
melk|kan jarro de leche, lechera; **-koe** 1 vaca lechera; 2 *een ~* (*fig*) un Perú; **-machine** ordeñadora (mecánica); **-meisje** lechera; **-muil** imberbe *m*, novato, mozalbete *m*; **-poeder** leche *v* en polvo; **-produkten** productos lácteos; **-tand** diente *m* de leche; **-vee** ganado lechero, ganado de ordeño
melkweg Vía Láctea, Galaxia; **melkwegstelsel** sistema *m* galáctico
melk|winkel lechería; **-zuur** ácido láctico
melodie melodía; **melodieus** melodioso
meloen melón *m*; **meloenenveld** melonar *m*
memo memorándum *m*
memoires memorias; *schrijver van ~* memorialista *m*
memorandum memorándum *m*; **memoreren** rememorar; **memorie** memoria; *~ van toelichting* exposición *v* de motivos; *hij is kort van ~* tiene poca memoria
men se; *vertaald met 3e pers mv, vertaald met lijdende vorm;* (*de spreker inbegrepen:*) uno; *~ zegt* se dice, dicen; *~ heeft mij gezegd* me han dicho; *~ wordt verzocht op tijd te komen* se ruega llegar a tiempo; *~ zou zo denken* ... uno creería ...
meneer *zie: mijnheer*
menen creer, opinar, entender *ie*; *hij meent het goed* tiene buenas intenciones; *dat meen je niet* no hablas en serio; *naar wij ~* a nuestro entender; **menens**: *het is ~* va en serio, va de veras
mengen mezclar; *zich ~ in* mezclarse en, intervenir en; **mengkraan** grifo mezclador; **mengsel** mezcla; **mengsmering** lubricación *v* mezclada; **mengvoeder** piensos *mmv* compuestos
menie minio, plomo rojo
menig muchos, bastante, más de uno; *in ~ opzicht* en más de un aspecto, en muchos aspectos; **menigeen** muchos, -as; **menigmaal** muchas veces; **menigte** multitud *v*, muchedumbre *v*
mening opinión *v*, parecer *m*, juicio; *dat is mijn bescheiden ~* es mi modesta opinión; *geen ~* (*bij enquête*) sin opinión; *de openbare ~* la opinión pública; *iems ~ delen* compartir la opi-

nión de u.p.; *iem naar zijn ~ vragen* pedir la opinión de u.p.; *zijn ~ geven over* dar su parecer sobre; *ik ben uw ~ toegedaan* soy de su parecer; *zijn ~ uiten* expresar su opinión; *naar mijn ~* en opinión mía, a mi entender, a mi parecer, a mi juicio, a mi modo de ver; *van ~ verschillen* discrepar, no ser de la misma opinión, tener opiniones distintas; *van ~ zijn* opinar, considerar, estimar, ser de opinión

menings|uiting: *vrije ~* libertad *v* de expresión, libre circulación *v* de opiniones; **-verschil** diferencia de pareceres, controversia, discrepancia (de opiniones), desacuerdo, disentimiento

mens hombre *m*, ser *m* humano; *de ~en* los hombres, la gente; *geen ~* nadie, ni un alma; *de grote ~en* los mayores; *een oud ~* una vieja; *veel ~en* mucha gente

mensa restaurante *m* universitario, comedor *m* (universitario)

mensaap antropoide *m*

mensdom humanidad *v*, género humano

menselijk humano

mensen|eter antropófago, caníbal *m*; **-hater** misántropo; **-kennis** conocimiento de la naturaleza humana; *veel ~ hebben* tener mucho mundo; **-leven** vida humana; **-massa** multitud *v*, muchedumbre *v*; **-rechten** derechos humanos; **-schuw** insociable, huraño

mens-erger-je-niet parchís *m*

mensheid humanidad *v*, género humano

mens|lievend humano, filantrópico; **-onterend** inhumano, humillante; *in ~e omstandigheden* en condiciones infrahumanas

menstruatie menstruación *v*, período, regla

mentaliteit mentalidad *v*; **mentaliteitsbeïnvloeding** mentalización *v*

mentor mentor *m*; **mentrix** mentora

menu 1 menú *m*; 2 (*kaart*) carta; 3 (*comp*) menú *m* (de opciones)

mep golpe *m*, bofetada

merchandising merchandising *m*

merel mirlo

meren amarrar, atracar; *gemeerd liggen* estar amarrado

merendeel mayoría, mayor parte *v*; *zie ook: merendeels*; **merendeels** mayoritariamente, en su mayoría

merg médula, tuétano; *dat gaat door ~ en been* te llega hasta la médula

mergel marga

mergpijp hueso con tuétano

meridiaan meridiano

merk marca; *onder het ~ ...* bajo la marca ...; **merkartikel** artículo de marca

merkbaar perceptible; (*aanzienlijk*) notable

merken 1 (*van merk voorzien*) marcar; 2 (*opmerken*) notar, darse cuenta de, reparar en, sentir *ie, i*; *laten ~* exteriorizar; *dat merk je direct* se nota en seguida; *dat merk je nog wel* ya te irás dando cuenta; *ik merkte niet dat ...* no me di cuenta de que ...; *ik heb niets gemerkt* no me he dado cuenta de nada; *net doen of je niets merkt* hacerse el desentendido; *niets laten ~* (*zich inhouden*) aguantarse, contenerse; *hij mag niets aan je ~* no debe notarte nada; *je merkt er niets van* no te enteras de nada

merkwaardig curioso, notable; *het is wel ~* no deja de ser curioso; **merkwaardigheid** curiosidad *v*

merrie yegua

mes cuchillo; (*zakmes*) navaja; *het ~ snijdt aan twee kanten* el asunto tiene doble ventaja; *het ~ erin zetten* (*fig*) tomar medidas drásticas

mesjogge chiflado, chalado

messelegger posacubiertos *m*

messenbak portacubiertos *m*

messetrekker manejador *m* de cuchillos, pendenciero

messing latón *m*, azófar *m*

messteek cuchillada

mest estiércol *m*, abono; (*kunstmest*) abono, fertilizante *m*; **mesten** I *ww* 1 (*van land*) abonar; 2 (*van vee*) engordar; II *zn* engorde *m*

mest|hoop, **-vaalt** estercolero; **-vee** ganado de engorde

met con; *al ~ al* todo junto; *~ dat al* con todo eso, (pero) así y todo; *we deden het ~ z'n allen* lo hicimos entre todos; *de man ~ de bril* el hombre de las gafas; *~ de dag* cada día; *~ hoeveel zijn ze?* ¿cuántos son?; *~ Kerstmis* para Navidad; *~ mij* conmigo; *iem ~ blauwe ogen* u.p. de ojos azules; *~ de post* por correo; *~ de trein* en tren; *~ 2-1 verslaan* derrotar por dos (goles) a uno; *~ vakantie zijn* estar de vacaciones; *~ die warmte* con ese calor

metaal metal *m*

metaal|bewerker trabajador *m* del metal; **-bewerking** trabajo del metal; **-boor** broca para metales; **-draad** alambre *m* metálico, hilo metálico; (*in lamp*) filamento metálico; **-gaas** tela metálica; **-industrie** industria metalúrgica; **-zaag** sierra para metales

metalen *bn* de metal, metálico

metamorfose metamorfosis *v*

meteen inmediatamente, en seguida; *ik kom ~* ahora (mismo) voy; *zo ~* ahora mismo, en un instante

meten medir *i*; *zich met iem ~* medirse *i* con u.p.; *zich niet kunnen ~ met* no poder competir con

meteoor meteoro; **meteoorsteen** meteorito

meteorologisch meteorológico

meter 1 (*maat*) metro; *afk* m; 2 (*apparaat*) medidor *m*, contador *m*

metgezel, **metgezellin** acompañante *m,v*

methode método

meting medición *v*

metriek métrico; *~e stelsel* sistema *m* métrico

metro metro(politano); **metropolis** metrópoli *v*

metselaar albañil *m*; **metselen** I *intr* hacer trabajos de albañilería; II *tr* (*maken*) construir; **metselwerk** albañilería; (*met natuursteen ook:*) mampostería

metten: *korte ~ maken* cortar por lo sano, no andar con contemplaciones; *korte ~ maken met* no tener contemplaciones con
metterdaad efectivamente; **mettertijd** 1 (*later*) con el tiempo, andando el tiempo; 2 (*te zijner tijd*) en su día, en su momento; **metterwoon**: *zich ~ vestigen* domiciliarse
meubel mueble *m*; **meubelmaker** ebanista *m*; **meubelmakerij** ebanistería; **meubelplaat** conglomerado chapado; **meubelzaak** tienda de muebles; **meubilair** muebles *mmv*, mobiliario; **meubileren** amueblar
mevrouw señora
Mexicaans mexicano, mejicano; **Mexico** México, Méjico
m.i. *mijns inziens* a mi parecer, según yo, a mi juicio, a mi entender
miauwen maullar *ú*
microbe microbio
microcomputer microordenador *m*
microfilm microfilm(e) *m*
microfoon micrófono
microgolf microonda
microprocessor microprocesador *m*
microscoop microscopio; **microscopisch** microscópico
middag 1 (*12 uur*) mediodía *m*; 2 (*namiddag*) tarde *v*; *'s ~s*: *a*) por la tarde; *b*) (*omstreeks 12 uur*) a mediodía; *om 4 uur 's ~s* a las cuatro de la tarde; *tussen de ~* a mediodía; **middagmaal** comida, almuerzo
middel 1 medio; *~en* recursos; *materiële ~en* medios materiales; *~en van bestaan* medios de vida, recursos; *door ~ van* por medio de, mediante; *met alle ~en* por todos los medios; 2 (*anat*) cintura; 3 (*tegen ziekte*) remedio; *het ~ is erger dan de kwaal* el remedio es peor que la enfermedad; *kalmerend ~* sedante *m*, calmante *m*, tranquilizante *m*; *verdovend ~* estupefaciente *m*, droga
middelbaar medio; *~ niveau* cultura media, nivel *m* cultural medio; *~ onderwijs* enseñanza media; *van -bare leeftijd* de edad madura, de cierta edad
middeleeuwen edad *v* media; **middeleeuws** medieval
middel|grijs (de color) gris corriente; **-groot** (de tamaño) mediano
Middellandse Zee (mar *m*) Mediterráneo; *de landen aan de ~* los países mediterráneos
middel|lijn diámetro; **-loodlijn** mediatriz *v*
middelmaat tamaño medio, talla mediana; **middelmatig** mediocre, regular, mediano, pasable; **middelmatigheid** mediocridad *v*
middelpunt centro; *in het ~ van de belangstelling* en el foco del interés
middelste de en medio, central; *de ~ van de kinderen* el hijo mediano
middeltje remedio; (*truc*) truco
middelvinger dedo medio, dedo del corazón
midden I *zn* medio, centro; *het ~ houden tussen* estar en el medio entre, ser una forma intermedia entre, equidistar de; *in het ~* en el medio; *in het ~ blijven* quedar en tela de juicio, quedar por ver; *in het ~ brengen* traer a colación; *in het ~ laten* (*fig*) no pronunciarse acerca de; *in het ~ van de maand* a mediados del mes; *in het ~ van de nacht* en medio de la noche, en plena noche; *in ons ~* entre nosotros; *te ~ van* entre, en medio de; *iem uit ons ~* alguno de (entre) nosotros; *uit hun ~ kiezen* elegir *i* de entre sus miembros, elegir *i* de su seno; **II** *bw*: *~ in de nacht* en plena noche; *~ in de stad* en pleno centro; *~ in de straat* en medio de la calle, en plena calle; *~ in zijn werk* en pleno trabajo
Midden-Amerika (la) América Central, Centroamérica; **Middenamerikaans** centroamericano
middenberm faja central (de autopista)
middendoor en dos, por la mitad
midden- en kleinbedrijf pequeña y mediana empresa, pequeño y mediano comercio
Midden-Europa (la) Europa Central, Centro-Europa; **Middeneuropees** centroeuropeo
middenin en (el) medio; *zie ook: midden*
middenkader mandos *mmv* intermedios
middenklasse clase *v* media; **middenklasse-auto** coche *m* de categoría media
Midden-Oosten Oriente *m* Medio
midden|pad pasillo central; **-rif** diafragma *m*
middenstand clase *v* de los pequeños empresarios y trabajadores autónomos; **middenstander** 1 (*met klein bedrijf*) trabajador *m* autónomo; 2 (*met winkel*) comerciante *m*
midden|veld (*sp*) centro del campo; **-weg** (*rijweg*) calzada
middernacht medianoche
midhalf medio centro; **midvoor** delantero centro, ariete *m*
mier hormiga; **miereneter** oso hormiguero; **mierenhoop** hormiguero; **mierezuur** ácido fórmico
mierikswortel rábano blanco
mietje marica *m*, maricón *m*, sarasa *m*; *laten we elkaar geen ~ noemen!* ¡las cosas claras!
miezeren *zie: motregenen*; **miezerig** 1 (*mbt weer*) de llovizna; *het is ~* hace un tiempo de llovizna; 2 (*mager, mbt persoon*) enclenque, debilucho
migraine jaqueca
migratie migración *v*
mij (*lijd vw, meew vw*) me; (*na vz*) mí; *~ heeft hij niets gezegd* (a mí) no me ha dicho nada; *met ~* conmigo; *de boeken zijn van ~* los libros son míos
mijden evitar; (*omheen lopen*) sortear
mijl (*Engelse mijl*) milla (1609 m); (*landmijl, in Sp*) legua (5572 m); (*zeemijl, luchtv*) milla (marina) (1852 m); *op ~en afstand* (*fig*) a la legua; **mijlpaal** mojón *m*, hito
mijmeren estar pensativo, meditar
1 mijn *zn* mina; *op een ~ lopen* chocar con una mina

2 mijn (*bez vnw*) mi, mis; (*met nadruk, achter het zn*) mío; *in mijn geval* en el caso mío; *ik wil er het ~e van hebben* quiero enterarme yo mismo
mijnbouw minería, industria minera
mijnenzoeker rastreadora de minas
mijnerzijds por mi parte, de mi parte
mijnheer señor *m*; *~ de voorzitter* señor presidente
mijn|ingenieur ingeniero de minas; **-opruiming** neutralización *v* de minas; **-ramp** siniestro minero, catástrofe *v* minera; **-schacht** pozo de extracción; **-streek** región *v* minera; **-werker** minero
mijt acárido, ácaro
mijter mitra
mijzelf (*na vz*) mí mismo, -a; *ik zie ~* me veo a mí mismo; *zie ook: zichzelf*
mikken apuntar; *hij kan goed ~* tiene buena puntería; *hij had slecht gemikt* tuvo mala puntería; **mikpunt** blanco, objetivo
mild 1 (*toegeeflijk*) indulgente, bondadoso, tolerante; 2 (*royaal*) dadivoso, liberal, generoso; 3 (*mbt klimaat*) benigno
milicien (*Belg*) quinto, recluta *m*, el que presta servicio militar
milieu 1 (*soc*) medio; *het sociaal ~* el medio social; 2 (*leefomgeving*) medio ambiente
milieu|behoud conservación *v* del medio ambiente; **-kunde** ecología, ciencias *vmv* del medio ambiente; **-kwestie** tema *m* medioambiental; **-organisatie** organización *v* ecologista; **-recht** derecho ambiental; **-rechtbank** (*Belg*) sala de lo ambiental; **-vervuiling** polución *v* del medio ambiente, contaminación *v* del medio ambiente, contaminación *v* ambiental; **-vriendelijk** favorable para el medio ambiente
militair I *bn* militar, castrense; II *zn* militar *m*; **militaristisch** militarista
militie (*Belg*) servicio militar
miljard mil millones *mmv*; **miljoen** millón *m*
miljoenenstad megaciudad *v*
miljonair millonario, -a
milkshake batido
millimeter milímetro; *afk* mm; **millimeteren** rapar a cero, cortar al rape; **millimeterpapier** papel *m* milimetrado
millirem milirrem *m* (*mv milirrems*)
milt bazo
mime mimo; **mimespeler** mimo
mimosa mimosa
min 1 (*weinig*) poco; *~ of meer* más o menos; 2 (*gemeen*) mezquino; 3 (*rekenk*) menos; *drie ~ een is twee* tres menos uno son dos
minachten despreciar, menospreciar; **minachtend** despreciativo, desdeñoso, despectivo; **minachting** (*voor*) desprecio (de), menosprecio (de), desdén *m* (por)
minder menos; *de zieke is ~* el enfermo está peor; *~ worden* disminuir; *hoe ~ hoe beter* cuanto menos mejor; *~ dan: a*) menos que; *b*) (*voor telw vaak:*) menos de; *er zijn er ~ dan tien* hay menos de diez; *het is ~ dan ik dacht* es menos de lo que creía
minderbedeelden (*Belg*) personas de pocos recursos
mindere inferior *m,v*; **minderen** 1 disminuir; *vaart ~* aminorar la marcha, disminuir la marcha; 2 (*bij breien*) disminuir, menguar; *blijven ~* continuar *ú* las disminuciones
minderheid minoría; *etnische -heden* minorías étnicas; *in de ~ zijn* estar en minoría; **minderheidsbelang** participación *v* minoritaria; **minderheidsregering** gobierno minoritario
mindering: *in ~ brengen op* deducir de, descontar *ue* de
minderjarig menor (de edad); **minderjarige** menor *m,v* (de edad); **minderjarigheid** minoría de edad, minoridad *v*, menor edad *v*
mindervalide minusválido
minderwaardig inferior; **minderwaardigheid** inferioridad *v*; **minderwaardigheidscomplex** complejo de inferioridad
mineraal mineral *m*; **mineraalwater** agua mineral
mineur (modo) menor; *in ~: a*) (*muz*) en menor; *b*) (*fig*) deprimido; *a ~* la *m* menor
miniatuur miniatura
miniem mínimo, ínfimo; **minimaal** I *bn* mínimo; II *bw* como mínimo, por lo menos
minimum mínimo; *de minima* los perceptores de mínimos; *in een ~ van tijd* en un abrir y cerrar de ojos; *tot een ~ terugbrengen* reducir a un mínimo; **minimumloon**: *wettelijk ~* salario mínimo legal; **minimumwerktijd**: *voor de ~* en régimen de mínima dedicación
minirok minifalda
minister ministro *m,v*; (*vrouw ook:*) ministra; *eerste ~* primer ministro, primera ministra, presidente *m,v* del gobierno; *~ zonder portefeuille* ministro sin cartera; **ministerie** ministerio; *het openbaar ~* el ministerio fiscal; **ministerieel** ministerial; *-riële verklaring* declaración *v* ministerial; **minister-president** presidente *m,v* del gobierno, primer ministro, primera ministra; **ministerraad** consejo de ministros; **ministerspost** cargo de ministro; *een ~ bekleden* ostentar una cartera
minnaar, **minnares** amante *m,v*
minne: *in der ~ schikken* llegar a un acuerdo amistoso
minnen amar
minnetjes débil, debilucho
minst I *bn* menor, menos; *ik heb het ~e van allemaal* tengo menos que nadie; *hij had niet het ~e bezwaar* no tenía el menor inconveniente; II *zn*: *dat is het ~e wat je kunt doen* es lo menos que puedes hacer; *bij, om het ~e of geringste* por menos de nada, con el más mínimo pretexto; *niet in het ~* ni un ápice, no en lo más mínimo; *op zijn ~* cuando menos, lo menos, por lo menos; III *bw* menos; *wat hij het ~ verwachtte* lo que menos esperaba

minstbedeelden (*Belg*) pobres *mmv*
minstens (a) lo menos, por lo menos, cuando menos; *een termijn van~ 60 dagen* un plazo no menor de 60 días, un plazo no inferior a 60 días
minstreel trovador *m*, juglar *m*
minteken signo menos
minutenwijzer minutero
minutieus minucioso
minuut 1 minuto; *op de ~ af* en punto; 2 (*van akte*) (escritura) matriz *v*, acta original
1 mis *zn* misa; *de ~ opdragen* celebrar misa, decir misa; *naar de ~ gaan* ir a misa
2 mis: *dat is lang niet ~* no es ninguna bagatela; *het is weer ~ met hem* le ha vuelto; *het ~ hebben* estar equivocado, equivocarse, andar descaminado; *je hebt het ~* te equivocas, estás equivocado
misbaar: *veel ~ maken* poner el grito en el cielo
misbruik abuso; *~ maken van* abusar de; *~ van vertrouwen* abuso de confianza; *~ van w.w.-voorzieningen* fraude *m* al seguro de desempleo; **misbruiken** abusar de
misdaad crimen *m*, delito; *de wereld van de ~* el mundo del delito
misdaan: *iets ~ hebben* haber hecho algo malo; *wat heb ik je ~?* ¿qué mal te he hecho yo?
misdadig criminal, delictivo; *~e jeugd* juventud *v* delincuente; **misdadiger** delincuente *m*, criminal *m*; **misdadigersbende** banda de delincuentes; **misdadigheid** delincuencia, criminalidad *v*; **misdadigster** delincuente *v*, criminal *v*
misdienaar monaguillo, acólito
misdragen, zich portarse mal; **misdragingen** fechorías, mala conducta; **misdreven**: *wat heeft zij ~?* ¿qué delito ha cometido?; **misdrijf** delito, crimen *m*
mise-en-scène puesta en escena
miserabel miserable
misère miseria
mis|gooien errar *ie* el golpe; **-greep** equivocación *v*, desacierto
misgunnen envidiar
mishandelen maltratar; **mishandeling** malos tratos *mmv*
miskennen no reconocer, juzgar mal; **miskenning** falta de aprecio, falta de reconocimiento, desconsideración *v*
mis|kleun patinazo; **-koop** mala compra; **-kraam** aborto, malparto; *een ~ hebben* tener un aborto, abortar
misleiden engañar; **misleidend** engañador *-ora*; **misleiding** engaño
mislopen I *intr* 1 (*verdwalen*) ir mal, equivocarse de camino, perderse *ie*; 2 *zie: mislukken*; II *tr* 1 (*van iem*) no encontrar *ue*, no dar con; 2 (*van iets*) perderse *ie*; *ik wil het feest niet ~* no quiero perderme la fiesta
mislukkeling fracasado, -a; **mislukken** fracasar, frustrarse, malograrse, salir fallido; *het plan mislukte* el plan se vino abajo; *tot ~ gedoemd* condenado al fracaso; **mislukking** fracaso
mismaakt desfigurado, deforme; **mismaaktheid** deformidad *v*
misnoegd desagradado, disgustado
mispel míspero
misplaatst fuera de lugar, inoportuno
misprijzend despectivo, despreciativo
mispunt mal bicho, mala bestia
misrekenen, zich errar *ie* el cálculo, equivocarse; **misrekening** error *m* de cálculo
missaal misal *m*
misschien quizá(s), tal vez, acaso, a lo mejor; *zoals u ~ weet* como acaso sabe
misschieten fallar el blanco, errar *ie* el tiro
misselijk 1 mareado; *~ zijn* estar mareado, tener náuseas; *~ maken* dar náuseas, dar ganas de vomitar, (*fig*) asquear; *~ makend* estomagante; 2 (*schandelijk*) asqueroso; **misselijkheid** mareo, ganas *vmv* de vomitar, náuseas *vmv*
missen I *tr* 1 (*van trein, kans*) perder *ie*; 2 (*van doel*) errar *ie* el blanco; 3 (*gemis voelen*) echar de menos, echar a faltar; *ik mis dat boek erg* echo muy de menos ese libro; *we ~ je* te echamos de menos; 4 (*niet hebben*) carecer de, estar falto de; *kunt u dit boek even ~?* ¿me puede dejar este libro un momento?; *hij mist energie* carece de energía; *ik kan die kamer niet ~* no puedo prescindir de ese cuarto; *zijn uitwerking ~* fallar, dejar de surtir efecto; *we kunnen geen uur ~* no podemos perder ni una hora; *je hebt wat gemist!* ¡lo que te has perdido!; 5 (*niet kunnen vinden*) no encontrar *ue*; *ik miste mijn sleutels* no encontré mis llaves; 6 (*van les*) perderse *ie*, faltar a; 7 (*niet verstaan*): *ik heb veel gemist* mucho se me ha escapado; *geen woord ~* no perder *ie* palabra; II *intr* errar *ie* el tiro, fallar, no dar en el blanco, no tener efecto; *dat kan niet ~* no fallará, no tiene fallo; *aldoor rechtuit, het kan niet ~* todo derecho, no tiene pérdida; **misser** 1 (*sp*) fallo, tiro errado; 2 (*mislukking*) fracaso, fallo
missionaris misionero
misslaan errar *ie* el golpe
mis|stand abuso; **-stap** (*fig*) patinazo, mal paso, paso en falso, desliz *m*; *een ~ begaan* dar un mal paso
mist niebla; (*op zee ook:*) bruma; *dichte ~* niebla espesa, niebla densa || *de ~ ingaan* (*fig*) quedar en agua de borrajas, venirse abajo; **mistbank** banco de niebla; **misten**: *het mist* hace niebla; **misthoorn** sirena de niebla, bocina de bruma; **mistig** nebuloso, brumoso; **mistlamp** luz *v* antiniebla; (*achter:*) luz posterior de niebla; (*voor:*) luz delantera de niebla; *de ~en* (*ook:*) las antinieblas
mistroostig triste, desconsolado, abatido
misvatting error *m*
misverstaan entender *ie* mal; *niet mis te verstaan* inequívoco; **misverstand** malentendido
misvormd disforme, desfigurado

mitella cabestrillo
mitrailleur ametralladora
mits con tal que, siempre que
mixer batidora, mezcladora
mms (*Ned*) instituto femenino de enseñanza secundaria
mobiel: ~ *zijn* poder desplazarse; *~e eenheid* (*vglbaar:*) policía antidisturbios; **mobilisatie** movilización *v*; **mobiliseren** movilizar
mobilofoon radioteléfono
modaal: ~ *inkomen* renta media; *Jan* ~ el empleado medio
modder lodo, barro, fango, cieno; *door de ~ halen* poner por los suelos; **modderig** fangoso, enfangado, lodoso, cenagoso; **modderplas** charco enlodado; **modderpoel** ciénaga
mode moda; ~ *worden* ponerse de moda; *erg in de ~ zijn* estar muy de moda
model 1 modelo; *het ~* (*vrouw*) la modelo; 2 (*knippatroon*) patrón *m*, figurín *m*
model|actie huelga de celo; **-boerderij** granja modelo; **-bouw** construcción *v* de maquetas, construcción *v* de modelos; **-bouwpakket** modelo, juego de piezas para armar un modelo; **-flat** piso piloto
modelleercrème crema de modelaje; **modelleren** modelar
modelwoning vivienda modelo, vivienda piloto
modern moderno; **moderniseren** modernizar
mode|show desfile *m* de modelos; **-woord** palabra que está de moda; **-zaak** tienda de modas
module módulo
moe cansado; ~ *maken* cansar; ~ *worden* cansarse; *iets ~ worden* cansarse de u.c.; *er ~ uitzien* tener la cara cansada, tener cara de cansancio
moed valor *m*, ánimo; *de ~ zonk hem in de schoenen* se le cayó el alma a los pies; *de ~ hebben om* tener valor para; *iem ~ inspreken* alentar *ie* a u.p.; ~ *vatten* cobrar ánimo; *de ~ verliezen* desanimarse, descorazonarse; ~ *verzamelen* hacer acopio de fuerzas; **moedeloos** desanimado, desalentado, descorazonado; **moedeloosheid** desaliento, abatimiento
moeder madre *v*, mamá
moeder|dag día *m* de la madre; **-koek** placenta; **-liefde** amor *m* materno
moederlijk maternal
moeder|maatschappij sociedad *v* matriz; **-melk** leche *v* de madre
moederschap maternidad *v*
moederskindje niño mimado de su madre
moeder|taal lengua materna; **-vlek** lunar *m*; **-vliegtuig** avión *m* nodriza; **-ziel**: ~ *alleen* completamente solo, solo como un hongo
moedig valiente
moedwillig *bw* deliberadamente, de intento
moeheid cansancio, fatiga
moeilijk difícil, duro; *het ~ hebben: a*) (*zorgen hebben*) estar apurado, tener muchos problemas; *b*) (*arm zijn*) pasar estrechez; *u maakt het me wel ~* me pone Ud. en un aprieto; *het viel hem niet ~* no le resultó difícil; *ik vind het ~ om het hem te zeggen* encuentro difícil decírselo; *waarom ~ als het ook makkelijk kan?* ¿por qué dar tanto brinco, estando el suelo tan llano?;
moeilijkheid dificultad *v*, problema *m*; *enorme -heden* tremendas dificultades; *-heden in de weg leggen* poner trabas, crear dificultades; *zich -heden op de hals halen* meterse en líos; *in -heden brengen* (*fam*) poner en un brete; *ondernemingen in -heden* empresas en apuros, empresas que hacen agua; *in -heden zitten* estar en apuros; *met -heden te kampen hebben* tener que hacer frente a dificultades, verse enfrentado con problemas
moeite pena, esfuerzo, trabajo; ~ *doen om* esforzarse *ue* por; *hij heeft ~ met talen* las lenguas no se le dan, (*fam*) es torpe para las lenguas; *de ~ nemen om* tomarse el trabajo de, tomarse la molestia de; *het kost veel ~* cuesta mucho trabajo; *geen ~ sparen* no ahorrar esfuerzos, no perdonar esfuerzos; *het is de ~ waard* vale la pena, merece la pena; *met veel ~* a duras penas, con trabajo; *zonder enige ~* con la mayor facilidad
moeizaam dificultoso, laborioso; *met -zame tred* con paso cansino
moer tuerca || *het kan hem geen ~ schelen* le importa un pepino
moeras pantano; (*bij zee*) marisma; **moerassig** pantanoso
moerbei mora
moersleutel llave *v* fija, llave *v* de tuercas; *dubbele ~* llave *v* de dos bocas
moes pasta, puré *m*; (*van fruit*) compota; *tot ~ slaan* hacer papilla; **moestuin** huerto
moeten 1 (*alg*) tener que; (*adviserend; moreel*) deber; (*logisch; gewenst*) haber de; *je moet erheen* tienes que ir; *wat moet je hier?* ¿a qué vienes?, ¿qué haces aquí?; *het móet* no hay más remedio; *waarom ~ wij minder betekenen dan de Amerikanen?* ¿por qué hemos de pintar menos que los norteamericanos?; *je moest nu maar gaan* mejor te irías; *het móest wel gebeuren* tenía que suceder, no podía menos de suceder, fatalmente había de suceder; *ik moet daar niks van hebben* me repugnan esas cosas; *ze moest lachen* le dio por reír; *je moet je warm inpakken* debes abrigarte bien; *ik moet je spreken* necesito verte; *de trein moet om 5 uur vertrekken* el tren ha de salir a las 5; *je zult even ~ wachten* tendrás que esperar un poco; *hier ~ we zijn* aquí es; *waar moet ik zitten?* ¿dónde me pongo?; *dat had je ~ zien* debieras verlo; 2 (*veronderstelling*) deber (de), haber de, *futuro-vorm; hij moet wel thuis zijn* debe de estar en casa; *het moet 6 uur zijn* serán las 6
1 mof manguito
2 mof (*Duitser*) alemán *m*
moffelen esmaltar al fuego
mogelijk I *bn* posible, eventual; (*uitvoerbaar*)

mit

viable; *al het ~e* todo lo posible; *zo ~* si cabe; *zo ~ nog lastiger* si cabe más difícil; *~ maken* hacer posible, permitir; *dit maakt het je ~ rustig te werken* esto te permitirá trabajar tranquilo; *~ zijn* ser posible, caber, poder ser; *als het ~ is* si es posible, de ser posible; *hoe is het ~!* ¡(cómo) es posible!, ¡será posible!, ¡parece mentira!; *het is best ~* bien puede ser; *is er een grotere paradox ~?* ¿cabe mayor paradoja?; II *bw* posiblemente, acaso, tal vez; *zoveel ~* en lo posible, todo lo posible, en la medida de lo posible; *ik zal je zoveel ~ helpen* te ayudaré en lo que pueda; *zo spoedig ~* cuanto antes; **mogelijkheid** posibilidad *v*; *dat geeft je later meer -heden* después tendrás más salidas

mogen 1 (*toegestaan zijn*) poder, estar permitido, permitirse; *mag ik het gordijn opendoen?* ¿me dejas que descorra la cortina?; *het aantal mag niet lager zijn dan* el número no debe ser inferior a; *we ~ gaan zitten* nos permiten sentarnos; *dat mag niet* no se puede hacer, no está permitido; *zij mocht niet mee van haar moeder* no la dejó venir su madre; *hier mag je niet roken* aquí no se puede fumar, aquí no se permite fumar; *ik mag niet weg* no me permiten salir; 2 (*houden van*): *ik mag hem graag* me es simpático, le veo con buenos ojos; *ik mag dat wel* a mí me gusta; 3 (*eventualiteit*): *wat er ook moge gebeuren* pase lo que pase; *mocht er een brief komen* si acaso llegara alguna carta; *mocht dat het geval zijn* en ese caso || *je mag wel opschieten* más vale darte prisa

mogendheid potencia

Mohammed Mahoma *m*; **mohammedaans** mahometano, islamita

mok vaso, tarro

moker maza, almádena, martinete *m*

mokkel tía

1 mol (*muz*) bemol *m*

2 mol (*dier*) topo

molecule molécula; **molecuulbouw** estructura molecular

molen molino; *de ambtelijke ~s malen langzaam* las cosas de Palacio van despacio; **molenaar** molinero; **molenaarsvrouw** molinera; **molensteen** piedra de molino, muela; **molenwiek** aspa de molino

molest riesgo de guerra; **molesteren** molestar

mollig rollizo; *een ~e baby* un bebé rollizo

molm (*van hout*) carcoma; (*van turf*) serrín *m*

molotov-cocktail cóctel *m* Molotov

molshoop topera

Molukker moluqueño

mom: *onder het ~ van* bajo capa de, so capa de, con el pretexto de

moment momento; *ieder ~*: *a*) (*steeds*) a cada dos por tres; *b*) (*elk ogenblik*) de un momento a otro; **momenteel** por el momento, actualmente; **momentopname** instantánea

mompelen murmurar, musitar, hablar entre dientes

monarchie monarquía; **monarchist, monarchiste** monarquista *m,v*

mond boca; *~ houden!*: *a*) (*stil zijn*) ¡a callar!; *b*) (*niet verklappen*) ¡punto a la boca!; *geen ~ opendoen* no decir esta boca es mía, no abrir la boca, no decir palabra, no despegar los labios, no decir ni pío; *een grote ~ hebben* tener la lengua larga; *iem de ~ snoeren* tapar la boca a u.p., cerrar *ie* la boca a u.p.; *door de ~* (*med*) por vía bucal; *met open ~* boquiabierto; *met zijn ~ vol tanden* sin saber qué decir; *iem naar de ~ praten* llevar la corriente a u.p., llevarle el aire a u.p., bailar el agua a u.p.; *~ op ~ beademing* respiración *v* boca a boca; *je moet hem de woorden uit de ~ trekken* hay que sacarlo con tirabuzón; *van ~ tot ~ gaan* andar de boca en boca; *zijn hand voor zijn ~ houden* cubrirse la boca; *hij praatte zijn ~ voorbij* se le fue la lengua, habló más de la cuenta

mondademhaling respiración *v* bucal

monddood amordazado; *~ maken* amordazar

mondeling I *bn* oral, verbal; *~ examen* examen *m* oral; *~e opdracht* mandato verbal; II *bw* verbalmente, oralmente, de palabra; *~ stemmen* votar verbalmente; *~ uitleggen* explicar de viva voz

mond- en klauwzeer glosopeda

mond|harmonica armónica; **-holte** cavidad *v* bucal; **-hygiënist**, **-hygiëniste** higienista *m,v* dental

monding boca, desembocadura

mondje boquita; *je bent niet op je ~ gevallen* labia no te falta; **mondjesmaat** en cantidades muy escasas

mondstuk boquilla

mond|verzorging higiene *v* bucal; **-voorraad** provisiones *vmv* (de boca), víveres *mmv*

monetair monetario; *zie ook: IMF*

mongool 1 (*Aziaat*) mongol *m*; 2 (*zwakzinnige*) mongólico

monitor 1 (*Belg, jeugdleider*) monitor; 2 (*Belg, studiementor*) monitor de estudios

monitrice 1 (*Belg, jeugdleidster*) monitora; 2 (*Belg, studiementrix*) monitora de estudios

monnik monje *m*; **monnikenorde** orden *v* monástica; **monnikenwerk** obra de benedictino, trabajo de chinos; **monnikskap** capucha; **monnikspij** hábito (de monje)

mono mono

monocultuur monocultivo

monogamie monogamia

monogram monograma *m*

monoloog monólogo

monopolie monopolio

monotoon monótono

monster 1 monstruo; 2 (*proef*) muestra; *~ zonder waarde* muestra sin valor; *op ~ bestellen* pedir *i* sobre muestra; **monsterboek** muestrario; **monstercollectie** colección *v* de muestras; **monsteren** 1 (*bekijken*) examinar; 2 (*scheepv*) alistar, enrolar

montage montaje *m*, armado; **montagebouw** construcción *v* de casas prefabricadas; **montagehal** nave *v* de montaje

monter alegre, vivo, despierto, de buen humor
monteren montar, armar; **monteur** mecánico, montador *m*
montuur montura
monument monumento
mooi bonito, hermoso; (*lit*) bello; ~ *weer* buen tiempo; ~ *zo!* ¡muy bien!; *wat ~!* ¡qué bonito!; ~ *maken* embellecer, hacer hermoso; ~ *zitten* (*mbt hond*) pedir *i*; *we zijn er ~ aan toe!* ¡estamos apañados!, ¡nos hemos lucido!; *het is te ~ om waar te zijn* es demasiado hermoso para ser verdad; *dat is me ook wat ~s!* ¡no me digas!, ¡vaya situación!, ¡vaya un lío!; *dat zou wat ~s zijn!* ¡pues estaría bueno!; *nu nog ~er!* ¡lo que nos faltaba!; *het ~ste komt nog* falta lo más bonito, falta lo mejor
moord asesinato; *de ~ op* el asesinato de; *de ~ opeisen* atribuirse el asesinato; ~ *en brand schreeuwen* llamar a escándalo, poner el grito en el cielo; **moordaanslag** atentado; **moorddadig** mortal, sangriento; **moorden** matar; **moordenaar**, **moordenares** asesino, -a; **moordgriet** mujer *v* chipén, mujer *v* bandera
moot (*vis*) rodaja; (*meloen*) raja
mop broma, chiste *m*; *schuine ~* chiste *m* verde; *~pen tappen* gastar bromas
mopperen regañar, refunfuñar; **mopperpot** protestón, -ona, regañón, -ona, gruñón, -ona
moquette moqueta
moraal moral *v*; (*van verhaal ook:*) moraleja; **moraliseren** moralizar; **moralist**, **moraliste** moralista *m,v*
moreel I *bn* moral; II *zn* moral *v*
mores: *iem ~ leren* escarmentar a u.p., meter en cintura a u.p.
morfine morfina
morgen I *zn* mañana; *'s ~s* por la mañana; *8 uur 's ~s* a las 8 de la mañana; *om 4 uur 's ~s* a las 4 de la madrugada; II *bw* mañana; *tot ~* hasta mañana; ~ *komt er weer een dag* mañana será otro día; ~ *over een week* mañana en ocho días; ~ *zul je het hebben!* ¡mañana será ello!
morgen|avond mañana por la noche; **-middag** mañana por la tarde; **-ochtend** mañana por la mañana; **-rood** rosicler *m*; ~ *water in de sloot* sol rojo agua al ojo; **-stond** madrugada; *de ~ heeft goud in de mond* al que madruga, Dios le ayuda
mormel 1 (*van uiterlijk*) birria, feote, -ota; 2 (*van karakter*) desgraciado, -a
mormoon mormón, -ona
morning-afterpil píldora del día siguiente
morrelen manipular
morren regañar, refunfuñar, gruñir; **morrend** a regañadientes
morsdood (muerto y) bien muerto
morsen verter *ie*; (*van vloeistof ook:*) derramar; **morsig** sucio, puerco, desaseado, mugriento
mortel mortero
mortier mortero
mos musgo; *met ~ bedekt* cubierto de musgo, musgoso
moskee mezquita
Moskou Moscú
moslim musulmán, -ana
mossel mejillón *m*; **mosselbank** criadero de mejillones
mosterd mostaza; *weten waar Abraham de ~ haalt* conocer el paño; *als ~ na de maaltijd* demasiado tarde; **mosterdgeel** amarillo mostaza
1 mot polilla; *door de ~ten aangevreten worden* apolillarse; *er zit ~ in* está apolillado
2 mot (*ruzie*): ~ *hebben met* estar reñido con
motel motel *m*
motie moción *v*; ~ *van afkeuring* moción de censura; ~ *van wantrouwen* voto de desconfianza; *een ~ indienen* presentar una moción, presentar un voto
motief motivo; **motiveren** motivar, explicar los motivos
motor 1 motor *m*; 2 (*voertuig*) moto *v*
motor|boot (lancha) motora; **-fiets** moto *v*
motoriseren motorizar
motor|jacht yate *m* motorizado; **-kap** capot *m*, cubierta del motor; **-race** carrera de motos; **-rijder** motorista *m*; **-rijtuig** vehículo automotor
motorrijtuigen|belasting impuesto sobre los vehículos automotores; (*vglbaar:*) impuesto sobre la circulación de vehículos; **-verzekering** seguro de automóviles
motor|schip motonave *v*, buque *m* motor; *afk* m.n., b.m.; **-spuit** motobomba; **-zaag** motosierra
motregen llovizna, garúa; **motregenen** lloviznar
motteballen bolas de naftalina
motto lema *m*, divisa
motvrij inapolillable
mountainbike bicicleta de montaña
mousserend espumoso
mout malta
mouw manga; *korte ~* manga corta; *iem iets op de ~ spelden* hacer creer u.c. a u.p., engañar a u.p.; *hij schudt het uit zijn ~* para él es un juego, no le cuesta nada; **mouwplankje** planchamangas *m*
mozaïek mosaico
mr. *meester in de rechten* licenciado en derecho, licenciada en derecho
m.s. *zie: motorschip*
muesli muesli *m*
muf: ~ *ruiken* oler *ue* a cerrado; *~fe lucht* aire *m* viciado
mug mosquito; (*kleine mug, Zuid-Amerika*) jején *m*; *van een ~ een olifant maken* hacer (de un tormo) una montaña, hacer de una pulga un camello; **muggebeet** picadura de mosquito; **muggeziften** buscar pelos al huevo; **muggezifterij** sutilezas *vmv*
muil 1 (*slipper*) chinela, babucha; 2 (*bek*) boca, fauces *vmv*; 3 (*muildier*) mulo

muis 1 ratón *m*; 2 (*van hand*) tenar *m*; **muisgrijs** (de color) gris ratón; **muisje**: *dat ~ krijgt een staartje* eso traerá cola; **muisstil** inmóvil
muiten amotinarse, sublevarse, insubordinarse; **muiter** amotinado, sublevado, insubordinado; **muiterij** motín *m*, sedición *v*, amotinamiento
muizegat agujero de ratón
muizenissen quebraderos de cabeza
muizeval ratonera
mul pulverulento, suelto, blando
multi|disciplinair multidisciplinario; **-functioneel** polifuncional; **-lateraal** multilateral
multinational *zn* (empresa) multinacional *v*
multiple choice multiple choice; *~ vraag* (pregunta con) opciones *vmv*
multiplex contrachapado múltiple
multiraciaal multirracial
multo (*ringband*) cuaderno de anillas
mum: *in een ~ van tijd* en un santiamén, en un abrir y cerrar de ojos
munt 1 (*geldstuk, valuta*) moneda; *~ slaan uit* capitalizar, rentabilizar, sacar partido de; *gangbare ~* moneda corriente; *met gelijke ~ betalen* pagar con la misma moneda; *met klinkende ~* en dinero contante (y sonante); 2 (*op muntstuk*) cara; *kruis of ~* cara o cruz; **munteenheid** unidad *v* monetaria, moneda; **munten** acuñar, amonedar || *het op iemand gemunt hebben* tenerla tomada con u.p., tenerlas juradas a u.p.; **muntenstelsel** sistema *m* monetario; **muntstuk** moneda
murmelen murmurar
murw blando; *~ maken* ablandar; *iem ~ slaan* hacer papilla a u.p.
mus gorrión *m*
museum museo
musical comedia musical; **musiceren** hacer música; **musiciënne** música; **musicus** músico
muskaat|druif uva moscatel; **-noot** nuez *v* moscada; **-wijn** vino moscatel
muskiet mosquito; **muskietengaas** tela mosquitera
mutatie 1 mutación *v*; 2 (*in personeel, rekening*) movimiento, cambios *mmv*
muts gorro
muur muro; (*wand*) pared *v*; (*van leem, gemetseld*) tapia; (*fig, scheidsmuur*) barrera; *de Chinese ~* la Gran Muralla de China; *de muren hebben oren* las paredes oyen; *iem tegen de ~ zetten* (*fig*) poner contra el paredón a u.p.
muur|bloempje: *~ zijn* comer pavo; **-krant** periódico mural; **-plug** taco; **-schildering** pintura mural
muurtje (*langs weg*) defensa
muurvast inamovible, firme como roca, bien sujeto
muziek música; *~ maken* hacer música; *op ~ zetten* poner en música; *van ~ houden* ser aficionado a la música
muziek|boek libro de música; **-boekje** cuaderno de música; **-instrument** instrumento de música; **-korps** banda; **-lessenaar** atril *m*; **-noot** nota musical; **-onderwijs** enseñanza musical; **-papier** papel *m* de música; **-stuk** pieza (de música); **-zaal** sala de conciertos
muzikaal musical; *~ zijn* tener talento musical; *een -kale familie* una familia aficionada a la música, una familia de músicos; **muzikaliteit** musicalidad *v*; **muzikant**, **muzikante** músico, -a
mysterie misterio; **mysterieus** misterioso
mythe mito; **mythologie** mitología

Nn*n*

na I *vz* después de; (*in volgorde ook:*) tras; ~ *3 dagen* a los 3 días, 3 días más tarde; ~ *4 uur 's middags* después de las 4 de la tarde; ~ *te hebben gegeten* después de comer, después de haber comido; *gedurende 10 dagen* ~ *het examen* durante los 10 días siguientes al examen; *de ene vergadering* ~ *de andere* reunión tras reunión; *kort* ~ a raíz de; *ze waren kort* ~ *elkaar gestorven* habían muerto con escasos años de diferencia; *hij ligt mij* ~ *aan het hart* le tengo mucho cariño; *de zaak ligt mij* ~ *aan het hart* siento mucho interés por el asunto; *allen op één* ~ todos menos uno; *op één* ~ *de jongste, op één* ~ *de laatste* el penúltimo; *op enkele uitzonderingen* ~ salvo algunas excepciones; *dat is mijn eer te* ~ tengo mi orgullo; *zijn verdiensten niet te* ~ *gesproken* sin menoscabo de sus méritos; II *bw* 1 (*nabij*) cerca; 2 (*als dessert*) después, de postre; *er is pudding* ~ de postre hay flan

naad costura; (*techn ook:*) junta, juntura; *het ~je van de kous willen weten* querer saber u.c. en sumo detalle; **naadloos** sin costura

naaf cubo; **naafdop** tapacubos *m*; **naafrem** freno de cubo

naaidoos costurero; **naaien** I *ww* 1 coser; 2 (*paren*) joder; II *zn* costura; **naaigaren** hilo de costura; **naaimachine** máquina de coser; **naaister** modista

naakt desnudo; ~ *figuur* desnudo; **naaktheid** desnudez *v*; **naaktstrand** playa naturista

naald aguja; *dikke* ~ aguja gruesa; *een* ~ *in een hooiberg zoeken* buscar una aguja en un pajar; *een draad in de* ~ *steken* enhebrar la aguja; **naaldboom** conífera; **naaldenkoker** alfiletero; **naaldhak** tacón *m* fino

naam 1 nombre *m*; (*achternaam*) apellido; *hoe is uw ~?* (*ook:*) ¿cómo se llama?; *haar eigen* ~ (*na trouwen*) su apellido de soltera; *een valse* ~ un nombre supuesto; *een* ~ *dragen* llevar un nombre; *het mag geen* ~ *hebben* no es nada, tiene apenas entidad; *in, uit* ~ *van een ander* en nombre ajeno; *met* ~ *en toenaam* con nombres y apellidos; *met name* concretamente, particularmente; *met dezelfde* ~ homónimo; *luisteren naar de naam van* (*mbt hond*) atender *ie* por; *onder zijn eigen* ~ (*mbt schrijver*) bajo su firma, bajo su propio nombre; *op* ~ *van* a nombre de; *de rekening staat op haar* ~ la cuenta está a su nombre de ella; *op zijn* ~ *schrijven* (*van overwinning*) adjudicarse; *vrij op naam* (*vglbaar:*) sin gastos de transmisión; 2 (*faam*) fama, reputación *v*; ~ *krijgen* hacerse famoso; ~ *hebben* tener fama; *een goede* ~ *hebben* tener buena fama; *een slechte* ~ *hebben* tener mala fama; *een uitstekende* ~ *hebben* gozar de una excelente reputación; *een dichter van* ~ un poeta de nombradía, un famoso poeta; 3 (*benaming*) denominación *v*

naam|genoot, **-genote** tocayo, -a, homónimo, -a; **-lijst** lista de nombres, nómina

naamloos sin nombre; *-loze vennootschap* sociedad *v* anónima

naamplaatje placa (con el nombre), letrero

naamstemming (*Belg*) votación *v* nominal

naams|verandering cambio de nombre; **-verwarring** confusión *v* de nombres

naamval caso

naäpen imitar, remedar, calcar; **naäper** imitador *m*; **naäperij** imitación *v*

1 naar *bn* (*akelig*) desagradable; (*droevig*) triste; (*niet lekker*) malo; *wat een nare lichten!* ¡qué lata de luces!; *een* ~ *werk* un trabajo ingrato; *je vader zal het* ~ *vinden* tu padre se llevará un disgusto; *hij werd* ~ *van die stem* le puso malo esa voz

2 naar *vz* 1 (*richting*) a; (*met bestemming ook:*) para; (*in de richting van ook:*) hacia; ~ *boven* (hacia) arriba; ~ *huis* a casa; *hij vertrok* ~ *Madrid* salió para Madrid; *een steen gooien* ~ tirar una piedra hacia; 2 (*volgens*) según; ~ *ik meen* según creo

naargeestig sombrío, lóbrego

naarmate I *voegw* a medida que, conforme; ~ *hij groeide* conforme crecía; II *vz* según, de acuerdo con

naast I *vz* al lado de; *degene die* ~ *mij zit* la persona que está a mi lado, mi vecino; *ik zat* ~ *hem* (*in de auto*) iba a su lado; *de tafel* ~ *ons* la mesa vecina; *er* ~ *zitten: a*) (*zich vergissen*) andar descaminado, estar equivocado; *b*) (*te laat komen*) quedarse con las ganas; *iets* ~ *zich neerleggen* desatender *ie* u.c.; II *bn* próximo, más cercano; *de ~e familie* los parientes más cercanos; III *bw* (el, lo) más cerca; *hij staat mij het* ~ es el que me está más cerca; **naaste** prójimo; **naasten** nacionalizar; **naasting** nacionalización *v*

na|behandeling tratamiento suplementario; **-beschouwing** resumen *m*; **-bestaanden** parientes *mmv* próximos, parientes *mmv* más cercanos, deudos; **-bestelling** pedido adicional

nabij I *bn* cercano, no lejano; II *bw* cerca; ~ *gelegen* cercano, vecino; ~ *komen* acercarse; *de dood* ~ a las puertas de la muerte; *van* ~ de cerca; **nabijheid** cercanía, proximidad; *in de* ~ cerca; *in de* ~ *van* cerca de, en la proximidad de; **nabijzijnd** cercano

nabootsen imitar, remedar; (*namaken ook:*) copiar, contrahacer; **nabootsend** imitativo; **nabootser** imitador *m*; **nabootsing** imitación *v*, remedo; (*namaak ook:*) contrahechura

naburig vecino, cercano

nacht noche *v*; *goede ~!* ¡buenas noches!; *het wordt ~* se hace de noche, anochece; *bij ~* (*als het donker is*) de noche; *midden in de ~* en plena noche; *'s ~s* por la noche; *om 3 uur 's ~s* a las 3 de la madrugada; **nachtboot** barco nocturno

nacht|braken trasnochar; **-club** cabaret *m*; **-dienst** servicio nocturno

nachtegaal ruiseñor *m*

nachtelijk nocturno

nachtgoed ropa de dormir

nachtje: *er een ~ over slapen* consultarlo con la almohada

nacht|kastje mesilla (de noche), mesilla armario; **-leven** vida nocturna; **-merrie** pesadilla; **-ploeg** equipo de noche; **-rust** descanso nocturno; **-slot**: *op het ~ doen* dar doble vuelta a la llave; **-vlinder** mariposa nocturna; **-voorstelling** (*film*) sesión *v* de madrugada; **-wacht** guarda *m* nocturno, sereno; (*van Rembrandt*) ronda de noche; **-waker** vigilante *m* nocturno; **-zuster** enfermera de noche

nadat después (de) que

nadeel desventaja; (*bezwaar*) inconveniente *m*; *in het ~ zijn van* redundar en perjuicio de, perjudicar a; *het is in uw ~* es desventajoso para Ud.; *ten nadele van* en detrimento de, en perjuicio de; **nadelig** desfavorable, desventajoso; (*schadelijk*) perjudicial, nocivo

nadenken I *ww* pensar *ie*, reflexionar, meditar; *ergens over ~* pensar u.c., reflexionar sobre u.c.; *als je er goed over nadenkt* pensándolo bien; *lang ~ over* dar muchas vueltas a; II *zn* reflexión *v*, meditación *v*; *tot ~ stemmen* hacer reflexionar; *stof tot ~* tema *m* de meditación; **nadenkend** pensativo, meditabundo

nader I *bn* 1 más cercano; 2 (*uitvoeriger*) más detallado, más detenido; *~ bericht* noticias *vmv* ulteriores; *~e bijzonderheden* pormenores *mmv*, (más) detalles *mmv*; *~e informatie* informes *mmv* más detallados; *~ onderzoek* examen *m* más detenido; *iets ~s* más detalles; *bij ~ inzien* pensándolo mejor; *ter ~e bestudering* para su mayor estudio; II *bw* con más precisión, más detalladamente; *~ aanduiden* especificar, indicar con más precisión; *~ bestuderen* estudiar más detenidamente; *~ leren kennen* conocer mejor; **naderbij**: *~ komen* acercarse

naderen I *intr* acercarse, aproximarse; (*mbt gebeurtenis ook:*) avecinarse; II *tr* acercarse a, aproximarse a; **naderend** próximo, que se avecina, inminente; **naderhand** después; **nadering** acercamiento, aproximación

nadien desde entonces, después

nadoen *zie: nabootsen*

1 nadruk acento, énfasis *m*; *de ~ leggen op: a*) (*lett*) poner el acento en; *b*) (*fig*) acentuar *ú*, poner el énfasis en, recalcar, hacer hincapié en; *met ~ zeggen* decir con insistencia

2 nadruk reproducción *v*; *~ verboden* prohibida la reproducción

nadrukkelijk I *bn* enfático; II *bw* con énfasis, con insistencia

nagaan comprobar *ue*, verificar, averiguar; *~ of* cerciorarse de que; *het is niet goed na te gaan* no hay modo de saberlo || *iems gangen ~* vigilar (de cerca) a u.p., seguir *i* a u.p.

nagedachtenis memoria, recuerdo; *ter ~ van* en memoria de

nagel 1 uña; *op zijn ~s bijten* roerse las uñas; 2 (*spijker*) clavo

nagel|borstel cepillo para las uñas; **-etui** estuche *m* manicura; **-kaas** queso con clavos; **-knipper** (*tang*) cortauñas *m*; **-lak** esmalte *m* (para las uñas), laca (de uñas); **-schaartje** tijeras *vmv* de uñas; **-vijl** lima de uñas

nagemaakt 1 (*vals*) contrahecho; *~e cheque* cheque *m* contrahecho; 2 (*nagebootst*) imitado; 3 (*niet echt*) artificial

nagenoeg casi

nagerecht postre *m*

nageslacht: *het ~* la posteridad; *zijn ~* su descendencia

nahouden: *erop ~* tener, mantener

naïef ingenuo; *naïeve schilderkunst* pintura ingenuista; **naïeveling** ingenuo, -a, inocentón, -ona, alma de cántaro

najaar otoño

na|jagen cazar, afanarse tras; **-kaarten** (*over*) comentar después; **-kijken** 1 (*ter controle*) examinar, inspeccionar, revisar, repasar; 2 (*med*) examinar, reconocer; 3 (*corrigeren*) corregir *i*; 4 (*opzoeken*) mirar, buscar; *ik zal het voor je ~* te lo miraré; 5 (*nagaan*) comprobar *ue*; 6 (*controleren*) controlar, examinar; 7 (*volgen met de blik*) seguir *i* con la mirada; *op straat keken de mensen hem na* en la calle la gente volvía la cabeza; *het ~ hebben* quedarse con las ganas

nakomeling descendiente *m,v*; **nakomelingschap** posterioridad *v*, descendencia

nakomen I *intr* seguir *i*; II *intr* cumplir (con), observar; *bij het niet ~* ... en caso de incumplimiento ...; **nakomertje** benjamín *m*; **nakoming** observación *v*, cumplimiento; *strikte ~* observación estricta

nalaten 1 dejar; (*van erfenis ook:*) dejar en herencia; *sporen ~* dejar huellas; 2 *~ om, te* dejar de, omitir; *ik kan niet ~ te zeggen* no puedo por menos de decir; *niets ~ om zijn doel te bereiken* no dejar nada por hacer para lograr su fin; **nalatenschap** herencia

nalatig negligente, descuidado; **nalatigheid** negligencia, descuido; (*verzuim*) omisión *v*

naleven seguir *i*, cumplir (con), observar; **naleving** cumplimiento, observancia

namaak imitación *v*; *hoedt u voor ~* desconfíe de las imitaciones, no admita substitutos; **namaakpistool** pistola simulada; **namaken** imitar; (*vervalsen ook:*) falsificar, contrahacer

namelijk 1 (*toelichting:*) es decir, a saber, o sea; 2 (*redengevend:*) el caso es que, es que; *ik heb ~ geen geld* es que no tengo dinero

namens en nombre de
nameten comprobar *ue* las medidas, volver *ue* a medir
namiddag tarde *v*; *in de* ~ a media tarde
naoorlogs de (la) posguerra
napalm napalm *m*; **napalmbom** bomba de napalm
Napels Nápoles
na|pluizen averiguar; **-praten**: *iem* ~ ser eco de u.p.; *iets* ~ repetir *i* u.c.
nar bufón *m*
narcis narciso
narcose narcosis *v*; *onder* ~ *brengen* narcotizar, anestesiar
narcoticabrigade brigada de estupefacientes
narcoticum narcótico, estupefaciente *m*; **narcotiseur** narcotizador *m*, anestesista *m*
narekenen verificar
narigheid miseria
naroepen (*uitschelden*) abuchear, insultar
na|scholingscursus curso de reciclaje, cursillo de repaso; **-schrift** 1 (*onder brief*) posdata; 2 (*in boek*) epílogo
naslaan buscar, mirar
naslagwerk obra de consulta
na|sleep secuelas *vmv*; **-smaak** resabio, regusto
naspeuren investigar, indagar
nasporing: ~*en* pesquisas, investigaciones *vmv*, indagaciones *vmv*
na|streven perseguir *i*; **-synchroniseren** doblar; *Spaans nagesynchroniseerd* doblado al español
nat I *bn* mojado; (*vochtig*) húmedo; ~*!* (*opschrift*) ¡recién pintado!; ~ *maken* mojar; *heel* ~ *maken* empapar; ~ *worden* mojarse; II *zn* líquido; (*sap*) jugo
na|tafelen estar de sobremesa; **-tekenen** copiar; **-tellen** hacer el recuento de, comprobar *ue*
natheid humedad *v*, mojadura
natie nación *v*; *de Verenigde Naties* las Naciones Unidas; *afk* ONU; **nationaal** nacional; *-nale feestdag* fiesta nacional; **nationalisatie** nacionalización *v*; **nationaliseren** nacionalizar; **nationalisme** nacionalismo; **nationalistisch** nacionalista; **nationaliteit** nacionalidad *v*
natrekken verificar, averiguar
natrium sodio; **natriumarm** bajo en sodio
nattig húmedo; **nattigheid**: ~ *voelen* sospechar algo
natura: *in* ~ en especie
naturalisatie naturalización *v*; **naturaliseren** naturalizar; *zich laten* ~ nacionalizarse; *hij heeft zich tot Spanjaard laten* ~ se ha nacionalizado español; **naturalisme** naturalismo; **naturalistisch** naturalista
naturel (*kleur*) crudo
naturisme naturismo; **naturist**, **naturiste** naturista *m,v*
natuur naturaleza; *naar de* ~ del natural, de la naturaleza; *van nature* por naturaleza
natuur|behoud conservación *v* de la naturaleza; **-geneeskunde** medicina natural; **-geneeswijze** método terapéutico naturista; **-getrouw** al natural; ~ *weergeven* representar fielmente
natuurkunde física; **natuurkundig** físico; **natuurkundige** físico, -a
natuurlijk I *bn* natural; II *bw* claro (que), naturalmente, desde luego; (*na vraag ook:*) claro que sí, claro que no; **natuurlijkheid** naturalidad *v*
natuur|monumenten: *vereniging voor* ~ (*vglbaar:*) Instituto para la Conservación de la Naturaleza; *afk* ICONA; (*vglbaar:*) Asociación para la Defensa de la Naturaleza; *afk* ADENA; **-park** parque *m* nacional, parque *m* natural; **-ramp** catástrofe *v*; **-reservaat** reserva natural; (*vglbaar:*) parque *m* nacional; **-schoon** belleza natural; **-verschijnsel** fenómeno natural; **-vriend** amante *m* de la naturaleza; **-wet** ley *v* física; **-wetenschappen** ciencias físicas, ciencias naturales
nauw I *bn* estrecho; (*strak ook:*) ajustado; ~*e band* vínculo estrecho; *de broek is hem te* ~ el pantalón le está estrecho; II *bw* estrechamente; ~ *verbonden* estrechamente unido; *het* ~ *nemen* ser muy estricto, hilar delgado; *het niet zo* ~ *nemen* tomar las cosas a la ligera, tener manga ancha; III *zn* estrecho; *het* ~ *van Calais* el Paso de Calais; *in het* ~ *brengen* acorralar, acosar; *in het* ~ *zitten* estar en un apuro
nauwelijks apenas, no bien; ~ *was hij binnen* ... apenas entró ..., nada más entrar ...; ~ *drie jaar* tres años escasos; ~ *een week geleden* hace escasamente una semana; ~ *een week later* a la semana escasa; *ik heb* ~ *tijd* apenas (si) tengo tiempo
nauwgezet meticuloso, escrupuloso, minucioso; (*punctueel*) puntual; **nauwgezetheid** meticulosidad *v*, escrupulosidad *v*, minuciosidad *v*
nauwkeurig (*juist*) exacto; ~*e gegevens* datos exactos; ~ *onderzoek* examen *m* detenido; *zie ook: nauwgezet*; **nauwkeurigheid** exactitud *v*; (*van onderzoek*) detenimiento; *zie ook: nauwgezetheid*
nauwsluitend ceñido, ajustado
n.a.v. *naar aanleiding van* con motivo de
navel ombligo; **navelsinaasappel** naranja nável; **navelstaren** mirarse los pañales; **navelstreng** cordón *m* umbilical
navenant a proporción
navertellen volver *ue* a contar; *hij zal het niet* ~ no lo contará
navigatie navegación *v*; **navigatielichten** luces *vmv* de navegación
NAVO *Noordatlantische Verdragsorganisatie* Organización *v* del Tratado del Atlántico Norte; *afk* OTAN
navolgen seguir *i* (el ejemplo de); **navolgend** siguiente; **navolger** seguidor *m*; **navolging** imitación *v*; *dit voorbeeld verdient* ~ este ejem-

plo merece ser seguido; *in ~ van* imitando a, siguiendo el ejemplo de; **navolgster** seguidora
navraag: *~ doen naar* hacer averiguaciones acerca de, informarse sobre; **navragen** averiguar
navullen cargar; **navulling** recambio, carga
naweeën 1 dolores *mmv* después del parto, (dolores *mmv* de) entuerto(s); 2 (*fig*) secuela
na|werken seguir *i* activo mucho tiempo, dejar sentir su efecto; **-zeggen** repetir *i*; **-zien** *zie: nakijken*
na|zomer final *m* del verano; **-zorg** cuidados *mmv* ulteriores
n.b. *notabene* nota bene, adviértase; *afk* NB
nederig humilde, sumiso; **nederigheid** humildad *v*, sumisión *v*
nederlaag derrota; *een ~ lijden* ser derrotado, sufrir una derrota
Nederland Holanda, Países *mmv* Bajos; **Nederlander** holandés *m*, neerlandés *m*; **nederlanderschap** nacionalidad *v* holandesa, nacionalidad neerlandesa; calidad *v* de neerlandés; **Nederlands** holandés *-esa*, neerlandés *-esa*; **Nederlandse** holandesa, neerlandesa
nederzetting colonia, asentamiento
nee no; *~ maar!* ¡vaya!; *~ toch!* ¡no me diga(s)!; *wel ~!* ¡que no!; *~ zeggen* decir que no; *hij zei op alles ~* a todo dijo que no; *met ~ beantwoorden* contestar negativamente
neef 1 primo; *ze zijn ~ en nicht* son primos; 2 (*oomzegger*) sobrino
neer (hacia) abajo; **neerbuigend** altivo, desdeñoso; **neergaand** descendente
neerkijken: *~ op* despreciar, menospreciar; *op iem ~* (*ook:*) mirar a u.p. por encima del hombro
neerklapbaar abatible
neer|komen 1 bajar, descender *ie*; 2 *~ op* recaer sobre; *alles komt op mij neer* tengo que cargar con todo; *dat komt op hetzelfde neer* viene a ser lo mismo; 3 *erop ~* implicar, significar, equivaler a; *het komt erop neer dat ...* significa que ...; **-leggen** dejar; *zijn ambt ~* dimitir (su cargo); *een hert ~* cazar un venado; *de wapens ~* deponer las armas; *het werk ~* dejar el trabajo, suspender el trabajo; *zich ~ bij* conformarse con, venirse a, resignarse a; *iets naast zich ~* hacer caso omiso de, desatender *ie*; **-schieten** I *tr* derribar, tumbar; II *intr* precipitarse, bajar en picado; **-schrijven** apuntar, escribir, anotar; **-slaan** I *tr* derribar, dar en tierra con; *de ogen ~* bajar los ojos; *met -geslagen ogen* (con) la mirada baja; II *intr* (*chem*) precipitarse
neerslachtig abatido, decaído; **neerslachtigheid** abatimiento, desaliento, decaimiento
neerslag 1 (*bezinksel*) precipitado, sedimento; 2 (*regen*) precipitación *v*
neer|steken apuñalar, acuchillar; **-strijken**: *~ op* posarse sobre; **-stromen** chorrear; **-zetten** dejar, depositar, colocar
negatief negativo
negen nueve; **negende** I *bn* noveno, nono; II *zn* noveno, -a
negenhonderd novecientos; **negentien** diecinueve; **negentig** noventa
neger negro
'negeren fastidiar, jorobar, jeringar
ne'geren 1 (*van persoon*) ignorar, ningunear; 2 (*van raad*) ignorar, desoír, no hacer caso de, desatender *ie*
negerin negra
neger|muziek música negra; **-slaaf** esclavo negro
neigen: *~ tot* inclinarse a, tender *ie* a; **neiging** tendencia, inclinación *v*
nek cogote *m*, nuca; (*hals*) cuello; (fam) pescuezo; *stijve ~* tortícolis *v*; *zijn ~ breken* romperse la crisma, desnucarse; *zijn ~ breken op een probleem* desnucarse en un problema; *de ~ omdraaien: a*) (*lett*) torcer *ue* el cuello; *b*) (*fam; van dier*) retorcer *ue* el pescuezo; *c*) (*fig*) echar a pique; *zijn ~ uitsteken voor iem* dar la cara por u.p.; *iem met de ~ aanzien* mirar a u.p. con desprecio; *uit zijn ~ kletsen* desvariar *í*; **nekken** desnucar, dar el golpe de gracia; **nekslag** golpe *m* en la nuca, golpe *m* mortal
nemen tomar; *ik neem de flat* me quedo con el piso; *een glas melk ~* tomarse un vaso de leche; *iem ~* (*beetnemen*) timar a u.p.; *zich genomen voelen* sentirse *ie, i* defraudado; *iets op zich ~* tomar sobre sí u.c., encargarse de u.c., comprometerse a hacer u.c.; *God heeft haar tot zich genomen* Dios se la llevó
neologisme neologismo
neonazisme neonazismo
nep un timo; *~-professor* profesor *m* de pega
nerf 1 (*van blad*) nervio, vena; (*geheel van nerven*) nervadura; 2 (*van leer, hout*) grano
nergens en ninguna parte, por ningún lado; *hij geeft ~ om* nada le importa; *~ anders om* por ningún otro motivo; *dat is ~ goed voor* no sirve para nada
nerts visón *m*
nerveus nervioso; **nervositeit** nervosidad *v*, nerviosidad *v*
nest nido; (*met jongen*) nidada; *in de ~en zitten* estar en un apuro; *zich in de ~en werken* meterse en un lío; **nestelen** anidar; *het ~* la nidificación; *zich ~* anidarse; *zich ~ in een fauteuil* arrellanarse en una butaca
1 net *zn* 1 red *v*; *het elektrische ~* la red eléctrica; *de ~ten inhalen* cobrar las redes; *achter het ~ vissen* quedarse a la luna de Valencia, quedarse con las ganas; 2 (*tv*) cadena
2 net I *bn* (*schoon*) limpio, pulcro; (*fatsoenlijk*) formal, honesto, decente; (*welopgevoed*) modoso; (*ordelijk*) ordenado; II *zn* copia (en limpio); *in het ~ schrijven* poner en limpio; III *bw* 1 limpio; 2 (*precies*) exactamente, precisamente; *~ als jij* lo mismo que tú, al igual que tú; *het is ~ of ik zijn vader zie* es como si viera

a su padre; ~ *doen of* aparentar *ie*, fingir; ~ *toen hij aankwam* precisamente cuando llegó; *dat is ~ wat ik nodig heb* es exactamente lo que me hace falta; *met ons gaat het ~ zo* a nosotros nos pasa igual; 3 (*zoëven*) hace poco; *we zijn ~ begonnen* acabamos de empezar
neteldoek tela de fibra de ortiga; **netelig** espinoso, vidrioso, delicado; **netelroos** urticaria
netheid 1 limpieza, pulcritud *v*; 2 (*fatsoen*) formalidad *v*, honestidad *v*; **netjes** I *bw* bien; ordenadamente; decentemente; ~ *behandelen* tratar con educación; ~ *schrijven* (*duidelijk handschrift hebben*) tener buena letra; *zich ~ gedragen* portarse bien; *zich ~ kleden* vestir *i* bien; II *bn* (*ordelijk*) ordenado; (*fatsoenlijk*) decente; *dat is niet ~* eso no se hace, es indecoroso, es muy poco formal
net|nummer prefijo, indicativo; **-spanning** tensión *v* de la red
netto neto, líquido; ~ *bedrag* cantidad *v* neta, importe *m* líquido; ~ *gewicht* peso neto; ~ *omzet* ventas *vmv* netas; ~ *winst* beneficio neto; *100 kg ~* 100 kgs netos
net|vlies retina; **-werk** red *v*
neuken joder
neuriën canturrear
neurochirurgie neurocirugía
neurologie neurología; **neuroloog** neurólogo
neurose neurosis *v*; **neurotisch** neurótico
neus nariz *v*; (*van schoen*) punta; *een fijne ~* olfato, buena nariz; *een wassen ~* pura formalidad; *doen alsof zijn ~ bloedt* hacerse el desentendido; *een ~ hebben voor* oler *ue*, tener olfato para; *niet verder kijken dan zijn ~ lang is* no ver más allá de sus narices; *zijn ~ ophalen* (*lett*) sorberse los mocos; *zijn ~ ophalen voor* creerse por encima de; *zijn ~ snuiten* sonarse *ue* (las narices); *zijn ~ steken in* meter la nariz en; *zijn ~ stoten* ir por lana y volver trasquilado, llevarse un chasco; *door de ~* (*med*) por vía nasal; *ademhaling door de ~* respiración *v* nasal; *door de ~ boren* birlar; *door de ~ spreken* tener una voz gangosa, hablar por las narices; *langs zijn ~ weg zeggen* dejarse decir; *met zijn ~ op de feiten gedrukt worden* verse enfrentado con los hechos; *onder de ~ wrijven* restregar por las narices; *op zijn ~ kijken* quedarse con un palmo de narices; *tussen ~ en lippen* en ratos perdidos, de paso; *je hebt het voor je ~* lo tienes delante de tus narices; *vlak voor de ~ van* en las mismas barbas de, en las narices de
neus|ademhaling respiración *v* nasal; **-bloeding** hemorragia nasal; *een ~ hebben* sangrar por la nariz; **-druppels** gotas nasales; **-gat** ventana de la nariz; **-hoorn** rinoceronte *m*; **-klank** sonido nasal; **-spray** (e)spray *m* nasal; **-verkoudheid** catarro nasal
neutraal 1 neutro; 2 (*pol*) neutral; **neutraliteit** neutralidad *v*
neutron neutrón *m*; **neutronenbom** bomba de neutrones
neuzen: ~ *in* husmear en
nevel neblina; (*licht:*) calina, calima; (*mist*) niebla; **nevelig** nebuloso
neven|doel fin *m* secundario; **-effect** efecto secundario; **-functie** segundo empleo, actividad *v* (profesional) secundaria; **-produkt** subproducto, producto simultáneo; **-verschijnsel** fenómeno concomitante
New York Nueva York
Nicaragua Nicaragua; **Nicaraguaans** nicaragüense
nicht 1 prima; 2 (*oomzegster*) sobrina; 3 (*homo*) marica *m*
nicotine nicotina
niemand nadie; (*uit groep*) ninguno; ~ *zag het* nadie lo vio, no lo vio nadie; ~ *anders dan hij* nadie sino él; ~ *van ons* ninguno de nosotros
nier riñón *m*
nier|aandoening afección *v* renal; **-dialyse** diálisis *v* del riñón; **-operatie** operación *v* de riñón; **-steen** cálculo renal
niet I *bw* no; *hij keek ~* no miró; *hij lachte ~ eens* ni siquiera rio; II *zn* 1 nada; *in het ~ zinken bij* quedar eclipsado ante, desaparecer ante; *om ~* gratuitamente; *te ~ doen* cancelar, anular, invalidar; *te ~ gaan* desaparecer; 2 (*in loterij*) blanco
niet-EG-landen terceros países *mmv*
nietig 1 (*ongeldig*) nulo; ~ *verklaren* declarar nulo, rescindir, anular; 2 (*heel klein*) minúsculo, diminuto; *de ~ste voorvallen* los sucesos más nimios; **nietigheid** nulidad *v*; **nietigverklaring** declaración *v* de nulidad
niet-inmenging no intervención *v*
nietje grapa; **nietmachine** grapadora
niet-nakoming no cumplimiento, incumplimiento, inobservación *v*
niet-omkeerbaar irreversible
niets nada; *het ~* la nada; ~ *daarvan!* ¡ni hablar!; ~ *dan klachten* nada sino quejas, sólo quejas; *het is ~ gedaan* no sirve; *er kwam ~ van* fracasó; *dat is ~ voor jou: a*) (*past niet bij je*) no es propio de ti; *b*) (*niet naar je zin*) no te gustará; *hij zegt ~* no dice nada; *om ~* (*om een kleinigheid*) por una nadería, sin razón; *voor bijna ~* (*heel goedkoop*) regalado; *voor ~ liep ik naar beneden* bajé en falso; *niet voor ~: a*) (*niet zonder reden*) por algo, con razón; *b*) (*niet tevergeefs*) no en vano, no en balde; *c*) (*niet cadeau*): *je krijgt het niet voor ~* no te lo regalan
niets|doen *zn* inacción *v*, ocio; **-nut** inútil *m*, gandul *m*, zángano; **-ontziend** despiadado, desconsiderado; **-zeggend** intranscendente
niettegenstaande no obstante, a pesar de
niettemin sin embargo, aun así, a pesar de ello
nieuw nuevo; (*recent*) reciente; (*modern*) moderno; *het ~e van dat alles* la novedad de todo ello; *het ~ste op dit gebied* la última palabra en la materia; **nieuwbouw** construcciones *vmv* nuevas; **nieuweling, nieuwelinge** novato, -a, advenedizo; (*net gekomen*) recién llega-

do, -a; **nieuwerwets** moderno, reciente; **nieuwjaar** año nuevo; *gelukkig* ~ feliz año nuevo; **nieuwkomer** recién llegado, -a, nuevo, -a; (*fig*) advenedizo; **nieuws 1** (*berichten*) noticias *vmv*; (*op radio*) diario hablado; (*op tv*) telediario; (*in bioscoop*) noticiario; *wat is er voor ~?* ¿qué noticias hay?; 2 (*het nieuwe*) novedad *v*; *iets* ~ algo nuevo; *niets* ~ nada nuevo; *er zit niets ~ in* no encierra ninguna novedad

nieuws|agentschap agencia (de noticias); **-berichten** (*op radio*) diario hablado, boletín *m* de noticias; **-commentaar** noticias *vmv* comentadas

nieuwsgierig curioso; *ik ben ~ (naar) wat hij zegt* tengo curiosidad por saber lo que dirá; **nieuwsgierigheid** curiosidad *v*

nieuwsoverzicht resumen *m* de noticias (del día)

nieuwtje 1 (*bericht*) nueva, noticia; 2 (*iets nieuws*) novedad *v*

Nieuw-Zeeland Nueva Zelandia; **Nieuwzeelands** neozelandés *-esa*

niezen estornudar

nijd envidia; **nijdas** mala sangre *m*; **nijdig** enfadado, amoscado; *iem ~ maken* enfadar a u.p.; *~ zijn* tener mala uva

nijgen inclinarse

Nijl: *de* ~ el Nilo; **Nijldal** vega del Nilo

nijlpaard hipopótamo

nijpen: *het begint te* ~ la necesidad aprieta, la cosa es inminente; **nijpend** agudo, intenso; *een ~ probleem* un problema acuciante; **nijptang** tenazas *vmv* (de carpintero)

nijver diligente, trabajador *-ora*; **nijverheid** industria; **nijverheidsonderwijs** enseñanza de artes industriales

nikkel níquel *m*

niks *zie: niets* || *een vent van* ~ un don Nadie, un desastre

nimf ninfa

nimmer jamás, nunca

nippel niple *m*

nippen catar, tomar un pequeño sorbo

nippertje: *op het* ~ por los pelos; *hij arriveerde op het* ~ llegó al último momento

nis nicho

niveau nivel *m*; *op het hoogste* ~ al máximo nivel; **nivelleren** nivelar

nl. *namelijk* es decir, a saber

Nobelprijs premio Nobel

noch ni

node con desgana, a disgusto; **nodeloos** sin necesidad, innecesario, superfluo

nodig I *bn* preciso, necesario; *niet meer dan ~ is* no más de lo necesario; *zo* ~ si hace falta, de ser necesario, en caso necesario; *dat is nergens voor* ~ no hay para qué, no hay necesidad; *het ~ achten* considerar preciso, juzgar conveniente; *~ hebben* necesitar, precisar de; *heel erg ~ hebben* tener necesidad urgente de; *ik heb bloemen* ~ necesito flores, me hacen falta flores; *ik heb het dringend* ~ me está haciendo muchísima falta; *niet ~ hebben* pasarse sin; *hij heeft niet veel meer* ~ ya le falta poco; *wat we het meest ~ hadden* lo que más falta nos hacía; *~ zijn* hacer falta; *dringend ~ zijn* urgir || *de ~e fouten* bastantes errores *mmv*; **II** *bw* necesariamente || *dat moet jij ~ zeggen* mira quién fue a hablar

noemen 1 (*opnoemen*) mencionar, citar; 2 (*benoemen*) llamar, calificar de; *ik noem dat bedrog* a eso llamo yo un engaño; *dat noem ik zingen!* ¡es lo que se llama cantar!; 3 (*naam geven*) poner el nombre de, llamar; *ze ~ haar Carmen* le ponen (el nombre de) Carmen; *ze noemde hem "zoontje"* le trataba de "hijito"; *genoemd zijn naar* llevar el nombre de; *er werd een straat naar hem genoemd* dieron su nombre a una calle; *om maar iets te* ~ pongo por caso; **noemenswaard** digno de mención, considerable

noemer denominador *m*; *gemeenschappelijke* ~ denominador común; *onder één ~ brengen* reducir al mismo denominador

nog 1 todavía, aún; *~ eens* una vez más; *~ een glas* otra copa; *~ iemand* otra persona más; *~ iets* algo más, otra cosa más; *~ twee maal* dos veces más; *blijf ~ wat* quédate un poco más; *hoe lang ~?* ¿cuánto falta?; *heb je ~ cognac?* ¿te queda coñac?; *het mooiste komt* ~ falta lo mejor; *het bed moet ~ opgemaakt worden* la cama está aún por hacer; *wonen zij hier ~?* ¿siguen viviendo aquí?; *is hij ~ in Madrid?* ¿sigue en Madrid?; *tot ~ toe* hasta la fecha, hasta ahora; 2 (*versterkend:*) *gisteren* ~ ayer sin ir más lejos; *vandaag* ~ hoy mismo; *~ geen 2 maanden geleden* hace apenas 2 meses; *~ rijker* aún más rico; *en wat dan ~?* ¿y qué?; *en ~ wel op jouw leeftijd!* y eso ¡a tu edad!

noga (*vglbaar:*) turrón *m* (de almendras)

nogal bastante; *de kamer was ~ klein* el cuarto era más bien pequeño

nogmaals otra vez, una vez más; *u ~ dankend* reiterándole las gracias

nok caballete *m*; *tot de ~ gevuld* lleno hasta los topes; **nokkenas** árbol *m* de levas

nomade nómada *m*

nominaal nominal

nominatie nominación *v*; *de ~ voor de prijs* la nominación al premio; *op de ~ staan voor* estar en la lista para

non monja, religiosa

non-actief: *op ~ stellen* dejar cesante

nonchalance 1 (*slordigheid*) descuido; 2 (*vlotheid*) desenvoltura; **nonchalant 1** (*slordig*) descuidado, negligente; 2 (*vlot*) desenvuelto

non-conformistisch inconformista

nonnenklooster convento de monjas

non-proliferatieverdrag tratado de no proliferación nuclear

nonsens disparates *mmv*, tonterías *vmv*

non-stop sin interrupción; **non-stopvlucht** vuelo sin escalas

nood necesidad *v*; ~ *breekt wet* la necesidad carece de ley; ~ *maakt vindingrijk* la necesidad es madre de las invenciones; *als de ~ het hoogst is, is de redding nabij* cuando una puerta se cierra, otra se abre; *geen ~!* ¡no hay cuidado!; *in ~ leert men zijn vrienden kennen* en el peligro se conoce al amigo; *in ~ verkeren: a)* (*arm zijn*) estar en la miseria, pasar necesidad; *b)* (*in gevaar; mbt schip*) estar en peligro; *van de ~ een deugd maken* hacer de la necesidad virtud; *in geval van ~* en caso de urgencia; *in tijden van ~* en tiempos de peligro
nood|deur puerta de emergencia; **-gedwongen** por necesidad, por fuerza; **-geval** caso de urgencia; **-landing** aterrizaje *m* de emergencia; **-lijdend** necesitado, pobre, indigente
noodlot destino (adverso), sino; **noodlottig** fatal, funesto
nood|oplossing solución *v* de emergencia; **-rem** freno de emergencia, freno de alarma; **-sein** señal *v* de alarma; **-toestand** estado de emergencia, estado de alarma, estado de excepción; **-uitgang** salida de emergencia; **-verlichting** alumbrado de emergencia; **-weer 1** (*slecht weer*) temporal *m*; 2 (*verdediging*) legítima defensa
noodzaak necesidad *v*; *dwingende ~* necesidad imperiosa; *de ~ deed zich voor* se impuso la necesidad; **noodzakelijk** necesario; *absoluut ~* imprescindible, ineludible; *een ~ kwaad* un mal necesario; **noodzaken** obligar, compeler, forzar *ue*; *zich genoodzaakt zien om* verse precisado a, verse obligado a
nooit nunca; *nog ~* nunca hasta ahora; *ik doe het ~* nunca lo hago, no lo hago nunca
Noor noruego
noord norte; *de wind is ~* el viento sopla del norte
Noord-Amerika América del Norte; **Noord-amerikaans** norteamericano
Noord-Atlantisch: *het ~ blok* el bloque noratlántico; *zie ook: NAVO*
noordelijk nórdico
noorden norte *m*; *in het ~* al norte; *naar het ~* al norte, hacia el norte; *ten ~ van* al norte de; *uit het ~* del norte; **noordenwind** viento del norte, cierzo
noorder|breedte latitud *v* norte, latitud *v* septentrional; **-keerkring** trópico de Cáncer; **-licht** aurora boreal; **-zon**: *met de ~ vertrekken* tomar las de Villadiego, hacer la maleta
Noord-Ierland (la) Irlanda del norte
noord|oost noreste; **-pool** polo norte; **-poolcirkel** círculo polar del norte
noordwaarts hacia el norte
noordwest noroeste
Noordzee mar *m* del Norte
Noors noruego; **Noorse** noruega; **Noorwegen** Noruega
noot 1 (*muz*) nota; *achtste ~* corchea; *halve ~* mínima; *hele ~* semibreve *v*; *kwart ~* negra, semimínima; *zestiende ~* semicorchea; *hij heeft veel noten op zijn zang* es muy exigente; 2 (*aantekening*) nota, apunte *m*; 3 (*vrucht*) nuez *v*; **nootmuskaat** nuez *v* moscada
nop 1 (*op jurk*) mota, lunar *m*; 2 (*onder schoen*) taco; 3 *zie: niets*
nopen obligar
nopje: *in zijn ~s zijn* estar muy contento, estar de muy buen humor
nor chirona
noren (*schaatsen*) patines *mmv* tipo noruego
norm norma, pauta
normaal normal
normaal|onderwijs (*Belg*) (estudios de) magisterio; **-school** (*Belg*) (*vglbaar:*) escuela universitaria de profesorado de EGB
normaliseren normalizar; **normalist** (*Belg*) estudiante *m,v* de magisterio
normaliter normalmente
nors áspero, desabrido
nostalgie nostalgia; **nostalgisch** nostálgico
nota 1 nota; *diplomatieke ~* nota diplomática; (*goede*) *~ nemen van* tomar (buena) nota de; 2 (*rekening*) cuenta, factura
notariaat notariado; **notarieel** notarial; *-riële akte* acta notarial, escritura notarial, instrumento notarial; **notaris** notario (público); **notariskantoor** notaría, estudio de notario; **notariskosten** gastos de escrituración
note|boom nogal *m*; **-dop** cáscara de nuez; *in een ~* (*fig*) en resumen, en cuatro palabras; **-hout** (madera de) nogal *m*; **-kraker** cascanueces *m*
noten|balk pentagrama *m*; **-schrift** notación *v* musical
noteren 1 anotar, apuntar; *een order ~* anotar un pedido; 2 (*van prijzen, op beurs*) cotizar; **notering** (*op beurs*) cotización *v*
notie noción *v*; *geen ~ hebben van* no tener noción de
notitie apunte *m*, nota; *geen ~ nemen van* no prestar atención a, no hacer caso de; **notitieboekje** libreta de notas
notoir notorio
notulen acta; *de ~ goedkeuren* aprobar *ue* el acta; *de ~ maken* levantar el acta; *in de ~ opnemen* consignar en el acta; *het staat in de ~* figura en el acta; *in de ~ staat:* ... el acta dice: ...; **notuleren I** *intr* redactar el acta, levantar el acta; **II** *tr* apuntar en el acta; **notulist, notuliste** secretario, -a
nou (*nu, wel*) ahora; (*wel*) pues (bien); *~, eh* ... pues ...
novelle novela corta
november noviembre
novice novicio, -a
nr. *nummer* número; *afk* no.
nu I *bw* ahora; *~ niet* ahora no; *~ eens ..., dan weer* ... ahora ..., ahora ..., tan pronto ..., tan pronto ...; *wat ~?* ahora ¿qué?; *zo ~ en dan* a veces, ocasionalmente; *tot ~ toe* hasta ahora, hasta la fecha; *van ~ af aan* de ahora en adelante; **II** *vw* ahora que; *~ je thuis bent* ... ahora que estás en casa ...

nuance matiz *m*; **nuanceren** matizar
nuchter 1 (*zonder eten*) en ayunas, ayuno; *op de ~e maag* con el estómago vacío; 2 (*niet dronken*) sobrio; 3 (*zonder overdrijving*) objetivo, realista, desapasionado; (*mbt persoon ook:*) sensato; *de ~e feiten* los escuetos hechos; **nuchterheid** sobriedad *v*, realismo; (*van persoon ook:*) sensatez *v*
nucleair nuclear
nudisme nudismo; **nudist, nudiste** nudista *m,v*
nuk capricho, antojo; **nukkig** caprichoso, voluntarioso
nul 1 cero; ~ *komma twee* cero coma dos; *onder ~* bajo cero; 2 (*persoon*) nulidad *v*, cero a la izquierda
nul|optie opción *v* cero; **-punt** (punto) cero; **-stand** posición *v* cero
numerus clausus numerus *m* clausus
nummer 1 número; ~ *één van de groep* el número uno del grupo; *oud ~* (*tijdschrift*) número atrasado; 2 (*van auto*) matrícula || *die Pedro is me een ~!* ese Pedro ¡vaya un ejemplar!; *iem op zijn ~ zetten* poner a u.p. en su sitio; **nummerbord** matrícula; **nummeren** numerar; **nummering** numeración *v*; **nummertje**: *een ~ weggeven* hacer un número, hacer el numerito
nuntius nuncio; *de pauselijke ~* el nuncio papal
nut utilidad *v*, conveniencia; *gedeeltelijk ~* utilidad parcial, utilidad marginal; *praktisch ~* utilidad práctica; *het heeft geen enkel ~ te wachten* no sirve para nada esperar; *zich ten ~te maken* hacerse útil; *tot ~ van* a beneficio de; **nutteloos** inútil, vano; *-loze moeite* esfuerzo inútil; **nutteloosheid** inutilidad *v*; **nuttig** útil; ~ *zijn voor* ser útil para, servir *i* para, contribuir a; **nuttigen** tomar
N.V. *naamloze vennootschap* sociedad *v* anónima; *afk* S.A.
nylon nilón *m*

o: *~!* ¡oh! ¡ah!; ~ *wat mooi!* ¡ay, qué bonito!; ~ *ja!* ¡ah, sí!; ~ *ja?* ¿ah sí?
o.a. *onder andere* entre otros, entre otras cosas
oase oasis *m*
obelisk obelisco
o-benen: (*iem*) *met ~* estevado, -a
ober camarero
object objeto
objectief I *zn* objetivo; II *bn* objetivo; **objectiveren** objetivar; **objectiviteit** objetividad *v*
obligaat (*verplicht*) obligatorio; (*onvermijdelijk*) de rigor, inevitable
obligatie obligación *v*
obligatie|houder obligacionista *m*; **-lening** empréstito en obligaciones
obsceen obsceno; **obsceniteit** obscenidad *v*
obscuur oscuro, poco claro; *een ~ zaakje* un asunto tenebroso
obsederen obsesionar; **obsederend** obsesivo, obsesionante
observatie observación *v*; *patiënt in ~* enfermo en observación; **observatorium** observatorio; **observeren** observar
obsessie obsesión *v*
obstakel obstáculo *m*
obstinaat obstinado; (*dwars*) rebelde; (*koppig*) terco
obstipatie constipación *v*, estreñimiento
obstructie obstrucción *v*; ~ *voeren* hacer obstrucción
occasion 1 (*koopje*) ocasión *v*, ganga; 2 (*2e hands auto*) coche *m* de ocasión, coche *m* de segunda mano
occult oculto; **occultisme** ocultismo
oceaan océano; *Atlantische ~* Océano Atlántico; *Grote, Stille ~* Pacífico
oceaan|boot tra(n)satlántico; **-vaart** navegación *v* oceánica
oceanografie oceanografía
och: *~!* ¡bah!; *~, kom!* (*verbazing*) ¡no me digas!
ochtend mañana; *'s ~s* por la mañana
ochtend|blad diario de la mañana, matutino; **-gloren** aurora, amanecer *m*; **-gymnastiek** gimnasia matinal; **-humeur** humor *m* de madrugada; **-jas** bata; **-koelte** fresco matinal, relente *m* de la amanecida; **-programma** programa *m* matutino
octaaf octava
octaan octano; **octaangetal** índice *m* de octano
octet octeto
octrooi patente *v*

octrooi|gemachtigde agente *m,v* oficial de propiedad industrial; -**houder**, -**houdster** poseedor, -ora de una patente, titular *m,v* de una patente; -**wet** ley *v* de patentes de innovación
oculair ocular *m*
ode oda
oecologie ecología
oecumenisch ecuménico
Oedipuscomplex complejo de Edipo
oefenen I *tr* ejercitar; (*van persoon ook:*) entrenar, adiestrar; (*muz*) estudiar; II *intr* hacer ejercicios; (*zich*) ~ *in* ejercitarse en, adiestrarse en, entrenarse en || *geduld* ~ tener paciencia; **oefening** ejercicio; *eerste* ~ (*mil*) primera instrucción militar; *lichamelijke* ~ ejercicios *mmv* físicos, gimnasia || ~ *baart kunst* la práctica hace maestro
oefen|terrein (*mil*) campo de maniobras; -**wedstrijd** partido de entrenamiento
oehoe (*uil*) buho
oer|conservatief ultraconservador *-ora*; -**dom** bobalicón *-ona*, simplón *-ona*; -**gezellig** agradabilísimo; -**komisch** hilarante
oer|mens hombre *m* primitivo, hombre *m* prehistórico; -**oud** viejísimo; (*mbt tijd*) antiquísimo, inmemorial; -**sterk** muy fuerte, hercúleo; -**tijd** tiempos *mmv* primitivos; -**vorm** arquetipo, prototipo; -**woud** selva (virgen)
oester ostra
oester|bank banco de ostras, ostrero, criadero de ostras; -**schelp** concha de ostra; -**teelt** ostricultura
oeuvre obra
oever orilla, margen *v*, ribera; *buiten zijn ~s treden* salir de madre, desbordar (su cauce); **oeverloos** (*fig*) interminable; ~ *gezwam* palabrería, mucho rollo; **oeverriet** junco orillero
of 1 o; (*voor woord beginnend met'o':*) u; *tien ~ elf* diez u once; ~ *morgen* ~ *overmorgen* bien mañana, bien pasado mañana; ~ *op de heenweg* ~ *op de terugweg* sea al ir, sea al volver; *leg het me uit* ~ *ik word boos* explícamelo, si no me enfado; ~ *je wilt* ~ *niet* quieras que no (quieras); ~ *het nu om zijn moeder was* ~ *om iets anders* fuese por su madre, fuese por otro motivo; ~ *ik nu ga* ~ *niet* vaya o no vaya; 2 (*afhankelijke vraag*) si; *ik vroeg hem* ~ le pregunté si; *twijfelen* ~ dudar si; 3 (*tijd*) *nauwelijks was hij binnen* ~ *hij werd geroepen* apenas llegó, le llamaron; *het duurde niet lang* ~ *hij kwam* no tardó mucho en venir; 4 (*ongeveer*) *een dag* ~ 5 unos 5 días, 5 días o cosa así; *om een uur* ~ *tien* a eso de las diez; 5 (*toegeving*) ~ *hij al protesteerde* ... por mucho que protestara ...; 6 *ik kan niet uitgaan* ~ *ik ontmoet hem* siempre que salgo le veo; 7 *het scheelde weinig* ~ *ik was gevallen* poco faltó para que cayera, por poco me caigo || *nou en* ~*!* ¡ya lo creo! *en óf je gaat!* ¡vaya si irás!
offensief *zn* ofensiva
offer sacrificio; *ten* ~ *brengen* sacrificar; *ten* ~ *vallen aan* ser víctima de; **offerande** ofrenda;
offeren 1 sacrificar, inmolar; 2 (*bijdragen*) contribuir; **offerte** oferta; *vaste* ~ oferta en firme; *vrijblijvende* ~ oferta sin compromiso; *een* ~ *doen* hacer una oferta
offervaardig abnegado; **offervaardigheid** espíritu *m* de sacrificio
officieel oficial, formal; *langs de officiële weg* por vía oficial
officier oficial *m*; ~ *van justitie* fiscal *m,v*
officieus oficioso, no oficial
offsetdruk offset *m*
ofschoon aunque, bien que
ogen: *goed* ~ hacer bien, hacer buena impresión
ogenblik momento, instante *m*; *een* ~ *later* momentos después; *hij kan elk* ~ *komen* puede llegar de un momento a otro; *ieder* ~ a cada dos por tres; *op dit* ~ en este momento; *op het* ~ de momento; *op het laatste* ~ a última hora; *een beslissing op het laatste* ~ una decisión de última hora; *voor het* ~ por ahora, por el momento; **ogenblikkelijk** al instante, en el acto, inmediatamente
ogenschijnlijk aparente
ogenschouw: *in* ~ *nemen* observar, inspeccionar
o.k. O.K., okey, de acuerdo, está bien
oker (color *m*) ocre; **okergeel** ocre
okkernoot 1 nuez *v*; 2 (*boom*) nogal *m*
oksel axila, sobaco
oktober octubre *m*
oleander adelfa
olie aceite *m*; *ruwe* ~ aceite crudo; (*aardolie*) petróleo; **olieachtig** aceitoso
olie|bron pozo petrolero; -**crisis** crisis *v* del petróleo; -**druk** presión *v* de aceite; -**filter** filtro de aceite; -**houdend** petrolífero; -**jas** impermeable *m* de hule; -**lamp** candil *m*, lámpara de aceite; -**leiding** oleoducto
oliën aceitar, lubricar
olie|peil nivel *m* del aceite; -**producerend**: ~ *land* país *m* productor de crudo, país *m* productor de petróleo; -**raffinaderij** refinería de petróleo
oliesel: *het Heilig* ~ la extremaunción *v*, los santos óleos *mmv*
olie|spuitje jeringa de aceite, aceitera; -**stook** (*verwarming*) calefacción *v* central de fuel-oil; -**vat** bidón *m* de aceite; -**veld** campo petrolífero, yacimiento petrolífero
olieverf pintura al óleo; **olieverfschilderij** (pintura al) óleo
olie|vlek mancha de aceite; (*op zee ook:*) capa de aceite; -**winning** explotación *v* petrolífera, extracción *v* de petróleo
olifant elefante, -anta
olifants|huid (*ook fig*) piel *v* de elefante; -**tand** colmillo (de marfil)
olijf 1 aceituna, oliva; 2 (*boom*) aceituno, olivo
Olijfberg monte *m* de los olivos
olijf|boom olivo, aceituno; -**boomgaard** oli-

var *m*; **-groen** (color *m*) verde *m* oliva, verde *m* aceituna; **-kleurig** aceitunado; **-olie** aceite *m* de oliva
olijk socarrón *-ona*, burlón *-ona*
olm olmo
olympiade olimpiada
Olympisch olímpico; *de ~e Spelen* los Juegos Olímpicos
om I *vz* 1 (*omheen*) alrededor de; ~ *de hoek* a la vuelta de la esquina; ~ *de stad heen rijden* dar la vuelta a la ciudad; *hij deed de ring ~ zijn vinger* se puso el anillo al dedo; *ze heeft altijd kinderen ~ zich heen* siempre está rodeada de niños; ~ *zich heen kijken* mirar a su alrededor; *ik kan hem niet ~ me heen hebben* no lo trago, no lo soporto, no aguanto su presencia; ~ *en nabij de 60* unos 60; 2 (*tijdstip*) a; ~ *acht uur* a las ocho; ~ *een uur of acht* a eso de las ocho; 3 (*afwisseling*) cada; ~ *de dag* un día sí y otro no, cada dos días, en días alternos; *de vergaderingen zijn ~ de 2 weken* las reuniones son quincenales, las reuniones son cada quince días; ~ *en* ~ alternativamente; 4 (*ter wille van, wegens*) por; *beroemd* ~ famoso por; ~ *die reden* por ese motivo; ~ *niets, nergens* ~ por nada; 5 ~ *te* para; *makkelijk ~ te lezen* fácil de leer; *niet ~ te eten* (*zo vies*) incomible; *niet ~ te drinken* imbebible; *dat is niet ~ te lachen* no es para reírse; *het is ~ gek van te worden* es para volverse loco; *hij heeft niets ~ aan te trekken* no tiene nada que ponerse; 6 *het is ~ het even* es igual; ~ *het hardst* a cual más; II *bw* (*plaats*) *hij ging de hoek* ~ dobló la esquina; *de hoek* ~ doblada la esquina, a la vuelta de la esquina; *deze weg is* ~ así se da un rodeo; *een blokje* ~ *gaan* dar una vuelta; *de wind is ~*(*geslagen*) el viento ha cambiado de dirección; (*tijd*) *een dag is zó* ~ un día pasa en seguida; *de tijd is* ~ se ha acabado el tiempo; *als de week ~ is* terminada la semana; *de uren komen maar niet* ~ las horas son interminables || *hij heeft 'm* ~ está borracho
oma abuela, abuelita
omarmen abrazar; **omarming** abrazo
ombouw (*van opklapbed*) repisa
ombudsman, **ombudsvrouw** defensor, -ora del pueblo
ombuigen 1 doblar; 2 (*besparen*) adaptar, recortar
omdat porque
omdoen (*van shawl*) ponerse; *er papier* ~ envolverlo *ue* en (un) papel
omdraaien I *tr* 1 (*van sleutel*) hacer girar, dar una vuelta a; *de schakelaar* ~ girar el conmutador; 2 (*omkeren*) dar vuelta a; (*van hoofd*) volver *ue*; *iets om en om draaien* dar vueltas a u.c.; *iem de nek* ~ retorcer *ue* el pescuezo a u.p.; *de rollen zijn omgedraaid* los papeles están trocados; *zich* ~ volverse *ue*; *zich steeds* ~ (*in bed*) cambiar de posición, darse vueltas, revolverse *ue*; II *intr* 1 (*mbt wind*) cambiar de dirección; 2 (*van mening veranderen*) cambiar de opinión
omduwen derribar, volcar *ue*
omelet tortilla
omgaan I *tr* (*van hoek*) doblar, dar la vuelta a; II *intr* 1 (*gebeuren*) pasar; *er gaat veel om op zo'n kantoor* hay mucho negocio en una oficina como ésa; *het gaat buiten mij om* (*ik heb daar niets mee te maken*) yo en eso no entro ni salgo, no tengo nada que ver con ello; 2 (*mbt tijd*) transcurrir, pasar; 3 ~ *met: a*) (*iets*) manejar; *hij kan goed met de beitel* ~ maneja bien el escoplo; *b*) (*iem*) tratar a, tener trato con; *goed met mensen kunnen* ~ tener don de gentes; *goed met kinderen kunnen* ~ llevarse bien con los niños; *met elkaar* ~ tratarse; *moeilijk om mee om te gaan* de trato difícil, intratable; *hij is prettig om mee om te gaan* tiene trato agradable; *we gaan veel met elkaar om* nos vemos mucho; **omgaand**: *per ~e* a vuelta de correo; **omgang** trato, frecuentación *v*; *vertrouwelijke* ~ trato familiar; *prettig in de* ~ afable, sociable, de trato agradable; *moeilijk in de* ~ de trato difícil
omgangs|regeling régimen *m* de visita, comunicación y compañía; **-taal** lenguaje *m* coloquial; **-vormen** modales *mmv*
omgekeerd I *bn* inverso, contrario; *de ~e wereld* el mundo al revés; *in ~e volgorde* en orden inverso, inversamente; II *bw* al revés, a la inversa; *en* ~ (*ook:*) y vice versa; ~ *evenredig met* inversamente proporcional a
omgeven (*met*) rodear (con, de), cercar (con, de); (*omhullen*) envolver *ue* (en); **omgeving** 1 alrededores *mmv*, contornos *mmv*, cercanías *vmv*; *in mijn directe ~ ken ik niemand* no tengo ningún conocido a mano; 2 (*sfeer, milieu*) ambiente *m*; (*sociaal*) ambiente social
omgooien volcar *ue*, derribar; (*morsen*) verter *ie*, derramar || *het roer* ~ cambiar de rumbo
omhaal 1 (*vertoon*) aparato, ceremonias *vmv*; 2 (*van woorden*) prolijidad *v*, verbosidad *v*; *zonder veel* ~ sin rodeos, sin digresiones, sin ambages
om|hakken cortar (con hacha); **-halen** (*neerhalen*) derribar
omhanden: ~ *hebben* tener que hacer
omhangen 1 (*van ketting, cape*) poner(se); 2 (*van geweer*) colgar(se) *ue*
omheen: *om het huis heen* alrededor de la casa, rodeando la casa; *er is een hek om de tuin heen* el jardín está cercado con una verja; *om hem heen* en torno a él; *er* ~ alrededor, en torno; *daar kun je niet ~: a*) (*onvermijdelijk zijn*) no lo puedes evitar, es ineludible; *b*) (*moeten toegeven*) no lo puedes negar, hay que admitirlo; *zie ook: om*; **omheendraaien**: *ergens* ~ andar con rodeos
omheinen cercar, rodear de una valla; **omheining** cerca, cercado, valla, vallado
omhelzen abrazar; **omhelzing** abrazo
omhoog (hacia) arriba; *handen ~!* ¡manos arriba!
omhoog|gaan subir; **-houden** levantar (en el

aire); **-vliegen** levantar el vuelo; *de prijzen vliegen omhoog* se están disparando los precios; **-zitten** estar en un apuro, estar en un aprieto
omhullen envolver *ue*; **omhulsel** envoltura; (*laag*) revestimiento
omissie omisión *v*
omkeerbaar reversible; **omkeerbaarheid** reversibilidad *v*
omkeren I *tr* **1** (*van hoofd*) volver *ue*; (*van bladzij ook:*) dar la vuelta a; **2** (*ondersteboven*) poner al revés, invertir *ie, i* (la posición de); (*van speelkaart*) poner boca arriba; *ieder dubbeltje* ~ ser de la Virgen del puño; *zijn maag keerde ervan om* se le revolvió el estómago; **3** (*van termen*) invertir *ie, i*; **4** *zich* ~ volverse *ue*, dar media vuelta; *zich in bed* ~ volverse en la cama; II *intr* regresar, volver *ue*
omkijken mirar (hacia) atrás, volver *ue* la vista || *niet* ~ *naar* (*fig*) no hacer caso a; *je hebt er geen* ~ *naar* no necesita ningún cuidado
'omkleden: *zich* ~ cambiarse
om'kleden: *met redenen* ~ motivar, apoyar con razones; *een met redenen omkleed verzoek* una solicitud acompañada de una exposición de los motivos
omklemmen abrazarse a; (*vastgrijpen*) agarrar, apretar *ie*; (*van wapen*) empuñar
omkomen I *intr* (*sterven*) perecer, morir *ue, u*; II *tr* (*van hoek*) ~ doblar
omkoopbaar corruptible, sobornable; **omkoopbaarheid** corruptibilidad *v*, venalidad *v*
omkoopschandaal escándalo de soborno
omkopen sobornar, corrumper; (*fam*) untar la mano; **omkoperij** corruptela, soborno, corrupción *v*, cohecho
omlaag (hacia) abajo; ~ *gaan* bajar, descender *ie*
omleggen **1** (*verband*) aplicar; **2** (*verkeer*) desviar *í*
omleiden desviar *í*; *het verkeer* ~ desviar el tráfico; *een rivier* ~ desviar el cauce de un río; **omleiding** desviación *v*
omliggend vecino, limítrofe
omlijnd (*in een kader*) en cuadro; *rood* ~ en cuadro rojo; *scherp* ~ bien determinado; **omlijnen** perfilar
omlijsten encuadrar; **omlijsting** marco
omloop **1** (*van bloed, geld*) circulación *v*; *in* ~ *brengen* poner en circulación, poner en curso; *een bericht in* ~ *brengen* hacer circular una noticia; *het gerucht is in* ~ corre la voz; **2** (*van toren*) galería; **3** (*astron*) revolución *v*; **4** (*van wiel*) rotación *v*
omloop|snelheid **1** (*mbt geld*) velocidad *v* de la circulación; **2** (*astron*) velocidad *v* orbital; **3** (*techn*) velocidad *v* de rotación; **-tijd** (*astron*) período de revolución
omlopen I *tr* (*van hoek*) doblar; *een eindje* ~ dar una vuelta, dar un paseo; II *intr* dar un rodeo || *mijn hoofd loopt om* no sé dónde tengo la cabeza
ommekeer cambio (completo)
ommetje: *een* ~ *maken* dar una vuelta
omme|zien: *in een* ~ en un abrir y cerrar de ojos, en un santiamén; **-zijde** dorso, vuelta; *aan* ~ al dorso; *zie* ~ (*z.o.z.*) (véase) a la vuelta; **-zwaai** cambio (completo); *politieke* ~ viraje *m* político
omnibus ómnibus *m*
omnivoor omnívoro
om|ploegen arar; **-praten** convencer, hacer cambiar de parecer
omrasteren cercar
omrekenen (*in*) convertir *ie, i* (en), reducir (a); **omrekening** conversión *v*
omrijden (*omweg maken*) dar un rodeo; *een eindje* ~ dar un paseo en coche
omringen rodear, circundar; *omringd door* rodeado de
omroep radio *v*, radiodifusión *v*; **omroepen** emitir, transmitir; **omroeper**, **omroepster** locutor, -ora; **omroepvereniging** sociedad *v* de radiodifusión
om|roeren revolver *ue*; **-ruilen** (*tegen*) cambiar (por), trocar (por)
omschakelen **1** *zie: overschakelen*; **2** (*fig*) (re)adaptarse; **omschakeling** **1** cambio; **2** (*mbt industrie*) readaptación *v*; **3** (*techn*) reconversión *v*
omscholen readaptar, reconvertir *ie, i*; **omscholing** readaptación *v*, reconversión *v* (profesional), reentrenamiento
omschrijven describir; (*nauwkeurig:*) definir, precisar, especificar, detallar, puntualizar; **omschrijving** descripción *v*, definición *v*; *nadere* ~ especificación *v*
omsingelen cercar, envolver *ue*; (*belegeren*) sitiar; *~de beweging* movimiento envolvente; **omsingeling** envolvimiento, acción *v* envolvente
omslaan I *tr* **1** (*van jas*) echarse sobre los hombros; **2** (*van bladzij*) pasar, doblar, dar la vuelta a; **3** (*van mouwen*) arremangar, remangar; *zijn broekspijpen* ~ remangarse los pantalones; **4** (*van hoek*) doblar; **5** ~ *over* (*van kosten*) repartir entre; *hoofdelijk* ~ prorratear, repartir a prorrata; II *intr* **1** cambiar; *het weer slaat om* el tiempo cambia (bruscamente); *de stemming is omgeslagen* ha cambiado la atmósfera; *hij is helemaal omgeslagen* ha dado un cambiazo; **2** (*mbt schip*) zozobrar; **3** (*kantelen*) volcar *ue*
omslachtig prolijo; *op een ~e manier* con muchos rodeos, con gran prolijidad
omslag (*Belg*) sobre *m*
omslag **1** (*van boek*) cubierta; *losse* ~ sobrecubierta, forro; **2** (*van mouw*) puño; (*van broekspijp*) vuelta, dobladillo; **3** (*van kosten*) repartición *v* de gastos, reparto de gastos; **4** (*mbt stemming, weer*) cambio (brusco); **omslagdoek** chal *m*, mantón *m*, pañoleta
omsluiten encerrar *ie*, cercar; *door land omsloten* rodeado de tierra, que no tiene acceso al mar

omspitten cavar, remover *ue* (la tierra)
'omspoelen 1 (*van afwas*) enjuagar; 2 (*van film*) rebobinar
om'spoelen bañar; *de stranden ~* bañar las playas
omspringen: *kunnen ~ met: a)* (*iem*) saber tratar; *b)* (*geld*) saber administrar; *c)* (*apparaat*) saber manejar
omstanders público, presentes *mmv*; *nieuwsgierige ~* mirones *mmv*, curiosos
omstandig detallado, circunstanciado; **omstandigheid** 1 circunstancia; *door -heden* por causas ajenas; *de huidige -heden* las condiciones actuales, la situación actual; *naar -heden redelijk wel* teniendo en cuenta las circunstancias, no va nada mal; *onder deze -heden* en estas circunstancias, en estas condiciones; 2 (*uitvoerigheid*) minuciosidad *v*, detenimiento
omstoten volcar *ue*, derribar
omstreden (*mbt kwestie*) discutido, debatido, controvertido; (*mbt gebied*) en litigio
omstreeks hacia, alrededor de; *~ 1950* hacia 1950; *hij is ~ 40 jaar* tiene alrededor de 40 años, tiene unos 40 años; *~ 4 uur* a eso de las 4, sobre las 4; *~ Kerstmis* por Navidad
omstreken alrededores *mmv*, proximidades *vmv*, cercanías
omstuwen: *omstuwd door de menigte* asediado por la multitud
omtoveren cambiar de magia
omtrek 1 contorno, perfil *m*; (*van cirkel*) circunferencia; (*van veelhoek, figuur*) perímetro; 2 (*omgeving*) *zie: omstreken; in de wijde ~* (a) muchas leguas a la redonda, en un amplio radio
omtrekken (*neerhalen*) derribar; **omtrekkend**: *~e beweging* movimiento envolvente
omtrent sobre, acerca de
omturnen convencer, hacer cambiar de opinión; (*fam*) hacer cambiar de chaqueta
omvallen 1 caerse, venirse abajo; *~ van de slaap* caerse de sueño; 2 (*mbt vaas, glas*) volcarse *ue*
omvang (*afmetingen*) tamaño, dimensiones *vmv*; (*van schade; bereik*) extensión *v*, alcance *m*, volumen *m*, proporciones *vmv*; *de ~ aannemen van* alcanzar proporciones de; *in zijn volle ~* en toda su magnitud, en toda su extensión; **omvangrijk** voluminoso, extenso, vasto
omvatten (*inhouden*) abarcar, comprender, implicar, incluir
omver|blazen derribar de un soplo; **-gooien** derribar, tumbar, echar por tierra; **-lopen** atropellar; **-praten** *zie: omturnen*; **-werpen** (*van regering*) derribar, derrocar
om|vliegen (*mbt tijd*) pasar volando; **-vormen** transformar; **-vouwen** doblar; **-waaien** ser derribado por el viento; **-wassen** fregar *ie*
omweg rodeo; *zonder ~en* sin rodeos
omwentelen dar la vuelta a; **omwenteling** vuelta, rotación *v*, revolución *v*; **omwentelingssnelheid** velocidad *v* de rotación
omwikkelen (*met*) envolver *ue* (en)
om|wisselen (*tegen*) cambiar (por); **-woelen** revolver *ue*, remover *ue*
omwonend: *de ~en* los vecinos *mmv*
omzeilen (*fig*) soslayar, sortear, eludir
omzendbrief (*Belg*) circular *v*
omzet cifra de ventas, volumen *m* de negocios, ventas *vmv*, facturación *v*; **omzetbelasting** impuesto sobre el volumen de ventas
omzetten 1 (*muz*) transportar; 2 *~ in* convertir *ie, i* en, transformar en; 3 (*handel*) vender, facturar; **omzetting** (*chem*) conversión *v*, transformación *v*
omzichtig cauteloso; **omzichtigheid** cautela, circunspección *v*
omzien mirar (hacia) atrás, volver la vista (atrás)
'omzomen hacer un dobladillo en, dobladillar
om'zomen bordear, orillar
omzwaai *zie: ommezwaai*; **omzwaaien** 1 (*van mening*) cambiar de parecer; 2 (*van studie*) cambiar de carrera
omzwachtelen vendar
omzwerven vagar; **omzwerving** vagabundeo, paseo
onaandoenlijk impasible
onaangedaan insensible, sin emoción
onaangekondigd sin anunciar
onaangenaam desagradable; **onaangenaamheid** disgusto
onaangetast no afectado, intacto
onaannemelijk 1 (*mbt voorstel*) inaceptable; 2 (*onwaarschijnlijk*) poco probable, inverosímil
onaantastbaar intangible, intocable; inviolable; **onaantastbaarheid** intangibilidad *v*
onaantrekkelijk poco atractivo
onaanvaardbaar inaceptable, inadmisible
onaanvechtbaar inatacable
onaanzienlijk insignificante; *niet ~* considerable
onaardig poco amable; *niet ~ bw* nada mal
onachtzaam negligente, descuidado; **onachtzaamheid** negligencia, falta de cuidado, descuido
onafgebroken ininterrumpido, continuo
onafhankelijk independiente; *~ worden* independizarse; *~ zijn van* no depender de; **onafhankelijkheid** independencia; **onafhankelijkheidsstrijd** guerrilla independentista, lucha por la independencia
onafscheidelijk inseparable
onafwendbaar inevitable
onafzienbaar inmenso, inabarcable
onbaatzuchtig desinteresado, desprendido, abnegado; **onbaatzuchtigheid** desinterés *m*, abnegación *v*
onbarmhartig despiadado; **onbarmhartigheid** falta de compasión, crueldad *v*
onbeantwoord: *~ blijven* quedar sin contestar
onbebouwd sin edificar
onbedaarlijk incontenible
onbedachtzaam irreflexivo; **onbedachtzaamheid** irreflexión *v*

onbedorven inocente, ingenuo, no estropeado; **onbedorvenheid** inocencia, ingenuidad *v*
onbedreven inexperto, poco hábil; **onbedrevenheid** falta de habilidad *v*, torpeza, falta de experiencia
onbeduidend insignificante, trivial, anodino; *de ~ste voorvallen* los sucesos más nimios
onbedwingbaar indomable, irrefrenable, incontenible
onbegaanbaar intransitable
onbegonnen: *~ werk* un trabajo al que no se le ve el fin
onbegrensd ilimitado, sin confines
onbegrijpelijk incomprensible; (*ondenkbaar*) inconcebible
onbegrip falta de comprensión
onbehaaglijk 1 desagradable, incómodo; 2 (*niet op zijn gemak*) molesto, incómodo; **onbehagen** malestar *m*, desazón *m*; *een gevoel van ~* una sensación de malestar
onbeheerd sin dueño, solo
onbeheerst descontrolado; (*mbt persoon ook:*) que no sabe dominarse; *~e woede* furor *m* desapoderado
onbeholpen torpe, desmañado; **onbeholpenheid** torpeza
onbehoorlijk indecoroso, indecente
onbehouwen grosero, zafio
onbekend desconocido, ignorado; *~ zijn met* ignorar, desconocer, no saber nada de; **onbekende** 1 desconocido, -a; 2 (*wisk*) incógnita; **onbekendheid** 1 (*het niet bekend zijn*) oscuridad *v*; 2 *~ met* desconocimiento de
onbeklemtoond átono
onbekommerd despreocupado
onbekookt atolondrado, irreflexivo
onbekrompen 1 (*mbt geest*) abierto, tolerante; 2 (*royaal*) holgado, generoso
onbekwaam incompetente; *~ om* incapaz de; **onbekwaamheid** incompetencia, incapacidad *v*
onbelangrijk insignificante, sin importancia; *dat is ~* no tiene importancia
onbelast 1 (*vrij van belasting*) libre de impuestos; 2 (*mbt onroerend goed*) libre de gravámenes, sin cargas; 3 (*techn*) en vacío, sin carga
onbeleefd descortés, mal educado; **onbeleefdheid** descortesía, mala educación *v*
onbelemmerd libre
onbemand sin tripulación
onbemiddeld sin recursos, escaso de medios, falto de recursos; *niet ~* acomodado
onbenullig 1 (*dom*) bobo, anodino; 2 (*onbelangrijk*) fútil; **onbenulligheid** 1 (*domheid*) tontería, majadería, estupidez *v*; 2 (*kleinigheid*) nadería, futilidad *v*
onbepaald indefinido, indeterminado; *~ voornaamwoord* pronombre *m* indefinido; *~e wijs* infinitivo; **onbepaaldheid** indeterminación *v*
onbeperkt ilimitado, sin límites
onbeproefd sin probar
onbereikbaar inalcanzable, inasequible
onberekenbaar 1 incalculable; 2 (*mbt persoon*) caprichoso; *hij is ~* tiene reacciones imprevisibles
onberijdbaar (*mbt weg*) impracticable, intransitable
onberispelijk intachable, impecable
onbeschaafd mal educado; **onbeschaafdheid** mala educación *v*
onbeschadigd sin daño, intacto, no averiado
onbescheiden poco modesto; **onbescheidenheid** falta de modestia, indiscreción *v*
onbeschoft grosero, insolente, impertinente; *~ zijn* insolentarse; **onbeschoftheid** insolencia, impertinencia, grosería
onbeschreven en blanco
onbeschrijflijk indescriptible; *het was een ~ schandaal* el escándalo no era para descrito
onbeslist indeciso; (*sp*) empatado
onbespeeld (*mbt band*) virgen
onbespreekbaar: *de zaak is ~* de este asunto no se puede hablar
onbesproken 1 (*mbt kwestie*) sin discutir, no discutido; 2 (*mbt plaats*) sin reservar, libre; 3 (*mbt gedrag*) irreprochable
onbestaanbaar imposible
onbestelbaar que no se puede entregar
onbestemd vago, indefinido, indeterminado; **onbestemdheid** vaguedad *v*, indeterminación *v*
onbestendig 1 inconstante; 2 (*mbt weer*) inestable
onbestuurbaar ingobernable
onbesuisd atolondrado, atropellado
onbetaalbaar 1 muy caro; *de koffie is ~* el café está por las nubes; 2 (*mbt grap*) que no tiene precio, genial; **onbetaald** impagado; (*mbt werk*) sin sueldo
onbetamelijk impropio, indecente; **onbetamelijkheid** inconveniencia, impropiedad *v*, indecencia
onbetekenend *zie: onbeduidend*
onbetrouwbaar 1 (*mbt bericht*) no fidedigno, poco seguro; 2 (*mbt persoon*) de poca confianza, poco seguro; (*niet stipt*) poco puntual; **onbetrouwbaarheid** 1 (*mbt bericht*) poca seguridad *v*; 2 (*mbt persoon*) poca formalidad *v*
onbetuigd: *zich niet ~ laten* participar con entusiasmo
onbetwist indiscutido; **onbetwistbaar** indiscutible, incontestable
onbevaarbaar innavegable; **onbevaarbaarheid** innavegabilidad *v*
onbevangen 1 (*naïef*) ingenuo, cándido; 2 (*onpartijdig*) imparcial, sin prejuicios
onbevlekt 1 puro, limpio; 2 (*godsd*) inmaculado
onbevoegd 1 no autorizado; *~e uitoefening van de geneeskunde* ejercicio ilegal de la medicina; 2 (*mbt docent*) sin diploma; 3 (*jur*) incompetente
onbevooroordeeld sin prejuicios, libre de prejuicios

onbevredigd insatisfecho; **onbevredigend** insatisfactorio
onbewaakt: *in een ~ ogenblik* en un momento de descuido
onbeweeglijk inmóvil; **onbeweeglijkheid** inmovilidad *v*
onbewerkt 1 sin elaborar; 2 (*mbt steen*) sin labrar; 3 (*mbt leer*) sin adobar
onbewogen impasible
onbewolkt despejado, sin nubes
onbewoonbaar inhabitable; ~ *verklaarde woning* casa declarada ruinosa; **onbewoond** inhabitado, deshabitado
onbewust inconsciente, involuntario
onbezet 1 (*mbt stoel*) desocupado, libre; 2 (*mbt baan*) vacante, libre
onbezoedeld impoluto, inmaculado
onbezoldigd no retribuido, sin sueldo, sin honorario
onbezonnen irreflexivo, frívolo; **onbezonnenheid** irreflexión *v*
onbezorgd despreocupado; **onbezorgdheid** despreocupación *v*
onbezwaard 1 (*mbt geweten*) limpio, puro; 2 (*mbt bezit*) sin carga, sin gravamen
onbillijk injusto, inicuo; **onbillijkheid** iniquidad *v*, injusticia
onbrandbaar incombustible, ininflamable
onbreekbaar irrompible; (*mbt glas ook:*) inastillable
onbruik desuso; *in ~ raken* caer en desuso; **onbruikbaar** inservible, no utilizable; ~ *maken* inutilizar; **onbruikbaarheid** inutilidad *v*
onbuigbaar inflexible; **onbuigbaarheid** inflexibilidad *v*
onbuigzaam inflexible, rígido; **onbuigzaamheid** inflexibilidad *v*, rigidez *v*
ondank ingratitud *v*; ~ *is 's werelds loon* si te he visto no me acuerdo, cría cuervos y te sacarán los ojos; *zijns ~s* a pesar suyo
ondankbaar ingrato, desagradecido; **ondankbaarheid** ingratitud *v*
ondanks a pesar de, pese a, no obstante; *zie ook: ondank*
ondeelbaar indivisible; ~ *getal* número primo
ondemocratisch antidemocrático
ondenkbaar inconcebible, inimaginable
onder I *vz* 1 (*plaats*) debajo de, bajo; ~ *de brug door* por debajo del puente; ~ *nul* bajo cero; ~ *de f 10* (a) menos de fls 10; *personen ~ de 30 jaar* (personas) menores de 30 años; ~ *iem werken* trabajar bajo u.p., trabajar a las órdenes de u.p.; ~ *zich hebben* tener a su cargo; 2 (*tussen*) entre; ~ *andere* entre otras cosas, entre otros extremos; *we zijn ~ elkaar* hay confianza, estamos entre amigos; ~ *gelach* entre risas; ~ *ons gezegd* de mí para usted, dicho sea entre nosotros; *het moet ~ ons blijven* que no salga de aquí; ~ *vijanden* rodeado de enemigos; ~ *vrienden* entre amigos; 3 (*gedurende*) durante; ~ *het eten* durante la comida; ~ *het lopen* al andar; ~ *het genot van een glas wijn* al amor de un vaso de vino, saboreando un vaso de vino; 4 (*met*) ~ *de naam van* bajo el nombre de, con el nombre de; II *bw* (*eronder*) debajo; *naar ~* (hacia) abajo; *van ~(en)* (por) debajo; *van ~ af* desde abajo; *van ~ naar boven* de arriba abajo; *de zon is ~* se ha puesto el sol; *ten ~ gaan* perecer, perderse *ie*
onderaan en la parte inferior; ~ *rechts* en la parte inferior derecha; ~ *de brief* al pie de la carta
onderaannemer subcontratista *m,v*
onderaards subterráneo
onder|afdeling subdivisión *v*; **-arm** antebrazo; **-belicht** subexpuesto, expuesto insuficientemente
onderbewust subconsciente; **onderbewustzijn** subconsciencia, subconsciente *m*
onderbezet 1 (*mbt kantoor*) falto de personal; 2 (*mbt persoon*) subempleado
onderbouw (*van opleiding*) curso común, primeros años del estudio; **onderbouwen** cimentar
onderbreken interrumpir; **onderbreking** interrupción *v*; *zonder ~* sin solución de continuidad
onder|brengen 1 (*huisvesten*) alojar; 2 (*installeren*) instalar; *in deze gebouwen zijn kantoren -gebracht* estos edificios albergan oficinas; 3 (*opslaan*) almacenar; 4 ~ *bij* (*een categorie*) incorporar a; **-broek** calzoncillos *mmv*; **-buik** abdomen *m*
onderdaan súbdito, -a
onderdak 1 (*logies*) alojamiento, hospedaje *m*; ~ *geven* dar alojamiento, hospedar; 2 (*onderkomen*) refugio, cobijo; *een ~ vinden* alojarse, encontrar *ue* cobijo
onderdanig sumiso, servicial; **onderdanigheid** sumisión *v*
onder|deel 1 parte *v*; 2 (*afdeling*) subdivisión *v*; 3 (*techn*) pieza, accesorio; 4 (*vervangend*) repuesto, (pieza de) recambio; **-directeur** subdirector, -ora; **-doen** 1 (*van schaatsen*) sujetar; 2 *niet ~ voor* no ceder a, no ser inferior a, no ser menos que; **-dompelen** sumergir
onderdoor *bw* por debajo || *er ~ gaan: a*) (*lett*) pasar por debajo; *b*) (*fig*) llevar la peor parte, no aguantar más; **onderdoorgang** paso subterráneo
onderdrukken 1 (*van volk*) oprimir; 2 (*van gevoel*) reprimir, contener; *niet te ~* incontenible; 3 (*van opstand*) reprimir, sofocar; **onderdrukker** opresor *m*; **onderdrukking** opresión *v*, represión *v*
onderduiken ocultarse, emboscarse, esconderse, agazaparse; **onderduiker** emboscado, topo, escondido
ondereind parte *v* inferior
'ondergaan (*mbt zon*) ponerse
onder'gaan 1 (*ervaren*) experimentar; 2 (*doorstaan*) sufrir, padecer
ondergang 1 (*mbt zon*) puesta (del sol); 2 (*verval*) ruina, perdición *v*, pérdida, decadencia; *de ~ van het rijk* el ocaso del imperio

ondergeschikt (*aan*) subordinado (a); ~ *maken aan* subordinar a; *van ~ belang* de interés secundario; **ondergeschikte** subordinado, -a, inferior *m,v*, subalterno, -a
onder|getekende suscrito, -a, el que suscribe, la que suscribe, el abajo firmado, la abajo firmada; **-goed** ropa interior; **-graven** socavar, minar; **-grens** límite *m* inferior
ondergrond 1 fondo; 2 (*onder de bodem*) subsuelo; **ondergronds** 1 subterráneo; *~e atoomproef* prueba atómica bajo tierra; *~e spoorweg* subterráneo, metro(politano); 2 (*geheim*) clandestino, secreto; *de ~e* la Resistencia
onder|handelaar, **-handelaarster** negociador, -ora; **-handelen** (*over*) negociar; ~ *over vrede* negociar la paz; **-handelingen** negociaciones *vmv*
onderhanden: ~ *hebben* tener entre manos
onderhands privado
onderhavig presente
onderhevig: ~ *aan* sujeto a, susceptible de
onderhoud 1 (*levensbehoeften*) subsistencia, manutención *v*; *in zijn ~ voorzien* mantenerse, ganarse la vida; 2 (*instandhouding*) conservación *v*, entretenimiento, mantenimiento; 3 (*gesprek*) entrevista, conversación *v*; *een ~ hebben met* entrevistarse con; **onderhouden** 1 mantener; *zichzelf ~* mantenerse; 2 (*bijhouden*) entretener, mantener, conservar; *zijn Spaans ~* practicar el español; *betrekkingen ~ met* mantener relaciones con; *goed ~* en buen estado de conservación; *een goed ~ tuin* un jardín cuidadosamente atendido; 3 (*bezighouden*) entretener; *zich met iem ~* entretenerse con u.p., conversar con u.p.; 4 *iem ~ over iets* amonestar a u.p. por u.c., hablar seriamente a u.p. de u.c.; **onderhoudend** entretenido, ameno
onderhouds|beurt inspección *v*; **-kosten** gastos de mantenimiento
onder|huren realquilar; **-huurder**, **-huurster** realquilado, -a, subinquilino, -a
onderin abajo, en el fondo
onder|jurk combinación *v*; **-kant** parte *v* de abajo, envés *m*, cara inferior; **-kennen** distinguir, percibir; **-kin** sotabarba, papada
onderkoeld subenfriado, sobrefundido
onder|komen *zie: onderdak*; **-kruiper** rompehuelgas *m*, esquirol *m*; **-laag** capa inferior; **-langs** por debajo
onderlegd: ~ *in* versado en; **onderlegger** 1 (*op bureau*) carpeta; 2 (*balk*) viga
onderliggen estar debajo; **onderliggend** subyacente; *de ~e gedachte* el pensamiento que está a la base
onderlijf parte *v* inferior del cuerpo
onderling I *bn* mutuo; ~ *overleg* consultas *vmv* mutuas; *met ~ goedvinden* con asentimiento mutuo, de común acuerdo; II *bw* entre sí, mutuamente
onderlip labio inferior
onder|lopen inundarse; **-mijnen** minar
ondernemen emprender; *stappen ~* dar pasos; **ondernemend** emprendedor *-ora*; **ondernemer** empresario; **onderneming** empresa; ~ *in moeilijkheden* empresa en apuros
ondernemings|geest espíritu *m* emprendedor, instinto empresarial; **-raad** comité *m* de empresa; **-zin** afán *m* emprendedor
onder|officier suboficial *m,v*; **-onsje** 1 reunión *v* íntima; 2 (*geheim*) secreto, asunto privado; **-ontwikkeld** subdesarrollado; **-pand** garantía
onderricht enseñanza, docencia, instrucción *v*; **onderrichten** enseñar, instruir
onder|schatten subestimar, infravalorar; **-schatting** infravaloración *v*
onderscheid diferencia, distinción *v*; ~ *maken tussen* distinguir entre; *de jaren des ~s* la edad del juicio; *zonder ~* indistintamente; **onderscheiden** I *ww* 1 (*verschil maken*) distinguir; *zich ~: a) zich ~* (*door*) sobresalir, distinguirse (por); *b) zich ~ van* distinguirse de, diferenciarse de; 2 (*zien*) divisar, distinguir, discernir *ie*; *niet te ~* indistinguible; 3 (*met lintje*) condecorar; II *bn* diferente, distinto; **onderscheidenlijk** respectivamente; **onderscheiding** (*lintje*) condecoración *v*
onderscheidings|teken insignia, distintivo; **-vermogen** capacidad *v* de distinción
onder|scheppen interceptar; **-schrift** leyenda; ~ *bij foto* pie *m* de foto; **-schrijven** suscribir, aprobar *ue*; **-spit**: *het ~ delven* llevar las de perder
onderst más bajo, último
onderstaand abajo mencionado, que abajo se expresa
ondersteboven 1 (*omgekeerd*) al revés, cabeza abajo, boca abajo; 2 (*in wanorde*) patas arriba; ~ *keren* poner lo de arriba abajo, revolver *ue*; *iem ~ lopen* atropellar a u.p. || *ik ben er helemaal van ~* estoy completamente aturdido
onder|steek orinal *m* de cama; **-stel** 1 soporte *m*; 2 (*van auto*) chasis *m*; 3 (*van trein*) tren *m* de rodado
onder|steunen 1 apoyar; 2 (*bijstaan*) socorrer, auxiliar; **-steuning** 1 apoyo; 2 (*bijstand*) socorro, auxilio; **-strepen** subrayar; **-stroom** corriente *v* de fondo; **-tekenaar** firmante *m*; **-tekening** firma
ondertitel 1 (*van boek*) subtítulo; 2 (*van film*) subtítulo; **ondertiteld** subtitulado; **ondertiteling** (*van film*) subtítulos *mmv*
onder|toon (*fig*) fondo; **-trouw** esponsales *mmv*
onder|tussen 1 (*intussen*) mientras (tanto), entretanto; 2 (*toch*) a pesar de ello; **-uit** del fondo de; *iem ~ halen* echar la zancadilla a u.p.; ~ *zakken* hundirse en el asiento || *ergens niet ~ kunnen* tener que hacer u.c., no tener más remedio; **-vangen** eliminar, suprimir
onder|verdelen subdividir, subagrupar; **-verhuren** subalquilar, subarrendar *ie*; **-verzekering** infraseguro

ondervinden 1 (*ervaren*) experimentar; 2 (*van problemen, hartelijkheid*) encontrar *ue*; 3 (*van gevolgen*) sufrir; **ondervinding** experiencia
ondervoed desnutrido, subalimentado; **ondervoeding** malnutrición *v*
ondervoorzitter vicepresidente, -enta
ondervragen 1 interrogar; 2 (*bij enquête*) encuestar; **ondervraging** interrogación *v*, examen *m*
onderwaarderen subvalorar
onderwater- submarino
onderweg por el camino; ~ *zijn* estar en camino, estar de camino; *het eten voor* ~ la comida para el camino
onderwereld 1 (*myth*) averno; 2 (*misdadigers*) (submundo del) hampa, bajo mundo
onderwerp 1 asunto, tema *m*; 2 (*van gesprek*) tópico, tema *m* de conversación; 3 (*gramm*) sujeto; **onderwerpen** someter, subyugar, sojuzgar; ~ *aan iems oordeel* someter al juicio de u.p.; *onderworpen aan* sujeto a; *zich* ~ *aan* someterse (a); **onderwerping** sometimiento
onderwijs enseñanza; instrucción *v*; docencia; (~ *en opvoeding*) educación *v*; (*vorming*) formación *v*; (*vnl praktisch*) capacitación *v*; ~ *geven* enseñar, impartir enseñanza; *bijzonder* ~ enseñanza privada; *buitengewoon* ~ educación especial; *hoger* ~ enseñanza superior; *lager* ~ enseñanza primaria, educación (general) básica, *afk* EGB; *middelbaar* ~ enseñanza secundaria, enseñanza media, segunda enseñanza; *openbaar* ~ enseñanza pública; *voorbereidend* ~ enseñanza de párvulos; *voorbereidend wetenschappelijk* ~ (*vwo*) enseñanza secundaria preuniversitaria
onderwijs|inrichting centro docente; **-kracht** profesor, -ora, enseñante *m,v*; ~*en* (*ook:*) personal *m* docente; **-methode** método educativo, método didáctico; **-stelsel** sistema *m* educacional
onderwijzen enseñar; ~*d personeel* personal *m* docente; (*bij lager onderwijs ook:*) magisterio; **onderwijzer**, **onderwijzeres** maestro, -a, profesor, -ora (de enseñanza básica); **onderwijzersakte** diploma *m* de profesor de educación general básica
onderworpenheid sumisión *v*
onderzeeër submarino; **onderzees** submarino; ~*e rots* roca subacuática
onderzetter 1 (*voor pan*) salvamanteles *m*; 2 (*voor glas*) posavasos *m*
onderzoek 1 investigación *v*, examen *m*; ~ *doen naar* investigar, estudiar; 2 (*van patiënt*) reconocimiento, chequeo; 3 (*van bloed, water*) análisis *m*; **onderzoeken** 1 investigar, examinar; *grondig* ~ examinar a fondo, escudriñar; 2 (*van patiënt*) examinar, reconocer; 3 (*van bloed, water*) analizar, hacer un análisis de; 4 (*van ogen*) graduar *ú*; **onderzoekend** inquisitivo; **onderzoeker**, **onderzoekster** investigador, -ora
onderzoeksrechter (*Belg*) juez *m,v* de instrucción
ondeskundig inexperto; **ondeskundigheid** impericia
ondeugd 1 (*eigenschap*) vicio; 2 (*kind*) niño travieso, granuja *m*; **ondeugdelijk** inservible, de mala calidad, deficiente; **ondeugend** travieso, pícaro, malicioso; **ondeugendheid** 1 (*streek*) travesura; 2 (*eigenschap*) malicia
ondiep poco profundo; **ondiepte** 1 poca profundidad; 2 (*zandbank*) barrag
onding cosa inservible, trasto, cafetera rusa
ondoelmatig inadecuado, inconveniente; **ondoelmatigheid** inconveniencia
ondoenlijk irrealizable, no hacedero, imposible
ondoordacht inconsiderado, irreflexivo
ondoordringbaar impenetrable
ondoorgrondelijk inescrutable; *Gods wegen zijn* ~ los designios de Dios son inescrutables
ondoorzichtig no transparente, opaco
ondraaglijk insoportable
ondubbelzinnig inequívoco
onduidelijk 1 (*vaag*) poco claro, vago, confuso, borroso, impreciso; 2 (*mbt schrift*) ilegible; **onduidelijkheid** falta de claridad, vaguedad *v*
onecht 1 falso, imitado; 2 (*mbt kind*) ilegítimo, natural
oneens: *het* ~ *zijn met iem over iets* no estar de acuerdo con u.p. en u.c.
oneerbaar deshonesto, indecente
oneerbiedig irrespetuoso, irreverente; *iem* ~ *behandelen* faltarle al respeto a u.p.
oneerlijk 1 poco honrado; ~*e concurrentie* competencia desleal; 2 (*onoprecht*) insincero
oneffen desigual, accidentado; **oneffenheid** carácter *m* accidentado; ~ *van het terrein* accidentes *mmv* del terreno
oneigenlijk 1 impropio; 2 (*fig*) figurado, metafórico
oneindig infinito; ~ *klein* infinitamente pequeño, infinitesimal
onenigheid disputa, desacuerdo, controversia, desavenencia; ~ *krijgen* reñir *i*
onervaren inexperto; **onervarenheid** inexperiencia
oneven impar
onevenredig (*aan*) desproporcionado (a)
onevenwichtig desequilibrado; **onevenwichtigheid** desequilibrio
onfatsoenlijk indecente, indecoroso
onfeilbaar infalible; **onfeilbaarheid** infalibilidad *v*
onfortuinlijk desafortunado
onfris 1 poco limpio, sucio; 2 (*duister*) turbio
ongaarne de mala gana
ongeacht independientemente de, sin tener en cuenta
ongebleekt crudo, sin blanquear
ongebonden libre
ongebreideld desenfrenado
ongebruikelijk desacostumbrado, inusitado, insólito

ongecontroleerd descontrolado
ongedaan: ~ *maken* deshacer, anular; *niets* ~ *laten* no perdonar medio, no perdonar esfuerzo
ongedeerd ileso, sano y salvo
ongedekt (*handel*) en descubierto; *~e cheque* cheque *m* sin fondos
ongedierte bichos *mmv*, sabandijas *vmv*
ongeduld impaciencia; **ongeduldig** impaciente
ongedurig inquieto; *hij is* ~ no puede estarse quieto
ongedwongen natural, desenvuelto; **ongedwongenheid** naturalidad *v*, desenvoltura
ongeëvenaard sin par, sin igual; *zijn kracht is* ~ su fuerza no tiene par
ongefrankeerd no franqueado, sin sello
ongefundeerd *zie: ongegrond*
ongegeneerd desaprensivo, con desparpajo
ongegrond infundado, sin fundamento, desprovisto de fundamento
ongehinderd libre, sin estorbos, sin trabas
ongehoord inaudito; *het is ~!* ¡no hay derecho!
ongehoorzaam desobediente; **ongehoorzaamheid** desobediencia
ongeïnteresseerd indiferente
ongekend sin precedente, inimaginado
ongekunsteld sin afectación, sencillo, natural
ongeldig nulo; ~ *worden* perder *ie* su validez, caducar; *zijn paspoort is* ~ su pasaporte ha caducado; **ongeldigheid** invalidez *v*, nulidad *v*
ongelegen inoportuno; *kom ik ~?* ¿importuno?
ongeletterd iletrado
ongelijk I *zn*: ~ *hebben* no tener razón, estar equivocado; *hij heeft geen* ~ no le falta razón; II *bn* 1 (*ongelijkmatig*) desigual, irregular; 2 (*verschillend*) diferente; **ongelijkheid** desigualdad *v*
ongelikt: *~e beer* maleducado, patán *m*, zafio
ongeloof incredulidad *v*; **ongelooflijk** increíble; **ongeloofwaardig** inverosímil; **ongelovig** incrédulo; (*godsd ook:*) descreído
ongeluk 1 (*ramp*) desgracia; (*ongeval ook:*) accidente *m*; *er deden zich geen persoonlijke ~ken voor* no se produjeron desgracias personales; *dat werd zijn* ~ fue su desgracia, fue su perdición; 2 (*pech*) mala suerte; ~ *brengen* traer mala suerte; *stuk ~!* ¡animal!; *een ~ komt nooit alleen* las desgracias nunca vienen solas, a perro flaco todo son pulgas, llueve sobre mojado || *per ~: a*) (*bij toeval*) por accidente, accidentalmente; *b*) (*onopzettelijk*) por descuido, sin querer; *zich een ~ werken* trabajar hasta más no poder; *zich een ~ lachen* morirse *ue, u* de risa; **ongelukje** descuido
ongelukkig 1 (*triest*) desgraciado, infeliz, desdichado; 2 (*met slecht resultaat*) desafortunado, desgraciado; *~e dag* día *m* desafortunado, día *m* de mala suerte; *~e keus* elección *v* desafortunada; ~ *in de liefde* desafortunado en el amor; ~ *zijn in het spel* no tener suerte en el juego; 3 (*mbt huwelijk*) desavenido, infeliz;
ongelukkigerwijs desgraciadamente, por desgracia
ongeluks|bode pájaro de mal agüero; **-dag** día *m* aciago, día *m* nefasto; **-getal** número que da mala suerte
ongemak (*ongerief*) incomodidad *v*; (*hinder*) molestia; **ongemakkelijk** 1 (*mbt stoel, situatie*) incómodo; 2 (*mbt mens*) difícil en el trato
ongemanierd mal educado, sin modales
ongemerkt I *bn* desapercibido; II *bw* imperceptiblemente; *de uren gaan ~ voorbij* las horas pasan sin sentir
ongemoeid: ~ *laten* dejar tranquilo, dejar en paz, no molestar
ongemotiveerd 1 (*mbt persoon*) desinteresado; 2 (*mbt verzoek*) infundado, inmotivado
ongenaakbaar inaccesible, altivo
ongenade: *in ~ vallen* caer en desgracia; **ongenadig** despiadadamente, cruelmente; *het is ~ koud* hace un frío tremendo
ongeneeslijk incurable
ongenegen (*om*) poco dispuesto (a)
ongenietbaar insoportable
ongenoegen disgusto, desagrado, enojo; *zich iems ~ op de hals halen* disgustar a u.p., enojar a u.p.
ongenuanceerd sin matizar, a rajatabla
ongeoefend 1 (*sp*) falto de entrenamiento; 2 (*onervaren*) inexperto
ongeoorloofd ilícito, prohibido
ongeordend desordenado, sin orden (ni concierto)
ongepast 1 inadecuado, impropio, improcedente; 2 *zie: onfatsoenlijk*
ongepeld: *~e rijst* arroz *m* con cascarilla
ongeplaveid sin pavimentar
ongerechtigheid 1 (*onrechtvaardigheid*) iniquidad *v*, injusticia; 2 (*vuiltje*) impureza; 3 (*foutje*) imperfección *v*
ongerede: *in het ~ raken* descomponerse, desarreglarse
ongeregeld 1 (*onregelmatig*) irregular; 2 (*onordelijk*) desordenado, sin reglas || *~e goederen* pacotilla; **ongeregeldheden** desórdenes *mmv* (callejeros)
ongerept intacto, virgen
ongerief incomodidades *vmv*, molestias *vmv*; **ongerieflijk** incómodo, poco confortable
ongerijmd absurdo, incongruente; *bewijs uit het ~e* reducción *v* al absurdo
ongerust intranquilo, alarmado, preocupado; ~ *worden* alarmarse; ~ *zijn* preocuparse; *ik ben ~ over mijn broer* mi hermano me preocupa; *dat maakt mij* ~ eso me inquieta; **ongerustheid** preocupación *v*, inquietud *v*; *er is geen reden tot* ~ no hay por qué preocuparse
ongeschikt 1 impropio, no apropiado, inadecuado; 2 (*mbt persoon:*) incompetente; *hij is ~ voor dat werk* no sirve para ese trabajo || *hij is niet* ~ no es mala persona
ongeschonden incólume, intacto, íntegro

ongeschoold no calificado, sin calificación, no especializado; *~e arbeid* trabajo no especializado
ongesteld: *~ zijn* tener las reglas
ongestoord no perturbado, tranquilo
ongestraft impune
ongetekend sin firmar
ongetrouwd soltero, no casado
ongetwijfeld sin duda alguna, con toda seguridad
ongevaarlijk inofensivo, inocuo
ongeval accidente *m*, percance *m*; **ongevallenverzekering** seguro de accidentes
ongeveer aproximadamente, (poco) más o menos, alrededor de, cosa de; (*met telw ook:*) unos; *~ honderd peseta* unas cien pesetas
ongeveinsd no fingido, sincero
ongevoelig (*voor*) insensible (a), duro; *~ maken* insensibilizar; **ongevoeligheid** insensibilidad *v*, impasibilidad *v*
ongevraagd I *bn* sin ser invitado, espontáneo; *~ advies* consejo no solicitado; II *bw* espontáneamente
ongewapend 1 sin armar, no armado; *~ zijn* no llevar armas; 2 (*mbt beton*) sin armar, sin reforzar
ongewenst inoportuno, indeseable; *~e kinderen* hijos no buscados
ongewerveld invertebrado
ongewijzigd sin modificar
ongewild sin querer, no intencionado
ongewis: *iem in het ~se laten* dejar a u.p. en la incertidumbre
ongewoon insólito, desacostumbrado, poco común; *iets heel ~s* algo fuera de todo hábito; *~ woord* palabra poco usada
ongezadeld en pelo
ongezeglijk díscolo, indócil, desmandado, desobediente
ongezellig 1 (*mbt plaats*) poco ameno, nada agradable, de poco ambiente; 2 (*mbt persoon*) poco sociable, hosco, huraño
ongezien 1 sin ser visto; 2 *iets ~ kopen* comprar u.c. sin haberla visto
ongezond 1 malsano; *~e voeding* comida malsana; *~e economie* economía malsana; *~e ideeën* ideas malsanas; *hij ziet er ~ uit* tiene aspecto de poca salud; 2 (*mbt plaats, klimaat*) insalubre; 3 (*ziekelijk*) enfermizo
ongezouten sin sal, no salado; *iem ~ de waarheid zeggen* decirle a u.p. cuántas son cinco
ongezuiverd impurificado
ongrijpbaar inasible, impalpable
ongunstig desfavorable, adverso; *~ bekend staan* tener mala reputación; *in ~e zin beïnvloed* influido en sentido negativo; *met een ~e betekenis* con sentido peyorativo
onguur sospechoso
onhaalbaar impracticable, inalcanzable
onhandelbaar indócil, inmanejable, difícil de manejar, rebelde, intratable
onhandig (*mbt persoon*) torpe, desmañado, inhábil; **onhandigheid** torpeza, falta de habilidad
onhebbelijk insolente, impertinente
onheil calamidad *v*, desgracia, desastre *m*, mal *m*, siniestro; **onheilsbode** pájaro de mal agüero; **onheilspellend** ominoso, aciago, de mal agüero
onherbergzaam inhóspito
onherkenbaar irreconocible; *ze was ~* estaba desconocida; *je bent ~* no pareces tú
onherroepelijk irrevocable, inapelable
onherstelbaar irreparable, irremediable
onheuglijk inmemorial
onheus I *bn* descortés, poco amable; II *bw*: *~ bejegenen* dar mal trato
onhoffelijk desatento, descortés
onhoudbaar 1 (*onverdraaglijk*) inaguantable; 2 (*mbt theorie*) insostenible
onhygiënisch antihigiénico
onjuist incorrecto, inexacto, erróneo; *~ gebruik* uso impropio; **onjuistheid** 1 inexactitud *v*; 2 (*vergissing*) error *m*
onkies indelicado, desconsiderado
onklaar desarreglado; *~ raken* desarreglarse
onknap: *niet ~* bastante atractivo, no mal parecido
onkosten gastos; **onkostenvergoeding** compensación *v* de gastos
onkreukbaar honrado, probo, íntegro, irreprochable; **onkreukbaarheid** honradez *v*, integridad *v*
onkruid mala hierba, hierbas *vmv* (malas); *~ vergaat niet* mala hierba nunca muere
onkuis impúdico; **onkuisheid** impudicia
onkunde ignorancia; **onkundig** inexperto, imperito; *~ zijn van* ignorar, no estar enterado de
onkwetsbaar invulnerable
onlangs el otro día, últimamente
onledig: *zich ~ houden met* ocuparse en, entretenerse en
onleesbaar ilegible
onlogisch ilógico
onloochenbaar incuestionable, incontestable, innegable
onlust: *gevoel van ~* malestar *m*; **onlusten** disturbios
onmacht 1 impotencia; 2 (*flauwte*) desmayo; *zij viel in ~* tuvo un desmayo
onmatig inmoderado, sin moderación; *~ drinken* beber con exceso
onmeetbaar inconmensurable
onmenselijk inhumano; **onmenselijkheid** inhumanidad *v*
onmerkbaar imperceptible
onmetelijk inmenso; **onmetelijkheid** inmensidad *v*
onmiddellijk I *bn* inmediato; II *bw* en seguida, inmediatamente, de inmediato; *~ daarna* acto seguido; *~ na de oorlog* a raíz de la guerra
onmin: *met elkaar in ~ leven* estar reñidos, estar desavenidos

onmisbaar indispensable, imprescindible; **onmisbaarheid** imprescindibilidad *v*
onmiskenbaar evidente, inequívoco, inconfundible
onmogelijk imposible; *absoluut* ~ de todo punto imposible, materialmente imposible; *een* ~ *mens* una persona intratable; *het spreken* ~ *maken* impedir *i* la palabra; **onmogelijkheid** imposibilidad *v*
onmondig 1 no emancipado; 2 (*minderjarig*) menor de edad
onnadenkend irreflexivo; **onnadenkendheid** irreflexión *v*, ligereza
onnaspeurbaar inescrutable, impenetrable
onnatuurlijk 1 antinatural; 2 (*gemaakt*) afectado; **onnatuurlijkheid** 1 antinaturalidad *v*; 2 (*gemaaktheid*) afectación *v*
onnauwkeurig inexacto; (*mbt zaken ook:*) impreciso
onnavolgbaar inimitable
onneembaar inexpugnable
onnodig 1 innecesario; *het is* ~ no hace falta; 2 (*overbodig*) superfluo
onnoemelijk: ~ *veel* innumerable, incontable
onnozel 1 (*dom*) simple, bobo, tonto, necio; 2 (*onbeduidend*) insignificante; **onnozelheid** simpleza, necedad *v*
onnut inútil
onofficieel no oficial, oficioso
onomkoopbaar insobornable, incorruptible
onomstotelijk incontestable, indiscutible, incontrovertible
onomwonden rotundo, explícito
onontbeerlijk indispensable, imprescindible
onontkoombaar inevitable, ineludible, insoslayable
onontwikkeld 1 no desarrollado; 2 (*weinig onderlegd*) poco instruido, no formado, ineducado
onooglijk de aspecto pobre, de mal ver, sórdido
onoorbaar deshonesto
onoordeelkundig irreflexivo, inexperto
onopgemerkt desapercibido, inadvertido; ~ *blijven* pasar inadvertido
onopgevoed mal educado
onophoudelijk continuo, incesante
onoplettend desatento, distraído
onoprecht insincero; **onoprechtheid** insinceridad *v*
onopvallend discreto; ~ *zijn* no llamar la atención
onopzettelijk involuntario, sin intención
onovergankelijk intransitivo
onoverkomelijk insuperable, insalvable
onovertroffen sin par, no igualado
onoverwinnelijk invencible
onoverzichtelijk poco claro, enrevesado, complejo; ~*e bocht* curva sin visibilidad
onpartijdig imparcial, desapasionado; **onpartijdigheid** imparcialidad *v*
onpasselijk mareado
onpeilbaar insondable
onpersoonlijk impersonal
onplezierig desagradable
onpraktisch poco práctico
onproduktief improductivo
onraad peligro
onrecht injusticia, agravio; *iem* ~ *aandoen* ser injusto con u.p.; *ten* ~*e* equivocadamente, indebidamente, sin razón; **onrechtmatig** ilegal
onrechtvaardig injusto, no equitativo; **onrechtvaardigheid** injusticia
onredelijk 1 irrazonable; 2 (*onbillijk*) injusto
onregelmatig irregular; **onregelmatigheid** irregularidad *v*
onrijp verde, inmaduro
onroerend: ~ *goed* bienes *mmv* inmuebles; ~-*goedbelasting* (*vglbaar:*) contribución *v* territorial, impuesto inmobiliario; *de* ~-*goedmarkt* el mercado inmobiliario
onrust intranquilidad *v*, desasosiego, agitación *v*; **onrustbarend** alarmante; **onrustig** intranquilo, desasosegado, inquieto, agitado; ~ *worden* empezar *ie* a agitarse; **onruststoker** perturbador *m*
ons I *zn* cien gramos *mmv*; *wachten tot je een* ~ *weegt* esperar sentado; II *pers vnw, na voorz* nosotros; *het huis is van* ~ la casa es nuestra; (*lijd vw, meew vw*) nos; *ze zien* ~ nos ven; III *bez vnw* nuestro; *we zijn met* ~ *vieren* somos cuatro
onsamenhangend incoherente
onschadelijk inofensivo; ~ *maken: a*) (*van persoon*) dejar fuera de combate; *b*) (*gevangennemen*) capturar; *c*) (*doden*) matar; *d*) (*van bom*) desactivar
onschatbaar inestimable, inapreciable
onschendbaar inviolable, inmune; **onschendbaarheid** inviolabilidad *v*
onschuld inocencia; **onschuldig** 1 inocente; 2 (*argeloos*) ingenuo; 3 (*onschadelijk*) inofensivo, inocente
onsmakelijk 1 (*vies*) poco apetitoso, insípido, desabrido; 2 (*fig*) repugnante, desagradable
onsportief antideportivo
onstabiel inestable
onstandvastig inconstante, versátil
onsterfelijk inmortal; ~ *maken* inmortalizar; **onsterfelijkheid** inmortalidad *v*
onstoffelijk inmaterial
onstuimig 1 (*van aard*) impetuoso; 2 (*in onrust*) alborotado, agitado
onstuitbaar irrefrenable
onsympathiek antipático
ontaard degenerado, descastado; **ontaarden** (*in*) degenerar (en)
ontberen carecer de, prescindir de; **ontbering** privación *v*
ontbieden citar, hacer venir
ontbijt desayuno; **ontbijten** desayunar; **ontbijtkoek** pan *m* de miel y especias, tortada de desayuno
ontbinden 1 (*van stoet, huwelijk*) disolver *ue*; 2

(*van contract*) resolver *ue*, rescindir; 3 (*chem*) descomponer; ~ *in factoren* descomponer en factores; **ontbinding** 1 disolución *v*; 2 (*van contract*) resolución *v*, rescisión *v*; 3 (*chem*) descomposición *v*; *in staat van* ~ en proceso de descomposición
ontbladeren deshojar; **ontbladeringsmiddel** deshojador *m*, defoliante *m*
ontbloot desnudo; ~ *van* exento de, deprovisto de; ~ *zijn van* carecer de; **ontbloten** desnudar
ontboezeming desahogo, confidencia
ontbossen desmontar; **ontbossing** desmonte *m*, tala (de árboles), deforestación
ontbrandbaar inflamable; **ontbranden** encenderse *ie*, inflamarse
ontbreken faltar; *er -breekt f 10* faltan fls 10; *het -breekt hem aan moed* le falta valor, carece de valor; *dat -brak er nog maar aan!* ¡no faltaba más!, ¡es lo que (nos) faltaba!; *de ~de schakel* el eslabón perdido
ontcijferen descifrar; *niet te* ~ indescifrable
ontdaan desconcertado, asustado, atónito
ontdekken descubrir; **ontdekking** descubrimiento; *tot de ~ komen dat* encontrarse con que; **ontdekkingsreiziger** explorador *m*
ont|doen: ~ *van* despojar de, desembarazar de; *zich ~ van* desprenderse de, deshacerse de, desembarazarse de, despojarse de; **-dooien** deshelar *ie*; (*van diepvries*) descongelar; **-duiken** 1 (*van wet*) eludir; 2 (*van belasting*) defraudar; 3 (*van plicht*) eludir, zafarse de
ontegenzeggelijk incontestablemente, indudablemente, indiscutiblemente
onteigenen expropiar; **onteigening** expropiación *v*
ontelbaar innumerable, incontable
ontembaar indomable
onterecht indebido, injustificado, injusto
ont|eren deshonrar; **-erven** desheredar
ontevreden (*over*) descontento (con, de), insatisfecho (con, de); **ontevredenheid** descontento, insatisfacción *v*
ontfermen: *zich ~ over* apiadarse de, hacerse cargo de
ontfutselen sonsacar
ont|gaan escapar; *niets -gaat hem* nada le escapa; *het verschil -gaat mij* no veo la diferencia; *zijn naam is mij ~: a*) (*niet verstaan*) no me enteré de su nombre; *b*) (*vergeten*) he olvidado su nombre; **-gelden**: *het moeten* ~ sufrir las consecuencias
ontginnen 1 roturar, aprovechar; 2 (*van mijn*) explotar
ontglippen 1 (*wegglijden*) escurrirse; *de paling -glipte mijn vingers* la anguila se me escurrió de la mano; 2 (*ontsnappen*) evadirse, escapar; 3 (*mbt woord*) escaparse; *dat woord is mij -glipt* se me ha escapado esa palabra
ontgoochelen desilusionar, desengañar; **ontgoocheling** desilusión *v*, desengaño, desencanto

onthaal acogida, agasajo; **onthalen** recibir, agasajar; ~ *op* obsequiar con
onthand: *ik ben er erg door* ~ lo echo muy de menos
ontharden ablandar, suavizar; **ontharder** ablandadero, suavizador *m*; **ontharding** ablandamiento
ontharen depilar; **ontharing** depilación *v*; **ontharingsmiddel** depilatorio; **ontharingsset** depiladora
ontheemd 1 expatriado; 2 (*ook fig:*) desplazado, desarraigado
ontheffen: ~ *van: a*) (*plicht*) eximir de, relevar de, exonerar de, dispensar de; *b*) (*ambt*) destituir de; **ontheffing** exención *v* (fiscal), dispensación *v*
onthoofden decapitar
onthouden 1 (*niet vergeten*) retener (en la memoria), no olvidar; (*bij optelling*) llevarse; *makkelijk te* ~ fácil de recordar; *help me ~ dat* ... recuérdame luego que ...; *onthoud die naam goed!* ¡no se te olvide ese nombre!; 2 (*niet geven*) retener; 3 *zich ~ van* abstenerse de; **onthouding** 1 abstinencia; *periodieke* ~ abstención *v* (sexual) periódica, (método) Ogino; 2 (*bij stemming*) abstención *v*
onthullen 1 (*van monument*) inaugurar; 2 (*van geheim*) revelar, descubrir; **onthulling** 1 (*van monument*) inauguración *v*; 2 (*van geheim*) revelación *v*
onthutst desconcertado, consternado, alarmado
ontiegelijk tremendamente
ontij: *bij nacht en* ~ a destiempo, a deshora; **ontijdig** 1 inoportuno; 2 (*te vroeg*) prematuro
ontkennen negar *ie*; *het valt niet te* ~ no se puede negar; **ontkennend** negativo; **ontkenning** negación *v*
ontkerkelijking desaparición *v* de la práctica religiosa
ont|ketenen desencadenar; **-kiemen** germinar; **-kleden** desvestir *i*, desnudar; **-knoping** desenlace *m*; **-komen** (*aan*) escapar(se) (a, de), salvarse (de); **-koppelen** 1 (*autorijden*) desembragar; 2 (*van wagon*) desenganchar; 3 (*fig*) desvincular; **-krachten** desvirtuar *ú*, invalidar; **-kurken** descorchar; **-laden** descargar
ontlasten 1 (*van verkeer*) desahogar, descongestionar; 2 ~ *van* descargar de; (*van plichten*) liberar de, exonerar de; **ontlasting** 1 descarga, exoneración *v*; 2 (*van verkeer*) descongestión *v*; 3 (*stoelgang*) deposición *v*, evacuación *v* del vientre; 4 (*uitwerpselen*) excrementos *mmv*, heces *vmv*, materias *vmv* fecales; (*fam*) mierda
ontleden 1 analizar; 2 (*chem*) descomponer; 3 (*anat*) disecar; **ontleding** 1 análisis *m*; *redekundige* ~ análisis sintáctico; *taalkundige* ~ análisis gramatical; 2 (*chem*) descomposición *v*; 3 (*anat*) disección *v*
ont|lenen: ~ *aan* tomar de; *zijn naam ~ aan* to-

mar su nombre de; *een recht ~ aan* derivar un derecho de; *dat -leen ik aan zijn verslag* lo infiero de su informe; **-lokken** 1 (son)sacar; 2 (*van antwoord*) arrancar; 3 (*van protest*) provocar
ontlopen escapar, rehuir, eludir; *ze ~ elkaar niet veel* no son muy diferentes
ontluchting desaireación *v*
ont|luiken abrirse, nacer; **-luisteren** manchar, desprestigiar; **-maagden** desflorar; **-mantelen** desmantelar, desarticular; **-maskeren** desenmascarar
ontmoedigen desanimar; **ontmoediging** desaliento, abatimiento
ontmoeten encontrar *ue*, dar con; *elkaar ~* encontrarse *ue*; *iem toevallig ~* encontrarse con u.p.; **ontmoeting** encuentro
ontnemen quitar, privar de
ontnuchteren 1 (*lett*) hacer que se pase la borrachera, despejar, desembriagar; 2 (*fig*) desengañar; **ontnuchtering** 1 (*lett*) despejo, desembriagamiento; 2 (*fig*) desengaño, desilusión *v*
ontoegankelijk inaccesible
ontoelaatbaar inadmisible, intolerable, inconsentible
ontoereikend insuficiente
ontoerekeningsvatbaar irresponsable, moralmente incapaz
ontoonbaar impresentable
ontplofbaar explosivo; *-bare stof* explosivo; **ontploffen** hacer explosión, estallar; **ontploffing** explosión *v*
ontplooien desplegar *ie*, desarrollar; *zich ~* desarrollarse; **ontplooiing** (libre) desarrollo; *persoonlijke ~* realización *v* personal; **ontplooiingskansen** oportunidades *vmv* de desarrollo
ont|poppen: *zich ~ als* revelarse como; **-raadselen** descifrar; **-raden**: *iem iets ~* disuadir a u.p. de u.c.; **-rafelen** desenmarañar
ontredderd confuso, descompuesto, descalabrado
ontregelen desajustar, desarreglar, desquiciar, trastornar
ontroeren conmover *ue*, emocionar; **ontroerend** conmovedor *-ora*, emocionante; **ontroering** emoción *v*
ontroostbaar inconsolable, desconsolado; *~ huilen* llorar sin consuelo
ontrouw I *bn* infiel, desleal; II *zn* infidelidad *v*, deslealtad *v*
ontruimen desalojar, evacuar; **ontruiming** desalojamiento, evacuación *v*
ont|schepen desembarcar; **-sieren** afear, deslustrar
ontslaan 1 despedir *i*; 2 (*uit gevangenis*) excarcelar; 3 (*uit mil dienst*) licenciar; 4 (*uit ziekenhuis*) dar de alta; 5 *~ van* eximir de; **ontslag** 1 despido; *massaal ~* despido masivo, despido en masa; *vrijwillig ~* dimisión *v*, renuncia; *~ geven* despedir *i*; *zijn ~ indienen, ~ nemen* presentar la dimisión, presentar renuncia de su cargo; *~ krijgen* ser despedido; 2 (*uit gevangenis*) excarcelación *v*; 3 (*uit mil dienst*) licenciamiento; **ontslagaanvraag** 1 (*door werknemer*) renuncia; 2 (*door werkgever*) petición *v* de despido; **ontslagvergunning** autorización *v* de despido
ont|slapen expirar, fallecer; **-sluieren** descubrir, revelar; **-sluiten** abrir
ontsmetten desinfectar; **ontsmetting** desinfección *v*; **ontsmettingsmiddel** desinfectante *m*
ontsnappen (*aan*) escapar (de); *nog net ~* salirse por la tangente; **ontsnapping** fuga, evasión *v*; **ontsnappingsmogelijkheid** escapatoria
ontspannen relajar; (*zich*) *~*: *a*) (*slapper worden*) relajarse; *zijn gezicht -spande* su rostro se fue relajando; *b*) (*afleiding zoeken*) distraerse; **ontspanning** 1 (*verslapping*) relajamiento; 2 (*afleiding*) distracción *v*, esparcimiento, recreo; 3 (*pol*) distensión *v*
ontspinnen: *zich ~* entablarse, originarse
ontsporen 1 descarrilar; 2 (*fig*) descarriarse; *-spoorde jeugd* jóvenes *mmv* descarriados; **ontsporing** 1 (*lett*) descarrilamiento, salida de vía; 2 (*fig*) descarriamiento, descarrío
ont|springen nacer; **-spruiten** (*aan*) brotar (de)
ontstaan I *ww* (*uit*) nacer (de), originarse (en), surgir (de), producirse; *doen ~* producir, causar, originar, ocasionar; II *zn* origen *m*, nacimiento
ontsteken I *tr* encender *ie*; II *intr* (*med*) infectarse, inflamarse; *doen ~* infectar, inflamar || *in woede ~* enfurecerse; *in woede doen ~* enfurecer; **ontsteking** 1 (*med*) inflamación *v*; 2 (*mbt motor*) encendido, (sistema *m* de) ignición *v*
ontsteld perplejo, consternado, alarmado; **ontstellen** alarmar, desconcertar *ie*, aturdir; **ontstellend** estremecedor *-ora*, terrible; **ontsteltenis** desconcierto, alarma, aturdimiento, consternación *v*
ontstemd 1 (*muz*) destemplado; 2 (*uit zijn humeur*) disgustado, malhumorado, de mal humor; **ontstemmen** 1 (*muz*) destemplar, desafinar; 2 (*uit zijn humeur brengen*) desagradar, disgustar; **ontstemming** disgusto, fastidio, desagrado
ontstentenis: *bij ~ van* en defecto de, a falta de, en ausencia de
ont|stoppen desatascar; **-trekken**: *~ aan* retirar de, sustraer a; *aan het oog ~* quitar de la vista, sustraer a la vista; *-trokken aan de blikken* a cubierta de las miradas; *zich ~ aan* sustraerse a, evadirse de; **-tronen** destronar
ontucht impudicia; (*jur*) abusos *mmv* deshonestos
ontvallen escaparse; *het woord -viel mij* se me escapó la palabra; *zich laten ~* dejarse decir, dejar caer || *zijn vrouw is hem ~* ha perdido a su mujer

ontvangen recibir; (*van salaris*) percibir; *iem hartelijk* ~ dar cordial acogida a u.p.; *het boek is goed* ~ el libro tuvo una buena acogida; **ontvanger** 1 (*van goederen*) destinatario; 2 (*van belasting*) recaudador *m*; **ontvangkantoor** oficina de recaudación (de impuestos); (*vglbaar:*) Delegación *v* de Hacienda
ontvangst 1 recepción *v*; *de* ~ *bevestigen* acusar recibo; *bij* ~ *van* al recibir(se), al recibo de; *in* ~ *nemen* recibir; *14 dagen na* ~ *van de goederen* a los 15 días de haberse recibido las mercancías; 2 (*onthaal*) recepción *v*, recibimiento, acogida; *een hartelijke* ~ una cordial acogida; 3 (*van geld*) *~en* entradas *vmv*, ingresos *mmv*; 4 (*op radio*) recepción *v*; **ontvangstbewijs** certificado de recepción, recibo
ontvankelijk 1 ~ *voor* (*mbt zaak*) susceptible a; (*mbt persoon ook:*) sensible a; 2 (*jur*) admisible; *een eis* ~ *verklaren* admitir una demanda
ontveinzen disimular; *zich de problemen niet* ~ darse perfecta cuenta de los problemas
ontvellen desollar; **ontvelling** desolladura
ontvlambaar inflamable; *niet* ~ ininflamable; *licht* ~ altamente inflamable; **ontvlammen** inflamarse, encenderse *ie*
ontvluchten huir (de), huirse de, escapar de, escaparse de; **ontvluchting** huida, fuga, evasión *v*
ontvoerder secuestrador, -ora; **ontvoeren** secuestrar; **ontvoering** secuestro
ontvolking despoblación *v*
ontvouwen (*fig*) exponer
ontvreemden hurtar, sustraer; **ontvreemding** hurto, sustracción *v*
ontwaarding desvalorización *v*
ontwaken despertar *ie*
ontwapenen desarmar; *een ~de glimlach* una sonrisa desarmante; **ontwapening** desarme *m*; *eenzijdige* ~ desarme unilateral
ont|waren divisar, percibir; **-warren** desenredar, desenmarañar, desembrollar
ontwennen I *intr* desacostumbrarse de, deshabituarse *ú* de, perder *ie* la costumbre de; II *tr iem iets* ~ desacostumbrar a u.p. de u.c.; **ontwenning** deshabituación *v*; **ontwenningskuur** cura de deshabituación, cura de privación, tratamiento supresivo; **ontwenningsverschijnselen** síndrome *m* de abstinencia
ontwerp 1 proyecto, plan *m*; 2 (*tekening*) diseño; 3 (*klad*) borrador *m*
ontwerp|contract proyecto de contrato; **-decreet** proyecto de decreto
ontwerpen 1 proyectar, planear; 2 (*tekenen*) diseñar; **ontwerper, ontwerpster** proyectista *m,v*, diseñador, -ora
ontwijden profanar
ontwijfelbaar indudable, incuestionable
ontwijken eludir, evadir, evitar, esquivar; **ontwijkend** esquivo, evasivo; ~ *antwoord* evasiva; ~ *antwoorden* contestar con evasivas, despistar
ontwikkelaar 1 promotor *m* (inmobiliario); 2 (*fot*) revelador *m*; **ontwikkeld** 1 (*mbt persoon*) culto, instruido; 2 (*mbt land*) desarrollado; **ontwikkelen** 1 desarrollar, evolucionar; 2 (*onderwijzen*) educar; 3 (*fot*) revelar; **ontwikkeling** 1 (*groei*) desarrollo, evolución *v*; (*vooruitgang*) progreso; 2 (*beschaving*) cultura, educación *v*; *algemene* ~ cultura general
ontwikkelings|hulp ayuda al desarrollo, ayuda a los países en (vías de) desarrollo; **-land** país *m* en (vías de) desarrollo; **-maatschappij** (*bouwk*) sociedad *v* promotora; **-samenwerking** cooperación *v* al desarrollo; **-werker, -werkster** persona que trabaja en la ayuda al desarrollo, cooperante *m,v* (al desarrollo)
ont|worstelen arrebatar; *zich* ~ *aan* escaparse de; **-wortelen** desarraigar
ontwrichten 1 (*lett*) descoyuntar, desencajar; 2 (*fig*) desequilibrar, desquiciar; **ontwrichtend** desquiciante; **ontwrichting** 1 (*lett*) dislocación *v*, descoyuntamiento; 2 (*fig*) desquiciamiento, perturbación *v*; *duurzame* ~ perturbación duradera
ontzag respeto; *veel* ~ *voor iem hebben* tenerle mucho respeto a u.p.; ~ *inboezemen* infundir respeto; **ontzaglijk** inmenso, formidable, descomunal; **ontzagwekkend** imponente
ontzeggen negar *ie*, denegar *ie*; *de toegang* ~ negar la entrada; *zich alles* ~ privarse de todo; **ontzegging**: ~ *van de rijbevoegdheid* privación *v* de usar el permiso de conducir
ontzenuwen refutar, invalidar, desvirtuar *ú*
ontzet I *zn* 1 (*bevrijding*) liberación *v*; II *bn* 1 atónito, horrorizado, estupefacto; 2 (*mbt deur*) desajustado
ontzetten 1 (*bevrijden*) liberar, levantar el sitio (de); 2 ~ *uit* (*een ambt*) destituir de, remover *ue* de; *uit de macht* ~ desplazar del poder; 3 (*doen schrikken*) espantar, horrorizar; **ontzettend** terrorífico, terrible, tremendo, espantoso; **ontzetting** 1 (*uit ambt*) destitución *v*; 2 (*schrik*) espanto, terror *m*
ontzien 1 respetar, tener consideración con, tratar con cuidado; *niets ~d* desconsiderado, sin consideración; *zich* ~ cuidarse; 2 *zich niet* ~ *om* no vacilar en
onuitblusbaar inextinguible
onuitputtelijk inagotable
onuitroeibaar inextirpable
onuitspreekbaar impronunciable; **onuitsprekelijk** indecible, inefable, inexpresable
onuitstaanbaar insoportable, intolerable, inaguantable, odioso
onuitvoerbaar irrealizable, impracticable
onuitwisbaar imborrable, indeleble
onvast 1 (*mbt bodem, weer*) inestable; 2 (*mbt slaap*) ligero; 3 (*mbt karakter*) inconstante; 4 (*mbt hand, tred*) inseguro, vacilante, poco firme, tembloroso
onveilig poco seguro, peligroso; ~ *maken* infestar; *de straat* ~ *maken* constituir un verdadero peligro para los transeúntes, molestar a

la gente que pasa por las calles; *het bos wordt ~ gemaakt door wilde dieren* el bosque está infestado de fieras; *het sein staat op ~* hay señal de peligro; **onveiligheid** inseguridad *v*
onveranderd sin cambiar; **onveranderlijk** inalterable, invariable; *haar gezicht blijft ~* su cara no se altera
onverantwoord injustificable, injustificado; **onverantwoordelijk** 1 (*niet aansprakelijk, ondoordacht*) irresponsable; 2 (*onvergeeflijk*) imperdonable, injustificable
onverbeterlijk incorregible, empedernido, impenitente, contumaz; *hij is ~* no tiene enmienda
onverbiddelijk inexorable, implacable
onverbloemd *bw* sin rodeos, directamente
onverbrekelijk inseparable, indisoluble
onverdedigbaar indefendible; (*fig ook:*) insostenible
onverdeeld 1 indiviso; *de ~e aandacht* toda la atención; *~e eigendom* propiedad *v* indivisa; 2 (*mbt succes*) sin reserva, total; *het was geen ~ genoegen* no fue una satisfacción cabal
onverdiend inmerecido; **onverdienstelijk**: *niet ~ zijn* no estar mal, no carecer de gracia, tener cierta calidad
onverdraaglijk intolerable, inaguantable, insoportable; **onverdraagzaam** (*jegens*) intolerante (con, para); **onverdraagzaamheid** intolerancia
onverdroten infatigable, incansable
onverdund puro, sin diluir
onverenigbaar (*met*) incompatible (con), irreconciliable (con)
onvergankelijk imperecedero, inmortal
onvergeeflijk imperdonable, indisculpable
onvergelijkbaar incomparable; **onvergelijkelijk** incomparable, sin igual, sin par; *een ~e schoonheid* una belleza sin par
onvergetelijk inolvidable
onverhard (*mbt weg*) sin firmar
onverhoeds inesperado, repentino, súbito
onverholen abierto, no disimulado, sin disimulo
onverhoopt *bw* inesperadamente
onverklaarbaar inexplicable, incomprensible
onverkoopbaar invendible, imposible de vender
onverkort 1 íntegro, completo; 2 (*jur; behoudens*) sin perjuicio de
onverkwikkelijk desagradable, penoso, fastidioso
onverlaat granuja *m*, bribón *m*; (*sterker:*) malvado, salvaje *m*, miserable *m*
onverlet intacto; (*ongedeerd ook:*) ileso, indemne; *zie ook: onverkort*
onvermijdelijk inevitable
onverminderd 1 sin disminuir, igual; 2 (*behoudens*) sin perjuicio de
onvermoeibaar infatigable, incansable
onvermogen impotencia, incapacidad *v*; *~ om te betalen* insolvencia

onv

onvermurwbaar implacable, riguroso
onverpakt sin embalar
onverricht: *~er zake terugkeren* volver sin haber conseguido nada, volver con las manos vacías
onversaagd intrépido, impertérrito, impávido
onverschillig indiferente; *het laat mij ~* no me interesa; *~ staan tegenover, ~ zijn voor* ser indiferente a, no tener interés por; *hij keek volmaakt ~ toe* miraba con perfecta indiferencia; *~ worden voor* desinteresarse de; *~ waar* donde sea; *~ welk* cualquiera (sea), no importa cuál; *~ wie* sea quien sea; **onverschilligheid** indiferencia, falta de interés, despego, desapego
onverschrokken *zie: onversaagd*
onversleten sin desgastar; **onverslijtbaar** de gran duración, que no se desgasta
onverstaanbaar ininteligible
onverstandig imprudente, insensato; *dat was erg ~ van je* hiciste muy mal
onverstoorbaar imperturbable, impasible
onvertaalbaar intraducible
onverteerbaar 1 (*lett*) indigesto, no digestible; 2 (*fig*) inaceptable
onvertogen incorrecto, irrespetuoso, descomedido
onvervaard impávido, denodado
onvervalst genuino, puro, auténtico, legítimo
onvervangbaar irreemplazable, insustituible
onvervreemdbaar inalienable, inenajenable
onverwacht I *bn* imprevisto, inesperado; II *bw* de improviso, de repente, inesperadamente
onverwachts *zie: onverwacht II*
onverwijld I *bn* inmediato; II *bw* inmediatamente, sin perder tiempo, sin demora, sin tardar, al instante
onverwoestbaar indestructible
onverzadigbaar insaciable; **onverzadigd** 1 insaciado; 2 (*chem*) insaturado; *meervoudig ~e vetzuren* ácidos *mmv* grasos poli-insaturados
onverzekerd no asegurado
onverzettelijk inflexible, porfiado
onverzoenlijk implacable, irreconciliable, intransigente
onverzorgd 1 (*slordig*) descuidado; *er ~ uitzien* tener un aspecto descuidado; 2 (*zonder middelen*) sin recursos; 3 (*zonder verzorging, mbt zieke*) desatendido; 4 (*hulpeloos*) desamparado
onvindbaar imposible de encontrar
onvoldaan 1 insatisfecho; 2 (*mbt rekening*) sin pagar
onvoldoende I *bn* insuficiente; *~ zijn* no bastar; II *zn* (nota) insuficiente *v*
onvolkomen *zie: onvolmaakt*
onvolledig incompleto, deficiente, defectuoso
onvolmaakt imperfecto; (*gebrekkig*) defectuoso; **onvolmaaktheid** imperfección
onvolprezen nunca bastante elogiado; (*iron*) decantado
onvoltooid incompleto, sin completar, sin

acabar, no terminado; *het werk is* ~ la obra ha quedado sin terminar
onvolwaardig: *geestelijk* ~ deficiente mental; *lichamelijk* ~ deficiente físico
onvolwassen 1 no adulto; 2 (*fig*) inmaduro
onvoorbereid impreparado, sin preparar; (*mbt persoon ook:*) desprevenido
onvoordelig desventajoso
onvoorspelbaar impronosticable, impredecible
onvoorstelbaar inimaginable, inconcebible
onvoorwaardelijk incondicional, sin reservas; *zich* ~ *overgeven* rendirse *i* sin condiciones
onvoorzichtig imprudente, sin precaución; **onvoorzichtigheid** imprevisión *v*, imprudencia
onvoorzien imprevisto
onvrede descontento; ~ *met* desencanto respecto de
onvriendelijk poco amable; (*mbt toon, karakter ook:*) desabrido, destemplado; **onvriendelijkheid** falta de amabilidad
onvrij no libre; *het is hier erg* ~ aquí se está a la vista de todos
onvrijwillig 1 involuntario; 2 (*gedwongen*) forzado
onvrouwelijk poco femenino
onvruchtbaar estéril, infecundo
onwaar falso, contrario a la verdad
onwaardig indigno
onwaarheid falsedad *v*, mentira
onwaarneembaar imperceptible
onwaarschijnlijk improbable, inverosímil; *het is* ~ *dat* es improbable que, es difícil que; **onwaarschijnlijkheid** improbabilidad *v*, inverosimilitud *v*
onweer tormenta, tronada
onweerlegbaar irrefutable, indiscutible
onweers|bui tormenta; **-lucht** cielo tormentoso
onweerstaanbaar irresistible
onwel malo, indispuesto; ~ *worden* ponerse malo, descomponerse; *zich* ~ *voelen* sentirse *ie, i* mal
onwelkom inoportuno
onwellevend mal educado, descortés
onwennig desorientado; *ik voel me* ~ no me encuentro a gusto
onweren: *het onweert* hay tormenta, hace tormenta
onwerkelijk irreal
onwetend ignorante; **onwetendheid** ignorancia
onwetenschappelijk poco científico
onwettig ilegal; (*ongeoorloofd*) ilícito; ~ *kind* hijo ilegítimo; ~ *verklaren* declarar fuera de la ley
onwezenlijk irreal
onwijs tonto, descabellado
onwil mala voluntad *v*, obstinación *v*
onwillekeurig I *bn* involuntario, inconsciente; II *bw* involuntariamente, sin querer
onwillig (*om*) no dispuesto (a), refractario (a), renuente (a), reacio (a)
onwrikbaar inquebrantable, firme
onzacht rudo, poco suave
onzalig: *een ~e gedachte* una idea muy poco feliz
onze *zie: ons*
onzedelijk inmoral, indecente; **onzedelijkheid** inmoralidad *v*, indecencia
onzeker 1 poco seguro, inseguro, dudoso, incierto; 2 (*mbt hand, tred*) inseguro, vacilante, tembloroso, poco firme || *iem in het ~e laten* dejar a u.p. a oscuras, dejar a u.p. en la ignorancia; **onzekerheid** inseguridad *v*, incertidumbre *v*
onzelfstandig dependiente (de otro), que no tiene independencia; *hij gedraagt zich erg* ~ muestra poca iniciativa
onze-lieve-heersbeestje mariquita
onzerzijds de nuestra parte, de parte nuestra
onzevader padrenuestro
onzichtbaar invisible
onzijdig neutro; **onzijdigheid** neutralidad *v*
onzin tonterías *vmv*, bobadas *vmv*, disparates *mmv*, gansadas *vmv*; *dat is* ~ es absurdo; ~ *uitkramen* decir tonterías; *wat een ~!* ¡qué disparate!
onzindelijk 1 (*vuil*) sucio; 2 (*fig*) deshonesto; 3 (*mbt kind*) en pañales, no seco todavía
onzinnig absurdo, disparatado
onzuiver 1 impuro; 2 (*mbt weegschaal*) infiel; 3 (*mbt toon*) falso
oog 1 ojo; *een blauw* ~ un ojo amoratado; *rode ogen* ojos inflamados; *tranende ogen* ojos llorosos; *zijn ogen worden steeds slechter* cada vez tiene menos vista, su vista disminuye; *zijn ogen werden vochtig* se le humedecieron los ojos; *het* ~ *wil ook wat* también los ojos se quieren regalar, lo bonito no está de menos; *het* ~ *van de meester maakt het paard vet* el ojo del amo engorda el caballo; *geen* ~ *dichtdoen* no pegar ojo, no cerrar *ie* los ojos; *ik kon mijn ogen niet geloven* no daba crédito a mis ojos; ~ *hebben voor* tener (buen) ojo para; *alleen* ~ *hebben voor* no tener ojos más que para; *goede ogen hebben* tener buena vista; *hij heeft zijn ogen niet in zijn zak* no se le escapa nada; *iem de ogen openen* abrir los ojos a u.p.; *grote ogen opzetten* abrir los ojos; *zich de ogen uit het hoofd schamen* tener mucha vergüenza; *zijn ogen sluiten voor* cerrar *ie* los ojos a; *iem de ogen uitsteken* (*fig*) dar envidia a u.p.; *het* ~ *laten vallen op* echar el ojo a, poner los ojos en; *aan één* ~ *blind* tuerto; ~ *in* ~ cara a cara; *in mijn ogen* en mis ojos, en mi opinión; *ik heb iets in mijn* ~ tengo metido algo en el ojo; *in het* ~ *houden: a*) (*van iem*) no perder *ie* de vista; *b*) (*van iets*) tener presente; *recht in de ogen kijken* mirar a los ojos, mirar de frente, mirar de hito en hito; *in het* ~ *krijgen* divisar; *in het* ~ *lopen, springen* saltar a la vista, llamar la atención; *in het* ~ *lopend* obvio, conspicuo;

met het ~ op con miras a, en vista de; *met het blote ~* a simple vista; *met mijn eigen ogen* con mis propios ojos; *met lede ogen* con malos ojos; *iem naar de ogen zien* dar coba a u.p.; *~ om ~ tand om tand* ojo por ojo, diente por diente; *onder het ~ van* en presencia de; *onder vier ogen* sin testigos, a solas; *iem iets onder het ~ brengen* hacerle presente u.c. a u.p.; *iem onder ogen komen* presentarse ante u.p.; *onder ogen krijgen* ver; *onder ogen zien* arrostrar, hacer frente a; *zo op het ~* aparentemente; *iets op het ~ hebben* tener pensado algo, tener una idea; *uit het ~ verliezen* perder *ie* de vista; *niet uit het ~ verliezen* no quitar ojo a; *uit mijn ogen!* ¡quítate de mi vista!; *voor mijn ogen* delante de mis ojos, en mis ojos; *alleen voor het ~* para cubrir las apariencias; *met dit doel voor ogen* con este objetivo; *met dit feit voor ogen* ante este hecho; (*zich*) *voor ogen houden* tener presente, tener en cuenta; *iem iets voor ogen houden* hacer observar u.c. a u.p.; *wat mij voor ogen staat* ... lo que yo me imagino ...; *zich een doel voor ogen stellen* formularse un plan; *uit het ~ uit het hart* ojos que no ven corazón que no siente; 2 (*van naald*) ojo; *door het ~ van de naald kruipen* salir por los pelos; 3 (*van sluiting; techn*) anillo, ojal *m*; 4 (*op dobbelsteen*) punto

oog|appel niña del ojo; (*fig ook:*) ojito derecho, preferido; *hij is mijn ~* es la niña de mis ojos; **-arts** oftalmólogo; **-bol** globo del ojo; **-getuige** testigo ocular, testigo presencial; **-heelkunde** oftalmología; **-hoek** rabillo del ojo; **-hoogte**: *op ~* a la altura del ojo

oogje 1 ojito; *een ~ dicht doen* hacer la vista gorda; *een ~ op iem hebben* haber puesto los ojos en u.p.; *een ~ houden op, een ~ in het zeil houden* vigilar; 2 (*ringetje*) ojal *m*

oog|kas cuenca (del ojo); **-klep** antojera, anteojo; *~pen op hebben* llevar anteojeras; **-letsel** lesión *v* ocular; **-lid** párpado

oogluikend: *~ toelaten* hacer la vista gorda a

oog|merk intención *v*, propósito, designio, objeto; *politieke ~en* miras *vmv* políticas; **-ontsteking** oftalmía, inflamación *v* del ojo; **-opslag**: *in een ~* de un (solo) golpe de vista, de una ojeada; *bij de eerste ~* al primer vistazo; **-schaduw** sombra de párpados

oogst cosecha; *rijke ~* cosecha abundante; **oogsten** cosechar; *applaus ~* ganar un aplauso; **oogstmachine** cosechadora

oogverblindend deslumbrante

oogwenk: *in een ~* en un santiamén

ooi oveja

ooievaar cigüeña

ooit jamás, nunca; *beter dan ~* mejor que nunca; *vermoeider dan ~* más cansado que nunca, cansado como nunca; (*wel*) *heb je ooit!* ¡habráse visto!; *heb je ~ zo'n gek gezien!* ¡será mentecato!

ook también; *~ al* aunque + *subj; ~ niet* tampoco; *ik heb het ~ niet gezien* yo no lo vi tampoco; *ik ~ niet* yo tampoco; *dat is ~ raar!* ¡qué raro!; *hoe heet hij ~* (*al*) *weer?* ¿cómo se llama ya?; *hoe ik ~ riep* ... por más que llamara ..., por mucho que llamara ...; *hoe treurig het ~ was* por más triste que fuera, por muy triste que fuera; *hoe dan ~* (sea) como sea, de cualquier manera; *waar hij ~ is* donde quiera que esté; *wat ik ~ doe* haga lo que haga; *wat dan ~* lo que sea, cualquier cosa

oom tío; *hoge ome* pez *m* gordo

oor 1 (*uitwendig*) oreja; 2 (*gehoororgaan*) oído; *een en al ~ zijn* ser todo oídos; *zijn oren tuiten* le silban los oídos; *een ~ aannaaien* embaucar; *~ hebben voor muziek* tener buen oído; *ik heb er wel oren naar* no digo que no, no me parece mala idea; *iem de oren van het hoofd praten* hablar por los descosidos, darle a u.p. la tabarra; *zijn oren sluiten voor* cerrar *ie* los oídos a; *zijn oren spitsen* aguzar el oído; *aan één ~ doof* sordo de un oído; *in het ~ fluisteren* decir al oído; *het gaat het ene ~ in en het andere uit* entra por un oído y sale por el otro; *het klinkt mij vreemd in de oren* me suena raro; *iets in zijn oren knopen* tomar buena nota de una cosa; *maar met een half ~ luisteren* escuchar a medias; *met zijn oren staan te klapperen* quedarse turulato, no dar crédito a lo que se oye; *iem om de oren slaan* calentarle *ie* a u.p. las orejas; *op één ~ liggen* estar durmiendo; *mij is ter ore gekomen* ha llegado a mis oídos, ha llegado a mi conocimiento; *tot over zijn oren in de schulden* empeñado hasta los ojos, agobiado de deudas; *tot over de oren verliefd* perdidamente enamorado; *tot over de oren in het werk* muy atareado; 3 (*van pan*) asa

oorarts otólogo

oorbaar decente

oorbel pendiente *m*

oord lugar *m*; (*neg*) paraje *m*

oordeel juicio, opinión *v*, criterio; *het laatste ~* el juicio final; *een ~ uitspreken over* emitir un juicio sobre; *een ~ vellen over iets* juzgar u.c.; *zich een ~ vormen* formarse un juicio; *naar mijn ~* en mi opinión, a mi juicio, a mi entender; *van ~ zijn* considerar, estimar, ser de la opinión; **oordeelkundig** competente (para juzgar)

oordelen (*over*) juzgar (de), formarse un juicio (sobre); *nuttig ~* creer conveniente; *te ~ naar* a juzgar por

oordopje orejera

oorkonde documento, carta

oorlog guerra; *de koude ~* la guerra fría; *staat van ~* estado de guerra; *de ~ verklaren* declarar la guerra; *~ voeren* (*tegen*) hacer la guerra (a), guerrear (contra), sostener una guerra (contra); *in ~ zijn met* estar en guerra con; *op voet van ~* en pie de guerra; *tijd na de ~* posguerra; *tijd voor de ~* preguerra, anteguerra; *van voor de ~* de antes de la guerra

oorlogs|correspondent, -correspondente corresponsal *m,v* de guerra; **-dreiging** inminencia de una guerra, amenaza de guerra; **-handelingen** hostilidades *vmv*, acciones *vmv* de guerra, operaciones *vmv* bélicas; **-invalide** mutilado de guerra; **-misdadiger** criminal *m* de guerra; **-pad**: *op het ~ zijn* andar buscando guerra; **-schip** buque *m* de guerra; **-slachtoffer** víctima de la guerra; **-tijd** tiempo(s) de guerra; **-veteraan** veterano; **-vloot** marina de guerra, armada; **-zuchtig** belicoso

oorlog|voerend beligerante; **-voering** estrategia

oorpijn dolor *m* de oído; *ik heb ~* me duele el oído

oorsprong origen *m*; **oorspronkelijk** I *bn* original, primitivo; *~e bewoner, bewoonster* indígena *m,v*, habitante *m,v* primitivo, -a, aborígenes *altijd mmv*; *hij komt ~ uit Mexico* es originario de Méjico; II *bw* originalmente, inicialmente; **oorspronkelijkheid** originalidad *v*

oorverdovend ensordecedor *-ora*, atronador *-ora*

oor|vijg bofetón *m*; **-wurm** tijereta

oorzaak causa; *kleine -zaken hebben grote gevolgen* las pequeñas causas pueden tener grandes efectos; **oorzakelijk** causal

oost: *de wind is ~* hay viento del este

oostblok bloque *m* oriental

Oost|duits germanooriental; **-duitser**, **-duitse** alemán, -ana del Este; **-Duitsland** Alemania Oriental

oostelijk oriental; *~ van* al este de

oosten este *m*, oriente *m*, levante *m*; *het nabije ~* (el) Oriente Próximo, el Cercano Oriente; *het verre ~* el Lejano Oriente, Extremo Oriente; *ten ~ van* al este de

Oostenrijk Austria; **Oostenrijks** austriaco

oostenwind viento del este

oosterlengte longitud *v* este

oosters oriental

Oost-Europa Europa oriental

oostkust costa oriental, costa este

oostnoordoost estenordeste *m*

oostwaarts hacia el este

Oostzee mar *m* Báltico

ootje: *iem in het ~ nemen* tomar el pelo a u.p.

op I *vz* **1** (*van plaats*) en; (*bovenop*) sobre, encima de, en lo alto de; *~ een eiland wonen* vivir en una isla; *~ deze foto* en esta foto; *~ de heuvel* en lo alto del cerro; *~ mijn horloge* en mi reloj; *~ school* en la escuela; *~ straat* en la calle; *~ de tafel* en la mesa, encima de la mesa, sobre la mesa; *~ zee* en el mar; **2** (*van tijd*) a, en; (*ook vaak onvertaald:*) *~ 2 mei* el dos de mayo; *~ maandag: a*) (*een keer*) el lunes; *b*) (*elke maandag*) los lunes; *~ een dag* un día; *~ dit ogenblik* en este momento; *~ dat uur* a esa hora; *dag ~ dag* día tras día || *~ bezoek* de visita; *~ een diepte van* a una profundidad de; *~ gas koken* cocinar con gas; *~ zijn Hollands* a la holandesa; *hoe zeg je dat ~ zijn Hollands?* ¿cómo se dice en holandés?; *~ zijn laatst* a más tardar; *~ zijn vroegst om 6 uur* lo más pronto a las 6; *~ 5 km van het centrum* a 5 kms del centro; *één ~ de twintig* uno de cada veinte; *terras ~ het zuiden* terraza (que da) al sur; *dansen ~ de maat* bailar al compás; *de auto verbruikt l ~ lo* el coche consume 1 (litro) por 10 (kms); II *bw* **1** (*naar boven*) (hacia) arriba; *~ en af*, *~ en neer: a*) arriba abajo; *b*) (*heen en weer*) de un lado a otro; *de trap ~* escaleras arriba; **2** (*ten einde*) *ik ben ~* estoy acabado, estoy destrozado, no puedo más, estoy hecho polvo; *het brood is ~* el pan se ha acabado; *alles is ~* no queda nada; *de aardbeien zijn ~* (*uitverkocht*) se han agotado las fresas; *het geld is ~* ya no hay dinero; *mijn geduld is ~* se me acaba la paciencia; *deze jas is ~* este abrigo está gastado; *ik ben ~ van de zenuwen* tengo los nervios deshechos; *ik ben ~ van de slaap* me muero de sueño || *met zijn hoed ~* con el sombrero puesto; *met een rode alpino ~* tocado con boina roja; *de kinderen zijn al ~* ya están levantados los niños; *de zon is ~* ha salido el sol; *het licht is ~* está encencida la luz; *hij had wat ~* estaba algo bebido; *nou, zeg ~!* ¡anda, cuéntame!

opa abuelo, abuelito

opaal ópalo

op|bakken refreír *í*; **-baren** amortajar; *opgebaard liggen* estar de cuerpo presente; **-bellen** llamar (por teléfono), telefonear; (*fam*) dar un golpe de teléfono

opbergen guardar, archivar; **opbergmap** carpeta

op|beuren confortar, animar; **-biechten** confesar *ie*; **-bieden** (*tegen*) pujar (contra); **-binden** atar, sujetar

opblaasbaar que se puede inflar, neumático; **opblaasboot** lancha neumática; **opblazen** I *ww* **1** inflar, hinchar; (*fig*) *zich ~* esponjarse; **2** (*met dynamiet*) volar *ue*; II *zn het ~* (*met dynamiet*) la voladura

opblijven no acostarse *ue*; *ik blijf lang op* no me acuesto hasta tarde

opbloeien prosperar, florecer; *weer ~* rejuvenecer(se)

opbod: *bij ~ verkopen* vender al mejor postor

opboksen: *~ tegen* competir *i* con, luchar contra

opborrelen **1** burbujear; **2** (*fig*) surgir

opbouw construcción *v*; (*fig ook:*) estructura, configuración *v*, conformación *v*; **opbouwen** construir; (*fig*) estructurar; **opbouwend** **1** constructivo; **2** (*leerzaam*) edificante

op|branden consumirse; *half opgebrand* (*mbt kaars*) a medio consumir; **-breken** I *tr* **1** (*van straat*) abrir, desempedrar *ie*; *opgebroken rijweg* obras; **2** (*van tent*) desarmar; **3** (*van beleg*) levantar; II *intr* **1** (*weggaan*) marcharse; levantar el campo; **2** (*mbt eten*) repetir *i*; *het eten breekt mij op* me repite la comida || *dat zal hem ~* le va a costar caro, se va a arrepentir

opbrengen **1** (*opleveren*) producir, rendir *i*; **2** (*van belasting*) pagar; **3** (*van geduld, moed*) tener, mostrar *ue*; *ik kan het niet ~* es mucho (para mí); 4 (*arresteren*) detener; (*van schip*) interceptar; **opbrengst** producción *v*, rendimiento; (*in geld*) producto; *de ~ per hectare* el rendimiento por hectárea

opdagen: *komen ~* aparecer; (*toevallig*) descolgarse *ue*

opdat para que, a fin de que

op|delen dividir; **-dienen** servir *i*; **-diepen** desenterrar *ie*, sacar, descubrir; **-dirken** *zie: opdoffen*; **-dissen** 1 servir *i*; 2 (*fig*) contar *ue*; **-doeken** cerrar *ie*, deshacerse de; **-doemen** surgir (a lo lejos), emerger

opdoen 1 (*van kennis, ervaring*) adquirir *ie*; (*van krachten*) reunir *ú*; 2 (*van ziekte*) coger; 3 (*van eten*) servir *i*

opdoffen, zich acicalarse, emperifollarse, ponerse guapo; *opgedoft* peripuesto, acicalado, puesto de tiros largos

opdoffer golpe *m*, puñetazo, sopapo, cachete *m*

opdonder *zie: opdoffer*; **opdonderen**: *donder op!* ¡vete!, ¡fuera!, ¡largo de aquí!

opdraaien: *voor iets ~* pagar el pato; *iem voor iets laten ~* dejar a u.p. en la estacada

opdracht 1 encargo, tarea, cometido, misión *v*, orden *v*; *~ geven om* dar orden de; *in ~ van* por orden de, por encargo de; 2 (*in boek*) dedicación *v*

opdracht|gever, -geefster 1 principal *m,v*, mandante *m,v*; 2 (*klant*) cliente *m,v*

opdragen 1 (*gelasten*) mandar, encargar, ordenar; 2 (*van boek*) dedicar || *de mis ~* celebrar misa

op|draven: *komen ~* acudir, hacer acto de presencia; *iem laten ~* mandar venir a u.p.; **-dreunen** salmodiar, recitar en tono monótono; **-drijven** (*van prijzen*) hacer subir

opdringen 1 obligar a aceptar; (*fam*) endilgar; (*van koopwaar*) meter u.c. por los ojos a u.p.; *anderen zijn mening ~* imponer su (propia) opinión a otros; 2 *zich ~* entremeterse, importunar; *zich bij iem ~* imponer su presencia a u.p.; **opdringerig** pesado, importuno, molesto; (*fam*) pegote *-ota*; (*bemoeiziek*) entrometido

op|drinken beberse, tomarse, terminar, apurar; **-drogen** secar

opdruk 1 (*op postzegel*) sobrecarga; 2 (*op boek, in goud*) estampación *v*

opduiken I *intr* emerger; (*verschijnen*) aparecer, presentarse, surgir; II *tr* 1 sacar (buceando) del agua; 2 (*vinden*) encontrar *ue*

op|duwen empujar; **-dweilen** fregar *ie*

opeen juntos, unos encima de otros

opeen|gehoopt, -gepakt arracimado, amontonado, apiñado

opeenhoping amontonamiento, aglomeración *v*, acumulación *v*, montón *m*

opeens de pronto, de repente, repentinamente, de improviso

opeenstapeling amontonamiento, acumulación *v*

opeenvolgend sucesivo, seguido, consecutivo; **opeenvolging** sucesión *v*; *~ van gebeurtenissen* serie *v* de sucesos

opeisen exigir, reclamar; (*pol ook:*) reivindicar; *de moord ~* reivindicar el asesinato

open abierto; (*openhartig ook:*) franco; *half ~* entornado; *auto met ~ dak* coche *m* descapotable; *~ deur* (*fig*) cosa evidente; *~ doekje* aplauso espontáneo; *~ haard* chimenea; *~ huis* (*fig*) entrada libre; *in de ~ lucht* al aire libre; *met ~ ogen* con los ojos abiertos; *~ plek: a*) (*in bos*) claro; *b*) (*in stad*) descampado; *in ~ zee* en alta mar; *~ en bloot* abiertamente

openbaar público; *~ lichaam* entidad *v* pública; *~ Ministerie* Ministerio Fiscal; *~ nutsbedrijf* empresa de servicio público; *-bare orde* orden *m* público; *~ vervoer* servicio de transporte público, transportes *mmv* públicos; *-bare weg* vía pública; *-bare werken* obras públicas; *in het ~* en público; **openbaarheid** publicidad *v*; *in de ~* en público; *in de ~ brengen* publicar, hacer público; **openbaarmaking** publicación *v*

openbaren revelar, descubrir; **openbaring** revelación *v*

open|barsten reventar *ie*; **-breken** romper, forzar *ue*, violentar; **-doen** abrir

openen 1 abrir; 2 (*officieel*) inaugurar

opener 1 (*van blikje*) abrelatas *m*; 2 (*van fles*) abrebotellas *m*, descapsulador *m*

opengaan abrir(se); *de deur gaat vanzelf open* la puerta se abre sola; *moeilijk ~* abrir mal

openhalen arañar

openhartig abierto, franco; **openhartigheid** franqueza, sinceridad *v*

openheid 1 *zie: openhartigheid*; 2 (*pol*) apertura, transparencia

openhouden 1 (man)tener abierto; 2 (*van plaats*) reservar

opening 1 abertura; (*spleetje*) intersticio; (*bres*) brecha; (*gat*) agujero; 2 (*fig*) apertura; *de ~ van de onderhandelingen* la apertura de las negociaciones; *~ van zaken geven* dar explicaciones, informar; 3 (*inwijding*) inauguración *v*

openings|plechtigheid acto inaugural; **-tijden** horas *vmv* de apertura; **-woord** prólogo, introducción *v*

open|krijgen lograr abrir; **-laten** 1 dejar abierto; *ruimte ~* dejar un espacio libre; 2 (*fig; van vraag*) dejar pendiente, no contestar

openlijk *bw* abiertamente, públicamente, sin rebozo, sin recato, sin reserva

openlucht|bad piscina al aire libre; **-museum** museo al aire libre

open|maken abrir; **-slaan** abrir; (*van krant ook:*) desdoblar; *~de deuren* puerta de dos hojas; **-sperren** abrir mucho; **-springen** 1 (*mbt deur*) abrirse de golpe; 2 (*mbt huid*) agrietarse, reventar *ie*; **-staan** estar abierto; (*van schuld ook:*) estar sin pagar; **-stellen** abrir; *~ voor het publiek* abrir al público;

-vallen (*mbt baan*) quedar vacante; **-vouwen** desdoblar
opera ópera; **operagezelschap** compañía de ópera
operatie operación *v*; *een ~ ondergaan aan, voor* operarse de, sufrir una operación de;
operatief operatorio; *-tieve ingreep* intervención *v* quirúrgica
operatie|kamer quirófano, sala de operaciones; **-tafel** mesa de operaciones
operationeel dispuesto para el funcionamiento, utilizable
operator operador, -ora
opera|zanger, **-zangeres** cantante *m,v* de ópera
opereren operar; *~ aan* operar de; *hij is aan zijn keel geopereerd* le han operado de la garganta
operette opereta
op|eten comerse; **-flakkeren** encenderse *ie* de nuevo; (*fig*) revivir; **-fleuren** I *tr* animar; II *intr* animarse; **-frissen** refrescar; *zich ~* arreglarse (un poco)
opgaaf *zie: opgave*
opgaan I *intr* 1 (*mbt zon*) salir; 2 (*mbt licht*) encenderse *ie*; 3 (*voor examen*) presentarse; *hij is niet opgegaan* no se ha presentado; 4 (*kloppen*) valer; *dat gaat niet op* no vale; *dat ging vroeger misschien op* quizá valiera antes; *het gaat altijd op* no falla nunca; 5 *~ in: a*) estar absorto en, dedicarse completamente a; *hij gaat op in zijn werk* vive dedicado a su trabajo; *b*) (*fuseren*) fusionarse con, ser absorbido por; *c*) (*oplossen, fig*) perderse *ie* en; *hij ging op in de massa* se perdió en la multitud; II *tr* (*van berg, trap*) subir; **opgang** 1 (*opkomst*) progreso, éxito; *~ maken* difundirse, tener éxito; 2 (*trap*) escalera; *vrije ~* entrada independiente
opgave 1 (*mededeling*) indicación *v*, especificación *v*; (*lijst*) lista, relación *v*; *~ doen van* indicar, especificar; *onder ~ van kosten* con expresión de los gastos; *zonder ~ van redenen* sin expresión de causa; 2 (*taak*) tarea; 3 (*oefening*) ejercicio; 4 (*vraag, som*) problema *m*
op|gebaard: *~ liggen* estar de cuerpo presente; **-geblazen** hinchado; (*verwaand*) engreído; **-gebroken** cortado (por obras); **-gelaten**: *zich ~ voelen* sentirse *ie, i* incómodo, sentirse *ie, i* violento
opgeld: *~ doen* cundir, estar en boga
op|gelucht aliviado; **-gepropt** abarrotado; **-geruimd** (*vrolijk*) alegre; **-gescheept**: *~ zitten met* tener a cuestas; **-geschoten**: *~ jongen* joven *m*, chaval *m*, púber *m*; **-getogen** entusiasta, extasiado, rebosante de alegría
opgeven 1 (*verliezen*) perder *ie*; *de moed ~* perder el ánimo; 2 (*loslaten*) abandonar; *een plan ~* abandonar un proyecto; *het roken ~* dejar de fumar; *de strijd ~* abandonar la lucha; 3 (*vermelden*) indicar, mencionar; *de reden ~* indicar el motivo; *zijn naam ~* dar su nombre; 4 (*opdragen*) imponer; 5 (*van zieke*) desahuciar; 6 *het ~* ceder, renunciar, darse por vencido; 7 (*geven*) entregar; *geef op die pen!* ¡venga esa pluma!; 8 (*spuwen*) escupir; 9 *zich ~* (*als lid*) apuntarse, inscribirse; (*voor cursus ook:*) matricularse; (*voor pol partij*) darse de alta || *hoog ~ van* encomiar, ensalzar, encarecer, ponderar
opgewassen: *~ zijn tegen* estar a la altura de, poder *ue* con, tener fuerzas para; *zij zijn tegen elkaar ~* son muy iguales; *hij bleek niet tegen de situatie ~* no supo ponerse a la altura de las circunstancias
opgewekt alegre; **opgewektheid** alegría, buen humor *m*
op|gewonden excitado; **-gezet** 1 (*gezwollen*) hinchado, tumefacto; 2 (*mbt dier*) disecado
op|gooien lanzar al aire, echar al aire; **-graven** excavar, desenterrar *ie*; **-groeien** crecer; (*zijn jeugd doorbrengen*) criarse, educarse; *hij groeide op in Avila* se educó en Avila
ophaalbrug puente *m* levadizo
ophalen 1 (*halen*) recoger, buscar; 2 (*optrekken*) levantar, subir; *zijn schouders ~* encogerse de hombros; *het anker ~* levar el ancla; 3 (*in herinnering brengen*) recordar *ue*; *zijn Frans ~* refrescar sus conocimientos del francés; 4 (*van kleuren*) refrescar; 5 (*van cijfer*) mejorar; *een onvoldoende ~* compensar una mala nota, ir a por el aprobado
ophanden: *~ zijn* avecinarse, acercarse, ser inminente
ophangen 1 colgar *ue*; *iets ~ aan een spijker* colgar u.c. de un clavo; *zich ~* colgarse, ahorcarse; *de was ~* tender *ie* la ropa; 2 (*van telefoon*) colgar *ue*; 3 (*van verhaal*) contar *ue*; 4 *~ aan* (*verbinden met*) relacionar con; **ophanging**: *de dood door ~* la muerte por colgamiento
ophebben 1 (*van hoed*) llevar, tener puesto; 2 (*van eten*) haber comido (todo); *hij heeft het vlees op* ha terminado la carne; 3 (*van drank*) haber bebido; *hij heeft een glaasje teveel op* ha bebido una copa de más || *veel met iem ~* sentir *ie, i* mucha simpatía por u.p.; *ik heb weinig met hem op* me da mala espina, no me es simpático, me cae mal
ophef aparato; *zoveel ~ om niets* tanto aparato por tan poca cosa, mucho ruido y pocas nueces; *met veel ~ aankondigen* anunciar a bombo y platillos; **opheffen** 1 (*optillen*) levantar, alzar; *met opgeheven vuist* con el puño en alto; *met opgeheven hoofd* la cabeza erguida; 2 (*afschaffen*) cancelar, suprimir; *een rekening ~* cancelar una cuenta; *de blokkade ~* alzar el bloqueo; 3 (*van school*) cerrar *ie*; *opgeheven worden* ser cerrado, dejar de existir; *de zitting ~* levantar la sesión; 4 *elkaar ~* compensarse, neutralizarse; **opheffing** 1 (*afschaffing*) supresión *v*, abolición *v*, levantamiento, cancelación *v*; 2 (*sluiting*) liquidación *v*, cierre *m*;
opheffingsuitverkoop liquidación *v* por cese (de actividades)

ophelderen esclarecer, dilucidar, explicar, elucidar, aclarar; **opheldering** aclaración *v*, dilucidación *v*, explicación *v*; *dit feit vraagt om* ~ este hecho requiere aclaración
op|hemelen ensalzar, encomiar; **-hijsen** izar; **-hitsen** azuzar, acuciar; (*fig*) excitar, soliviantar; **-hoepelen** largarse; **-hogen** rellenar; **-hopen** amontonar; *het werk hoopt zich op* el trabajo se amontona
ophouden I *tr* (*omhoog houden*) levantar, sostener; *zijn hand* ~: *a*) (*lett*) extender *ie* la mano; *b*) (*fig*) mendigar 1 (*van hoed*) no quitarse; 2 (*in stand houden*) mantener; *de schijn* ~ mantener las apariencias; 3 (*vertragen*) detener, retrasar; *het verkeer* ~ estorbar el tráfico, entorpecer el tráfico; *ik ben wat opgehouden* me he retrasado un poco; *dat werk houdt erg op* ese trabajo cuesta mucho tiempo; II *intr* 1 (*stoppen*) dejar, parar(se); *hou op!* ¡deja!, ¡déjalo!; ~ *met* dejar de, cesar de; *hou nou op met huilen!* ¡deja de llorar ya!; *ik hou ermee op* lo dejo; *het lawaai houdt nooit op* el ruido nunca para; *de regen is opgehouden* ha cesado la lluvia; *zonder* ~ sin parar, constantemente, ininterrumpidamente; 2 *zich* ~ parar, estar; 3 *zich* ~ *met* ocuparse de, en; andar en; *daar houd ik mij niet mee op* en esas cosas no me meto, de eso no me ocupo
opinie opinión *v*; *de publieke* ~ la opinión pública; *mijn persoonlijke* ~ mi opinión personal; **opinieonderzoek**, **opiniepeiling** sondeo de opinión, estudio de opinión, encuesta (de opinión)
opium opio; **opiumschuiver** fumador *m* de opio
op|jagen 1 (*van wild*) levantar, batir; 2 (*van prijzen*) hacer subir (mucho); 3 (*iem*) incitar, estar detrás de, aguijonear, instigar, apresurar, atosigar; **-jutten** *zie: opjagen*; **-kalefateren** arreglar; **-kijken** alzar la vista, levantar la mirada; *hij keek verwonderd op* alzó los ojos sorprendido; *hij zal er* (*vreemd*) *van* ~ se va a sorprender; *daar kijk je van op, hè?* te extraña, ¿no?; **-kikkeren** entonarse; *daar kikker je van op* eso te levanta la moral
opklapbaar plegable, plegadizo; **opklapbed** cama abatible, cama plegable
op|klaren (*mbt weer*) escampar, despejarse, abonanzar; *haar gezicht klaarde op* se le animó la cara; **-klimmen** I *tr* subir; (*klauteren*) escalar; II *intr* (*fig*) ir subiendo, ir (muy) lejos; **-kloppen** 1 (*van eieren*) batir; 2 (*fig*) adornar
opknapbeurt repaso, arreglos *mmv*
opknappen I *tr* 1 (*netjes maken*) adecentar, ordenar; (*schoonmaken*) limpiar; (*verstellen*) remendar *ie*, arreglar; *zich* ~ arreglarse; 2 (*verbeteren*) mejorar; 3 (*doen*) despachar, arreglar, encargarse de; *dat knap ik wel op* de eso me encargo yo; II *intr* mejorar(se); (*mbt zieke ook:*) restablecerse, reponerse; *het weer knapt op* el tiempo va mejorando; *de zieke knapt op* el enfermo va mejor; *van de buitenlucht zullen we* ~ el aire nos despejará
opkomen 1 (*mbt zon, plant, acteur*) salir; 2 (*ontstaan; fig*) surgir, nacer; *er komt een nieuwe mode op* surge una nueva moda; *de gedachte kwam op* surgió la idea; *de vraag komt op* surge la pregunta, nace la pregunta; *allerlei dingen komen bij me op* se me ocurren muchas cosas; *dat was nooit bij me opgekomen* nunca se me había ocurrido; *ik kan er niet* ~ no se me ocurre; 3 (*groeien*) crecer; 4 (*stijgen*) subir; *de vloed komt op* sube la marea; *de koppeling laten* ~ embragar; 5 ~ *tegen* oponerse a, protestar de, contra; *ik kon niet tegen de wind* ~ no pude con el viento, no podía resistir el viento; 6 ~ *voor* dar la cara por, defender *ie*, salir por, salir a la defensa de; **opkomst** 1 (*ontstaan, groei*) nacimiento, desarrollo, crecimiento, progreso, avance *m*; *een bedrijf in* ~ una industria en desarrollo; 2 (*bloei*) auge *m*, florecimiento; ~ *en ondergang* auge y decadencia; 3 (*bezoekers*) asistencia, concurrencia, público; *de* ~ *was slecht* hubo poco público, pocos asistieron; 4 (*deelname*) participación *v*; ~ *bij de verkiezingen* participación electoral; 5 (*op toneel*) aparición *v*, salida; *in volgorde van* ~ por orden de aparición
opkopen comprar; (*hamsteren*) acaparar; **opkoper** chamarilero, prendero
op|krabbelen 1 (*overeind komen*) incorporarse, levantarse; 2 (*beter worden*) restablecerse, ponerse mejor; **-krassen** largarse, salir pitando; **-krikken** 1 (*van auto*) levantar con el gato; 2 (*van moraal*) levantar; **-kroppen** reprimir, contener; *opgekropte woede* cólera reprimida
opkunnen 1 *het eten niet* ~ no poder comerlo todo; *ik kon mijn plezier wel op* pasé un mal rato; 2 ~ *tegen: daar kan ik niet tegen op* es demasiado para mí; *ik kan niet tegen hem op: a*) (*evenaren*) no puedo competir con él; *b*) (*niet aankunnen*) no puedo con él
oplaadbaar recargable
oplaag tirada; *kranten met een grote* ~ periódicos de gran circulación
op|laaien llamear, inflamarse; *de strijd laaide weer op* volvió a encenderse la lucha; **-laden** cargar; (*van accu*) recargar; **-lappen** arreglar; **-laten** (*van vlieger*) echar a volar
oplawaai sopapo
oplazeren irse a la mierda
opleggen 1 (*plaatsen op*) colocar encima, poner encima; *ik zal er een kleed* ~ pondré encima un tapete; 2 (*van boete, taak*) imponer; *zijn wil* ~ imponerse; *iem het zwijgen* ~ imponer silencio a u.p.
oplegger semirremolque *m*, remolque *m* de dos ruedas
opleiden enseñar, educar; ~ *voor een examen* preparar para un examen; *opgeleid worden voor verpleger* recibir una formación de enfermero; **opleider** profesor *m*, instructor *m*; **opleiding** 1 formación *v*, educación *v*, enseñanza; *hogere* ~ formación superior; 2 (*meer praktisch:*) preparación *v*, entrenamiento,

adiestramiento, capacitación *v*; 3 (*behaald niveau*) titulación *v*; *ingedeeld naar* ~ clasificado por titulación
opleidings|kamp campamento de entrenamiento; **-schip** buque-escuela *m, mv buques-escuela*
opletten poner atención, prestar atención, atender *ie*, fijarse; *let op!* ¡atención!; *goed* ~ poner mucha atención, fijarse bien, estar con la atención viva; *niet* ~ distraerse; *als je even niet oplet* si te descuidas; *toen zijn moeder even niet oplette* en un descuido de su madre; **oplettend** atento; **oplettendheid** atención *v*
opleveren 1 (*van resultaat*) producir, dar, rendir *i*; *gevaar* ~ causar peligro, ofrecer peligro; *verlies* ~ producir pérdidas; *weinig* ~ rendir *i* poco; *dat levert niks op* no rinde, no da resultado; 2 (*afleveren*) entregar; **oplevering** entrega; **opleveringstermijn** plazo de entrega
opleving renacimiento; (*herstel*) reanimación *v*, reactivación *v*, recuperación *v*
oplezen leer en voz alta
oplichten 1 (*optillen*) levantar; 2 (*bedriegen*) timar, estafar, robar con engaño; **oplichter** estafador *m*, timador *m*; **oplichterij** estafa, timo; **oplichtster** estafadora, timadora
oploop aglomeración *v* de personas, algarada
oplopen I *tr* 1 (*van trap*) subir; 2 (*zich op de hals halen*) incurrir en, sufrir; *een longontsteking* ~ (*fam*) pillar una pulmonía; *schade* ~ sufrir daño; *een verkoudheid* ~ coger un resfriado; *verwondingen* ~ sufrir lesiones, recibir heridas, resultar herido; II *intr* 1 (*mbt prijzen*) subir, aumentar; *de schuld laten* ~ dejar que se acumule la deuda; 2 ~ *met iem* acompañar a u.p.; 3 ~ *tegen iem* encontrarse *ue* con u.p., dar con u.p.
oplosbaar soluble, disoluble; *makkelijk* ~ de alta solubilidad; **oploskoffie** café *m* soluble, café *m* instant(áneo); **oplossen** I *tr* 1 (*van problemen*) resolver *ue*, solucionar; 2 (*chem*) disolver *ue*; II *intr* disolverse *ue*; **oplossing** 1 solución *v*; 2 (*chem*) disolución *v*
opluchten aliviar; **opluchting** alivio
opluisteren amenizar; ~ *met zijn aanwezigheid* honrar con su presencia
opmaak 1 (*uitvoering*) presentación *v*, ejecución *v*; 2 (*van krant*) composición *v*, compaginación *v*, confección *v*, ajuste *m*; 3 (*make-up*) maquillaje *m*
opmaken 1 (*van eten*) terminar; 2 (*van geld*) gastar; 3 (*van bed, haar, inventaris*) hacer; 4 (*van schotel*) preparar, adornar; 5 (*van document*) formalizar, redactar; 6 ~ *uit* deducir de, inferir *ie, i* de; 7 *zich* ~ maquillarse; 8 *zich* ~ *voor* prepararse para
opmars avance *m*
opmerkelijk notable, curioso, sugestivo; **opmerken** 1 observar, notar, advertir *ie, i*, reparar en; 2 (*zeggen*) señalar, observar, advertir *ie, i*, hacer notar; **opmerking** observación *v*, advertencia; *op- en aanmerkingen* observaciones y reparos; ~*en maken over* comentar; **opmerkingsgave** capacidad *v* de observación, espíritu *m* observador; **opmerkzaam** atento; ~ *maken op* hacer observar, advertir *ie, i*, llamar la atención hacia, sobre; **opmerkzaamheid** atención *v*
opmeten medir *i*
opname 1 (*in ziekenhuis*) hospitalización *v*, internamiento; 2 (*op band*) grabación *v*, registro; 3 (*van film*) rodaje *m*, filmación *v*; 4 (*in krant*) inserción *v*; 5 fotografía
opnemen 1 (*oppakken*) coger, levantar; 2 (*van telefoon*) coger, contestar; *er wordt niet opgenomen* no contestan; 3 (*bekijken*) observar, examinar; *van onder tot boven* ~ examinar de pies a cabeza; 4 (*van schade*) examinar, reconocer; 5 (*opvatten*) tomar; *iets hoog* ~ tomar muy en serio u.c., dar mucha importancia a u.c.; *het kalm* ~ tomarlo con calma; *het makkelijk* ~ tomárselo con calma; *hoe nam hij het op?* ¿cuál fue su reacción?; 6 (*van film*) rodar *ue*, filmar; 7 (*op band*) grabar; 8 (*van geld*) retirar, recoger; *een vrije dag* ~ tomarse un día libre; 9 (*van meterstand*) leer, tomar lectura de; 10 (*van namen*) anotar; 11 (*van passagiers*) recoger, cargar; 12 (*van aantal stemmen*) contar *ue*; 13 (*van temperatuur*) medir *i*, tomar; 14 (*van tijd*) cronometrar; 15 (*van voedsel*) asimilar; 16 (*van warmte, water*) absorber; 17 (*in ziekenhuis*) hospitalizar, internar; *opgenomen zijn* (*in inrichting*) estar institucionalizado; 18 (*in huis*) acoger, recoger; 19 (*in krant, boek*) incluir, insertar; *het* ~ *van een woord in een woordenboek* la inserción de un vocablo en un diccionario; 20 ~ *in* incorporar a; 21 *in zich* ~ darse cuenta de, registrar; 22 *het* ~ *tegen: a*) resistir a; *b*) (*sp*) competir *i* con; 23 *het* ~ *voor* defender *ie*, salir a la defensa de, dar la cara por
opnieuw de nuevo, otra vez; *hij deed het* ~ volvió a hacerlo, lo hizo otra vez
opnoemen enumerar, mencionar
opofferen sacrificar; **opoffering** sacrificio
oponthoud demora, retraso
oppakken 1 coger; 2 (*arresteren*) detener
oppas (*babysit*) persona que cuida de los niños, cuidadora de niños, canguro; **oppassen** 1 (*verzorgen*) cuidar de; *op de kinderen passen* cuidar de los niños, hacer de canguro; 2 ~ *voor* guardarse de, cuidarse de; *pas op!* ¡cuidado!; *pas op voor de hond!* ¡cuidado con el perro!; *als je even niet oppast* al menor descuido, si te descuidas; **oppassend** honrado, formal, serio; **oppasser** guarda *m*
oppeppen animar, entonar, levantar la moral
opperbest perfecto, excelente, estupendo; (*fam*) de chipén
opper|bevel mando supremo, alto mando; **-bevelhebber** comandante *m* en jefe
opperen sugerir *ie, i*, proponer
opper|gezag autoridad *v* suprema; **-hoofd** jefe *m* (de tribu); **-huid** epidermis *v*; **-machtig** prepotente, todopoderoso

oppersen planchar
oppervlak *zie: oppervlakte*; **oppervlakkig** superficial; **oppervlakkigheid** superficialidad *v*; **oppervlakte** superficie *v*; *aan de ~ komen* salir a la superficie; **oppervlaktewater** aguas *vmv* de superficie
op|pikken 1 (*pikken*) picar, picotear; **2** (*ophalen*) recoger || *het makkelijk ~* aprender con facilidad; **-plakken** pegar; **-poetsen** pulir, sacar brillo a; **-pompen** inflar
opponent, opponente oponente *m,v*
opportunisme oportunismo; **opportunist, opportuniste** oportunista *m,v*; **opportunistisch** oportunista; **opportuun** oportuno
oppositie oposición *v*; *van de ~* opositor *-ora*; **oppositieleider** jefe *m* de la oposición
op|potten atesorar, acumular a escondidas; **-rakelen 1** (*van vuur*) atizar, avivar; **2** (*fig*) recordar *ue*, desempolvar; **-raken** terminarse, acabarse; *mijn geduld raakt op* se me agota la paciencia; **-rapen** (re)coger del suelo; *voor het ~ liggen* estar tirado, ser muy abundante; *het ligt niet voor het ~* no hay para dar y vender
oprecht sincero
oprichten 1 levantar, erguir *ie, i*, incorporar; (*van standbeeld*) erigir, levantar; *zich ~* incorporarse, enderezarse; **2** (*van firma, partij, school*) fundar, constituir, establecer, crear; **oprichter** fundador *m*; **oprichting 1** (*vestiging*) fundación *v*, constitución *v*, establecimiento, creación *v*; **2** (*van standbeeld*) erección *v*; **oprichtster** fundadora
oprijden 1 (*van heuvel*) subir; *de auto reed het trottoir op* el coche se subió a la acera; **2** (*verder rijden*) continuar *ú*; *een weg ~* tomar por una calle; **3** *~ tegen* chocar con, contra; tropezar *ie* con; **oprijlaan** entrada
op|rijzen surgir; **-rispen** eructar
oprit (*naar snelweg*) rampa de acceso
oproep 1 llamada, llamamiento; *~ tot kalmte* llamamiento a la serenidad; *~ tot staking* llamamiento de huelga; **2** (*uitnodiging*) convocatoria; **oproepen 1** (*mil*) llamar (a filas); (*voor keuring*) reclutar; **2** convocar; *een getuige ~* citar un testigo; *sollicitanten ~* invitar candidatos; *tot staking ~* hacer un llamamiento de huelga, convocar una huelga
oproer rebelión *v*, sublevación *v*, revuelta, amotinamiento; **oproerkraaier** agitador *m*, alborotador *m*, revoltoso; **oproerpolitie** fuerzas *vmv* antidisturbios, policía antimotín
op|roken terminar; **-rollen 1** enrollar; **2** (*van bende*) desarticular; **3** *zich ~* (*in elkaar kruipen*) ovillarse; **-rotten** largarse; **-ruien** instigar, amotinar, incitar
opruimen 1 (*netjes maken*) arreglar, ordenar; **2** (*wegleggen*) recoger, quitar; *zal ik de boeken even ~?* ¿recojo los libros?; **3** (*uitverkopen*) liquidar; **4** (*wegdoen*) deshacerse de, desembarazarse de; **opruiming** (*uitverkoop*) liquidación *v*, venta de fin de temporada, rebajas *vmv*
op|rukken (*tegen*) avanzar (sobre), marchar (sobre)

opp

oprustgesteld (*Belg*) jubilado; **oprusttstelling** (*Belg*) jubilación *v*
opschepen: *iem met iets ~* encajar u.c. a u.p., endilgar u.c. a u.p.
opscheppen 1 servir *i*; *voor het ~ liggen zie: oprapen*; **2** (*pochen*) presumir, jactarse, vanagloriarse; **opschepper** jactancioso, fanfarrón *m*; **opschepperig** jactancioso, fanfarrón *-ona*; **opschepperij** fanfarronería, jactancias *vmv*, ostentación *v*; *het was je reinste ~* era pura ostentación
opschieten 1 (*mbt planten*) crecer; **2** (*mbt tijd*) avanzar; **3** (*vorderen*) avanzar, adelantar; *we zijn niet erg opgeschoten* hemos adelantado muy poco; *wat schiet je daarmee op?* ¿qué se adelanta con eso?, con eso ¿qué ganas?; *daar schiet je niets mee op* con eso no se consigue nada; **4** (*voortmaken*) darse prisa; *schiet een beetje op!* ¡date prisa!, ¡no tardes!; **5** *~ met iem* llevarse con u.p.; *goed met elkaar kunnen ~* entenderse *ie*, llevarse bien
opschik 1 atavío; **2** (*sieraden*) alhajas *vmv*; **opschikken** *zie: opschuiven*
opschorten (*uitstellen*) aplazar, diferir *ie, i*, suspender, dejar en suspenso; *de loonsverhogingen worden opgeschort* quedan en suspenso los aumentos de sueldo; **opschorting** aplazamiento, suspensión *v*
opschrift 1 inscripción *v*; **2** (*op etiket*) letrero; **3** (*titel*) título, epígrafe *m*; **4** (*op munt*) leyenda
opschrijfboekje carnet *m*, cuaderno de notas
opschrijven escribir; (*noteren*) apuntar, anotar; *aankopen laten ~* comprar a crédito, comprar fiado
op|schrikken *intr* asustarse, llevarse un susto, sobresaltarse; **-schrokken** engullir, tragar, atizarse
opschudden sacudir; **opschudding** sensación *v*, conmoción *v*, revuelo, agitación *v*, alboroto; *in ~ brengen* solivivantar, causar revuelo en, alborotar
op|schuiven I *tr* correr; *de komma ~* correr la coma; **II** *intr* correrse; *een plaats ~* correrse un puesto; **-sieren** adornar, ataviar
opslaan 1 levantar; *zijn kraag ~* levantar el cuello; *zijn ogen ~* alzar la vista, levantar los ojos; **2** (*openen*) abrir; **3** (*vestigen*) asentar *ie*, poner; (*fig*) *zijn tenten ~* asentar *ie* sus reales, asentar sus plantas, instalarse; **4** (*van prijzen*) aumentar, subir; *het brood is opgeslagen* han subido el precio del pan; **5** (*in pakhuis; van gegevens*) almacenar; (*van meubels*) guardar; **opslag 1** (*van prijzen, loon*) aumento, subida; *hij heeft ~ gekregen* le han subido el sueldo; **2** (*het bewaren*) almacenamiento; *~ van gegevens* almacenamiento de datos
opslag|kosten (gastos de) almacenaje *m*; **-plaats 1** almacén *m*, depósito; **2** (*voor meubels*) guardamuebles *m*; **-tank** tanque *m* de almacenamiento
opslokken tragar(se), engullir

opsluiten encerrar *ie*; (*afzonderen*) recluir, internar; *zich* ~ (*fig*) aislarse, recogerse (en sí mismo); *zich* ~ *in een klooster* recluirse en un convento; **opsluiting 1** (*in inrichting*) internamiento, reclusión *v*; **2** (*in gevangenis*) encarcelamiento, encierro; *in eenzame* ~ incomunicado

opsmuk *zie: opschik*

op|snuiven inhalar, absorber por la nariz, aspirar; **-sodemieteren** largarse; *sodemieter op!* ¡largo!, ¡largo de ahí!, ¡largo de aquí!, ¡vete a la mierda!

opsommen enumerar; **opsomming** enumeración *v*

op|souperen gastarse; (*verkwisten*) derrochar, malgastar; **-sparen** ahorrar; **-spatten** salpicar; **-spelden** prender (con alfileres); **-spelen** echar pestes, tronar *ue*

opsporen 1 (*zoeken*) seguir *i* la pista de; **2** (*vinden*) localizar, dar con el paradero de, descubrir; **opsporing 1** (*het zoeken*) pesquisas *vmv*, averiguaciones *vmv*, indagaciones *vmv*, busca; ~ *verzocht* se solicita información; **2** (*het vinden*) localización *v*, descubrimiento

opsporings|brigade (*Belg*) brigada de investigación (criminal); **-dienst 1** (*bij politie*) departamento de investigación criminal; **2** *fiscale* ~ servicio de investigación fiscal

opspraak: *in* ~ *brengen* comprometer; *in* ~ *zijn* dar que hablar, andar en lenguas

opspringen 1 saltar, levantarse de un salto; *mijn hart sprong op* me dio un vuelco el corazón; **2** (*mbt bal*) (re)botar

opspuiten I *intr* salir a chorro, saltar; **II** *tr* (*van terrein*) levantar, elevar el nivel de || *kennis* ~ impartir un raudal de conocimientos

opstaan 1 (*uit bed, van stoel*) levantarse; *uit de dood* ~ resucitar; *vroeg* ~ madrugar; *bijzonder vroeg* ~ darse un madrugón; *iem die vroeg opstaat* madrugador, -ora; **2** (*gaan staan*) ponerse de pie, incorporarse; *voor iem* ~ ceder el asiento a u.p.; **3** (*in opstand komen*) alzarse || *het water staat op* el agua está puesta (a hervir)

opstand sublevación *v*, alzamiento, insurrección *v*, rebelión *v*; *in* ~ *komen* sublevarse, alzarse, rebelarse; **opstandeling** insurrecto, sedicioso, amotinado, sublevado; **opstandig** rebelde, revoltoso, levantisco; ~ *worden* tomar una actitud levantisca; *~e beweging* movimiento subversivo; *~e elementen* elementos insurgentes; **opstandigheid** rebeldía; **opstanding** resurrección *v*

opstapelen amontonar, apilar, acumular; *zich* ~ amontonarse, acumularse

opstapje (*trede*) escalón *m*

opstappen 1 montar, subir; *op de fiets stappen* montar en bicicleta, subir a bicicleta; *op zijn paard stappen* montar a caballo; **2** (*weggaan*) irse, marcharse

opsteken I *tr* **1** levantar; *zijn vinger* ~ levantar el dedo; *zijn haar* ~ recogerse el pelo (hacia arriba); **2** (*aansteken*) encender *ie*; **II** *intr* (*mbt wind*) levantarse || *je steekt er altijd iets van op* siempre se pega algo; *hij heeft er niet veel van opgestoken* no ha aprendido mucho

opstel composición *v*; **opstellen 1** (*op schrift*) redactar, formular; *het* ~ *van een brief* la redacción de una carta; *bij het* ~ *van de offerte* al formular la oferta; **2** (*installeren*) instalar, montar, disponer; **3** (*neerzetten*) montar, apostar *ue*; *er werd een erewacht opgesteld* se montó una guardia de honor; *de politie stond opgesteld langs de route* la policía estaba alineada en la ruta; *zich* ~: *a*) apostarse *ue*; *hij stelde zich op achter de kerk* se apostó detrás de la iglesia; *b*) (*mil*) formar; ~ *voor het appel!* ¡a formar para el recuento!; *zich kritisch* ~ adoptar una actitud crítica; **opstelling 1** (*installatie*) instalación *v*, disposición *v*, montaje *m*; **2** (*mil*) formación *v*; **3** (*mening*) actitud *v*, posición *v*; **4** (*sp*) alineación *v*

opstijgen 1 (*mbt vliegtuig*) despegar, remontarse, alzar (el) vuelo; *het* ~ el despegue; **2** (*mbt rook*) subir

opstoken 1 (*van vuur*) atizar, avivar; **2** (*ophitsen*) incitar, instigar; **opstoker**, **opstookster** agitador, -ora, incitador, -ora

opstootje disturbio, motín *m*, amotinamiento

opstopper sopapo, tortazo; **opstopping** atasco, atascamiento, embotellamiento, congestión *v*

op|stormen (*van trap*) subir corriendo; **-strijken 1** (*strijken*) planchar; **2** (*innen*) cobrar; **-stropen** arremangar; *zijn mouwen* ~ arremangarse; *met opgestroopte mouwen* los brazos arremangados; **-stuiven** (*mbt stof*) levantarse; (*mbt persoon*) dar un respingo, brincar, encolerizarse; **-sturen** enviar *í*, mandar; **-takelen 1** (*van schip*) aparejar; **2** (*hijsen*) izar; **-tekenen** anotar, apuntar

optellen sumar; **optelling** suma, adición *v*, cuenta

opteren: ~ *voor* optar por

opticien 1 óptico; **2** (*winkel*) óptica

optie opción *v*

optiek punto de vista, modo de ver (las cosas), planteamiento, óptica

optillen levantar; *hoog* ~ levantar en vilo

optimaal óptimo

optimisme optimismo; **optimist**, **optimiste** optimista *m,v*; **optimistisch** optimista

optisch óptico

optocht desfile *m*; (*plechtiger:*) cortejo, comitiva

optornen: ~ *tegen* hacer frente a, luchar contra

optreden I *ww* **1** (*handelen*) proceder, actuar *ú*, intervenir, obrar; *wijze van* ~ manera de proceder; ~ *als* actuar de; *handelend* ~ tomar medidas activas; *krachtig* ~ *tegen* proceder enérgicamente contra; *tegen iem* ~ enfrentarse con u.p.; *voor* (*ipv*) *iem* ~ sustituir a u.p., representar a u.p.; **2** (*op toneel, in film*) trabajar,

intervenir; 3 (*zich voordoen*) producirse, presentarse; *een zelden ~d verschijnsel* un fenómeno que se produce poco; II *zn* actuación *v*; (*van musicus*) recital *m*; *het ~ (strijd) tegen* la lucha contra
optrekje casita; (*buitenhuis*) casita de campo
optrekken I *tr* 1 tirar hacia arriba, levantar, (hacer) subir; *zijn broek ~* subirse los pantalones; *zijn neus voor iets ~* mirar con desprecio u.c.; *het rolgordijn ~* levantar la persiana; *zijn schouders* alzarse de hombros, encogerse de hombros; *de wenkbrauwen ~* enarcar las cejas; *met opgetrokken knieën* las rodillas dobladas; 2 (*bouwen*) construir, erigir, levantar; II *intr* 1 (*mbt auto*) acelerar; 2 (*mbt mist*) deshacerse, disiparse; 3 ~ *tegen* marchar sobre || *veel met iem ~* hacer muchas cosas junto con u.p.; *samen ~* ir siempre juntos; *met een zieke ~*: *a*) atender *ie* a un enfermo; *b*) (*neg*) andar a vueltas con un enfermo
op|trommelen convocar; **-tuigen** aparejar; (*fig*) instrumentalizar
opvallen llamar la atención, saltar a la vista, sorpender; (*mbt persoon, neg*) ponerse en evidencia; *het viel ons direct op* lo advertimos en seguida; *het viel niet op* pasaba inadvertido; **opvallend** 1 (*opmerkelijk*) notable; ~ *snel* con notable rapidez; 2 (*zichtbaar*) llamativo, conspicuo, sorprendente; acusado; *rood is erg ~* el rojo es muy llamativo; *een heel ~e smaak* un sabor muy marcado
opvang 1 (*van persoon*) acogida; 2 (*van gemaaid gras*) recogida; **opvangen** 1 (*van bal*) coger (al vuelo); (*van regenwater*) recoger; (*van signalen*) captar; (*van gesprekken*) escuchar; *een enkel woord ~* coger al vuelo alguna palabra; 2 (*van klap*) amortiguar, parar, absorber; *om de werkloosheid op te vangen* para absorber el paro; 3 (*verzorgen*) acoger, cuidar de
opvaren remontar; *de rivier ~* navegar río arriba, remontar el río; **opvarenden** los que van a bordo, ocupantes *mmv* de un barco, pasajeros y tripulación *v*
opvatten 1 (*pakken*) coger; 2 (*vormen*) concebir *i*, formular; *een plan ~* concebir un plan, formular un proyecto; 3 (*begrijpen*) entender *ie*; *ernstig ~* tomar en serio; *verkeerd ~* entender mal; *het ~ als een voordeel* considerarlo como una ventaja; 4 (*gaan voelen*) tomar; *genegenheid ~ voor iem* tomar cariño a u.p.; 5 *weer ~* reanudar; *het werk weer ~* reanudar el trabajo; **opvatting** 1 (*idee, mening*) idea, opinión *v*, parecer *m*; *verschil van ~* discrepancia de pareceres; 2 (*interpretatie*) interpretación *v*, versión *v*
op|vegen barrer; **-vijzelen** 1 (*lett*) levantar con el gato; 2 (*fig*) mejorar; **-vissen** pescar; (*van lijk*) recoger
opvliegen 1 volarse *ue*, levantar el vuelo; *hij kan ~* que se fastidie, que le den morcilla; 2 (*boos worden*) encolerizarse; **opvliegend** irritable, irascible; **opvlieger** oleada de calor
opvoeden educar; (*grootbrengen*) criar *i*; **opvoedend** educativo; **opvoeding** educación *v*; *lichamelijke ~* educación física; **opvoedingsinrichting** reformatorio; **opvoedkundig** pedagógico, educacional; **opvoedkundige** pedagogo, -a
opvoeren 1 (*van toneelstuk*) representar; 2 (*verhogen*) aumentar, elevar; 3 (*van motor*) aumentar la potencia de un motor; **opvoering** representación *v*
opvolgen 1 suceder; *hij volgt zijn vader op* sucede a su padre; *de gebeurtenissen volgden elkaar snel op* los sucesos se precipitaron; 2 (*nakomen*) cumplir, seguir *i*; *niet ~* desobedecer, no cumplir; **opvolger** sucesor *m*; **opvolging** sucesión *v*; **opvolgster** sucesora
opvorderen reclamar, exigir
opvouwbaar plegable, plegadizo; **opvouwen** doblar, plegar *ie*
op|vragen pedir *i*; (*van geld*) retirar; **-vreten** devorar, comerse; *zich ~ van jaloezie* (re)concomerse de envidia; *ze wordt opgevreten van de zenuwen* es un manojo de nervios
op|vrolijken animar, alegrar; **-vullen** llenar, rellenar; **-waaien** volar *ue*, levantarse; *doen ~* levantar; *veel stof doen ~* levantar una polvareda; **-waarderen** revalorizar
opwaarts hacia arriba
opwachten aguardar, esperar; **opwachting**: *zijn ~ maken bij* hacer una visita de cortesía a, presentar sus respetos a
opwarmen I *tr* recalentar *ie*; II *intr* calentarse *ie*, entrar en calor
opwegen: ~ *tegen* compensar; *het resultaat weegt niet op tegen de moeite* el resultado no compensa los esfuerzos
opwekken 1 (*opvrolijken*) animar; 2 (*teweeg brengen*) suscitar, provocar; *belangstelling ~* despertar *ie* el interés, suscitar el interés; *bewondering ~* causar admiración; *eetlust ~* abrir el apetito; *elektriciteit ~* generar electricidad; *uit de dood ~* resucitar; **opwekkend** estimulante, tonificante; ~ *middel* tónico, estimulante *m*; **opwekking** (*van elektr*) generación *v*
opwellen brotar; **opwelling** impulso, arranque *m*, capricho; *in een ~* en un arranque, impulsivamente; *in een ~ van woede* en un arranque de cólera; *zijn ~ bedwingen om* dominar su impulso de
opwerken 1 (*van splijtstof*) enriquecer; 2 *zich ~* abrirse camino
opwerpen 1 (*van bal*) lanzar; 2 (*van stof*) levantar; 3 (*van dam*) levantar, erigir, construir; 4 (*van vraag*) plantear, poner sobre el tapete; 5 *zich ~ als* erigirse en, constituirse en
opwindbaar (*mbt speelgoed*) con cuerda
opwinden 1 (*van klok*) dar cuerda a; *horloge dat zichzelf opwindt* reloj *m* de autocuerda; 2 (*van persoon*) excitar; (*irriteren*) irritar; *zich ~*: *a*) excitarse, emocionarse; *b*) (*boos worden*) enojarse, irritarse; **opwindend** emocionante,

excitante; **opwinding** excitación *v*, agitación *v*, emoción *v*; (*heviger:*) exaltación *v*; **opwindpoppetje** muñeco de resorte

op|wrijven frotar, dar brillo a; **-zadelen 1** (*van paard*) ensillar; 2 (*fig*) endosar, endilgar; *ze hebben mij met die taak opgezadeld* me han endilgado esa tarea

opzeggen 1 (*van lesje*) dar; (*van gedicht*) recitar, declamar; 2 (*van contract*) anular, rescindir; 3 (*van abonnement, lidmaatschap*) darse de baja; *de verzekering ~* darse de baja en el seguro; 4 (*uit betrekking*) despedir *i*; *iem de huur ~* despedir *i* a un inquilino, desahuciar a u.p.; **opzegging 1** (*beëindiging*) anulación *v*, rescisión *v*; 2 (*van huur*) desahucio; *met een maand ~* con un mes de preaviso; **opzeggingstermijn** plazo de preaviso

opzet 1 (*bedoeling*) intención *v*, propósito; *boos ~* mala intención; *de werkelijke ~ was* el propósito real era; *met ~* intencionalmente, deliberadamente, a propósito, adrede; *ik heb het niet met ~ gedaan* lo hice sin querer, fue sin querer; 2 (*planning*) estructura, diseño, plan *m*, organización *v*, planteamiento; *geheel nieuwe ~* replanteamiento total; **opzettelijk I** *bn* intencional, deliberado, voluntario; **II** *bw zie: met opzet*

opzetten I *tr* **1** (*overeind zetten*) levantar; *zijn kraag ~* levantar(se) el cuello; 2 (*plaatsen*) colocar, poner; *zijn bril ~* ponerse las gafas; *het eten ~* poner la comida (al fuego); *een plaat ~* poner un disco; 3 (*van bedrijf*) poner, comenzar *ie*, montar; *de zaak was goed opgezet* el proyecto estaba bien concebido; 4 (*van plan*) concebir; 5 (*van tent*) montar; 6 (*van breiwerk*) echar los puntos; 7 (*van dieren*) disecar, empajar; 8 *~ tegen* instigar contra || *zet hem op!* ¡aprieta!; **II** *intr* **1** (*zwellen*) hincharse; 2 *komen ~* acercarse

opzicht respecto; *in ieder ~, in alle ~en* por todos los conceptos, a todas luces; *in dit ~* a este respecto, en este aspecto; *in geen enkel ~* por ningún concepto; *in vele ~en* en muchos aspectos, por muchos conceptos; *in fiscaal ~* a efectos fiscales; *in technisch ~* desde el punto de vista técnico; *ten ~e van: a*) (*wat betreft*) (con) respecto a, respecto de; *b*) (*jegens*) para con

opzichter 1 supervisor *m*, inspector *m*; 2 (*voorman*) capataz *m*; *bouwkundig ~* (*vglbaar:*) aparejador *m*

opzichtig llamativo, vistoso

opzien I *ww* **1** *~* (*naar*) levantar los ojos (hacia); 2 *~ tegen: a*) (*respecteren*) respetar, tener aprecio a; *b*) (*zwaar inzien*) sentir *ie, i* miedo ante; *hij ziet op tegen zoveel werk* le da miedo tanto trabajo, se arredra ante tanto trabajo; **II** *zn*: *~ baren* causar sensación; **opzienbarend** espectacular, sensacional, aparatoso

opzij al lado; *~!* ¡abran paso!, ¡apártense!; *~ gaan* apartarse, echarse a una parte, hacerse a un lado; *~ zetten* apartar, dejar de un lado

opzitten 1 (*mbt hond*) levantar la pata; 2 *er ~: a*) *er zit niets anders op* no hay más remedio, no hay otra solución, no queda más remedio; *b*) *ik heb het er ~* es cosa de clavo pasado; *c*) *er zal wat voor je ~!* ¡buena te espera!

op|zoeken buscar; (*bezoeken*) visitar, ir a ver; **-zuigen** chupar, absorber; **-zwellen** hincharse; (*vnl mbt gezicht*) abotagarse; **-zwepen** excitar, espolear, aguijonear

orakel oráculo

orang-oetang orangután *m*

oranje I *bn* (a)naranjado, de color naranja; **II** *zn* color *m* naranja

Oranje: *het huis van ~* la casa de Orange

oratie (*univ*) discurso inaugural

oratorium oratorio

orchidee orquídea

orde 1 (*regelmaat*) orden *m, soms v*; *~ op zaken stellen* poner sus cosas en orden, poner orden en casa; *de ~ handhaven, ~ houden* mantener el orden; *de ~ verstoren* perturbar el orden; *aan de ~ van de dag* a la orden del día; *aan de ~ komen* plantearse; *aan de ~ stellen* plantear; *aan de ~ zijn* estar a la orden; *buiten de ~ zijn* estar fuera del orden; *geen ~ kunnen houden* no saber imponerse (a sus alumnos); *in ~!* ¡está bien!; *in ~ brengen, maken* arreglar, disponer, poner en orden; *in ~ komen* arreglarse; *in ~ zijn: a*) (*mbt papieren, pas*) estar en orden, estar en regla; *b*) (*mbt gezondheid*) andar bien de salud; *niet in ~ zijn* sentirse *ie, i* mal; *hij is niet in ~* no se encuentra bien; *er is iets niet in ~* hay algo que funciona mal; *in de ~ van* del orden de; *in dezelfde ~* del mismo orden; *op ~* arreglado, en orden; *niet op ~ zijn* estar sin arreglar; *tot de ~ roepen* llamar al orden; *overgaan tot de ~ van de dag* pasar al orden del día; *voor de goede ~* para el debido orden, para todos los efectos; 2 (*mil, godsd*) orden *v*; 3 *~ van advocaten* (*vglbaar:*) colegio de abogados

ordelijk (bien) ordenado; **ordeloos** desordenado, sin orden

ordenen ordenar; **ordenend** ordenador *-ora*; *een ~ principe* un principio ordenador; **ordening** orden *m*, ordenación *v*; *ruimtelijke ~* ordenación del ámbito, ordenación del territorio, ordenación urbana; **ordentelijk** decente; (*redelijk*) razonable

order 1 orden *v*, mandato; *aan ~ van* a la orden de; *op ~ van* por orden de; *tot nader ~* hasta nueva orden, hasta nuevo aviso; *tot uw ~s* a sus órdenes; *wat is er van uw ~s?* ¿qué se le ofrece?; 2 (*bestelling*) pedido; *een ~ plaatsen* colocar un pedido

order|bevestiging confirmación *v* del pedido; **-portefeuille** cartera de pedidos

ordeverstoring perturbación *v* del orden (público), desórdenes *mmv* públicos

ordinair ordinario, vulgar; (*grof*) grosero

ordner clasificador *m*, archivador *m*

ordonnans ordenanza *m,v*; **ordonneren** ordenar, mandar

oreren (*iron*) perorar
orgaan órgano; **orgaantransplantatie** trasplante *m* de órganos
organogram organigrama *m*
organisatie organización *v*
organisatie|adviseur asesor, -ora (de organización), consultor, -ora (de empresas); **-bureau** consultoría de empresas, asesoría de organización; **-talent** dotes *vmv* de organización; **-vermogen** capacidad *v* organizadora
organisator organizador *m*; **organisatorisch** organizador *-ora*, organizativo
organisch orgánico
organiseren organizar
organisme organismo
organist, organiste organista *m,v*
orgasme orgasmo
orgel órgano
orgel|bouwer constructor *m* de órganos; **-concert** concierto de órgano; **-man** (*op straat*) organillero; **-pijp** tubo de órgano
orgeltje organillo
orgie orgía
oriëntatie orientación *v*; **oriënteren** orientar; *zich* ~ orientarse; *links georiënteerd* izquierdista; *rechts georiënteerd* derechista; **oriëntering** orientación *v*; *te uwer* ~ para su orientación; **oriënteringsvermogen** sentido de la orientación
originaliteit originalidad *v*
origine origen *m*; **origineel** I *bn* original; II *zn* original *m*
orkaan huracán *m*
orkest orquesta; **orkestbak** foso (de la orquesta); **orkestraal** orquestal; **orkestreren** orquestar, instrumentar
ornaat: *in vol* ~ en traje de ceremonia, de pontifical
ornament ornamento, adorno
ornithologie ornitología; **ornitholoog** ornitólogo
orthodox ortodoxo
orthopedagoog educador *m* especializado
orthopedie ortopedia; **orthopedisch** ortopédico; **orthopedist** ortopédico
os buey *m*; *slapen als een* ~ dormir *ue, u* como un lirón
oscarnominatie nominación *v* al óscar
osse|haas solomillo (de buey); **-staart** rabo de buey; **-tong** lengua de buey
ostentatief ostentoso
otter nutria
oud 1 viejo; *~e boom* árbol añoso; *~e man* viejo, anciano; *~e mensen* gente *v* vieja, personas de edad; *~e vrouw* vieja, anciana; *zo ~ als de wereld* tan viejo como el mundo; *zo ~ als Methusalem* más viejo que Matusalén; *~ worden* envejecer; *hij begint ~ te worden* ya va para viejo, se va haciendo viejo; *heel ~ zijn* ser muy viejo, tener mucha edad; *ik wist niet dat hij zo ~ was* no sabía que tenía tanta edad; 2 (*van een bep leeftijd:*) *hoe ~ word je?* ¿cuántos años cumples?; *hoe ~ is zij?* ¿cuántos años tiene?, ¿qué edad tiene?; *hij is 40 jaar ~* tiene 40 años; *toen ik zo ~ was als jij* a tu edad; *ik ben ~ genoeg om* ... soy lo bastante mayor como para, tengo suficientes años para; *10 jaar ~er dan ik* 10 años mayor que yo; 3 (*van vroeger*) antiguo; *~e nummers* (*van tijdschrift*) números atrasados; *~e talen* lenguas clásicas; *een ~e traditie* una tradición antigua; *een ~e vriend* un viejo amigo; *~e wijn* vino añejo; *dat is ~e koek* es agua pasada; *in ~e tijden* en tiempos antiguos; 4 (*voormalig*) ex; *de ~-minister* el ex ministro, el que fue ministro; *zie ook: oude, ouder, oudst* || *~ en nieuw vieren* celebrar la Nochevieja; *de ~e dag* la vejez *v*
oudbakken duro; (*fig*) refrito
oude viejo, -a, anciano, -a; *~n van dagen* ancianos, (personas) mayores *mmv*; *tehuis voor ~n van dagen* residencia de ancianos, hogar *m* para ancianos; *alles blijft bij het ~* todo sigue como antes, todo sigue igual; *hij is weer de ~* es el mismo de siempre; *hij is de ~ niet meer* no es el mismo de antes; **oudedagsvoorziening** previsión *v* para la vejez
oudejaarsavond Nochevieja
ouder I *bn* 1 (*van hogere leeftijd*) mayor; *hij is ~ dan ik* es mayor que yo; *hij is 3 jaar ~ dan ik* tiene 3 años más que yo, me lleva 3 años; *zij is niet ~ dan 20 jaar* no pasa de los 20 años; *niet ~ dan 30 jaar* no mayor de 30 años; *hij is ~ dan hij lijkt* tiene más años de los que representa; *hij ziet er ~ uit dan hij is* aparenta más años de los que tiene; *om ~ te lijken* para aparentar más edad; *van 50 jaar en ~* de 50 años y más, de 50 años para arriba; 2 (*meer bejaard*) más viejo; (*van zaken ook:*) más antiguo; II *zn* padre *m*, madre *v*; *de ~s* los padres *mmv*
ouder|avond reunión *v* de padres; **-commissie** comité *m* de padres
ouderdom 1 (*leeftijd*) edad *v*; 2 (*hoge leeftijd*) vejez *v*, ancianidad *v*, senectud *v*; 3 (*oude mensen*) ancianos *mmv*
ouderdoms|kwaal achaque *m* de la vejez; **-pensioen** pensión *v* (de jubilación), jubilación *v*, pensión *v* de vejez; **-voorziening** previsión *v* para la vejez
oudere persona mayor; *de ~n* los mayores; **ouderejaars** (alumnos) mayores *mmv*
oudergewoonte tradicionalmente
ouderlijk paterno, materno, de los padres; *het ~ huis* la casa paterna, el hogar paterno; *de ~e macht* la patria potestad
ouderling consejero parroquial
ouderloos huérfano, sin padres
ouderwets I *bn* anticuado, pasado de moda; *dat staat ~* queda antiguo; *die man is erg ~* es un hombre chapado a la antigua; II *bw* a la antigua
oudgediende veterano
oudheid antigüedad *v*
oudheidkunde arqueología; **oudheidkundig** arqueológico

oudje vejete *m*, viejecito, -a
oud|leerling ex alumno; **-oom** tío abuelo; **-roest** chatarra
oudsher: *van* ~ desde siempre, de antiguo, desde muy antiguo
oudst mayor
oudtante tía abuela
oudtijds en otros tiempos, antaño, en tiempos antiguos
outillage utillaje *m*, equipo; **outilleren** equipar
ouverture obertura
ouvreuse acomodadora
ouwehoeren hablar de todo y de nada, hablar por hablar; (*tegen iem*) meter un rollo (a u.p.)
ouwelijk 1 (*mbt kind*) con aspecto de persona mayor; 2 (*mbt volwassene*) avejentado, con aspecto de viejo
ovaal I *bn* oval, ovalado; II *zn* óvalo
ovatie ovación *v*; *een* ~ *brengen aan* ovacionar a
oven horno; **ovenschaal** cazuela-horno *v*; **ovenwant** manopla
over I *vz* 1 sobre, (por) encima de; *een brug* ~ *de Taag* un puente sobre el Tajo; ~ *de hele breedte* por todo el ancho; *een doekje* ~ *het hoofd* un pañuelo sobre la cabeza; 2 (*verspreid over*) por; ~ *straat* por la calle; ~ *de hele wereld* por el mundo entero; 3 (*via*) por; *je komt* ~ *Burgos* pasas por Burgos; ~ *land* por tierra; 4 (*na*) dentro de, después de; ~ *enige tijd* después de algún tiempo, pasado un tiempo; ~ *een uur* dentro de una hora; *vandaag* ~ *een week* de hoy en ocho días; *het is* ~ *achten* son las ocho pasadas; *het is* ~ *enen* es más de la una; ~ *vieren* pasadas las cuatro; 5 (*voorbij*) de otro lado de, más allá de; ~ *de grens* pasada la frontera, al otro lado de la frontera; ~ *de brug* pasado el puente; 6 (*meer dan*) más de; *er zijn er* ~ *de 100* hay más de 100; *het is* ~ *de f 10* pasa de los fls 10; *hij is* ~ *de 40* tiene más de 40 años, ha pasado los 40 años, ha pasado de los cuarenta; 7 (*betreffende*) sobre, acerca de || *hij heeft iets* ~ *zich dat* ... tiene algo en su aspecto que ...; II *bw* 1 ~ *zijn* (*resteren*) quedar, sobrar; *er is geld* ~ queda dinero; *er is 20 peseta over* quedan 20 ptas; *als er tijd* ~ *is* si queda tiempo; *er zijn twee stoelen* ~ sobran dos sillas; *we hebben redenen te* ~ *om* nos sobran razones para, tenemos motivos abundantes para; 2 ~ *zijn* (*voorbij zijn*) haber pasado; ~ *gaan* pasar; *is de pijn* ~? ¿se te pasó el dolor?; *het gaat niet* ~ no pasa; 3 ~ *gaan* (*op school*) pasar al curso superior; 4 ~ *en weer* (*wederzijds*) mutuamente, recíprocamente || ~ *en sluiten* cambio y fuera
overal en todas partes; *hij denkt* ~ *aan* piensa en todo, está en todo
overall mono
over|bekend muy conocido, archiconocido; **-belast** 1 sobrecargado (de trabajo); 2 (*mbt verkeer*) congestionado; **-belasten** sobrecargar; **-beleefd** extremamente cortés, muy obsequioso; **-belicht** sobreexpuesto, quemado; **-belichting** exceso de exposición; **-beschaafd** supercivilizado, muy refinado; **-bevissing** sobrepesca; **-bevolking** exceso de población, superpoblación *v*
over|blijfsel resto, residuo, lo que queda; **-blijven** 1 quedar; *er bleef ons niets anders over dan* no nos quedaba más remedio que; ~*de plant* planta perenne; 2 (*blijven slapen*) quedarse a dormir; 3 (*op school, tussen de middag*) quedarse (a almorzar en la escuela)
overbluffen dejar perplejo, aturdir, confundir con bravatas; **overbluft** confundido, atónito, perplejo
overbodig superfluo, ocioso, redundante; ~*e woorden* palabras ociosas; ~ *te zeggen dat* ni que decir tiene que, inútil decir que; *ik ben hier* ~ estoy de más aquí; *ik voel me* ~ me siento inútil
over|boeken pasar, transferir *ie, i*; **-boeking** transferencia
overboord *zie: boord*
overbrengen 1 (*vervoeren*) transportar, llevar; 2 (*verplaatsen, overplaatsen*) trasladar; *een gevangene* ~ trasladar a un preso; 3 (*van boodschap, verzoek*) llevar, traer, pasar; 4 (*van warmte, ziekte, ideeën*) transmitir; (*fam, van ziekte ook:*) pegar; 5 ~ *in* (*vertalen*) traducir a; **overbrenger** (*van ziekte*) portador *m*; **overbrenging** 1 (*vervoer*) transporte *m*; 2 (*overplaatsing*) traslado; 3 (*van warmte, idee, ziekte*) transmisión *v*
over|brieven delatar; *iets* ~ ir con el cuento, ir con el soplo; **-bruggen** tender *ie* un puente sobre; (*van afgrond; fig*) salvar
overbruggings|regeling régimen *m* transitorio; **-toelage** sueldo provisional
over|buur vecino de enfrente; **-capaciteit** extracapacidad *v*; **-compleet** excedente
overdaad superabundancia, profusión *v*; (gran) abundamiento; **overdadig** muy abundante, excesivo, desmedido, desmesurado
overdag de día, durante el día
overdekken cubrir; **overdekking** cubierta; **overdekt** cubierto; ~ *zwembad* piscina cubierta
overdenken pensar *ie*, considerar, reflexionar sobre; **overdenking** reflexión *v*, meditación *v*
overdoen 1 hacer de nuevo; 2 (*overdragen*) traspasar; *de winkel* ~ traspasar la tienda
overdonderen *zie: overbluffen*
overdosis sobredosis *v*
overdraagbaar transferible, transmisible; **overdracht** transmisión *v*, transferencia, traspaso; ~ *van bevoegdheden* (*ivm gewestelijke autonomie*) transferencia de competencias, traspaso de competencias; **overdrachtelijk** figurado, metafórico, traslaticio
overdragen transmitir, transferir *ie, i*, traspasar
overdreven exagerado

'**overdrijven** pasar; *~de wolken* nubes *vmv* que pasan
over'drijven exagerar, recargar las tintas; *altijd ~* (*ook:*) ser muy exagerado
overdrijving exageración *v*
over|druk 1 (*afdruk*) separata; **2** (*techn*) sobrecarga; **-duidelijk** evidente, ostensible; **-dwars** de través, transversalmente
overeenkomen I *tr* (*besluiten*) convenir, acordar *ue*, concertar *ie*, pactar; *zoals -gekomen* según lo acordado; II *intr* (*overeenstemmen*) corresponder, coincidir, estar conforme, concordar *ue*; **overeenkomst 1** convenio, acuerdo, pacto; (*contract*) contrato; **2** (*gelijkenis*) correspondencia, semejanza, conformidad *v*, parecido; *~ vertonen met* guardar semejanza con; *punt van ~* punto de parecido, punto de contacto; *wat is de ~ tussen A en B?* ¿en qué se parecen A y B?; **overeenkomstig** I *bn* parecido, análogo, semejante; II *vz* de acuerdo con, conforme a, con arreglo a; *~ de afspraak* de acuerdo con lo convenido
overeenstemmen *zie: overeenkomen II*; **overeenstemming 1** (*gelijkenis*) conformidad *v*, concordancia, armonía; *in ~ met* de acuerdo con, acorde a, acorde con, de conformidad con, en consonancia con; *salaris in ~ met de functie* remuneración *v* acorde con el puesto; *in ~ brengen met* hacer concordar con, ajustar a, armonizar con; *in ~ zijn met* concordar *ue* con; *niet in ~ met de werkelijkheid* en desacuerdo con la realidad; **2** (*besluit*) acuerdo; *tot ~ komen* llegar a un acuerdo, ponerse de acuerdo, llegar al consenso
overeind derecho; *help me eens ~!* ¡ponme en pie!; *~ houden* sostener; *~ komen* enderezarse, incorporarse; *~ zetten* enderezar
overgaan 1 (*mbt bel*) sonar *ue*; **2** (*op school*) pasar de año, pasar de curso, pasar al curso superior; *niet ~* perder *ie* el curso, tener que repetir el curso; **3** (*voorbijgaan*) pasar; *de pijn gaat niet over* el dolor no pasa; *zijn slechte humeur ging niet over* el mal humor no se le quitó; *gaat het al over?* ¿ya se te pasa?; **4** *~ in* cambiar(se) en; *de vreugde ging over in verdriet* la alegría cambió en dolor; *de kleuren gaan in elkaar over* los colores se confunden; *~ in andere handen* pasar a otras manos; **5** *~ op* pasar a, cambiar a; *~ op een ander onderwerp* pasar a otro asunto, cambiar de tema; *~ op een ander systeem* cambiar a otro sistema; **6** *~ tot* pasar a, proceder a; *~ tot aankoop* proceder a la compra; *~ tot het christendom* adoptar el cristianismo; *~ tot de orde van de dag* pasar a la orden del día; *hij is ertoe -gegaan alles op te schrijven* ha pasado a escribirlo todo
overgang 1 paso, cambio, transición *v*; *de ~ van kolen op gas* el cambio de carbón a gas; **2** (*op school*) paso de un curso a otro; **3** (*med*) menopausia
overgangs|bepaling disposición *v* transitoria; **-examen** examen *m* de fin de curso; **-maatregel** medida transitoria; **-periode** período transitorio
overgankelijk transitivo
overgave 1 entrega; (*capitulatie*) capitulación *v*; (*van stad ook:*) rendición *v*; **2** (*toewijding*) dedicación *v*, devoción *v*
overgelukkig: *zij is ~* no cabe en sí de contento
overgeven 1 entregar, pasar; **2** (*van stad*) entregar, rendir *i*; *zich ~* rendirse *i*, entregarse, capitular; **3** *zich ~ aan* entregarse a, abandonarse a; *zich ~ aan de drank* entregarse a la bebida; *zich ~ aan de studie* entregarse a los estudios; *zich ~ aan wanhoop* abandonarse a la desesperación; **4** (*braken*) vomitar, devolver *ue*, arrojar; (*fam*) cambiar la peseta
over|gevoelig hipersensible; (muy) sensibilizado; **-gewicht 1** exceso de peso; **2** (*van bagage*) exceso (de equipaje)
'**overgieten** trasvasar, trasegar; (*van wijn*) decantar
over'gieten rociar *í*, bañar, regar *ie*; *-goten met licht* bañado de luz
overgooien lanzar; **overgooier** falda con tirantes
overgordijn cortina
overgroot: *een -grote meerderheid* una mayoría aplastante, la inmensa mayoría
overgroot|moeder bisabuela; **-vader** bisabuelo
over|haast I *bn* precipitado; II *bw* precipitadamente, con precipitación, con prisa excesiva; *~ handelen* precipitarse, obrar con precipitación; *laten we niet ~ te werk gaan* no nos precipitemos; **-haasten** hacer precipitadamente; *je moet de dingen niet ~* hay que dar tiempo al tiempo
overhalen 1 (*trekken*) tirar de; *de haan ~* apretar *ie* el gatillo; **2** (*overreden*) persuadir
overhand: *de ~ hebben* prevalecer, dominar; *de ~ krijgen* llegar a (pre)dominar
overhandigen entregar (en manos), hacer entrega de; **overhandiging** entrega
overheadprojector retroproyector *m*
overhebben 1 (*te besteden hebben:*) *ik heb nog geld over* aún me queda dinero; *ik heb een paar uur over* me quedan unas horas; **2** *~ voor* dar por; *ik zou er alles voor ~ om* daría cualquier cosa por; *wie iets wil bereiken moet er iets voor ~* al que algo quiere, algo le cuesta; *zoveel (geld) heb ik er niet voor over* no quiero gastar tanto; *hij heeft veel voor een ander over* se sacrifica mucho por otros
overheen por encima; *daar ben ik ~* (*die tijd ligt achter me*) lo he superado; *ergens niet ~* (*kunnen*) *komen* no consolarse *ue* de u.c.; *ergens ~ lezen* pasar por alto u.c.; *ergens ~ stappen: a*) (*lett*) pasar por encima de u.c.; *b*) (*fig*) pasar por alto u.c., dejar pasar u.c., no hacer caso de u.c.; *zich ergens ~ zetten* sobreponerse a u.c.
overheerlijk exquisito, delicioso
overheersen I *tr* dominar; II *intr* (*fig*) predo-

minar, prevalecer; **overheersing** dominación *v*
overheid administración *v* (pública), autoridades *vmv* (públicas); *plaatselijke ~* administración *v* local
overheids|apparaat aparato estatal; **-bedrijf** empresa pública, empresa estatal; **-bemoeiing** intervención *v* del Estado; **-dienst** servicio público; *in ~ zijn* ser empleado público, ser funcionario; **-gelden** fondos públicos; **-personeel** empleados *mmv* públicos; **-uitgaven** gastos públicos; **-wege**: *van ~* oficialmente, por parte de las autoridades
overhellen 1 inclinarse; *~ tot* inclinarse a, propender a; *ik hel ertoe over het te geloven* me inclino a creerlo; 2 (*scheepv*) escorar; *~ naar stuurboord* escorar a estribor
overhemd camisa
overhevelen trasvasar; **overheveling** trasvase *m*
overhoop en desorden
overhoop|halen revolver *ue*; **-liggen** (*rommelig zijn*) estar en desorden; *met elkaar ~* andar a la greña; **-schieten** matar a tiros
overhoren tomar la lección
overhouden 1 (*sparen*) ahorrar; *je zult geld ~* te sobrará dinero; *hoeveel heb je -gehouden?* ¿cuánto te queda?; *dat houdt niet over* es muy justo; 2 (*van planten*) conservar; 3 *iets ~* (*na ongeval*) quedarse con u.c.; *aan het ongeluk heeft hij een verlamd been -gehouden* después del accidente se ha quedado con la pierna paralizada
overig demás, restante; *het ~e* lo demás; *de ~e plaatsen* los demás sitios; *voor het ~e* por lo demás; **overigens** por lo demás, además, por otra parte
overjarig 1 añejo; 2 (*fig*) anticuado
over|jas abrigo; **-kant** otro lado; *de ~ van de straat* el otro lado de la calle; *aan de ~* enfrente; *het huis aan de ~* la casa de enfrente
overkapping marquesina, techo
overkoepelen: *~de organisatie* confederación *v* coordinadora, organismo centralizador
overkoken salirse
'overkomen venir
over'komen pasar, suceder, ocurrir; *dat kan de beste ~* eso pasa al más pintado; *iets wat hem vaak -komt* cosa que le sucede a menudo
overkomst venida, visita; *~ gewenst* se ruega su asistencia
overlaat aliviadero
'overladen transbordar
over'laden 1 sobrecargar; *een ~ programma* un programa *m* sobrecargado; *zijn maag ~: a)* comer con exceso; *b)* (*fam*) atiborrarse; 2 (*van markt*) inundar; 3 *~ met* (*fig*) colmar de; *met attenties ~* abrumar con atenciones; *met bloemen ~* colmar de flores; *vingers, ~ met ringen* dedos atiborrados de sortijas; *iem ~ met werk* agobiar de trabajo a u.p.
overlading sobrecarga, exceso
overlangs longitudinalmente, a lo largo
overlappen: *elkaar ~* sobreponerse, duplicarse, repetirse *i*; **overlapping** duplicidad *v*, repetición *v* (inútil); *~en vermijden* evitar duplicidades
overlast molestia, molestias *vmv*
overlaten dejar; *laat het maar aan mij over* déjame hacer (a mí), déjalo de mi cuenta; *te wensen ~* dejar que desear; *aan zijn lot ~* abandonar a su suerte
overledene fallecido, -a, muerto, -a, difunto, -a
overleg consulta, consultas *vmv*, deliberación *v*, deliberaciones *vmv*; *~ plegen met* deliberar con, consultar a, consultar con; *in ~* de común acuerdo; *met ~* con tiento, con tino, con discreción; *na ~ met* después de consultar a; *bereidheid tot ~* actitud *v* dialogante
'overleggen presentar, exhibir
over'leggen consultar, deliberar; *ik zal het met mijn broer ~* le consultaré a mi hermano, lo consultaré con mi hermano
overlegging presentación *v*, exhibición *v*; *na ~ van de stukken* previa presentación de los documentos
overleven sobrevivir; *hij -leeft ons allen nog* nos entierra a todos; **overlevende** sobreviviente *m,v*, superviviente *m,v*
overleveren 1 transmitir; 2 *~ aan* entregar; *-geleverd zijn aan* estar a la merced de; **overlevering** tradición *v*
overlevings|kansen probabilidad *v* de supervivencia; **-pensioen** (*Belg*) pension *v* de viudedad y orfandad
overlezen 1 (*opnieuw lezen*) leer otra vez, volver *ue* a leer; 2 (*doorlezen*) leer (rápidamente), echar un vistazo a
overlijden I *ww* morir *ue, u*, fallecer; II *zn* fallecimiento, muerte *v*, deceso, defunción *v*; **overlijdensbericht** esquela mortuoria
overloop 1 (*mbt water*) desbordamiento; 2 (*van trap*) descansillo; **overlopen** 1 salirse, rebosar; *hij loopt over van energie* rebosa de energía; *~ van blijdschap* rebosar de alegría; 2 (*naar vijand*) pasarse, desertar; 3 (*oversteken*) cruzar, atravesar *ie*; **overloper** tránsfuga *m*, desertor *m*
over|maat: *tot ~ van ramp* por mayor desgracia, por colmo de desgracia, para colmo de males; **-macht** 1 (*sterkte*) fuerzas *vmv* superiores, superioridad *v* (numérica), superioridad *v* de fuerzas; *wijken voor de ~* ceder a la fuerza; 2 (*noodzaak*) fuerza mayor
overmaken 1 (*van geld*) remitir, transferir *ie, i*; 2 (*opnieuw maken*) hacer otra vez, volver *ue* a hacer
over|mannen vencer, abrumar; *door slaap -mand* vencido por el sueño; **-matig** excesivo, desmesurado; **-meesteren** dominar, vencer
over|moed temeridad *v*, osadía; **-moedig** temerario, muy atrevido
overmorgen pasado mañana

overnachten pernoctar, pasar la noche; **overnachting** noche *v*
overname traspaso; **overnemen** 1 (*kopen*) comprar; 2 (*van gegevens*) tomar, copiar; 3 (*nadoen*) imitar; 4 (*van idee*) adoptar; 5 (*van macht*) asumir; 6 (*van ander bedrijf*) absorber; *de zaak* ~ (*opvolgen*) tomar el relevo; **overneming** (*van bedrijf, ivm fusie*) absorción *v*
over|plaatsen trasladar, transferir *ie, i*; **-plaatsing** transferencia, traslado
overproduktie superproducción *v*, sobreproducción *v*
overreden persuadir; **overreding** persuasión *v*; **overredingskracht** poder *m* de persuasión, capacidad *v* persuasiva
'overrijden pasar, atravesar *ie*
over'rijden atropellar, arrollar
overrompelen sorprender, tomar desprevenido, coger de sorpresa; **overrompeling** sorpresa
overschaduwen dar sombra a; (*fig*) eclipsar, oscurecer
over|schakelen 1 (*via radio*) conectar; *wij schakelen over naar* conectamos con; 2 (*veranderen*) cambiar; ~ *op gas* cambiar al gas; **-schakeling** reconversión *v*
over|schatten sobrestimar, sobrepreciar, supervalorar; **-schatting** sobrestimación *v*, supervaloración *v*
overschieten quedar; **overschot** 1 (*teveel*) excedente *m*, sobrante *m*, superávit *m*, surplús *m*; 2 (*restant*) resto, remanente *m*; *stoffelijk* ~ restos *mmv* mortales
over|schreeuwen acallar a gritos; **-schrijden** traspasar, pasar de, sobrepasar; *de begroting* ~ rebasar el presupuesto
overschrijven 1 (*kopiëren*) copiar, transcribir; 2 (*op rekening*) transferir *ie, i*; **overschrijving** transferencia, remesa; **overschrijvingskosten** gastos de transferencia
overslaan I *tr* 1 dejar, pasar por alto, no tocar; 2 (*verschepen*) transbordar; II *intr* 1 ~ *op* (*mbt ziekte, vuur*) comunicarse a, propagarse a; 2 (*mbt stem*) soltar *ue* un gallo; **overslag** 1 (*zoom*) vuelta; 2 (*verscheping*) transbordo
overspannen I *ww* 1 (*mbt brug*) atravesar *ie*; 2 *zich* ~ hacer un esfuerzo excesivo, exagerar; II *bn* extenuado, sobrexcitado, agotado; *te zeer* ~ con una excesiva carga de stress
overspel adulterio; **overspelig** adúltero
overspoelen inundar
overspringen saltar
overstaan: *ten* ~ *van* ante
overstag: ~ *gaan*: *a*) (*lett*) virar de bordo; *b*) (*fig*) cambiar de táctica
overstappen cambiar, hacer un transbordo; *zonder vervelend* ~ sin enojosos transbordos
overste teniente *m* coronel
oversteekplaats paso de peatones, paso de cebra
oversteken cruzar, atravesar *ie*; *wees voorzichtig bij het* ~! ¡ten cuidado al cruzar la calle!
over|stelpen (*met*) colmar (de), abrumar (con); *-stelpt met geschenken* colmado de regalos; *-stelpt met problemen* asendereado; *-stelpt met werk* agobiado de trabajo; **-stelpend** abrumador *-ora*; **-stemmen** ahogar, cubrir; *met applaus* ~ ahogar por aplausos
'overstromen rebosar, salirse
over'stromen inundar
overstroming inundación *v*
overstuur desquiciado, trastornado; ~ *maken* trastornar
overtocht pasaje *m*; (*over zee*) travesía
overtollig superfluo, sobrante, ocioso, inútil; ~ *vet* grasas *vmv* sobrantes
overtreden contravenir, infringir, transgredir; **overtreder** contraventor *m*, infractor *m*, transgresor *m*; **overtreding** contravención *v*, infracción *v*; *u bent in* ~ Ud. contraviene las reglas
overtreffen superar, sobrepasar, exceder, dejar atrás; *ver* ~ superar en mucho; *in aantal* ~ exceder en número; *zichzelf* ~ superarse, excederse a sí mismo; *~de trap* (grado) superlativo
overtrek funda, cubierta
'overtrekken I *tr* 1 (*van rivier, bergen*) pasar, cruzar, atravesar *ie*; 2 (*van tekening*) calcar; II *intr* (*mbt onweer*) pasar
over'trekken (*met stof*) (re)cubrir
overtroeven 1 (*in kaartspel*) contrafallar; 2 (*fig*) dejar atrás, sobrepujar, aventajar
overtuigen convencer; *zich* ~ (*van*) convencerse (de), averiguar, cerciorarse (de); *ervan -tuigd zijn dat* estar convencido de que, tener el convencimiento de que; **overtuigend** convincente; ~ *bewijs* prueba contundente; **overtuiging** convencimiento, convicción *v*; *in de vaste* ~ *dat* plenamente convencido de que; *tot de* ~ *komen dat* llegar al convencimiento de que
overuren horas extra, horas extraordinarias
overval atraco; (*aanval*) asalto; *gewapende* ~ asalto de mano armada; *vijandige* ~ (*fig, op vennootschap*) oferta pública de adquisición hostil, oferta hostil; **overvallen** 1 (*van persoon*) asaltar, acometer, sorprender; (*van bank*) atracar; *iem* ~ (*fig*) coger de improviso; *het plan -valt me* el plan me coge de improviso; 2 (*mbt nacht*) sobrecoger, sorprender, echarse encima; *de nacht -viel ons* se nos echó encima la noche; **overvaller** atracador *m*, asaltante *m*
'overvaren cruzar en barco
over'varen hundir
oververhitten sobrecalentar *ie*
over|vermoeid agotado, sobrefatigado; **-vermoeidheid** cansancio excesivo, agotamiento
overvleugelen *zie: overtroeven*
overvliegen pasar en vuelo
overvloed abundancia, profusión *v*, plétora; ~ *aan artsen* plétora de médicos; ~ *van eten* comida en abundancia; ~ *van tijd* tiempo de so-

bra; *in ~ voorkomen* abundar; *ten ~e* a mayor abundamiento; **overvloedig** abundante, copioso
overvloeien rebosar; *hij vloeit over van vriendelijkheid* rebosa de amabilidad; *~d van vriendelijkheid* chorreando amabilidad
overvoeren (*met*) hartar (de); (*fig*) inundar (de)
overvol repleto, atestado, de bote en bote; *~ stuwmeer* pantano a rebosar; *~le agenda* agenda apretada
overvragen pedir *i* demasiado, pedir *i* más de lo justo
overwaaien pasar
overwaarde plusvalía
'overweg paso a nivel; *onbewaakte ~* paso a nivel sin barreras
over'weg: *goed met elkaar ~ kunnen* llevarse bien, entenderse *ie*
overwegen considerar, pensar *ie*, reflexionar sobre; (*bestuderen*) estudiar; **overwegend** predominantemente, preponderantemente; **overweging** consideración *v*; *in ~ geven* sugerir *ie, i*, proponer; *ernstig in ~ geven* recomendar *ie*, aconsejar; *in ~ nemen* tomar en consideración; *uit ~en van* por motivos de
overweldigen vencer; (*overheersen*) dominar; **overweldigend** imponente; *een ~e meerderheid* una mayoría aplastante
overwerk *zie: overuren*
'overwerken hacer horas extraordinarias
over|'werken: *zich ~* sobrefatigarse
overwerkt agotado por exceso de trabajo, con extrema fatiga; **overwerktheid** surmenage *m*
overwicht 1 ascendiente *m*, autoridad *v*, preponderancia, prestigio; *~ hebben op iem* tener ascendiente sobre u.p.; 2 (*teveel gewicht*) *zie: overgewicht*
overwinnaar vencedor *m*, triunfador *m*; **overwinnen** vencer, triunfar de; *moeilijkheden ~* salvar obstáculos; **overwinning** (*op*) victoria (sobre, de), triunfo (sobre, de)
overwinteren pasar el invierno, invernar *ie*; **overwintering** invernaje *m*
overwoekeren cubrir completamente
overzees de ultramar, ultramarino
overzetten 1 (*overvaren*) pasar en barco; 2 (*muz*) transcribir; 3 *~ in* (*vertalen*) traducir a
overzicht 1 resumen *m*, sinopsis *v*, estado comparativo, visión *v* de conjunto; (*lijst*) relación *v*; *financieel ~* estado financiero; *schematisch ~* visión *v* esquemática, cuadro (sinóptico); 2 (*dmv foto*) vista general, panorama *m*; **overzichtelijk** claramente dispuesto, claro, fácil de abarcar; *~e bocht* curva con buena visibilidad
overzien abarcar con la vista, dominar; *niet te ~* incalculable; *de situatie ~* darse cuenta de la situación
oxydatie oxidación *v*; **oxyderen** oxidar
ozon ozono; **ozonlaag** capa de ozono

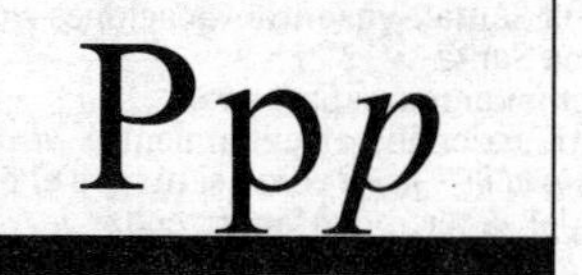

pa papá *m*
p.a. *per adres* al cuidado de; *afk* a/c
paadje sendero, vereda
paaien I *tr* engatusar; II *intr* (*mbt vissen*) desovar
paal 1 palo; (*hoog:*) poste *m*; 2 (*hekpaal*) estaca; 3 (*heipaal*) pilote *m* || *~ en perk stellen aan* poner coto a; *dat staat als een ~ boven water* cae de su peso; **paalwoning** construcción *v* sobre pilotes, vivienda lacustre
paaps papista
paar 1 (*schoenen*) par *m*; *twee ~ schoenen* dos pares de zapatos; 2 (*personen*) pareja; 3 (*enkele*) un par de, unos (cuantos); *een ~ dagen* un par de días; *een ~ keer* unas cuantas veces
paard (*ook sp*) caballo; *het beste ~ van stal* lo mejor de la casa; *werken als een ~* trabajar como un negro; *~ rijden, een ~ bestijgen* montar a caballo; *op een ~ rijden* montar un caballo; *men moet een gegeven ~ niet in de bek zien* a caballo regalado no hay que mirarle el diente; *het ~ achter de wagen spannen* tomar el rábano por las hojas; *op het verkeerde ~ wedden* apostar *ue* mal; *over het ~ getild* consentido, creído; *te ~* a caballo; *Trojaans ~* (*ook comp*) caballo de Troya, (*comp*) (*programa m*) troyano; *van het ~ stijgen* descabalgar
paarde|bloem diente *m* de león; **-haar** 1 pelo de caballo; 2 (*stug haar van manen, staart*) cerda; **-kracht** caballo (de vapor, de fuerza); *afk* c.v., CV; **-mest** boñiga de caballo; **-middel** remedio heroico
paarden|box caballeriza; **-fokker**, **-fokster** criador, -ora de caballos; **-rennen** carrera de caballos
paarde|sport hipismo, deporte *m* hípico; **-sprong** (*schaaksp*) salto del caballo; **-staart** cola de caballo; **-stal** cuadra, caballeriza; **-vijg** boñiga de caballo
paardrijden montar a caballo, cabalgar; **paardrijder** jinete *m*, caballista *m*; **paardrijdster** amazona, caballista *v*
paarlemoer nácar *m*
paars *bn* morado, (de color) violeta, (de) púrpura
paarsgewijs de dos en dos, por parejas
paartijd época del apareamiento
paas|best: *op zijn ~* con los trapitos de cristianar, de punta en blanco; **-dag**: *eerste ~* domingo de Pascua; *tweede ~* lunes *m* de Pascua; **-ei** huevo pascual; **-feest** Pascua de Resurrección; **-lam** cordero pascual; **-tijd** Se-

mana Santa; **-vakantie** vacaciones *vmv* de Semana Santa
pacemaker marcapasos *m*
pacht arriendo, arrendamiento; *alsof hij de wijsheid in ~ heeft* como si tuviera el monopolio del saber; **pachten** arrendar *ie*; *~ en verpachten* dar y tomar en arrendamiento; **pachter** arrendatario; **pachtsom** arrendamiento
pacifisme pacifismo; **pacifist** pacifista *m*; **pacifistisch** pacifista
pact pacto
1 pad (*weg*) camino, senda, sendero; *iems ~ kruisen* (*fig*) cruzar la vida de u.p.; *op het rechte ~ blijven* seguir *i* el buen camino; *iem op het slechte ~ brengen* malear a u.p.; *op ~ gaan* ponerse en camino; *op ~ zijn* andar por ahí, andar fuera
2 pad (*dier*) sapo
paddestoel hongo, seta; *vergiftige ~* hongo venenoso; *als ~en uit de grond schieten* crecer como hongos
padvinder explorador *m*, scout *m*; **padvinderij** escultismo, scouting *m*; **padvindster** exploradora, scout *v*
paf: *~ staan* estar perplejo
paffen (*roken*) fumar; *ze zitten maar te ~* y ellos fuma que te fuma
pafferig fofo, fláccido, gordinflón *-ona*
page paje *m*
pagina página
pak 1 paquete *m*, bulto; 2 (*baal*) bala, fardo; 3 (*kranten, bankbiljetten*) fajo, mazo; 4 (*kostuum*) traje *m*; 5 (*kaarten*) baraja, mazo; 6 (*doos*) caja || *~ slaag* paliza, tunda; *het is een ~ van mijn hart* me he quitado un peso de encima; *bij de ~ken neerzitten* desanimarse, amilanarse
pakhuis almacén *m*, depósito
pakijs banco de hielo
pakje paquete *m*
pakken 1 (*inpakken*) envolver *ue*, embalar, empaquetar; *ik moet nog* (*koffers*) *~* aún tengo que hacer las maletas; *zijn boeltje ~* liar *í* los bártulos; 2 (*grijpen*) coger, tomar, agarrar; *pak me dan als je kan!* ¡a que no me coges!; *ze konden hem niet te ~ krijgen* no pudieron ponerle la mano encima; *ik krijg hem maar niet te ~* (*te spreken*) no le encuentro en casa, no le puedo localizar; *het adres te ~ krijgen* encontrar *ue* la dirección; *iem bij de arm ~* coger a u.p. del brazo; 3 (*boeien, fig*) cautivar; *het verhaal pakte hem* el cuento le cautivó; 4 (*arresteren*) detener, coger; (*fam*) pillar; 5 (*mbt schroef*) agarrar || *hij heeft het erg te ~: a*) (*verkouden*) está resfriadísimo; *b*) (*verliefd*) le ha entrado muy fuerte; *nu heeft hij de slag te ~* ahora ha dado con el truco; *iem te ~ nemen: a*) (*slaan*) arrearle una tunda a u.p.; *b*) (*erin laten lopen*) jugársela *ue* a u.p.; *ze hebben ons te ~ genomen!* ¡bien nos la han jugado!; **pakkend** (*mbt leus*) persuasivo; **pakkerd** fuerte abrazo
pakket paquete *m*; (*van aanbiedingen, ook:*) lote *m*; *~ van maatregelen* paquete de medidas
pakketpolis póliza multirriesgo
pakking (*techn*) junta, empaquetadura, empaquetado
pakpapier papel *m* de envolver
pakweg digamos
1 pal *zn* fiador *m*, trinquete *m*, gatillo
2 pal *bw* firme; *~ staan* mantenerse firme; *~ oost: a*) (*naar het oosten*) hacia el este; *b*) (*uit het oosten*) derecho del este
paleis palacio
paleografie paleografía
Palestijns palestino; **Palestina** Palestina
palet paleta
paling anguila; *gerookte ~* anguila ahumada
palissade empalizada, estacada
palissander (*hout*) palisandro
paljas payaso
pallet (*laadbord*) paleta
palm palma; *~ van de hand* palma de la mano
palm|boom palma, palmera; **-olie** aceite *m* de palma; **-pasen** domingo de Ramos
pamflet panfleto, octavilla
pan 1 olla, cacerola; *de ~ uit rijzen* subirse a las nubes, dispararse; 2 (*herrie*) jaleo, escándalo
Panama Panamá *m*; **Panamakanaal** canal *m* de Panamá; **Panamees** panameño
Panamerikaans panamericano
pand 1 prenda; *~ verbeuren* jugar *ue* a las prendas; 2 (*gebouw*) inmueble *m*, edificio; 3 (*van jas*) faldón *m*
panda panda *m*
pandbrief cédula hipotecaria
paneel 1 (*van deur*) panel *m*, entrepaño; 2 (*van wand*) lienzo, paño
paneermeel pan *m* rallado
panel mesa de debate (ante un público)
paneren rebozar
panfluit flauta de Pan, zampoña
paniek pánico; *~ zaaien* sembrar *ie* el pánico, producir un pánico; *hij werd door ~ bevangen* le entró el pánico; **paniekerig** lleno de pánico;
panisch pánico
panklaar (*voorgekookt*) precocinado; *-klare maaltijd* comida preparada para guisarla
panne avería
panne|deksel tapadera; **-koek** panqueque *m*, crepe *m,v*; **-lap** aislador *m*
pannenset batería de cocina
pannespons esponja de alambre
panorama panorama *m*
pantalon pantalón *m*, pantalones *mmv*
panter pantera
pantoffel zapatilla; *zie ook: slipper*; **pantoffelheld** bragazas *m*, Juan *m* Lanas
pantomime pantomima
pantser 1 (*harnas*) armadura, coraza; 2 (*op schip, tank*) blindaje *m*, acorazamiento; **pantserauto** coche *m* blindado; **pantseren** blindar, acorazar; *zich ~ tegen* (*fig*) acorazarse contra, escudarse contra; **pantserkruiser** (crucero) acorazado
panty leotardos *mmv*, panty *m*

pap 1 papilla, papas *mmv*; 2 (*modder*) lodo, fango || *ik kan geen ~ meer zeggen* no puedo más
papa papá *m*
papaver adormidera
papegaai loro, papagayo
papenvreter comecuras *m*
paperassen papeles *mmv*
paperclip clip *m*
papier 1 papel *m*; *gekleurd ~* papel de color; *gezegeld ~* papel sellado, papel timbrado; *op ~ zetten* confiar *í* al papel, trasladar al papel; *alleen op ~* sólo sobre el papel; 2 *~en* (*identiteitsbewijs*) documentación *v* || *goede ~en hebben* tener muchos puntos de ventaja; *het loopt in de ~en* cuesta un dineral; **papieren** *bn* de papel
papier|fabriek fábrica de papel, papelera; **-geld** papel *m* moneda; **-koers** (*Belg*) cambio de venta
papier-maché cartón *m* piedra; **papiertje** papelito
papil papila
paplepel: *het is hem met de ~ ingegeven* lo ha mamado con la leche
pappenheimer: *zijn ~s kennen* conocer el paño
pappig pastoso
paprika 1 (*vrucht*) pimiento; 2 (*poeder*) pimentón *m*
paraaf rúbrica
paraat listo, a mano; *parate kennis* conocimientos *mmv* (que uno tiene a mano); *parate troepen* tropas alertas; **paraatheid** (*van leger*) estado de alerta
parabel parábola
parabool parábola
parachute paracaídas *m*; **parachutist** paracaidista *m*
parade (*mil*) desfile *m*; *~ afnemen* pasar revista a, hacer desfilar; **paradepaardje** gala, orgullo; **paraderen** 1 (*mil*) desfilar; 2 *~ met* (*fig*) hacer alarde de
paradijs paraíso; *aards ~* paraíso terrenal; **paradijselijk** paradisíaco
paradox paradoja; **paradoxaal** paradójico
paraferen rubricar
paraffine parafina
parafrase paráfrasis *v*; **parafraseren** parafrasear
paragnost, **paragnoste** adivino, -a, médium *m,v*
paragraaf párrafo, apartado
Paraguay Paraguay *m*; **Paraguayaans** paraguayo
parallel I *bn* paralelo; *~ lopen met* correr paralelo a; II *zn* paralelo; *een ~ trekken tussen* hacer un paralelo entre; **parallellogram** paralelogramo
paramedisch paramédico
paramilitair paramilitar
paranoïd paranoico
paranoot nuez *v* del Brasil
paranormaal paranormal
paraplu paraguas *m*; *opvouwbare ~* paraguas *m* extendible; **paraplubak** paragüero
parapsychologie parapsicología
parasiet parásito; **parasiteren** vivir a costa de otro
parasol sombrilla; (*groot:*) quitasol *m*
parastatale (*Belg*) institución *v* paraestatal
paratroepen tropas paracaidistas
paratyfus paratifoidea
parcours recorrido, circuito
pardoes de repente, de pronto, de improviso, repentinamente
pardon: *~!* ¡perdone!, ¡dispense!; *geen ~ hebben met* no tener compasión de; *zonder ~* sin perdón; *strijd zonder ~* guerra sin cuartel
parel perla; *~en voor de zwijnen werpen* echar margaritas a los puercos; *dat zijn ~s voor de zwijnen* no es la miel para la boca del asno; **parelen**: *het zweet parelde op zijn voorhoofd* el sudor perlaba su frente
parel|gort cebada en perlas; **-grijs** gris *m* perla; **-hoen** pintada, gallina de Guinea; **-ketting** collar *m* de perlas; **-oester** madreperla, ostra perlífera; **-visser** pescador *m* de perlas
paren I *ww intr* 1 aparearse, copularse; 2 *~ aan* combinar con; II *zn* apareamiento, acoplamiento
pareren parar
parfum perfume *m*; **parfumeren** perfumar
pari: *a ~* a la par; *beneden ~* por debajo de la par; *boven ~* por encima de la par
paria paria *m,v*; (*onaanraakbare ook:*) intocable *m,v*
Parijs I *zn* París *m*; II *bn* parisiense
paring *zie: paren II*
park parque *m*
parkeer|garage aparcamiento; *ondergrondse ~* aparcamiento subterráneo; **-geld** derechos *mmv* de aparcamiento; **-haven** estacionamiento (autorizado); **-meter** parquímetro; **-plaats** sitio para aparcar; **-schijf** disco de control; **-verbod** prohibición *v* de estacionamiento
parkeren aparcar, estacionar; *dubbel ~* estacionar en doble fila; *~ toegestaan* estacionar autorizado; *verboden te ~* prohibido aparcar, estacionar prohibido
parket 1 (*vloer*) parquet *m*, parqué *m*; 2 (*theat*) platea; 3 (*jur*) fiscalía || *een lastig ~* un apuro, un lío, una situación embarazosa, un brete, (*fam*) un berenjenal; **parketvloer** suelo de parqué
parkiet periquito
parkwachter guarda *m* (de parque)
parlement parlamento; **parlementair** parlamentario; **parlementslid** miembro del parlamento, diputado, -a
parmantig garboso, vivaz
parochiaan feligrés, -esa; **parochie** parroquia; **parochiekerk** iglesia parroquial
parodie (*op*) parodia (de); **parodiëren** parodiar

parool santo y seña, divisa, consigna
part parte *v*; *voor mijn* ~ por mí, por mi parte; ~ *noch deel hebben aan* no tener arte ni parte en; *zijn fantasie speelde hem ~en* su imaginación le jugaba malas pasadas
parterre 1 (*theat*) patio de butacas; 2 (*in huis*) planta baja, (piso) bajo
participant, **participante** participante *m,v*; **participatie** participación *v*; **participeren** participar
particulier I *bn* privado; ~ *bezit* propiedad *v* privada; *het ~e onderwijs* la enseñanza privada; II *zn* persona privada, particular *m,v*
partij 1 (*jur, muz*) parte *v*; *de belanghebbende* ~ la parte interesada; *beide ~en* ambas partes; 2 (*pol*) partido; *de* ~ *kiezen van,* ~ *kiezen voor* tomar el partido de; ~ *kiezen tegen* tomar partido contra; 3 (*sp, handel*) partida; (*goederen ook:*) lote *m*; 4 (*feest*) fiesta || ~ *trekken van* sacar ventaja de; *van de* ~ *zijn* participar
partij|apparaat aparato del partido; **-bestuur** ejecutiva del partido, comité *m* del partido; **-bons** mandamás *m*; **-congres** congreso del partido
partijdig parcial; **partijdigheid** parcialidad *v*
partij|genoot, **-genote** copartidario, -a; **-leider** dirigente *m* del partido, jefe *m* del partido; **-lid** miembro del partido
partijloos apartidista
partij|politiek política del partido; **-programma** programa *m* del partido
partituur partitura
partizaan partisano
partje (*sinaasappel*) gajo; *in ~s verdelen* repartir a gajos
partner 1 pareja, compañero, -a; 2 (*zakelijk*) socio; (*in ontwikkelingssamenwerking*) contrapartida; 3 *sociale ~s* partes sociales, actores sociales; **partnerruil** intercambio de parejas, swinging *m*
part-time a tiempo parcial
parvenu advenedizo
1 pas *zn* 1 paso; *iem de* ~ *afsnijden* atajarle a u.p. el paso, cerrarle *ie* a u.p. el paso; *de* ~ *inhouden* frenar el paso, frenar la marcha; *in de* ~ *lopen* llevar el paso; ~ *op de plaats maken* marcar el paso; *uit de* ~ *raken* no llevar el paso; 2 (*bergpas*) puerto; 3 (*paspoort*) pasaporte *m*; *zie ook: paspoort*; 4 (*pasje, bewijs*) pase *m*; ~ *65 + +* carnet *m* de tercera edad
2 pas (*geschikte tijd of plaats:*) *dat geeft geen* ~, *dat komt niet te* ~ no se puede hacer, (a eso) no hay derecho; *dat soort grappen komt niet te* ~ no hay derecho a ese tipo de bromas; *als het zo te* ~ *komt* si a mano viene, si se tercia; *de regering moest eraan te* ~ *komen* el gobierno tuvo que intervenir; *dat kwam goed van* ~ fue muy útil, fue un gran apoyo; *dat komt ons juist van* ~ llega oportunamente, ha venido como anillo al dedo, viene al pelo
3 pas *bw* 1 sólo, no ...sino; *ik ben er* ~ acabo de llegar; *ik ben er* ~ *een kwartier* sólo hace un cuarto de hora que estoy aquí; *hij is* ~ *tien jaar* sólo tiene diez años; *de trein vertrekt* ~ *om 4 uur* el tren no sale hasta las 4; ~ *gisteren* sólo ayer; ~ *als er een ander bijkomt* ... no es sino cuando llega otro que ...; ~ *toen hij me zag* ... sólo al verme ...; 2 (*met volt dw*) recién; ~ *geboren* recién nacido; ~ *getrouwd* recién casado
4 pas: ~ *maken* ajustar
pascontrole revisión *v* de pasaportes, control *m* de pasaportes
Pasen Pascua (de Resurrección)
pasfoto fotografía (de) carnet, foto *v* de pasaporte
pasgeboren recién nacido
pasje (*toegangsbewijs*) pase *m*
pas|kamer probador *m*; **-klaar** listo para el montaje; **-munt** (dinero) suelto, cambio
paspoort pasaporte *m*; *het* ~ *is 5 jaar geldig* el pasaporte tiene una validez de 5 años; *het* ~ *is verlopen* el pasaporte ha caducado; *een* ~ *aanvragen* solicitar un pasaporte; *een* ~ *verstrekken* expedir *i* un pasaporte
passaat (*wind*) viento alisio
passage 1 (*in boek; doorgang*) pasaje *m*; 2 (*reis*) viaje *m*; 3 (*galerij*) galería; **passagier** pasajero, -a, viajero, -a; **passagieren** pasear
passagiers|boot buque *m* de pasajeros; **-lijst** lista de pasajeros; **-vliegtuig** avión *m* de pasajeros
passant, **passante** transeúnte *m,v* || *en* ~ de paso, al paso
passen I *tr* (*van kleren*) probar *ue*; II *intr* 1 (*mbt kleren*) sentar *ie* bien, ir (bien), venir (bien); *de handschoen past goed* el guante está bien ajustado, el guante se ciñe bien a la mano; *de jas past je goed* el abrigo te va bien; 2 (*mbt deksel*) ajustar; 3 (*in spel*) pasar; 4 (*schikken*) convenir, ser conveniente; 5 (*betamen*) ser correcto, corresponder; 6 (*betalen*) pagar en suelto, pagar la cantidad exacta, pagar con cambio; *kunt u het niet ~?* ¿no tiene suelto?, ¿no tiene cambio?; 7 ~ *bij* cuadrar con, combinar con, armonizar con; *bij elkaar* ~ (*van zaken*) hacer juego, combinar bien; *precies* ~ *bij* adaptarse como un guante a; *die twee* ~ *goed bij elkaar* los dos hacen buena pareja; *die mensen* ~ *niet bij ons* esa gente no congenia con nosotros; *die naam past niet bij hem* ese nombre no le va; *een bezigheid die niet bij zijn leeftijd past* una actividad impropia de su edad; 8 ~ *in* entrar en, encajar en; *in de vorm* ~ encajar en el molde; *die handeling past in zijn strategie* esa actitud entra en su línea estratégica; 9 ~ *op* (*bewaken*) cuidar de, vigilar; *op zijn woorden* ~ mirar sus palabras; *pas op je woorden* mira lo que dices; 10 *er voor* ~ *om* negarse *ie* a; III *zn* (*van kleren*) prueba || *met wat* ~ *en meten* quitando y poniendo, con tiento y buena voluntad; **passend** 1 (*geschikt*) conveniente, oportuno, apropiado, adecuado; ~ *arbeidsaanbod* oferta adecuada de colocaciones; *~e woorden* palabras apropiadas; ~ *bij je*

leeftijd propio de tu edad; *niet ~ bij de gelegenheid* impropio de la ocasión; 2 ~ *bij* (*te combineren*) a juego con; *erbij ~e schoenen* zapatos que hacen juego
passer compás *m*; **passerdoos** estuche *m* de dibujo
passeren 1 (*voorbijgaan*) pasar; *mag ik even ~?* ¿puedo pasar?, ¿me deja pasar, por favor?; *de 50 gepasseerd zijn* tener más de 50 años; 2 (*inhalen*) alcanzar; 3 (*gebeuren*) pasar, ocurrir; 4 (*van akte*) otorgar; 5 (*overslaan*) pasarse
passie pasión *v*; **passiebloem** pasionaria
passief *zn, bn* pasivo
passiespel misterio de la pasión
passpiegel espejo de cuerpo entero
pasta pasta
pastei pastel *m*, empanada
pastel pastel *m*
pastel|kleur color *m* pastel; **-tekening** dibujo al pastel
pasteuriseren pasteurizar
pastille pastilla
pastoor cura *m*; **pastoraal** pastoral; **pastorie 1** (*r-k*) casa del cura; 2 (*prot*) casa del pastor
pasvorm 1 (*van kleren*) corte *m*; 2 (*van schoenen*) horma; *een goede ~ hebben* tener buena horma
pat tablas *vmv*
patat, **patates frites** patatas *vmv* fritas
pâté pâté *m*
1 patent *zn* patente *v*; *~ aanvragen* solicitar una patente; *~ nemen op* hacer patentar
2 patent *bn* excelente, perfecto, eficaz; *hij ziet er ~ uit* rebosa de salud
pater padre *m*
pathetisch patético
pathologisch patológico; *~e anatomie* anatomía patológica; **patholoog-anatoom** anatomista *m* patólogo
pathos patetismo
patience solitarias *vmv*, solitario; *een ~ leggen* hacer solitarias
patiënt, **patiënte** enfermo, -a, paciente *m,v*
patriarch patriarca *m*; **patriarchaal** patriarcal; **patriarchaat** patriarcado
patrijs perdiz *v*; **patrijspoort** portilla, ojo de buey
patriot patriota *m*; **patriottisch** patriótico; **patriottisme** patriotismo
patronaal (*Belg*) patronal; **patronaat** (*Belg*) empresariado, (los) patronos
1 patroon 1 (*beschermheer, heilige*) patrón *m*; 2 (*baas*) patrono
2 patroon (*bij schieten*) cartucho
3 patroon 1 (*dessin*) dibujo; 2 (*naai-, breipatroon*) patrón *m*, modelo
patroonhouder portacartuchos *m*
patrouille patrulla; **patrouilleren** patrullar; **patrouillewagen** coche-patrulla *m*
patser fachendoso, farolón *m*; **patserig** fantasioso, ostentoso
pauk timbal *m*; **paukenist** timbalero
paus papa *m*; **pauselijk** pontifical, papal
pauw pavo real
pauze descanso, pausa; **pauzeren** hacer una pausa; (*bij werk ook:*) descansar
paviljoen pabellón *m*
Pavlov-reflex reflejo de Pavlov
pech 1 mala suerte *v*; *~ hebben* tener mala suerte, llevarse un chasco; *ik heb de hele week al ~* ha sido una semana de mala racha; 2 (*met auto*) avería
pechdienst (*Belg*) (*vglbaar:*) auxilio en carretera
pedaal pedal *m*; **pedaalemmer** basurero de pedal
pedagoge pedagoga; **pedagogie** pedagogía; **pedagogisch** pedagógico; *~e academie* (*vglbaar:*) escuela universitaria de profesorado de EGB; **pedagoog** pedagogo
pedant pedante
peddel pala; **peddelen** dar paladas, paletear
pedicure pedicuro, -a
pedofiel pedófilo; **pedofilie** pedofilia
pee: *ik heb de ~ in* me da mucha rabia
peen zanahoria
peepshow espectáculo de mirilla
peer 1 pera; 2 (*lamp*) bombilla
pees tendón *m*
peet|moeder madrina; **-vader** padrino
peignoir bata
peil nivel *m*; *beneden ~: a)* (*lett*) bajo el nivel, por debajo del nivel; *b)* (*fig*) inferior; *boven ~* por encima del nivel; *op ~* a nivel; *de verlamde economie op ~ brengen* nivelar la economía paralizada; *de wetenschap op een hoger ~ brengen* elevar el nivel de la ciencia; *op een laag ~* a bajo nivel, a un nivel bajo; *op ~ houden* mantener a nivel; *je kunt op hem geen ~ trekken* con él uno nunca sabe a qué atenerse; **peildatum** fecha de referencia; **peilen 1** (*van diepte*) sondar, sondear; 2 (*fig*) sondear, tantear; **peilglas** vidrio de nivel; **peiling 1** sondeo; (*van diepte ook:*) cala; *~ van de meningen* sondeo de las opiniones; 2 (*plaatsbepaling*) orientación *v*; *iem in de ~ hebben* haberle cogido el truco a u.p.; **peillood** plomada, sonda; **peilloos** insondable; **peilstok 1** (*scheepv*) sonda, vara de sondar; 2 (*in auto*) varilla de medición, varilla de sondeo
peinzen (*over*) meditar (sobre), cavilar (sobre); (*somber:*) rumiar, dar vueltas (a); *hij loopt er maar over te ~* le está dando vueltas (y más vueltas) al asunto; **peinzend** meditabundo, pensativo
pek pez *v*; *wie met ~ omgaat wordt ermee besmet* quien anda con aceite, se pringa, al que anda entre la miel, algo se le pega
pekel salmuera; **pekelen 1** poner en salmuera; (*zouten*) salar; 2 (*bij gladheid*) echar sal; **pekelvlees** carne *v* salada
Peking Pekín *m*
pelgrim peregrino; (*in Sp ook:*) romero; **pelgrimage**, **pelgrimstocht** peregrinación *v*; (*in Sp ook:*) romería

pelikaan pelicano
pellen 1 (*van ei, vrucht*) pelar; 2 (*van noten*) descascarar
peloton pelotón *m*
pels piel *v*; **pelsjager** cazador *m* de pieles; **pelsjas** abrigo de pieles
pen 1 (*schrijfpen*) pluma; 2 (*pin*) espiga, clavija; 3 (*breipen*) aguja; *een ~ recht, een ~ averecht* una vuelta del derecho y una del revés; *de zaak heeft veel ~nen in beweging gebracht* sobre el tema se ha vertido mucha tinta; 4 (*van egel*) espina
penalty penalty *m*
pendant pareja
pendeldienst servicio de lanzadera, servicio de vaivén; **pendelen** ir y venir
pendule reloj *m* de mesa
penetrant penetrante
penibel violento, penoso
penicilline penicilina
penis pene *m*
penitentiair penitenciario
pennelikker chupatintas *m*
pennen escribir; **pennestreek** plumazo, plumada; *met één ~* de un plumazo
penning 1 (*munt*) moneda; *hij is erg op de ~* es muy tacaño; 2 (*gedenkpenning*) medalla; 3 (*voor automaat*) ficha; **penningmeester** tesorero
pens vientre *m*; *zijn ~ volvreten* llenar la andorga
penseel pincel *m*
pensioen 1 (*uitkering*) pensión *v*; 2 (*oudedagspensioen*) (pensión *v* de) jubilación *v*; *~ aanvragen* pedir *i* la jubilación; *met ~ gaan* jubilarse; *met ~ zijn* estar jubilado
pensioen|fonds fondo de pensiones; **-gerechtigd** con derecho a la jubilación; *~e leeftijd* edad *v* legal de la jubilación; **-regeling** régimen *m* de jubilación; **-voorziening** previsión *v* para pensiones
pension pensión *v*, fonda, casa de huéspedes; *half ~* media pensión; *vol ~* pensión completa
pensioneren jubilar; **pensionering** jubilación *v*; *vervroegde ~* jubilación anticipada
pension|gast huésped, -eda; **-houder**, **-houdster** dueño, -a de una pensión
pen|tekening dibujo a pluma; **-vriend** amigo epistolar
peper 1 pimienta; 2 *rode ~* ají *m*; **peperbus** pimentero; **peperduur**: *het is ~* cuesta un riñón, cuesta un ojo de la cara; **peperen** sazonar con pimienta; **peper-en-zout** (*mbt haar*) entrecano; **peper-en-zout-stel** juego de salero y pimentero; **peperig** picante; **peperkorrel** grano de pimienta; **pepermolen** molinillo de pimienta
pepmiddel estimulante *m*
per por; *~ jaar* por año, al año; *~ luchtpost* por avión; *~ maand* por mes, al mes; *f 5 ~ stuk* fls 5 la pieza; *twee keer ~ week* dos veces por semana, dos veces a la semana; *vier vluchten ~ week* cuatro vuelos por semana, cuatro vuelos semanales; *één brood ~ twee personen* un pan para cada dos
perceel parcela, lote *m*
percent *zie: procent*; **percentage** porcentaje *m*, tanto por ciento; *een hoog ~* un alto porcentaje, un alto tanto por ciento; *een klein ~* un escaso porcentaje, un reducido porcentaje
percussie percusión *v*
pereboom peral *m*
perfect perfecto; *het pak zit je ~* el traje te sienta que ni pintado; **perfectie** perfección *v*; **perfectioneren** perfeccionar
perforator perforadora; **perforeren** perforar
pergola pérgola
perifeer periférico; **periferie** periferia
periode periodo, período; **periodiek** periódico
periscoop periscopio
perk macizo, cuadro || *binnen de ~en houden* tener a raya; *alle ~en te buiten gaan* exceder los límites, pasar de la raya
perkament pergamino
perlégaren hilo perlé
permanent I *bn* permanente; II *zn* permanente *v*; **permanenten** hacer la permanente
permissie permiso; **permitteren** permitir; *ik kan me geen auto ~* no puedo costear un coche; *zich de luxe ~ om* permitirse el lujo de
perplex perplejo; *hij was ~* se quedó perplejo, se quedó desconcertado
perron andén *m*
1 pers (*tapijt*) alfombra persa
2 pers 1 (*werktuig*) prensa; 2 (*journalistiek*) prensa, periodismo; *ter ~e* en prensa; *bij het ter ~e gaan* al cierre de esta edición
Pers 1 persa *m*; 2 (*kat*) gato persa
persagent agente *m* de prensa, agente *m* de publicidad; **persagentschap** agencia de prensa
pers|bericht comunicado de prensa; **-bureau** agencia de prensa; **-campagne** campaña de prensa; **-conferentie** conferencia de prensa; *een ~ houden* celebrar una conferencia de prensa
per se 1 (*noodzakelijk*) necesariamente; 2 (*met alle geweld*) de cualquier modo, por todos los medios; *hij wilde ~ mee* insistía en venir
persen I *tr* 1 (*van druiven, olijven*) prensar; 2 (*van citroen*) exprimir; 3 (*samenpersen*) comprimir, apretar *ie*; *geperste balen* balas comprimidas; 4 (*strijken*) planchar (a través de un lienzo húmedo); 5 *zich ~ in* (*strakke kleren, fam*) embutirse en; II *intr* apretar *ie*
persfoto foto *v* de prensa; **persfotograaf** fotógrafo de prensa
persiflage (*op*) parodia (de)
pers|klep válvula de presión; **-leiding** tubería de presión; **-lucht** aire *m* comprimido; **-muskiet** periodista *m* descarado, cizañero
personage personaje *m*; (*belangrijk:*) personalidad *v*
personal computer ordenador *m* personal

personalia datos *mmv* personales
personeel I *zn* personal *m*, plantilla, dotación *v*; *lager* ~ empleados *mmv* subalternos; *leidinggevend* ~ personal *m* directivo; II *bn* personal
personeels|afdeling sección *v* de personal, departamento de personal; **-beleid** política de personal; **-chef** jefe *m* de personal; **-kosten** coste *m* del personal; **-vereniging** asociación *v* del personal; **-zaken** *zie: personeelsafdeling*
personen|auto (coche *m* de) turismo; **-lift** ascensor *m* (para personas); **-recht** derecho personal; **-rijtuig** coche *m* de pasajeros; **-vervoer** transporte *m* de personas
personificatie personificación *v*; **personifiëren** personificar
persoon persona; *natuurlijke en rechtspersonen* personas naturales y jurídicas; *in (eigen)* ~ personalmente, en persona; *de hoffelijkheid in* ~ la cortesía personificada; *in de tweede* ~ en segunda persona; *per* ~ por persona, cada uno; **persoonlijk** I *bn* personal; ~ *en vertrouwelijk* (*op brief*) personal y confidencial; *strikt* ~ rigurosamente personal; *~e levenssfeer* intimidad *v*, vida privada; ~ *voornaamwoord* pronombre *m* personal; II *bw* personalmente, en persona; **persoonlijkheid** personalidad *v*; *vooraanstaande -heden* personalidades de viso
persoons|bewijs carnet *m* de identidad; **-gebonden** personal, individual; **-verheerlijking** culto a la personalidad
perspectief perspectiva
perspex perspex *m*
pers|ronde rueda de prensa; **-vrijheid** libertad *v* de prensa
pertinent I *bn* categórico; *een ~e leugen* una mentira patente; II *bw* categóricamente; *hij weigerde* ~ se negó rotundamente
Peru Perú *m*; **Peruaans** peruano
pervers perverso
perzik melocotón *m*
Perzisch persa; *~e Golf* golfo Pérsico; **Perzische** persa
pessimisme pesimismo; **pessimist**, **pessimiste** pesimista *m,v*; **pessimistisch** pesimista
pest peste *v*, pestilencia; *iets schuwen als de* ~ huir de u.c. como la peste; *het stinkt als de* ~ huele que apesta; *de* ~ *hebben aan* odiar, aborrecer; *de* ~ *in hebben* tener mala uva; (*pop*) estar de mala leche; *de* ~ *in krijgen* coger un berrinche
pesten hacer rabiar, chinchar, jorobar; **pesterij** chinchar *m*; *het is gewoon* ~ (son) ganas *vmv* de fastidiar; **pestkop** chinche *m*, fastidioso, mal bicho, chinchorrero
pet gorra; *platte* ~ gorra de plato; *dat gaat boven mijn* ~ no me entra en la cabeza; *Jan met de* ~ el hombre de la calle; *ergens met de* ~ *naar gooien* no tomar en serio u.c., actuar *ú* a la buena de Dios, actuar *ú* al buen tuntún; *geen hoge* ~ *op hebben van* no tener en mucho
petekind ahijado, -a
peterselie perejil *m*
petitie petición *v*; *een* ~ *aanbieden* presentar una petición
petje: *daar neem ik mijn* ~ *voor af* me inspira gran respeto
petroleum queroseno, petróleo
petroleum|kachel estufa de petróleo; **-lamp** lámpara de petróleo; **-stel** cocinilla de queroseno
petto: *in* ~ reservado, en reserva
peuk colilla
peul 1 (*schil*) vaina; 2 (*groente*) tirabeque *m*, guisante *m* flamenco, guisante *m* mollar; **peuleschil** vaina; *dat is een* ~ es cosa de coser y cantar
peuter niño pequeño, párvulo, -a
peuteren hurgar; *in het slot* ~ hurgar en la cerradura; *in zijn oor* ~ hurgarse en el oído; *tussen zijn tanden* ~ hurgarse los dientes; **peuterklasje** (*voor 2- en 3-jarigen*) jardín *m* de infancia
peuter|school (*vanaf 3 jaar*) parvulario; **-speelzaal** *zie: peuterklasje*; **-tuin** (*Belg*) jardín *m* de infancia
peuzelen mordisquear
pezen 1 (*snel rijden*) correr; 2 (*sloven*) aperrearse
pezig nervudo
pianist, **pianiste** pianista *m,v*; **piano** piano
piano|bewerking transcripción *v* pianística; **-concert** concierto para piano; **-kruk** taburete *m* de piano; **-les** lección *v* de piano; **-scharnier** gozne *m* para piano; **-stemmer** afinador *m*
pias payaso
piccolo 1 (*fluit*) pífano; 2 (*bediende*) botones *m*
picknick picknick *m*, comida campestre, merienda (en el campo), jira; **picknicken** merendar *ie* en el campo, salir al campo de jira
pick-up tocadiscos *m*
pief: ~ *paf poef!* ¡pim pam pum!
piek 1 (*wapen*) pica; 2 (*top*) pico; 3 (*gulden*) florín *m*
piekeraar caviloso, rumiador *m*; **piekeren** cavilar, preocuparse; *hij zit de hele dag te* ~ se pasa el día cavilando; *zich suf* ~ romperse la cabeza, devanarse los sesos; ~ *over* dar vueltas a; *ik pieker er niet over* de eso ¡ni hablar!
piekerig (*mbt haar*) desgreñado
piekfijn primoroso, fino
piekhaar greña, greñas *vmv*
piemel *zie: pik*; **piemelnaakt** en pelota, en cueros
pienter listo, avispado, despabilado, vivo
piep: *~!* 1 (*mbt vogel*) ¡pit pit!, ¡pío pío!; 2 (*mbt muis*) ¡pip!; **piepen** 1 (*mbt vogel*) piar *í*; 2 (*mbt muis*) chillar; 3 (*mbt scharnier, rem*) chirriar, rechinar; 4 (*mbt adem*) resollar *ue* || *hij is 'm gepiept* ha hecho las maletas; **pieper** 1 (*semafoon*) localizador *m*, indicador *m*; 2 (*aardappel*) patata

piep|jong muy jovencito; *een ~ ventje* un pipiolo; **-klein** minúsculo; (*mbt kamer ook:*) como un puño; **-schuim** espuma de poliestireno; **-toon** (*op radio*) señal *v*
1 pier (*worm*) lombriz *v*
2 pier 1 (*in zee*) malecón *m*, espigón *m*; 2 (*op luchthaven*) espigón *m*
pierewaaien ir de juerga, andar de parranda
Piet Pedro; *een hoge ~* un pez gordo, un mandamás; *zich een hele ~ voelen* ser petulante, ser muy creído, ser engreído; *voor ~ snot staan* hacer el ridículo; *elkaar de zwarte ~ toespelen* echarse la pelota
piëteit piedad *v*, reverencia
pietepeuterig meticuloso, minucioso; *~ gedoe* sutilezas *vmv*
pietluttig demasiado meticuloso, cominero
pietsje poquitín *m*
pigment pigmento
pij hábito
pijl flecha, saeta; *~ en boog* arco y flecha; *als een ~ uit de boog* como una flecha; *een advocaat met veel ~en op zijn boog* un abogado de recursos
pijler pila, machón *m*, pilar *m*
pijlsnel como un relámpago, como una flecha
pijn dolor *m*; *een doffe ~* un dolor sordo; *~ doen* doler *ue*; *iem ~ doen* hacer daño a u.p.; *heb je erge ~?* ¿te duele mucho?; *ik heb ~ in mijn keel* me duele la garganta; *de ~ onderdrukken* ahogar el dolor; *met veel ~ en moeite* a duras penas
pijn|bank potro; **-bestrijding** terapéutica antidolorosa, tratamiento del dolor
pijnboom pino; **pijnboompit** piñón *m*
pijndrempel umbral *m* del dolor
pijnigen torturar; **pijniging** tortura; **pijnlijk 1** doloroso; 2 (*fig*) embarazoso, penoso, delicado; *een ~e stilte* un silencio tirante; *met ~e zorg* escrupulosamente; **pijnloos** sin dolor; **pijnstillend** analgésico, sedativo, sedante; *~ middel* sedante *m*; **pijnstiller** analgésico, antidoloroso, calmante *m*, sedante *m*
pijp 1 (*roken*) pipa; (*een*) *~ roken* fumar en pipa; *zijn ~ stoppen* cargar la pipa; 2 (*buis*) tubo; 3 (*van schip*) chimenea; 4 (*van broek*) pierna, pernera; 5 (*van drop, kaneel*) barra || *naar andermans ~en dansen* bailar al son que le tocan, bailar el agua a u.p.; *de ~ uitgaan* diñarla, estirar la pata, palmarla
pijpe|kop cazoleta; **-krul** tirabuzón *m*; **-rager** mondapipas *m*; **-steel**: *het regent -stelen* llueve a cántaros, caen chuzos
pijp|leiding 1 tubería; 2 (*voor olie*) oleoducto; 3 (*voor gas*) gasoducto; **-orgel** órgano; **-sleutel** llave *v* tubular
pik (*penis*) polla, carajo || *de ~ op iem hebben* tenerla tomada con u.p., tener a u.p. entre ojos
pikant picante
pikdonker: *het is ~* es noche cerrada, hace oscuro como boca de lobo
piketdienst servicio de guardia
pikeur picador *m* de caballos
pik|haak bichero; **-houweel** pico, piqueta
pikken 1 (*met snavel*) picotear; 2 (*stelen*) birlar || *het niet langer ~* no tragarlo más
pikzwart negro como el carbón
pil píldora; *een bittere ~* (*fig*) un trago amargo, un dulce amargo; *de ~ vergulden* dorar la píldora; *zij is aan de ~* toma la píldora
pilaar pilar *m*
piloot piloto; *tweede ~* copiloto
pils cerveza (rubia)
pimpelen pimplar
pin clavija, espiga
pincet alicates *mmv*
pincode número (de identificación) personal, clave *v* personal
pinda cacahuete *m*; **pindakaas** pasta de cacahuetes
pineut indio; *altijd de ~* siempre el indio
pingelen 1 (*afdingen*) regatear; 2 (*mbt motor*) picar; 3 (*voetbal*) picar el balón
ping-ping plata, parné *m*
pingpong ping-pong *m*
pinguïn pingüino
pink 1 (dedo) meñique *m*; 2 (*kalf*) añal *m*
Pinksteren Pentecostés *m*; **pinkstervakantie** vacaciones *vmv* de Pentecostés
pint pinta
pion peón *m*
pionier, pionierster pionero, -a, precursor, -ora; **pionierswerk** labor *v* de pioneros
pipet pipeta, cuentagotas *m*
pips paliducho
piraat pirata *m*
piramide pirámide *v*
piratenzender emisora pirata
pis meados *mmv*, orines *mmv*; **pisnijdig** muy enojado; *hij is ~* tiene muy mala uva; **pispot** orinal *m*; **pissebed** cochinilla; **pissen** mear
pistache pistacho; **pistacheboom** pistachero
piste pista, cancha
pistool pistola
1 pit 1 (*van kers, perzik*) hueso; 2 (*van appel*) pepita; 3 (*van zonnebloem, meloen*) pipa; 4 (*van kaars*) mecha, pabilo; 5 (*van gasfornuis*) quemador *m*; *op een laag ~je staan: a*) (*lett*) estar a fuego lento; *b*) (*fig*) ir a poca marcha; 6 (*karakter*) carácter *m*, empuje *m*, nervio, fibra, temple *m*
2 pit (*bij race*) puesto
pitriet roten *m*
pittig 1 (*smakelijk*) sabroso; 2 (*mbt persoon*) enérgico; (*geestig*) salado, vivo
pittoresk pintoresco
pizza pizza
p.k. *paardekracht* caballo (de vapor), caballo de fuerza; *afk* c.v., CV
plaag 1 plaga, flagelo; 2 (*plaaggeest*) bromista *m,v*, persona maliciosa, burlón, -ona
plaat 1 placa, plancha, lámina; (*van metaal ook:*) chapa; 2 (*prent*) grabado, cromo; 3 (*lp*)

disco; 4 (*ondiepte*) banco de arena || *de ~ poetsen* poner pies en polvorosa, ir con la música a otra parte; **plaatijzer** chapa, plancha de hierro; **plaatje** 1 cromo; *het lijkt wel een ~* parece pintado; 2 (*bordje*) plaquita; 3 (*tandtechn*) placa

plaats 1 sitio, lugar *m*; (*ruimte ook:*) espacio; *~ van bestemming* (lugar *m* de) destino; *er is genoeg ~* hay sitio suficiente; *~ bieden aan* ofrecer sitio a; *~ hebben, vinden* tener lugar, ocurrir, efectuarse *ú*, producirse; *de ~ innemen van* su(b)stituir a; *de eerste ~ innemen* ocupar el primer lugar; *~ maken voor: a*) (*lett*) hacer sitio, dejar sitio; *hij maakte ~ voor mij op de bank* me hizo sitio en el banco; *b*) (*fig*) dar paso a; *hij weet zijn ~* sabe cuál es su sitio; *in ~ van* en lugar de, en vez de; *in ~ daarvan* en su lugar, en vez de ello; *in de eerste ~* en primer lugar; *in de laatste ~* por último; *denk je eens in mijn ~* ponte en mi lugar; *in uw ~* en su lugar; *het hart op de juiste ~ hebben* tener el corazón en su sitio; *in de ~ stellen van* sustituir, poner en lugar de; *op zijn ~ zijn* caber, ser oportuno, proceder; *niet op zijn ~ zijn* no caber, ser improcedente, estar fuera de lugar, no proceder; *het lijkt mij op zijn ~* lo creo oportuno; *op de ~ rust!* en su lugar ¡descanso!; *op uw ~en!* (*sp*) ¡preparados!; *ter ~e* en el sitio, en el lugar mismo, sobre el terreno; 2 (*erf*) patio; 3 (*zitplaats*) asiento; *~ nemen* tomar asiento, sentarse *ie, i*; *neemt u ~* siéntese; 4 (*betrekking*) puesto; 5 (*stad*) población *v*; 6 (*toegangsbiljet*) localidad *v*, entrada

plaats|bespreking reserva de localidades; **-bewijs** billete *m*

plaatschade daños *mmv* de carrocería

plaatselijk 1 local, regional; *~e buien* chubascos dispersos; *~e tijd* hora local; 2 (*med*) tópico

plaatsen 1 poner, colocar; *aandelen ~* colocar acciones, suscribir acciones; *een bestelling ~* colocar un pedido; *iem in een inrichting ~* internar a u.p. en un establecimiento psiquiátrico; *~ voor* (*fig*) confrontar con; 2 (*van artikel in krant*) colocar, publicar; 3 (*van advertentie*) insertar, poner, publicar; 4 (*aanstellen*) destinar, colocar; *hij is geplaatst in Bahía* ha sido destinado a Bahía; 5 (*herkennen*) situar *ú*; *ik kan hem niet ~* no le puedo situar

plaatsgebrek falta de espacio

plaatsing 1 colocación *v*; 2 (*in krant*) publicación *v*; 3 (*in inrichting*) internamiento; 4 (*van aandelen*) colocación *v*, suscripción *v*

plaatskaart billete *m*

plaatskaarten|automaat máquina de despacho automático de billetes; **-bureau** 1 (*trein*) despacho de billetes; 2 (*theat*) venta de localidades

plaats|naam nombre *m* de lugar; **-ruimte** espacio, sitio

plaatsvervangend suplente, que sustituye; **plaatsvervanger** suplente *m*, sustituto; **plaatsvervanging** sustitución *v*

plaatwerk 1 (*boek*) libro con ilustraciones; 2 (*techn*) chapistería; 3 (*van auto*) carrocería; **plaatwerkerij** chapistería

placemat mantelito individual

placenta placenta

plafond 1 techo, cielo raso; 2 (*fig*) techo

plagen chinchar, mosconear, ser malicioso; **plagerig** malicioso; **plagerij** chanza, burla

plagiaat plagio; *~ plegen* plagiar

plaid manta playera, manta de viaje

plak 1 (*ham*) rueda, lonja, tajada, loncha; 2 (*chocola*) tableta || *hij zit onder de ~* le domina su mujer

plak|band cinta adhesiva; **-boek** álbum *m* de recortes

plakkaat cartel *m*

plakken I *tr* 1 pegar; 2 (*van band*) reparar, poner un parche en; II *intr* pegar(se); *deze lijm plakt goed* esta goma pega bien; *het plakt aan mijn vingers* se me pega en los dedos; *hij blijft altijd ~* siempre se le pega la silla

plak|middel adhesivo; **-plaatje** calcomanía; **-pleister** emplasto adhesivo

plaksel engrudo

plamuren preparar el fondo; **plamuur** masilla, aparejo; **plamuurmes** espátula

plan 1 plan *m*, proyecto, intención *v*; *~nen beramen* hilvanar proyectos; *agressieve ~nen koesteren* abrigar intenciones agresivas; *~nen maken* hacer planes, hacer proyectos; *van ~ zijn* tener la intención de, intentar, proponerse, pensar *ie*; *hij was helemaal niet van ~ om* no tenía la menor intención de; *volgens ~* según el plan previsto; 2 (*plattegrond*) plano; *van het eerste ~* del primer plano

planeet planeta *m*; **planetarium** planetario

plank 1 tabla; 2 (*in kast*) anaquel *m*; 3 *~en* (*theat*) tablas; *op de ~en brengen* llevar a escena, llevar a las tablas || *de ~ misslaan* errar *ie* el golpe; *van de bovenste ~* de primer orden; **plankenkoorts** miedo al escenario, nerviosidad *v*

plankgas: *met ~* a todo gas

plankier entarimado

plankton plankton *m*, plancton *m*

plannen planificar, planear; **planning** planificación *v*

planologie planología, ordenación *v* territorial; **planoloog** planólogo

plant planta; **plantaardig** vegetal; **plantage** plantación *v*, hacienda; **planten** plantar

planten|etend fitófago, herbívoro; **-groei** vegetación *v*; **-rijk** reino vegetal; **-tuin** jardín *m* botánico; **-ziektekundig**: *~e dienst* servicio fitopatológico

planter plantador *m*, dueño de una plantación

plantkunde botánica; **plantkundig** botánico; **plantkundige** botánico, -a

plantsoen jardín *m* (público)

plas 1 charco; *een ~je bier* un charquito de cerveza; 2 (*meer*) lago; 3 *een ~ doen zie: plassen*

plasma plasma *m*

plassen 1 (*spetteren*) chapotear; 2 (*urineren*) orinar, hacer pis; (*kindert*) hacer pipí; *in bed ~, in zijn broek ~* mojarse encima
plastic plástico, materia plástica; *~ artikelen* plásticos *mmv*
plastiek plástica
plastificeren plastificar
plastisch plástico; *~e chirurgie* cirugía plástica, cirugía estética
plat I *bn* 1 (*vlak*) llano, plano; *~ bord* plato llano; *~ dak* azotea; *~ drukken* aplastar; *~ maken* allanar, aplanar; *schoenen met ~te hakken* zapatos llanos; 2 (*glad*) liso; 3 (*mbt neus*) chato; 4 (*horizontaal*) horizontal; 5 (*ruw*) vulgar, chabacano, chocarrero; II *bw* 1 (*mbt praten*) con acento vulgar; 2 *~ achterover* tumbado de espaldas; *~ voorover* de bruces, boca abajo || *de fabriek ligt ~* la fábrica está paralizada; *zich ~ tegen de muur drukken* pegarse a la pared; III *zn* 1 (*op dak*) terraza, azotea; 2 (*van hand, zwaard*) plano; 3 *het continentaal ~* la plataforma continental
plataan plátano
plateau meseta, altiplanicie *v*
platebon vale *m* por un disco
platen|speler tocadiscos *m*; **-winkel** tienda de discos; **-wisselaar** cambiadiscos *m*
platform plataforma
platina platino; **platinablond** (rubio) platinado
plat|leggen paralizar; **-liggen** estar paralizado; **-lopen**: *de deur ~ bij iem* no dejar en paz a u.p.; **-steek** punto llano; **-strijken** (*glad strijken*) alisar; *de naden ~* sentar *ie* las costuras
platte|grond plano; **-land** campo
plattelands|bevolking población *v* rural; **-dokter** médico rural
plat|trappen aplastar (con los pies), pisar; **-vis** pescado plano; **-vloers** vulgar, pedestre, chabacano; **-voeten** pies *mmv* planos; **-zak** con el bolsillo en seco, sin una perra
plausibel plausible
plaveien pavimentar, empedrar *ie*; **plaveisel** empedrado, pavimento
plavuis baldosa
plechtig solemne, ceremonioso; **plechtigheid** ceremonia, solemnidad *v*
plee water *m*, retrete *m*
pleeg|kind (hijo) prohijado, (hija) prohijada; (*geadopteerd*) hijo adoptivo, hija adoptiva; **-ouders** padres *mmv* adoptivos
plegen 1 (*van misdaad*) cometer, perpetrar; 2 (*gewoon zijn*) soler *ue*, acostumbrar; 3 *verzet ~* ofrecer resistencia
pleidooi alegato
plein plaza; **pleintje** plazuela, plazoleta; **pleinvrees** agorafobia
pleister 1 (*op wond*) parche *m*, emplasto, esparadrapo; *een ~ op de wond* (*fig*) un consuelo; 2 (*gips*) escayola, yeso, estuco; **pleisteren** revocar, enlucir; **pleisterplaats** parada, etapa; **pleisterwerk** revoque *m*, enlucido, estuco, estucado
pleit: *het ~ winnen* ganar el pleito; **pleitbezorger** defensor *m*, abogado, mediador *m*; **pleiten** abogar; *~ voor* abogar por, hablar en favor de; *dat pleit voor je* eso aboga a tu favor; **pleiter** abogado, defensor *m*, procurador *m*
plek lugar *m*, sitio; *blauwe ~* cardenal *m*, moradura; *kale ~* (*op hoofd*) calva; *een open ~ in het bos* un claro (en el bosque)
plempen rellenar (con tierra)
plenair plenario, en pleno; *de ~e vergadering* el pleno; *~e zitting* sesión *v* plenaria
plensbui aguacero, chaparrón *m*; **plenzen** llover *ue* a cántaros
pleonasme pleonasmo
pletten achatar, aplastar, aplanar
pletter: *te ~ vallen* estrellarse
plezier gusto; *veel ~!* ¡que te diviertas!; *iem een ~ doen* dar un gusto a u.p.; *~ hebben* divertirse *ie, i*; *veel ~ hebben* divertirse *ie, i* mucho; *daar kun je lang ~ van hebben* puedes disfrutarlo mucho tiempo; *~ vinden in, ~ krijgen in* recrearse en, deleitarse con; *met ~* con mucho gusto; *voor zijn ~* por gusto; **plezierig** agradable; **pleziervaartuig** barco de recreo
plicht deber *m*, obligación *v*; *een heilige ~* un sagrado deber; *ik acht het mijn ~* considero mi deber; *zijn ~ vervullen* cumplir (con) su deber; *van een ~ ontslaan* absolver *ue* de un deber; **plichtmatig** mecánico; **plichtplegingen** cumplidos
plichts|besef sentido del deber, dedicación *v*; **-getrouw** cumplidor *-ora*; **-verzuim** incumplimiento del deber
plint zócalo
plissérok falda plisada
ploeg 1 (*landb*) arado; 2 (*groep*) equipo; (*werklui ook:*) cuadrilla; *in ~en* por turnos, en tandas; **ploegen** arar; **ploegendienst** trabajo por turnos, trabajo por equipo, turno rotativo de trabajo; **ploegleider** jefe *m* de equipo; **ploegschaar** reja (del arado)
ploert canalla *m*; *de koperen ~* el rubio; **ploertenstreek** canallada
ploeteraar esclavo del trabajo; (*student*) empollón *m*; **ploeteren** 1 afanarse, sudar la gota gorda; 2 (*hard studeren*) empollar
plof golpe *m* sordo; *~!* ¡plof!, ¡plaf!; **ploffen** caerse; *op de grond ~* caerse al suelo con un ruido sordo; *op een stoel ~* dejarse caer en una silla
plomp 1 (*onhandig*) torpe, desgarbado; 2 (*ruw*) rudo, grosero, burdo; 3 (*lelijk*) informe, desgarbado
plons (*geluid*) chapotazo; *~!* ¡plum!; **plonzen** I *intr* (*mbt persoon*) zambullirse, chapuzarse, darse un chapuzón; *de bal plonst in het water* la pelota cae al agua (levantando espuma); II *tr* zambullir, chapuzar
plooi pliegue *m*; *valse ~* arruga; *de ~en gladstrijken* (*fig*) limar asperezas; *zijn gezicht in de ~ trekken* componerse la cara mejor; *hij komt nooit uit de ~* no se descompone nunca, siem-

pre tieso y liso; **plooibaar** flexible; **plooibaarheid** flexibilidad *v*; **plooien 1** (*vouwen*) plegar *ie*, hacer pliegues en; 2 (*arrangeren*) arreglar; **plooiing** (*geol*) plegamiento; **plooirok** falda plisada

plotseling I *bn* repentino, inesperado, imprevisto; II *bw* de repente, de pronto, repentinamente; ~ *stoppen* parar en seco; *zich* ~ *omdraaien* volverse *ue* bruscamente

pluche felpa

plug taco

pluim 1 (*van veren*) penacho, pluma; 2 (*van staart*) mechón *m* (de pelo); 3 (*compliment*) cumplido; *iem een* ~*pje geven* dirigir un cumplido a u.p., elogiar a u.p.

pluim|staart cola de largo pelo; **-vee** aves *vmv* de corral

pluis pelusa || *het is daar niet* ~ hay algo sospechoso; **pluizen I** *tr* (*uitpluizen*) deshilachar; **II** *intr* (*pluis vormen*) formar pelusa; **pluizig** que tiene pelusa

pluk 1 (*het plukken*) cosecha, recolección *v*; 2 (*lok*) mechón *m*; *een* ~ *haar* un mechón de pelo; **plukje** pedazo; *een* ~ *watten* un pedacito de algodón; **plukken 1** (*van bloemen, thee*) recoger, coger; *de vruchten* ~ *van* recoger el fruto de; 2 (*van kip*) desplumar; *iem* ~ (*afzetten*) dejar sin un céntimo a u.p.; 3 ~ *aan* tirar (ligeramente) de; **plukker**, **plukster** cosechero, -a, recolector, -ora

plumeau plumero

plunderaar saqueador *m*; **plunderen** saquear, expoliar; *geplunderde graven* sepulcros *mmv* expoliados; **plundering** saqueo, expoliación *v*

plunje ropa; *zijn beste* ~ sus mejores ropas; **plunjezak** petate *m*

pluralisme pluralismo

pluriform pluriforme

plus más; *2 ~ 3 is 5* 2 más 3 son 5; **plusminus** más o menos; **pluspunt** ventaja; *dat is een* ~ *voor hem* es un punto a su favor; **plussen** *ww*: ~ *en minnen* ver el pro y el contra, vacilar, dudar; **plusteken** signo más

pneumatisch neumático

p.o. *per ommegaande* a vuelta de correo

pochen fanfarronear; ~ *op* jactarse de; **pocher** fanfarrón *m*

pocheren escalfar

pocketboek libro de bolsillo

podium estrado, plataforma, escenario; (*voor dans*) tablado; (*voor musici*) tarima

poedel (perro) caniche *m*; **poedelen**, **zich** (*wassen*) chapuzarse; **poedelnaakt** en pelota, en cueros

poeder polvo; *tot* ~ *malen* pulverizar, reducir a polvo

poeder|blusser extinguidor *m* de polvo; **-dons** borla, mota de polvos; **-doos** polvera; **-gist** levadura en polvo; **-koffie** café *m* instantáneo; **-melk** leche *v* en polvo; **-suiker** azúcar *m* en polvo; (*voor glazuur*) azúcar *m* glas, azúcar de lustre; **-vorm**: *in* ~ en polvo

poef puf *m*

poeha fanfarronería, aire *m* de importancia; *met veel* ~ presumiendo, dándose aires, dándose importancia

poel charco, estanque *m*

poelet carne *v* para caldo; **poelier** pollero, vendedor *m* de pollos

poema puma *m*

poen pasta, parné *m*, plata

poep mierda; (*kindert*) caca; *in de* ~ *trappen* pisar excremento; **poepen** hacer de vientre, cagar

poes gato, gata; (*meisje*) guapa, monada; ~, ~*!* ¡miz, miz!; *hij is niet voor de* ~ con él no se puede jugar; *dat examen is niet voor de* ~ ese examen no es ninguna bagatela; **poeslief** meloso; ~ *doen* hacerse de miel

poespas (*gedoe*) jaleo; *met veel* ~*: a*) (*beleefd*) con muchos cumplidos; *b*) (*met vertoon*) con mucho aparato

poëtisch poético

poets trastada, jugada, faena; *iem een lelijke* ~ *bakken* hacerle a u.p. una mala faena

poetsen 1 (*borstelen*) cepillar; (*van schoenen, ook:*) lustrar; *zijn tanden* ~ (*ook:*) lavarse los dientes; 2 (*van zilver*) dar brillo a, pulir, lustrar

poets|katoen estopa; **-lap** trapo de pulir; **-middelen** medios de pulir

poëzie poesía

pof: *op de* ~ de fiado; **poffen 1** (*kopen*) comprar al fiado; 2 (*verkopen*) vender al fiado; 3 (*roosteren*) asar; *kastanjes* ~ asar castañas

pogen intentar, tratar de; **poging** intento, tentativa, esfuerzo; *een* ~ *wagen* probar *ue* suerte, hacer un intento; *hij deed vergeefse* ~*en om* hizo esfuerzos inútiles para, por; ~ *tot ontvluchten* intento de fuga, tentativa de evasión

pogrom pogrom *m*

pokdalig picado de viruelas

poken atizar, hurgar; *in het vuur* ~ atizar el fuego, hurgar el fuego

poker póquer *m*; **pokeren** jugar *ue* al póquer

pokken viruela

pokken|briefje certificado de vacunación (contra la viruela); **-epidemie** epidemia de viruelas; **-weer** tiempo de perros

pol macolla

polair polar

polarisatie polarización *v*; **polariseren** polarizar

polder pólder *m*

polemiek polémica

Polen Polonia

poliep pólipo, polipo

polijsten pulir, bruñir

polikliniek consultorio, policlínica

polio polio *v*, poliomielitis *v*

polis póliza

politicologie politicología

politicus político

politie 1 policía; *geheime* ~ policía secreta; 2 *zie: politieagent*

politie|agent 1 agente *m* de policía, policía *m*; *vrouwelijke* ~ mujer *v* policía; 2 (*verkeersagent*) guardia *m*; **-auto** coche *m* de policía; **-bureau** comisaría, puesto de policía; **-commissaris** comisario de policía; **-cordon** cordón *m* policial; **-functionaris** funcionario policial; *hoge* ~ alto mando policial
politiek I *zn* política; *buitenlandse* ~ política exterior; II *bn* político; *~e gezindheid* filiación *v* política
politie|korps cuerpo de policía; **-macht** fuerza policiaca; **-rechter** 1 (*vglbaar:*) juez *m* correccional; 2 (*als instelling, vglbaar:*) tribunal *m* de faltas; **-staat** estado policial
politiseren politizar
politoeren pulir, bruñir
polka polca
pollepel cazo, cucharón *m*
polo polo *m*
polonaise polonesa
polo-shirt camisa polo
pols 1 muñeca; 2 (*polsslag*) pulso; **polsband** muñequera; **polsen** sondear, tantear
pols|gewricht (articulación *v* de la) muñeca; **-horloge** reloj *m* de pulsera; **-slag** pulso; *de* ~ *opnemen* tomar el pulso
polsstok pértiga; **polsstokhoogspringen** I *ww* saltar con pértiga; II *zn* salto de pértiga; **polsstokhoogspringer** pertiguista *m*
polychroom policromo
polyester poliéster *m*
polyfoon polifónico, polífono
polygamie poligamia
polymeer polímero
polytechnisch politécnico
pomp 1 bomba; 2 (*voor fiets, auto*) inflador *m* || *loop naar de* ~ vete a freír espárragos, vete a la porra; **pompbediende** empleado, -a de la estación de gasolina; **pompen** bombear
pompeus pomposo
pompoen calabaza
pompstation 1 (*benzine*) estación *v* de gasolina, gasolinera; 2 (*water*) estación *v* de bombeo
pond 1 libra, medio kilo (500 grs); *het volle* ~ *geven* darlo todo sin regatear; 2 (*sterling*) libra (esterlina); **pondspondsgewijs** a prorrata
poneren postular, proponer
ponsband cinta perforada; **ponsen** perforar (a punzón); **ponskaart** ficha perforada, tarjeta perforada; **ponsmachine** máquina perforadora, punzonadora
pont transbordador *m*
pontificaal pontifical
ponton pontón *m*
1 pony (*paard*) poney *m*
2 pony (*haar*) flequillo
pooier chulo (de putas), rufián *m*
pook 1 atizador *m*; 2 (*in auto*) hurgón *m*
1 pool polo; *tegengestelde polen* polos contrarios; *vlucht over de* ~ vuelo transpolar
2 pool (*van tapijt*) pelo
3 pool (*pot*) pool *m*, combinación *v* de fondos, consorcio; (*toto*) quinielas *vmv*
Pool polaco
pool|cirkel círculo polar; **-ijs** hielo polar
Pools polaco; **Poolse** polaca
poolshoogte: ~ *nemen* informarse, enterarse
pool|ster estrella polar; **-streken** regiones *vmv* polares; **-vos** zorro azul
poort puerta
poos rato, tiempo; *al een* ~ desde hace rato; **poosje** rato, ratito; *na een* ~ al (poco) rato
poot 1 pata; *zijn* ~ *stijf houden* seguir *i* en sus trece; *geen* ~ *aan de grond krijgen* no conseguir *i* nada; *geen* ~ *om op te staan* ni una razón de peso; *op hoge poten* muy indignado; 2 (*van bril*) patilla
pootaardappel patata de siembra
pootje patita; ~ *baden* mojar los pies, chapotear; *met hangende ~s* con el rabo entre las piernas; *alles komt op zijn ~s terecht* todo se arregla
pop 1 muñeca; *toen had je de ~pen aan het dansen* se armó la gorda, se armó la de Dios es Cristo, allí fue Troya; 2 (*van vlinder*) crisálida
popcorn palomitas *vmv*, popcorn *m*
popelen estar ansioso, estar impaciente; *hij popelde van ongeduld* ardía de impaciencia
pop|festival festival *m* de música pop; **-groep** grupo pop; **-muziek** música pop
poppen|huis casa de muñecas; **-kast** guiñol *m*, títeres *mmv*; **-kasterij** farsa; **-theater** teatro de títeres, teatro de marionetas
populair popular; ~ *worden* hacerse popular; **populariteit** popularidad *v*
populier álamo
por empujón *m*, empellón *m*
poreus poroso
porie poro
pornografie pornografía
porren 1 (*in vuur*) hurgar, atizar; 2 (*stoten*) empujar; 3 (*aanzetten*) incitar
porselein porcelana
1 port (*ptt*) franqueo; *zie ook: porti*
2 port (*wijn*) (vino de) oporto
portaal zaguán *m*
portefeuille cartera; *een goedgevulde* ~ *hebben* tener la cartera bien forrada; *bestellingen in* ~ pedidos en cartera; *verdeling van de ~s* reparto de las carteras
portemonnee portamonedas *m*, monedero; *hij voelt het in zijn* ~ se le duele en el bolsillo
porti gastos *mmv* de franqueo
portie porción *v*, ración *v*
portiek soportal *m*, pórtico
1 portier (*persoon*) portero
2 portier (*van auto*) portezuela
portret retrato; (*foto ook:*) fotografía; *geconstrueerd* ~ retrato-robot *m*; *een lastig* ~ *zijn* dar mucha guerra
portret|fotograaf fotógrafo retratista; **-schilder** (pintor *m*) retratista *m*

portretteren retratar, pintar el retrato de

Portugal Portugal *m*; **Portugees** I *zn* portugués *m*; II *bn* portugués, *-esa*; **Portugese** portuguesa

portvrij franco de porte, libre de franqueo

pose pose *v*, postura, actitud *v* afectada; **poseren** 1 (*mbt model*) posar; 2 (*fig*) darse tono

positie posición *v*, condición *v*; (*functie ook:*) puesto; *financiële* ~ situación *v* económica; *hoge* ~ posición elevada; *maatschappelijke* ~ condición social; ~ *bepalen* (*op zee*) tomar la posición; *zijn* ~ *verbeteren* mejorar (de posición), mejorar su situación; *in* ~ *zijn* estar en estado (interesante)

positief positivo; ~ *beoordelen* tener un juicio favorable de

positiekleding ropa de maternidad

positieven: *niet bij zijn* ~ *zijn* no tenerlas todas consigo

1 post 1 (*brieven*) cartas *vmv*, correspondencia; *is er geen* ~ *voor mij?* ¿no hay cartas para mí?; 2 (*ptt*) correo; (*kantoor*) correos *mmv*; *ik ga even naar de* ~ voy a (la oficina de) correos; *op de* ~ *doen* echar al correo

2 post (*ambt*) puesto, cargo; (*standplaats*) puesto; *op zijn* ~ *blijven* no abandonar su puesto

3 post (*handel*) asiento, partida; *een* ~ *boeken* hacer un asiento; (*op rekening:*) partida

postacademisch: ~ *onderwijs* cursos *mmv* de postgrado, cursos *mmv* para (pos)graduados

post|adres dirección *v* postal; **-agentschap** sucursal *v* de correos, estafeta; **-assignatie** (*Belg*) giro postal; **-bode** cartero; **-bus** apartado de correos; *afk* Apdo.; **-cheque- en girodienst** servicio de giro postal; **-code** código postal; **-collo** (*Belg*) paquete *m* postal; **-duif** paloma mensajera

postelein verdolaga

posten I *tr* (*van brief*) echar al correo; II *intr* (*bij staking*) vigilar, estar de guardia

1 poster (*plaat*) poster *m*, cartel *m*

2 poster (*bij staking*) miembro de un piquete de huelguistas

posteren apostar *ue*, poner (de guardia); *zich* ~ apostarse *ue*

poste-restante lista de correos

posterijen (servicio de) correos

post|kantoor oficina de correos; **-koets** diligencia; **-mandaat** (*Belg*) giro postal

postomat (*Belg*) cajero automático

post|orderbedrijf empresa de venta por correo; **-pakket** paquete *m* postal; **-papier** papel *m* de cartas; **-rekening** cuenta de giro postal; **-rijtuig** coche *m* postal, vagón *m* correo; **-stempel** sello de fechas, matasellos *m*

postuum póstumo; ~ *verlenen* conceder a título póstumo

postuur estatura, talla, complexión *v*; *flink van* ~ robusto, fornido

post|wissel giro postal; **-zak** saca (de la correspondencia); **-zegel** sello (de correos); *~s sparen* coleccionar sellos; *het ruilen van ~s* el cambiar sellos, el canje de sellos

postzegel|automaat máquina (expendedora) de sellos; **-verzameling** colección *v* de sellos

pot 1 bote *m*, vasija; *een* ~ *crème* un bote de crema; *een* ~ *jam* un vaso de mermelada; *het is één* ~ *nat* es todo lo mismo; *~ten en pannen* batería de cocina, trastos de cocina; *de* ~ *verwijt de ketel dat hij zwart is* dijo la sartén al cazo: quítate allá, que me tiznas; 2 (*bij spel*) bote *m*, banca, plato; 3 (*eten*) comida; *wat de* ~ *schaft* lo que haya de comida; 4 (*voor plant*) tiesto, maceta; 5 (*lesbiënne*) tortillera; **potdicht** herméticamente cerrado, cerrado a cal y canto

poten plantar

potent potente; **potentaat** potentado; **potentie** potencia; **potentieel** I *bn* potencial; *een potentiële markt* un mercado en potencia; II *zn* potencial *m*

potig robusto, fornido

potje 1 (*spaargeld*) ahorrillos *mmv*; 2 (*bij spel*) juego || *bij hem kun je een* ~ *breken* él te tiene buena voluntad; *hij maakt er een* ~ *van* no lo toma en serio

potjeslatijn latín *m* de cocina, latín *m* macarrónico

potlood lápiz *m*

potpourri potpurrí *m*

potsierlijk cómico, ridículo

pottekijker fisgón, -ona, espía *m,v*

potten 1 (*sparen*) ahorrar; 2 (*van plant*) plantar en tiesto

pottenbakker alfarero, ceramista *m*; **pottenbakkerij** alfarería

potverteren gastarse todo el dinero

potvis cachalote *m*

pousseren recomendar *ie*, hacer adelantar

pover pobre, exiguo, mísero

praal pompa, boato, esplendor *m*

praal|graf mausoleo; **-wagen** carroza

praat: *iem aan de* ~ *houden* entretener a u.p.; *aan de* ~ *krijgen* (*van motor*) lograr que arranque; *aan de* ~ *raken met* entablar conversación con; **praatje** 1 (*gesprek*) charla, conversación *v*, plática; *een* ~ *maken* charlar, platicar, estar de palique; 2 (*voordracht*) charla; 3 *~s* habladurías, pamplinas; *mooie ~s* pamplinas, pamemas; *~s vullen geen gaatjes* del dicho al hecho hay gran trecho; *zo komen de ~s in de wereld* así se levantan los bulos; *veel ~s hebben* darse mucho tono; *hij krijgt teveel ~s* se está poniendo impertinente; *ik stoor me niet aan die ~s* no hago caso de esas habladurías; **praatjesmaker** charlatán *m*, farsante *m*, fantoche *m*, fantasmón *m*

praat|paal teléfono de emergencia; **-show** programa *m* de entrevistas; **-stoel**: *hij zit op zijn* ~ habla por los codos; **-ziek** hablador *-ora*, parlanchín *-ina*, locuaz

pracht esplendor *m*, magnificencia; *met* ~ *en praal* con pompa y boato, con mucho apara-

to; *een ~ van een jurk* un sol de traje; **prachtexemplaar** 1 (*lett*) ejemplar *m* de lujo; 2 *je bent een ~* (*fig*) eres de lo que no hay; **prachtig** magnífico, espléndido; **prachtkerel** magnífica persona
practicum prácticas *vmv*
pragmatisch pragmático
prairie llanura, pradera
prak mezcla (de patatas y verduras) || *in de ~* (*mbt auto*) destrozado, descacharrado; *in de ~ rijden* descacharrar; **prakken** hacer una mezcla de la comida
prakkezeren pensar *ie*; *zich suf ~* devanarse los sesos
praktijk 1 (*van arts*) consulta; *een drukke ~* mucha clientela; *een ~ beginnen* abrir una consulta; *een medische ~ hebben* ejercer de médico; 2 (*van advocaat*) bufete *m*; *een ~ beginnen* (*als advocaat*) abrir bufete; *een ~ hebben als advocaat* ejercer de abogado; 3 (*uitvoering*) práctica; *in de ~* en la práctica; *in ~ brengen* poner en práctica, llevar a la práctica; *het in ~ brengen van de methode* la puesta en práctica del método; **praktijkervaring** experiencia (en la) práctica
praktisch I *bn* práctico; II *bw* prácticamente
pralen: *~ met* hacer ostentación de, hacer gala de, ostentar, alardear de
prat: *~ gaan op* ser orgulloso de, blasonarse de, alardear de, jactarse de
praten (*over*) hablar (de), charlar (de), conversar (de); *druk ~* hablar animadamente; *jij hebt makkelijk ~* a ti no te cuesta nada hablar así; *je laat me maar ~* me oyes como quien oye llover; *praat me niet van ...* no me hables de ...; *praat me er niet van!* ¡no digas nada!; *iem aan het ~ krijgen* hacer hablar a u.p.; *in zichzelf ~* hablar solo; *er valt met hem te ~* es persona razonable; *er omheen ~* hablar con rodeos; *er maar op los ~* hablar sin tino; *er valt over te ~* se puede considerar, se puede discutir
pre *zn* ventaja
precair precario, delicado, inseguro
precedent precedente *m*; *een ~ scheppen* sentar *ie* un precedente
precies I *bn* 1 (*exact*) exacto, preciso, justo; 2 (*mbt persoon*) escrupuloso, minucioso, concienzudo; *een Pietje ~ zijn* hilar delgado; II *bw* exactamente, justamente; *om 6 uur ~* a las 6 en punto; *~ vier dagen geleden* hace cuatro días justos; *men weet niet ~ waarom* no se sabe bien por qué; *dat kan ik niet ~ zeggen* no lo puedo precisar; *om ~ te zijn* para precisar; *~ volgens* estrictamente de acuerdo con; **preciseren** precisar, especificar
predestinatie predestinación *v*
predikaat (*titel*) título
predikant pastor *m* protestante; *vrouwelijke ~* mujer *v* pastor
preek sermón *m*; **preekstoel** púlpito
preferent preferente, prioritario, privilegiado; **prefereren** (*boven*) preferir *ie, i* (a)

prehistorie prehistoria
prei puerro; *we eten ~* comemos puerros
preken 1 predicar; 2 (*fig, neg*) sermonear
prematuur prematuro
premie 1 (*aan verzekering*) prima; 2 (*aan ziekenfonds*) cotización *v*, cuota; 3 (*prijs*) premio, prima
premier primer ministro, presidente *m* del gobierno, jefe *m* del gobierno; *de ~* (*vrouw*) la primera ministra, la primer ministro
première estreno
premiewoning (*vglbaar:*) vivienda protegida
premisse premisa
prenataal prenatal
prent grabado; (*plaatje*) cromo; **prentbriefkaart** postal *v*; **prentenboek** libro ilustrado
preparaat preparado, preparación *v*; **prepareren** preparar
present I *zn* regalo; II *bn* presente; **presentatie** presentación *v*; **presentator**, **presentatrice** presentador, -ora; (*gespreksleider ook:*) moderador, -ora
presenteer|blaadje: *op een ~* (*fig*) en bandeja; **-blad** bandeja
presenteren 1 (*trakteren*) ofrecer; 2 (*op tv; van rekening*) presentar || *het geweer ~* presentar armas; **present-exemplaar** ejemplar *m* gratuito
presentie|geld dietas *vmv* (de asistencia); **-lijst** lista de asistencia
president, **presidente** presidente, -enta; **presidentieel** presidencial; **presidentschap** presidencia
presidium mesa, presidencia
pressen presionar; (*dwingen*) forzar *ue*
presse-papier pisapapeles *m*
pressie presión *v*; *onder ~ van* presionado por; **pressiegroep** grupo de presión
prestatie 1 (*geleverd werk*) trabajo realizado, lo realizado, rendimiento; 2 (*mooie prestatie*) logro, éxito; 3 (*van motor*) rendimiento; (*van machine ook:*) funcionamiento; (*van bv auto ook:*) prestación *v*
prestatie|gericht 1 (*mbt school*) que fomenta la ambición; 2 (*mbt persoon*) ambicioso; **-loon** salario a prima; **-vermogen** capacidad *v* (productiva)
presteren realizar, rendir *i*
prestige prestigio
pret: *~ hebben, maken* divertirse *ie, i*, pasarlo bien; *straks begint de ~* (*iron*) luego empieza el jaleo; *wat hadden we een ~!* ¡cómo nos divertimos!; *het is uit met de ~* ha terminado la fiesta
pretendent, **pretendente** pretendiente, -ienta; **pretenderen** pretender
pretentie pretensión *v*; *veel ~s hebben* tener muchas pretensiones; **pretentieloos** sin pretensiones; **pretentieus** pretencioso
pretje diversión *v*; *dat is bepaald geen ~* no tiene la menor gracia, maldita la gracia que tiene; **pretpark** parque *m* de atracciones
prettig agradable; *ik vind lopen ~* me gusta an-

dar; *ik vind het helemaal niet ~* no me agrada nada, me molesta mucho; *hier werk ik ~er* aquí trabajo más a gusto
preuts remilgado, mojigato, gazmoño; *toen was je ook niet zo ~* entonces no hiciste tanto remilgo; **preutsheid** mojigatería, gazmoñería
prevaleren prevalecer
prevelen murmurar, hablar entre dientes, mascullar
preventie prevención *v*; **preventief** preventivo; *-tieve hechtenis* detención *v* preventiva
prieel pérgola, cenador *m*, glorieta, emparrado
priem punzón *m*, lesna; **priemen** punzar, pinchar; *een ~de blik* una mirada punzante; **priemgetal** número primo
priester sacerdote *m*; **priesteres** sacerdotisa; **priesterlijk** sacerdotal; **priesterschap** sacerdocio
prietpraat palabrería
prijken 1 (*op menu*) aparecer, figurar; *bovenaan de lijst ~* figurar como primero de la lista; **2** (*in etalage*) estar expuesto; **3** *~ met* hacer gala de
prijs 1 (*te betalen*) precio; *uiterste ~* último precio; *vaste ~* precio fijo; *onder de ~ verkopen* malvender; *ver onder de ~* a precios ruinosos; *op ~ stellen* apreciar, estimar; *tegen de ~ van* al precio de, por el precio de; *tot elke ~* a cualquier precio; *voor geen ~* por nada del mundo, a ningún precio; *voor de halve ~* a mitad de precio; **2** (*te winnen*) premio
prijs|aanvraag petición *v* de precio; **-beheersing** control *m* de precios; **-bewust**: *~ zijn* fijarse en los precios, tener (buena) noción de precios; **-compensatie** compensación *v* por carestía de vida; **-daling** baja de (los) precios; **-geven** abandonar, sacrificar; **-indexcijfer** índice *m* de precios (al consumo); **-kaartje** etiqueta del precio; **-lijst** lista de precios, tarifa; **-opgave** indicación *v* del precio; *~ doen* cotizar precios; *vraag ~!* ¡pida presupuestos!; **-peil** nivel *m* de los precios; **-schommeling** oscilación *v* del precio; **-stijging** alza de (los) precios, subida de (los) precios, elevación *v* de (los) precios; **-stop** contención *v* de (los) precios, congelación *v* de (los) precios; **-uitreiking** entrega de (los) premios; **-verhoging** *zie: prijsstijging*; **-verlaging** *zie: prijsdaling*; **-vraag** certamen *m*, concurso; **-winnaar**, **-winnares** premiado, -a, ganador, -ora del concurso
prijzen 1 alabar, elogiar; *zich gelukkig ~* considerarse feliz; *hemelhoog ~* hacerse lenguas de; **2** (*van prijs voorzien*) poner precio; *alles is geprijsd* todo lleva precio; **prijzenswaardig** elogiable, digno de encomio; **prijzig** caro, costoso; *een ~ artikel* un artículo de precio
prik 1 (*steek*) punzada, picadura; **2** (*injectie*) inyección *v*; **3** (*limonade*) gaseosa || *dat is vaste ~* siempre es lo mismo; *voor een ~je kopen* comprar por cuatro cuartos
prik|actie huelga simbólica; **-bord** tablón *m* de anuncios
prikkel estímulo, incentivo, acicate *m*, aguijón *m*; **prikkelbaar** irritable, irascible, susceptible, picajoso; **prikkeldraad** alambre *m* de púas
prikkelen 1 (*opwekken*) excitar, estimular; *de nieuwsgierigheid ~* picar la curiosidad, avivar la curiosidad; **2** (*irriteren*) irritar; **3** (*op tong*) picar; **prikkelend 1** (*opwekkend*) excitante, estimulante; **2** (*prikkend*) picante; *een ~ gevoel in het been* un hormigueo en la pierna; **prikkeling 1** (*op tong*) picor *m*; **2** (*van wond*) escozor *m*; **3** (*opwekking*) excitación *v*, estímulo, incentivo; **4** (*irritatie*) irritación *v*, provocación *v*
prikken I *tr* pinchar, picar; (*vastprikken*) pinchar; *een olijf ~* pinchar una aceituna; *hij prikte in zijn vinger* se pinchó el dedo; **II** *intr* **1** (*steken*) picar; *mijn ogen ~* siento un escozor en los ojos; *mijn tong prikt* me pica la lengua; *mijn voet prikt* siento hormigueo en el pie; **2** (*met prikklok*) fichar
prik|klok reloj *m* registrador, reloj *m* para fichar; **-tol** trompa
pril tierno, joven; *sinds zijn ~le jeugd* desde su más tierna infancia
prima excelente, de primera; *~!* ¡muy bien!, ¡perfecto!; *van ~ kwaliteit* de primera calidad
primaat primado
primair primario
primeur: *de ~ hebben: a*) (*het eerst weten*) ser el primero en saberlo; *b*) (*mbt krant*) ser el primero en publicarlo; *~s* primicias
primitief primitivo
primula prímula, primavera
primus (*brander*) hornillo de kerosén
principe principio; *leidend ~* principio rector; *in ~* en principio; *uit ~* por principio; **principieel** fundamental, esencial; *principiële vraag* pregunta básica; *hij is erg ~* es persona de principios; *om principiële redenen* por motivos fundamentales, por principio
prins príncipe *m*; **prinsdom** principado; **prinselijk** principesco; **prinses** princesa; **prinsgemaal** príncipe *m* consorte
printer impresora
prior, priores prior, -ora
prioriteit prioridad *v*, preferencia
prisma prisma *m*; **prismakijker** (gemelos *mmv*) prismáticos *mmv*
privaatrecht derecho civil
privacy intimidad *v*; *recht op ~* derecho a la intimidad
privatisering privatización *v*
privé privado, personal
privé|bezit propiedad *v* privada; **-gebruik** uso privado; *een auto voor ~* un coche de uso privado; **-les** clase *v* particular; **-leven** vida privada; **-secretaris** secretario particular; **-uitgaven** gastos personales; **-vermogen** hacienda privativa de cada uno, patrimonio privado

privilege privilegio
pro pro; *het ~ en het contra* el pro y el contra
probaat probado, eficaz
proberen 1 (*pogen*) tratar, intentar; *~ om* tratar de, probar *ue* de, intentar; *probeer te slapen* trata de dormir, haz por dormir; 2 (*beproeven*) probar *ue*
probleem problema *m*; **problematiek** problemática; **problematisch** problemático
procédé procedimiento, proceso
procederen proceder, litigar; *~ over* proceder por, sobre; *~ tegen* proceder con, contra; **procedure** procedimiento
procent por ciento; *zes ~* el seis por ciento, un seis por ciento; *honderd ~: a) zn* el cien por ciento; *b) bw* cien por cien; *hij is honderd ~ Bask* es vasco cien por cien; *in ~en* en tantos por ciento; *het gemiddelde in ~en* el promedio porcentual; *tegen 6 ~* al 6 por ciento; *alcohol van 40 ~* alcohol *m* de 40 grados
proces proceso, juicio, causa; (*civiel ook:*) pleito; *iem een ~ aandoen* encausar a u.p., poner pleito a u.p.; *een ~ beginnen* incoar un proceso, entablar un proceso; *zonder enige vorm van ~* sin formación de causa alguna; **proceskosten** costas (procesales)
processie procesión *v*
proces-verbaal 1 (*verslag*) acta; 2 (*van politie*) atestado; *een ~ opmaken* incoar un atestado, instruir expediente
proclamatie proclamación *v*; **proclameren** proclamar
procuratie poder *m*, poderes *mmv*; *~ verlenen* otorgar poderes; *per ~* por poder
procuratie|houder, **-houdster** apoderado, -a
procureur procurador *m* (judicial); **procureur-generaal** fiscal *m* del tribunal supremo
producent productor *m*; **produceren** producir
produkt producto; *Bruto Nationaal ~* Producto Nacional Bruto; *afk* PNB; **produktie** producción *v*
produktie|capaciteit capacidad *v* productiva; **-centrum** centro productor
produktief productivo
produktie|goederen bienes *mmv* de producción; **-middelen** bienes *mmv* de equipo; **-proces** proceso productivo; **-staatje** estadillo de producción
produktiviteit productividad *v*; **produktschap** (*Ned*) corporación *v* de productos
proef 1 prueba, ensayo; *een proeve van bekwaamheid* una prueba de aptitud; *de ~ doorstaan* pasar la prueba, resistir la prueba; *een ~ nemen met* ensayar; *de ~ op de som nemen* hacer la prueba; *op ~* a prueba; *op de ~ stellen* poner a prueba; *bij wijze van ~* a modo de prueba, a título de prueba; 2 (*natk*) experimento; *proeven nemen* hacer experimentos; *proeven nemen met ratten* experimentar con ratas
proef|balans balance *m* de comprobación; **-boring** perforación *v* de prueba, exploración *v*; **-dier** animal *m* de laboratorio, animal de experimentación; **-druk** prueba; **-exemplaar** ejemplar *m* de muestra, espécimen *m*; **-konijn** conejillo de Indias, cobayo, cobaya *m*
proef|neming experimento, ensayo; **-nummer** número-muestra *m*; **-ondervindelijk** experimental, empírico; *~ vaststellen* determinar empíricamente; **-opstelling** disposición *v* de prueba; **-order** pedido de ensayo; **-persoon** sujeto de experimentación; **-proces** proceso experimental; **-project** proyecto piloto, plan *m* piloto; **-rit** marcha de ensayo, prueba; **-schrift** tesis *v* (doctoral); **-station** estación *v* experimental; **-tijd** período de prueba; **-vaart** (viaje *m* de) prueba; **-vlucht** vuelo de prueba, vuelo experimental; **-werk** ejercicio escrito, prueba escrita
proesten (*niezen*) estornudar; *~ van het lachen* prorrumpir en risa
proeven probar *ue*; (*van wijn ook:*) catar; *ik proef er niets van* no noto el sabor
1 prof (*sp*) profi *m*, profesional *m*
2 prof *zie: professor*
profaan profano
profeet profeta *m*
professioneel profesional
professor catedrático (de universidad)
profetie profecía; **profetisch** profético
profiel perfil *m*
profijt beneficio, provecho; *~ opleveren* dar rendimiento; *~ trekken van* sacar provecho de
profileren perfilar
profiteren (*van*) aprovecharse (de); **profiteur** aprovechado
pro forma pro forma
profylactisch profiláctico
prognose pronóstico
programma programa *m*; **programmamaker** programador *m*; **programmeertaal** lenguaje *m* de programación; **programmeren** programar; *geprogrammeerd* programado; **programmering** programación *v*; **programmeur** programador, -ora
progressie progresión *v*; **progressief** progresivo; (*pol*) progresista; (*pol, fam*) progre
project proyecto; **projecteren** proyectar; **projectie** proyección *v*
projectie|doek, **-scherm** pantalla (de proyección)
projectiel proyectil *m*; *geleid ~* proyectil teledirigido
projectontwikkelaar promotor *m* (inmobiliario)
projector proyector *m*
proleet plebeyo, persona vulgar
proletariaat proletariado, proletarios *mmv*; **proletariër** proletario
proliferatie proliferación *v*
prolongatie prórroga, renovación *v*; **prolongeren** 1 (*van film*) prolongar; 2 (*van wissel*) prorrogar
proloog prólogo

prominent prominente
promotie 1 promoción *v*; ~ *maken* ascender *ie*; 2 (*univ*) ceremonia en que se confiere el grado de doctor; **promotiekansen** oportunidades *vmv* de ascenso
promotor director, -ora de tesis; **promoveren** doctorarse; *hij is gepromoveerd aan de universiteit van Leiden* es doctor *m* por la universidad de Leyde
prompt 1 (*meteen*) inmediatamente; 2 (*precies*) puntualmente
pronken ostentar; ~ *met* hacer gala de, hacer ostentación de; **pronkerig** ostentoso, fastuoso
pronk|juweel, -stuk joya, orgullo
prooi pieza de caza, presa; *ten ~ vallen aan* ser presa de
proost: ~! ¡(a su) salud!; (*bij niezen*) ¡Jesús!
prop 1 (*papier*) rebujo; 2 (*watten*) pelotón *m*; 3 (*in mond*) mordaza; 4 ~*je* (*om te gooien*) bolita || *ik had een ~ in mijn keel* sentí un nudo en la garganta; *op de ~pen komen met iets* salir con u.c., sacar a colación u.c., poner sobre el tapete u.c.
propaangas gas *m* propano
propaganda propaganda; **propageren** propagar
propeller hélice *m*
proper limpio, pulcro
proportie proporción *v*; *tot zijn ware ~s terugbrengen* reducir a sus proporciones reales; **proportioneel** proporcional; ~ *schrift* espaciado proporcional
proppen meter (con dificultad); *hij propte alles in de tas* lo metió todo sin orden en el bolso; **propvol** atestado, repleto, hasta los topes, de bote en bote; ~ *zitten* (*met*) estar a rebosar (de)
prospectus prospecto, folleto de informes
prostituée prostituta; **prostitutie** prostitución *v*
proteïne proteína; **proteïnegehalte** contenido de proteína
protest protesta; *onze ~en baatten niet* de nada valieron nuestras protestas; ~ *aantekenen tegen* protestar contra; *onder* ~ bajo protesta, con protesta; *storm van ~en* tempestad *v* de protestas; **protestant** protestante; **protesteren** (*tegen*) protestar (de, contra); **protestnota** nota de protesta; **protestsong** canción *v* protesta
prothese prótesis *v*
protocol protocolo
prototype prototipo
protserig 1 (*mbt persoon*) fantoche, fachendoso; 2 (*mbt kleding*) vistoso, llamativo
proviand víveres *mmv*, vituallas *vmv*, provisiones *vmv*; **proviianderen** aprovisionar, avituallar, abastecer de víveres
provinciaal provincial; *-ale Staten* (*vglbaar:*) diputación *v* provincial; *-ale weg* carretera secundaria; **provinciaals** (*neg*) provinciano
provincie provincia
provincie|raad (*Belg*) (*vglbaar:*) diputación *v* provincial; **-stad** ciudad *v* de provincia
provisie comisión *v*
provisie|kamer, -kast despensa
provisorisch provisional
provoceren provocar; **provocerend** provocador *-ora*, provocativo
proza prosa
pruik peluca; (*fig, haardos*) melena
pruilen 1 poner hocico, poner morrito; 2 (*snikken*) hacer pucheros
pruim 1 ciruela; 2 (*tabak*) mascada de tabaco; **pruimeboom** ciruelo; **pruimedant** ciruela pasa; **pruimen** mascar || *iem niet kunnen ~* no poder tragar a u.p.; *dat is niet te ~* es horrible; **pruimepit** hueso de ciruela
prul 1 (*prulletje*) frusleria, baratija, chuchería; 2 (*niets waard*) desastre *m*, calamidad *v*; **prullaria** cachivaches *mmv*; **prullenmand** papelera, cesto de los papeles
prut 1 (*van koffie*) sedimento, poso; 2 (*modder*) lodo, barro, fango; 3 (*niets waard*) basura
prutsen 1 (*slecht doen*) chapucear, hacer con los pies; 2 ~ *aan* manipular en; **prutswerk** chapuza
pruttelen 1 (*mopperen*) refunfuñar, rezongar; 2 (*borrelen*) burbujear, borbotar, borbollar
P.S. *post scriptum* posdata; *afk* P.D.
psalm salmo
pseudo- seudo; *de ~-dokter* el seudo médico; **pseudoniem** seudónimo
psoriasis psoriasis *v*
psychedelisch psicodélico
psychiater psiquiatra *m,v*; **psychiatrie** psiquiatría
psychisch psíquico
psycho|analyse psicoanálisis *m*
psychofarmaca psicotrópicos *mmv*
psychologe psicóloga; **psychologie** psicología; **psychologisch** psicológico; **psycholoog** psicólogo
psychosomatisch psicosomático
psychotherapie psicoterapia
P.T.T. Correos, Telégrafos, Teléfonos; (*vglbaar:*) Correos
puber púber *m,v*, adolescente *m,v*; (*meisje ook:*) púbera; **puberteit** pubertad *v*
publiceren publicar; **publiciteit** publicidad *v*; ~ *geven aan* hacer público, lanzar a la publicidad; **public relations** relaciones *vmv* públicas
publiek I *zn* público; (*gehoor*) audiencia; II *bn* público; ~*e vrouw* mujer *v* pública; ~*e werken* obras *vmv* públicas; III *bw* en público; **publikatie** publicación *v*
pudding (*vglbaar:*) flan *m*
puf: *geen ~ hebben om* no tener ganas de; **puffen** resollar *ue*
pui fachada
puik excelente, de primera; **puikje**: *het* ~ lo más granado, la flor y nata, lo mejorcito, la crema
puilen abultar

puimsteen piedra pómez
puin escombros *mmv*; ~ *ruimen* descombrar; *in ~ leggen* reducir a escombros; *in ~ rijden* hacer pedazos, descacharrar; *in ~ vallen* caer en ruinas; **puinhoop** 1 escombrera; 2 (*fig*) desastre *m*
puist grano; *een lelijke ~* un mal grano; *klein ~je* granito; *hij kreeg ~en* le salieron granos; **puistig** granujiento, con granos
pukkel *zie: puist*
pul jarrón *m*, jarra; (*voor bier ook:*) tarro
pulken hurgar
pulp pulpa
pummel paleto, palurdo
pump zapato de vestir
punaise chinche *v*
punctie punción *v*; **punctueel** puntual
punt 1 (*uiteinde*) punta; *de ~ van de schoen* la punta del zapato; *op de ~ van de stoel* en la punta de la silla; 2 (*leesteken*) punto; *dubbele ~* dos puntos; *een ~ zetten achter* (*fig*) poner punto final a; 3 (*plaats*) punto; *op een dood ~* en un punto muerto; *op het ~ staan te* disponerse a, estar para, estar a punto de; 4 (*zaak, kwestie*) punto, extremo, particular *m*; (*op agenda ook:*) asunto; *het ~ is ...* la cosa es ...; *dát is het ~* ahí está el quid, ahí está la cosa; *dat is geen ~* no es ningún problema; *ze verschillen op veel ~en* difieren en muchos puntos; *op dit ~* en este punto, en este extremo, en este asunto; *op het ~ van ...* en el capítulo de ...; 5 (*bij studie*) punto; 6 (*sp*) tanto, punto; *overwinning op ~en* victoria por puntos; **punten** 1 (*van potlood*) sacar punta a; 2 (*van haar*) igualar, recortar, cortar las puntas
punten|aantal tanteo, puntuación *v*; **-lijst** tanteador *m*, marcador *m*
punteslijper sacapuntas *m*, afilalápices *m*
punt|gaaf en perfecta condición; **-hals** escote *m* en pico
puntig agudo, puntiagudo, en punta
puntje punto; *~s* (*leesteken*) puntos suspensivos; *als ~ bij paaltje komt* llegado el caso; *de ~s op de i zetten* poner los puntos sobre las íes; *alles was tot in de ~s verzorgd* todo estaba en perfecto orden; *in de ~s gekleed zijn* vestir *i* con gran pulcritud, ir de veinticinco alfileres
puntjeslijn línea de puntos
puntkomma punto y coma
1 pupil pupilo, -a
2 pupil (*van oog*) pupila, niña del ojo
puree puré *m*; *in de ~ zitten* estar en un apuro; **pureren** triturar
puriteins puritano
purper púrpura
purser sobrecargo *m,v*
pus pus *m*
put 1 pozo; *in de ~ zitten* estar desalentado, estar descorazonado; 2 (*rioolput*) sumidero; **putje** (*in oppervlak*) hoyuelo; **putten** sacar; *~ uit het verleden* recurrir al pasado, inspirarse en el pasado
puur puro; *pure verzinsels* pura fantasía
puzzel rompecabezas *m*, puzzle *m*; (*kruiswoord ook:*) crucigrama *m*; **puzzelen** 1 resolver *ue* un puzzle; (*van legpuzzel*) hacer un rompecabezas; 2 (*piekeren*) romperse la cabeza
pygmee pigmeo
pyjama pijama *m*; **pyjamajasje** chaqueta del pijama
Pyreneeën: *de ~* los Pirineos
pyromaan pirómano; **pyromanie** piromanía
Pyrrusoverwinning victoria pírrica
python pitón *m*

Qq*q*

q.q. *qualitate qua* en la calidad expresada, de oficio, ex profeso
qua en cuanto a
quantum 1 cantidad *v*; 2 (*natk*) quantum *m, mv quanta*, cuanto *mv cuanta* (de acción); **quantumtheorie** teoría de los cuantos
quarantaine cuarentena
quartair (*geol*) cuaternario || *de ~e sector* el sector servicios no comercial
quasi fingido
quatre-mains pieza a cuatro manos
querulant, querulante quejón, -ona
quitte en paz; ~ *spelen* quedar empatados; ~ *staan* estar en paz
qui-vive alerta; *op zijn ~ zijn* estar alerta
quiz concurso (de televisión)
quorum quórum *m*
quota contingente *m*, cuota
quotiënt cociente *m*
quotum *zie: quota*

Rr*r*

raad 1 (*advies*) consejo; ~ *geven* aconsejar, asesorar, dar consejo; ~ *inwinnen bij, te rade gaan bij* tomar consejo de, consultar a; *de ~ in de wind slaan* desoír el consejo, no hacer caso del consejo; ~ *vragen* pedir *i* consejo; *ik weet geen* ~ no sé qué hacer; *met ~ en daad bijstaan* ayudar moral y materialmente; *ten einde* ~ como último recurso; 2 (*college*) consejo; (*gemeenteraad*) concejo; ~ *van bestuur: a*) consejo de dirección; *b*) (*van nv*) consejo de administración; *de ~ van Europa* el Consejo de Europa; ~ *van toezicht* consejo de vigilancia; 3 (*persoon*) consejero
raadgevend asesor *-ora*, consultivo; ~ *ingenieur* ingeniero asesor; **raadgever** asesor *m*
raadhuis ayuntamiento, casa consistorial
raadplegen consultar; *iem over iets* ~ consultar u.c. con u.p., consultar a u.p. sobre u.c.
raadsel 1 adivinanza, acertijo; 2 (*fig*) misterio, enigma *m*; **raadselachtig** misterioso, enigmático
raads|lid concejal, -ala; **-man** consejero; (*advocaat*) abogado; **-zitting** sesión *v* del concejo
raadzaam aconsejable; *niet* ~ poco aconsejable, poco conveniente
raaf cuervo; *witte* ~ mirlo blanco
raak acertado; *een rake opmerking* una observación acertada; ~ *zijn* acertar *ie*; *die klap was* ~ ese golpe dio en el blanco; *maar ~ praten* hablar sin tino; *vraag maar* ~ pregunta lo que quieras
raak|lijn tangente *v*; **-punt** punto de contacto; **-vlak** plano tangente
raam ventana; *uit het ~ gooien* tirar por la ventana; *uit het ~ kijken* mirar por la ventana; *voor het ~ gaan staan* asomarse a la ventana 1 (*in trein*) ventanilla; 2 (*lijst*) marco
raam|akkoord acuerdo marco; **-kozijn** marco de ventana; **-ventilator** extractor *m*; **-vertelling** narración *v* enmarcada; **-werk** marco
raap nabo; *recht voor zijn* ~ sin rodeos, a quema ropa; *iem voor zijn ~ schieten* arrearle un tiro (en el coco) a u.p.
raar raro, extraño; *een rare kerel* un tipo raro
raaskallen desvariar *i*, decir tonterías
raat panal *m*
rababer ruibarbo
rabbi, rabbijn rabí *m*, rabino
race carrera; ~ *tegen de klok* carrera contra reloj
race|auto coche *m* de carreras; **-baan** pista; **-fiets** bicicleta de carreras

racen correr; **racestuur** guía de carreras
racisme racismo; **racistisch** racista
racket raqueta
1 rad *zn* rueda; *iem een ~ voor ogen draaien* engañar a u.p. con (toda clase de) cuentos
2 rad *bn* rápido, ágil; *een ~de prater* un gran hablador; *hij is ~ van tong* tiene mucha labia
radar radar *m*
raddraaier alborotador *m*
radeermesje raspador *m*
radeloos desesperado, sin saber qué hacer
raden 1 adivinar; *goed ~* acertar *ie*; *je raadt het nooit!* ¡a que no lo adivinas!; 2 (*adviseren*) aconsejar
radiaalband neumático radial
radiator radiador *m*
radicaal radical, drástico
radijs rábano
radio radio *v*; *draagbare ~* radio portátil; *de ~ staat aan* está puesta la radio; *de ~ aanzetten* poner la radio; *de ~ afstemmen op* (*station*) sintonizar la radio en; *de ~ speelde* funcionaba la radio; *de ~ uitdoen* apagar la radio; *de ~ zachter zetten* bajar la radio
radioactief radiactivo; **radioactiviteit** radiactividad *v*
radio|amateur radioaficionado; **-grafisch** radiográfico; **-monteur** mecánico de radios; **-omroep** radiodifusión *v*; **-ontvangapparatuur** aparatos *mmv* receptores de radio; **-programma** programa *m* de radio(difusión); *radio- en tv-programma's* programas radiales y televisivos; **-rede** discurso radiado, discurso radiofónico; **-station** *zie: radiozender*; **-telefonie** radiotelefonía; **-telegrafist** radiotelegrafista *m*; **-telescoop** radiotelescopio; **-uitzending** emisión *v* radiofónica, emisión *v* de radio; **-zender** emisora de radio
radium radio
radslag voltereta
rafel hilacha, fleco; **rafelen** *intr* deshilarse, desflecarse; **rafelig** deshilachado, desflecado
raffia rafia
raffinaderij refinería; **raffinement** 1 (*scherpzinnigheid*) sutileza, perspicacia; 2 (*sluwheid*) astucia; 3 (*fijne smaak*) exquisitez *v*; **raffineren** refinar
rage moda, manía
ragebol 1 (*bezem*) escobón *m*; 2 (*wild haar*) greñas *vmv*
ragfijn muy fino
ragoût ragú *m*
raid incursión *v*
rail riel *m*, carril *m*; *~- en wegvervoer* transporte *m* por ferrocarril y por carretera; *uit de ~s lopen* descarrilar
rakelen atizar, hurgar
rakelings: *~ langs iets gaan* pasar rozando u.c.
raken 1 dar, alcanzar, hacer blanco en; *heeft hij je geraakt?* ¿te ha dado?; 2 (*fig*) afectar, tocar; 3 (*aanraken*) tocar; 4 (*wisk*) ser tangente con; 5 (*beginnen*): *we raakten aan de praat* entablamos una conversación; *uitgeput ~* agotarse; *in moeilijkheden ~* encontrar *ue* dificultades, meterse en líos; *te water ~* caer al agua
raket cohete *m*
rakker pícaro, tunante *m*, bribón *m*
rally rallye *m*
ram 1 carnero; 2 (*astrol*) Aries *m*; 3 (*konijn*) conejo macho
ramen (*op*) estimar (en), calcular (en); **raming** estimación *v*, cálculo
rammelaar sonajero
rammelen 1 (*schudden*) sacudir, agitar; *aan de deur ~* sacudir la puerta; *iem door elkaar ~* zarandear a u.p.; *~ met de borden* hacer entrechocar los platos; 2 (*mbt auto, trein*) traquetear; 3 (*mbt geld, metaal*) sonar *ue*; 4 (*mbt ruiten*) temblar *ie* || *ik rammel van de honger* tengo un hambre que no veo; **rammelkast** (*auto*) armatoste *m*, cacharro, vehículo desvencijado
rammen embestir *i*, golpear
rammenas rábano negro
ramp desastre *m*, catástrofe *v*, siniestro; *tot overmaat van ~* para mayor desgracia; **rampgebied** región *v* siniestrada; **rampspoed** adversidad *v*; **rampzalig** aciago, desastroso, funesto, infausto, nefasto
rancune rencor *m*
rand 1 borde *m*; *de ~ van de afgrond* el borde del abismo; *de ~ van de stoel* el borde de la silla; *aan de ~ van* al borde de; 2 (*van hoed*) ala; 3 (*scherpe rand; van munt*) canto
rand|apparatuur aparatos *mmv* periféricos; **-stad** (*vglbaar:*) conurbación *v* (occidental); **-verschijnsel** fenómeno secundario
rang categoría, rango, orden *m*; *van de eerste ~* de primer orden
rangeerterrein patio de maniobras; **rangeren** hacer maniobras
rang|lijst 1 lista, ránking *m*; 2 (*sp*) clasificación *v*; **-orde** orden *m*, jerarquía; **-schikken** ordenar, clasificar, catalogar; **-schikking** orden *m*, clasificación *v*; **-telwoord** número ordinal
1 rank *zn* brote *m*; (*van wijnstok*) pámpano
2 rank *bn* esbelto
ransel 1 mochila, morral *m*; 2 (*slaag*) paliza, soba; **ranselen** azotar, dar una paliza
rantsoen ración *v*; **rantsoeneren** racionar; **rantsoenering** racionamiento
ranzig rancio
rap ágil, veloz, vivaz
rapaille canalla, gentuza, chusma
rapen recoger
rapport 1 (*verslag*) informe *m*, memoria; 2 (*op school*) lista de notas; **rapportcijfer** nota; **rapporteren** (*over*) presentar un informe (sobre), informar (sobre)
rapsodie rapsodia
rariteit curiosidad *v*
ras raza; *verscheidenheid van ~sen* diversidad *v* racial; *een samenleving met veel ~sen* una sociedad multirracial

ras|echt de pura raza; **-hond** perro de raza; **-kenmerk** característica racial
rasp rallador *m*; **raspen** rallar; *geraspte kaas* queso rallado
rassehaat odio racial; **rassendiscriminatie** discriminación *v* racial
rassen|onlusten disturbios *mmv* raciales; **-scheiding** segregación *v* racial; **-strijd** lucha de razas
raster (*fot*) retículo; **rasterwerk** alambre *m* tejido, enrejado
rat rata
rataplan: *de hele* ~ toda la pesca
ratel matraca, carraca; **ratelen** 1 tabletear; 2 (*druk praten*) cotorrear; **ratelslang** serpiente *v* de cascabel, crótalo
ratificatie ratificación *v*; **ratificeren** ratificar
rationeel racional
ratjetoe mezcolanza
rats: *in de* ~ *zitten* estar preocupado, estar en ascuas; (*pop*) tener canguelo
ratten|gif raticida *m*; **-kruit** arsénico
rauw 1 crudo; 2 (*mbt kreet*) ronco, áspero, duro; **rauwkost** verduras *vmv* crudas
ravage estragos *mmv*; *een* ~ *aanrichten in* hacer estragos en
ravijn barranco, quebrada
ravotten retozar
rayon 1 área, demarcación *v*, distrito; 2 (*zijde*) rayón *m*
razen (*boos zijn*) rabiar || *het verkeer raast voorbij* el tráfico pasa zumbando, el tráfico pasa a toda pastilla; **razend** furioso; *een ~e hoofdpijn* un dolor de cabeza atroz; *het maakt hem* ~ le saca de quicio; ~ *zijn* echar chispas; ~ *zijn op* estar furioso con; **razernij** furia, furor *m*, cólera; *tot* ~ *brengen* poner frenético
razzia redada, razzia
reactie reacción *v*; **reactionair** reaccionario
reageerbuis tubo de ensayo, tubo de prueba, probeta; **reageerbuisbaby** bebé *m* probeta, niño, -a probeta
reageren (*op*) reaccionar (a, con, ante); *niet* ~ (*op*) ignorar, no darse por aludido (por), no hacer caso (de)
realisatie realización *v*; **realiseren** realizar; concretar; *zich* ~ darse cuenta de; **realisme** realismo; **realistisch** realista; **realiteit** realidad *v*
rebel rebelde *m*; **rebelleren** rebelarse; **rebellie** rebelión *v*; **rebels** rebelde
rebus jeroglífico
recalcitrant recalcitrante, obstinado
recapituleren recapitular
recensent, **recensente** crítico, -a; **recenseren** hacer una crítica de, hacer una reseña de; **recensie** crítica, reseña
recent reciente
recept receta
receptie recepción *v*; **receptionist**, **receptioniste** recepcionista *m,v*
recette recaudación *v*
recherche policía judicial; **rechercheur** policía *m* (de investigación) criminal
1 recht derecho; *de ~en van de mens* los Derechos del Hombre; ~ *doen* administrar justicia; ~ *geven op* dar derecho a; *het* ~ *hebben om* tener el derecho de; *het volste* ~ *hebben om* tener el perfecto derecho de; ~ *hebben op* tener derecho a; *het* ~ *in eigen handen nemen* hacer la justicia por su propia mano; *in en buiten ~e* en juicio y fuera de él, judicial y extrajudicialmente; *in ~e aanspreken* poner pleito a; *in ~e verschijnen* comparecer en juicio; *met* ~ con razón; *naar Nederlands* ~ de acuerdo con el derecho holandés; *in die baan komt hij niet tot zijn* ~ es un empleo que le viene pequeño; *dat schilderij komt hier niet tot zijn* ~ ese cuadro aquí no luce; *van een* ~ *gebruik maken* hacer valer un derecho
2 recht I *bn* recto, derecho; *~e hoek* ángulo recto; *een* ~, *een ave*~ un punto derecho, un punto revés; *een pen* ~ (*breien*) una vuelta al derecho; *ga* ~ *zitten!* ¡ponte derecho!; II *bw* derecho, directamente, recto; ~ *voor zich uitkijken* mirar recto hacia adelante
recht|bank tribunal *m* (de justicia); **-buigen** enderezar
rechtdoor (todo) derecho; *steeds* ~ siempre derecho
rechte (*lijn, wisk*) recta
rechten (*studie*) (carrera de) derecho, leyes *vmv*; **rechtens** de derecho, en derecho
1 rechter juez *m,v*
2 rechter *bn* derecho, de la derecha; *~bovenhoek* ángulo superior derecho
rechter|-commissaris (*vglbaar:*) juez *m* de instrucción; **-hand** mano *v* derecha, diestra
rechterlijk judicial; *de ~e macht* el poder judicial
rechter|vleugel ala derecha; **-zijde** lado derecho; *aan de* ~ (*ook:*) a mano derecha
recht|geaard bien nacido; *iedere ~e Spanjaard* todo español bien nacido; **-hebbende** derechohabiente *m,v*, titular *m,v*
rechthoek rectángulo; **rechthoekig** rectangular
rechtmatig legítimo
rechtop derecho, erguido; ~ *staand* vertical, en pie, erguido; ~ *zetten* poner en pie; ~ *gaan zitten* (*overeind komen*) erguirse *ie, i*, incorporarse; *ga* ~ *zitten!* ¡siéntate derecho!
rechts I *bw* a la derecha, a mano derecha; ~ *afslaan* torcer *ue* a la derecha, tomar por la derecha; ~ *houden* circular por la derecha, llevar la derecha; *niet goed* ~ *houden* (*waar dit hoort*) no respetar la mano; *naar* ~ a la derecha, hacia la derecha; *de vierde van* ~ el cuarto por la derecha; II *bn* 1 *zie: 2 rechter*; 2 (*rechtshandig*) que usa la mano derecha, que no es zurdo; 3 (*pol*) de derechas, derechista; *de ~e partijen* los partidos derechistas; **rechtsaf** a la derecha, a mano derecha
rechts|bijstand asistencia letrada, asistencia

jurídica; **-binnen** interior *m* derecha; **-buiten** exterior *m* derecha
rechtschapen honesto; **rechtschapenheid** honestidad *v*
rechts|draaiend de rotación derecha; **-feit** hecho jurídico; **-gebied** jurisdicción *v*; (*tak*) rama jurídica; **-geding** juicio, proceso, causa; (*civiel ook:*) pleito
rechtsgeldig válido, auténtico, legal; ~ *zijn* tener eficacia legal, surtir efecto; **rechtsgeldigheid** eficacia legal, validez *v* (jurídica)
rechts|gelijkheid igualdad *v* ante la ley; **-gevoel** sentido de la justicia; **-handeling** acto jurídico; **-herstel** rehabilitación *v*; **-hulp** *zie: rechtsbijstand*; **-kracht** fuerza legal, efecto legal
rechtskundig legal; **rechtskundige** letrado, -a, jurista *m,v*
rechtsmiddel recurso
rechtsom a la derecha; **rechtsomkeert**: ~ *maken* volverse *ue* atrás
rechtsorde orden *m* jurídico
rechtspersoon persona jurídica; **rechtspersoonlijkheid** personalidad *v* jurídica
rechts|pleging jurisdicción *v*, administración *v* de justicia; **-positie** situación *v* jurídica; **-spraak** (administración *v* de) justicia; **-spreken** administrar justicia; **-staat** estado de derecho
rechtstandig perpendicular
rechtsterm término jurídico
rechtstreeks directo
rechts|vordering acción *v* (judicial); **-winkel** consultorio jurídico, oficina de consulta jurídica gratuita; **-zaak** *zie: rechtsgeding*; **-zaal** sala (de audiencias); **-zekerheid** seguridad *v* jurídica; **-zitting** sesión *v* (del tribunal), audiencia
rechtuit (todo) derecho
rechtvaardig justo, equitativo; **rechtvaardigen** justificar; *zichzelf* ~ autojustificarse; *niet te* ~ injustificable; *gerechtvaardigd* justificado, fundado; **rechtvaardigheid** justicia; **rechtvaardiging** justificación *v*
rechtzinnig ortodoxo
recital recital *m*
reclame 1 propaganda, publicidad *v*; ~ *maken* hacer propaganda; ~ *per post* publicidad postal; 2 (*advertentie*) anuncio (publicitario); 3 (*klacht*) reclamación *v*, queja
reclame|aanbieding oferta especial; **-artikel** artículo de propaganda; **-boodschap** mensaje *m* publicitario; **-bord** cartel *m* publicitario; **-bureau** agencia de publicidad; **-campagne** campaña publicitaria; **-drukwerk** impresos *mmv* de propaganda
reclameren (*tegen*) reclamar (contra), presentar una reclamación (contra)
reclame|spot spot *m* publicitario, anuncio publicitario por televisión; **-tekenaar** dibujante *m* de publicidad; **-tekst** lema *m* publicitario; **-zuil** (*vglbaar:*) valla publicitaria
reclassering reinserción *v* social (del delincuente), rehabilitación *v* social; **reclasseringsambtenaar** funcionario del servicio de reinserción social
reconstructie reconstrucción *v*; **reconstrueren** reconstruir
record récord *m*; *het* ~ *verbeteren* batir el récord; *een* ~ *vestigen* establecer un récord
recordcijfer cifra tope *mv cifras tope*
recorder registrador *m*, grabador *m*
record|houder récordman *m*, plusmarquista *m*; **-houdster** récordwoman *v*, plusmarquista *v*; **-snelheid** velocidad *v* récord
recreatie recreo, recreación, diversión *v*, esparcimiento
rector 1 (*godsd, univ*) rector *m*; ~ *magnificus* rector magnífico; 2 (*van school*) director *m*; **rectoraat** (*van school*) dirección *v*; (*univ*) rectorado
reçu recibo, resguardo
recycleren reciclar; **recycling** reciclaje *m*, reciclado
redacteur redactor *m*; **redactie** redacción *v*; **redactioneel** editorial; ~ *artikel* artículo de fondo, editorial *m*; **redactrice** redactora
reddeloos sin remedio; ~ *verloren* perdido sin remedio
redden salvar; ~ *wat er te* ~ *valt* salvar los muebles; *hij is gered* está a salvo; *zich* ~ *uit* salvarse de; *zich eruit* ~ salir del (mal) paso; *zich* ~ (*fig*) arreglárselas; *ik red me wel* yo puedo arreglármelas; *ik kan me* ~ *in het Spaans* en español me defiendo; **redding** salvación *v*
reddings|actie acción *v* de salvamento, operaciones *vmv* de rescate; **-boei** (boya) salvavidas *m*; **-boot** bote *m* salvavidas, embarcación *v* de salvamento; **-ploeg** equipo de salvamento; **-vest** chaleco salvavidas; **-vlot** balsa salvavidas; **-werkzaamheden** operaciones *vmv* de salvamento
1 rede (*scheepv*) rada
2 rede 1 (*verstand*) razón *v*; 2 (*toespraak*) discurso; *een* ~ *houden* pronunciar un discurso; *iem in de* ~ *vallen* interrumpir a u.p.; *iem plotseling in de* ~ *vallen* cortarle a u.p. en seco
redelijk 1 (*met rede begaafd*) racional; 2 (*billijk*) razonable; 3 (*tamelijk*) bastante; *het is* ~ *goed* está bastante bien; **redelijkerwijs** razonablemente, dentro de lo razonable
redeloos irracional; **redeloosheid** irracionalidad *v*
reden razón *v*, motivo; *gegronde* ~ razón fundada; *geldige* ~ motivo válido; *en met* ~ y con razón; *als* ~ *opgeven* dar como motivo; *er zijn* ~*en te over om* sobran motivos para; ~ *hebben om* tener motivo para; *we hebben geen* ~ *om* no tenemos por qué; ~, *waarom* ... razón por la cual ...; ~ *temeer om* razón de más para; ~ *tot klagen* razón de quejarse, motivo de queja
redenaar orador *m*; **redeneren** razonar, argumentar; **redenering** razonamiento
reder armador *m*, (propietario) naviero; **rederij** (compañía) armadora, (empresa) naviera

redevoering discurso; *een ~ houden* pronunciar un discurso
redigeren redactar
redmiddel recurso, remedio, expediente *m*, salida
reduceren reducir; **reductie** rebaja, descuento
ree corzo, -a; **reebok** corzo
reeds ya; *~ thans* desde ya
reëel 1 real; 2 (*nuchter*) realista, razonable
reegeit corza
reeks serie *v*, gama; (*opeenvolging ook:*) sucesión *v*, cadena; (*fam*) sarta; (*wisk*) progresión *v*
reep 1 tira; *in repen snijden* cortar en tiras; 2 (*chocola*) barra
reet 1 hendidura, grieta; 2 (*kont*) culo
referaat informe *m*; (*op congres*) ponencia
referendum referéndum *m*; *een ~ houden* efectuar *ú* un referéndum
referentie referencia; *~s* referencias, informes *mmv*; **referentiekader** marco de referencia;
refereren: *~ aan, naar* referirse *ie, i* a, remitirse a, hacer alusión a
reflectant aspirante *m*, interesado; **reflecteren** 1 reflectar, reflejar; 2 *~ op* (*advertentie*) contestar; **reflector** reflector *m*; **reflex** reflejo; *geconditioneerde ~* reflejo condicionado
reformatie reformación *v*
reformwinkel tienda de comestibles naturales, tienda de (artículos de) régimen, tienda naturista, herboristería
refrein estribillo
regeerakkoord acuerdo para gobernar
regel 1 regla; *geen ~ zonder uitzondering* no hay regla sin excepción; *in de ~* por regla general; *volgens de ~en der kunst* en la forma debida; 2 (*lijn*) renglón *m*, línea; *punt, nieuwe ~* punto y aparte; *tussen de ~s* entre líneas
regel|afstand espaciado entre líneas; *enkele ~* espacio simple; *dubbele ~* espaciado doble; **-apparatuur** mandos *mmv*, aparatos *mmv* de mando
regelbaar regulable; **regelen** 1 (*in orde brengen*) arreglar; 2 (*van verkeer*) regular; 3 *zich ~ naar* adaptarse a; **regeling** 1 (*compromis*) arreglo; *een ~ treffen* hacer un arreglo; 2 (*van prijzen, verkeer*) regulación *v*; 3 (*stelsel*) régimen *m, mv regímenes*, regulación *v*
regelmaat regularidad *v*; **regelmatig** 1 regular; 2 (*mbt publicatie*) periódico; **regelrecht** todo derecho, en línea recta
regen lluvia; *een groeizame ~* una lluvia fecundante; *zure ~* lluvia ácida; *we krijgen ~* vamos a tener lluvia; *van de ~ in de drop komen* salir de las llamas y caer en las brasas, salir de Guatemala y entrar en Guatepeor; **regenachtig** lluvioso
regen|boog arco iris; **-bui** chaparrón *m*, chubasco; **-druppel** gota de lluvia
regenen llover *ue*; *het blijft maar ~* no hace más que llover, llueve incesantemente; *het regent dat het giet* llueve torrencialmente; *ophouden met ~* dejar de llover, escampar
regen|jas impermeable *m*; **-kleding** ropa impermeable
regent, regentes regente *m,v*
regen|tijd temporada de lluvia, época de lluvias; **-val** lluvias *vmv*; *de ~ is ongeveer 750 mm* la pluviosidad es de unos 750 mm; *door de geringe ~* por la escasez de lluvia; **-water** agua de lluvia, aguas pluviales; **-weer** tiempo lluvioso; **-woud**: *tropisch ~* bosque *m* tropical húmedo
regeren I *tr* 1 (*mbt ministers*) gobernar *ie*; 2 (*iron*) manejar; 3 (*beheersen*) regir *i*; II *intr* (*mbt vorst*) reinar; *een ~d vorst* un rey reinante; **regering** 1 (*van vorst*) reinado; 2 (*bestuur*) gobierno; *een ~ vormen* formar un gobierno; *de ~ ten val brengen* hacer caer al gobierno; *aan de ~ komen: a*) (*mbt vorst*) llegar al trono; *b*) (*mbt minister*) llegar al gobierno
regerings|apparaat máquina gubernamental, aparato gubernamental; **-beleid** política del gobierno; **-coalitie** coalición *v* gubernamental; **-gezind** progubernamental; **-kringen** medios gubernamentales; **-leider** jefe *m* del gobierno, presidente *m* del gobierno; **-partij** partido gobernante; **-steun** apoyo gubernamental; **-vorm** forma de gobierno; **-zetel** sede *v* del gobierno
regie dirección *v* (de escena)
regime régimen *m, mv regímenes*
regiment regimiento
regio región *v*; **regionaal** regional
regisseren dirigir; **regisseur** director *m* (de escena)
register registro; *alle ~s opentrekken* tocar todos los registros; *inschrijven in een ~* registrar, inscribir en un registro
register|accountant (*vglbaar:*) censor *m* jurado de cuentas; **-ton**: *bruto ~* tonelada bruta registro; *afk* TBR
registratie inscripción *v*, registro; **registratieplicht** obligación *v* registral; **registreren** registrar
reglement reglamento; **reglementair** reglamentario; **reglementeren** reglamentar
reguleren 1 regular; 2 (*van gebit*) corregir *i*, enderezar; **regulier** regular
rehabilitatie rehabilitación *v*; **rehabiliteren** rehabilitar, vindicar
rei (*Belg*) canal *m*
reiger garza
reiken I *tr* tender *ie*; *de hand ~* tender la mano; II *intr*: *~ tot* llegar a, llegar hasta, extenderse *ie* hasta, alcanzar; **reikhalzend** ansioso; **reikwijdte** alcance *m*, envergadura
rein puro, limpio; *je ~ste nonsens* puras tonterías
reïncarnatie reencarnación *v*
reine: *in het ~ brengen* poner en claro; *met zichzelf in het ~ komen* ponerse a bien consigo mismo
reinigen limpiar; **reiniging** limpieza, purificación *v*; **reinigingsdienst** servicio de limpieza; **reinigingsmiddel** detergente *m*

reis viaje *m*; *goede ~!* ¡buen viaje!, ¡feliz viaje!, ¡que tenga Ud. buen viaje!; *een ~ aanvaarden* emprender un viaje; *een ~ maken* hacer un viaje; *heb je een goede ~ gehad?* ¿el viaje ha sido bueno?; *op ~ zijn* estar de viaje
reis|bureau agencia de viajes; **-cheque** cheque *m* de viaje; **-geld** dinero para el viaje; **-genoot**, **-genote** compañero, -a de viaje; **-gids** (*boek*) guía; **-kosten** gastos de viaje; *reis- en verblijfkosten* gastos de viaje y estancia; **-leider**, **-leidster** guía *m,v*; **-lustig** aficionado a los viajes; **-pas** pasaporte *m*; **-plan** itinerario; **-verzekering** seguro de viaje; **-wekker** despertador *m* de viaje; **-wieg** cuna portátil; (*mandvormig*) moisés *m*, capazo
reizen viajar; **reiziger**, **reizigster** viajero, -a
rek 1 elasticidad *v*; 2 (*standaard*) estante *m*, estantería; 3 (*voor kleren, gereedschap*) percha; **rekbaar** elástico
rekenen I *intr* calcular, hacer cálculos; *gerekend vanaf* contado desde; *het uit het hoofd ~* el cálculo mental; *~ op* contar *ue* con; *reken maar dat ik kom* iré sin falta; *reken er maar op* no lo dudes; *reken niet op mij* no cuentes conmigo; II *tr* (*in rekening brengen*) cargar, cobrar; *teveel ~* cobrar de más; **rekenfout** error *m* de cálculo
Rekenhof (*Belg*) (*vglbaar:*) Tribunal *m* de Cuentas
rekening 1 (*nota*) cuenta, factura; *~ en verantwoording afleggen* rendir *i* cuentas; *in ~ brengen* cargar en cuenta, facturar; *per slot van ~* a fin de cuentas, al fin y al cabo; *voor ~ van* a cargo de, por cuenta de; *de kosten zijn voor mijn ~* los gastos corren de mi cuenta; *voor ~ en risico van de koper* por cuenta y riesgo del comprador; 2 (*bij bank*) cuenta; *een ~ hebben bij een bank* tener una cuenta con un banco; *op ~ kopen* comprar a crédito; *een bedrag op iems ~ schrijven* poner una suma a la cuenta de u.p.; 3 *~ houden met iets* tener en cuenta u.c.; *~ houdend met de situatie* atendida la situación, en vista de la situación
rekening|afschrift extracto de cuenta; **-courant** cuenta corriente; *afk* Cta. Cte.; **-houder** titular *m* de una cuenta
reken|kundig aritmético; **-liniaal** regla de cálculo; **-machine** calculadora
rekenschap cuenta; *~ afleggen* rendir *i* cuentas; *~ vragen* pedir *i* cuentas; *zich ~ geven van* darse cuenta de
rekensom problema *m* (de aritmética)
rekest petición *v*
rekken I *tr* 1 alargar, estirar; *zijn hals ~* estirar el cuello; *zich ~* estirarse; 2 (*in tijd*) prolongar, alargar; II *intr* dar de sí; *dit leer rekt erg* este cuero da mucho de sí
rekruteren reclutar; **rekruut** recluta *m*
rekstok barra fija
rekwisieten accesorios
rel disturbio; *~len* desórdenes callejeros
relaas relato, cuento
relais relevador *m*, relé *m*
relatie relación *v*; *de ~ weer aanknopen* reanudar la relación; *~s onderhouden met* mantener relaciones con; *iem met goede ~s* una persona muy relacionada; **relatief** relativo; **relativeren** relativizar; **relativiteit** relatividad *v*; **relativiteitstheorie** teoría de la relatividad
relevant relevante, importante, pertinente
reliëf relieve *m*
religieus religioso
relikwie reliquia
reling barandilla
relletje disturbio; *~s* desórdenes *mmv* callejeros, incidentes *mmv* callejeros
rem freno; *de ~men aanzetten* aplicar los frenos
rem|bekrachtiging freno asistido, servofreno; **-blok** *zie: remschoen*
rembours reembolso; *onder ~* contra reembolso
remedie remedio
remise 1 (*overmaking*) remesa; 2 (*schaaksp*): *~ spelen* hacer tablas; 3 (*stalling*) cochera, cocherón *m*
remlicht luz *v* de freno, luz *v* de frenado
remmen I *intr* aplicar los frenos, frenar; *plotseling ~* frenar bruscamente; *een ~de werking hebben* obrar como freno; II *tr* frenar; **remming** inhibición *v*
remonstrants arminiano
remover (*voor nagellak*) quitaesmalte *m*
rem|pedaal pedal *m* del freno; **-schijf** disco del freno; **-schoen** zapata de freno; **-spoor** huella de frenado; **-trommel** tambor *m* del freno; **-vloeistof** líquido del freno, fluido de frenos; **-voering** forro del freno, guarnición *v* del freno; **-weg** distancia de frenado
ren 1 carrera; 2 (*voor kippen*) gallinero
renaissance renacimiento
renbaan 1 pista (de carreras); 2 (*paardensp*) hipódromo
rendabel remunerador *-ora*, rentable; *~ zijn* dar rendimiento, rendir *i*; **rendement** rendimiento; **renderen** rendir *i*, compensar
rendier reno
rennen correr; **renner** corredor *m*
renovatie remodelación *v*, rehabilitación *v*, renovación *v*; **renoveren** remodelar, rehabilitar, renovar
ren|paard caballo de carreras, caballo corredor; **-sport** carreras *vmv*
rentabiliteit rentabilidad *v*
rente interés *m*, intereses *mmv*; *~ opleveren* devengar intereses; *op ~ zetten* colocar a interés; *~ op ~* interés compuesto; *tegen de ~ van 4%* al interés del 4%; **rentelast** carga de intereses; **rentenier** rentista *m*; **rentenieren** vivir de rentas; **rentevoet** tipo de interés
rentmeester administrador *m*
rentree reaparición *v*, vuelta
reorganisatie reorganización *v*; **reorganiseren** reorganizar

rep: *alles was in ~ en roer* todo estaba patas arriba, era un pandemónium
reparatie reparación *v*; **repareren** reparar, componer, arreglar
repatriëren repatriar
repertoire repertorio
repeteren 1 (*herhalen*) repetir *i*; *~de breuk* fracción *v* periódica; 2 (*oefenen*) ensayar; **repetitie** 1 (*theat*) ensayo; *generale ~* ensayo general; 2 (*op school*) prueba escrita
repliek réplica; *van ~ dienen* replicar
reportage reportaje *m*; **reporter** repórter *m*, reportero
reppen 1 *~ van* mencionar; 2 *zich ~* darse prisa
represaille represalia
representatief (*voor*) representativo (de)
repressief represivo
reprimande reprimenda
reprise reposición *v*
reproduceren reproducir; **reproduktie** reproducción *v*
reptiel reptil *m*
republiek república; **republikeins** republicano
reputatie reputación *v*, fama; *een slechte ~ hebben* tener mala reputación
requiem réquiem *m*
research investigaciones *vmv*
reservaat (*voor flora en fauna*) reserva natural; (*voor indianen:*) reserva; **reserve** reserva; *~s vormen* acumular reservas; *in ~ hebben* tener en reserva; *met een zekere ~* con cierta reserva; **reserveband** neumático de reserva; **reservedelen** repuestos; **reserveren** reservar; **reservewiel** rueda de reserva; **reservoir** depósito
residu residuo
residuair (*Belg*) residual
resolutie resolución *v*
resoluut decidido, resuelto; *~ verwerpen* rechazar de plano
resoneren resonar *ue*
respect respeto, estima; **respectabel** respetable; **respecteren** respetar, tener respeto a
respectief respectivo; **respectievelijk** respectivamente
ressorteren: *~ onder: a*) (*mbt zaak*) ser de la competencia de; *b*) (*mbt persoon*) depender (directamente) de
rest 1 resto; *voor de ~* por lo demás; *voor de ~ van dit jaar* por lo que resta de este año; 2 (*de overigen*) los demás; **restant** 1 (*het overige*) resto, remanente *m*; 2 (*exemplaar*) saldo
restaurant restaurante *m*
restauratie 1 (*restaurant*) restaurante *m*; 2 (*bar*) bar *m*; **restauratiewagen** vagón *m* restaurante, servicio de bar
restaureren restaurar
resten quedar, restar; **resteren** *zie: resten; het ~d saldo* el saldo remanente
restitueren reembolsar, restituir; **restitutie** restitución *v*, reembolso
restrictie restricción *v*
resultaat resultado; *~ behalen* lograr resultados; *zonder ~ blijven* dar resultado negativo, resultar infructuoso; *...waarvan het ~ was* ...que dio por resultado; **resulteren** (*in*) resultar (en), tener por resultado, desembocar en
resumé resumen *m*; **resumeren** resumir; **resumerend** en resumidas cuentas, en resumen
resusfactor factor *m* Rhesus; *afk* factor *m* Rh
retorisch retórico
retort retorta
retoucheren retocar
retour vuelta; *~ Toledo* (billete *m* de) ida y vuelta a Toledo; *op zijn ~ zijn* no ser lo que se era, estar de capa caída; **retourneren** devolver *ue*
reu perro macho
reuk 1 (*geur*) olor *m*; (*aangename geur*) fragancia, perfume *m*, aroma *m*; 2 (*zintuig*) olfato; *ergens de ~ van krijgen* olerse *ue* una cosa; *in een kwade ~ staan* tener mala fama; **reukloos** sin olor; **reukzin** olfato
reuma reuma *m*, reúma *m*; **reumatiek** reumatismo; **reumatisch** reumático
reünie reencuentro; (*van school*) reunión *v* de ex-condiscípulos; (*van oud-collega's*) reunión *v* de ex-colegas; **reünist**, **reüniste** reunista *m,v*
reus gigante *m*; *een ~ van een kerel* un tiarón; **reusachtig** gigantesco, enorme, colosal, gigante; *zich ~ vermaken* divertirse *ie, i* horrores; **reuze** enormemente
reuze|blunder error *m* garrafal; **-kerel** tipo estupendo
reuzel manteca de cerdo
reuzemop broma estupenda
reuzen|rad noria gigante; **-schrede**: *met ~n* a pasos de gigante; **-sprong** salto de gigante
reuze|schrik susto de órdago; **-slalom** (slalom) gigante *m*; **-tanker** petrolero gigante
revalidatie rehabilitación *v*; **revalidatiearts** médico rehabilitador
revaluatie revalorización *v*, revaluación *v*
revanche desquite *m*, revancha; *~ nemen* desquitarse
reven arrizar, amainar
revers solapa
revolutie revolución *v*; **revolutionair** revolucionario
revolver revólver *m*
revue revista; *de ~ laten passeren* pasar revista a
riant magnífico, espléndido
rib 1 costilla; *zwevende ~* costilla flotante; *het is een ~ uit je lijf* cuesta un ojo de la cara; *je kunt zijn ~ben tellen* está en los (puros) huesos; 2 (*wisk*) arista
ribbel 1 ondulación *v*; 2 *~s* (*breien*) punto liso al revés
ribfluweel pana
richel moldura, saliente *m*, repisa; *tuig van de ~* gentuza, mala hierba

richten 1 (*mikken*) apuntar; (*gericht schieten ook:*) tirar a dar; 2 ~ *aan* dirigir a; 3 *zich* ~ *naar* ajustarse a, seguir *i*, guiarse *i* por; 4 ~ *op* dirigir hacia, enfocar hacia; *de blik* ~ *op* dirigir la mirada hacia, poner los ojos en; *maatregelen gericht op* medidas encaminadas a; *gericht zijn op* apuntar a, ir encaminado a, centrarse en; 5 ~ *tot* dirigir a; *zich* ~ *tot* dirigirse a
richting dirección *v*, sentido; *hij was de* ~ *kwijt* iba perdido; *in tegenovergestelde* ~ en sentido contrario, en dirección opuesta; *in de* ~ *van* en dirección de, hacia, rumbo a; *gevoel voor* ~ sentido de la orientación; **richtingaanwijzer** intermitente *m*, indicador *m* del cambio de dirección
richt|lijn (línea) directriz *v*, directiva; *~en* (*ook:*) normativa; *~en aangeven* dar directivas, dictar normas; *algemene ~en* directrices generales; **-prijs** precio-guía *m*; **-snoer** pauta, norma, línea de conducta
ridder caballero; *tot* ~ *slaan* armar caballero; **ridderlijk** caballeroso
ridder|orde condecoración *v*; **-roman** libro de caballerías; **-zaal** sala de honor
ridicuul ridículo
riem (*van leer*) correa 1 (*ceintuur*) cinturón *m*; 2 (*techn; drijfriem*) correa, cinta; 3 (*roeiriem*) remo; *roeien met de ~en die je hebt* arreglárselas con los medios a bordo; 4 (*papier*) resma
riet 1 caña; (*bies*) junco; *beven als een* ~ temblar *ie* como un azogado; 2 (*van hobo*) lengüeta; **rieten** 1 (*mbt dak*) de paja; 2 (*mbt stoel*) de enea, de mimbre; *stoel met* ~ *zitting* silla con asiento de junco; **rietje** (*om te drinken*) paja
riet|mat estera; **-suiker** azúcar *m* de caña
rif arrecife *m*
rij 1 hilera, fila; *in ~en van twee* en filas de a dos; *in twee ~en* en dos hileras; *in ~en opgesteld* alineados; 2 (*van wachtenden*) cola; *in de* ~ *staan* formar cola, guardar cola; *in de* ~ *gaan staan* ponerse a la cola, colocarse en la fila; 3 (*van cijfers*): *a*) (*verticaal*) columna; *b*) (*horizontaal*) fila
rij|baan vía, carril *m*; **-bewijs** permiso de conducir, carnet *m* de conducir, carnet *m* de chófer; **-broek** pantalones *mmv* de montar
rijden I *intr* 1 (*zich voortbewegen*) ir; *beginnen te* ~, *gaan* ~ ponerse en marcha; *hard* ~ correr; *langzaam* ~ ir despacio, marchar a poca velocidad; *langzamer gaan* ~ disminuir la marcha; *de auto's* ~ *door de straten* los coches circulan por las calles; *de trams* ~ *tot 12 uur* los tranvías circulan hasta las 12; *zo laat rijdt de metro niet meer* a esas horas ya no funciona el metro; *er is nog weinig mee gereden* (*met auto*) lleva pocos kilómetros; *op de fiets* ~ ir en bicicleta; *tegen iets aan* ~ chocar con u.c., tropezar *ie* con u.c.; 2 (*besturen*) conducir; *hij rijdt nooit zelf* nunca conduce él mismo; II *tr* (*vervoeren*) llevar; **rijdend** 1 en marcha; *de ~e trein* el tren en marcha; 2 (*op wielen*) sobre ruedas, rodado; ~ *materieel* material *m* móvil; ~ *verkeer* tráfico rodado
rij|dier cabalgadura, montura; **-examen** examen *m* de conducción
rijgen 1 (*naaien*) hilvanar, embastar; 2 (*van kralen*) ensartar; 3 (*met veters*) atar, poner el cordón a
1 rijk 1 imperio; 2 (*koninkrijk*) reino; 3 (*staat*) estado || *hij heeft het* ~ *alleen* está solo y puede hacer lo que le da la (real) gana
2 rijk rico; *erg* ~ riquísimo, muy rico, (*fam*) ahito; ~ *aan* rico en, abundante en
rijkaard ricachón *m*, creso
rijkdom riqueza; **rijkelijk** 1 abundantemente, en abundancia; 2 (*iron*) más que; ~ *genoeg* más que suficiente
rijklaar en condiciones de marcha
rijks|ambtenaar funcionario público; **-archief** archivo del Estado; **-gebied** territorio nacional; **-kosten**: *op* ~ pagado por el estado; **-museum** museo nacional; **-onderwijs** (*Belg*) enseñanza publica estatal; **-overheid** Administración *v* (Pública); **-pensioen** pensión *v* del estado, pensión *v* estatal; **-politie** (*vglbaar:*) policía nacional; **-school** escuela nacional; **-studietoelage** beca del estado; **-universiteit** universidad *v* estatal; **-wacht** (*Belg*) gendarmería; (*vglbaar:*) policía *m* nacional; **-wachter** (*Belg*) gendarme *m*; (*vglbaar:*) policía *m* nacional; **-waterstaat** (*vglbaar:*) departamento de vías y obras fluviales; **-weg** carretera nacional; **-wege**: *van* ~ oficial
rij|laars bota de montar; **-les** lección *v* de conducción; ~ *geven* enseñar a conducir; ~ *nemen* aprender a conducir
rijm rima; *op* ~ rimado; **rijmen** 1 rimar; 2 ~ *met* (*fig*) compaginar con; *niet met elkaar te* ~ irreconciliable; **rijmloos** sin rima
Rijn Rin *m*; **rijnwijn** vino del Rin
1 rijp *zn* escarcha
2 rijp *bn* maduro; ~ *worden* madurar; *na* ~ *beraad* después de madura reflexión
rijpaard caballo de montar
rijpen *intr* madurar; **rijpheid** madurez *v*; *geestelijke* ~ madurez mental; **rijping** maduración *v*
rij|richting sentido de marcha; **-school** 1 (*voor auto*) autoescuela, escuela de conductores; 2 (*paardesp*) escuela de equitación; **-snelheid** velocidad *v* de marcha
rijst arroz *m*; **rijstebrij** arroz *m* con leche; **rijstkorrel** grano de arroz
rijstrook carril *m*, vía
rijtaks (*Belg*) impuesto sobre los vehículos automotores
rijten desgarrar
rij|tuig coche *m* (de caballos), carruaje *m*; **-vaardigheid** capacidad *v* de conducir; **-verkeer** tránsito rodado; **-weg** calzada; **-wiel** bicicleta
rijzen surgir; *er* ~ *problemen* surgen problemas; **rijzig** alto, esbelto
rijzweep fusta

rillen estremecerse, temblar *ie*; **rillerig** con escalofríos, estremecido; **rilling** escalofrío, estremecimiento
rimboe jungla
rimpel 1 arruga; 2 (*golfje*) onda; **rimpelen** 1 arrugar, fruncir; *het voorhoofd* ~ fruncir el entrecejo; 2 (*van stof*) fruncir; **rimpelig** arrugado
ring 1 anillo; (*van ijzer ook:*) argolla; 2 (*met steen*) sortija; 3 ~*en* (*gymn*) anillas; 4 (*voor boksen*) cuadrado, cuadrilátero, ring *m*; 5 (*techn*) anillo, aro; **ringband** (*multo*) cuaderno de anillas
ringeloren tiranizar
ringen (*van vogels*) anillar
ring|vinger (dedo) anular *m*; **-vormig** (de forma) anular; **-weg** (carretera de) circunvalación *v*
rinkelen tintinear; *het geld rinkelde* las monedas tintineaban; *de telefoon rinkelt voortdurend* suena sin cesar el teléfono
rinoceros rinoceronte *m*
riolering alcantarillado; **riool** 1 alcantarilla, cloaca; 2 (*fig*) cloaca
riool|net red *v* cloacal; **-put** sumidero, boca de alcantarilla; **-water** aguas *vmv* residuales
risee hazmerreír *m*, irrisión *v*
risico riesgo; *de* ~'*s van het vak* los gajes del oficio; ~ *lopen om* correr (el) riesgo de
risico|dragend: ~ *kapitaal* capital *m* a riesgo; **-groep** grupo de riesgo, grupo alto riesgo
riskant arriesgado; **riskeren** arriesgar, jugarse *ue*; *zonder iets te* ~ sin jugarse nada
rit recorrido, trayecto; (*van taxi ook:*) carrera
ritme ritmo; **ritmisch** rítmico
rits *zie: ritssluiting*
ritselen 1 (*mbt bladeren*) susurrar, murmullar; 2 (*mbt zijde*) crujir; 3 (*handig regelen*) manejarse, aviarse *í*, montárselo
ritssluiting (cierre *m* de) cremallera
ritueel I *bn* ritual; II *zn* ritual *m*, rito
rivaal, **rivale** rival *m,v*; (*tegenspeler ook:*) contrincante *m,v*; **rivaliteit** rivalidad *v*, competencia
rivier río; *aan de* ~ a orillas del río
Rivièra Riviera
rivier|bedding cauce *m*, lecho; **-bekken** cuenca del río; **-dijk** dique *m* fluvial; **-haven** puerto fluvial; **-mond** desembocadura; **-schip** barco de río, barco fluvial
rob foca
robber (*kaartsp*) rubber *m*
robe-manteau abrigo-vestido
robijn rubí *m*
robot robot *m*; **robotfoto** retrato-robot *m*
robuust fornido, robusto
rochelen respirar con estertor, respirar roncamente
rockgroep conjunto rockero
roddelaar, **roddelaarster** chismero, -a, chismoso, -a; **roddelen** chismear, murmurar, chismorrear; **roddelpers** prensa amarilla, prensa sensacionalista
rode|hond rubéola; **-kool** lombarda
roebel rublo
roede 1 (*gesel*) azote *m*; 2 (*penis*) miembro, pene *m*
roef camareta
roeiboot bote *m* de remos; **roeien** remar; **roeier** remero
roei|riem remo; **-sport** remo; **-wedstrijd** regata a remo
roekeloos temerario, imprudente, inconsiderado
roem fama, renombre *m*, gloria
Roemeens rumano
roemen alabar, encomiar, elogiar, celebrar, ensalzar
Roemenië Rumania
roemloos sin gloria
roep llamada; **roepen** I *tr* (*van iem*) llamar; *roept u mij?* ¿me llama Ud.?; *laten* ~ llamar, mandar por; *zich iets te binnen* ~ recordar *ue* u.c.; *zich geroepen voelen om* sentirse *ie, i* llamado a; *je komt als geroepen* llegas oportunamente, llegas como agua de mayo; II *intr* gritar, dar voces; ~ *om* llamar, (*fig*) clamar por; ~ *om verbetering* clamar por una reforma; *niet om over te* ~ nada del otro mundo; **roeping** vocación *v*; **roepnaam** nombre *m* (de pila)
roer timón *m*; *het* ~ *grijpen* empuñar el timón; *het* ~ *in handen hebben* llevar el timón; *het* ~ *omgooien* (*fig*) dar un timonazo; **roereieren** huevos revueltos; **roeren** I *tr* 1 remover *ue*, agitar; *zich* ~ moverse *ue*; 2 (*ontroeren*) emocionar, conmover *ue*; 3 (*fig*) hurgar; II *intr*: ~ *aan* tocar; ~ *in* (re)mover *ue*; **roerend** conmovedor *-ora*, emocionante; **roerganger** timonel *m*; **roerig** (*onrustig*) turbulento, agitado; ~ *worden* agitarse; **roerloos** inmóvil; **roerstaafje** agitador *m*
roes embriaguez *v*; (*fam*) mona; *zijn* ~ *uitslapen* dormir *ue, u* la mona, dormir *ue, u* la zorra
roest óxido, herrumbre *v*, moho, orín *m*; **roestbestendig** resistente a la corrosión, antioxidante; **roesten** oxidarse, aherrumbrarse; **roestig** herrumbroso, mohoso; **roestvrij** inoxidable; ~ *maken* desoxidar, desherrumbrar
roet hollín *m*; ~ *in het eten gooien* aguar la fiesta
roffel redoble *m*; **roffelen** tocar redobles, redoblar
rog raya
rogge centeno; **roggebrood** pan *m* de centeno; **roggemeel** harina de centeno
rok 1 falda; 2 (*van heer*) frac *m*; *in* ~ de frac
roken I *tr* 1 fumar; *een pijp* ~ fumar en pipa; 2 (*van vis*) ahumar; II *intr* fumar; *de schoorsteen rookt* humea la chimenea; *het vuur rookt nog* el fuego está echando humo todavía; *verboden te* ~ prohibido fumar; **roker** fumador *m*
rokkenjager mujeriego

rokkostuum frac *m*
rol 1 rollo; 2 (*theat*) papel *m*; *de ~len zijn omgekeerd* se han vuelto las tornas, se han invertido los papeles; *een ~ spelen* desempeñar un papel; *een droeve ~ spelen* jugar *ue* un triste papel; *de prijs speelt geen ~* el precio no importa; *de prijs speelt een grote ~* el precio es un factor importante; *hij was goed in zijn ~* estaba muy en su papel; *uit zijn ~ vallen* salirse de su papel
rol|bezetting reparto (de papeles); **-gordijn** persiana, cortina de enrollar
rollade carne *v* atada en rollo (para guisar)
rollager cojinete *m* de rodillos
rollen I *tr* rodar *ue*; *de zaak aan het ~ brengen* levantar la liebre; (*mbt schip*) escorar; II *tr* 1 (hacer) rodar *ue*; 2 (*van sigaret*) liar *í*; 3 (*bestelen*) robar, sustraer; **rolletje**: *alles gaat op ~s* todo marcha sobre ruedas, todo va como una seda
rol|luik telón *m* metálico, cortina de acero, cierre *m* metálico; **-maat** cinta métrica enrollable; **-schaats** patín *m* de ruedas; **-stoel** sillón *m* de ruedas, silla de ruedas; **-trap** escalera mecánica, escalera rodante; **-verdeling** reparto
roman novela; **romanschrijfster**, **romanschrijver** novelista *m,v*
romantiek romanticismo; **romantisch** romántico
Rome Roma; *zo oud als de weg naar ~* viejo como el mundo; **Romeins** romano
rommel 1 (*wanorde*) desorden *m*, cajón *m* de sastre; *de hele ~* (*troep*) toda la balumba; *~ maken* desordenar las cosas; *het is een grote ~ in de kamer* el cuarto está muy desordenado; 2 (*voorwerpen*) trastos *mmv*; 3 (*slechte waar*) basura, birria; **rommelen** 1 (*in papieren*) revolver *ue*; 2 (*mbt donder*) retumbar || *het rommelt er* (*fig*) hay agitación, hay revuelo, hay inquietud; **rommelig** en desorden, desordenado, revuelto
rommel|kamer cuarto trastero, cuarto de trastos; **-markt** mercado de viejo; (*in Madrid*) Rastro; (*in Barcelona*) Encantes *mmv*
romp tronco 1 (*van schip*) casco; 2 (*van vliegtuig*) fuselaje *m*, casco
rompslomp ajetreo, jaleo
rond I *bn* redondo; *in ~e getallen* en cifras redondas; *de zaak is ~* es trato hecho; II *vz* 1 (*plaats; fig*) alrededor de, en torno a; *~ deze kwestie* en torno a esta cuestión; 2 (*ongeveer*) a eso de; (*met telw*) unos; *~ f 20* unos fls 20; *kom ~ twee uur* ven a eso de las dos; III *zn*: *in het ~* en redondo, a la redonda; *20 km in het ~* 20 kms a la redonda; *boeken liggen overal in het ~* hay libros (dispersados) por todas partes
rondbazuinen publicar a todos los vientos, pregonar
rondborstig franco, abierto
rond|brengen repartir, llevar a casa; **-cirkelen** (*mbt vliegtuig*) planear en circuito; **-delen** distribuir; **-draaien** I *tr* dar vueltas, hacer girar; II *intr* dar vueltas, girar (en redondo); *~de beweging* movimiento giratorio, movimiento de rotación; **-dwalen** vagar
ronde vuelta, ronda; *de ~ doen*: *a*) (*mbt agent*) ir de ronda, patrullar; *b*) (*mbt gerucht*) circular, correr
rond|gaan dar (la) vuelta; *de fles ging rond* la botella corría de mano en mano; *de kring ~* (*om geld op te halen*) dar vuelta al corro, pasar la bandeja; *laten ~* hacer circular; **-hangen** gandulear
ronding curva
rondje vuelta, ronda; *een ~ geven* pagar una ronda
rond|kijken mirar (a su) alrededor; **-komen**: *kunnen ~* tener bastante para vivir; *hij kan niet ~ van zijn salaris* el sueldo no le alcanza; *maar net kunnen ~* defenderse *ie*, ir tirando; **-leiden** guiar *í*, enseñar, explicar; *een gids leidde ons rond* un guía nos lo enseñaba todo; **-leider** guía *m*; **-leiding** visita con guía, visita acompañada; **-lopen** ir y venir, pasearse, andar por ahí; *vrij ~* (*mbt misdadiger*) andar suelto, estar en libertad; **-neuzen** curiosear
rondom I *bw* alrededor, en torno; II *vz* alrededor de, en torno a; *de streek ~ Madrid* la zona periférica de Madrid
rond|reizen recorrer; **-rijden** pasearse en coche; **-schrijven** *zn* circular *v*; **-slenteren** callejear, vagar; **-slingeren**: *laten ~* dejar tirado; *zijn kleren laten ~* dejar tirada la ropa; **-snuffelen** curiosear; **-strooien** 1 (*lett*) tirar a voleo; 2 (*fig*) difundir; **-sturen** enviar *í*
ronduit en redondo, sin ambages, con franqueza, francamente, rotundamente; *~ weigeren* negarse *ie* en redondo; *iem ~ zeggen waar het op staat* decirle a u.p. las verdades del barquero, no morderse *ue* la lengua
rond|vaart paseo en lancha (por los canales); **-vertellen** decir por ahí; *er wordt -verteld dat* andan diciendo por ahí que; **-vliegen** 1 volar *ue* de aquí para allá, volar *ue* de un lado a otro; 2 (*rennen*) correr de un lado a otro; **-vlucht** paseo en avión, vuelo de recreo; **-vraag** ruegos *mmv* y preguntas *vmv*; **-wandelen** pasearse; **-weg** (carretera de) circunvalación *v*, cinturón *m*; **-zwerven** vagar; (*fam*) pindonguear
ronken 1 (*snurken*) roncar; 2 (*mbt motor*) zumbar
ronselen reclutar, enganchar
röntgen|apparaat aparato de rayos X; **-foto** foto *v* con rayos X, radiografía; **-onderzoek** examen *m* por rayos X, examen *m* radiográfico; **-stralen** rayos X, rayos equis
rood 1 rojo, colorado, encarnado; *rode rozen* rosas encarnadas; *~ staan* tener la cuenta en rojo; *~ worden* enrojecer, ponerse rojo, colorearse; *hij werd ~ tot achter zijn oren* enrojeció hasta las orejas; *hij heeft ~ haar* es pelirrojo,

tiene el pelo rojo; *door ~ (licht) rijden* pasarse el semáforo, saltarse un semáforo en rojo; 2 (*pol*) rojo
rood|bont berrendo en rojo; **-borstje** petirrojo; **-bruin** pardo rojo, color *m* ladrillo; **-gloeiend** (caliente) al rojo; *~ maken* poner al rojo; **-harig** pelirrojo; **-huid** piel roja *m*; **-kapje** Caperucita Roja; **-koper** cobre *m*; **-vonk** escarlatina
roof robo (con violencia)
roof|bouw explotación *v* agotadora; **-dier** fiera; **-moord** robo con homicidio; **-overval** robo con asalto, asalto de mano armada; **-vogel** ave *v* de rapiña, (ave *v*) rapaz *v*, ave *v* de presa
rooien 1 *het ~ (klaarspelen)* defenderse *ie*, arreglárselas; 2 (*van gewas*) arrancar, extraer
rook humo; *in ~ opgaan* convertirse *ie, i* en humo; *onder de ~ van* muy cerca de
rook|bom bomba de humo, bote *m* de humo; **-coupé** departamento de fumadores; **-gordijn** pantalla de humo; **-kanaal** canal *m* de humo; **-sliert** fina humareda; **-spek** tocino ahumado; **-vlees** carne *v* ahumada; **-wolk** 1 humareda; 2 (*van sigaar*) bocanada (de humo)
room crema, nata; *geslagen ~* nata batida; *zure ~* nata ácida, nata agria
room|boter mantequilla; **-ijs** mantecado
rooms católico romano; *~er dan de paus* más papista que el Papa; **rooms-katholiek** *zie: rooms*
roomspuit manga pastelera
roos 1 rosa; *slapen als een ~* dormir *ue, u* como un lirón; *geen ~ zonder doornen* no hay rosa sin espinas; *hij zit op rozen* está a las mil maravillas; *zijn pad gaat niet over rozen* su vida no es un camino de rosas; 2 (*op hoofd*) caspa; 3 (*in schijf*) blanco; *in de ~ schieten* acertar *ie*, dar en el blanco; **rooskleurig** halagüeño, lisonjero, halagador *-ora*; *de vooruitzichten zijn niet ~* las perspectivas no son muy halagadoras
rooster 1 (*voor koken; in ijskast*) parrilla; 2 (*ter afsluiting; filter*) rejilla; 3 (*broodrooster*) tostador *m*, tostadora; 4 (*urenindeling*) horario; (*van diensten*) esquema *m* de turnos; *volgens ~ aftreden* retirarse por turno; **roosteren** (*van brood*) tostar *ue*; **roostervrij** (*Ned*) día libre obligatorio (que compensa la reducción de salarios)
1 ros *zn* caballo
2 ros: *~se buurt* barrio chino
rosarium rosaleda
rosbief rosbif *m*
rose *zie: roze*; **rosé** rosado
rossig rojizo
1 rot: *een oude ~* un viejo zorro
2 rot (*troep*) tropa
3 rot *bn* 1 podrido; *één ~te appel in de mand maakt het ganse fruit te schand* la manzana podrida amarga a su compañía; 2 (*onaardig*) malo, antipático; *doe niet zo ~* no seas malo; 3 (*slecht*) malo; *ik voel me ~* me siento muy mal; *wat ~ voor je* qué pena, lo siento por ti || *zich ~ lachen* morirse *ue, u* de risa; *zich ~ schamen* morir *ue, u* de vergüenza; *zich ~ schrikken* tener un susto tremendo
rotan rota, roten *m*, manila *m*
Rotarian rotario; **Rotary Club** Club *m* Rotario
rotatie rotación *v*
rotboek mierda de libro
roterend rotativo, giratorio
rotgang: *met een ~* a todo gas, con una velocidad de mil demonios
rotje buscapiés *m*, carretilla
rotonde glorieta
rots roca; *steile ~en (aan kust)* cantiles *mmv*; *de ~ van Gibraltar* el Peñón (de Gibraltar); **rotsachtig** rocoso
rotsblok roca
rotsig rocoso
rots|tuin jardín *m* roquero; **-vast** firme como una roca; *~ geloven* creer a pies juntillas; **-wand** despeñadero
rotten pudrirse
rot|vent mala bestia; **-weer** tiempo de perros
rotzak malparido, malnacido; **rotzooi** desorden *m*, cajón *m* de sastre, batiburrillo
rouge colorete *m*
roulatie circulación *v*; *in de ~ brengen* poner en circulación; *uit de ~ nemen* retirar de la circulación; **rouleren** 1 (*de ronde doen*) circular; 2 (*afwisselen*) turnarse; **roulerend** rotativo
roulette ruleta
route ruta
routine rutina; **routinevraag** pregunta rutinaria
rouw luto; *in ~ dompelen* enlutar, cubrir de luto; *in de ~ zijn* estar de luto; *een dag van ~* un día luctuoso
rouw|band brazalete *m* negro; **-beklag** pésame *m*, condolencia; **-dienst** 1 (*r-k*) misa de cuerpo presente, funeral *m*; 2 (*prot*) servicio fúnebre
rouwen (*om*) guardar luto (por); **rouwig**: *ik ben er niet ~ om* no lo siento en absoluto
rouw|kaart esquela mortuoria; **-kleding** luto; *in de ~ zijn* vestir *i* de luto; **-krans** corona; **-rand**: *~en aan de nagels hebben* tener las uñas de luto; **-stoet** cortejo fúnebre
roven robar; **rover** (*dief*) ladrón *m*; (*struikrover*) salteador *m*, bandido; **roversbende** cuadrilla de ladrones
royaal 1 (*vrijgevig*) generoso, liberal, espléndido, dadivoso; *~ betalen* pagar con largueza; 2 (*ruim*) amplio
royalties derechos de autor
royeren 1 (*van lid*) dar de baja; 2 (*van hypotheek*) cancelar
roze rosado, de color de rosa
roze|bottel escaramujo; **-geur**: *het is niet alles ~ en maneschijn* no todo son tortas y pan pintado; **-knop** capullo de rosa

rozemarijn romero
rozenkrans rosario
Rozenkruiser: *~s* Rosacruces *mmv*
rozestruik rosal *m*
rozet 1 roseta; 2 (*kerkraam*) rosetón *m*
rozijn pasa
rubber goma, caucho
rubber|boom árbol *m* del caucho; **-boot** bote *m* de goma, bote *m* neumático; **-handschoen** guante *m* de goma; **-plantage** plantación *v* de caucho; **-zool** suela de goma
rubriceren clasificar, catalogar; **rubriek** 1 apartado, capítulo, categoría; 2 (*in krant*) crónica
ruchtbaarheid publicidad *v*; *~ geven aan* divulgar, difundir, propalar
rudiment rudimento; **rudimentair** rudimentario
rug espalda; *de ~ toekeren* dar la espalda; *achter iems ~* a espaldas de u.p., por detrás de u.p.; *dat hebben we achter de ~* ya está hecho, eso lo tenemos detrás; *met een hoge ~* de hombros subidos, cargado de espaldas; *met leren ~* (*mbt boek*) con lomera de piel; *met zijn ~ naar hem toe* vuelto de espaldas; *met de ~ tegen de muur* (*fig*) contra las cuerdas, entre la espada y la pared; *met de ~gen tegen elkaar* (*ook mbt meubels*) espalda con espalda; *met de handen op de ~* las manos a la espalda; *op zijn ~ liggen* estar de espaldas, estar boca arriba; *op de ~ gezien* visto de espaldas 1 (*van dier*) lomo; *de kat zet een hoge ~ op* el gato arquea el lomo; 2 (*van hand*) dorso
rugby rugby *m*
rugge|graat espina dorsal, columna vertebral; *zonder ~* (*fig*) sin carácter; **-merg** médula espinal; **-spraak** consulta; *~ houden met iem* consultar a u.p.; *~ houden met iem over iets* consultar u.c. con u.p.; **-steun** (*fig*) respaldo
rug|leuning respaldo; **-pijn** dolor *m* de espalda; **-slag** (*sp*) braza de espalda, dorseo; **-wervel** vértebra; **-zak** mochila; **-zwemmen** nadar de espalda
rui muda; *in de ~ zijn: a*) (*mbt vogel*) mudar de pluma; *b*) (*mbt hond*) mudar de pelo
ruif pesebre *m*
ruig 1 (*stug*) áspero, hirsuto; 2 (*onbeschaafd*) bruto, rudo, tosco, grosero; 3 (*mbt terrein*) áspero, agreste, pedregoso, cubierto de maleza
ruiken I *tr* 1 oler *ue*; 2 (*fig*) olfatear; II *intr* oler *ue*; *het ruikt naar gas* huele a gas; *lekker ~* oler bien
ruil cambio, intercambio, trueque *m*, canje *m*; *in ~ voor* a cambio de, a trueque de, en compensación de
ruilbeurs bolsa de intercambios
ruilen (*voor*) cambiar (por), trocar *ue* (por); *ik zou niet graag met hem ~* no quisiera estar en su lugar; *met iem van plaats ~* cambiar de sitio con u.p.
ruil|handel comercio de trueque, comercio en especie; *~ drijven* hacer cambios; **-verkaveling** redistribución *v* de terrenos; (*vglbaar:*) concentración *v* parcelaria
1 ruim (*scheepv*) bodega
2 ruim I *bn* amplio, holgado; (*mbt huis ook:*) espacioso; *een ~e kamer* un cuarto amplio; *~e middelen* medios holgados; *het ~ hebben* vivir holgadamente; *de jurk zit me ~* el vestido me queda ancho; *~ van opvattingen* de miras amplias, tolerante, amplio de criterio; II *bw* más que; (*met telw*) más de; *~ f 100* más de fls 100; *~ voldoende* más que suficiente; *~ tien jaar* diez años largos; *~ 70 %* un 70 por 100 largo
ruimdenkendheid amplitud *v* de miras, tolerancia
ruimen I *tr* (*verwijderen*) quitar; *sneeuw ~* quitar la nieve; *uit de weg ~* eliminar, suprimir; II *intr* (*mbt wind*) cambiar hacia el norte
ruimschoots ampliamente, con creces, de sobra
ruimte 1 (*plaats*) sitio, espacio; *afgesloten ~* recinto, espacio cerrado; *lege ~* vacío, hueco, espacio libre; *~ om te manoeuvreren* margen *m* de maniobra, espacio para maniobrar; *er is ~ voor 10 personen* caben 10 personas; *er is geen ~ meer voor je* ya no hay sitio para ti; *iem de ~ geven* dejar hacer a u.p.; *~ innemen* ocupar espacio; *~ laten* dejar sitio; *~ maken* hacer sitio; 2 (*heelal*) espacio
ruimte|besparend que ahorra espacio, que gana espacio; **-capsule** cápsula espacial; **-gebrek** falta de espacio
ruimtelijk espacial; *~e ordening* ordenación *v* territorial, (*in stad*) ordenación *v* urbana
ruimte|onderzoek exploración *v* espacial; **-schip** nave *v* espacial, astronave *v*; **-vaarder** astronauta *m,v*; **-vaart** navegación *v* espacial, astronáutica, vuelo espacial; **-vaartuig** *zie: ruimteschip*; **-veer** transbordador *m* espacial; **-vrees** agorafobia; **-wandeling** paseo espacial
ruïne ruina; **ruïneren** arrruinar
ruis 1 (*hifi*) ruido de fondo; 2 (*med*) soplo; **ruisen** murmurar, susurrar
ruit 1 (*raam*) vidrio, cristal *m*; (*in auto*) luneta, cristal *m*; (*voorruit*) parabrisas *m*; *zijn eigen ~en ingooien* tirar piedras contra su tejado; 2 (*wisk*) rombo; (*figuur in glas*) losange *m*; 3 (*in stof*) cuadro; 4 (*op dambord*) casilla; **ruiten** (*kaartsp*) diamante *m*, rombo; (*in Sp kaartsp*) oro, oros *mmv*
ruitenontdooier sacaescarcha *m*, descongelador *m*
ruiter 1 jinete *m*; 2 (*op kaartsysteem*) indicador *m*; **ruiterij** caballería; **ruiterlijk** sin regateo, francamente
ruiter|pad camino de herradura; **-standbeeld** estatua ecuestre
ruite|sproeier (dispositivo) lavaparabrisas *m*; **-wisser** (raqueta del) limpiaparabrisas *m*
ruitje 1 (*in schrift*) cuadrícula; 2 (*op stof*) cuadrito
ruitjes|papier papel *m* cuadriculado; **-stof** tela a cuadritos, tela a cuadros

ruitvormig romboidal
ruk 1 tirón *m*; *in één ~* de un tirón; 2 (*afstand*) distancia; **rukken** tirar, arrancar; *~ aan* dar tirones a, tirar de; *iem iets uit de handen ~* arrancar a u.p. u.c. de las manos; *uit zijn verband ~* sacar del contexto; **rukwind** viento racheado
rul suelto, como polvo
rum ron *m*; *~ cola* cuba libre
rumoer ruido, escándalo, estruendo, estrépito, bullicio; *een vreselijk ~* un ruido de todos los demonios; **rumoerig** ruidoso, estrepitoso, bullicioso
rund 1 (*koe*) vaca; (*stier*) toro; (*os*) buey *m*; 2 (*domoor*) majadero, -a, animal *m*
runder|lapje bistec *m*, filete *m* de vaca; **-rollade** carne *v* de vaca enrollada
rund|leer piel *v* de vaca; **-vee** ganado vacuno; **-vlees** carne *v* de vaca, carne *v* vacuna, carne *v* bovina
rups oruga; **rupsband** oruga; *voertuig met ~en* vehículo sobre orugas
rus (*stille politie*) bofia *m*
Rus ruso; **Rusland** Rusia; **Russin** rusa; **Russisch** ruso
rust 1 (*stilte*) tranquilidad *v*, quietud *v*, calma, reposo; *hij heeft ~ noch duur* no tiene paz ni a sol ni a sombra; *de ~ herstellen* restablecer el orden; *met ~ laten* dejar en paz; *geen moment met ~ laten* no dejar vivir; *laat me met ~!* ¡déjame en paz!; *tot ~ brengen* calmar, tranquilizar, apaciguar; *tot ~ komen* calmarse, tranquilizarse, apaciguarse; 2 (*uitrusten*) descanso, reposo; *~ roest* herramienta ociosa se oxida; *zich ~ gunnen* concederse un descanso; *op de plaats ~* en su lugar descanso; 3 (*pauze, sp*) descanso, entretiempo; **rustdag** día *m* de descanso; **rusteloos** inquieto, intranquilo; **rusten** descansar; *wel te ~!* ¡que descanse(s)!; *hier rust* aquí yace; *~ op* descansar en, sobre; *zijn blik bleef ~ op* su mirada se detuvo en; *iets laten ~* dejar, no insistir (en), dar por terminado; **rustend** jubilado; **rustgevend** 1 (*geruststellend*) tranquilizador *-ora*; 2 (*ontspannend*) descansado; **rusthuis** casa de reposo, clínica de reposo
rustiek rústico
rustig (*mbt sfeer, geest*) tranquilo, calmoso, sosegado, pacífico; (*niet beweeglijk*) quieto; *~ afwachten* esperar tranquilo; *de sfeer is ~* (*pol*) la atmósfera es de orden; *het is nu ~ in de stad* hay tranquilidad en la ciudad; *~ worden* tranquilizarse, calmarse; *hij zei het heel ~* lo dijo con toda calma; *zich ~ houden* mantenerse tranquilo
rust|kuur cura de reposo; **-pauze** pausa, descanso; **-verstoring** alteración *v* del orden (público)
ruw 1 (*oneffen*) áspero, rugoso; 2 (*onbewerkt*) bruto, en bruto, crudo; *~e diamant* diamante en bruto; *~e katoen* algodón *m* en rama; *~e olie* aceite *m* crudo; *~e steen* piedra sin labrar; *~e tabak* tabaco en rama; 3 (*grof*) rudo, tosco, brutal; *~e taal* lenguaje *m* grosero; *~ werk* trabajo rudo; *op ~e wijze* de modo brutal; 4 (*mbt schatting*) aproximado; *~e schatting* estimación *v* aproximada, valoración *v* tosca; 5 (*mbt weefsel*) basto, burdo; **ruwweg** aproximadamente
ruzie disputa, riña, altercado, agarrada; (*fam*) bronca; *~ hebben* reñir *i*, pelear(se), discutir, disputar, altercar; *~ maken* (*fam*) armar camorra; *~ zoeken* (*fam*) buscar bronca, buscar camorra; **ruziezoeker** pendenciero, busca broncas *m*

Sss

saai soso, insípido, insulso, aburrido; **saaiheid** sosería, insulsez *v*, insipidez *v*
saamhorigheid solidaridad *v*, unión *v*
sabbat sábado; **sabbatsjaar** año de permiso
sabbelen (*op*) chupetear, chupar
sabel sable *m*; **sabelbont** marta cebellina
sabotage sabotaje *m*; **saboteren** sabotear; **saboteur** saboteador *m*
sacherijnig malhumorado, gruñón *-ona*, descontentadizo, regañón *-ona*
sacrament sacramento; *de ~en van de stervenden* los últimos sacramentos; **sacramentsdag** día *m* del Corpus
sacristie sacristía
sadisme sadismo; **sadist**, **sadistisch** sádico
safari safari *m*; *op ~ zijn* estar de safari
safe I *zn* 1 (*safeloket*) caja de seguridad, caja de alquiler; 2 (*bankkluis*) cámara acorazada; II *bn* seguro
saffier zafiro
saffraan azafrán *m*; **saffraangeel** de color *m* azafrán
sage leyenda, saga
sago sagú *m*
Sahara Sahara *m*
saillant (sobre)saliente, destacado
Saksisch sajón *-ona*
salade ensalada
salamander salamandra
salariëren remunerar, pagar; *goed gesalarieerde baan* cargo bien remunerado; **salariëring** remuneración *v*
salaris sueldo; *~ nader overeen te komen* sueldo a convenir; *op een ~ van* con un sueldo de
salaris|besluit banda salarial; **-eisen** reivindicaciones *vmv* salariales; **-grens** tope *m* salarial; **-regeling** 1 régimen *m* de sueldos; 2 (*aanpassing*) ajuste *m* de sueldos; **-schaal** escala remunerativa, escala de retribuciones; **-verhoging** aumento de sueldo; **-verlaging** reducción *v* de sueldo
saldo saldo; *~ te uwer gunste* saldo a su favor; *een batig ~ tonen* arrojar un saldo favorable; *nadelig ~* saldo deudor, saldo negativo; *per ~* (*fig*) resumiendo, a fin de cuentas
sales|manager jefe *m* de ventas; **-promotor** promotor *m* de ventas
salie salvia
salon salón *m*
salon|boot barco salón *mv barcos salón*; **-communist** comunista *m* de salón; **-socialist** socialista *m* de salón; **-wagen** coche *m* salón
salpeter salitre *m*, nitro; **salpeterzuur** ácido nítrico
salsa-muziek (música) salsa
salto vuelta de campana; *~ mortale* salto mortal; *een ~ maken* dar una vuelta de campana
salueren saludar (militarmente)
saluut saludo; (*met schoten*) salva; *~!* ¡adiós!; **saluutschot** salva
Salvadoraans salvadoreño
salvo salva
samba samba
samen juntos, en conjunto; (*opgeteld*) sumados; *alles ~* todo junto; *dat is ~ f 5* suman fls 5; *~ met* junto con
samen|brengen juntar, reunir *ú*, combinar; **-bundelen** 1 (*van krachten*) juntar; 2 (*in bundel*) liar *í*; **-drommen** hacinarse, agolparse, aglomerarse, apiñarse; **-drukken** apretar *ie*, comprimir; **-gaan** 1 (*tegelijk komen*) combinarse; *angst en agressie gaan altijd samen* el miedo siempre trae aparejada la agresión; 2 *~ met* (*passen bij*) compaginarse (con), armonizar (con), casar (con); **-geperst** comprimido; **-gesteld** compuesto
samenhang relación *v*, coherencia, conexión *v*; *nauwe ~* íntima relación; *onderlinge ~* interdependencia; *~ vertonen* ser coherente; **samenhangen** (*met*) guardar relación (con), tener conexión (con); **samenhangend** coherente; *een hiermee ~ probleem* un problema relacionado, un problema conexo
samenknijpen (*mbt ogen*) apretar *ie*
samenkomen 1 reunirse *ú*, encontrarse *ue*; 2 (*mbt lijnen*) converger, juntarse; 3 (*mbt rivieren*) confluir; *op het punt waar weg en rivier ~* en la confluencia del río y de la carretera; **samenkomst** reunión *v*, encuentro
samenleving sociedad *v*; **samenlevingscontract** contrato entre compañeros
samen|loop: *~ van omstandigheden* coincidencia, concurso de circunstancias; **-pakken** (*mbt wolken*) amontonarse, cernerse *ie*; **-persen** comprimir; **-raapsel** mezcolanza
samenscholen agruparse; **samenscholing** agrupación *v*, concentración *v* de personas
samensmelten *intr* fundirse; (*fig ook:*) amalgamarse; **samensmelting** fusión *v*, unión *v*
samen|spannen conspirar, confabularse; **-spel** combinación *v*, juego de conjunto; (*van team*) juego de equipo; **-spraak** diálogo
samenstel sistema *m*, conjunto; **samenstellen** 1 componer, formar; confeccionar; *~de delen* partes *vmv* componentes, componentes *mmv*, constituyentes *vmv*; 2 (*van boek*) compilar; **samenstelling** 1 composición *v*; confección *v*; 2 (*van boek*) compilación *v*; 3 (*gramm*) palabra compuesta
samen|stromen 1 (*mbt menigte*) congregarse, concentrarse; 2 (*mbt rivieren*) confluir; **-trekken** contraer; **-vallen** I *ww* coincidir; *gedeeltelijk ~* sobreponerse en parte; II *zn* coincidencia, simultaneidad *v*

samenvatten resumir, recapitular; (*van boek*) compendiar, sintetizar; **samenvattend** resumiendo, en síntesis; **samenvatting** resumen *m*, sinopsis *v*, síntesis *v*
samenvoegen juntar, unir; (*van terreinen ook:*) agrupar
samenwerken cooperar, colaborar; *deze redenen werken samen om* estos motivos se combinan para, estos motivos juntos contribuyen a; **samenwerking** cooperación *v*, colaboración *v*
samenwonen I *ww* vivir juntos, hacer vida en común, convivir, vivir en compañía; *ze gingen weer ~* reprendieron la vida en común; II *zn* convivencia en común, vida en común
samenzijn reunión *v*; *gezellig ~* tertulia
samenzweerder conjurado, conspirador *m*; **samenzweren** conspirar, conjurarse, confabularse; **samenzwering** conspiración *v*, conjura, confabulación *v*, conjuración *v*, complot *m*
sam-sam a medias; *~ doen* ir a medias, compartir
sanatorium sanatorio
sanctie sanción *v*; **sanctiemaatregelen** medidas *vmv* sancionadoras
sandaal sandalia
sandwichman hombre *m* anuncio
saneren sanear; **sanering** saneamiento, reorganización *v*
sanitair I *bn* sanitario; II *zn* instalación *v* sanitaria, equipo sanitario
santé *~!* (*bij niezen*) ¡salud!, ¡Jesús!
santekraam: *de hele ~* toda la órdiga
Saoedi-Arabië la Arabia Saudí, la Arabia Saudita
sap zumo, jugo; *perziken op ~* melocotones en almíbar; **sapcentrifuge** centrifugador *m* (para frutos y verduras), licuadora automática
sappel: *zich te ~ maken* inquietarse
sap-pers exprimidor *m* (para frutos y verduras)
sappig jugoso, suculento; *~ verhaal* historia sabrosa; **sappigheid** jugosidad *v*
sarcasme sarcasmo; **sarcastisch** sarcástico
sarcofaag sarcófago
sardine sardina
Sardinië Cerdeña; **Sardiniër**, **Sardinisch** sardo
sarren importunar, hacer rabiar
sas: *in zijn ~ zijn* estar como unas pascuas
satan Satanás *m*, Satán *m*; **satanisch** satánico
satelliet satélite *m*; **satellietstaat** estado satélite; **satellietstad** ciudad *v* satélite *mv ciudades satélite*
satijn raso; (*minder mooi:*) satén *m*
satire sátira; **satirisch** satírico
saucijs salchicha
sauna sauna
saus salsa; (*voor sla ook:*) aliño, aderezo; **sauskom** salsera
sauteren saltear, rehogar
savanne sabana
savooiekool repollo, col de Saboya
savoureren saborear
saxofonist saxofonista *m*; **saxofoon** saxófono
S-bocht curva en S
scala gama *v*, serie *v*, escala
scalp escalpe *m*, escalpo; **scalpel** escalpelo; **scalperen** escalpar
scanderen escandir, medir *i* pies de verso
Scandinavië Escandinavia; **Scandinaviër**, **Scandinavisch** escandinavo
scanner escáner *m*
scenario guión *m* (cinematográfico); **scenarioschrijver** guionista *m*
scène escena; *een ~ maken* hacer una escena; *in ~ zetten* escenificar, poner en escena
scepsis escepticismo
scepter cetro; *de ~ zwaaien* empuñar el cetro, tener la sartén por el mango
sceptisch escéptico
schaaf cepillo; (*voor komkommer*) rodajera; (*voor kool; rasp*) rallador *m*; **schaafwond** rozadura
schaak 1 (*spel*) ajedrez *m*; *partij ~* partida de ajedrez; *~ spelen* jugar al ajedrez; 2 (*stand*) jaque *m*; *de koning staat ~* jaque al rey
schaak|bord tablero (de ajedrez); **-mat** jaque mate; *~ zetten* dar jaque mate; **-meester** campeón *m* de ajedrez; **-speler** jugador *m* de ajedrez; **-stuk** pieza (de ajedrez); *de ~ken opstellen* disponer las piezas; **-toernooi** torneo de ajedrez
schaal 1 (*schotel*) plato; 2 (*van ei*) cáscara; 3 (*van schaaldier*) caparazón *m*; 4 (*graadverdeling*) escala; *op beperkte ~* en escala restringida; *op ~ tekenen* dibujar en escala; *op een ~ van* a una escala de; *op grote ~* en gran escala; *een kaart op grote ~* un mapa a gran escala; *op kleine ~* en pequeña escala
schaal|dier crustáceo, marisco; **-verdeling** escala graduada, graduación *v* (de la escala)
schaam|delen partes *vmv* genitales; **-rood**: *het joeg hem het ~ op de kaken* le hizo salir los colores a la cara
schaamte vergüenza; *plaatsvervangende ~* vergüenza ajena; **schaamteloos** desvergonzado, descarado, impúdico
schaap oveja; *schapen* (*gehouden voor wol*) ganado lanar; *het zwarte ~* el garbanzo negro de la olla, la oveja negra; *als er één ~ over de dam is, volgen er meer* las ovejas de Panurgo, una salta y todas siguen; *er gaan veel makke schapen in een hok* caben muchas ovejitas mansas en el redil; **schaapachtig** (*dom*) bobo; **schaapherder** pastor *m* (de ovejas); **schaapje**: *~s tellen* contar ovejas; **schaapskooi** aprisco, majada, redil *m*
schaar 1 tijeras *vmv*; 2 (*mv, van kreeft*) pinzas
schaars I *bn* escaso; *~ zijn* escasear; *in ~e gevallen* en casos contados; II *bw* apenas, escasamente; *~ gekleed* ligeramente vestido; **schaarste** (*aan*) escasez *v* (de), penuria (de)

schaats patín *m*; *een scheve ~ rijden* dar un resbalón; **schaatsen** patinar; **schaatser**, **schaatsster** patinador, -ora
schacht 1 (*Belg, mil*) recluta *m*; 2 (*Belg, student*) novicio, novato, estudiante *m* de primer año
schacht 1 (*van laars*) caña; 2 (*van lift*) caja, hueco; 3 (*van mijn*) pozo
schade daño, daños *mmv*, avería; (*verlies*) pérdida; (*nadeel*) perjuicio; (*verwoestingen*) estragos *mmv*; *materiële ~* daños *mmv* materiales; *~ aanrichten, berokkenen* causar daño, ocasionar daños; *zijn ~ inhalen* desquitarse, resarcirse; *~ lijden* sufrir daño, averiarse *í*; *~ toebrengen aan* averiar *í*; *door ~ en schande wijs worden* escarmentar
schadeclaim reclamación *v* por daños y perjuicios
schadelijk perjudicial, dañoso, pernicioso, nocivo; *~e dieren* animales dañinos; *~e stoffen* sustancias nocivas; *~ zijn voor* perjudicar a; **schadelijkheid** nocividad *v*, perniciosidad *v*
schadeloos|stellen (*voor*) indemnizar (de, por), resarcir (de), compensar (de); **-stelling** indemnización *v*
schaden dañar, perjudicar, causar perjuicio; *de belangen ~* lesionar los intereses
schade|post pérdida; **-vergoeding** indemnización *v*; *~ eisen* reclamar daños y perjuicios; **-verzekering** seguro de daños; **-vordering** *zie: schadeclaim*
schaduw sombra; *~ geven* dar sombra, hacer sombra; *een ~ werpen op* proyectar una sombra sobre; *zij volgt hem als zijn ~* le sigue como la sombra al cuerpo; *in de ~* a la sombra; *hij kan niet in je ~ staan* no te llega a la suela del zapato; *in de ~ stellen* hacer sombra a, dejar en la sombra, eclipsar; **schaduwen** vigilar de cerca, seguir *i* (la pista de)
schaduw|kabinet gabinete *m* fantasma; **-zijde** lado de la sombra; (*fig*) reverso de la medalla
schaften (*mbt arbeiders*) comer
schaft|lokaal cantina; **-tijd** hora de comer
schakel eslabón *m*
schakelaar interruptor *m*, llave *v*, conmutador *m*
schakel|armband brazalete *m* de eslabones; **-bord** tablero de control, tablero de distribución
schakelen 1 conectar, conmutar; 2 (*in auto*) cambiar de velocidad; *hij schakelt zwaar* los mandos están duros; **schakeling** 1 conexión *v*, conmutación *v*; 2 (*elektr, in groepen*) agrupamiento; 3 (*in auto*) cambio
schakel|kast caja del interruptor, armario de controles; **-klok** reloj *m* interruptor; **-paneel** panel *m* de control; **-schema** esquema *m* de conexiones; **-strip** (*op geluidsband*) cinta de contacto
schaken 1 jugar *ue* al ajedrez; 2 (*ontvoeren*) raptar; **schaker** 1 jugador *m* de ajedrez; 2 (*ontvoerder*) raptor *m*
schakeren matizar; **schakering** matiz *m*
schaking rapto
schalk pícaro, bribón *m*; **schalks** pícaro, malicioso
schallen resonar *ue*
schamel pobre; *een ~ kamertje* un cuartucho de mala muerte; *een ~ loon* un sueldo raquítico, un sueldo mísero
schamen: *zich ~* (*over*) avergonzarse *ue* (de); *je moest je ~* ¡debieras tener vergüenza!, ¡te debería dar vergüenza!; *schaam je je niet?* ¿no te da vergüenza?; *ik schaam me dood* me muero de vergüenza; *ik schaam me over die woorden* me dan vergüenza esas palabras; *hij schaamde zich de ogen uit het hoofd* se le cayó la cara de vergüenza
schamper sarcástico, desdeñoso
schampschot rozadura
schandaal escándalo; **schandaalpers** prensa sensacionalista; **schandalig** vergonzoso, infame, escandaloso; *het is ~!* ¡no hay derecho!; **schanddaad** infamia; **schande** vergüenza, oprobio, ignominia, deshonra; *het is een ~* es una vergüenza; *~ brengen over, te ~ maken* deshonrar, avergonzar *ue*; *~ spreken van* considerar una vergüenza, criticar, condenar; *tot mijn ~* para vergüenza mía; **schandelijk** vergonzoso, indigno, infame; *~ gedrag* comportamiento vergonzoso; *~ hoog* (*mbt prijs*) exorbitante, excesivo; *zich ~ gedragen* portarse vergonzosamente; **schandpaal**: *aan de ~ nagelen* poner en la picota, exponer a la vergüenza pública; **schandvlek** borrón *m*, deshonra
schap estante *m*
schape|bout pierna de cordero; **-kaas** queso de oveja
schapen|fokker criador *m* de ovejas; **-scheerder** esquilador *m*; **-scheren** *zn* esquileo; **-teelt** cría de ovejas
schape|vacht piel de oveja; *hes van ~* zamarra; **-vlees** (carne *v* de) cordero; **-wol** lana de oveja; **-wolkje** cirro
schappelijk razonable, moderado; (*van prijs ook:*) módico
schare multitud *v*, muchedumbre *v*; **scharen**, **zich**: *~ achter* (*denkbeelden*) adherirse *ie, i* a; *~ om* rodear, colocarse al lado de, reunirse *ú* junto a
scharlakenrood escarlata
scharminkel esqueleto, birria, costal *m* de huesos; *het is een ~* está en los huesos
scharnier bisagra, gozne *m*
scharrel 1 flirteo, lío; 2 (*persoon*) ligue *m*; **scharrelaar** mercachifle *m*; **scharrelei** huevo de corral; **scharrelen** 1 (*mbt kip*) escarbar la tierra; 2 (*in kast, doos*) revolver *ue*; 3 (*sjacheren*) trapichear; *~ om rond te komen* hacer chapuzas para ganarse la vida; *bij elkaar ~* reunir *ú* a duras penas; 4 (*vrijen*) flirtear, ligar; **scharrelkip** pollo de corral, pollo de campo
schat tesoro; *mijn ~* mi amor, mi vida; *je bent*

een ~ eres un tesoro, eres un sol; *een* ~ *van een jongen* un amor de chico, un sol de chico; *het is een* ~ *van een kind* es una delicia; *een* ~ *van bloemen* una abundancia de flores; *een* ~ *van kennis* una mina de conocimientos
schateren reír *í*, carcajearse; *hij barstte in* ~ *uit* rompió a reír a carcajadas; **schaterlach** carcajada
schatgraver buscador *m* de tesoros
schatje 1 (*van karakter*) angelito, ángel *m*; 2 (*van uiterlijk*) monada, bombón *m*
schat|kamer, **-kist** Tesoro público; **-rijk** riquísimo
schatten 1 (*gokken*) decir al tanteo; *hoe oud schat je hem?* ¿qué edad le echas?; 2 ~ (*op*) tasar (en), estimar (en), valorar (en), evaluar *ú* (en); *op de juiste waarde* ~ apreciar en su justo valor; *te hoog* ~ sobrestimar, supervalorar; *te laag* ~ subestimar, infravalorar; **schattig** *zie: snoezig*; **schatting** 1 (*gok*) cálculo aproximado; *een ruwe* ~ un cálculo aproximado; 2 (*taxatie*) estimación *v*, tasación *v*, evaluación *v*, valoración *v*; *naar* ~ según se estima, según se calcula; *te hoge* ~ supervaloración *v*; *te lage* ~ infravaloración *v*
schaven 1 cepillar, acepillar, acuchillar; 2 (*verwonden*) rozar; *hij schaafde zich aan de muur* se rozó con el muro
schavot cadalso, patíbulo
schavuit tunante *m*, bribón *m*
schede 1 vaina; 2 (*anat*) vagina
schedel cráneo; **schedelbasisfractuur** fractura de la base del cráneo
scheef 1 (*schuin*) oblicuo; (*schuinstaand*) ladeado, inclinado; *scheve toren* torre *v* inclinada; 2 (*verdraaid*) torcido; *het schilderij hangt* ~ el cuadro está torcido; *scheve positie* posición *v* equívoca; *een* ~ *gezicht trekken* torcer *ue* el gesto; *het* ~ *afslijten* (*mbt banden, hakken*) el desgaste desigual; ~ *groeien* crecer torcido; ~ *trekken* (*van hout*) combarse, alabearse; ~ *voorstellen* desvirtuar *ú*, representar mal || *dat loopt* ~ va a terminar mal; **scheefstaand** inclinado
scheel bizco; ~ *kijken* bizquear; *schele hoofdpijn* jaqueca; *hij ziet* ~ *van afgunst* se lo come la envidia; *schele ogen maken* despertar *ie* envidia; *met schele ogen aankijken* mirar con ojos envidiosos
scheen tibia, canilla; (*voorkant:*) espinilla; *tegen de schenen schoppen* dar una patada en las espinillas; **scheenbeschermer** espinillera
scheep: ~ *gaan* ir a bordo, embarcarse
scheeps|agent consignatario de buque, agente *m* marítimo; **-arts** médico de a bordo; **-benodigdheden** efectos *mmv* navales; **-beschuit** bizcocho (de mar)
scheepsbouw construcción *v* naval; **scheepsbouwer** constructor *m* naval; **scheepsbouwkunde** ingeniería naval
scheeps|geschut cañones *mmv* navales; **-journaal** diario de a bordo; **-kapitein** capitán *m* (de barco); **-kok** cocinero de a bordo; **-meting** arqueo (de buques); **-ramp** siniestro marítimo; **-recht**: *driemaal is* ~ a la tercera va la vencida; **-term** término náutico; **-tijd** hora de a bordo; **-timmerman** carpintero de cubierta; **-werf** astillero; **-werktuigkundige** mecánico naval
scheepvaart navegación *v*
scheepvaart|lijn línea marítima; **-maatschappij** compañía marítima, compañía naviera; **-museum** museo marítimo, museo naval; **-verkeer** tráfico marítimo
scheer|apparaat 1 (*elektr*) máquina de afeitar (eléctrica); 2 (*niet elektr*) maquinilla de afeitar; **-gerei** utensilios *mmv* para afeitar; **-kwast** brocha de afeitar; **-lijn** viento; **-mes** navaja de afeitar; **-mesje** hoja de afeitar; **-schuim** espuma de afeitar; **-wol** lana virgen; **-zeep** jabón *m* de afeitar
scheet pedo
scheg espolón *m*, tajamar *m*; **schegbeeld** mascarón *m* de proa
scheiden I *tr* 1 separar; *zij leven gescheiden* viven separados; 2 (*verdelen*) dividir; 3 *zich laten* ~ (*mbt gehuwden*) divorciarse; **II** *intr* 1 (*mbt gehuwden*) divorciarse; 2 (*uiteengaan*) separarse, ir cada uno por su lado, despedirse *i*; *hier* ~ *zich onze wegen* aquí nuestros caminos se separan; **scheiding** 1 separación *v*, división *v*; ~ *van tafel en bed* separación de cuerpo y bienes; 2 (*echtscheiding*) divorcio; *in* ~ *liggen* estar en trámites de divorcio; 3 (*tussenschot*) tabique *m*; 4 (*in haar*) raya; ~ *in het midden* raya al medio
scheids|lijn línea divisoria; **-man** árbitro; **-muur** pared *v* divisoria; **-rechter** árbitro, colegiado; (*bij voetbal ook:*) juez *m* de campo; ~ *zijn bij een wedstrijd* arbitrar un partido, arbitrar un encuentro; *het optreden van de* ~ el arbitraje
scheikunde química; **scheikundig** químico; **scheikundige** químico, -a
1 schel *zn* 1 (*drukbel*) timbre; 2 (*klingelbel*) campanilla
2 schel *bn* 1 (*mbt geluid*) agudo, penetrante, estridente; 2 (*mbt licht*) deslumbrante; 3 (*mbt kleur*) chillón, *-ona*
schelden vociferar, echar pestes; ~ *op* insultar, injuriar, echar pestes contra; **scheldwoord** improperio, invectiva, insulto, injuria
schelen 1 (*verschillen*) diferir *ie*; *dat scheelt f 50* va una diferencia de fls 50; *hoeveel scheelt dat?* ¿qué diferencia hay?, ¿cuánto va de lo uno a lo otro?; *het scheelde weinig of hij viel* faltó poco para que cayera, por pocó se cayó; *is het tijd? het scheelt niet veel* ¿ya es la hora? falta poco; *ze* ~ *twee jaar* se llevan dos años; 2 (*mankeren*) pasar; *wat scheelt eraan?* ¿qué te pasa?; *wat scheelt er aan dat boek?* ese libro ¿qué tiene de malo?; 3 (*belangrijk zijn*) importar; *mij kan het niet* ~ a mí no me importa; *niet dat het mij wat kan* ~ no (es) que a mí me importe; *kan niet* ~ no importa, es igual

schelm pícaro, bribón *m*, tunante *m*, granuja *m*; **schelmenroman** novela picaresca; **schelmenstreek** tunantería, granujada
schelp concha; **schelpdier** molusco, marisco; **schelp- en schaaldieren** mariscos; **schelpvormig** de forma de concha, concoideo
schelvis eglafino
schema esquema *m*; **schematisch** esquemático; ~ *voorstellen* representar de forma esquemática; **schematiseren** esquematizar
schemer penumbra, crepúsculo; **schemerdonker** media luz *v*, penumbra; **schemeren** 1 (*'s morgens*) amanecer; 2 (*'s avonds*) atardecer, anochecer; *het schemerde hem voor zijn ogen* todo le daba vueltas; 3 (*zich vaag vertonen*) aparecer vagamente; *in de verte schemerde een huisje* a lo lejos se veía vagamente una casa; 4 (*in de schemer zitten*) estar (casi) a oscuras, pasar la hora del crepúsculo; **schemerig** (*mbt kamer*) sumido en penumbras, envuelto en sombras; **schemering** crepúsculo; *in de* ~ entre dos luces, a media luz; **schemerlamp** lámpara de pie, lámpara de mesa; **schemertoestand** (*med*) estado semiconsciente
schenden 1 violar; (*inbreuk maken ook:*) quebrantar, infringir; *rechten* ~ violar derechos; 2 (*van reputatie*) manchar; 3 (*beschadigen*) desfigurar, deformar; 4 (*van vertrouwen*) abusar de; **schending** 1 violación *v*; (*inbreuk ook:*) infracción *v*; ~ *van het luchtruim* violación del espacio aéreo; ~ *van de mensenrechten* violación de los derechos humanos; ~ *van onze rechten* infracción a nuestros derechos; ~ *van de wet* violación de la ley; 2 (*beschadiging*) daño, deformación *v*; 3 ~ *van vertrouwen* abuso de confianza
schenken 1 (*geven*) regalar, obsequiar con, donar, dar; 2 (*van vloeistof*) echar, verter *ie*; (*inschenken ook:*) servir *i*; *hij schenkt de koffie in de koppen* echa el café en las tazas; 3 (*drank verkopen*) vender, despachar; 4 (*verlenen*) dar, prestar, conceder; *aandacht* ~ *aan* prestar atención a; *geloof* ~ *aan* dar crédito a; *iem vertrouwen* ~ dar confianza a u.p.; 5 (*kwijtschelden*) perdonar, hacer gracia de; *ik schenk je de details* te hago gracia de los detalles
schenking donación *v*, donativo
schep 1 (*schop*) pala; ~ *met steel* pala con mango; 2 (*lepel*) cuchara; 3 (*hoeveelheid*) palada; *een* ~ *zand* una palada de arena; (*lepelvol*) cucharada; *een* ~ *suiker* una cucharada de azúcar; *een* ~*je* una cucharadita || *een* ~ *geld* un montón de dinero, un dineral
schepeling miembro de la tripulación, tripulante *m*, marinero; *de* ~*en* la tripulación
schepencollege (*Belg*) (*vglbaar:*) el alcalde y los tenientes de alcalde
schepje 1 (*lepeltje*) cucharilla; 2 (*lepelvol*) cucharadita; *er een* ~ *op doen: a*) (*meer vragen*) pedir *i* un poco más; *b*) (*zich meer inspannen*) trabajar un poco más, esforzarse *ue* más; *c*) (*overdrijven*) exagerar, recargar las tintas
schepnet manga
1 scheppen I *intr* trabajar con la pala; II *tr* (*van zand*) sacar con pala; (*van sneeuw*) quitar con la pala; (*van water*) sacar; (*van soep*) servir *i* (con cucharón) || *adem* ~ tomar aliento, cobrar aliento; *behagen* ~ *in* complacerse en; *een luchtje* ~ tomar el aire, tomar el fresco
2 scheppen (*doen ontstaan*) crear; *werkgelegenheid* ~ generar empleo; *het* ~ *van arbeidsplaatsen* la creación de puestos de trabajo
scheppend creador *-ora*; ~ *vermogen* poder *m* creador; **schepper** creador *m*; *de Schepper* el (Sumo) Hacedor; **schepping** creación *v*; **scheppingsdrang** ímpetu *m* creador; **scheppingsproces** proceso de creación
scheprad rueda de paletas
schepsel criatura
1 scheren I *ww* 1 afeitar; *zich* ~ afeitarse; *glad* ~ afeitar a ras de piel, afeitar a fondo; *kaal* ~ (*van hoofd*) cortar al rape, rapar; *kaal geschoren hoofd* cabeza rapada; 2 (*van schapen*) esquilar; II *zn* 1 afeitada; 2 (*van schapen*) esquileo
2 scheren: ~ *over* rozar, pasar rozando, volar *ue* a ras de; ~ *over het water* volar *ue* rozando el agua; *door de lucht* ~ cruzar por el cielo || *scheer je weg!* ¡largo de aquí!
scherf pedazo, fragmento; (*splinter; van granaat*) esquirla; *scherven brengen geluk* tiestos rotos dan suerte; *in scherven vallen* hacerse pedazos, hacerse añicos; *van dit bord zijn scherven af* este plato está desportillado
schering (*bij weven*) urdimbre *v*; ~ *en inslag* la trama y la urdimbre; *het is* ~ *en inslag* se ve todos los días
scherm 1 (*van tv, film*) pantalla; 2 (*kamerscherm*) biombo; 3 (*toneelgordijn*) telón *m*; *achter de* ~*en* entre bastidores
schermen esgrimir; ~ *met argumenten* esgrimir argumentos; **schermer** esgrimidor *m*
scherm|kunst esgrima; **-masker** máscara de esgrima
schermutseling escaramuza, refriega
scherp I *bn* 1 (*mbt mes, voorwerp*) afilado, agudo; (*puntig*) agudo, puntiagudo; *de* ~*e kant* el filo; ~*e neus* nariz *v* aguda; ~ *profiel* perfil afilado; 2 (*meetk*) agudo; ~*e hoek* ángulo agudo; 3 (*mbt bocht*) cerrado; ~*e bocht* curva cerrada; 4 (*mbt blik, geest; scherpzinnig*) agudo, perspicaz, penetrante; *een* ~ *verstand* una inteligencia aguda; ~ *waarnemer* observador penetrante; 5 (*mbt wind, kou*) penetrante, cortante; 6 (*mbt geluid, pijn*) agudo, penetrante; 7 (*mbt foto*) nítido, preciso; *een* ~ *beeld* una imagen precisa; ~*e contouren* contornos nítidos; ~ *stellen* enfocar, ajustar; 8 (*mbt contrast*) marcado; ~*e klassetegenstellingen* marcadas divisiones de clases; ~*e scheidingslijn* línea divisoria tajante; 9 (*mbt smaak*) acre, áspero, acerbo; (*pikant*) picante; 10 (*mbt toon, kritiek, woord*) áspero, mordaz, acre, acerbo, cortante; *een* ~*e tong* una lengua mordaz; ~*e*

woorden palabras acres; *op ~e toon* en tono áspero; 11 (*mbt reuk, gehoor*) fino; *hij heeft een ~ gehoor* tiene el oído fino || *~e controle* control *m* estricto, vigilancia rigurosa; *een ~e daling* un fuerte descenso; *de ~e kantjes eraf halen* quitar hierro al asunto; *de ~e kantjes zijn eraf* se le ha quitado lo áspero; II *zn* 1 (*van mes*) filo; *op het ~ van de snede* sobre el filo de la navaja; 2 (*kogel*) bala, cartucho con bala; *met ~ schieten* tirar con bala, disparar fuego real; **scherpen** 1 (*van mes*) afilar; 2 (*van punt; fig*) aguzar

scherp|rechter (*beul*) verdugo; **-schutter** tirador *m* de primera, muy buen tirador; **-slijper** extremista *m*, fanático

scherpte 1 (*scherp zijn*) agudeza; 2 (*onaangenaamheid*) aspereza, acritud *v*; 3 (*van foto*) nitidez *v*

scherpziend de vista aguda

scherpzinnig agudo, perspicaz, sagaz, sutil, ingenioso; **scherpzinnigheid** agudeza, perspicacia *v*, sagacidad *v*

scherts bromas *vmv*, chanzas *vmv*; *alle ~ terzijde* bromas aparte; *in ~* en (son de) broma; **schertsen** bromear, chancear; **schertsend** en broma; *op ~e toon* en tono chusco

scherts|figuur nulidad *v*, payaso, mequetrefe *m*, mamarracho; **-vertoning** calamidad *v*, desastre *m*

scherven I *tr* desportillar; II *intr* desportillarse; *gescherfd* desportillado

schets esbozo, croquis *m*, bosquejo, boceto; *een vluchtige, ruwe ~* un esbozo rápido y tosco; **schetsboek** 1 bloc *m* de dibujo, álbum *m* de dibujos; 2 (*lit*) libro de apuntes; **schetsen** esbozar, bosquejar, abocetar; *~ in grote lijnen* trazar en líneas generales; **schetstekening** dibujo abocetado; *zie ook: schets*

schetteren 1 (*klinken*) sonar *ue*, resonar *ue*; 2 (*opschepperig praten*) fanfarronear; 3 (*schel praten*) hablar chillando

scheur 1 (*in stof, papier*) rasgadura, rasgón *m*, desgarrón *m*, desgarradura; 2 (*in muur*) grieta, fisura, hendidura, raja; **scheurbuik** escorbuto; **scheuren** I *tr* romper, rasgar, desgarrar; *een brief kapot ~* romper una carta; *in stukken ~* hacer pedazos, desgarrar; II *intr* 1 romperse, desgarrarse; 2 (*barsten, mbt muur*) agrietarse, cuartearse; 3 (*mbt aarde*) henderse *ie*, agrietarse; 4 (*mbt glas*) rajarse, resquebrajarse; 5 (*in auto*) conducir a lo bruto; **scheuring** 1 (*fig, breuk*) ruptura, escisión *v*; 2 (*barstje*) fisura; **scheurkalender** bloc *m* de calendario, (calendario de) taco

scheut 1 (*van plant*) vástago, retoño; 2 (*van vloeistof*) chorro; 3 (*pijn*) punzada, pinchazo, dolor *m* punzante; *pijn in ~en* dolor a oleadas; **scheutig** generoso

schicht 1 (*pijl*) flecha; 2 (*flits*) ráfaga, destello, relámpago; **schichtig** 1 (*mbt dier*) asustadizo, espantadizo; 2 (*mbt persoon*) huraño

schielijk de prisa

schiereiland península; *het Iberisch ~* la Península (Ibérica)

schietbaan tiro (al blanco)

schieten I *tr* 1 (*van haas*) cazar, matar; 2 *iem in zijn arm ~* herir *ie, i* a u.p. en el brazo; 3 (*afschieten; van pijl*) disparar; (*van projectiel*) lanzar || *hij heeft het goed geschoten* ha acertado; II *intr* 1 disparar, tirar, hacer fuego; (*één schot*) pegar un tiro; (*als sport*) tirar al blanco; (*bij voetbal*) botar; *gericht ~* tirar a dar; *mis ~* errar *ie* el tiro; *in de lucht ~* disparar al aire; *~ op* disparar contra, sobre; 2 *laten ~* soltar *ue*, largar; *iem laten ~* dejar caer a u.p., abandonar a u.p.; *iets laten ~* abandonar u.c., desistir de u.c., renunciar a u.c.; 3 (*voetbal*) chutar, tirar; 4 (*snel bewegen*): *in de hoogte ~* (*groeien*) crecer rápidamente; *naar beneden ~* (*mbt roofvogel*) desplomarse, precipitarse; *op iem af ~* lanzarse sobre u.p., abalanzarse sobre u.p.; *over iets heen ~* saltar por sobre u.c.; *voorbij ~* pasar como un rayo; *weg ~* salir corriendo, salir disparado; *het bloed schoot hem naar het gezicht* le afluyó la sangre a la cara; *het schoot mij door het hoofd* me pasó por la cabeza, me pasó por la mente; *het schiet mij niet te binnen* no se me ocurre

schiet|gat aspillera; **-gebedje** jaculatoria; **-lood** 1 (*scheepv*) sonda; 2 (*bouwk*) plomada; **-oefeningen** prácticas de tiro; **-partij** tiroteo, cruce *m* de disparos; **-schijf** blanco; **-stoel** silla disparable, asiento catapulta; **-tent** barraca de tiro; **-terrein** campo de tiro (al blanco)

schiften I *tr* separar, escoger, seleccionar; II *intr* (*mbt melk*) cortarse

schijf 1 disco; *harde ~* (*comp*) disco fijo; 2 (*plakje*) rodaja; *zie ook: plak*; 3 (*bij damspel*) pieza || *dat loopt over veel schijven* necesita muchos trámites; **schijfrem** freno de disco(s)

schijn 1 (*licht*) luz *v*, brillo, resplandor *m*; 2 (*uiterlijk*) apariencia; *~ bedriegt* las apariencias engañan; *de ~ bewaren* guardar las apariencias, salvar las apariencias; *de ~ wekken dat* dar la impresión de que; *hij heeft de ~ tegen zich* las apariencias están en contra de él; *alleen in ~* sólo de apariencia, sólo en apariencia; *naar alle ~* según todas las apariencias, por lo visto; *op de ~ afgaan* fiarse *í* de las apariencias; *voor de ~* por aparentar; *er is geen ~ van kans* no existe ni la más remota posibilidad; *zonder een ~ van afgunst* sin asomo de envidia; **schijnbaar** I *bn* aparente; II *bw* aparentemente, a lo que parece, según parece

schijn|beweging 1 (*sp*) finta, amago; 2 (*mil*) maniobra fingida; **-dood** I *zn* muerte *v* aparente; II *bn* muerto en apariencia

schijnen 1 brillar; *de zon schijnt* brilla el sol, hay sol, hace sol; *de zon schijnt op mijn bed* el sol da en mi cama; 2 (*lijken*) parecer; *naar het schijnt* según parece, por lo que se ve

schijnheilig hipócrita; **schijnheiligheid** hipocresía

schijnproces proceso simulado, juicio farsa *m*

schijnsel resplandor *m*, luz *v*, brillo
schijntje: *het kost maar een ~* cuesta una futesa; *zij verdient een ~* gana una miseria
schijn|vertoning farsa; **-werper** reflector *m*, foco, proyector *m*
schijt mierda; *ik heb ~ aan alles* me cisco en todo, me cago en todo; **schijten** cagar; **schijtlaars** gallina *m*, cagón *m*
schik: *~ hebben* divertirse *ie, i*; *in zijn ~ zijn* alegrarse
schikken 1 (*ordenen*) disponer, arreglar; 2 (*bijleggen*) arreglar; *in der minne ~* llegar a un acuerdo amistoso; 3 (*gelegen komen*) ser conveniente, convenir, venir bien; *schikt vrijdag je?* ¿te viene bien el viernes?; *zodra het u schikt* en cuanto le convenga; 4 *zich ~* (*in*) resignarse (a), conformarse (con); *hij heeft zich in zijn lot geschikt* se ha resignado; *zich in het onvermijdelijke ~* aceptar lo inevitable; 5 *zich ~* (*naar*) acomodarse (a); *zich ~ naar iems wensen* acomodarse a los deseos de u.p.; **schikking** arreglo, transacción *v*, compromiso; *een ~ treffen met* hacer un arreglo con
schil 1 (*van veel vruchten*) cáscara; (*van appel, peer, aardappel*) piel *v*; *aardappels in de ~* patatas sin pelar; 2 *~len* (*afval*) mondaduras, peladuras
schild 1 escudo; 2 (*familiewapen*) escudo de armas; 3 (*van dier*) caparazón *m* || *iets in zijn ~ voeren* traer algo entre manos, estar tramando algo
schilder pintor *m*; **schilderachtig** pintoresco; **schilderen** pintar; (*portretteren; fig*) retratar; *rood ~* pintar de rojo; *met olieverf ~* pintar al óleo; *naar de natuur ~* pintar al natural; **schilderes** pintora
schilderij pintura, cuadro; (*doek*) lienzo; **schilderijententoonstelling** exposición *v* de pintura
schildering pintura; *~ van het dagelijks leven* retrato de la vida diaria
schilderkunst pintura, arte de pintar
schilders|atelier estudio de pintura, taller *m* de pintura; **-ezel** caballete *m*; **-kwast** brocha; **-linnen** tela para pintar; **-palet** paleta; **-penseel** pincel *m*
schilderwerk pintado, pintura; *~ binnen en buiten* trabajos de pintura al interior y exterior
schild|klier (glándula) tiroides *v*; **-knaap** escudero
schildpad 1 tortuga; 2 (*materiaal*) concha, carey *m*; *bril met ~montuur* gafas *vmv* con montura de concha, anteojos *mmv* de carey; **schildpadsoep** sopa de tortuga
schildwacht centinela *m,v*; *~en plaatsen* apostar *ue* centinelas; **schildwachthuisje** garita (de centinela)
schilfer 1 (*van huid*) escama; 2 (*van glas, steen*) pedacito, trocito; **schilferen** 1 (*mbt huid*) cubrirse de escamas; 2 (*mbt muur*) descocharse; **schilferig** escamoso
schillen pelar, quitar la piel a; (*van aardappels ook:*) mondar
schim sombra; (*spook*) fantasma *m*
schimmel 1 (*paard*) caballo blanco; 2 (*biol*) moho; **schimmelen** enmohecerse, cubrirse de moho; **schimmelig** mohoso, enmohecido
schimmen|rijk mundo de los espíritus; **-spel** sombras *vmv* chinescas, sombras *vmv* invisibles
schimpen: *~ op* insultar, escarnecer, mofarse de, hacer befa de; **schimpscheuten** sarcasmo, escarnio; *~en* (*ook:*) mofa, befa
schip 1 barco, buque *m*, nave *v*, navío; *schoon ~ maken* ajustar cuentas; *zijn schepen achter zich verbranden* quemar las naves; 2 (*van kerk*) nave *v*
schipbreuk naufragio; *~ lijden* naufragar; **schipbreukeling** náufrago
schipper patrón *m* (de barco); *~ van aak* patrón de gabarra, barquero; *~ van jacht* patrón de yate; **schipperen** nadar y guardar la ropa, dar una de cal y otra de arena
schisma cisma *m*
schitteren brillar, resplandecer; (*fonkelen*) centellear; *~ door afwezigheid* brillar por su ausencia; **schitterend** 1 brillante, resplandeciente; 2 (*prachtig*) magnífico, espléndido; **schittering** brillo, resplandor *m*, fulgor *m*
schizofrenie esquizofrenia
schlager canción *v* de moda
schlemiel pelagatos *m*, pobre diablo, bendito
schmink maquillaje *m*; **schminken** maquillar, pintar; *zich ~* maquillarse; (*theat ook:*) caracterizarse
schnabbel chapuza
schobbejak granuja *m*, bellaco
schoeisel calzado
schoen zapato; *hoge ~* bota; *zijn ~en aantrekken* ponerse los zapatos; *andere ~en aantrekken* cambiarse de zapatos; *de stoute ~en aantrekken* armarse de valor; *wie de ~ past, trekke hem aan* quien se pica, ajos come, al que le pique, que se rasgue; *ik weet waar de ~ wringt* sé dónde le aprieta el zapato; *iem iets in de ~en schuiven* atribuir u.c. a u.p., imputar u.c. a u.p.; *ik zou niet graag in zijn ~en staan* no me cambiaría con él, no me gustaría estar en su pellejo; *stevig in zijn ~en staan* sentirse *ie, i* bien firme; *naast zijn ~en lopen* ponerse hueco, engreírse *i*
schoencrème *zie: schoensmeer*
schoenendoos caja de calzado
schoener goleta
schoen|fabrikant fabricante *m* de calzado; **-leest** horma; **-lepel** calzador *m*; **-maat** número; *wat is uw ~?* ¿qué número calza?; **-maker** zapatero; *~ blijf bij je leest* zapatero a tus zapatos; **-poetser** limpiabotas *m*; **-smeer** crema para el calzado, betún *m*; **-veter** cordón *m* (del zapato); **-winkel** zapatería, tienda de calzado; **-zool** suela del zapato
schoep paleta, álabe *m*; **schoepenrad** rueda de paletas, rotor *m*, rueda (de turbina)

schoffel azadón *m*, azada, escardillo; **schoffelen** escardar, sachar
schoft 1 (*van paard*) cruz *v*; 2 (*rotzak*) animal *m*, bestia, canalla *m*, sinvergüenza *m*; **schofterig** canallesco
schok choque *m*, sacudida, golpe *m*; *de ene ~ na de andere krijgen* (*fig*) no ganar para sustos; *elektrische ~* sacudida eléctrica, descarga eléctrica; *het gaf mij een schok te horen dat* tuve un sobresalto al saber que, fue para mí un golpe saber que
schok|beton hormigón *m* vibrado; **-breker** amortiguador *m*
schokken I *tr* 1 (*schudden*) sacudir, estremecer; *zijn prestige is ernstig geschokt* su prestigio ha quedado muy quebrantado; 2 (*doen schrikken*) chocar, sobresaltar, conmocionar, escandalizar; II *intr* dar sacudidas
schokschouderen encogerse de hombros
schokvrij a prueba de choque
schol platija, acedía
scholen formar, instruir, enseñar, educar
scholengemeenschap (*vglbaar:*) centro escolar, instituto (de segunda enseñanza)
scholier, scholiere alumno, -a
scholing formación *v*, educación *v*; *met weinig ~* sin estudios
schommel 1 columpio; 2 (*dikke vrouw*) jamona, matrona, matronaza; **schommelen** I *intr* 1 (*op schommel*) balancearse, columpiarse; 2 (*in stoel*) mecerse; 3 (*mbt iets zwaars; mbt dik mens*) bambolearse; 4 (*mbt schip*) balancear; 5 (*mbt koers, prijs*) fluctuar *ú*, oscilar; II *tr* (*laten ~*) balancear, columpiar; (*wiegen*) mecer; **schommeling** 1 balanceo, oscilación *v*; 2 (*mbt prijs*) fluctuación *v*, oscilación *v*; **schommelstoel** mecedora
schonkig huesudo
schoof haz *m*, gavilla
schooier 1 (*zwerver*) vagabundo; 2 (*schurk*) golfo, bellaco; *stelletje ~s* chusma, golfos *mmv*; **schooieren** gorronear
school 1 (*vnl staatsschool*) escuela; (*vnl particulier*) colegio, (*fam*) cole *m*; *lagere ~* escuela primaria; *middelbare ~* (*vglbaar:*) centro de segunda enseñanza, instituto (de segunda enseñanza); *openbare ~* escuela pública; *particuliere ~* colegio privado; *de ~ gaat uit* sale la escuela; *vandaag is er geen ~* hoy no hay clase; *de ~ verzuimen* faltar a clase, no ir a clase; *naar ~ gaan* ir a la escuela; *op ~* en clase, en el colegio; *uit de ~ klappen* ir con el cuento; *iem van de oude ~* u.p. de la vieja escuela; 2 (*opleidingsinstituut*) academia; 3 (*vissen*) banco, cardumen *m*; 4 (*kunst*) escuela; *de Vlaamse ~* la escuela flamenca
school|agenda agenda escolar; **-arts** médico escolar; **-bank** banco de escuela; **-behoeften** útiles *mmv* escolares; **-bibliotheek** biblioteca escolar; **-boek** libro de texto; **-bord** pizarra; **-decaan** (*Ned*) asesor *m* en orientación profesional (en las escuelas); **-gaand**: *~e kinderen* niños de edad escolar; **-geld** matrícula escolar; **-hoofd** director, -ora; **-jaar** curso escolar, año escolar; **-jeugd** juventud *v* escolar; **-juffrouw** maestra (de escuela)
schoolmeester 1 maestro (de escuela); 2 (*fig*) pedante *m*; **schoolmeesterachtig** pedante
school|net (*Belg*) sector *m* (ideológico) de enseñanza; **-onderzoek** investigación *v* (de nivel) escolar, prueba escolar; **-plein** patio de la escuela, patio de recreo; **-reisje** excursión *v* escolar
schools muy organizado, sin libertad
school|slag (natación *v* a) braza; **-tas** cartera, cartapacio; **-tijd** 1 (*schooljaren*) años *mmv* escolares; 2 *~en* (*lestijden*) horas de clase; **-uitgave** edición *v* escolar; **-uitzending** emisión *v* escolar; **-vakantie** vacaciones *vmv* escolares; **-verlater** joven *m,v* que acaba sus estudios, joven *m,v* que busca primer empleo, demandante *m,v* de primer empleo; **-verzuim** ausencias *vmv*, falta de asistencia; **-voorbeeld** ejemplo clásico; **-vriend, -vriendin** compañero, -a (de clase); **-ziek**: *hij is ~* finge estar enfermo
schoon 1 limpio; *f loo ~* fls loo limpios; *schone handen hebben* tener las manos limpias; *het is ~ op* se acabó, no queda nada; 2 (*mooi*) bello, hermoso; *schone kunsten* bellas artes; *de schone slaapster* la bella durmiente; *Filips de Schone* Felipe el Hermoso || *de kans ~ zien om* ver la oportunidad de
schoon|borstelen limpiar con cepillo; **-dochter** nuera, hija política; **-familie** parientes *mmv* políticos
schoonheid belleza
schoonheids|foutje tacha, imperfección *v*; **-instituut** instituto de belleza, salón *m* de belleza; **-koningin** reina de la belleza; **-specialiste** esteticista; **-wedstrijd** concurso de belleza
schoonhouden mantener limpio
schoonmaak limpieza; (*grote*) *~ houden* hacer una limpieza (general); **schoonmaakster** asistenta, señora de la limpieza; **schoonmaken** limpiare
schoon|moeder suegra, madre política; **-ouders** suegros, padres *mmv* políticos; **-rijden** (*schaatsen*) patinaje *m* artístico; **-springen** (*zwemmen*) salto artístico; **-vegen** 1 (*met doek*) limpiar con un trapo; 2 (*met bezem*) limpiar con una escoba; **-zoon** yerno, hijo político; **-zuster** cuñada, hermana política
schoorsteen chimenea; *de ~ vegen* limpiar la chimenea
schoorsteen|mantel repisa de la chimenea; **-pijp** tubo de chimenea; **-veger** deshollinador *m*
schoorvoetend vacilando, de mala gana
schoot 1 regazo; *de handen in de ~ leggen* cruzarse de brazos; *de baan werd hem in de ~ geworpen* el empleo le vino a las manos; *op ~* en el regazo; 2 (*fig*) seno; *in de ~ der kerk* en el

seno de la iglesia; 3 (*scheepv*) escota; **schoothondje** perro faldero
schop 1 (*schep*) pala; 2 (*trap*) patada, puntapié *m*, punterazo; *een ~ geven* pegar una patada
1 schoppen *ww* dar patadas, golpear con los pies
2 schoppen *zn* (*kaartsp*) pique *m*, picos *mmv*, pica; (*Sp kaartsp*) espada; **schoppenaas** as *m* de pique
schopstoel: *hij zit op de ~* le pueden despedir en cualquier momento
schor ronco; *hij was ~* tenía la voz tomada; *hij zei met ~re stem* dijo enronquecido, dijo con voz ronca; *~ worden* enronquecer(se)
schorem chusma, gentuza
schorpioen 1 escorpión *m*, alacrán *m*; 2 (*astrol*) Escorpión *m*
schors corteza
schorsen suspender
schorseneer salsifí *m* negro, escorzonera
schorsing suspensión *v*
schort delantal *m*; (*van smid*) mandil *m*
schorten: *wat schort eraan?* ¿qué te pasa?
1 schot 1 tiro, disparo; *er vielen ~en* hubo disparos; *een ~ lossen* (*op*) disparar (contra), pegar un tiro (a); *een ~ in de roos* un acierto; *buiten ~ blijven* mantenerse a salvo, no exponerse; *zelf buiten ~ blijven* tirar la piedra y esconder la mano; 2 (*in voetbal*) disparo, chut *m*; *hard ~* chupinazo || *er zit ~ in de zaak* el negocio avanza bien, se hacen buenos progresos
2 schot (*wand*) tabique *m*
Schot escocés *m*
schotel plato; (*schaal ook:*) fuente *v*; *kop en ~* taza y platillo; *vliegende ~* plato volante; **schotelantenne** antena parabólica
Schotland Escocia
1 schots *zn* témpano de hielo
2 schots: *~ en scheef* en un desorden total
Schots escocés *-esa*; **Schotse** escocesa
schotwond balazo; *een lichte ~* una ligera lesión de bala; *een ~ oplopen* resultar herido de un balazo, ser herido a tiros
schouder hombro; *afzakkende ~s* hombros caídos; *brede ~s hebben* ser ancho de espaldas; *met hoge ~s* subido de hombros, cargado de espaldas; *de ~s ophalen* encogerse de hombros, alzar los hombros; *ergens zijn ~s onder zetten* arrimar el hombro a u.c.; *iem vriendelijk op de ~ kloppen* dar amistosos espaldarazos a u.p.; *op de ~s dragen* llevar en hombros, llevar a hombros; *iets op de ~s nemen* (*fig*) cargar con u.c., echarse al hombro u.c.; *met zijn hengel over de ~* la caña al hombro
schouder|bandje tirante *m*, hombrera; **-blad** omoplato, omóplato; **-ham** jamón *m* delantero; **-klopje** palmadita, golpecito en el hombro; **-stuk** espaldilla; **-tas** bolso bandolero; **-vulling** hombrera
schout-bij-nacht contralmirante *m*
schouw 1 (*haard*) chimenea; 2 (*inspectie*) inspección *v*; **schouwburg** teatro; **schouwen** 1 (*van dijk*) inspeccionar; 2 (*van lijk*) hacer la autopsia; **schouwspel** espectáculo
schraag caballete *m*
schraal 1 (*mbt grond*) pobre, árido; 2 (*mbt oogst, beloning*) pobre, escaso, exiguo; *een schrale troost* un pobre consuelo, un triste consuelo; 3 (*mbt persoon*) flaco, enjuto; 4 (*mbt huid*) reseco; 5 (*mbt wind*) cortante; 6 (*mbt weer, klimaat*) frío y seco, áspero; 7 (*mbt maaltijd*) frugal; **schraalhans**: *daar is ~ keukenmeester* allí se come con el dómine Cabra; **schraalheid** 1 (*dorheid*) pobreza, aridez *v*; 2 (*geringheid*) escasez *v*, pobreza; 3 (*van weer*) aspereza; 4 (*magerheid*) flaqueza; 5 (*van maaltijd*) frugalidad *v*
schraapzucht avaricia, tacañería
schragen (*lett*) apuntalar; (*fig*) apoyar
schram rasguño, arañazo; **schrammen** arañar, rasguñar
schransen hartarse, comer con glotonería; (*fam*) jamar
1 schrap *zn* (*kras*) rasgo
2 schrap: *zich ~ zetten* mantenerse firme, adoptar una actitud firme
schrapen 1 (*verzamelen*) almacenar, atesorar; 2 (*krabben*) raspar, rascar; 3 (*van keel*) aclarar; *zijn keel ~* aclararse la garganta; **schraper**, **schrapijzer** 1 raspador *m*, rascador *m*; 2 (*voor vuile schoenen*) limpiabarros *m*
schrappen 1 raspar, rascar; 2 (*van vis*) escamar; 3 (*doorhalen*) tachar, cancelar; *als lid ~* dar de baja
schrede paso; *de eerste ~ zetten* dar el primer paso; *zijn ~n richten naar* dirigir sus pasos hacia; *met afgepaste ~n* a pasos contados; *met rasse ~n* a buen paso, a paso ligero
schreef: *over de ~ gaan* propasarse, extralimitarse
schreeuw grito; **schreeuwen** gritar, dar gritos, pegar voces, pegar gritos, vocear, vociferar; (*krijsen, gillen*) chillar; (*blèren*) berrear; (*uitroepen*) exclamar; *~ tegen iem* gritarle a u.p.; *uit alle macht ~* gritar a voz en cuello; *moord en brand ~* poner el grito en el cielo; *~ om* pedir *i* a gritos; *de markt schreeuwt om steenkool* el mercado pide carbón a gritos; *~ om wraak* clamar venganza; **schreeuwer** gritador *m*, voceador *m*, vociferador *m*; (*wie gilt*) chillón *m*; **schreeuwerig** 1 gritón *-ona*; 2 (*gillerig*) chillón *-ona*; 3 (*mbt kleur*) estridente, chillón *-ona*; **schreeuwlelijk** voceras *m*, vocinglero, -a, vociferador, -ora; (*baby*) llorón, -ona
schreien llorar; *het schreit ten hemel* clama al cielo
schrift 1 (*letters*) escritura; *op ~ stellen* poner por escrito; 2 (*handschrift*) letra; 3 (*opschrijfboek*) cuaderno; **schriftelijk I** *bn* escrito, por escrito; *~ examen* examen *m* escrito; *~ onderwijs* enseñanza por correspondencia; *~e en mondelinge beheersing van het Spaans* domi-

nio del español a nivel de escritura y conversación; II *bw* por escrito; *mondeling en* ~ tanto verbalmente como por escrito; *iets* ~ *vastleggen* consignar u.c., hacer constar u.c. por escrito; *zich* ~ *aanmelden* inscribirse mediante carta

schrijden andar con paso solemne, andar con paso majestuoso

schrijf|behoeften objetos de escritorio; **-blok** bloc *m* (de papel de escribir); **-bureau** escritorio; **-fout** error *m* ortográfico; **-kop** (*comp*) cabeza de escritura; **-letter** letra cursiva; **-machine** máquina de escribir; *op de* ~ a máquina

schrijfmachine|lint cinta mecanográfica; **-papier** papel *m* mecanográfico

schrijfster escritora, autora

schrijf|taal lengua escrita; **-tafel** (mesa) escritorio, mesa de escribir; **-wijze 1** ortografía; 2 (*van getallen*) notación *v*

schrijlings a caballo, a horcajadas

schrijnen escocer *ue*; **schrijnend** (*fig*) amargo, sangrante; *een* ~ *geval* un caso sangrante

schrijnwerker ebanista *m*

schrijven I *ww* escribir; ~ *om* pedir *i* por escrito; ~ *op een advertentie* contestar a un anuncio; *het stond op zijn gezicht geschreven* se le veía en la cara; *voluit geschreven* con todas sus letras; II *zn* **1** escrito; *uw schrijven van 3 maart jl.* su carta del 3 de marzo ppdo.; 2 (*handeling*) escritura, escribir *m*; **schrijver** escritor *m*, autor *m*

schrik susto, sobresalto; *wat een* ~! ¡qué susto!, ¡qué miedo!, ¡menudo susto!; *de* ~ *van de school* el terror de la escuela; *de* ~ *sloeg me om het hart* tuve un susto tremendo; ~ *aanjagen* dar un susto, asustar, atemorizar, causar miedo; *met* ~ *bedacht hij dat* ... con un sobresalto se dio cuenta de que ...; *ze kwamen met de* ~ *vrij* no pasó del susto, escaparon con el susto; **schrikachtig** asustadizo; (*van dier ook:*) espantadizo; **schrikbarend** terrífico, horroroso, aterrador *-ora*, alarmante

schrik|beeld fantasma *m*, pesadilla, quimera; **-bewind** régimen *m* de terror, régimen *m* terrorista; **-draad** alambre *m* eléctrico (para cercados)

schrikkeljaar año bisiesto

schrikken asustarse, sobresaltarse, darse un susto, llevarse un susto, pegarse un susto; ~ *van* asustarse con; *ben je erg geschrokken?* ¿te has asustado mucho? *ik was vreselijk geschrokken* me dio un susto tremendo; *ik ben zo geschrokken!* ¡menudo susto me llevé!; *doen* ~ asustar, dar un susto, alarmar, sobresaltar; *wakker* ~ despertarse *ie* sobresaltado; **schrikreactie** sobresalto

schril 1 (*mbt geluid*) agudo, penetrante; 2 (*mbt kleur*) estridente, chillón *-ona*

schrobben fregar *ie*; **schrobbering** reprimenda

schrobzaag serrucho de punta, sierra de punta

schroef 1 tornillo; 2 (*van boot*) hélice *v* || *op losse schroeven zetten* poner en entredicho; *alles staat op losse schroeven* no hay nada seguro

schroef|as eje *m* propulsor, eje *m* de la hélice; **-bout** perno (roscado); **-deksel** tapa roscada; **-dop** tapón *m* de rosca; **-draad** rosca (de tornillo); **-oog** armella (roscada)

schroeien chamuscar

schroevedraaier destornillador *m*; **schroeven** (*op*) atornillar (a)

schrokken *tr* engullir, devorar, zamparse; **schrokop** glotón, -ona

schromelijk tremendamente; ~ *overdrijven* exagerar enormemente; *zich* ~ *vergissen* equivocarse de medio a medio; **schromen**: *niet* ~ *om* no tener empacho en; *schroom niet om* ... no dudes en ...

schrompelen arrugarse, resecarse

schroom timidez *v*; empacho; **schroomvallig** cohibido, tímido, encogido, pudoroso

schroot chatarra; **schroothoop** depósito de chatarra; **schrootjeswand** pared *v* de listones

schub escama

schuchter tímido, corto; *een* ~*e poging* un esfuerzo tímido; **schuchterheid** timidez *v*

schudden I *tr* sacudir, zarandear; (*van fles*) agitar; ~ *voor gebruik!* ¡agítese antes de usar!; *de hand* ~ estrechar la mano; *elkaar de hand* ~ darse la mano; *het hoofd* ~ mover *ue* la cabeza, menear la cabeza; *de kaarten* ~ barajar los naipes; *nee* ~ negar *ie* con la cabeza; *iem door elkaar* ~ zarandear a u.p.; *doen* ~ hacer temblar, estremecer; II *intr* **1** (*schokken*) sacudirse, dar sacudidas; ~ *van het lachen* caerse de risa, reventar *ie* de risa; 2 (*beven*) temblar *ie*

schuier cepillo; **schuieren** cepillar

schuif 1 (*deksel*) tapa corrediza; 2 (*grendel*) pasador *m*, cerrojo

schuif|dak techo solar; **-deur** puerta corredera, puerta corrediza

schuifelen andar arrastrando los pies

schuif|ladder escala extensible; **-maat** compás *m* de corredera, pie *m* de rey, vernier *m*; **-passer** calibre *m*, compás *m* de corredera; **-raam** ventana corredera, ventana corrediza

schuil: *zich* ~ *houden* mantenerse oculto, ocultarse; **schuilen** refugiarse, cobijarse, ponerse a cubierto; ~ *voor* resguardarse de; *daar schuilt iets achter* hay gato encerrado; *daar schuilt het probleem* allí está el problema; **schuilgaan** esconderse

schuil|hoek *zie: schuilplaats*; **-kelder** refugio antiaéreo, abrigo; **-naam** seudónimo; **-plaats** escondrijo, escondite *m*

schuim espuma; *het* ~ *van de natie* la hez de la sociedad; **schuimbekken** echar espumajos (de cólera); **schuimblusser** extintor *m* de espuma; **schuimen** espumar, formar espuma, arrojar espuma; (*mbt golven ook:*) cabrillear; **schuimkop** cabrilla; **schuimpje** merengue *m*

schuim|plastic espuma de plástico; **-rubber** goma espumosa, goma espuma, gomespuma, espuma de caucho; **-spaan** espumadera

schuin I *bn* 1 (*scheef*) oblicuo; (*verdraaid*) torcido; (*hellend*) inclinado; (*op zijn kant*) ladeado, sesgado; 2 (*mbt mop*) verde, escabroso; *~e mop* chiste *m* verde; II *bw* oblicuamente, en diagonal; *~ aflopen* inclinarse; *~ houden* inclinar; *het hoofd ~ houden* ladear la cabeza; *~ (van opzij) kijken* mirar de reojo, mirar de soslayo; *~ gedrukt* (*cursief*) en bastardilla, en cursiva
schuit barcaza, lancha; **schuitje**: *we zitten in hetzelfde ~* estamos en el mismo caso
schuiven (*duwen*) empujar; (*slepen*) arrastrar; (*in tas*) meter; *een ring om zijn vinger ~* pasar un anillo por el dedo; *een brief onder de deur door ~* introducir una carta por debajo de la puerta; *hij schoof het* (*de schuld*) *op mij* me lo achacó a mí, me echó la culpa; *de verantwoordelijkheid ~ op iem* cargar a u.p. con la responsabilidad; *iem opzij ~: a*) apartar a u.p.; *b*) (*fig*) no hacer caso de u.p. || *laat hem maar ~* ése sabe lo que hace, ése sabe lo que le conviene
schuld 1 (*te betalen*) deuda; *een ~ aflossen* liquidar una deuda; *~en maken* hacer deudas, endeudarse; *in de ~ staan bij iem* estar endeudado con u.p., estar entrampado con u.p.; 2 culpa; *het was mijn ~* fue por mi culpa, fue culpa mía, he sido yo; *het was zijn eigen ~* fue su propia falta, él mismo tenía la culpa, fue culpa propia; *~ bekennen* confesar *ie* (su culpa); *de ~ geven* culpar, echar la culpa; *ik geef je nergens de ~ van* no te echo la culpa de nada; *de ~ hebben* tener la culpa; *de ~ krijgen* llevarse la culpa; *de ~ van een ander op zich nemen* cargar con culpa ajena; *buiten zijn ~* sin culpa suya, sin culpa de su parte; *door zijn eigen ~* por su propia culpa
schuld|bekentenis 1 reconocimiento de deuda, obligación *v*, pagaré *m*; 2 (*belijdenis*) confesión *v* de culpas; **-besef** conciencia de culpabilidad; **-bewust** consciente de culpa; **-complex** complejo de culpabilidad, complejo de culpa; **-eiser**, **-eiseres** acreedor, -ora
schuldenaar, **schuldenares** deudor, -ora; **schuldenland** país *m* deudor
schuldgevoel sentimiento de culpabilidad, sensación *v* de culpabilidad
schuldig 1 culpable; *hij werd ~ verklaard* se le declaró culpable; *~ zijn aan* ser culpable de; *zich ~ maken aan* cometer, hacerse culpable de, incurrir en; 2 *~ zijn* (*moeten betalen*) deber, adeudar; *hoeveel ben ik u schuldig?* ¿cuánto le debo?; *het antwoord ~ blijven* no saber qué contestar; **schuldige** culpable *m,v*
schulp: *in zijn ~ kruipen* acoquinarse, meterse en su concha
schunnig 1 (*in lompen*) desharrapado, harapiento, andrajoso; 2 (*mbt taal*) grosero, obsceno
schuren 1 (*van pan*) fregar *ie*, estregar *ie*; 2 (*met schuurpapier*) lijar; 3 (*langs een muur*) frotar, rozar; **schurend** (*slijpend*) abrasivo
schurft sarna; (*bij dier ook:*) roña || *de ~ hebben aan* tener tirria a, tener manía a; **schurftig** sarnoso; (*mbt dier ook:*) roñoso
schurk truhán *m*, pillo, bribón *m*, sinvergüenza *m*, desalmado; **schurkenstreek** bribonada
schut: *voor ~ staan* hacer el ridículo; *iem voor ~ zetten* poner a u.p. en evidencia, poner a u.p. en la picota, hacer el feo de u.p.
schut|kleur mimetismo; **-sluis** esclusa
schuts|patrones (santa) patrona; **-patroon** (santo) patrón *m*
schutten hacer pasar por esclusas
schutter tirador *m*
schutteren moverse *ue* con torpeza, maniobrar con torpeza; **schutterig** torpe
schuttersputje pozo de tirador
schutting valla (de madera); **schuttingtaal** lenguaje *m* obsceno; **schuttingwoorden** palabrotas, obscenidades *vmv*
schuur 1 cobertizo; 2 (*graanschuur*) granero
schuur|linnen tela de esmeril, tela de carborundo; **-machine** lijadora, pulidor *m*; **-middel** abrasivo; **-papier** papel *m* de lija, papel *m* de esmeril, lija
schuw huraño, esquivo, insociable, tímido; (*mbt dier*) espantadizo, asustadizo; **schuwen** temer, esquivar; **schuwheid** carácter *m* huraño, esquivez *v*, timidez *v*
science-fiction ciencia ficción
scooter moto *v*, scooter *m*
score tanteo; *de ~ bijhouden* tantear; **scorebord** marcador *m*, tanteador *m*; **scoren** marcar, ganar un tanto, ganar tantos; (*succes hebben*) tener éxito; **scoreteller** anotador *m*
script *zie: scenario*; **scriptgirl** anotadora
scriptie 1 (*kort:*) trabajo presentado por los alumnos; 2 (*lang:*) tesina
scrupule escrúpulo; **scrupuleus** escrupuloso, concienzudo, meticuloso
sculptuur escultura
seconde segundo; **secondewijzer** segundero
secretaire secreter *m*, secretaire *m*
secretaresse secretaria; **secretariaat** secretaría; **secretarie** secretaría del ayuntamiento, secretaría municipal; **secretaris** secretario
sectie 1 sección *v*; 2 (*van lijk*) autopsia; *~ verrichten* hacer la autopsia
sector sector *m*; *vrije ~* sector no protegido
secundair secundario
secuur cuidadoso, meticuloso, escrupuloso
sedert I *vz* 1 (*vanaf tijdstip*) desde; *~ 12 mei* desde el 12 de mayo; 2 (*gedurende*) desde hace, hace ...que; *~ twee maanden* desde hace dos meses; *~ twee maanden heb ik hem niet gezien* hace dos meses que no le veo; *~ enige tijd* desde hace algún tiempo; *~ kort* desde hace poco; *~ enige tijd* de un tiempo a esta parte; II *bw* (*sindsdien*) desde entonces
segment segmento
sein 1 señal *v*; *~ van vertrek* señal *v* de salida; 2 (*teken met hand*) seña; *iem een ~(tje) geven* hacer una seña a u.p.; **seinen** 1 dar señales; 2 (*telegraferen*) telegrafiar *í*

sein|lamp lámpara de señal; **-mast** mástil *m* de señales
seizoen 1 temporada; *midden in het ~* en plena temporada; **2** (*jaargetijde*) estación *v*
seizoen|arbeider, **-arbeidster** (obrero) temporero, (obrera) temporera; **-opruiming** (liquidación *v* de) fin *m* de temporada
seks sexo; **seksbioscoop** sala X; **seksclub** recreativo, sexclub *m*; **sekse** sexo; **seksen** sexar; **sekslijn** línea erótica; **seksualiteit** sexualidad *v*; **seksueel** sexual
sekte secta
selderij apio
selecteren seleccionar, elegir *i*; **selectie** selección *v*, elección *v*; **selectief** selectivo
semester semestre *m*
seminar, **seminarie** seminario
semi-permanent provisional
senaat senado; **senaatsfractie** (*Belg*) fracción *v* del Senado; **senator** senador *m*
seniel senil; **seniliteit** senilidad *v*
senior senior, padre; *de heer Bon ~* el señor Bon padre; **senioren** personas mayores
sensatie sensación *v*; *~ verwekken* causar sensación
sensatie|blad periódico sensacionalista; **-pers** prensa sensacionalista; **-zucht** afán *m* de sensación, sensacionalismo
sensationeel sensacional
sensitief sensitivo; **sensitiviteit** sensitividad *v*
sensueel sensual
sentimentaliteit sentimentalismo; **sentimenteel** sentimental, sensiblero
separaat: *~ zenden* enviar *í* por (correo) separado
seponeren sobreseer, abandonar
september septiembre *m*, setiembre *m*
septic tank fosa séptica
septiem (*muz*) séptima; *dominant ~* séptima de dominante
septisch séptico
sereen sereno
serenade serenata; *een ~ brengen* dar una serenata
sergeant sargento; **sergeant-majoor** sargento mayor
serie serie *v*; *in ~ schakelen* conectar en serie; *in ~ vervaardigd* producido en serie; **serieel**: *-ële uitgang* (*comp*) puerto serie
serie|nummer número de serie; **-produktie** producción *v* en serie
serieus serio; *een ~ mens* (*ook:*) una persona formal; *~ nemen* tomar en serio
sering lila; (*bloesem*) flor *v* de lila
seropositief seropositivo
serpent (*fig*) víbora
serpentine serpentina
serre 1 (*kas*) invernadero; **2** (*aanbouw*) veranda de cristales
serum suero
serveerboy mesita con ruedas, carrito (para té); **serveerster** camarera; **serveren 1** servir *i*; **2** (*sp*) sacar
servet servilleta; **servetring** servilletero
service 1 (*na koop*) servicio posventa; **2** (*sp*) saque *m*; **serviceflat** apartamento con servicios
servies 1 (*serviesgoed*) vajilla; **2** (*voor thee*) juego de té; **3** (*voor koffie*) juego de café; *6-delig servies* juego 6 servicios; **serviesgoed** vajilla, loza
sesamzaad ajonjolí *m*
set (*stel*) juego
sext sexta; **sextet** sexteto
sexy atractivo, provocativo, cachondo, incitante
sfeer esfera, atmósfera, ambiente *m*; *een hartelijke ~* un ambiente de cordialidad; *in hoger sferen* en las nubes
sfinx esfinge *v*
shag picadura, tabaco picado, tabaco de hebra; **shagje** cigarrillo liado; *een ~ draaien* liar *í* un cigarrillo
shampoo champú *m*
shawl *zie: sjaal*
sheetfeeder alimentador *m* de hojas automático
sherry jerez *m*, manzanilla, fino
shilling chelín *m*
shipchandler proveedor *m* de buques
shirt (*vnl sp*) camiseta, camisola
shit mierda
shock shock *m*, choque *m*; **shocktherapie** tratamiento por electrochoques; (*fig*) tratamiento de choque
short pantalón *m* corto, short *m*
shot (*heroïne*) pinchazo; *zich een ~ toedienen* meterse un pico
show 1 espectáculo, show *m*; **2** (*tentoonstelling*) exposición *v* || *voor de ~* para presumir, para impresionar; **showroom** sala de muestras
shuttle (*sp*) volante *m*
Siberië (la) Siberia; **Siberisch** siberiano; *het laat me ~* me importa un pito
sidderen temblar *ie*, estremecerse; **siddering** temblor *m*, estremecimiento, escalofrío
sier: *goede ~ maken* vivir a todo tren; **sieraad** joya, alhaja; **sierbeton** hormigón *m* ornamental; **sieren** adornar; **sierlijk** lleno de gracia, agraciado; **sierlijkheid** elegancia, gracia
sier|plant planta ornamental; **-strip** moldura (de adorno); **-tegel** azulejo decorativo; **-tuin** jardín *m* (de recreo); **-wieldop** embellecedor *m*
siësta siesta; *~ houden* dormir *ue, u* la siesta
sifon sifón *m*
sigaar puro, cigarro puro || *de ~ zijn* hacer el primo; **sigarebandje** faja de cigarro puro, vitola
sigaren|fabriek fábrica de cigarros; **-kistje** caja de cigarros; **-koker** petaca, cigarrera
sigareschaartje cortapuros *m*
sigaret cigarrillo, pitillo; (*fam*) pito, cigarro
sigaretten|automaat distribuidor *m* automático de cigarillos; **-koker** pitillera, cigarrera; **-papier** papel *m* de fumar; **-pijpje** boquilla

signaal señal *v*; **signaalrood** rojo de señal; **signalement** señas *vmv* personales; **signaleren** 1 (*wijzen op*) señalar; 2 (*opmerken*) observar; **signalisatie** (*Belg*) señalización *v*
signatuur signo; *van liberale ~* de signo liberal; **signeren** poner la signatura, firmar
sijpelen filtrar(se), rezumar
sijsje verderón *m*, verderol *m*
sik 1 (*geit*) cabra; 2 (*baardje*) barbas *vmv* de chivo, perilla
sikh sij *m, mv sijs*
sikkel hoz *v*
sikkeneurig malhumorado, picajoso
sikkepit: *geen ~* ni pizca, ni un ápice
silhouet silueta, perfil *m*
siliconen siliconas
silo silo
simpel 1 simple, sencillo; 2 (*onnozel*) bobo, simplote *-ota*, simplón *-ona*; *een ~e ziel* un alma de Dios; **simplificeren** simplificar; **simplistisch** simplista
simulant, **simulante** simulador, -ora; **simuleren** simular, fingir
simultaan simultáneo; *~ tolken zn* traducción *v* simultánea
sinaasappel naranja
sinaasappel|bloesem azahar *m*; **-boom** naranjo; **-boomgaard** naranjal *m*; **-limonade** naranjada; **-sap** jugo de naranja, zumo de naranja; **-schil** cáscara de naranja
Sinaï: *de ~* el Sinaí
sinds *zie: sedert*; **sindsdien** desde entonces
singel 1 (*gracht*) canal *m*; 2 (*van paard*) cincha
single 1 (*sp*) single *m*, simple *m*, individual *m*; 2 (*muz*) single *m*
sinister siniestro
sint santo; *de goede ~ zie: Sinterklaas*
Sint-Bernardhond perro sanbernardo
sintel: *~s* carbonilla, escoria; **sintelbaan** pista de ceniza
Sinterklaas San Nicolás (5 de diciembre)
Sintjuttemis el día del juicio, las calendas griegas
Sint-Maarten San Martín
Sint-Nicolaas *zie: Sinterklaas*
sip: *~ kijken* mirar con ojos tristes
Sire Señor, Su Majestad
sirene sirena
siroop jarabe *m*
sisal sisal *m*, henequén *m*
sissen 1 sisear; 2 (*mbt slang*) silbar; 3 (*bij braden*) chirriar; **sisser**: *met een ~ aflopen* pasar sin mayores consecuencias
sit-downstaking sentada, huelga de brazos caídos
situatie situación *v*; *in deze ~* (*ook:*) en estas condiciones; **situeren** situar *ú*
Sixtijns: *de ~e kapel* la Capilla sixtina
sjaal bufanda, chal *m*
sjacheraar mercachifle *m*, chamarilero; **sjacheren** trapichear, chamarilear
sjagrijn 1 (*verdriet*) congoja; 2 (*brompot*) gruñón, -ona; **sjagrijnig** gruñón *-ona*
sjah shah *m*
sjalot chalote *m*, ascalonia
sjeik jeque *m*
sjerp 1 (*schuin gedragen*) banda; 2 (*om middel*) fajín *m*
sjezen 1 (*racen*) embalarse; 2 (*zakken*): *hij is gesjeesd* le han dado calabazas, le han cateado
sjilpen cantar, gorjear
sjirpen (*mbt krekel*) cantar, chirriar
sjoege: *geen ~ geven* no decir palabra; *maar hij gaf geen ~* pero él, como si nada; *geen ~ hebben van* no saber ni jota de
sjoemelen (*met*) amañar, enredar, embrollar, embarullar
sjofel 1 (*mbt persoon*) pobre, desharrapado, miserable, lamentable; 2 (*mbt kleding*) raído
sjokken arrastrar los pies
sjorren amarrar, abarbetar, trincar; **sjorrings** trincas, barbetas
sjouwen I *tr* llevar (a cuestas), cargar (con); II *intr* (*sloven*) trajinar, afanarse; **sjouwerman** cargador *m* (de muelle), descargador *m* (de puerto)
skai skai *m*, skay *m*
skateboard monopatín *m*
skelet esqueleto; (*van gebouw ook:*) armazón *m*
skelter skelter *m*
sketch sketch *m*
ski esquí *m* (alpino); **skiën** esquiar *í*; **skiër**, **skiester** esquiador, -ora
skiff esquife *m*
ski|lift telesilla *m*, telesquí *m*; **-piste** pista de esquí, cancha de esquí; **-stok** bastón *m* de esquiador
sla 1 (*kropsla*) lechuga; 2 (*salade*) ensalada
slaaf esclavo; **slaafs** servil; **slaafsheid** servilismo
slaag: *~ geven* dar una paliza; *~ krijgen* llevarse una paliza; *zie ook: pak*; **slaags**: *~ raken* venirse a las manos, liarse *í* a golpes
slaan I *tr* 1 pegar, golpear; (*ranselen*) azotar; *de maat ~* llevar el compás; *de trommel ~* tocar el tambor; *aan stukken ~* hacer pedazos; *iem in elkaar ~* dar una tunda soberana a u.p., deslomar a u.p.; *iem in het gezicht ~* abofetear a u.p.; *de regen sloeg me in het gezicht* la lluvia me azotaba la cara; *iem tegen de grond ~* derribar a u.p.; 2 (*in damspel*) comer; 3 (*plaatsen*) echar; *de jas over zijn schouders ~* echarse el abrigo al hombro; *zijn armen om iem heen ~* abrazar a u.p.; *de armen om iems hals heen ~* rodear con el brazo el cuello de u.p.; *de armen over elkaar ~* cruzarse de brazos, cruzar los brazos; *een brug ~* tender *ie* un puente || *achterover ~* (*eten, drinken*) meterse; *geld ~ uit* sacar dinero de; II *intr* 1 (*mbt hart*) latir; 2 (*mbt klok*) sonar *ue*, dar la hora; *het sloeg 10 uur* daban las 10; *zijn laatste uur heeft geslagen* ha dado su última hora; 3 (*mbt paard*) dar coces, cocear; 4 *~ op* (*betreffen*) referirse *ie, i* a, ir

por; *het slaat niet op jou* no va por ti; 5 (*heftig bewegen*): *met de deur ~* dar un portazo; *om zich heen ~: a*) bracear, dar golpes a diestro y siniestro; *b*) (*om los te komen*) forcejear; *de golven ~ over het dek* las olas saltan sobre cubierta; *de vlammen sloegen uit het dak* las llamas salieron del techo; **slaande**: *~ ruzie hebben* armar la marimorena; *~ ruzie krijgen* andar a la gresca; *met ~ trom* a tambor batiente

slaap 1 (*van hoofd*) sien *v*; *grijze slapen* sienes canosas; 2 sueño; *diepe ~* modorra; *erge ~ hebben* tener mucho sueño; *de ~ niet kunnen vatten* no poder conciliar el sueño; *door ~ overmand* vencido por el sueño; *in ~ sussen* dormir *ue, u*, arrullar, adormecer; *in ~ vallen* dormirse *ue, u*, quedarse dormido; *een kind in ~ wiegen* mecer a un niño para que se duerma; *in ~ zijn* estar durmiendo; *iem uit de ~ houden* tener a u.p. sin dormir; *het houdt mij uit de ~* me tiene desvelado

slaap|bank sofá *m* cama *mv sofás cama*; **-dronken** borracho de sueño, muerto de sueño; **-gebrek** falta de sueño

slaapje: *een ~ doen* echar un sueño

slaap|kamer dormitorio, cuarto de dormir, alcoba; **-kop** dormilón, -ona; **-liedje** canción *v* de cuna; **-middel** somnífero; **-stad** ciudad *v* dormitorio *mv ciudades dormitorio*; **-tablet** pastilla contra el insomnio; **-verwekkend** soporífico, soporífero; **-wagon** coche *m* cama *mv coches cama*; **-wandelaar** sonámbulo; **-wandelen** *zn* sonambulismo; **-zaal** dormitorio; **-zak** saco (de dormir)

slaatje ensaladilla || *er een ~ uit slaan* aprovecharse, hacer su agosto

slabakken gandulear, holgazanear; *laten ~* postergar

slabbetje babero

slacht matanza; **slachten** matar; **slachthuis** matadero; **slachting** matanza, carnicería; *het examen was een ~* el examen fue una carnicería; **slachtoffer** víctima; *het ~ worden van* ser víctima de; **slachtvee** ganado de carne

slacouvert cubiertos *mmv* para la ensalada

1 slag (*soort*) clase *v*, tipo; *mensen van allerlei ~* toda(s) clase(s) de personas; (*neg*) gente *v* de toda ralea; *onderwerpen van allerlei ~* temas *mmv* de todo género

2 slag 1 (*klap*) golpe *m*; *~ met de hand* manotazo; *~ met de vlakke hand* bofetada; *~ met stok* palo; *~ met de vleugel* aletazo; *~ met vuist* puñetazo; *~ op ~* golpe tras golpe; *een ~ toebrengen* atizar un golpe, asestar un golpe; *het was een enorme ~* fue un golpe tremendo; *hij kreeg een zware ~* sufrió un rudo golpe; *met één ~* de un (solo) golpe; 2 (*gevecht*) batalla, combate *m*; *~ leveren* librar batalla; *de ~ is nog niet gewonnen* todavía no está ganada la batalla; 3 (*tennis*) golpe *m*, jugada; 4 (*roeien*) golpe *m* de remo; 5 (*techn; van zuiger*) carrera; 6 (*techn; van schroef*) palada; 7 (*van hart*) latido; (*van pols*) pulsación *v*; 8 (*van klok*) campanada; *het is op ~ van vijven* van a dar las cinco; 9 (*in kaartspel*) baza; *alle ~en halen* ganar todas las bazas; (*in damspel*) *een ~ maken* matar una pieza, comer una pieza; 10 (*zwemmen, één slag*) brazada; (*manier van zwemmen*) estilo; *200 m vrije ~* 200 metros libres; 11 (*handigheid*) *er ~ van hebben* tener facilidad, tener habilidad, tener maña; *hij heeft er de ~ van te pakken* le ha cogido el truco; 12 (*in touw*) coca; 13 (*in wiel*): *wiel met een ~ erin* rueda torcida || *een ~ in de lucht* puras conjeturas *vmv*; *zijn ~ slaan* dar el golpe, hacer su agosto; *zij sloegen in meerdere winkels hun ~* dieron el palo a varias tiendas; *er een ~ naar slaan* conjeturar; *hij hield een ~ om de arm* se reservó una puerta trasera, se guardó una salida; *aan de ~!* ¡manos a la obra!; *aan de ~ komen, raken* encontrar *ue* trabajo; *met de Franse ~* de prisa y mal; *hij was op ~ dood* falleció en el momento, murió al instante; *van ~ raken, zijn: a*) (*mbt klok*) estar desarreglado; *b*) (*fig*) estar descompuesto, estar trastornado; *zonder ~ of stoot* sin dispararse un tiro

slag|ader arteria; **-bal** balonmano; **-boom** barrera; **-boor** taladro percutor

slagen 1 tener éxito; (*voor examen*) aprobar *ue*; *hij is geslaagd* ha aprobado; *om de zaak te doen ~* para que la cosa tuviera éxito; 2 *erin ~ om* conseguir *i*, lograr; *er niet in ~ om* (*ook:*) no acertar a

slager carnicero; **slagerij** carnicería

slag|hoedje pistón *m*; **-hout** pala; **-instrument** instrumento de percusión; **-orde** orden *m* de batalla; **-regen** aguacero, chaparrón *m*; **-room** nata batida; **-schip** acorazado; **-tand** colmillo

slagvaardig (*bijdehand*) pronto a la réplica, vivo

slag|veld campo de batalla; **-werk** 1 (*muz*) batería; 2 (*van klok*) sonería; **-zij**: *~ maken* dar un bandazo; **-zin** eslogan *m*

slak 1 caracol *m*; 2 (*metaalafval*) escoria || *hij legt op alle ~ken zout* es un reparón

slaken (*van kreet*) pegar; (*van zucht*) lanzar

slakkegang: *met een ~* a paso de tortuga

sla|kom ensaladera; **-krop** (cogollo de) lechuga

slalom slalom *m*

slampamper vago

1 slang 1 serpiente *v*, culebra; 2 (*fig*) víbora; 3 (*van rubber*) manga, manguera; (*buis*) tubo

2 slang (*bargoens*) argot *m*

slange|beet mordedura de serpiente; **-gif** veneno de serpiente; **-mens** contorsionista *m,v*

slangenbezweerder encantador *m* de serpientes

slank esbelto, (*dun*) delgado; **slankheid** esbeltez *v*

slaolie aceite *m* (para ensalada)

slap 1 flojo; (*zacht*) blando; *~pe band* llanta desinflada; *~pe veren* ballestas *vmv* blandas; *een ~ handje geven* dar la mano débilmente; 2

(*mbt persoon*) débil, flojo, blandengue, poco enérgico; *zo ~ als een vaatdoek* como un trapo; 3 (*mbt thee, koffie*) claro, flojo, poco cargado; 4 (*mbt huid, haar*) fláccido, fofo, lacio || *de ~pe lach* la risa floja, un ataque de risa tonta; *ze waren ~ van het lachen* se desternillaban de risa
slapeloos sin sueño; *-loze nacht* noche *v* en blanco, noche *v* en vela; **slapeloosheid** insomnio; *lijden aan ~* padecer insomnios
slapen dormir *ue, u*, estar dormido; *hij kon niet ~ van de warmte* el calor no le dejaba dormir; *ik zou wel de hele dag kunnen ~* me pasaría el día durmiendo; *ik heb al twee nachten niet geslapen* hace dos noches que no duermo; *gaan ~* irse a dormir, acostarse *ue*; *~ als een os* dormir *ue, u* como un lirón, dormir *ue, u* como un tronco; *hebt u goed geslapen?* ¿ha dormido bien?; *slaap lekker!* ¡que descanses! || *mijn voet slaapt* se me ha dormido el pie; **slaperig** somnoliento; (*half in slaap*) adormilado; **slaperigheid** somnolencia
slapheid flojedad *v*; (*fysiek ook:*) flojera; (*zwakheid*) debilidad *v*; **slapjanus**, **slappeling** flojo, baldragas *m*, Juan *m* Lanas; **slapte** 1 flojedad *v*; (*fysiek ook:*) flojera; 2 (*handel*) flojedad *v*, estancamiento, inactividad *v*
slasaus aderezo, vinagreta, salsa para la ensalada
slaven|arbeid esclavitud *v*, trabajo de negros; **-drijver**, **-handelaar** negrero; **-leven** esclavitud *v*; **-markt** mercado de esclavos
slavernij esclavitud *v*; **slavin** esclava; *handelaar in blanke ~nen* tratante *m* de blancas
slecht I *bn* malo; (*van karakter ook:*) malvado, maligno, atravesado; *heel erg ~* malísimo; *het is niet ~* no está mal; *het is lang niet ~* no está nada mal; *hij heeft een ~e dag* tiene un mal día; *~e eetlust* poco apetito; *~e tijden* tiempos difíciles; *het is ~ weer* hace mal tiempo; *dit is ~ voor mijn zenuwen* me sienta mal a los nervios; *iem op het ~e pad brengen* malear a u.p.; II *bw* mal; *~ betaald* mal pagado; *er ~ afkomen* salir malparado, salir perjudicado; *er ~ aan toe zijn* estar muy mal; *er ~ uitzien* tener mala cara; *hij heeft het heel ~* lo pasa muy mal; **slechter** peor; (*fam, alleen lett ook:*) más malo; *hij doet het ~* él lo hace peor; *~er maken* hacer peor, empeorar; *~er worden* ponerse peor, empeorar; **slechtheid** maldad *v*
slechthorend duro de oído, sordo
slechts sólo, solamente, no ...sino; (*bij getal ook:*) no más que; *~ 10 minuten* no más que 10 minutos, sólo 10 minutos; *dit zijn ~ enkele toepassingen* éstas no son sino unas cuantas aplicaciones; *wij noemen ~ één geval* nos limitamos a citar un solo caso; *hij hoefde ~ te schrijven* le bastaba escribir
slechtst peor; (*fam, alleen lett ook:*) más malo; *hij doet het het ~* él lo hace peor
slechtziend corto de vista
slede *zie: slee*
slee 1 trineo; 2 (*grote auto*) haiga *m*, cochazo (imponente); **sleeën** ir en trineo
sleep 1 (*van jurk*) cola; 2 (*van boten*) tren *m* de barcas; 3 (*massa*): *een ~ kinderen* un montón de hijos
sleep|boot remolcador *m*; **-dienst** servicio de remolque; **-kabel** (cable *m* de) remolque *m*; **-net** red *v* de arrastre, red *v* barredera; **-schip** barco remolcado; **-touw**: *op ~ hebben, nemen* llevar a remolque; **-tros** *zie: sleepkabel*; **-vlucht** vuelo remolcado
slenk hondonada
slenteren deambular, pasear lentamente; *door de straten ~* callejear, vagar por las calles
slepen I *tr* 1 arrastrar; *iets erbij ~* (*fig*) traer u.c. por los cabellos; *door het examen ~* ayudar a pasar el examen; 2 (*van boot, auto*) remolcar, llevar a remolque; *gesleept worden door* ir a remolque de; II *intr* 1 (*mbt rok*) arrastrarse; *met ~de tred* arrastrando los pies, con paso tardo; 2 (*duren*): *blijven ~* arrastrarse, alargarse; *~de ziekte* enfermedad *v* crónica; III *zn* (*mbt boot*) remolque *m*, arrastre *m*; **sleper** remolcador *m*
slet furcia, zorra
sleuf (*spleet, groef*) ranura, hendidura; (*uitgraving*) zanja, surco, canal *m*
sleur rutina; *de bekende ~* el camino trillado; *het werk is een ~* el trabajo es rutinario, el trabajo es pura rutina; **sleuren** arrastrar
sleutel 1 llave *v*; *de ~ zit erin* tiene la llave puesta; 2 (*fig; muz*) clave *v*; *de ~ tot het geheim* la clave del secreto
sleutel|been clavícula; **-bewaarder** clavero, llavero; **-bloem** primavera, prímula; **-bos** manojo de llaves
sleutelen manipular
sleutel|etui estuche *m* para llaves, llavero; **-gat** ojo de la cerradura; **-geld** traspaso; **-hanger** llavero; **-positie** puesto clave, posición *v* clave; **-ring** *zie: sleutelhanger*
slib *zie: slijk*
sliert 1 (*rij*) fila, hilera; 2 (*reeks*) sarta, retahila; 3 (*van knoflook, worstjes*) ristra || *een ~ rook* una fina humareda
slijk fango, lodo, barro; (*in rivier*) limo, cieno; *het ~ der aarde* el vil metal; *iem door het ~ sleuren* arrastrar por el lodo a u.p., cubrir de lodo a u.p., vilipendiar a u.p.
slijm 1 moco, mucosidad *v*; 2 (*uit de borst*) flema; 3 (*kwijl; van slak*) baba; **slijmafscheiding** secreción *v* mucosa; **slijmbal**, **slijmerd** rastrero, -a, adulador, -ora; **slijmerig** 1 (*mbt slak*) baboso; 2 (*vleierig*) empalagoso, adulador *-ora*, rastrero; **slijmvlies** (membrana) mucosa
slijpen 1 afilar; 2 (*van diamant, lens*) tallar; **slijper** 1 afilador *m*; 2 (*van diamant, lens*) tallador *m*; **slijperij** 1 taller *m* de afiladura; 2 (*van diamant, lens*) talladuría
slijp|lak laca para pulir; **-machine** afiladora,

amoladora; **-steen** muela, piedra de afilar, piedra afiladora, piedra de amolar
slijtage desgaste *m*; *de aan ~ onderhevige delen* las piezas expuestas al desgaste; **slijtageslag** guerra de desgaste
slijten I *tr* 1 (*verslijten*) gastar, desgastar; 2 (*doorbengen*) pasar; 3 (*verkopen*) vender (al por menor); II *intr* gastarse, desgastarse; **slijter** vendedor *m* de bebidas; **slijterij** tienda de vinos y licores
slijtlaag (*van weg, banden*) capa de rodadura, superficie *v* de rodadura; **slijtvast** resistente al desgaste
slik cieno, fango
slikken tragar; *alles* ~ tragarse todo, tener grandes tragaderas; *even* ~ tragar saliva; *dat slik ik niet* eso no me lo trago, por eso no paso
slim 1 listo, despierto, vivo; (*van kind ook:*) (d)espabilado, avispado; ~ *zijn* ser listo, no chuparse el dedo; *te ~ willen zijn* pasarse de listo; 2 (*listig; neg*) astuto, taimado; **slimheid** 1 listeza, viveza; 2 (*list*) astucia; **slimmerd** vivales *m*, lince *m*, marrullero; **slimmigheidje** truco
slinger 1 (*versiering*) guirnalda; 2 (*van klok*) péndulo; 3 (*wapen*) honda; **slingerbeweging** movimiento pendular, movimiento oscilatorio, oscilación *v*
slingeren I *intr* 1 oscilar, balancearse; *met zijn benen* ~ balancear las piernas; 2 (*mbt schip*) escorar, dar bandazos; 3 (*mbt pad*) serpentear, zigzaguear; *zich* ~ serpentear; *de rivier slingert zich door de bergen* el río serpentea por las montañas; 4 (*mbt dronkaard*) tambalearse; 5 *laten* ~ dejar tirado; *je laat alles maar* ~ todo lo dejas tirado; II *tr* 1 (*gooien*) arrojar, echar, tirar, lanzar; *hij slingerde het weg* lo arrojó lejos; *ze slingerde mij een boek naar mijn hoofd* me tiró un libro a la cabeza; 2 (*van honing*) extraer; **slingering** oscilación *v*; **slingerplant** enredadera
slinken mermar, menguar, disminuir; *het aantal leden slinkt* mengua el número de socios
slinks 1 astuto, taimado; *~e manieren, streken* astucias, tretas, mañas, recovecos; 2 (*heimelijk*) furtivo; *~e blikken* miradas furtivas
1 slip (*voor man*) slip *m*, calzoncillos *mmv*; (*voor vrouw*) bragas *vmv*, braga
2 slip (*van jas*) faldón *m*
3 slip (*mbt auto*) patinazo, derrape *m*
slip|cursus curso de conducción sobre terreno deslizante; **-gevaar**: *~!* ¡carretera resbaladiza!, ¡piso deslizante!
slippen (*mbt auto*) patinar, derrapar, dar un patinazo; *met ~de koppeling* con el embrague deslizante; **slipper** chancleta, chancla, chinela; (*teenslipper*) playera; **slippertje** aventura, escapada; **slipvrij** antideslizante, a prueba de resbalones
slissen cecear, hablar ceceando
slobberen 1 (*mbt kleren*) venir ancho; 2 *zie: slurpen*; **slobberig** ancho, holgado, poco elegante; **slobbertrui** jersey *m* holgado; **slobbroek** pelele *m*
sloddervos persona desarreglada, persona desordenada
sloeber: *arme* ~ pobre diablo, pelagatos *m*
sloep chalupa
sloerie 1 (*slons*) puerca; 2 (*slet*) zorra, golfa
slof 1 zapatilla, babucha; *hij doet het op zijn ~fen* se lo toma con calma; *uit zijn ~ schieten: a*) (*boos worden*) enfurecerse; *b*) (*royaal zijn*) mostrarse *ue* generoso; 2 (*sigaretten*) cartón *m*; **sloffen** arrastrar los pies; *alles laten* ~ dejarlo todo sin terminar, tener las cosas manga por hombroer
slogan eslogan *m*
slok sorbo, trago; *in één* ~ de un trago; **slokdarm** esófago; **slokop** glotón, -ona, tragón, -ona, comilón, -ona
slons puerca, marrana, mujer desaliñada, mujer desaseada; **slonzig** desaliñado, desaseado
sloof esclava
sloom lento, inerte, pasota
sloop 1 (*hoes*) funda (de almohada); 2 (*afbraak*) derribo, demolición *v*; *materiaal uit de* ~ material *m* de derribo; 3 (*van schip, auto*) desguace *m*; **slooppand** edificio destinado al derribo
sloot zanja; *die loopt niet in zeven sloten tegelijk* ése sabe lo que hace, ése sabe por donde anda
slop callejón *m*; *in het ~ zitten* estar en un callejón sin salida
slopen 1 (*van huis*) derribar, demoler *ue*, echar abajo, hundir; 2 (*van auto, schip*) desguazar, demoler *ue*; 3 (*ondermijnen*) minar; *het is ~d voor je gezondheid* mina tu salud; *een ~de ziekte* una enfermedad perniciosa; **sloper** empresario de derribos
sloppenwijk barrio de chabolas, suburbio
slordig 1 (*onordelijk*) descuidado, desarreglado, desordenado; *~ in zijn werk* descuidado en el trabajo; 2 (*vies, onverzorgd*) desaliñado, desaseado, descuidado, abandonado; 3 (*mbt werk*) poco cuidado, mal hecho, chapucero || *een ~e f 25* unos fls 25 mal contados; **slordigheid** abandono, descuido, desidia, incuria, negligencia
slorpen *zie: slurpen*
slot 1 cerradura; *achter ~ en grendel* bajo llave, bajo siete llaves; *op ~ doen* cerrar *ie* con llave; 2 (*van halsketting*) cierre *m*; 3 (*kasteel*) castillo; 4 (*eind*) fin *m*, final *m*; *per ~ van rekening* a fin de cuentas, en resumidas cuentas, al fin y a la postre, después de todo; *tot* ~ para terminar, por último
slot|akkoord acuerdo final; **-bepaling** cláusula final
slotenmaker cerrajero
slot|fase etapa final; **-gracht** foso (alrededor de un castillo); **-notering** cotización *v* de cierre; **-som**: *tot de ~ komen dat* llegar a la conclusión (de) que; **-woord** palabra(s) final(es); **-zitting** sesión *v* de clausura, sesión *v* final

sloven afanarse, trajinar, ajetrearse, bregar
sluier velo; *de ~ oplichten* (des)correr el velo; **sluieren** velar
sluik lacio
sluik|pers prensa clandestina; **-reclame** publicidad *v* clandestina
sluimeren dormitar
sluipen deslizarse, ir de puntillas; *naar binnen ~* entrar furtivamente; *naar buiten ~* salir furtivamente; *er is een fout in de rekening geslopen* se ha deslizado un error en la cuenta
sluip|moord asesinato a traición, asesinato alevoso; **-moordenaar** asesino; **-schutter** francotirador *m*; **-weg** camino secreto; *langs ~en* (*fig*) con astucia, sigilosamente, a hurtadillas
sluis esclusa; **sluisgeld** peaje *m* (para el paso por una esclusa); **sluiswachter** esclusero
sluitbriefje póliza provisional
sluiten I *tr* 1 cerrar *ie*; (*op slot doen*) cerrar *ie* con llave; *de gordijnen ~* correr las cortinas; *achter gesloten deuren* (*jur*) a puerta cerrada; 2 (*van congres*) clausurar, dar fin a; 3 (*van contract*) firmar, concluir, celebrar; (*van verdrag ook:*) concertar *ie*; 4 (*van lening, huwelijk*) contraer; 5 (*van vrede*) hacer, firmar; 6 (*van vriendschap*) trabar, entablar || *iem in de armen ~* abrazar a u.p.; II *intr* cerrar *ie*; *de deur sluit niet goed* la puerta no cierra bien; *de scholen ~ vandaag* hoy las escuelas están cerradas, las escuelas cierran hoy; *zich ~* cerrarse *ie*; *zijn ogen ~ zich* se le cierran los ojos 1 *de redenering sluit niet* el razonamiento no cuadra; III *zn* 1 cierre *m*; *het ~ van de markt* el cierre del mercado; *bij het ~ van deze editie* al cierre de esta edición; 2 (*van verdrag*) concertación *v*; **sluitend** (*mbt begroting*) equilibrado, nivelado; *rekeningen ~ maken* cuadrar las cuentas; *het ~ maken van de begroting* el saneamiento presupuestario, la nivelación del presupuesto; **sluiter** obturador *m*; **sluiting** 1 cierre *m*; 2 (*van congres*) clausura; 3 (*van huwelijk, contract*) celebración *v*
sluitings|datum fecha tope; **-plechtigheid** ceremonia de clausura; **-tijd** hora de cierre
sluit|post asiento de cierre; **-stuk** pieza final
slungel grandullón *m*; **slungelig** desgarbado, larguirucho, desgalichado
slurf trompa
slurpen 1 sorber ruidosamente; 2 (*van energie*) chupar; *stroom ~* chupar corriente
sluw astuto, ladino, taimado; (*fam*) zorro, cuco; **sluwheid** astucia, zorrería
smaad afrenta, ultraje *m*, oprobio; (*aantasting van goede naam*) difamación *v*
smaak 1 sabor *m*, gusto; *een nare ~* un mal sabor; *een rare ~* un sabor raro, un gusto raro; *een bittere ~ in zijn mond hebben* tener la boca amarga; 2 (*voorkeur*) gusto; *smaken verschillen* sobre gustos no hay nada escrito; *hij heeft de ~ te pakken* (*van*) ha tomado el gusto (a), se ha aficionado (a); *in de ~ vallen* tener éxito, caer bien; *het viel niet bij hen in de ~* no les caía bien; *met ~* con gusto; *zout naar ~* sal a voluntad; *het is niet naar mijn ~* no es de mi gusto; *op ~ brengen* sazonar; *over ~ valt niet te twisten* sobre gustos no hay nada escrito; *het getuigt van slechte ~* es de mal gusto; **smaakpapil** papila gustativa
smachten (*naar*) suspirar (por), ansiar, anhelar; **smachtend** lánguido, anhelante
smadelijk difamatorio, afrentoso, ignominioso, oprobioso || *een ~ lachje* una risita escarnecedora, una risa desdeñosa
smak choque *m*, golpe *m* sordo || *een ~ geld* un dineral *m*
smakelijk sabroso, apetitoso; *eet ~!* ¡que aproveche!, ¡que aprovechen!; *~ lachen* reírse *í* con ganas; **smakeloos** 1 sin sabor, insípido, desabrido; 2 (*fig*) de mal gusto; *een -loze grap* una broma de mal gusto; **smaken** I *intr* saber; *lekker ~* saber bien; *vreemd ~* saber raro; *het smaakt me niet* no me sabe a nada; *het smaakt me heerlijk* es delicioso, está muy rico; *heeft het u gesmaakt?* ¿le ha gustado?; *~ naar* saber a; *waar smaakt het naar?* ¿qué sabor tiene?, ¿sabe a qué?; *dat smaakt naar meer* esto sabe a más; II *tr* gozar, tener; *het genoegen ~ om* tener el gusto de
smakken hacer ruido al comer
smal estrecho; *een vrouw met ~le heupen* una mujer escurrida de caderas
smalend despectivo; *~ spreken over* hablar con desdén de; *~ lachen* reír *í* con sorna
smalfilm cinta estrecha, película delgada
smalletjes delgaducho; (*bleekjes*) paliducho
smalspoor vía estrecha
smaragd esmeralda
smart pena, dolor *m*, congoja, pesar *m*; *gedeelde ~ is halve ~* dolor acompañado es menos dolor; **smartegeld** indemnización *v* por daños inmateriales; **smartelijk** doloroso, penoso; **smartlap** canción *v* sentimental
smeden 1 forjar, fraguar; *men moet het ijzer ~ als het heet is* al hierro candente batir de repente; 2 (*beramen*) urdir, tramar, fraguar; **smederij** (taller *m* de) forja, fragua
smeed|ijzer 1 (*zacht ijzer*) hierro dulce; 2 (*gereed produkt*) hierro forjado; **-werk** (trabajo de) forja
smeekbede, smeekschrift súplica
smeer grasa; **smeerbaar** apto para untar
smeer|boel porquería; **-kaas** queso (fundido) para untar, queso fundido
smeerlap 1 (*viezerd*) asqueroso, cerdo, puerco, cochino; 2 (*rotzak*) cabrón *m*, canalla *m*; **smeerlapperij** cochinerías *vmv*, porquerías *vmv*
smeer|middel lubricante *m*, lubrificante *m*; **-nippel** niple *m* de engrase; **-olie** aceite *m* lubricante; **-pot** engrasador *m*, engrasadera; **-punt** punto de engrase; **-schema** esquema *m* de engrase, esquema *m* de lubrificación
smeersel 1 (*zalf*) ungüento; 2 (*beleg*) pasta

smekeling, **smekelinge** suplicante *m,v*; **smeken** suplicar, implorar; *zich laten* ~ hacerse rogar; *om genade* ~ suplicar la gracia; *om hulp* ~ implorar auxilio

smelten I *tr* 1 (*van metaal*) fundir; 2 (*van boter*) derretir *i*; II *intr* derretirse *i*

smelt|kroes crisol *m*; **-oven** horno de fusión, horno de fundición; **-punt** punto de fusión; punto de derretimiento; **-veiligheid** fusible *m* (de protección, de seguridad)

smeren I *ww* 1 (*techn*) engrasar, lubricar, lubrificar; (*met olie ook:*) aceitar; *zijn keel* ~ remojar el gaznate; 2 (*van brood*) untar; *boter op het brood* ~ untar el pan con mantequilla || *het gaat gesmeerd* marcha a pedir de boca, marcha a las mil maravillas, marcha como la seda; *'m* ~ escabullirse, escurrir el bulto; *smeer 'm!* ¡ahueca!; *als de gesmeerde bliksem* como un rayo; II *zn* engrase *m*

smerig 1 sucio, asqueroso, mugriento, puerco, pringoso; 2 (*onfatsoenlijk*) indecente, obsceno, asqueroso

smering engrase *m*; (*met olie ook:*) aceitado, lubri(fi)cación *v*

smeris bofia *m*, poli *m*, gris *m*

smet 1 mancha; *een* ~ *werpen op iems naam* manchar la reputación de u.p.; 2 (*van huid, wond*) escocedura; **smetstof** virus *m*; **smetstofdrager** vector *m* de virus; **smetteloos** sin mácula, impoluto; (*fig*) impecable; **smetten** (*mbt huid*) escocer *ue*

smeuïg 1 pastoso; (*smeerbaar*) bien untable; 2 (*fig*) sabroso; *een* ~ *verhaal* una historia sabrosa

smeulen arder sin llama; *de haat smeulde* había un odio latente

smid herrero; **smidse** *zie: smederij*

smiecht bribón *m*, canalla *m*

smiezen: *iets in de* ~ *krijgen* percatarse de u.c.; *ik heb jou in de* ~ te veo el juego, te tengo calado; *dat loopt in de* ~ eso se echa de ver, lo van a notar, eso se nota

smijten tirar, arrojar; ~ *met geld* tirar el dinero, derrochar el dinero

smikkelen *zie: smullen*

smoel jeta, morro, hocico; *iem op zijn* ~ *slaan* romperle la jeta a u.p.; *hou je* ~*!* ¡cállate la boca!

smoes pretexto

smoezelig sucio, mugriento, roñoso

smoezen secretear, cuchichear

smoking smoking *m*, esmoquin *m*

smokkel contrabando; **smokkelaar**, **smokkelaarster** contrabandista *m,v*; **smokkelarij** contrabando, matute *m*; **smokkelen** 1 contrabandear, hacer matute, hacer el contrabando; *naar binnen* ~ pasar de contrabando, introducir de contrabando; *naar binnen gesmokkeld worden* entrar de matute; 2 (*in spel*) hacer trampas; **smokkelwaar** contrabando, alijo, matute *m*

smoor: *de* ~ *in hebben* tener mala uva, estar negro, estar de malas

smoor|heet sofocante; *het is hier* ~ hace un calor sofocante, hace un calor infernal, aquí se ahoga uno; **-verliefd** (*op*) perdidamente enamorado (de); (*fam*) chalado (por)

smoren I *tr* 1 (*verstikken*) ahogar, sofocar; *in de kiem* ~ sofocar en germen; *met gesmoorde stem* con voz ahogada; 2 (*van vlees*) estofar, guisar; II *intr* ahogarse, sofocarse

smullen comer con gusto, golosinear; **smulpaap** goloso, -a; **smulpartij** festín *m*, comilona

smurf pitufo

smurrie fango, suciedad *v*

snaar 1 cuerda; *een gevoelige* ~ *raken* tocar la cuerda sensible; 2 (*techn*) correa

snakken: ~ *naar* anhelar, rabiar (por), desear angustiosamente; *ik snakte ernaar weg te komen* estaba anhelando la hora de salir, no veía el momento de salir; *hij snakte naar een sigaret* rabiaba por un cigarillo

snappen 1 (*betrappen*) atrapar, coger, cazar, pillar; 2 (*begrijpen*) entender *ie*; (*fam*) caer, ver; *ik snap het* ya entiendo, ya caigo, ya veo; *ik snap het niet* no me lo explico; *ik snap er niets van* no entiendo nada, me quedo en ayunas

snars: *ik begrijp er geen* ~ *van* no entiendo ni jota; *het gaat je geen* ~ *aan* eso a ti no te importa, eso no te importa ni un pito

snater: *hou je* ~*!* ¡cierra el pico!, ¡cállate!; **snateren** 1 (*mbt eend*) graznar; 2 (*mbt persoon*) cotorrear

snauw bufido, sofión *m*, exabrupto; **snauwen** hablar en tono brusco

snavel pico

snede 1 *zie: snee*; 2 (*scherpe kant*) filo, corte *m*; **snedig** ingenioso, agudo

snee 1 cortadura, corte *m*; (*insnijding*) incisión *v*; 2 (*brood*) rebanada, cortada; **sneetje** 1 (*wondje*) cortadura, rasguño; 2 (*plak*) rebanada, cortada

sneeuw nieve *v*; *eeuwige* ~ nieves *vmv* eternas; *natte* ~ aguanieve *v*; *verse* ~ nieve recién caída; *verdwijnen als* ~ *voor de zon* desaparecer como la sal en el agua; *met* ~ *bedekt* cubierto de nieve, nevado

sneeuwbal bola de nieve; ~*len gooien* tirar bolas de nieve; **sneeuwbaleffect** efecto de la bola de nieve

sneeuwblind cegado por el reflejo de la nieve; **sneeuwblindheid** ceguera de nieve

sneeuw|bril gafas *vmv* de esquiador; **-bui** nevada

sneeuwen nevar *ie*

sneeuw|grens límite *m* de las nieves eternas; **-jacht** nevasca, ventisca; **-ketting** cadena antideslizante; **-klokje** campanilla de las nieves; **-man** *zie: sneeuwpop; de verschrikkelijke* ~ el abominable hombre de las nieves; **-ploeg** (arado) quitanieves *m*; **-pop** muñeco de nieve; **-storm** tempestad *v* de nieve, borrasca de nieve; **-val** nevada; *dichte* ~ copiosa nevada; **-vlok** copo de nieve

sneeuwwit blanco como la nieve; **Sneeuwwitje** Blancanieves *v*

snel I *bn* rápido, veloz; (*mbt stap ook:*) ligero; (*spoedig*) pronto, rápido; II *bw* 1 rápidamente, aprisa, de prisa, con celeridad; *zeer ~* a toda marcha, a toda velocidad; 2 (*spoedig*) pronto; *zo ~ mogelijk* lo más pronto posible

snel|binder banda elástica; **-buffet** bufete *m* rápido, restaurante *m* de autoservicio; **-drogend** de secado rápido

snelheid rapidez *v*; (*tempo*) velocidad *v*; *een gemiddelde ~ van 90 km per uur* una media de 90 kms por hora; *maximum ~* velocidad máxima; *met een ~ van* a una velocidad de; *met grote ~* a gran velocidad; **snelheidsmeter** indicador *m* de velocidad, taquímetro

snelkokend de cocimiento rápido; **snelkookpan** olla de presión

snellen correr

snel|stromend rápido, de corriente rápida; **-trein** (tren *m*) rápido, (tren *m*) expreso; **-verkeer** tráfico rápido; **-wandelen** I *zn* marcha rápida; II *ww* andar a paso atlético; **-weg** autopista; **-werkend** de acción rápida

snerpen hacer un ruido estridente; *~de kou* frío cortante; *een ~de kreet* un grito estridente

snert I *zn* sopa de guisantes; II *bn* malísimo; *het was ~* fue un desastre

sneu decepcionante; *het is ~* es (una) lástima; *ik vind het ~ voor hem* me da pena por él

sneuvelen 1 morir *ue, u*, caer; 2 (*breken*) romperse

snibbig 1 (*mbt persoon*) áspero, agresivo; 2 (*mbt toon*) áspero, seco, tajante

snij|biet acelga, acelgas *vmv*; **-bloemen** flores *vmv* cortadas; **-boon** habichuela, judía larga || *een rare ~* un fantasmón, un payaso; **-brander** soplete *m*, cortador *m* de oxiacetileno

snijden 1 cortar; (*van vlees ook:*) trinchar; *in plakjes ~* (*van worst*) cortar en rodajas; *in repen ~* cortar en tiras; *in kleine stukjes ~* picar; *het snijdt mij door de ziel* me parte el alma; *de rook was te ~* el humo se podía cortar; 2 *zich ~* cortarse, herirse *ie, i*; *zich in de vinger ~* cortarse el dedo; 3 (*graveren*) tallar; 4 (*bridge*) hacer el impase; 5 (*mbt auto*) cortar el paso; 6 *elkaar ~* (*mbt lijnen*) cortarse, intersecarse; (*mbt wegen*) cruzarse; **snijdend** cortante

snij|lijn secante *v*, línea de intersección; **-machine** (máquina) cortadora; **-punt** punto de intersección; **-tafel** mesa de disección; **-tand** (diente) *m* incisivo; **-werk** obra tallada; **-wond** cortadura

snik I *zn* sollozo; *in ~ken uitbarsten* romper en sollozos; *tot de laatste ~* hasta el último suspiro; II *bn*: *niet goed ~* chiflado, chalado; **snikheet** sofocante; *het is ~* hace un día sofocante, hace bochorno; **snikken** sollozar

snipper recortadura, recorte *m*; *geen ~tje* ni pizca; **snipperdag** (*vglbaar:*) día *m* de asueto; *verplichte ~* día *m* libre obligatorio; **snipperen** 1 (*van papier*) recortar, hacer trizas; 2 (*van ui, vlees*) cortar en trozos pequeños, despedazar, picar

snipverkouden resfriado como una sopa

snit corte *m*

snob esnob *m*, snob *m*; **snobistisch** esnob, snob

snoeien 1 (*van boom*) podar; 2 (*van heg*) perfilar; **snoeimes** podadera; **snoeischaar** tijeras *vmv* de podar, podadera

snoek lucio; **snoekbaars** lucioperca

snoep golosinas *vmv*; **snoepen** comer golosinas, golosinear; *graag ~* andar detrás de la golosina; **snoeper** goloso; *oude ~* viejo verde

snoep|goed *zie: snoep*; **-lust** golosinería; **-reisje** escapatoria, breve viaje *m* de recreo

snoer 1 (*lijn*) hilo; 2 (*elektr*) cordón *m*, flexible *m*; (*dik:*) cable *m*

snoes monada; **snoeshaan**: *rare ~* tipejo, mamarracho

snoet morro, hocico; *aardig ~je* carita mona

snoeven fanfarronear, jactarse, baladronear; *~ op* presumir de, vanagloriarse de, jactarse de; **snoever** fanfarrón *m*, jactancioso; (*ijdel:*) presumido; **snoeverij** fanfarronada(s), bravata(s), jactancia(s), baladronada(s)

snoezig mono, encantador *-ora*, precioso

snood vil, bajo, infame; **snoodaard** malvado, desalmado, infame *m*

snooker billar *m* ruso

snor bigote *m*; *zijn ~ opstrijken* atusarse el bigote || *dat zit wel ~* no va a haber problema

snorkel 1 (*sp*) tubo de respiración; 2 (*van duikboot*) esnórquel *m*

snorken *zie: snurken*

snorren 1 (*mbt machine, pijl*) zumbar; 2 (*mbt kat*) ronronear

snot moco; **snotaap**, **snotneus** mocoso; **snotteren** 1 (*een druipneus hebben*) moquear, moquitear; 2 (*neus ophalen*) sorber(se) los mocos; 3 (*grienen*) lloriquear, gimotear; **snotterig** 1 (*slijmerig*) mocoso; 2 (*huilerig*) llorón *-ona*

snuffelen olfatear, husmear; (*fig ook:*) curiosear, fisgar; *~ in de bibliotheek* curiosear en la biblioteca; *~ in de koffers* fisgar en las maletas; **snuffelpaal** toxicómetro

snufje 1 (*nieuwtje*) novedad *v*; avance *m*, adelanto; (*iets handigs*) chisme *m*; *technisch ~* dispositivo; 2 (*beetje*) pellizco, pizca; *een ~ zout* un pellizco de sal

snugger listo, avispado, espabilado

snuiftabak tabaco en polvo, rapé *m*

snuisterij: *~en* baratijas, fruslerías, chucherías

snuit 1 hocico, morro; (*van persoon, fam*) jeta, catadura; 2 (*van olifant*) trompa; **snuiten**: *zijn neus ~* sonarse *ue* la nariz; **snuiter** tipo, tío; *rare ~* tipejo; **snuitje** *zie: snoet*

snuiven 1 (*luid ademen*) resoplar, resollar *ue*, bufar; 2 (*opsnuiven*) aspirar, sorber, inhalar; (*van drugs*) esnifar

snurken roncar

sober sobrio, austero; (*mbt maaltijd*) frugal; **soberheid** austeridad *v*, sobriedad *v*

sociaal social; ~ *werk* (trabajos de) asistencia social; ~ *werker*, ~ *werkster* asistente *m,v* social
sociaal|-democraat, **-democrate** socialdemócrata *m,v*; **-economisch** socioeconómico
socialisme socialismo; **socialist**, **socialiste** socialista *m,v*; **socialistisch** socialista
sociëteit club *m*; (*in kleine plaatsen in Spanje*) casino
sociologe socióloga; **sociologie** sociología; **sociologisch** sociológico; **socioloog** sociólogo
soda 1 (*chem*) sosa; 2 (*sodawater*) soda, sifón *m*; **sodabad** baño de sosa
sodemieter: ~ *op!* ¡vete a la mierda!
soebatten suplicar
soep sopa || *niet veel ~s* nada del otro mundo; *de auto in de ~ rijden* descacharrar el vehículo (conduciendo a lo bruto)
soepel flexible; *de politie is erg* ~ la policía hace la vista gorda; **soepelheid** 1 agilidad *v*, flexibilidad *v*; 2 (*techn*) suavidad *v*; ~ *van de veren* suavidad de los muelles; 3 (*van autoriteiten*) permisividad *v*
soep|kip gallina de cazo; **-lepel** 1 (*om op te scheppen*) cucharón *m*; 2 (*om mee te eten*) cuchara; **-terrine** sopera; **-vlees** carne *v* para cocidos
soesa jaleo, trajín *m*, lío
soesje petisú *m* pastelito relleno de crema
soeverein I *bn* soberano; II *zn* soberano, -a; **soevereiniteit** soberanía *v*
soezen dormitar
sof fracaso; *het werd een* ~ fue un fracaso, terminó en descalabro
sofa sofá *m*
sofi-nummer (*Ned*) número socio-fiscal; (*vglbaar:*) número (de identificación) fiscal
software software *m*, programas *mmv* (y procedimientos *mmv*), soft *m*, soporte *m* lógico; **software-firma** empresa programadora, empresa de software
soja|boon frijol *m* soja; *-bonen* soja; **-olie** aceite *m* de soja; **-saus** salsa de soja
sok 1 calcetín *m*; *er de ~ken in zetten* acelerar; *held op ~ken* gallina *m*, bragazas *m*, calzonazos *m*; *iem van de ~ken rijden* atropellar a u.p.; 2 (*techn*) manguito || *ouwe* ~ carcamal *m*
sokkel pedestal *m*
solarium solario
soldaat soldado; *gewoon* ~ soldado raso || ~ *maken* atizarse, dar cuenta de
soldeer soldadura; **soldeerbout** soldador *m*; **soldeerlamp** soplete *m* de soldar; **solderen** soldar *ue*
soldij soldada, paga
solidair (*met*) solidario (de); *zich ~ verklaren met* solidarizarse con; manifestarse en solidaridad con; **solidariteit** solidaridad *v*; **solidariteitsstaking** huelga por solidaridad
solide 1 sólido, fuerte; ~ *gebouwd* de construcción sólida; 2 (*fatsoenlijk*) serio, respetable; (*in staat te betalen*) solvente; 3 (*betrouwbaar*) seguro; *een ~ systeem* un sistema seguro
solist, **soliste** solista *m,v*
sollen (*met kind*) juguetear; *hij laat niet met zich* ~ con él no se juega, no se deja hacer
sollicitant, **sollicitante** aspirante *m,v*, solicitante *m,v*, pretendiente *m,v*, candidato, -a; **sollicitatie** solicitud *v* (de empleo); **solliciteren** (*naar*) solicitar; *graag solliciteer ik naar deze betrekking* me permito solicitar esta plaza
solo, **solopartij** solo *m*
solutie solución *v* de goma
solvent solvente; **solventie** solvencia
som 1 (*bedrag*) suma, importe *m*; 2 (*vraagstuk*) problema *m* (de aritmética); 3 (*resultaat van optelling*) suma
somber sombrío; (*duister*) oscuro; (*triest*) triste; *~e vooruitzichten* perspectivas poco prometedoras
sommeren (*om*) intimar (a que), requerir *ie, i* (para que)
sommige, **sommigen** unos, -as, algunos, -as
soms 1 a veces, en ocasiones; 2 (*misschien*) acaso; *kom je ~ langs het station?* ¿pasas acaso por la estación?; *weet u ~ iets van haar?* ¿es que sabe algo de ella?; *als Pedro ~ komt* si viniera Pedro
sonate sonata
sonde sonda
sonnet soneto
soort clase *v*, tipo, suerte *v*, índole *v*, especie *v*; ~ *zoekt* ~ Dios los cría y ellos se juntan; *dit ~ werk* esta clase de trabajo, trabajo de esta índole; *dat ~ mensen* la gente así; *enig in zijn* ~ único en su especie; *van de eerste* ~ de primera calidad; *van het ergste* ~ de lo peor; **soortelijk** específico; **soortgelijk** parecido, semejante, similar; *een ~ geval* un caso análogo; **soortnaam** nombre *m* genérico
sop 1 (*zeepwater*) agua de jabón, agua jabonosa; (*vuil:*) lavazas *vmv*; 2 (*kookvocht*) caldo; *het ~ is de kool niet waard* no es para tanto, es más caro el caldo que los caracoles; *in zijn ~ laten gaarkoken* dejar cocer en su propia salsa; *met hetzelfde ~ overgoten* cortados con la misma tijera || *het ruime ~ kiezen* hacerse a la mar; **soppen** remojar
sopraan 1 (*stem*) soprano, tiple *m*; 2 (*zangeres*) soprano *v*, tiple *v*
sorbet sorbete *m*
sorteren clasificar, ordenar, seleccionar || *effect* ~ surtir efecto; **sortering** surtido; *uitgebreide* ~ extenso surtido
soufflé soufflé *m*
souffleur apuntador *m*; **souffleurshokje** concha del apuntador; **souffleuse** apuntadora
souteneur proxeneta *m*; (*pop*) chulo, rufián *m*
souterrain sótano
souvenir recuerdo
Sovjet Soviet *m*; *de opperste* ~ el Soviet Supremo; **sovjetgezind** sovietizante; **Sovjet-Unie** Unión *v* Soviética

spaak rayo, brazo || *het loopt vast* ~ va a ser un fracaso; **spaakbeen** radio
spaan *zie: spaander; ergens geen ~ van heel laten* hacer trizas u.c.; **spaander** viruta, astilla; **spaanplaat** madera aglomerada, chapa de virutas de madera, tablero de viruta prensada
Spaans español *-ola*
Spaans-Amerika Hispanoamérica; **Spaans-amerikaans** hispanoamericano
Spaanse española; **Spaanstalig** de habla castellana, hispanohablante, de habla española
spaar|bank caja de ahorros; **-bankboekje** libreta de ahorros, cartilla de ahorros; **-bekken** embalse *m*; **-brander** mechero de mínimo consumo, mechero económico; **-centjes** ahorrillos
spaarder ahorrador *m*; *de kleine ~s* el pequeño ahorro, los pequeños ahorradores
spaar|geld ahorros *mmv*; **-pot** hucha, alcancía
spaarzaam ahorrador *-ora*, ahorrativo; económico; ~ *verlicht* poco iluminado, escasamente alumbrado
spade pala, azada
spaghetti espaguetis *mmv*
spalk tablilla; **spalken** entablillar
span 1 (*ossen*) yunta; 2 (*groep*) banda, pandilla, caterva; 3 (*tweetal*) pareja
spandoek pancarta
Spanjaard español *m*; **Spanje** España
spanne: *een ~ tijds* un espacio de tiempo, un lapso
spannen 1 (*van lijn*) tender *ie*; *zich ~* ponerse tirante; 2 (*techn*) tensar; *een gespannen veer* un muelle en tensión; *het ~ van een veer* la tensión de un muelle; 3 (*van boog*) armar; 4 (*van spieren*) contraer; 5 (*voor wagen*) uncir; *iem voor zijn karretje ~* enganchar a u.p. en su carro; *zich ergens voor ~* encargarse de u.c. || *het zal erom ~* no será tan fácil; **spannend** (*opwindend*) emocionante; (*boeiend*) cautivador *-ora*; *een ~ moment* un momento de tensión; **spanning** 1 tensión *v*; (*fig ook:*) tirantez *v*; *de politieke ~* la tensión política, la tirantez política; 2 (*van band*) presión *v*; 3 (*angst*) tensión *v*, ansiedad *v*; *in ~ houden* mantener en la incertidumbre; *in angstige ~ afwachten* esperar con ansia; *in angstige ~ verkeren* estar en vilo, estar sobre ascuas; 4 (*techn*) tensión; *onder ~ zetten* poner a tensión; *draden onder ~* alambres *mmv* cargados; **spanningsmeter** medidor *m* de tensión
spant 1 (*van schip*) cuaderna; 2 (*van dak*) par *m*, cabrio
span|wijdte envergadura; **-zaag** sierra de bastidor
spar abeto; **sparappel** cono de abeto
sparen I *tr* 1 ahorrar; *geen moeite ~* no ahorrar esfuerzos; 2 (*ontzien*) perdonar, respetar; *iems leven ~* perdonar la vida a u.p.; 3 (*verzamelen*) coleccionar; *postzegels ~* coleccionar sellos; II *intr* ahorrar, economizar
Spartaans espartano
spartelen patalear, forcejear, retorcerse *ue*
spastisch espástico
spat salpicadura || *geen ~ uitvoeren* no dar golpe
spat|ader varice *v*, variz *v*; **-bord** guardabarros *m*; (*van auto ook:*) aleta
spatel espátula
spatie espacio; **spatiëren** espaciar
spatten salpicar; *het spat op de tafel* salpica la mesa
spe: *in ~* futuro; (*in de dop*) en ciernes
specerij especia
specht pájaro carpintero
speciaal especial; **specialisatie** especialización *v*; **specialiseren**: *zich ~* especializarse; **specialisme** especialidad *v*; **specialist** (médico) especialista *m*; **specialistisch** especialista
specie argamasa, mortero
specificatie especificación *v*, descripción *v* detallada, análisis *m*; **specificeren** especificar; **specifiek** específico
spectaculair espectacular
spectrum espectro; *het politieke ~* el espectro político
speculant, **speculante** especulador, -ora; **speculatie** especulación *v*; **speculatief** especulativo; **speculeren** especular; ~ *op* especular en
speech discurso
speed anfetamina
speeksel saliva; *met ~ nat maken* ensalivar; **speekselklier** glándula salivar
speel|bal juguete *m*; ~ *zijn van de golven* estar a la merced de las olas; **-doos** caja de música; **-film** película de argumento; **-goed** juguetes *mmv*; **-hol** timba, garito; **-kaart** naipe *m*, carta; **-kwartier** recreo; **-plaats** 1 (*bij school*) patio (de recreo); 2 (*speelterrein*) campo de juegos; **-ruimte** espacio libre; (*fig*) margen *m*, libertad *v* de acción, margen *m* de actuación
speels juguetón *-ona*, retozón *-ona*; **speelster** 1 jugadora; 2 (*actrice*) actriz *v*
speel|tafel mesa de juego; **-tijd** (*sp*) duración *v* del partido; **-tuin** parque *m* infantil, parque *m* de recreo; **-vijver** estanque *m* para niños
speen chupete *m*; **speenvarken** cochinillo, lechón *m*, lechoncillo
speer 1 lanza; 2 (*werpspeer; sp*) jabalina; **speerpunt** punta de lanza
speerpunt|actie acción *v* de punta de lanza, acción *v* de avanzadilla; **-industrie** industria de tecnología avanzada
speerwerpen lanzamiento de la jabalina
spek 1 tocino; *vers ~* tocino fresco; 2 (*van walvis*) grasa (de ballena) || *voor ~ en bonen meedoen* estar de bulto; **spekglad** muy resbaladizo; **spekken**: *zijn beurs ~* forrarse, llenarse los bolsillos
spektakel (*kabaal, opschudding*) escándalo, alboroto; *veel ~ maken* armar un escándalo; **spektakelstuk** pieza espectáculo
spekvet grasa de tocino

spel 1 juego; (*wijze van acteren*) actuación *v*, trabajo; (*muz*) manera de tocar, ejecución *v*; *dubbel ~ spelen* jugar *ue* con dos barajas; *eerlijk ~ spelen* jugar *ue* limpio; *gelijk ~* empate *m*; *gevaarlijk ~* juego arriesgado; *goed ~ te zien geven: a*) (*sp*) jugar *ue* bien; *b*) (*theat*) trabajar bien; *hoog ~ spelen* jugar *ue* (en serio y) por todo lo alto; *vals ~* engaño en el juego, trampa, fullería; *vrij ~ hebben* tener libertad de acción; *iem vrij ~ laten* dejarle a u.p. las manos libres; *er is een vrouw in het ~* anda por medio una mujer; *op het ~ staan* estar en juego; *alles op het ~ zetten* jugárselo *ue* todo; *zijn leven op het ~ zetten* jugarse *ue* la vida; 2 (*kaartspel*) baraja

spel|breker, **-breekster** aguafiestas *m,v*; **-computer** ordenador *m* de juego

speld alfiler *m*; *je kon een ~ horen vallen* se podía oír el vuelo de una mosca; *er is geen ~ tussen te krijgen: a*) (*je komt niet aan het woord*) no se puede meter baza; *b*) (*het is onweerlegbaar*) es irrefutable, esta lógica (me) parece de hierro; *een ~ in een hooiberg zoeken* buscar una aguja en un pajar; **speldeknop** cabeza de alfiler; **spelden** sujetar con alfileres, prender; **speldenkussen** acerico; **speldeprik** alfilerazo, pinchazo; **speldje** 1 (*op revers*) insignia; 2 (*in haar*) pasador *m*

spelen 1 jugar *ue*; *we hadden het anders moeten ~* debiéramos tomarlo por otro camino; *eerlijk ~* jugar limpio; *oneerlijk ~* jugar sucio, hacer trampa; *zullen we indiaantje ~?* ¿jugamos a los indios?; *paardje ~* jugar a los caballos; *het speelt mij steeds door het hoofd* me está rodando por la cabeza; *ik laat niet met mij ~* conmigo no se juega; *met een gedachte ~* jugar con una idea; *met zijn leven ~* jugar con la vida; *~ om geld* jugar por dinero; *er speelde een glimlach om zijn lippen* una sonrisa le bailaba en los labios; *voor gastheer ~* hacer de anfitrión; 2 (*theat*) actuar *ú*, trabajar; *een rol ~* desempeñar un papel; *voor koning ~* hacer el (papel de) rey; *het stuk wordt heel goed gespeeld* los actores trabajan muy bien; *wie spelen dat stuk?* ¿quiénes actúan en esa pieza?; *wat wordt er gespeeld?* ¿qué ponen?; *waar wordt het gespeeld?* ¿dónde lo ponen?; 3 (*muz*) tocar; *piano ~* tocar el piano; **spelenderwijs** (como) jugando

speleoloog espeleólogo

speler 1 jugador *m*; 2 (*acteur*) actor *m*

spelfout error *m* de ortografía

speling 1 (*ruimte*) juego, tolerancia; 2 (*gril*) capricho; *een ~ der natuur* un capricho de la naturaleza; *een ~ van het lot* un capricho de la fortuna

spelleider, **-leidster** conductor, -ora del juego, monitor, -ora

spellen deletrear; *hoe spel je dat?* ¿cómo se escribe? || *de krant ~* leer el diario de cabo a rabo

spelletje 1 juego; *zullen we een ~ doen?* ¿hacemos un juego?; 2 (*partij*) partida; *een ~ dammen* una partida de damas

spelling ortografía

spelonk cueva, antro

spelregel regla del juego

spencer spencer *m*, chaleco

spenderen (*aan*) gastar (en)

spenen 1 destetar, desmamar; 2 *~ van* (*fig*) privar de; *gespeend van* privado de; *hij is gespeend van ieder gevoel voor humor* le falta todo sentido de humor

sperma esperma *m*; **spermabank** banco de semen

spervuur fuego graneado, concentración *v* de fuego, barrera de fuego

sperwer gavilán *m*

sperzieboon judía verde, habichuela

spetteren *intr* chapotear

speurder detective *m*, investigador *m*; (*fam*) sabueso; (*spoorzoeker*) rastreador *m*; **speuren**: *~ naar* (*zoeken*) buscar; (*het spoor volgen*) rastrear, seguir *i* las huellas (de)

speur|hond perro olfateador, sabueso; **-tocht** búsqueda; **-werk** investigaciones *vmv*, pesquisas *vmv*; *het ~ van de politie had geen resultaat* las pesquisas policiales resultaron infructuosas; **-zin** olfato

spichtig flaco; (*fam*) delgaducho

spie chaveta, pasador *m*, clavija

spieden espiar *í*

spiegel 1 espejo; (*grote spiegel*) luna; *zich voor de ~ bekijken* mirarse al espejo, mirarse en el espejo; *voor de ~ gaan staan* asomarse al espejo; *glimmen als een ~* brillar como un espejo, ser un ascua de oro; 2 (*van schip*) espejo (de popa)

spiegel|beeld imagen *v* reflejada, imagen *v* en el espejo; **-ei** huevo al plato

spiegelen reflejar (la luz); *zich ~ aan* tomar como ejemplo; *daar moet je je aan ~* mírate en ese espejo; *zich ~ in* verse reflejado en

spiegel|gevecht simulacro de combate; **-glad** 1 completamente liso; 2 (*door ijs*) muy resbaladizo, cubierto de hielo; **-glas** cristal *m* de luna

spiegeling 1 (*het spiegelen*) reflexión *v*; 2 (*schittering*) espejo; 3 (*spiegelbeeld*) reflejo

spiegel|reflexcamera cámara de espejo (reflector); **-ruit** luna; (*van etalage*) luna del escaparate; **-schrift** escritura invertida

spiegeltje espejuelo, espejito

spiekbriefje chuleta; **spieken** usar chuletas

spier músculo; *gescheurde ~* rotura muscular; *verrekking van ~* distensión *v* muscular; *het ontwikkelen van de ~en* el desarrollo muscular; *zonder een ~ te vertrekken* sin pestañear, impasible

spiering eperlano; *magere ~* (*fig*) birria; *een ~ uitgooien om een kabeljauw te vangen* meter onza y sacar arroba

spier|kracht fuerza muscular; **-naakt** en cueros; **-pijn** agujetas *vmv*, dolores *mmv* musculares; **-wit** blanco como la nieve; (*zeer bleek*) pálido como el papel

spies 1 lanza, pica; 2 (*met vlees*) pincho
spietsen espetar, atravesar *ie* (con la lanza)
spijbelaar, **spijbelaarster** novillero, -a; **spijbelen** hacer novillos
spijker clavo; *de ~ op de kop slaan* dar en el clavo, dar en el hito; *~s met koppen slaan* ir al grano; *~s op laag water zoeken* buscar pelos al huevo; **spijkerbroek** (pantalones *mmv*) vaqueros *mmv*, tejanos *mmv*; **spijkeren** clavar; **spijkerhard** duro, acerado, implacable; **spijkerschrift** escritura cuneiforme
spijl 1 barrote *m*; 2 (*van hek*) estaca
spijs 1 (*eten*) comida, alimento; 2 (*gerecht*) plato; *heerlijke spijzen* platos deliciosos; *verandering van ~ doet eten* entre col y col lechuga, en la variación está el gusto
spijs|kaart menú *m*; **-olie** aceite *m* comestible; **-vertering** digestión *v*; *slechte ~* indigestión *v*
spijsverterings|kanaal tubo digestivo; **-organen** órganos digestivos; **-stoornissen** trastornos digestivos
spijt sentimiento, pesar *m*; *~ hebben van iets* arrepentirse *ie, i* de u.c., sentir *ie, i* u.c.; *ik heb er nu ~ van* ahora lo siento; *je zult er nog ~ van krijgen* te ha de pesar; *tot mijn grote ~* con gran sentimiento de mi parte, muy a mi pesar; *tot mijn ~ kan ik niet komen* siento no poder venir || *alle moeite ten ~* a pesar de los esfuerzos; **spijten**: 1 (*betreuren*): *het spijt mij* lo siento, lo lamento; *het spijt me dat u niet komt* siento que no venga Ud.; *het spijt me dat ik niet kan helpen* siento no poder ayudar; *het spijt me voor u* lo siento por Ud.; 2 (*berouwen*): *het spijt mij nu* ahora me arrepiento; *nu spijt het ons het te hebben gekocht* ahora nos arrepentimos de haberlo comprado; **spijtig** triste, (una) lástima; *dat is heel ~* es una gran lástima
spikkel mota
spiksplinternieuw flamante
spil 1 gorrón *m*, pivote *m*; 2 (*as*) eje *m*; *zij is de ~ waar alles om draait* ella es el eje de todo; 3 (*sp*) medio centro
spillebeen zanquilargo, -a
spilziek manirroto, desperdiciador *-ora*, pródigo; **spilzucht** prodigalidad *v*
spin 1 araña; *zo nijdig als een ~ zijn* tener muy mala uva; 2 (*voor bagage*) pulpo
spinazie espinacas *vmv*
spinet espineta
spinnaker spinnaker *m*
spinnen 1 hilar; 2 (*mbt kat*) ronronear; **spinnerij** hilandería
spinne|web tela de araña, telaraña; **-wiel** torno de hilar
spinnijdig con un humor de perros
spin|rag *zie: spinneweb*; **-rokken** rueca
spion espía *m*; **spionage** espionaje *m*; **spioneren** espiar *í*; (*rondsnuffelen*) fisgonear; **spionne** espía
spiraal 1 espiral *v*; *de ~ van het terrorisme* la espiral del terrorismo; 2 (*techn, buis*) serpentín *m*; **spiraalbed** somier *m* metálico; **spiraalmatras** colchón *m* con muelles en espiral, colchón *m* de muelles; **spiraalsgewijs** en espiral; **spiraaltje** (*med*) espiral *v*, dispositivo intrauterino; *afk* Diu; **spiraalveer** muelle *m* en espiral, resorte *m* en espiral
spiritisme espiritismo; **spiritistisch** espiritista; *~e séance* sesión *v* de espiritismo
spiritualiën bebidas espirituosas, bebidas alcohólicas
spiritueel ingenioso, inteligente
spiritus espíritu *m*, alcohol *m* etílico
spit 1 (*braadspit*) asador *m*; 2 (*med*) lumbago
spits I *bn* 1 (*puntig*) agudo, puntiagudo, picudo; *~ gezicht* cara afilada; *~ toelopen* terminar en punta; 2 (*scherpzinnig*) agudo, sutil; II *zn* 1 (*punt*) punta; 2 (*van berg*) pico; 3 (*van toren*) aguja; 4 *zie: spitsuur*; 5 (*sp*) jugador *m* de vanguardia, delantero || *de ~ afbijten* dar el primer paso; *iets op de ~ drijven* tomarlo por la tremenda; **spitsboog** ojiva, arco ojival; **spitsen** aguzar; *zijn oren ~*: *a*) (*mbt persoon*) aguzar el oído; *b*) (*mbt hond*) aguzar las orejas; *gespitst zijn op iets* (*opletten*) seguir *i* de cerca u.c., no perder *ie* ripio; **spitsheid** agudeza
spits|muis musaraña; **-roede**: *~n lopen* correr baquetas; **-uur** hora punta *mv horas punta*, hora de más tránsito
spitsvondig sutil, ingenioso
spitten cavar
spleet grieta, hendidura, fisura, tajo, rendija, abertura; **spleetoog** ojo rasgado, ojo oblicuo
splijtbaar escindible; (*natk ook:*) fisionable, fisible; **splijten** I *tr* 1 hendir *ie, i*, escindir; *gespleten persoonlijkheid* desdoblamiento de la personalidad; 2 (*natk*) escindir, fisionar; II *intr* 1 hendirse *ie, i*, escindirse; agrietarse; 2 (*natk*) escindirse; **splijtstof** substancia desintegrable; **splijtzwam** germen *m* de desintegración
splinter 1 astilla; (*in vinger*) espina; (*van glas, bot*) esquirla; *in ~s slaan* hacer añicos; *de ~ zien in andermans oog, maar niet de balk in zijn eigen* ver la paja en el ojo ajeno, y no la viga en el propio; 2 (*van granaat*) casco
splinter|bom bomba rompedora; **-breuk** fractura conminuta
splinteren astillar
splinter|partij partido minúsculo; **-tangetje** pinzas *vmv* (para sacar espinas)
split 1 (*in kleding*) abertura; 2 (*grint*) gravilla triturada
split|erwt guisante *m* seco partido; **-pen** pasador *m* doble, pasador *m* de aletas
splitsen 1 (*verdelen*) dividir, partir; *zich ~* dividirse; *hier splitst zich de weg* aquí se bifurca el camino; 2 (*van touw*) empalmar; 3 (*natk*) *zie: splijten*; **splitsing** 1 división *v*; 2 (*van weg*) bifurcación *v*; 3 (*natk*) *zie: splijting*
spoed rapidez *v*, prisa; *~!* (*op brief*) ¡urgente!; *haastige ~ is zelden goed* quien mucho corre pronto para, vísteme despacio que llevo pri-

sa; ~ *maken* acelerar, apresurar; *met bekwame* ~ con la mayor diligencia; *iem aanzetten tot* ~ apresurar a u.p., instar a u.p. a que actúe de prisa
spoed|behandeling tratamiento de urgencia; (*med*) cura de urgencia; **-bestelling** entrega inmediata; **-cursus** curso acelerado, cursillo acelerado; **-eisend** urgente, apremiante
spoeden: *zich* ~ *naar* ir con prisa a
spoedgeval caso urgente
spoedig I *bn* rápido, pronto; *uw* ~ *antwoord* su pronta contestación; II *bw* pronto, dentro de poco, en breve; ~ *daarop* al poco tiempo, poco después; *zo* ~ *mogelijk* cuanto antes, lo más pronto posible, a la mayor brevedad (posible)
spoed|karwei trabajo urgente; **-operatie** operación *v* de urgencia; **-vergadering** reunión *v* de emergencia; **-zending** envío urgente; **-zitting** sesión *v* de emergencial
spoel 1 (*bij weven, naaimachine*) canilla; 2 (*film*) carrete *m*; 3 (*elektr*) bobina; **spoelbak** pila
spoelen I *tr* 1 (*weverij*) encanillar, devanar; 2 (*van film*) enrollar, arrollar; 3 (*uitwassen van zeep*) enjuagar, aclarar || *door de keel* ~ tragar, echarse entre pecho y espalda; II *intr* (*stromen*) fluir; *de golven spoelden over het dek* las olas inundaron la cubierta; **spoeling** 1 enjuague *m*, aclarado; 2 (*voor varkens*) bazofia; 3 (*van haar*) *zie: kleurspoeling*
spoken 1 *het spookt daar* el lugar está encantado, allí hay duendes; 2 (*stormen*) haber tempestad; (*mbt zee*) embravecerse; *het spookt flink* hay tormenta; 3 (*fig*) dar vueltas; *de woorden spookten door zijn hoofd* en su cabeza daban vueltas las palabras ésas, esas palabras le obsesionaban
sponning ranura
spons esponja; **sponsachtig** esponjoso
sponsor patrocinador *m*, esponsor *m*; **sponsoren** patrocinar, apadrinar, esponsorizar; **sponsoring** patrocinio, esponsorización *v*
sponsrubber goma esponjosa
spontaan espontáneo; **spontaniteit** espontaneidad *v*
spook duende *m*, fantasma *m*, aparición *v*, aparecido, espectro; *spoken zien* ver visiones; *een* ~ *van een vrouw* una bruja; **spookachtig** fantasmal
spook|beeld fantasma *m*, espantajo; *het* ~ *van de tirannie* el espantajo de la tiranía; **-huis** 1 casa con duendes, casa encantada; 2 (*op kermis*) túnel *m* del miedo, cámara del terror; **-schip** buque *m* fantasma; **-verhaal** cuento de aparecidos; **-verschijning** *zie: spook*
1 spoor (*van ruiter, haan*) espuela; *het paard de sporen geven* espolear al caballo, dar (de) espuelas al caballo; *hij heeft zijn sporen verdiend* se ha distinguido sobremanera
2 spoor 1 (*overblijfsel*) huella, rastro; (*fig ook:*) vestigio, indicio; (*route*) pista; *iems spoor volgen* seguir *i* las huellas de u.p.; *geen* ~ *van hem te bekennen* ni sombra de él; *alle sporen uitwissen* borrar todo vestigio; *ik ben het* ~ *bijster* estoy totalmente despistado, me he despistado, he perdido la pista; *iem in het rechte* ~ *houden* ayudar a u.p. a tener el buen camino; *op het* ~ *komen van* encontrar *ue* la pista de; *op het* ~ *zetten* poner en la pista; *op een vals* ~ *brengen* despistar; *op het verkeerde* ~ *zitten* estar en el mal camino; *zonder een* ~ *na te laten* sin dejar rastro; 2 (*van trein*) vía; *breed* ~ vía ancha; *smal* ~ vía estrecha; *enkel* ~ vía sencilla; *dubbel* ~ vía doble; 3 (*trein*) ferrocarril *m*, tren *m*; *per* ~ por ferrocarril; 4 (*van geluidsband*) pista; *vier sporen* cuatro pistas de grabación; 5 (*van plant*) espora
spoor|baan vía del tren; **-boekje** guía de ferrocarriles; **-boom** barrera (del paso a nivel); **-breedte** 1 (*van trein*) ancho de vía; 2 (*van auto*) anchura entre ruedas; **-lijn** línea ferroviaria, línea de tren
spoorloos: *hij is* ~ nadie sabe dónde está; ~ *verdwijnen* desaparecer sin dejar huella, desaparecer sin dejar rastro; **spoorslags** a toda marcha
spoor|student estudiante *m* foráneo; **-wagon** coche *m* de ferrocarril; **-weg** ferrocarril *m*
spoorweg|arbeider ferroviario; **-beambte** empleado ferroviario; **-emplacement** patio ferroviario, terrenos *mmv* de la estación; **-knooppunt** nudo ferroviario, empalme *m*; **-net** red *v* ferroviaria; **-overgang** cruce *m* de vías; *bewaakte* ~ paso a nivel con guarda; *onbewaakte* ~ paso a nivel sin guarda; **-personeel** personal *m* ferroviario; **-tarieven** tarifas ferroviarias; **-verkeer** tráfico ferroviario
spoorzoeker rastreador *m*
sporadisch esporádico
sporen 1 (*reizen*) ir en tren; 2 (*mbt wielen*) estar alineado
sporeplant criptógama
1 sport 1 (*van ladder*) escalón *m*, peldaño; 2 (*van stoel*) barrote *m*
2 sport deporte *m*; *een* ~ *beoefenen* practicar un deporte
sport|artikelen artículos para deportes; **-beoefening** práctica del deporte; **-berichten** noticias *vmv* deportivas; **-club** club *m* deportivo; **-complex** polideportivo; **-duiker** buceador *m*; **-hal** sala de deportes
sportief deportivo; **sportiviteit** deportivismo, deportividad *v*
sport|journalist cronista *m* de deportes; **-keuring** control *m* médico para deportistas; **-kleding** 1 ropa de deporte; 2 (*informele kleding*) ropa de sport; **-kringen** ambientes *mmv* deportistas; **-liefhebber** deportista *m*, aficionado a los deportes; **-man** deportista *m*; **-schoen** playero; **-school** escuela de deportes; **-terrein** campo de deportes; **-uitrusting** equipo de deporte; **-uitslagen** resultados deportivos; **-veld** *zie: sportterrein*; **-vereniging**

asociación *v* deportiva; **-vlieger** aviador *m* deportista; **-vliegtuig** avioneta (de deporte); **-vrouw** deportista *v*; **-wagen** (coche *m*) deportivo

1 spot 1 (*lamp*) foco; 2 (*op tv*) spot *m*, anuncio publicitario por televisión

2 spot burla, sorna, guasa; (*neg*) mofa, befa; *zijn ~ was bijtend* su guasa era mordaz; *de ~ drijven met* burlarse de, mofarse de, reírse *i* de

spot|goedkoop baratísimo, tirado; **-koopje** ganga; **-prent** caricatura; **-prijs** precio irrisorio, precio de ganga; *voor een ~* por cuatro cuartos; **-schrift** libelo, pasquín *m*

spotten: *~ met* burlarse de, mofarse de, reírse *i* de, tomar a burla, tomar a risa; *hij spot met alles* todo lo toma a burla, se burla de todo; *die ziekte is niet om mee te ~* no hay burlas con esa enfermedad; *met hem valt niet te ~* no se juega con él, cualquiera le gasta una broma; **spottend** burlón *-ona*; *hij zei ~* dijo en tono burlón, dijo con sorna; *ze keek hem ~ aan* le miraba con aire de burla; *op ~e wijze* burlonamente, con sorna; **spotternij** *zie: spot*

spouw hueco, espacio de aire, vacío; **spouw-isolatie** (aislamiento por) relleno del espacio de aire; **spouwmuur** muro con espacio de aire intermedio, muro doble

spraak 1 (*vermogen*) habla; 2 (*manier van spreken*) modo de hablar, lenguaje *m*

spraak|gebrek defecto del habla; **-gebruik** uso (del idioma), lenguaje *m*; *in het normale ~* en el uso normal; **-generator** (*comp*) generador *m* de voz; **-kunst** gramática; **-orgaan** órgano del habla; **-stoornis** trastorno del habla; **-vermogen** habla, facultad *v* de hablar; *hij verloor het ~* perdió el habla; **-verwarring** confusión *v* verbal, babel *m*

spraakzaam hablador *-ora*, locuaz; (*mededeelzaam*) comunicativo, expansivo; *hij is niet erg ~* es parco de palabras; **spraakzaamheid** locuacidad *v*

sprake: *er is ~ van een nieuw museum* se habla de un nuevo museo; *geen ~ van!* (de eso) ¡ni hablar!, ¡ni por pienso!, ¡de eso nada!; *er is geen ~ van dat ...* no hay cuestión de que ...; *ter ~ brengen* sacar a relucir, poner sobre el tapete, traer a colación, traer a cuento, plantear; *ter ~ komen* salir a relucir, ser puesto sobre el tapete, ser planteado, plantearse

sprakeloos mudo, sin habla; *hij stond ~* se quedó sin habla

sprankelen chispear; (*fonkelen ook:*) centellear, brillar; *een ~de conversatie* una conversación chispeante

sprankje asomo, pizca, atisbo, destello; *een ~ hoop* un asomo de esperanza; *een ~ humor* un atisbo de gracia; *geen ~ leven* ni destello de vida

spray pulverizador *m*, vaporizador *m*, (e)spray *m*

spreadsheet hoja de cálculo

spreek|beurt (*lezing*) conferencia; (*minder formeel:*) charla; **-buis** portavoz *m*; **-kamer** consulta, consultorio; **-koor** coro hablado

spreekster 1 hablante *v*; 2 (*die lezing houdt*) conferenciante *v*

spreektaal lengua hablada; (*informele taal*) lenguaje *m* coloquial

spreekuur (hora de) consulta; **spreekuur-bezoek** consultas *vmv* (ambulatorias)

spreekvaardigheid 1 fluidez *v*, soltura; 2 (*lesvak*) práctica del idioma

spreekwoord proverbio, refrán *m*; **spreek-woordelijk** proverbial; *zijn ~e verlegenheid* su timidez proverbial; *de ~ verstrooide professor* el profesor proverbialmente distraído

spreeuw estornino

sprei colcha, cubrecama *m*

spreiden extender *ie*; (*van betaling*) espaciar; *de benen ~* abrir las piernas; **spreiding** extensión *v*, dispersión *v*; *~ van risico's* diversificación *v* de riesgos, distribución *v* del riesgo; *~ van vakanties* escalonamiento de las vacaciones; **spreidsprong** salto con las piernas abiertas; **spreidstand** posición *v* de piernas abiertas

spreken hablar; *deftig ~* hablar con finura; *duidelijk ~* hablar claro; *hard ~* hablar alto; *hij kan goed ~* tiene facilidad *v* de hablar; *ik wil je graag ~* quisiera hablar contigo; *ik spreek je nog wel!* (*boos:*) ¡nos veremos las caras!; *er werd gesproken aan zijn graf* hubo discursos a su tumba; *hij kon nauwelijks ~ van ontroering* la emoción le embargaba la voz; *kan ik mevrouw even ~?* ¿puedo ver un momento a la señora?; *hij is niet te ~* está ocupado, no se le puede ver; *voor niemand te ~ zijn* no estar para nadie; *niet goed te ~ zijn* estar de mal humor; *hij is slecht over je te ~* no está contento contigo; *om maar niet te ~ van* sin hablar de, dejando aparte; *bij wijze van ~* por así decirlo, como quien dice; *~ met* hablar con; *met wie spreek ik?* ¿quién habla?; *u spreekt met Jan* habla Jan, soy Jan; *we ~ niet met elkaar* no nos hablamos; *~ over* hablar de; *~ over het werk* hablar del trabajo; *~ over kleren* hablar de trapos; *laten we over iets anders ~* hablemos de otra cosa; *over reizen gesproken* hablando de viajes, a propósito de viajes; *~ tot* hablar a; *dit spreekt tot de verbeelding* habla a la imaginación; *uit ieder woord sprak wantrouwen* de cada palabra se desprendía el recelo; *kwaad ~ van* hablar mal de; *dat spreekt vanzelf* ni que decir tiene, es evidente, es natural; *het spreekt vanzelf dat* es natural que, huelga decir que, inútil decir que; *van zich doen ~* llamar la atención general, destacarse; *de cijfers ~ voor zich* los números son sobradamente expresivos; *dit feit spreekt voor zich* este hecho habla por sí mismo; *~ is zilver, zwijgen is goud* en boca cerrada no entran moscas, por la boca muere el pez; **sprekend 1** que habla; 2 (*lijkend*) exacto, fiel; *een ~e gelijkenis* un parecido exacto; *hij is ~ zijn vader* es

el vivo retrato de su padre, (*fam*) parece talmente su padre; *het lijkt* ~ sólo le falta hablar, está hablando || *~e ogen* ojos elocuentes, ojos expresivos; ~ *voorbeeld* ejemplo revelador;
spreker 1 hablante *m*; ~ *en hoorder* el hablante y el oyente; **2** (*die lezing houdt*) conferenciante *m*
sprenkelen rociar *í*
spreuk sentencia, aforismo, lema *m*; (*spreekwoord*) proverbio
spriet 1 (*gras*) brizna; **2** (*van insekt*) antena || *een magere* ~ un fideo
springconcours concurso hípico de salto
springen 1 saltar, dar saltos; *in het water* ~ saltar al agua; *we zitten te* ~ *om* ... necesitamos con urgencia ...; *hij sprong op ons af* se abalanzó sobre nosotros; *over een sloot* ~ saltar una zanja; *ik sprong over het hek* salté por encima de la verja, de un salto salvé la verja; *uit bed* ~ saltar de la cama, levantarse de un salto, arrojarse de la cama; *uit het raam* ~ tirarse por la ventana, arrojarse por la ventana; *hij sprong van zijn paard* saltó del caballo; *of hij nu hoog of laag springt* haga lo que haga; **2** (*openbarsten*) romper, reventar *ie*, estallar; *er is een leiding gesprongen* reventó una cañería; *de ruiten sprongen* los cristales saltaron hechos añicos; *de snaar sprong* se rompió la cuerda; *zijn voorband is gesprongen* se le ha estallado el neumático delantero; *op* ~ *staan* estar que revienta, estar que salta; **3** (*mbt huid*) cortarse; *van de kou springen haar handen* por el frío se le cortan las manos; *gesprongen handen* manos *vmv* agrietadas
springerig 1 (*mbt kind*) activo, movido, bullicioso; **2** (*mbt haar*) rizado; **spring-in-'t-veld** retozón, -ona
spring|lading carga explosiva; **-levend** vivito y coleando; **-matras** colchón *m* de muelles; **-net** (*bij brand*) tela salvavidas; **-paard** caballo saltador; **-plank** trampolín *m*; **-schans** trampolín *m* de saltos; **-stof** explosivo; **-tij** marea viva; **-touw** comba; **-veren** *bn* de muelles; ~ *matras* colchón *m* de muelles; **-vloed** *zie: springtij*; **-zeil** *zie: springnet*
sprinkhaan langosta, saltamontes *m*
sprinklersysteem sistema *m* de rociadores automáticos contra incendios
sprint (e)sprint *m*; **sprinten** (e)sprintar; *de laatste 100 m* ~ esprintar en los últimos 100 m; **sprinter** (e)sprinter *m*
sproeien rociar *í*, regar *ie*; **sproeier 1** (*van gieter*) boca de regadera; **2** (*voor gazon*) aspersor *m*, regador *m*; **3** (*voor bespuiting*) pulverizador *m*; **4** (*van ruitenwisser*) regador *m* (de limpieza); **5** (*van motor*) surtidor *m*, pulverizador *m*, inyector *m*
sproet peca
sprokkelen recoger leña
sprong salto; *een* ~ *maken* dar un salto; *de* ~ *wagen* atreverse a saltar; *een* ~ *in het duister* un salto en el vacío; *met een* ~ de un salto; *met ~en* a saltos; *met ~en naar boven komen* subir a saltos; *de prijzen gingen met een* ~ *omhoog* hubo un salto en el alza de precios; *de kosten gaan met ~en omhoog* los costes se están disparando; **sprongetje** saltito, brinco; *een* ~ *maken* pegar un brinco; *~s maken* dar saltitos
sprookje cuento (de hadas); **sprookjesachtig** maravilloso, fabuloso, irreal
sprot sardineta
spruit retoño, vástago; **spruiten** brotar; ~ *uit: a)* brotar de; *b)* (*fig*) proceder de
spruitjes coles *vmv* de Bruselas
spugen escupir; *zie ook: spuwen*
spuien desaguar; (*fig, van ideeën*) ventilar; **spuigat:** *dat loopt de ~en uit* eso pasa de la raya, ya pasa de castaño oscuro
spuit 1 (*voor injectie*) jeringa; **2** (*voor verf*) soplete *m*; **3** (*voor water, room*) manga; **spuitbus** (e)spray *m*; *in ~vorm* en aerosol
spuiten I *tr* **1** (*van water, olie*) echar, arrojar; *olie* ~ echar petróleo **2** (*schoonmaken*) limpiar a chorro; **3** (*met verf*) pintar con pistola, aplicar a soplete; *gespoten* pintado por proyección; **4** (*inspuiten*) inyectar; **II** *intr* **1** (*mbt water*) salir a chorro, correr, saltar; **2** (*met drugs*) pincharse, chutarse; **spuiter** (*oliebron*) pozo surtidor
spuitgast manguero, bombero
spuitje inyección *v*; (*fam*) pinchazo
spuitwater soda, agua de seltz, (agua de) sifón *m*
spul cosa, cosas *vmv*; *~len* (*gereedschap*) herramientas; *de ~len* (*boeltje*) los bártulos; *zondagse ~len* (*kleren*) ropa de domingo
spurten acelerar, hacer un esfuerzo, esprintar
sputteren 1 (*mbt vlam*) chisporrotear; **2** (*protesteren*) refunfuñar, rezongar
spuug saliva
spuwen 1 escupir; **2** (*braken*) vomitar, devolver *ue*; *bloed* ~ vomitar sangre; *vuur* ~ vomitar fuego; *vuur en vlam* ~ echar venablos, soltar *ue* sapos y culebras
squash squash *m*
sr. *senior* padre; *de heer Bon sr.* el señor Bon padre
s.s. *stoomschip* vapor *m*
ssst ~*!* ¡chsss!, ¡chist!, ¡chitón!; ~ *roepen* sisear
staaf barra; **staafbatterij** pila de linterna; **staaflamp** lámpara de pila
staak estaca, poste *m*
staakt-het-vuren *zn* alto el fuego
1 staal (*metaal*) acero; *roestvrij* ~ acero inoxidable
2 staal (*monster*) muestra, espécimen *m*; *zie ook: staaltje*
staal|blauw azul acero; **-borstel** cepillo de alambre; **-constructie** construcción *v* de acero; **-draad** alambre *m* de acero, hilo de acero; **-gieterij** fundición *v* de acero; **-hard** acerado, duro como el acero; **-industrie** industria de acero; **-kaart** muestrario; **-kabel** cable *m* de acero

staaltje muestra, ejemplo, caso típico; *een ~ van moed* un rasgo de valor, un ejemplo de valor
staalwol estopa de acero
staan 1 (*zich bevinden*) estar; (*niet zitten*) estar de pie, estar en pie; *ik sta al meer dan een uur* llevo de pie más de una hora; *wat stáán jullie daar nou?* ¿qué pintáis ahí como pasmarotes?; *blijven ~: a*) (*niet gaan zitten*) seguir *i* en pie; *je kunt hier niet langer blijven ~* no puedes seguir aquí más tiempo; *b*) (*stoppen*) detenerse, parar(se); *hij bleef even ~* se paró un momento; *plotseling blijven ~* parar en seco; *er ~ veel gegevens in dit boek* hay muchos datos en este libro, este libro contiene muchos datos; *er staat geschreven* hay escrito, está escrito; *het staat of valt met* todo depende de; *er staat 1 m water* hay 1 m de agua; *er staat een flinke deining* el mar está agitado; *wat staat er?* ¿qué dice?, ¿qué pone?; *gaan ~: a*) (*overeind komen*) ponerse de pie, levantarse; *b*) (*een plaats innemen*) colocarse, apostarse *ue*, ponerse; *ga daar eens ~!* ¡ponte allí!; *hij ging onder de douche ~* se metió debajo de la ducha; *nu weet je wat je te doen staat* ya sabes a qué atenerte; *hoe staat de peseta?* ¿a cuánto está la peseta?, ¿cuál es el cambio de la peseta?; *hoe staat de thermometer?* ¿qué dice el termómetro?; *hoe ~ de zaken?* ¿cómo van las cosas?; *zoals het nu staat* tal como ahora están las cosas; *laat dat ~* no lo toques, déjalo allí; *de alcohol laten ~* abstenerse del alcohol; *een baard laten ~* dejarse crecer una barba; *zijn eten laten ~* dejar el plato sin comer; *laat ~ zijn eigen kinderen* y menos sus hijos, y no digamos sus hijos; *het staat niet aan mij te beslissen* no me toca a mí decidir; *eraan gaan ~* poner manos a la obra; *ga er maar eens aan ~!* (*iron*) no es nada fácil, no es ninguna bicoca; *achter iem ~* (*fig*) respaldar a u.p., apoyar a u.p.; *ik sta boven die dingen* estoy por encima de esas cosas; *daar sta ik buiten* no tengo nada que ver con eso; *hoe staat het met je gezondheid?* ¿qué tal tu salud?; *hoe staat het met jullie geld?* ¿cómo andáis de dinero?; *hoe staat het met mijn geld?* (*wanneer krijg ik het?*) ¿cuándo tendré mi dinero?, ¿qué me dice del dinero?; *onder iem ~* estar a las órdenes de u.p.; *ergens op ~* (*fig*) insistir en u.c., empeñarse en u.c.; *hij stond erop dat ik het zou lezen* insistía en que yo lo leyera; *de klok staat op 5 uur* el reloj marca las 5; *je staat er goed op* (*op foto*) has salido muy bien; *ik sta er nooit goed op* (*op foto*) nunca salgo bien; *er staat een boete op* se castiga con multa; *iem zeggen waar het op staat* decirle a u.p. cuántas son cinco; *waar komt me dat op te ~?* cuánto me va a costar?; *~ te praten* estar hablando; *tot ~ brengen* hacer parar, detener, ir deteniendo; *tot ~ komen* parar, pararse, quedarse parado; *5 staat tot 10 als 3 tot 6* 5 es a 10 lo que 3 a 6; *de zaak staat er goed voor* la cosa promete, el asunto anda bien; *we ~ voor een catastrofe* estamos abocados a una catástrofe; *nergens voor ~* (*fig*) no detenerse ante nada; 2 (*passen*) ir, estar; (*van kleding ook:*) sentar *ie, i*, caer; *de jurk staat je slecht* el vestido te sienta mal; *wat staat die broek je goed!* ¡qué bien te están esos pantalones!; *dat staat lelijk* eso hace feo; *~ bij* combinar con, armonizar con, ir con; *groen staat niet bij blauw* el verde no combina con el azul; **staand** de pie, en pie; *~e houden* (*stoppen*) detener; *zich ~e houden* sostenerse, tenerse en pie; *de ~e delen* las partes verticales; *~e klok* reloj *m* de caja; *~e lamp* lámpara de pie; *~e receptie* recepción *v* de pie; *~e uitdrukking* frase *v* hecha; *~e de vergadering* durante la reunión; *een op zichzelf ~ geval* un caso aislado; **staander** montante *m*; **staanplaats** (*in bus, tram*): *70 ~en* 70 viajeros de pie
staar catarata
staart 1 cola, rabo; *met de ~ tussen de benen* con el rabo entre las piernas; 2 (*nasleep*) secuela; **staartbeen** rabadilla, cóccix *m*; **staartje 1** cola; *de zaak kreeg een ~* la cosa tuvo cola; 2 (*rest*) resto; **staartloos** rabón *-ona*
staart|stuk 1 (*van viool*) cordal *m*; 2 (*van vlees*) cuarto trasero; **-vin** aleta caudal; **-wiel** rueda de cola
staat 1 (*rijk*) estado; *de Verenigde Staten* los Estados Unidos; 2 (*toestand*) estado; *burgerlijke ~* estado civil; *ze was in alle staten* estaba excitadísima; *in goede ~* en buen estado, en buenas condiciones; *in onberispelijke ~* en condiciones inmejorables; *in ~ stellen om* permitir, poner en condiciones para; *in ~ zijn om* ser capaz de, poder; *hij is tot alles in ~* es capaz de todo, es capaz de cualquier cosa; *ik acht hem ertoe in ~* creo que sería capaz de ello; *iem in ~ van beschuldiging stellen* dictar auto de procesamiento contra u.p.; *in ~ van dronkenschap* en estado de ebriedad; *de ~ van beleg afkondigen* decretar el estado de sitio; *goede ~ van dienst* buena hoja de servicios; 3 (*lijst*) estado, lista, cuadro; || *~ maken op* contar *ue* con, confiar *í* en; *er is geen ~ op te maken* es totalmente impredictable
staathuishoudkunde economía (política)
staatje (*lijstje*) estadillo
staatkundig político
staats|apparaat aparato del Estado; **-bedrijf** empresa pública, empresa estatal; **-begrafenis** entierro nacional; **-belang** interés *m* del Estado; **-bemoeienis** intervención *v* del Estado; **-bestel** sistema *m* de gobierno; **-bezoek** visita oficial; **-blad** (*in Sp*) Boletín *m* Oficial del Estado; *afk* B.O.E.; **-burger** ciudadano, -a; **-burgerschap** (carta de) ciudadanía; **-courant** (*in Sp*) Gaceta Oficial; **-drukkerij** imprenta del estado; **-eigendom** propiedad *v* del estado; **-examen** examen *m* estatal; *het ~* (*vwo, vglbaar:*) examen *m* de ingreso en la universidad; **-geheim** secreto de estado; **-greep** golpe *m* (de estado); **-hoofd** jefe *m* del estado

staatsie pompa; **staatsiebezoek** visita oficial
staats|inkomsten ingresos públicos; **-inmenging** *zie: staatsbemoeienis*; **-inrichting** 1 organización *v* del estado; 2 (*schoolvak*) conocimiento del ordenamiento constitucional; **-instelling** entidad *v* pública; **-kas** hacienda pública, tesoro público; **-kosten**: *op* ~ pagado por el estado; **-lening** empréstito del estado; **-loterij** lotería nacional; **-man** político, hombre de estado; **-monopolie** monopolio del estado; **-pensioen** pensión *v* del estado; *hij heeft een* ~ es pensionista del Estado; **-recht** derecho público; **-schuld** deuda pública; **-secretaris** (*vglbaar:*) subsecretario; **-subsidie** subvención *v* estatal; **-uitgaven** gastos públicos; **-vijand** enemigo público; **-vorm** forma de gobierno; **-waarborg** (*Belg*) garantía del estado
stabiel estable, constante; **stabilisator** estabilizante *m*; **stabiliseren** estabilizar; **stabiliteit** estabilidad *v*
stacaravan caravana fija
stad ciudad *v*; *ik ga de* ~ *in* voy al centro; *de* ~ *uitgaan* salir de la ciudad; *de* ~ *uit zijn* estar fuera; ~ *en land aflopen* ir de aquí para allá, ir de la Ceca a la Meca
stad|genoot conciudadano; **-huis** ayuntamiento
stadion estadio
stadium estadio, fase *v*; *in een vergevorderd* ~ en un estadio muy avanzado
stads|bestuur municipalidad *v*, ayuntamiento, corporación *v* (municipal), cabildo, autoridades *vmv* municipales; **-deel** distrito (de la ciudad); **-gas** gas *m* de ciudad; **-gezicht** vista de la ciudad; **-leven** vida urbana; **-licht** luz *v* de población; **-muur** muralla (de la ciudad); **-park** parque *m* municipal; **-reiniging** (servicio de) limpieza municipal; **-schouwburg** teatro municipal; **-uitbreiding** expansión *v* urbanística; **-wijk** barrio (de la ciudad)
staf 1 (*stok*) bastón *m*; (*van herder*) cayado; (*van bisschop*) cayado, báculo; (*teken van waardigheid*) bastón *m* de mando, vara; 2 (*leiding*) estaff *m*, directivos *mmv*; *de Generale* ~ la Plana mayor, el estado mayor; 3 (*personeel*) *de vaste* ~ la plantilla; *de* ~ *van leraren* el cuadro docente, el cuerpo docente; *een vaste medische* ~ una dotación fija de médicos; *wetenschappelijke* ~ profesorado, cuadro docente e investigador
staf|functie función *v* de estaff; **-functionaris** funcionario estaff, funcionario superior; **-houder** (*Belg*) *zie: deken 2*; **-kaart** mapa *m* topográfico (del Estado Mayor)
stag estay *m*
stage (período de) prácticas *vmv*; **stagiaire** persona que está de prácticas
stagnatie estancamiento, estagnación *v*; (*fig ook:*) parón *m*, paralización *v*; **stagneren** estancarse, paralizarse, quedar estancado
stahoogte altura para estar de pie
sta-in-de-weg obstáculo
staken I *tr* cesar, suspender; *de produktie* ~ cesar la producción; *de verkoop* ~ suspender las ventas; *het* ~ *van de strijd* el cese de la lucha; II *intr* 1 hacer huelga, estar en huelga; 2 (*mbt stemmen*) empatar; *de stemmen* ~ hay empate (de votos), los votos empatan; **staker** huelguista *m*
staketsel estacada, palizada
staking 1 (*van werk*) huelga; (*op school*) boicot *m*; (*met bezetting*) encierro; *wilde* ~ huelga salvaje; *een* ~ *afkondigen* declarar la huelga; *de* ~ *opheffen* revocar la huelga; *door* ~ *getroffen* afectado por una huelga, paralizado por la huelga; *in* ~ *gaan* declararse en huelga; *in* ~ *zijn* estar en huelga; *tot* ~ *oproepen* llamar a la huelga; 2 (*van vijandelijkheden, betaling*) suspensión *v*, cese *m*; 3 (*van stemmen*) empate *m*
stakings|breker esquirol *m*, rompehuelgas *m*; **-kas** fondo para las huelgas; **-leider** dirigente *m* de la huelga; **-offensief** ofensiva huelguística; **-piket** piquete *m* de huelga; **-recht** derecho de huelga
stakker pobre *m* (diablo), pobrecito
stal establo; (*voor paard ook:*) cuadra; (*voor varkens*) pocilga
stalactiet estalactita
stalagmiet estalagmita
stalen I *bn* de acero; *een* ~ *geheugen* una memoria de elefante; *met een* ~ *gezicht* sin inmutarse; ~ *meubelen* muebles *mmv* de acero; *een* ~ *wil* una voluntad férrea; ~ *zenuwen* nervios de acero; II *ww* acerar, fortalecer
stal|knecht mozo de cuadra; **-lantaarn** linterna de cuadra
stallen 1 (*van paard*) poner en el establo; 2 (*van auto*) poner en el garaje
stalles butacas *vmv*
stalletje (*Kerstmis*) belén *m*, nacimiento
stalmest abono natural, estiércol *m*
stam 1 (*van boom*) tronco; 2 (*afkomst*) estirpe *v*; 3 (*volksstam*) tribu *v*; 4 (*van woord*) raíz *v*, radical *m*
stamboek libro genealógico; **stamboekvee** ganado registrado en el libro genealógico
stam|boom 1 (*van familie*) árbol *m* genealógico; 2 (*van dier*) pedigree *m*, pedigrí *m*, genealogía; **-café** café *m* de tertulia, café *m* de peña, café *m* de asiduos
stamelen tartajear, tartamudear, balbucear, farfullar
stam|gast parroquiano, (cliente *m*) habitual; *de* ~*en* los habituales; **-houder** primogénito
stammen: ~ *uit* descender *ie* de; ~ *uit de tijd dat* venir de la época en que; *uit Spanje* ~ ser de origen español; **stammenoorlog** guerra tribal
stampei jaleo, escándalo
stampen I *intr* 1 (*trappelen*) golpear con los pies; (*uit woede*) patear; 2 (*met zware passen*) andar con mucho ruido, andar con pasos pesados; 3 (*mbt paard*) piafar; 4 (*mbt machine*)

golpear, latir; 5 (*mbt schip*) cabecear; **II** *tr* 1 (*met voeten*) pisar; 2 (*fijnstampen*) machacar; (*van aardappels*) hacer un puré (de) || *iets in zijn hoofd* ~ meterse u.c. en la cabeza; *uit de grond* ~ sacar de debajo de la tierra; **stamper** 1 (*van plant*) pistilo; 2 (*van vijzel*) mano *v*

stamp|pot estofado; **-voeten** patear, patalear; **-vol** abarrotado, atiborrado, rebosante, de bote en bote, hasta los topes

stam|tafel mesa de tertulia, mesa de la peña; **-vader** patriarca *m*

stand 1 (*houding*) posición *v*, postura; *in verticale* ~ en posición vertical; 2 (*toestand*) estado; ~ *van zaken* estado de cosas; 3 (*hoogte*) nivel *m*, altura; *de* ~ *van het water* el nivel del agua; 4 (*van wedstrijd*) tanteo; 5 (*van maan*) fase *v*; 6 (*koers*) cambio; *de* ~ *van de dollar* el cambio del dólar; 7 (*klasse*) clase *v*; *de hogere* ~*en* las clases superiores; *zijn* ~ *ophouden* mantener el decoro de su clase; *beneden zijn* ~ *trouwen* malcasarse; *boven zijn* ~ *leven* vivir por encima de sus posibilidades; *op goede* ~ bien situado; 8 (*op expositie*) stand *m*, pabellón *m* || ~ *houden* mantenerse firme, tenerse en pie; *deze theorie houdt geen* ~ esta teoría no se tiene en pie; *die mode houdt geen* ~ esa moda ya pasará, esa moda no va a durar; *in* ~ *blijven* durar, mantenerse, conservarse; *in* ~ *houden* mantener, conservar; *tot* ~ *brengen* llevar a cabo, efectuar *ú*; *een samenwerking tot* ~ *brengen* establecer una cooperación; *tot* ~ *komen* llevarse a cabo, efectuarse *ú*, realizarse

standaard 1 (*vlag*) estandarte *m*; 2 (*houder*) soporte *m*; 3 (*wettig exemplaar*) marco; 4 (*maatstaf*) medida, pauta, estándar *m*, standard *m*, norma; 5 (*met onveranderlijke waarde*) patrón *m*; *de gouden* ~ el patrón oro, el talón oro, la ley del oro; **standaardcontract** contrato standard, contrato estándar; **standaardisatie** estandar(d)ización *v*, uniformación *v*, normalización *v*; **standaardiseren** estandar(d)izar, standar(d)izar

standaard|model modelo standard; **-uitvoering** (*comp*) configuración *v* básica; **-werk** obra definitiva, obra fundamental

standbeeld estatua

standje reprimenda, regañina; *een* ~ *geven* reñir *i*, reprender, regañar; (*heftig*) abroncar; *een* ~ *krijgen* ser reñido || *een opgewonden* ~ persona muy excitable, histérico, -a

stand|licht (*Belg*) luz *v* de población; **-plaats** 1 (*van taxi*) parada; 2 (*van notaris*) sede *v*, residencia; **-punt** punto de vista, posición *v*, postura; *zijn* ~ *bepalen* tomar su partido, determinar su posición; ~*en innemen* adoptar posiciones; *het door u ingenomen* ~ su planteamiento de Ud.; *op het* ~ *staan dat* mantener el punto de vista de que, opinar que; *op zijn* ~ *blijven staan* mantener su postura; *vanuit mijn* ~ desde mi punto de vista

standvastig firme, estable, constante

standvogel ave *v* sedentaria

stang barra; (*in kast*) barra de colgar || *iem op* ~ *jagen* hacer rabiar a u.p., cabrear a u.p.

stank hedor *m*, mal olor *m*; ~ *voor dank* a buen servicio mal galardón, si te he visto no me acuerdo, cría cuervos y te sacarán los ojos

stansen (*uitsnijden*) cortar; (*gat maken*) taladrar

stap 1 paso, pisada; *een* ~ *achteruit* un paso atrás; *een* ~ *in de goede richting* un paso de avance; *er klonken* ~*pen* sonaron unas pisadas, sonaron pasos; *dat brengt ons geen* ~ *verder* con eso no adelantamos nada; *een* ~ *doen* dar un paso; *geen* ~ *verzetten* no dar paso; *de* ~ *wagen* aventurarse, atreverse; *in één* ~ de un solo paso; *in twee grote* ~*pen* de dos zancadas; *met grote* ~*pen* a grandes pasos, a grandes zancadas; *met kleine* ~*pen* a pasitos cortos; *op* ~ *gaan* salir, ponerse en camino; ~ *voor* ~ paso a paso; 2 (*formaliteit*) paso, diligencia, gestión *v*, trámite *m*; *de nodige* ~*pen ondernemen* hacer las gestiones necesarias; *gerechtelijke* ~*pen* diligencias judiciales; *juridische* ~*pen nemen* tomar iniciativas jurídicas

1 stapel *zn* pila, montón *m* || *op* ~ *staan* estar en preparación, estar en el telar; *op* ~ *zetten: a*) (*scheepv*) poner la quilla; *het op* ~ *zetten* la puesta de quilla; *b*) (*fig*) iniciar, poner la base de; *van* ~ *laten lopen* botar; *al te hard van* ~ *lopen* exagerar, cargar la mano; *hij loopt altijd erg hard van* ~ todo le entra con mucho ardor; *niet te hard van* ~ *lopen* ir por partes

2 stapel *bn zie: stapelgek*

stapelbaar apilable

stapel|bed litera; **-gek** loco de atar; loco de remate; ~ *zijn op iem* estar loco perdido por u.p.; **-wolk** cúmulo

stappen andar, dar pasos; *een eindje* ~ dar un paseíto; *gaan* ~ (*uitgaan*) ir de copas, irse de copeo; ~ *in* subir a; *in de trein* ~ subir al tren; ~ *op* subir a; *op de fiets* ~ subir a bicicleta; ~ *uit* bajar de; *uit de bus* ~ bajar del autobús

stapvoets al paso

star rígido; ~*re blik* mirada fija

staren (*naar*) mirar fijamente; *voor zich uit* ~*d* con la mirada perdida

start salida; (*het starten*) arrancada; (*van vliegtuig ook:*) despegue *m*; *aan de* ~ *namen 300 renners deel* tomaron la salida 300 corredores; **startbaan** pista de despegue

starten I *intr* arrancar; (*mbt hardlopen*) tomar la salida; (*mbt vliegtuig*) despegar; **II** *tr* (*van auto*) arrancar, poner en marcha; *koud* ~ arrancar en frío; **III** *zn* arranque *m*

start|kabel cable *m* para arranque; **-klaar** listo para salir; **-knop** botón *m* de arranque; **-motor** motor *m* de arranque; **-schot** señal *v* de salida; **-streep** línea de salida

Staten-Generaal Estados Generales

statie (*r-k*) estación *v*

statief trípode *m*, estante *m*, pies *mmv*

statiegeld pago de envase; *geen* ~ (envase) no retornable

statig solemne, majestuoso
station estación *v*; **stationair** estacionario || ~ *draaien* marchar en vacío; **stationcar** break *m*, coche *m* de 5 puertas; **stationeren** estacionar, colocar; (*van personen ook:*) destinar; **stationschef** jefe *m* de (la) estación
statisch estático
statistiek estadística; *Centraal Bureau voor de ~* (*vglbaar:*) Instituto Nacional de Estadística; *afk* INE; **statistisch** estadístico
status (e)status *m*; *~ quo* statu quo *m*
statutair estatutario; **statutenwijziging** modificación *v* de los estatutos; **statuut** estatuto
staven confirmar, corroborar; *met bewijzen ~* probar *ue*
stedebouw urbanismo
stedelijk 1 urbano; 2 (*mbt gemeente*) municipal
steeds siempre; *~ meer* cada día más, cada vez más; *nog ~* todavía; *nog ~ begrijp ik je niet* sigo sin entenderte; *er kwamen nog ~ mensen binnen* seguía entrando gente
steeg callejón *m*
steek 1 (*naaiwerk*) puntada; 2 (*breiwerk*) punto, malla; *een ~ laten vallen* dejar escapar un punto; 3 (*met angel*) picadura; 4 (*met mes*) cuchillada, navajazo; (*met dolk*) puñalada; 5 (*van pijn*) punzada; *~ in de zij* dolores *mmv* de costado; 6 (*hoed*) bicornio; *driekante ~* sombrero de tres picos; 7 (*hatelijkheid*) punzada; *steken onder water* reticencias; 8 *in de ~ laten* abandonar, desasistir; *alles in de ~ laten* dejarlo todo; *hij liet ons in de ~* nos falló; *als mijn geheugen me niet in de ~ laat* si no me falla la memoria; *zijn vrouw in de ~ laten* abandonar a su mujer; *de mensen voelen zich in de ~ gelaten* la gente se siente desasistida || *het kan me geen ~ schelen* me importa un bledo; *hij voert geen ~ uit* no da golpe; *ik kan geen ~ zien* no veo ni gota
steekbeitel escoplo
steekhoudend convincente, sólido, válido; *zijn argument is niet ~* su argumento cae por tierra
steekje: *er is een ~ aan los* le falta un tornillo
steek|penning dinero de soborno; (*fam*) unto, astilla; *~en aannemen* dejarse sobornar; **-proef** muestreo, control *m* aislado, prueba al azar; **-sleutel** llave *v* de boca, llave *v* fija; **-spel** torneo; **-vlam** llamarada; **-vlieg** tábano; **-wagen** carretilla (de mano); **-wapen** arma punzante; **-wond** espichón *m*, herida de arma punzante
steel 1 (*van lepel, pan*) mango; 2 (*van blad, vrucht*) rabo, rabillo; 3 (*van bloem*) tallo; 4 (*van pijp*) cañón *m*
steel|pan cazo
steels furtivo; *een ~e blik* una mirada furtiva; *een ~e blik werpen op* mirar de reojo
steel|steek punto de tallo
steen 1 piedra; *zo hard als ~* duro como la piedra; *de ~ der wijzen* la piedra filosofal; *de ~ des aanstoots* la piedra de escándalo; *al gaat de onderste ~ boven* cueste lo que cueste; *het leggen van de eerste ~* la colocación de la primera piedra; *geen ~ op de andere laten* no dejar piedra sobre piedra; *met stenen gooien naar iem* apedrear a u.p.; 2 (*baksteen*) ladrillo; 3 (*kiezelsteen*) guijarro; 4 (*van domino*) ficha || *~ en been klagen* quejarse como el que más; (*jammeren*) quejarse como un becerro
steenbok 1 íbice *m*, cabra montesa; 2 (*astrol*) Capricornio; **steenbokskeerkring** trópico de Capricornio
steen|boor taladro para piedra; **-eik** alcornoque *m*; **-goed** *bn* de aúpa; **-groeve** cantera
steenkolenengels inglés *m* macarrónico
steenkool carbón *m*, hulla; **steenkoolgebied** región *v* carbonífera; **steenkoolmijn** mina de carbón
steen|koud helado; **-puist** furúnculo; **-rood** rojo de ladrillo, color *m* teja; **-slag** balasto, grava
steentje: *een ~ bijdragen* aportar su grano de arena
steenweg (*Belg*) carretera
steenworp: *op een ~ afstand* a (un) tiro de piedra
steevast invariablemente, infaliblemente
steiger 1 (*aanlegplaats*) atracadero, embarcadero; 2 (*bouwk*) andamio
steigeren encabritarse
steil 1 empinado, escarpado; 2 (*fig*) rígido, dogmático; 3 (*mbt haar*) liso, lacio; **steilte** 1 (*het steil zijn*) pendiente *v*, declive *m*; 2 (*steile helling*) fuerte declive *m*, pendiente *v* abrupta, despeñadero
stek esqueje *m*
stekel 1 (*van egel*) púa, pincho; 2 (*plantk*) espina, pincho; **stekelbaars** picón *m*; **stekelig** espinoso; (*fig*) punzante; **stekelvarken** puerco espín *mv puerco espines*
steken I *tr* 1 (*prikken*) pinchar, picar; *deze vliegen ~* estas moscas pican; *een speld ~ in* clavar un alfiler en; 2 (*met dolk*) apuñalar; 3 (*met mes*) dar un navajazo; *een mes ~ in* hundir un cuchillo en; 4 (*ergens in doen*) meter, guardar; *zij stak haar arm door de zijne* le cogió del brazo; *zich in de schuld ~* contraer deudas; *de sleutel in het slot ~* introducir la llave en la cerradura; *zijn handen in de zakken ~* meterse las manos en los bolsillos; *hij stak het geld in zijn zak* guardó el dinero en el bolsillo; *dat kon hij in zijn zak ~* eso iba por él, podía aplicarse el cuento; 5 (*investeren*) invertir *ie, i*; *geld ~ in* invertir dinero en || *zijn hoofd uit het raam ~* asomarse a la ventana; II *tr* 1 (*mbt wond*) escocer *ue*, picar; *inwendig steekt het hem* le escuece por dentro; 2 (*mbt zon*) picar; 3 (*ergens in zijn*) estar; *daar steekt geen kwaad in* eso no tiene nada de malo; *de sleutel steekt in het slot* la llave está en la cerradura; *in hem steekt een dichter* tiene madera de poeta; *zich in de schuld ~* llenarse de deudas; 4 *blijven ~: a*)

ste

(*vastzitten*) quedar atascado, atascarse; *hij bleef in zijn woorden* ~ se cortó, se quedó atascado; *b*) (*moeten stoppen*) quedarse parado || *er steekt wat achter* hay gato encerrado
stekken esquejar
stekker clavija; **stekkerdoos** caja de enchufe, base *v* múltiple para enchufes
stel 1 (*set*) juego; *een* ~ *pannen* un juego de cacerolas; *een* ~ *documenten* un juego de documentos; 2 (*tweetal*) pareja; 3 (*groep*) grupo; (*fam*) panda, pandilla; *een* ~ *analfabeten* una partida de analfabetos; *een* ~ *idioten* una manada de cretinos; *een* ~ *fanatici* un hato de fanáticos; *met het hele* ~ con toda la pandilla, con toda la caterva || *hij heeft een goed* ~ *hersens* es un chico inteligente; *op* ~ *en sprong* de golpe y porrazo
stelen robar; *een kind om te* ~ un amor de niño; *het kan me gestolen worden* ni regalado, no doy ni un peso
stellage andamio
stellen 1 (*afstellen*) ajustar; 2 (*zeggen*) afirmar; *men kan wel* ~ *dat* se puede afirmar que; 3 (*veronderstellen*) suponer; *stel dat het zo was* suponte que era así; 4 (*plaatsen*) poner; *een probleem* ~ plantear un problema; *een vraag* ~ hacer una pregunta; *de zaak is niet zo eenvoudig als jij haar stelt* la cosa no es tan sencilla como tú la planteas; *zich ten doel* ~ tener como meta, proponerse; 5 (*schrijven*) redactar, formular; *in zijn eigen taal gesteld* redactado en su propio idioma; 6 ~ *boven* anteponer a, preferir *ie, i*, sobreponer a; 7 ~ *op* fijar en; *de prijs* ~ *op* fijar el precio en; *stel het aantal auto's op 50* pongamos el número de coches en 50; 8 ~ *tegenover* contraponer a; 9 ~ *voor* confrontar con, enfrentar con; *hij zag zich gesteld voor* se vio confrontado con || *daar kan ik het voorlopig mee* ~ por el momento basta; *ik heb heel wat met die jongen te* ~ ese chico me causa muchos quebraderos de cabeza; *het* ~ *buiten, zonder* prescindir de; *niemand kan het zonder slaap* ~ nadie puede prescindir del sueñoze
stellig seguro; **stelligheid** seguridad *v*, certeza
stelling 1 (*wtsch*) tesis *v*; 2 (*wisk*) teorema *m*, proposición *v*; 3 (*mil*) posición *v*; *in* ~ *brengen* colocar; ~ *nemen tegen* oponerse a, resistir a; **stellingname** toma de posición
steloefening ejercicio de redacción
stelpen restañar
stel|plaats (*Belg*) cochera; **-regel** máxima, regla fija, guía, pauta; **-schroef** tornillo de ajuste, tornillo regulador
stelsel sistema *m*, régimen *m, mv regímenes*; **stelselmatig** sistemático
stelt zanco; *op* ~*en lopen* andar en zancos || *de boel op* ~*en zetten* armar un gran jaleo, armar la de Dios es Cristo, ponerlo todo patas arriba; *het huis stond op* ~*en* la casa estaba patas arriba; **steltloper** ave *v* zancuda
stem 1 voz *v*; *er zijn* ~*men opgegaan* se han alzado voces; *ik heb geen* ~ (*bij verkoudheid*) estoy afónico; *zijn* ~ *verheffen* (*tegen*) levantar la voz (contra); *de tweede* ~ *zingen* cantar la segunda voz; *bij* ~ *zijn* estar en voz; *met luide* ~ en voz alta; 2 (*bij stemming*) voto; *er zijn 2* ~*men tegen en 8 voor* hay 2 votos en contra y 8 en pro; *meeste* ~*men gelden* la mayoría gana; *een adviserende* ~ *hebben* tener voz (sin voto); *hij heeft de meeste* ~*men* ha conseguido la mayoría; *de* ~*men tellen* proceder al escrutinio; *zijn* ~ *uitbrengen* emitir su voto, votar; *met algemene* ~*men* unánimamente, por unanimidad; *met meerderheid van* ~*men* por mayoría de votos; *goedgekeurd met 8* ~*men tegen 2* aprobado por 8 votos contra 2
stem|banden cuerdas vocales; **-biljet** cédula de votación; **-briefje** papeleta de voto; **-bureau** centro electoral; **-bus** urna; *ter* ~ *gaan* acudir a las urnas; **-district** distrito electoral
stemhebbend (*mbt medeklinker*) sonoro
stemhokje cabina electoral
stemmen 1 votar; ~ *bij handopsteken* votar a mano alzada; ~ *met zitten en opstaan* votar por levantados y sentados, votar poniéndose de pie; ~ *op* votar por; ~ *over* votar; ~ *over een voorstel* votar una propuesta; ~ *tegen* votar contra, votar en contra de; ~ *voor* votar por, votar en pro de; 2 (*muz*) afinar, templar; (*mbt orkest*) acordar *ue* || *het stemt me droef* me da tristeza; *het stemt me vrolijk* me alegra; *het stemt tot ongerustheid* es preocupante
stemmig grave, austero, serio
stemming 1 votación *v*, escrutinio; *geheime* ~ votación secreta; *schriftelijke* ~ votación por papeletas; *in* ~ *brengen* poner a votación; *tot* ~ *overgaan* proceder a la votación; 2 (*humeur*) humor *m*, disposición *v* de ánimo; *zijn* ~ *werd beter* se animaba; *in een uitstekende* ~ de excelente humor; *ik ben in de* ~ *om* estoy de humor para; *ik ben niet in de* ~ *voor grapjes* no estoy (de humor) para bromas; 3 (*sfeer*) ambiente *m*, atmósfera; *er heerste een feestelijke* ~ había una atmósfera festiva; *de algemene* ~ *was ertegen* la opinión general estaba en contra; ~ *maken voor iets* hacer opinión en favor de u.c., predisponer en pro de; 4 (*van markt*) tendencia; *flauwe* ~ tendencia floja; *vaste* ~ tendencia firme
stempel 1 sello; (*fig ook:*) huella, impronta; *rubber* ~ sello de hule; *het* ~ *dragen van* llevar la huella de, llevar la impronta de; *een* ~ *drukken op* imprimir un sello en; *van de oude* ~ de la vieja escuela; 2 (*plantk*) estigma *m*
stempelautomaat revisor *m* automático
stempelen sellar, poner un sello en; *dit stempelt hem tot een verrader* esto le marca con el sello de traidor, esto le cataloga como traidor
stempelkussen tampón *m*, almohadilla
stem|plicht obligación *v* de votar, voto obligatorio; **-recht** 1 (*pol*) sufragio, derecho a votar; 2 (*in vergadering*) (derecho de) voto;

het ~ uitoefenen ejercer el derecho de voto; **-verheffing**: *met ~ spreken* levantar la voz; **-vork** diapasón *m*
stencil esténcil *m*, copia
stenen 1 de piedra; *het ~ tijdperk* la Edad de Piedra; *~ vloer* suelo embaldosado; 2 (*van aardewerk*) de barro
stengel tallo
stenigen lapidar
steno taquigrafía; **stenograaf**, **stenografe** taquígrafo, -a; **stenografie** *zie: steno*; **stenografisch** taquigráfico; **stenotypist**, **stenotypiste** taquimecanógrafo, -a
stentorstem voz *v* estentórea
step *zie: autoped*
steppe estepa; **steppengebied** zona esteparia
ster estrella; *vallende ~* estrella fugaz; *bezaaid met ~ren* tachonado de estrellas
stereoapparatuur aparatos *mmv* estereofónicos; **stereofonisch** estereofónico; **stereometrie** estereometría; **stereotiep** estereotipado, común; *~e uitdrukking* tópico, lugar *m* común
sterfbed lecho de muerte; **sterfelijk** mortal; **sterfgeval** muerte *v*, fallecimiento; *wegens ~ gesloten* cerrado por defunción; **sterfhuis** casa mortuoria, casa del difunto; **sterfte** mortalidad *v*; **sterftecijfer** tasa de mortalidad, índice *m* de mortalidad
steriel 1 estéril; 2 (*med*) esterilizado; **sterilisatie** esterilización *v*; **steriliseren** esterilizar; **steriliteit** esterilidad *v*
sterk I *bn* 1 fuerte; (*duurzaam ook:*) sólido; *~e man* hombre *m* fuerte; *~e schoenen* zapatos *mmv* fuertes; *zo ~ als een paard* fuerte como un toro; *in schrijven ben ik niet ~* el escribir no es mi fuerte; *zijn angst was ~er dan* su temor pudo más que; *wie niet ~ is moet slim zijn* a falta de fuerza, maña; 2 (*met veel vermogen*) poderoso, potente; *~e lampen* (*auto*) faros poderosos; *~e troepen* tropas potentes; *een ~e zender* una emisora poderosa; *~er worden* aumentar (en intensidad) || *~e aanwijzingen* fundadas sospechas; *~e boter* mantequilla rancia; *~e koffie* café *m* bien cargado, café *m* fuerte; *een ~ staaltje* una hazaña; *een ~ verhaal* cuento(s) de cazador, cuento increíble; *hij staat ~* su posición es fuerte; *dat is ~!* ¡es fuerte!; *~er nog* aún más, es más; II *bw* 1 fuertemente; 2 (*in hoge mate*) mucho; *~ vergroot* ampliado mucho; *~ verschillend* totalmente distintos; *daar ben ik ~ voor* soy gran partidario de ello; *ik maak me ~ dat* apuesto a que, estoy convencido de que; **sterken** dar fuerzas; **sterkte** 1 fuerza; *~!* ¡ánimo!; *iem ~ wensen* desear ánimos a u.p.; 2 (*vermogen*) poder *m*; 3 (*degelijkheid*) solidez *v*, resistencia; 4 (*vesting*) fortaleza
sterrekijker telescopio
sterren|beeld 1 constelación *v*; 2 (*astrol*) signo del Zodíaco; **-hemel** cielo estrellado; **-kunde** astronomía; **-kundige** astrónomo, -a; **-wacht** observatorio (astronómico); **-wichelaar** astrólogo
sterretje 1 estrellita; 2 (*in tekst*) asterisco || *~s zien* ver las estrellas
sterveling mortal *m*; *geen ~* ni un alma
sterven morir(se) *ue, u*, fallecer; *~ aan* morir de; *waaraan is hij gestorven?* ¿de qué ha muerto?; *jong ~* morir de poca edad; *een gewelddadige dood ~* sucumbir de muerte violenta; *op ~ liggen* estar moribundo, agonizar; **stervend** moribundo
stethoscoop estetoscopio, fonendo(scopio)
steun 1 apoyo, respaldo; *~ van regeringswege* apoyo gubernamental; *tot ~ van* en apoyo de; 2 (*bijstand*) subsidio de desempleo, socorro (de paro); *~ trekken* cobrar el paro; **steunbeer** contrafuerte *m*
1 **steunen** (*kreunen*) gemir *i*
2 **steunen** apoyar, secundar, respaldar; *financieel ~* respaldar financieramente; *ze werden financieel gesteund* (*wegens armoede*) eran socorridos económicamente; *krachtig ~* apoyar rigurosamente; *~ op: a*) (*lett*) apoyarse en; *b*) (*gebaseerd zijn op*) basarse en, fundarse en; *hij steunde met zijn handen op de rand* afianzaba las manos en el borde
steun|fonds fondo de ayuda (financiera), fondo de subvención; **-pilaar** pilar *m*, soporte *m*; **-punt** base *v*
steuntje: *een ~ in de rug hebben* tener un apoyo
steun|zender emisora de refuerzo; **-zolen** plantillas ortopédicas, (*fam*) plantillas para pies planos
steur esturión *m*
steven proa; *de ~ wenden naar* aproar hacia
stevig I *bn* 1 (*mbt zaken*) sólido, fuerte; *~ ontbijt* desayuno fuerte; *~e prijs* precio alto; *~e schoenen* zapatos *mmv* fuertes; *een ~e wandeling* una buena caminata; *~e wind* viento fuerte; *iets ~s eten* tomar algo consistente; 2 (*mbt persoon*) fornido, fuerte, robusto; II *bw* con fuerza, fuerte, fuertemente; *~ doorstappen* andar a buen paso; *~ drinken* beber mucho, beber fuerte; *~ de hand drukken* estrechar la mano con fuerza; *hou je ~ vast* agárrate bien; *houd mij ~ vast* no me sueltes; *~ vastbinden* atar bien; *zich ~ vastklemmen aan* abrazarse a, agarrarse a || *~ in zijn schoenen staan* estar firme en sus posiciones
steward (*luchtv*) auxiliar *m* de vuelo; (*scheepv, trein*) camarero; **stewardess** azafata (de vuelo)
stichtelijk edificante; **stichten** 1 (*oprichten*) fundar, establecer; *een gezin ~* formar un hogar; 2 (*opvoeden*) edificar; 3 (*veroorzaken*) provocar; *brand ~* provocar un incendio; *tweedracht ~* provocar la discordia; *vrede ~* poner paz; **stichter** fundador *m*; **stichting** fundación *v*
stick (*sp*) palo, (e)stick *m*
sticker pegatina
stickie porro, porrete *m*, canuto, trompeta
stief|broer hermanastro; **-dochter** hijastra; **-moeder** madrastra; **-vader** padrastro; **-zoon** hijastro; **-zuster** hermanastra

stiekem I *bn* secreto, clandestino, subrepticio, furtivo, disimulado; II *bw* a escondidas, con disimulo, furtivamente, a cencerros tapados; **stiekemerd** hipócrita *m,v*; (*fam*) mosquita muerta, mátalas *m,v* callando

stier 1 toro; 2 (*astrol*) Tauro; **stieregevecht** corrida (de toros), lidia; **stierenvechten** *zn* toreo; **stierenvechter** torero

stierlijk: *zich ~ vervelen* aburrirse de lo lindo, aburrirse soberanamente; *~ het land hebben* (*over*) rabiar (por)

stift 1 (*pin*) clavija, espiga; 2 (*in vulpotlood*) mina; 3 (*naald*) aguja; **stifttand** diente *m* de espiga

stijf I *bn* 1 tieso, rígido, duro; (*fig ook:*) inflexible, austero; (*mbt persoon, deftig*) estirado, estiradillo; *~ karton* cartón *m* duro; *stijve nek* tortícolis *v*; *een stijve stof* una tela tiesa; *stijve veren* ballestas *vmv* duras; *~ worden* ponerse tieso, ponerse rígido; *gelatine wordt ~* la gelatina se pone consistente; 2 (*verstijfd*) entorpecido, entumecido, envarado, yerto; *stijve ledematen* miembros envarados; *~ van kou* yerto de frío; *zijn benen waren ~ van de reis* tenía las piernas entumecidas del viaje; *het been ~ houden* no dar su brazo a torcer; II *bw* firmemente; *iets ~ en strak volhouden* obstinarse en u.c.

stijfgeklopt (*mbt eiwit*) a punto de nieve; (*mbt slagroom*) montado

stijfkop cabeza dura, cabezota *m,v*; **stijfkoppig** terco, obstinado, testarudo

stijfsel almidón *m*

stijgbeugel estribo

stijgen subir; (*mbt vliegtuig ook:*) elevarse, remontarse; (*toenemen*) aumentar, crecer; *de kosten doen ~* elevar los costos; *de prijzen ~* suben los precios, aumentan los precios; *de uitvoer stijgt* aumenta la exportación; *de weg stijgt* el camino sube; *ten top ~* llegar a su grado máximo; **stijgend**: *een ~e lijn* una línea ascendente, una trayectoria ascendente; *een ~e lijn vertonen* estar en alza; *~e temperatuur* temperatura en aumento; *~e tendens* tendencia alcista; *met ~e verbazing* con asombro cada vez mayor; **stijging** subida, aumento

1 stijl (*trant*) estilo; *goede ~* buen estilo; *dat is geen ~* es una falta de decoro, no hay derecho a eso, es de mal gusto; *van de oude ~* de la vieja escuela

2 stijl (*staander*) poste *m*, montante *m*

stijl|figuur figura retórica; **-fout** defecto de estilo; **-leer** estilística

stijlloos de mal gusto

stijl|oefening ejercicio de composición y redacción; **-vol** de buen gusto, elegante, de mucho estilo

stijven 1 (*van kleding*) almidonar; 2 *iem in zijn houding ~* hacerle persistir en su actitud a u.p.

stik|donker *zn* oscuridad *v* completa; *het is ~* hace noche cerrada, está muy oscuro, no se ve ni gota; **-heet**: *het is ~* hace un calor sofocante

stikken 1 (*naaien*) coser; 2 (*geen adem krijgen*) ahogarse, asfixiarse; *stik!* ¡que te revientes!, ¡vete a la mierda!; *~ in een graat* atragantarse en una espina; *hij stikt in de schulden* las deudas le ahogan; *ik stik in deze trui* este jersey me ahoga; *ik stik in het werk* estoy ahogado de trabajo; *het stikt van de fouten* está lleno de faltas; *hij stikte van het lachen* reventaba de risa, se moría de risa; *ik stik van de warmte* estoy sofocado; *hij stikte van woede* estaba congestionado de rabia || *iem laten ~* abandonar a u.p. a su suerte, dejar a u.p. que reviente; **stiksel, stiksteek** pespunte *m*

stikstof nitrógeno

stikvol repleto, de bote en bote; *~ met* atestado de

stil 1 (*geluidloos*) silencioso, tranquilo; *~le aanbidder* adorador *m* secreto; *~le figuur* tipo *m* callado; *~le getuige* testigo mudo; *~le hoop* secreta esperanza; *~le motor* motor *m* silencioso; *~le straat* calle *v* poco transitada, calle *v* tranquila; *~le vennoot* socio comanditario; *~ verwijt* reproche *m* tácito; *de ~le week* la Semana Santa; *~!* ¡quieto, tú!, ¡cállate!; *je bent ~* hablas poco; *ze werden ~* se callaron; *het werd ~* hubo un silencio; *daarna werd het weer ~* después se restableció el silencio; 2 (*zonder beweging*) quieto, tranquilo, inmóvil; *de haven ligt ~* el puerto está ocioso; *alles ligt ~* todo está paralizado; *hij lag ~ te kijken* (*naar*) permanecía inmóvil mirando

stiletto estilete *m*

stilhouden I *intr* parar(se), detenerse; *de trein hield plotseling stil* el tren paró en seco; II *intr* 1 *hij liet de auto ~* paró al coche; 2 *zich ~* mantenerse quieto, callarse; *hou je stil!* ¡cállate!, ¡quieto!, ¡no te muevas!

stille: *een ~* uno de la secreta; (*pop*) uno de la bofia

stilleggen paralizar; **stillegging** paralización *v*

stillen aplacar; **stilletjes** furtivamente, inadvertidamente

stil|leven bodegón *m*, naturaleza muerta; **-liggen** (*mbt schip*) estar paralizado

stilstaan 1 pararse, detenerse; *de auto stond plotseling stil* el coche se detuvo en seco; *totdat hij stilstond* hasta quedar inmóvil; *de telefoon stond niet stil* el teléfono no paraba; *alsof de tijd had stilgestaan* comi si el tiempo no hubiera pasado; *haar hart stond stil* se le paralizó el corazón, se le heló el corazón; *mijn horloge staat stil* se me ha parado el reloj; *zijn mond staat niet stil* no para de hablar; 2 *~ bij* detenerse en, pararse en; *hij stond er nooit bij stil* nunca se paró en pensarlo, nunca se le había ocurrido; *hier moeten we even bij ~* conviene que nos detengamos en este punto; **stilstaand** 1 (*mbt water*) muerto, estancado; 2 (*mbt tram*) parado, detenido; 3 (*mbt fabriek*) ocioso, paralizado; **stilstand** parón *m*, estancamiento; *tot ~ komen* detenerse, quedarse inmóvil

sti

stilte silencio; *er heerste een doodse* ~ había un silencio mortal; *een pijnlijke* ~ un silencio tirante, un silencio penoso, un silencio embarazoso; ~ *voor de storm* calma que precede a la tempestad; *in* ~ en silencio, en secreto

stil|zetten parar; **-zitten** estar(se) quieto, no moverse *ue*; *jullie zitten de hele dag niet stil* no paráis en todo el día; *hij had niet -gezeten* no había estado inactivo

stilzwijgen silencio; *het* ~ *bewaren* guardar silencio; *het* ~ *opleggen* imponer silencio, acallar; *het* ~ *verbreken* romper el silencio; **stilzwijgend** I *bn* tácito; *~e toestemming* consentimiento tácito; II *bw* tácitamente; ~ *verlengen* prolongar tácitamente; *iets* ~ *voorbijgaan* pasar u.c. en silencio

stimulans estímulo; **stimuleren** estimular; (*van verkoop*) promocionar

stink|bom bomba fétida; **-dier** mofeta

stinken oler *ue* mal; ~ *naar* oler *ue* a, apestar a; *hij stinkt uit zijn mond* le apesta la boca; *het stinkt een uur in de wind* huele que apesta || *erin* ~ caer en la trampa; **stinkend** hediondo, fétido, que apesta; *hij is* ~ *jaloers* rabia de envidia; **stinkerd**: *rijke* ~ ricacho; **stinkstok** mataquintos *m*

stip punto; **stippelen** puntear; **stippellijn** línea de puntos

stipt I *bn* puntual, escrupuloso; II *bw* puntualmente; ~ *nakomen* cumplir fielmente, seguir *i* rigurosamente; ~ *eerlijk* estrictamente honrado; ~ *op tijd zijn* llegar con puntualidad; **stiptheid** puntualidad; **stiptheidsactie** huelga de celo

stipuleren estipular

stoeien juguetear, retozar

stoel silla; (*met leuningen:*) sillón *m*; *de Heilige* ~ la Santa Sede; *neem een* ~ siéntate, toma asiento; *iets niet onder ~en of banken steken* no esconder u.c., no disimular u.c.; **stoelen**: ~ *op* basarse en, fundarse en

stoelen|dans juego de las sillas; **-matter** sillero

stoel|gang evacuación *v*; **-hoes** (*in auto*) jarapa; **-poot** pata de la silla

stoeltjeslift telesilla *m*

stoep 1 (*trottoir*) acera; 2 (*bordes*) escalinata

stoer fornido, robusto; *zich* ~ *gedragen* bravuconear, hacerse el chulo

stoet cortejo, comitiva

stoeterij cuadra, acaballadero

stoethaspel patoso, -a

1 stof 1 (*weefsel*) tela; 2 (*onderwerp*) materia; ~ *tot nadenken* tema *m* de meditación; *lang van* ~ prolijo; 3 (*substantie*) sustancia, materia; *chemische* ~ sustancia química; *gevaarlijke ~fen* mercancías peligrosas

2 stof polvo; ~ *afnemen* quitar el polvo; *veel* ~ *doen opwaaien* levantar polvareda; *in het* ~ *bijten* morder *ue* el polvo; *onder het* ~ *zitten* estar cubierto de polvo

stof|bril gafas *vmv* de protección; **-deeltje** partícula de polvo; **-dicht** impenetrable al polvo; **-doek** trapo, paño (para limpiar el polvo)

stoffeerder tapicero

stoffelijk material; ~ *overschot* restos *mmv* mortales

stoffen limpiar el polvo; **stoffer** escobón *m*; ~ *en blik* escobón y pala, escoba y recogedor *m*

stofferen 1 (*van meubels*) tapizar; 2 (*van huis*) decorar; *geheel gestoffeerd* (*in advertentie*) enmoquetado techo-suelo; **stoffering** 1 (*van huis*) decoración *v*; 2 (*in auto*) tapicería

stoffig polvoriento

stof|jas guardapolvo, bata; **-kam** peine *m* espeso, peine *m* fino; **-omslag** cubierta; **-wisseling** metabolismo; **-wolk** nube *v* de polvo, polvareda; **-zak** bolso para el polvo; **-zuigen** limpiar con aspiradora, pasar la aspiradora; **-zuiger** aspiradora

stoïcijns estoico

stok 1 palo; *hij is er met geen* ~ *naar toe te krijgen* no irá allí ni a tiros; 2 (*wandelstok*) bastón *m*; 3 (*van vlag*) asta; 4 (*voor vogel, kip*) percha; *op* ~ *gaan* (ir a) acostarse *ue*; 5 (*om mee aan te wijzen*) puntero || *het aan de* ~ *hebben met* habérselas con u.p., tenérselas con u.p.; **stokdoof** sordo como una tapia

stoken I *tr* 1 (*van brandstof*) quemar, usar como combustible; 2 (*van drank*) destilar; II *intr* 1 (*onrust zaaien*) enredar; 2 (*de kachel aan hebben*) tener la calefacción encendida; **stoker** 1 (*op schip*) fogonero; 2 (*van drank*) destilador *m*; 3 (*opruier*) agitador *m*; **stokerij** destilería

stokje 1 (*haakwerk*) punto vareta; 2 (*kleine stok*) varita, palito || *er een* ~ *voor steken* impedir *i* u.c.; *van zijn* ~ *gaan* desmayarse; *alle gekheid op een* ~ bromas aparte

stokken (*blijven steken in betoog*) cortarse; *zijn adem stokte* se le cortó la respiración; *het gesprek stokte* la conversación languidecía; *haar stem stokte* se le rompió la voz

stok|oud viejo como el mundo; **-paardje** caballo de batalla, manía; **-roos** malvarrosa; **-slag** palo, bastonazo; **-stijf**: ~ *volhouden* sostener obstinadamente; **-vis** bacalao, abadejo

stola estola, mantón *m*

stollen coagularse, solidificarse; *het deed zijn bloed* ~ se le heló la sangre; **stollingspunt** punto de solidificación

stolp campana de cristal, fanal *m*

stom 1 (*sprakeloos*) mudo; *~me film* cine *m* mudo; *hij sprak geen* ~ *woord* no dijo ni una palabra siquiera; *door* ~ *geluk* por pura suerte; *tot mijn ~me verbazing* con estupefacción (de mi parte); 2 (*dom*) estúpido, tonto; ~ *doen* (*flauw, grappig*) hacer el ganso, hacer el indio; **stomdronken** borracho perdido

stomen I *tr* 1 (*koken*) cocer *ue* al vapor; 2 (*van kleren*) limpiar en seco; *laten* ~ llevar al tinte; II *intr* (*dampen*) humear; **stomerij** tinte *m*, tintorería

stomheid 1 (*spraakloosheid*) mudez *v*; *met ~ geslagen* mudo de asombro, estupefacto; 2 (*domheid*) estupidez *v*; **stomkop**, **stommeling** imbécil *m,v*, estúpido, -a, idiota *m,v*; **stommetje**: *~ spelen* no decir esta boca es mía, estar callado

stommiteit 1 estupidez *v*, imbecilidad *v*, idiotez *v*; 2 (*onhandigheid*) metedura de pata, pifia; *een ~ begaan* meter la pata, hacer una burrada

1 stomp *bn* 1 (*niet puntig*) romo, obtuso, embotado; *~e hoek* ángulo obtuso; *~ neus* nariz *v* roma, nariz chata; *~e toren* torre *v* achatada; *met ~e punt* de punta roma, de punta obtusa; 2 (*niet scherp*) sin filo; *~ maken* desafilar, embotar; *~ worden* desafilarse, embotarse

2 stomp *zn* 1 (*stuk*) trozo; *een ~je kaars* un cabo de vela; 2 (*bij invalide*) muñón *m*; 3 (*vuistslag*) puñetazo, cachete *m*; 4 (*met elleboog*) codazo

stompen 1 dar un puñetazo; (*meermalen:*) dar puñetazos, golpear con los puños; 2 (*met elleboog*) dar un codazo; (*meermalen:*) dar codazos

stomphoekig obtusángulo

stompje cabo

stompzinnig torpe, estúpido

stom|verbaasd estupefacto; **-vervelend** terriblemente aburrido

stoof calientapies *m*, rejilla

stoofpeer pera para compota

stookolie fuel *m*, fuel-oil *m*

stoom vapor *m*; *~ afblazen* desfogarse, descargarse

stoom|bad baño de vapor; **-boot** (buque *m* de) vapor *m*; **-cursus** cursillo acelerado; **-druk** presión *v* de vapor; **-fluit** sirena; **-gemaal** estación *v* de bombeo a vapor; **-locomotief** locomotora de vapor; **-machine** máquina de vapor; **-strijkijzer** plancha de vapor; **-wals** aplanadora mecánica

stoornis perturbación *v*, trastorno; *kinderen met ~sen* niños deficientes

stoorzender emisora de interferencia

stoot 1 (*duw*) empujón *m*; *de ~ geven tot* dar el impulso a, tomar la iniciativa para; *dat gaf hem de laatste ~* eso le dio la puntilla; 2 (*boksen*) puñetazo; 3 (*biljart*) tacada; 4 (*muz; met sirene*) toque *m*

stootblok parachoques *m*

stootje: *tegen een ~ kunnen* tener mucho aguante

stoot|kussen defensa; *~ van kurk* defensa de corcho; *~ van touw* defensa de cabrilla; **-rand** (*op traptrede*) contrahuella; **-troepen** fuerzas de choque

stop 1 (*dop*) tapón *m*; (*klein:*) taponcito; 2 (*elektr*) plomo, fusible; *de ~ is doorgeslagen* el plomo se ha fundido, el fusible se ha quemado; 3 (*reisonderbreking*) parada, escala; 4 *~!* ¡alto!

stop|bord señal *v* de parada, stop *m*; **-contact** enchufe *m* (de toma); **-fles** vasija con tapón; **-lap** (*fig*) palabra de relleno; **-licht** semáforo, disco, luz *v* de parada; *rood ~* semáforo rojo; *door een rood ~ rijden* pasarse un semáforo, saltarse un semáforo en rojo, saltarse el disco; **-naald** aguja de zurcir

stoppel: *~s* 1 (*van halmen*) rastrojo; 2 (*van baard*) cañones *mmv*, barba incipiente; **stoppelbaard** barba de varios días; **stoppelig** 1 (*mbt akker*) cubierto de rastrojo; 2 (*mbt haar*) al cepillo; 3 (*mbt baard*) de varios días

stoppen I *tr* 1 (*met stop*) taponar, tapar; 2 (*van schilderwerk*) enmasillar, llenar con masilla; 3 (*naaien*) zurcir; 4 *~ in* meter en; 5 (*doen ophouden*) parar, detener, atajar; *hij was niet te ~* nadie pudo contenerlo || *een pijp ~* cebar una pipa; **II** *intr* 1 (*blijven stilstaan*) detenerse, parar(se); *de trein stopt 3 keer* el tren para 3 veces; *zonder te ~: a*) (*mbt auto*) sin parar; *b*) (*mbt trein*) directamente; *c*) (*mbt vlucht*) sin escalas; 2 *~ met* dejar de; *~ met roken* dejar de fumar

stopper (*scheepv, kettingstopper*) traba, estopor *m*

stop|plaats parada; **-sein** señal *v* de parada; **-streep** raya de parada; **-trein** correo; **-verbod** prohibición *v* de parada; **-verf** masilla; *met ~ dichtmaken* enmasillar; **-watch** cronómetro; **-wol** hilo para zurcir; **-woord** palabra favorita, muletilla; **-zetten** 1 (*van verkeer*) detener, parar; 2 (*van fabriek*) cerrar *ie*

storen 1 estorbar, molestar; (*onderbreken*) interrumpir; *stoor ik?* ¿molesto?; *als we soms ~* si venimos a interrumpir; *iem ~ in de slaap* perturbar el sueño de u.p.; *de lijn is gestoord* la línea está interrumpida; 2 (*van zender*) interferir *ie, i*; 3 *zich ~ aan* (*zich boosmaken*) molestarse por; *ik had nooit gedacht dat u zich daaraan zou storen* no creí que se molestara; *zich niet ~ aan* (*eraan voorbijgaan*) hacer caso omiso de, pasar por alto; *hij stoorde zich er niet aan* no hizo caso; *stoort u zich niet aan mij* no se preocupe por mí; *hij stoort zich niet aan de verkeerslichten* hace caso omiso de las señales de tráfico, (fam) se fuma las señales || *geestelijk gestoord* perturbado, enajenado; **storing** 1 (*techn*) perturbación *v*, interrupción *v*, fallo; *een kleine ~* una ligera perturbación; 2 (*op radio*) interferencia, ruido parásito; 3 (*van weer*) perturbación *v*

storm tempestad *v*; (*met onweer*) tormenta, temporal *m*; *een ~ in een glas water* una tempestad en un vaso de agua; **stormachtig** tempestuoso; *een ~ applaus* una salva de aplausos; **stormen** 1 *het stormt* hay tempestad; 2 *naar binnen ~* (*in*) irrumpir (en); *naar buiten ~* precipitarse hacia fuera; *naar de deur ~* precipitarse a la puerta; **stormenderhand** por asalto

storm|kracht fuerza de tempestad; **-lamp** farol *m* de tormentas; **-loop** gran afluencia de gente; *er was een ~ op olie* hubo gran demanda de aceite; **-lopen**: *het loopt storm* la gente acude en masa; **-ram** ariete *m*; **-schade** daño (causado) por tempestades; **-troepen** fuerzas de asalto; **-vloed** marea viva

stormvloedkering represa contra temporales

stort|bad ducha; **-bak** (*wc*) cisterna; **-beton** hormigón *m* fluido, hormigón *m* de verter; **-bui** chaparrón *m*, aguacero

storten 1 (*van geld*) ingresar, pagar; *geld ~ bij de bank* depositar dinero en el banco; *~ op de rekening* ingresar en la cuenta; **2** (*van tranen, puin, beton*) verter *ie, i*; *verboden puin te ~* prohibido verter escombros; *vuil ~* arrojar basuras; **3** *~ in* (*fig*) hundir en; *iem in de ellende ~* hundir a u.p. en la miseria; **4** *zich ~ in* (*fig*) entregarse a; *zich in het avontuur ~* lanzarse a la aventura; **5** *zich ~ op* abalanzarse sobre; **6** *zie: stortregenen*; **storting** (*betaling*) pago, desembolso, entrega, imposición *v*; (*voor pensioen*) contribución *v*; *een ~ doen* efectuar *ú* un pago, hacer un ingreso; *tegen ~ van* mediante entrega de, contra entrega de

stortings|bewijs resguardo de entrega; **-formulier** impreso de imposición

stort|plaats vertedero, basurero; **-regen** lluvia torrencial; **-regenen** llover *ue* a cántaros; **-vloed** torrente *m*

stoten 1 (*duwen*) empujar; *van de troon ~* destronar; **2** (*botsen*) dar, chocar; *zijn hoofd ~ aan het plafond* dar con la cabeza en el techo; *zijn knie ~* darse un golpe en la rodilla, golpearse en la rodilla; *zich ~ aan: a*) (*lett*) tropezar *ie* con, darse con; *hij stootte zich aan de tafel* se dio con la mesa; *b*) (*fig*) molestarse por, ofenderse por, escandalizarse de; **3** *~ op* tropezar *ie* con; *op problemen ~* tropezar *ie* con problemas

stotteraar, **stotteraarster** tartamudo, -a; **stotteren** tartamudear, tartajear

stout 1 malo, travieso, pícaro; *wat ben je ~!* ¡qué malo eres!; *de ~ste van de twee* el más pícaro de los dos; **2** (*dapper*) audaz; *het overtreft mijn ~ste verwachtingen* supera mis más osadas previsiones; *Karel de Stoute* Carlos el Temerario; **stoutmoedig** audaz, intrépido, valiente, arrojado

stoven estofar, guisar

straal I *zn* **1** (*licht*) rayo; *de stralen van de zon* los rayos del sol; *een ~tje hoop* un rayo de esperanza; **2** (*van cirkel*) radio; *binnen een ~ van 80 m* en un radio de 80 m; **3** (*water*) chorro; *~tje* hilo; **II** *bw* completamente; *~ bezopen* borracho como una cuba; *iem ~ negeren* ignorar por completo a u.p.

straal|aandrijving propulsión *v* a chorro; **-jager** caza *m* a reacción; **-kachel** difusor *m*; **-motor** motor *m* de chorro; **-vliegtuig** avión *m* a chorro, avión *m* a reacción

straat 1 calle *v*; *eerste ~ rechts* primera calle a mano derecha; *de ~ opgaan* salir a la calle, echarse a la calle; *door de straten slenteren* callejear; *op ~* en la calle, por las calles; *op ~ staan* (*fig*) quedarse en la calle; *iem op ~ zetten* dejar en la calle a u.p.; *over ~ lopen* andar por la calle; **2** (*zeestraat*) estrecho; *de ~ van Gibraltar* el Estrecho (de Gibraltar)

straat|arm más pobre que una rata; **-gevecht** combate *m* callejero; **-hond** perro callejero; **-jongen** golfo, golfillo; **-kinderen** niños sin hogar, niños que viven (y duermen) en la calle, niños privados de ambiente familiar normal; **-lantaarn** farol *m*; **-muzikant** músico callejero

straatnaam nombre *m* de la calle; **straatnaambord** rótulo callejero

straat|schenderij desafueros *mmv*, desmanes *mmv*; **-steen** (*kei*) adoquín *m*; *de -stenen* el empedrado, el pavimento; *je kunt het aan de -stenen niet kwijt* nadie lo quiere ni regalado; **-tegel** baldosa (del pavimento); **-veger** barrendero; **-venter** vendedor *m* ambulante; **-verkoop** venta ambulante, venta en la calle; **-verlichting** alumbrado público; **-weg** calzada, carretera

1 straf *zn* castigo, pena; *reizen is voor hem een ~* viajar para él es una penitencia; *harde ~fen eisen* solicitar duras penas; *~ krijgen* ser castigado; *hij kreeg een ~ van 5 jaar* incurrió en la pena de 5 años; *op ~fe van* bajo pena de, so pena de

2 straf *bn* **1** (*streng*) severo; **2** (*mbt wind*) fuerte

strafbaar punible, penable; *~ feit* (*jur*) hecho delictivo; *~ stellen* penalizar

straf|blad (certificado de) penales *mmv*, antecedentes *mmv*, hoja histórico-penal; *een blanco ~ hebben* no tener antecedentes penales; **-expeditie** expedición *v* de castigo

straffeloos impune, sin castigo

straffen castigar

straf|gevangenis prisión *v*, presidio, penal *m*; **-inrichting** establecimiento penitenciario; **-maat** grado de la pena; **-maatregel** medida disciplinaria; **-pleiter** criminalista *m*; **-port** recargo (de franqueo); **-proces** proceso penal, causa criminal; **-recht** derecho penal; **-rechter** juez *m* de lo criminal; **-regels** veces *vmv*; *~ opgeven* mandar veces

strafschop penalty *m*; **strafschopgebied** área (de castigo)

straf|stelsel sistema *m* punitivo; **-tijd** condena, duración *v* de la pena; **-vervolging** acción *v* penal, procesamiento; **-vonnis** sentencia condenatoria, sentencia penal; **-zaak** causa criminal

strak 1 (*stevig; mbt blik*) fijo; *een ~ke lucht* un cielo sin una nube; *met een ~ gezicht* con cara de palo, serio como un plato de habas; *~ aandraaien* apretar *ie* bien; *~ aankijken* mirar fijamente; **2** (*mbt kleding*) justo, ajustado, ceñido; *een ~ke trui* un jersey ajustado; *het pak zat hem ~* el traje le venía justo; **3** (*gespannen*) tenso; **4** (*zonder versiering*) sobrio, austero

straks luego, después; *tot ~!* ¡hasta luego!

stralen radiar, irradiar, brillar; *ze straalde van*

vreugde irradiaba alegría, resplandecía de felicidad; **stralend** radiante; *een ~de dag* un día radiante; *een ~de zon* un sol resplandeciente; *hij was ~* estaba radiante; **straling** radiación *v*; **stralingswarmte** calor *m* radiante
stram rígido, tieso
stramien cañamazo; *volgens hetzelfde ~* siguiendo el mismo patrón
strand playa; **stranden** 1 embarrancar, abarrancarse, varar, encallar; 2 (*mislukken*) fracasar, malograrse, naufragar, quedar varado; *alle plannen strandden* todos los planes fracasaron; **strandpaviljoen** merendero
strateeg estratega *m*; **strategie** estrategia; *het past in zijn ~* entra dentro de su línea estratégica; **strategisch** estratégico
straten|gids callejero, guía de las calles; **-maker** empedrador *m*
stratosfeer estratosfera
streber arribista *m*, ambicioso, trepador *m*
streefdatum fecha prevista, fecha tope
streek 1 (*gebied*) zona, región *v*; (*kleiner:*) comarca; (*neg*) paraje *m*; 2 (*van kompas*) rumbo; 3 (*met pen*) plumazo, plumada, rasgo; 4 (*met penseel*) pincelada; (*grof:*) brochazo; 5 (*list*) jugada, pasada; *gemene ~* cochinada, mala jugada, trastada, canallada; *~ van kwajongen* picardía, diablura, perrería; *streken uithalen* cometer travesuras || *van ~* confuso, aturdido; *mijn maag is van ~* tengo el estómago trastornado; *mijn zenuwen zijn van ~* tengo los nervios desquiciados; *van ~ brengen* desconcertar *ie*, trastornar, desquiciar; *van ~ raken* aturdirse, desconcertarse *ie*, turbarse
streek|plan plan *m* comarcal; **-roman** novela regional; **-taal** dialecto
streep 1 (*lijn*) raya, línea, trazo; *doorlopende ~* raya continua; *dat was een ~ door de rekening* se echaron por tierra los planes; *een ~ halen door een woord* tachar una palabra; *een ~ trekken* trazar una raya; *een ~ onder iets zetten* (*fig*) hacer borrón y cuenta nueva; *we zullen er voor vandaag een ~ onder zetten* vamos a dejarlo para hoy; 2 (*dessin, in stof*) raya, lista; 3 (*in gesteente*) veta; 4 (*aandachtsstreepje*) guión *m*; 5 (*teken van rang*) galón *m*; **streepje**: *een ~ voor hebben* tener ventaja, ser privilegiado; **streepjescode** código de barras; **streeplijn** línea de rayas
strekdam espigón *m*, muro de contención
strekken I *tr* tender *ie*, estirar; *de benen ~* estirar las piernas; II *intr* 1 (*reiken*) alcanzar; *zolang de voorraad strekt* mientras haya existencia; *zover strekt mijn invloed niet* mi influencia no alcanza hasta allí; 2 *~ tot* servir *i* de; *maatregelen ~de tot* medidas encaminadas a; *de daartoe ~de maatregelen* las medidas pertinentes; *het strekt u tot eer* le honra; *tot nadeel ~* redundar en perjuicio de; *tot voorbeeld ~* servir *i* de ejemplo; *tot voordeel ~* ser beneficioso, ser provechoso, ser ventajoso; **strekkend**: *~e meter* metro corrido, metro lineal; **strekking** 1 (*inhoud*) tenor *m*; *van gelijke ~* del mismo tenor; 2 (*bedoeling*) objeto
strelen 1 acariciar; 2 (*vleiend zijn*) halagar, lisonjear; 3 (*van oog, oor, tong*) regalar, halagar; **streling** 1 caricia; 2 (*van oog, oor*) halago
stremmen I *tr* (*van verkeer*) estorbar, interrumpir, obstaculizar; II *intr* (*mbt melk*) cuajarse; **stremming** obstrucción *v*, interrupción *v*; (*opstopping*) atasco
1 streng *bn* 1 severo, duro, riguroso; *~e toon* tono severo; *~e winter* invierno riguroso; 2 (*mbt regels*) rígido, estricto; *een ~ dieet* un régimen riguroso; *~ toezicht* vigilancia estricta || *ten ~ste verboden* terminantemente prohibido
2 streng *zn* (*van garen*) madeja
strengelen 1 retorcer *ue*; 2 *in elkaar ~* entrelazar, entretejer
strepen rayar
stress estrés *m*, stress *m*, tensión *v* nerviosa
stretcher cama de lona, catre *m*; *verstelbare ~* cama con posiciones
streven I *ww*: *~ naar* ambicionar, aspirar a, tratar de conseguir; II *zn* 1 (*inspanning*) esfuerzos *mmv*, aspiración *v*; *er bestaat een ~ om* hay una tendencia a; *het ~ naar onafhankelijkheid* el afán de independencia; 2 (*doel*) objeto, objetivo
striem estría, verdugón *m*; **striemen** estriar *í*; (*slaan*) azotar
strijd lucha, combate *m*, contienda, pelea; *de ~ om het bestaan* la lucha por la existencia; *de ~ tegen* la lucha contra; *een heftige ~ tussen twee kandidaten* un reñido duelo entre dos candidatos; *innerlijke ~* lucha interior; *de ~ aanbinden* entablar combate; *de ~ opgeven* abandonar la lucha; *in het heetst van de ~* en lo más duro de la lucha; *zich in de ~ mengen* (*mbt pol partij*) entrar en liza; *in ~ met* contrario a, opuesto a, en contradicción con, en pugna con; *deze dingen zijn met elkaar in ~* estas cosas son incompatibles; *handelen in ~ met de wet* ir contra la ley, actuar *ú* en contravención a la ley; *het bevel is geheel in ~ met de normen* la orden atenta contra las normas; *om ~* (*om het hardst*) a cuál más, a porfía; *ten ~e trekken* ir a la guerra; **strijdbaar** militante, combativo; **strijdbijl**: *de ~ begraven* enterrar *ie* el hacha de la guerra
strijden (*tegen*) luchar (contra), combatir; *~ in de gelederen van* militar en las filas de; *~ tegen het onrecht* combatir la injusticia; *~ voor de vrijheid* luchar por la libertad; **strijdend** en pugna; *de ~e partijen* los bandos en pugna, las partes contendientes; **strijder** luchador *m*, combatiente *m*; **strijdig** (*met*) incompatible (con), contrario (a), opuesto (a); *~e belangen* intereses *mmv* contrarios, intereses *mmv* opuestos; **strijdkrachten** fuerzas armadas; *afk* FAS
strijdlust ánimo de lucha, combatividad *v*; **strijdlustig** combativo
strijd|perk: *in het ~ treden* (*fig*) entrar en liza;

-toneel teatro de la batalla, escenario; **-vaardig** dispuesto a luchar; **-vraag** punto controvertido

strijk: *dat is ~ en zet* no falla nunca; **strijkage**: *iem met veel ~s behandelen* llevar en palmillas a u.p.

strijk|bout plancha; **-concert** concierto para instrumentos de cuerda

strijken 1 (*van vlag, zeil*) arriar *í*; 2 (*van kleren*) planchar; 3 ~ *langs* rozar, pasar por; *met de vingers door het haar* ~ pasarse los dedos por los cabellos; *met de hand over de ogen* ~ pasarse la mano por los ojos; 4 ~ *op* tocar; ~ *op de viool* tocar el violín || *met de eer gaan* ~ llevarse el mérito; *met de prijs gaan* ~ ganar el premio; *met de winst gaan* ~ embolsarse las ganancias

strijk|goed planchado; **-instrument** instrumento de cuerda

strijkje orquestina

strijk|kwartet cuarteto de cuerda; **-licht** luz *v* oblicua; **-orkest** orquesta de cuerda; **-plank** tabla para planchar, mesa de planchar; **-stok** arco; *de ~ harsen* untar el arco con resina || *er blijft altijd iets aan de ~ hangen* siempre se pierde lo que se pega al rasero

strik 1 lazo; *een ~ in het haar* un lazo en el pelo; 2 (*val*) lazo, trampa; *een ~ zetten* tender *ie* un lazo; **strikken** 1 (*knopen*) anudar; *zijn das* ~ hacerse el nudo de la corbata; 2 (*vangen, fig*) hacer caer en la trampa, persuadir

strikt estricto, riguroso; *~e naleving* riguroso cumplimiento; ~ *genomen* en sentido estricto, en rigor; ~ *vertrouwelijk* estrictamente confidencial

strikvraag pregunta capciosa

stringent riguroso

strip 1 (*strook*) cinta, tira; 2 (*beeldverhaal*) (libro de) comics *mmv*, tebeo, historieta (dibujada)

stro paja

stro|bloem siempreviva; **-blond** rubio pajizo; **-breed**: *iem geen ~ in de weg leggen* no ponerle trabas a u.p.

stroef 1 (*ruw*) áspero; 2 (*moeilijk werkend*) duro; *de bediening is ~* (*van auto*) los mandos están duros; 3 (*stug, mbt persoon*) hosco, adusto; 4 (*mbt situatie*) violento, embarazoso

strofe estrofa

stro|halm (brizna de) paja; *zich aan een ~ vastklampen* agarrarse a un clavo ardiendo; **-hoed** sombrero de paja

stroken: ~ *met* compaginarse con, ir bien con, concordar *ue* con, ceñirse *i* a, ajustarse a

stroman hombre *m* de paja

stromen fluir; (*snel:*) correr; *het stroomt van de regen* llueve a cántaros; *in de ~de regen* bajo una lluvia torrencial; *~d water* agua corriente; **stroming** corriente *v*; (*fig ook:*) tendencia

strompelen ir dando traspiés, andar con dificultad

stronk 1 (*van kool*) troncho; 2 (*van boom*) tocón *m*, cepa

stront mierda; **strontje** orzuelo

strooibiljet octavilla, panfleto

1 strooien *ww* 1 (*verspreiden*) esparcir, regar *ie*, desparramar; 2 (*van zout, snoep, suiker*) echar

2 strooien *bn* de paja

strook 1 (*land, stof*) faja, franja, banda; 2 (*papier*) tira; 3 (*aan jurk*) volante *m*; **strookje** (*loonstrookje*) tirilla

stroom 1 (*stroming; elektr*) corriente *v*; (*natk*) fluido; ~ *leveren* suministrar corriente; *de regen viel bij stromen neer* la lluvia caía a chorros; *met de ~ meegaan* seguir *i* la corriente, dejarse llevar por la corriente; *onder ~ staan* tener corriente; *tegen de ~ ingaan* ir contra corriente, nadar contra la corriente; 2 (*rivier*) río; 3 (*massa*) riada, aluvión *m*, catarata, torrente *m*, oleada; *een ~ auto's* una riada de coches; *de ~ dollars* la catarata de dólares; *een ~ ideeën* un torrente de ideas; *een ~ mensen* una oleada de gente

stroom|afwaarts río abajo; **-draad** hilo de corriente, conductor *m*; **-gebied** cuenca; **-lijn** línea aerodinámica; **-lijnen** 1 dar forma aerodinámica; *gestroomlijnd* aerodinámico; 2 (*fig*) racionalizar, agilizar; **-opwaarts** río arriba; **-opwekking** generación *v* de corriente; **-verbruik** consumo de corriente; **-versnelling** rápido; *in een ~ raken* (*fig*) tomar un ritmo acelerado

stroop 1 melaza; 2 (*suikerstroop*) almíbar *m*; (*dunner:*) jarabe *m*

strooplikken enjabonar, dar jabón, gastar pelotilla, hacer la pelotilla; **strooplikker** cobista *m*, pelotillero, tiralevitas *m*; (*pop*) lameculos *m*

strooptocht correría, incursión *v*

stroopwafel oblea de arrope

strop 1 (*om hals*) soga; *tot de ~ veroordelen* condenar a la muerte por colgamiento, condenar a la horca; 2 (*tegenvaller*) chasco, contratiempo; (*financ*) pérdida; 3 (*bij hijsen*) eslinga; **stropdas** corbata

stropen 1 (*jagen*) cazar furtivamente; 2 (*van paling*) quitar la piel a, desollar *ue*; **stroper** cazador *m* furtivo

stroperig viscoso

stroperij caza furtiva, furtivismo

strot garganta; (*fam*) gaznate *m*; *de ~ afsnijden* cortar el pescuezo; *bij de ~ grijpen* agarrar por el cuello; **strottehoofd** laringe *v*

strubbeling tropiezo, dificultad *v*, discusión *v*

structureel estructural; **structureren** estructurar; **structuur** estructura

struik mata, arbusto

struikelblok escollo, obstáculo; **struikelen** 1 tropezar *ie*, trompicar, dar un traspié, dar un paso en falso; 2 ~ *over* tropezar *ie* con, en; ~ *over zijn woorden* trabarse; 3 (*fig*) cometer un desliz

struik|gewas matorral *m*, matas *vmv*; **-rover** salteador *m* de caminos

struis *bn* robusto

struisvogel avestruz *m*; **struisvogelpolitiek** política del avestruz; *een ~ voeren* (*ook:*) ocultar el polvo debajo de la alfombra
stuc estuco
studeerkamer (cuarto de) estudio
student, **studente** estudiante *m,v*, universitario, -a; *~ in de medicijnen* estudiante de medicina; *de ~en* (*groep*) los estudiantes, el estudiantado
studenten|decaan (*Ned*) consejero de estudiantes; **-flat** residencia de estudiantes; **-haver** pasas *vmv* y almendras *vmv*; **-leider** líder *m* estudiantil; **-onlusten** desórdenes *mmv* estudiantiles; **-sociëteit** club *m* estudiantil; **-stop** numerus *m* clausus; **-tijd** tiempos *mmv* de estudiante
studeren 1 estudiar; *ijverig ~* aplicarse al estudio; *een uur piano ~* estudiar una hora en el piano; *~ voor een examen* prepararse para un examen; 2 (*aan univ*) seguir *i* una carrera (universitaria), estudiar en la universidad; *hij heeft in Delft gestudeerd* hizo sus estudios en Delft; *wat studeert hij?* ¿qué carrera estudia?; *rechten ~* hacer la carrera de derecho, estudiar leyes; *voor ingenieur ~* cursar estudios de ingeniero; *ophouden met ~* dejar la Facultad, dejar de estudiar
studie 1 (*het bestuderen*) estudio; *het plan is in ~* se estudia el proyecto; *in ~ nemen* someter a examen; 2 (*verslag*) estudio; (*kort:*) informe *m*; *er is een ~ verschenen over* se ha publicado un estudio sobre; 3 (*studie, vnl univ*) estudios *mmv*, carrera
studie|beurs beca; **-boek** libro de texto; **-genoot**, **-genote** compañero, -a de estudios; **-kring** círculo de estudios; **-loon** salario estudiantil; **-reis** viaje *m* de estudio(s); **-richting** (*vglbaar:*) especialidad *v*, estudios *mmv* (de); **-toelage** 1 (*beurs*) beca; 2 (*van ouders*) mensualidad *v*; **-verlof** licencia para estudios; **-vriend** amigo de la universidad; **-zaal** sala de estudios
studio 1 estudio, taller *m*; 2 (*eenkamerflat*) estudio
stuf goma de borrar
stuff drogas *vmv*, la cosa
stug 1 (*mbt persoon*) hosco, arisco, adusto; 2 (*vasthoudend*) tenaz, porfiado; 3 (*mbt materiaal*) tieso, duro, rígido; 4 (*mbt haar*) hirsuto, áspero
stuifmeel polen *m*
stuip convulsión *v*; *iem de ~en op het lijf jagen* dar un susto tremendo a u.p.; **stuiptrekking** *zie: stuip*
stuitbeen cóccix *m*
stuiten I *tr* (*tegenhouden*) detener, atajar, cortar el paso; *een niet te ~ woordenvloed* una verborrea incontenible; *ze was niet te ~* imposible frenarla; II *intr* 1 (*mbt bal*) botar; 2 *~ op* tropezar *ie* con, dar con, encontrarse *ue* con || *het stuit mij tegen de borst* se me hace violento, me repugna; **stuitend** repugnante, escandaloso; **stuitje** trasero, región *v* glútea
stuitligging presentación *v* de nalgas
stuiven 1 hacer polvo; *het stuift erg* hay mucho polvo; 2 (*snellen*) lanzarse; *hij stoof naar buiten* se lanzó afuera; *hij stoof de kamer in* irrumpió en el cuarto
stuiver (*Ned*) moneda de 5 céntimos; *~tje wisselen zn: a*) (*spel*) las cuatro esquinas; *b*) (*fig*) cambios *mmv* de puesto
stuk I *zn* 1 (*deel*) trozo, pedazo, pieza, parte *v*, fragmento; *aan ~ken slaan* hacer pedazos; *bij ~ken en brokken* a trozos; 2 (*eenheid*) pieza; *een ~ of vier* unos cuatro; *3 uur aan één stuk* 3 horas seguidas; *aan één stuk door roken* fumar sin parar; *f 5 per ~* fls 5 (la) pieza, fls 5 cada uno; *geheel uit één stuk* en una sola pieza; *een man uit één stuk* todo un hombre; *~ voor ~* uno a uno; 3 *~ grond* terreno, parcela; 4 *~ vee* cabeza de ganado, res *m*; 5 *~ zeep* pastilla de jabón; 6 (*artikel*) artículo; 7 (*document*) documento; 8 (*meisje, fam*) tía; *een lekker ~* una tía buena; 9 (*postuur*) estatura, talle *m*; *klein van ~* pequeño de estatura; 10 (*toneelstuk*) pieza, obra teatral; 11 (*muziekstuk*) pieza, composición *v* || *een ~ beter* mucho mejor; *een heel ~ minder* mucho menos; *op zijn ~ blijven staan* no dar su brazo a torcer, mantenerse en sus trece; *op geen ~ken na* ni de lejos; *op het ~ van* en el capítulo de, en materia de; *helemaal van zijn ~* aturdido, confundido, desconcertado, estupefacto, perplejo; *iem van zijn ~ brengen* confundir a u.p., desconcertar *ie* a u.p.; *zich door niets van zijn ~ laten brengen* no alterarse por nada; II *bn* 1 (*gebroken*) roto; 2 (*ontregeld*) estropeado, descompuesto; *mijn horloge is ~* se me ha estropeado el reloj
stukadoor estucador *m*; **stukadoorswerk** estucado, obras *vmv* de estuco
stukgaan 1 (*breken*) romperse; 2 (*niet functioneren*) estropearse; *zijn vingers gingen ervan ~* (*ontveld*) sus dedos se le despellejaron
stukgoed carga general
stukje pedacito, trocito; *in ~s scheuren* romper en pedacitos; *bij ~s en beetjes* poco a poco
stuk|loon salario a destajo; *op ~ werken* trabajar a destajo; **-lopen**: *~ op* estrellarse contra; **-prijs** precio por unidad; **-scheuren** romper; **-slaan** hacer pedazos, hacer añicos; **-vallen** caer haciéndose pedazos; **-werk** destajo
stulp casucha
stumperd pobrecito, -a, pobre *m,v*, pobre diablo
stunt 1 (*film*) escena de peligro; 2 (*stommiteit*) una de las suyas; 3 (*opvallende daad*) maniobra sensacional; **stuntelen** actuar *ú* con torpeza; **stuntelig** torpe; **stuntman** especialista *m*, doble *m*, temerario
sturen 1 (*zenden*) enviar *í*, mandar; (*van geld*) remitir; 2 (*besturen, van schip*) gobernar *ie*, llevar el timón; 3 (*besturen, van auto*) conducir; 4 (*leiden*) guiar *í*, dirigir
stut 1 puntal *m*; 2 (*fig*) apoyo; **stutten** 1 poner puntales a; 2 (*fig*) apoyar

stuur 1 (*van fiets*) manillar *m*, guía; 2 (*van auto*) volante *m*; *het ~ weigerde door de gladheid* el coche no obedecía a causa del hielo; *achter het ~ gaan zitten* sentarse *ie* al volante; *de hele nacht achter het ~ zitten* pasar toda la noche en el volante; *de macht over het ~ verliezen* perder *ie* el dominio del volante; 3 (*van schip*) timón *m*; **stuurbekrachtiging** dirección *v* asistida, servodirección *v*

stuurboord estribor *m*; **stuurboordzijde** banda de estribor

stuur|groep (*vglbaar:*) grupo de dirección; **-hut** caseta de gobierno; **-inrichting** instalación *v* de gobierno; **-knuppel** palanca de mando; **-kolom** columna del volante

stuurloos fuera de control, sin gobierno

stuur|lui: *de beste ~ staan aan wal* es fácil aconsejar sin irle a uno nada; **-man** 1 piloto; *eerste ~* primer oficial *m*, segundo a bordo; *tweede ~* segundo oficial *m*; 2 (*roerganger*) timonel *m*

stuurs desabrido, ceñudo, malhumorado

stuur|slot cerradura antirrobo; **-versnelling** velocidades *vmv* al volante

stuwadoor estibador *m*

stuwdam presa; **stuwen** 1 (*van schip*) estibar; 2 (*voortbewegen*) propulsar

stuw|kracht (fuerza de) empuje *m*; (*fig ook:*) pujanza; **-meer** embalse *m*, pantano

subcommissie subcomisión *v*

subject sujeto; **subjectief** subjetivo; **subjectiviteit** subjetividad *v*

subliem sublime

sublimaat sublimado; **sublimeren** sublimar

subsidie subvención *v*; **subsidiëren** subvencionar; *gesubsidieerde scholen* escuelas subvencionadas; *gesubsidieerde woningbouw* construcción *v* de viviendas de tipo subvencionado, construcción *v* de viviendas protegidas

substantie sustancia; **substantieel** 1 (*belangrijk*) sustancial; 2 (*voedzaam*) sustancioso

substitueren sustituir; **substitutie** sustitución *v*; **substituut** sustituto

subtiel delicado, sutil; **subtiliteit** sutileza

subtropisch subtropical

subversief subversivo

succes éxito, logro; *~!* ¡suerte!; *~ met je boek!* ¡que tengas suerte con tu libro!; *een enorm ~* un éxito triunfal, un éxito resonante; *het is geen volledig ~* no es un éxito completo; *~ hebben* tener éxito; *iem veel ~ wensen* desear mucho éxito a u.p.; *het er met ~ van afbrengen* salir airoso

successie|oorlog guerra de sucesión; **-rechten** derechos de sucesión

successievelijk sucesivamente

succesvol exitoso, afortunado

sudderen hervir *ie, i* a fuego lento

suède ante *m*

suf soñoliento; atontado, abobado; *zich ~ piekeren* devanarse los sesos; **suffen** dormitar, soñar *ue* despierto; **sufferd** bobo, -a, pasmado, -a, gaznápiro, -a; **suffig** *zie: suf*

suggereren sugerir *ie, i*; **suggestie** sugerencia, sugestión *v*; **suggestief** sugestivo, evocador *-ora*, sugerente

suiker azúcar *m*; *bruine ~* azúcar moreno

suiker|biet remolacha de azúcar; **-fabriek** fábrica de azúcar; **-gehalte** contenido de azúcar; **-goed** dulces *mmv*; **-houdend** azucarado; **-klontje** terrón *m* de azúcar; **-meloen** melón *m* dulce; **-molen** trapiche *m*; **-oom** tío rico, tío de América; **-patiënt**, **-patiënte** diabético, -a; **-plantage** plantación *v* de caña de azúcar; **-pot** azucarero; **-raffinaderij** refinería de azúcar; **-riet** caña de azúcar; **-spin** algodón *m* de azúcar; **-stroop** almíbar *m*; **-tang** tenacillas *vmv* para el azúcar; **-water** agua azucarada; **-ziek** diabético; **-ziekte** diabetes *v*

suite suite *v*

suizen 1 (*mbt regen, bladeren*) murmurar, susurrar; 2 (*mbt kogel*) silbar || *mijn oren ~* me zumban los oídos

sujet tipo, individuo; *een verdacht ~* un tipo sospechoso

sukade acitrón *m*, cidrada

sukkel memo, papanatas *m*, papamoscas *m*, bobo, Juan *m* Lanas; **sukkeldraf**: *op een ~je* a trote corto; **sukkelen** 1 (*ziek zijn*) estar enfermizo, tener toda clase de achaques; *hij sukkelt nogal* su salud flaquea; 2 (*moeilijk lopen*) andar con dificultad

sul buenazo, pedazo de pan, bendito, infeliz *m*

sulfaat sulfato

sullig simplón *-ona*, simplote *-ota*

summier sumario, somero, resumido, breve

summum súmmum *m*, colmo

super|benzine gasolina super(carburante); **-geleiding** superconductibilidad *v*

superieur superior; **superioriteit** superioridad

supermarkt supermercado

supersonisch supersónico

supertanker superpetrolero

supervisie supervisión *v*

suppleant (*Belg*) suplente *m,v* (electoral)

supplement suplemento; **suppleren** suplir, completar

suppoost conservador *m*

supporter hincha *m*, seguidor *-ora*, aficionado *-a*

supranationaal supranacional

suprematie supremacía

surfen *zn* surf *m*, surfing *m*; **surfer** surfista *m*; **surfplank** tabla de surf, plancha de surf

Surinaams del Surinam, surinamés *-esa*; **Suriname** el Surinam; **Surinamer** surinamés *m*

surplus excedente *m*, superávit *m*

surprise regalo sorpresa

surrealisme surrealismo

surrogaat sucedáneo, sustitutivo

surséance: *~ van betaling* suspensión *v* de pagos

surveillance vigilancia; **surveillant, surveillante** vigilante *m,v*; **surveilleren** vigilar; (*patrouilleren*) patrullar
suspect sospechoso
sussen tranquilizar, calmar, sosegar
s.v.p. *s'il vous plaît* por favor
sweater suéter *m*
syfilis sífilis *v*
syllabus resumen *m*
symbiose simbiosis *v*
symboliek simbolismo; **symbolisch** simbólico; **symboliseren** simbolizar; **symbool** símbolo
symfonie sinfonía; **symfonieorkest** orquesta sinfónica
symmetrie simetría; **symmetrisch** simétrico
sympathie (*voor*) simpatía (por, hacia); *zijn ~ ging uit naar* su simpatía se iba hacia, sentía simpatía por; **sympathiek** simpático; *ik vind hem niet ~* no me es simpático; **sympathiseren** (*met*) simpatizar (con); **sympathiserend** (*met*) simpatizante (con)
symptomatisch sintomático; **symptoom** síntoma *m*; *symptomen vertonen* mostrar *ue* síntomas, acusar síntomas
synagoge sinagoga
synchroon sincrónico
syncope (*muz*) síncopa
syndicaal (*Belg*) sindical; **syndicaat** consorcio, sindicato; **syndikeren, zich** (*Belg*) sindicalizarse, sindicarse
syndroom síndrome *m*
synode sínodo
synoniem *bn, zn* sinónimo
syntaxis sintaxis *v*
synthese síntesis *v*; **synthesizer** sintetizador *m*; **synthetisch** sintético
systeem sistema *m*
systeem|analist analista *m* de sistemas; **-bouw** prefabricación *v*
systematiek sistemática; **systematisch** sistemático, metódico; **systematiseren** sistematizar

T t *t*

t *ton* (*1000 kg*) tonelada; *afk* t
Taag: *de ~* el Tajo
taai 1 (*mbt vlees*) duro, correoso; **2** (*mbt mens; sterk*) enjuto y fuerte; (*onvermoeibaar*) incansable; **3** (*mbt gestel*) resistente, recio; **4** (*mbt vloeistof*) viscoso; **5** (*vervelend*) pesado; **taaiheid 1** (*van vlees*) dureza; **2** (*kracht*) fuerza, resistencia; **3** (*vasthoudendheid*) tenacidad *v*; **4** (*van vloeistof*) viscosidad *v*
taak tarea, trabajo; *iets tot ~ hebben* tener a su cargo u.c., estar encargado de u.c.; *een ~ opgeven* imponer una tarea, asignar una tarea; *het is de ~ van de politie* corresponde a la policía; *hij is niet op zijn ~ berekend* no está a la altura de su misión, (*fam*) le queda grande la chaqueta; **taakverdeling** división *v* del trabajo
taal 1 idioma *m*, lengua; *vreemde ~* idioma extranjero; *duidelijke ~ spreken* hablar claro; **2** (*taalgebruik*) lenguaje *m* || *~ noch teken geven* no dar señal de vida
taal|beheersing dominio del idioma; **-eigen** usos *mmv* idiomáticos; **-fout** falta gramatical; **-geleerde** filólogo, -a, lingüista *m,v*; **-gevoel** capacidad *v* idiomática
taalkunde lingüística; **taalkundig** lingüístico
taal|lab (*Belg*) laboratorio de idiomas; **-pariteit** (*Belg*) paritariedad *v* lingüística; **-stelsel** (*Belg*) régimen *m* lingüístico; **-vaardigheid** dominio del idioma; (*mondeling ook:*) fluidez *v*, soltura; **-wetgeving** (*Belg*) legislación *v* lingüística
taart tarta, pastel *m*, torta || *oude ~* (vieja) bruja; **taartje** pastel *m*, pastelillo; **taartschep** pala
tabak tabaco || *ik heb er ~ van* estoy harto
tabaks|doos tabaquera, petaca; **-handelaar** tabaquero; (*winkelier*) estanquero; **-industrie** industria tabacalera; **-plant** tabaco; **-plantage** tabacal *m*, plantación *v* de tabaco; **-pot** jarra para tabaco; **-zak** petaca
tabel tabla, cuadro (sinóptico)
tablet 1 (*med*) pastilla, tableta; **2** (*chocola*) tableta
taboe tabú *m*
tachtig ochenta; *de jaren ~* los años 80; **tachtigjarig** octogenario; *de ~e Oorlog* la guerra de Flandes, la guerra de los Ochenta Años; **tachtigste** octogésimo
tact tacto, tiento; *gebrek aan ~* falta de tacto; **tacticus** táctico; **tactiek** táctica; **tactloos** falto de tacto, poco delicado; **tactvol** delicado, con tacto

tafel 1 mesa; *Ronde* ~ Mesa Redonda; *aan* ~*!* ¡a la mesa!; *aan* ~ *gaan* sentarse *ie* a la mesa; *aan* ~ *zitten* estar sentado a la mesa; *na* ~ después de comer, de sobremesa; *ter* ~ *brengen* plantear, presentar, poner sobre el tapete; 2 tabla; ~ *van vermenigvuldiging* tabla de multiplicación; *de* ~*en der Wet* las tablas de la Ley
tafelblad 1 tablero (de la mesa); 2 (*verlengstuk*) ala
tafelen estar a la mesa, comer
tafel|kleed tapete *m*; **-laken** mantel *m*; **-poot** pata de la mesa; **-rede** discurso de sobremesa, brindis *m*; **-ronde** Tabla Redonda; **-tennis** tenis *m* de mesa, pingpong *m*; **-voetbal** futbolín *m*; **-wijn** vino de mesa; **-zilver** cubiertos *mmv* de plata
tafereel escena
tafzijde tafetán *m*
taille cintura; **tailleren** entallar, ajustar al talle; *niet getailleerd* suelto
tak 1 (*aan stam*) rama; 2 (*zijtak*) ramo, rama; 3 (*van familie*) rama; 4 (*afdeling*) ramo; ~ *van industrie* ramo de industria; 5 (*van spoorlijn*) ramal *m*
takel polea, aparejo; **takelen** 1 (*optuigen*) aparejar; 2 (*hijsen*) subir, izar; **takelwagen** coche-grúa *m*, grúa
takje ramita
takkenbos haz *m* de leña
1 taks perro pachón
2 taks (*vaste hoeveelheid*) porción *v*
taktiek táctica
tal: ~ *van* numerosos, gran número de
talen: *hij taalt er niet naar* no le atrae en absoluto
talen|kennis conocimiento de idiomas; **-knobbel** don *m* de lenguas; **-practicum** laboratorio de idiomas
talent talento; *man met* ~ hombre de talento; **talentvol** de mucho talento, de grandes dotes
talg sebo
talisman talismán *m*
talk 1 (*vet*) sebo; 2 (*delfstof*) talco
talk|klier glándula sebácea; **-poeder** (polvos *mmv* de) talco
talloos innumerable, sin número; *-loze voorbeelden* un sinnúmero de ejemplos
talmen tardar, demorarse
talrijk numeroso
talud talud *m*
tam domesticado, amansado
tamboer tambor *m*; **tamboerijn** pandero, pandereta; **tamboer-majoor** tambor *m* mayor
tamelijk bastante; *hij is* ~ *lang* es más bien alto
tampon (*prop*) tapón *m*; (*maandverband*) tampón *m*
tamtam batintín *m*, tantán *m*; *met veel* ~ a bombo y platillos
tand 1 diente *m*; *de* ~ *des tijds* las huellas del tiempo, los estragos del tiempo; *rotte* ~ diente picado, diente cariado; ~*en krijgen* estar en la dentición, (*fam*) echar dientes; *zijn* ~*en ergens in zetten* hincar el diente a u.c.; ~*en op elkaar!* ¡mucho aguante!; *zijn* ~*en op elkaar zetten* apretar *ie* los dientes; *zijn* ~*en laten zien* enseñar los dientes, enseñar las uñas; *aan de* ~ *voelen* someter a examen; *met lange* ~*en* con desgana; *tot de* ~*en gewapend* armado hasta los dientes; 2 (*van kam, vork*) púa
tandarts dentista *m,v*, odontólogo, -a; **tandartsassistente** asistente *v* de dentista, auxiliar *v* del consultorio de un dentista
tandbederf caries *v* dentaria
tandem tándem *m*
tanden|borstel cepillo de dientes; **-knarsend** rechinando los dientes; **-krijgen** *zn* dentición *v*
tandestoker palillo (de dientes), mondadientes *m*
tandglazuur esmalte *m*
tandheelkunde odontología; **tandheelkundig** odontológico
tanding dentado
tandpasta dentífrico, pasta dentífrica
tandrad rueda dentada, (rueda de) engranaje *m*; **tandradbaan** ferrocarril *m* de cremallera
tand|regulatie enderezamiento dental; **-steen** sarro (dentario); **-technicus** protésico dental, mecánico dentista; **-vlees** encías *vmv*; **-vulling** relleno dental; **-wiel** *zie: tandrad*
tanen I *tr* (*van zeilen*) curtir; II *intr* (*afnemen*) declinar; *zijn roem taande* su fama declinaba
tang 1 tenazas *vmv*, alicates *mmv*; *dat slaat als een* ~ *op een varken* no pega ni con cola, no hay por donde cogerlo; *hij was met geen* ~ *aan te pakken* no se lo podía coger ni con tenazas; 2 (*vrouw*) bruja, arpía; **tangetje** (*pincet*) pinzas *vmv*
tango tango
tangverlossing parto con fórceps
tanig curtido; *een* ~*e huid* una piel curtida
tank tanque *m*; **tankauto** camión *m* cisterna, *mv camiones cisterna*; **tanken** echar gasolina, repostar; **tanker** (buque *m*) tanque *m*, petrolero, barco cisterna, *mv barcos cisterna*
tank|station estación *v* de gasolina, gasolinera; **-wagen** *zie: tankauto*; **-wagon** vagón *m* cisterna *mv vagones cisterna*
tante tía; *lastige* ~ tía pesada, intratable *v*; *maak dat je* ~ *wijs!* ¡cuéntaselo a tu abuela!; *je* ~*!* ¡narices!
tantième gratificación *v*, participación *v* en los beneficios
tap 1 (*buffet*) mostrador *m*, barra; 2 (*kraan*) tapón *m*, espita, canilla
tapdansen zapateo
tape (*geluidsband*) cinta magnetofónica; **taperecorder** magnetófono, grabador *m* de cinta, grabadora
tapijt 1 alfombra; 2 (*wandtapijt*) tapiz *m*
tapkast 1 (*buffet*) mostrador *m*, barra; 2 (*apparaat*) aparato de cerveza a presión; **tappen** 1 (*van bier*) servir *i* cerveza de barril, servir *i*

cañas; 2 *moppen* ~ contar *ue* chistes; **tapperij** despacho de bebidas, taberna
taps: ~ *toelopen* terminar en cono
taptemelk leche *v* desnatada
taptoe 1 (*signaal*) (toque *m* de) retreta; 2 (*défilé*) desfile *m* militar
tap|verbod prohibición *v* (de despachar bebidas alcohólicas); **-vergunning** licencia
tarbot rodaballo
tarief tarifa; (*bij douane ook*:) arancel *m*
tarief|groep grupo impositivo; **-muur** barrera arancelaria
tarra tara
tarten desafiar *í*, retar; *het gevaar* ~ arrostrar el peligro; *de dood* ~ desafiar la muerte; *het tart iedere beschrijving* supera toda descripción
tarwe trigo
tarwe|bloem harina de trigo; **-brood** pan *m* de trigo
tas 1 (*boodschappentas*) bolsa; 2 (*handtas*) bolso; 3 (*aktetas*) cartera; 4 (*reistas*) bolsa, maletín *m*; **tassendiefstal** tirón *m* de bolso
tast: *op de* ~ a tientas; **tastbaar** palpable, tangible; **tasten** tantear; *in het duister* ~ andar a tientas; ~ *naar* buscar a tientas; *om zich heen* ~ (*mbt vuur*) propagarse; **tastzin** (sentido del) tacto
tatoeage tatuaje *m*; **tatoeëren** tatuar *ú*, hacer tatuajes
t.a.v. *ter attentie van* a la atención de
taxateur (perito) tasador *m*; **taxatie** tasación *v*, valoración *v*; **taxatieprijs** precio de tasación; **taxeren** tasar, valorar; (*schatten*) estimar; ~ *op* tasar en, estimar en
taxfreeshop tienda libre de impuestos
taxi taxi *m*, taxímetro
taxi|chauffeur taxista *m*; **-meter** taxímetro; **-standplaats** parada de taxis
t.b.c. *zie: tuberculose*
t.b.v. *ten behoeve van* para, en beneficio de
te I *bw* demasiado; ~ *veel*, ~ *erg* demasiado; ~ *duur* demasiado caro; II *vz* 1 en; ~ *Parijs* en París; 2 *met onbep w vaak onvertaald*: *hij liep* ~ *zingen* iba cantando; *om* ~ para, por; *makkelijk* ~ *begrijpen* fácil de comprender
teak (madera de) teca
team equipo; conjunto; **teamgeest** espíritu *m* de equipo
technicus técnico, mecánico; **techniek** 1 técnica, tecnología; 2 (*vaardigheid*) técnica; **technisch** técnico; ~*e hogeschool* escuela técnica superior; **technocraat** tecnócrata *m*; **technologie** tecnología
teddybeer oso de felpa
teder *zie: teer*; **tederheid** ternura, cariño, delicadeza
teef perra
teek garrapata
teelaarde tierra vegetal, humus *m*
teelt 1 (*van planten*) cultivo; 2 (*van bijen, vee*) cría
teen 1 dedo del pie; *grote* ~ dedo gordo del pie; *kleine* ~ dedo pequeño del pie; *op zijn tenen lopen* andar de puntillas; *iem op zijn tenen trappen* pisarle a u.p. el pie; *hij is gauw op zijn tenen getrapt* es muy susceptible, es muy quisquilloso, en seguida se ofende; 2 (*twijg*) varita de mimbre; 3 (*knoflook*) diente *m* de ajo; **teenslipper** playera
1 teer *zn* alquitrán *m*, brea
2 teer *bn* 1 (*teder*) tierno, cariñoso; 2 (*gevoelig*) sensible; *een* ~ *punt* un punto sensible; *een* ~ *onderwerp* un asunto delicado; 3 (*zwak*) delicado
teergevoelig muy sensible; **teergevoeligheid** ternura, sensibilidad *v*
teerling: *de* ~ *is geworpen* la suerte está echada
teflonlaag recubrimiento de teflón
tegel 1 (*vloertegel*) losa, baldosa; 2 (*wandtegel*) azulejo
tegelijk simultáneamente, al mismo tiempo, a la vez; ~ *met mij* al mismo tiempo que yo; *allemaal* ~ todos a la vez; *één* ~ uno por uno; **tegelijkertijd** *zie: tegelijk*
tegel|pad vereda enlosada; **-vloer** embaldosado, enlosado; **-werk** (*in keuken, badkamer*) alicatado
tegemoetgaan: *iem* ~ ir al encuentro de u.p.; *een moeilijke tijd* ~ tener ante sí un período difícil
tegemoetkomen: *iem* ~ venir al encuentro de u.p.; (*fig*) hacer concesiones a u.p., ser benévolo con u.p.; ~ *aan iems wensen* satisfacer los deseos de u.p., atender *ie* a los deseos de u.p.; **tegemoetkomend**: ~ *verkeer* tráfico contrario, tráfico opuesto; **tegemoetkoming** 1 (*financ*) compensación *v* (parcial); ~ *in de kosten* ayuda en los gastos; 2 (*concessie*) concesión *v*
tegemoetzien esperar, aguardar
tegen I *zn* contra *m*; *het voor en het* ~ el pro y el contra; II *bw* en contra; *wind* ~ *hebben* tener el viento contrario; III *vz* 1 (*plaats, richting*) contra; ~ *het licht* a contraluz; ~ *de muur* contra la pared; ~ *de stroom* (*in*) contra la corriente; 2 (*anti*) contra, en contra de; *ik ben er* ~ estoy contra; *iedereen is* ~ *mij* todos están en contra mía, todos están contra mí; *ergens* ~ *in gaan* ir en contra de u.c.; *als je er niets* (*op*) ~ *hebt* si no tienes inconveniente; *ik heb er niets* ~ no tengo nada que oponer; *hij was* ~ *de oorlog* era opuesto a la guerra; ~ *de verwachting in* al contrario de lo que se esperaba; ~ *de wet* en contra de la ley; ~ *de wind in* a contraviento; *iets* ~ *verkoudheid* algo contra el catarro; 3 *ergens* ~ *kunnen* aguantar u.c.; *ik kan daar niet* ~ me cae mal, no lo aguanto; *hij kan goed* ~ *het klimaat* resiste bien el clima; *ik kan niet* ~ *melk* no me sienta bien la leche; 4 (*tijd*) hacia, para; ~ *drie uur* hacia las tres; ~ *maandag* hacia el lunes; 5 (*jegens*) para con, con; *hij was aardig* ~ *mij* estuvo simpático conmigo; ~ *wie heb je het?* ¿a quién hablas?; 6 (*ongeveer*) más o menos; *hij is* ~ *de 50* tiene

unos 50 años; 7 (*in ruil voor*) por; ~ *betaling* por dinero; ~ *betaling van* mediante el pago de; ~ *drie procent* al tres por ciento; ~ *de prijs van* por el precio de; 8 (*vergeleken met*) frente a, comparado con; *nu f 20 ~ f 40 de vorige week* ahora fls 20 frente a fls 40 la semana pasada

tegenaan: *ergens ~ lopen: a*) (*botsen*) tropezar *ie* con u.c.; *b*) (*toevallig vinden*) tener la suerte de encontrar u.c.

tegen|aanval contraataque *m*; **-bericht** aviso (en) contrario; **-deel** lo contrario; **-eis** (*jur*) reconvención *v*; **-gaan** contrarrestar, salir al paso (a); **-gas**: ~ *geven* ejercer contrapresión

tegengesteld contrario, opuesto, contrapuesto; ~ *aan* contrario a; *dat heeft een ~e uitwerking* es contraproducente; *in ~e richting* en sentido inverso

tegen|gif antídoto; **-hanger** complemento; **-houden** 1 detener; 2 (*verhinderen*) impedir *i*; **-kanting** oposición *v*; **-komen** encontrar *ue*, encontrarse *ue* con; **-kracht** contrafuerza

tegenlicht contraluz *v*; **tegenlichtopname** foto *v* a contraluz

tegen|ligger vehículo que circula en dirección contraria; **-lopen** salir mal; **-natuurlijk** antinatural

tegenop: *niet op kunnen tegen* no estar a la altura de, no poder resistir

tegenover frente a, enfrente de; *zie ook: tegen; hij woont hier ~* vive enfrente; ~ *elkaar: a*) frente a frente; *b*) (*fig*) enfrentados; **tegenovergesteld**: *in het ~e geval* de lo contrario; *zie ook: tegengesteld*; **tegenoverstellen** oponer a, contraponer a

tegen|partij 1 parte *v* contraria; 2 (*mil*) bando contrario; 3 (*tegenstander*) adversario; **-prestatie** contraprestación *v*; *als ~* (*ook:*) en cambio; **-slag** contratiempo, acontecimiento adverso, revés *m*; *een harde ~* un duro revés; **-spartelen** forcejear, resistir; **-speler** 1 adversario; 2 (*toneel*) antagonista *m*; **-spoed** adversidad *v*, mala suerte *v*, infortunio; **-spraak** contradicción *v*; **-spreken** 1 contradecir; *iem ~* llevar la contraria a u.p.; 2 (*van bericht*) desvirtuar *ú*, desmentir *ie, i*, refutar; **-sputteren**: *zonder ~* sin rechistar

tegenstaan repugnar, dar asco; **tegenstand** resistencia, oposición *v*; **tegenstander**, **-standster** adversario, -a, oponente *m,v*

tegen|stelling contradicción *v*, contraste *m*; *in ~ tot* en contraste con, a diferencia de, contrariamente a; **-stemmen** votar en contra; **-stribbelen** resistir

tegenstrijdig contradictorio, opuesto; *~e opvattingen* opiniones *vmv* encontradas; ~ *met* en pugna con, en contradicción con; **tegenstrijdigheid** contradicción *v*

tegenvallen defraudar, decepcionar; *het werk is me tegengevallen: a*) (*moeilijk zijn*) la tarea es más difícil de lo que pensaba; *b*) (*mbt omvang*) la tarea me ha costado más tiempo de lo previsto; **tegenvaller** contratiempo, decepción *v*

tegen|verzekering (*Belg*) seguro de asistencia letrada; **-voeter** antípoda *m*; **-voorstel** contraproposición *v*; **-vordering** reconvención; **-waarde** (valor *m*) equivalente *m*, contravalor *m*

tegenwerken contrariar *í*, obstaculizar; **tegenwerking** oposición *v*

tegenwerpen objetar; **tegenwerping** objeción *v*

tegen|wicht contrapeso; *een ~ vormen tegen* servir *i* de contrapeso a; **-wind** viento contrario

tegenwoordig I *bn* 1 (*aanwezig*) presente; ~ *zijn bij* presenciar, asistir a; 2 (*hedendaags*) actual, de hoy; *~e tijd* presente *m*; *de ~e president* el hoy presidente; II *bw* hoy día, actualmente, hoy por hoy; **tegenwoordigheid** presencia; ~ *van geest* presencia de ánimo

tegenzin desgana; *met ~* a desgana, a disgusto, a regañadientes, de mal aire

tegenzitten: *het zit ons tegen* la suerte no nos es favorable

tegoed saldo acreedor, crédito; *ik heb nog f 10 ~* me deben fls 10

tehuis hogar *m*; ~ *voor ouden van dagen* residencia de ancianos

teil tina, barreño; **teiltje** palangana

teint cutis *m*, tez *v*

teisteren azotar, asolar

tekeer: ~ *gaan* vociferar, poner el grito en el cielo, ponerse hecho una fiera, enfurecerse; ~ *tegen iem* poner verde a u.p.; *vreselijk ~* darse a todos los diablos

teken señal *v*, signo; *een goed ~* una buena señal; ~ *van de dierenriem* signo del Zodíaco; *er zijn ~en die erop wijzen dat* hay indicios de que; *~s geven* hacer señas; *geen ~ van leven geven* no dar señal de vida; *ten ~ van* en señal de

tekenaar, **tekenares** dibujante *m,v*; (*techn*) delineante *m,v*; **tekenbehoeften** materiales *mmv* de dibujo

tekenen 1 dibujar; 2 (*ondertekenen*) firmar, suscribir; *voor gezien ~* poner el visto bueno (en); *voor ontvangst ~* firmar la recepción; *daar teken ik voor!* ¡eso me gustaría!; 3 (*kenmerken*) caracterizar, ser característico para; *getekend door de oorlog* señalado por la guerra; **tekenend** característico

tekenfilm dibujos *mmv* animados

tekening 1 dibujo; 2 (*ontwerp*) diseño; 3 (*techn*) plano || *er begint ~ in te komen* se empieza a ver más claro

teken|kamer sala de dibujo; **-leraar**, **-lerares** profesor, -ora de dibujo; **-papier** papel *m* de dibujo; **-plank** tablero de dibujo

tekkel (*hond*) perro pachón, perro raposero; (*fam*) perro tubo

tekkelen (*sp*) echar una zancadilla

tekort déficit *m, mv déficits*, deficiencia; (*schaarste*) escasez *v*; ~ *op de begroting* déficit

presupuestario; *het ~ aan woningen ligt rond de honderdduizend* el déficit de viviendas está en torno a las cien mil; *~ aan personeel* escasez de personal; **tekortkoming** defecto, desperfecto; (*euvel*) mal *m*
tekst 1 texto; *~ en uitleg geven* explicar con pelos y señales, dar una explicación detallada; 2 (*van lied*) letra; 3 (*van opera*) libreto
tekst|boekje texto; **-schrijver** redactor *m* de textos publicitarios; **-verklaring** explicación *v* de textos; **-verwerker** elaborador *m* de textos, procesador *m* de textos; **-verwerking** tratamiento de textos, proceso de textos, procesamiento de textos
tel: *de ~ kwijt zijn* perder *ie* la cuenta; *in twee ~len klaar zijn* estar listo en un dos por tres || *in ~ zijn* tener prestigio, gozar de estima; *op zijn ~len passen* andar con ojo
telecommunicatie telecomunicación *v*
telefoneren 1 (*spreken*) hablar por teléfono; 2 (*opbellen*) llamar por teléfono, telefonear; **telefonisch** telefónico, por teléfono; **telefonist**, **telefoniste** telefonista *m,v*; **telefoon** teléfono; *er is ~ voor u* le llaman por teléfono; *de ~ gaat* suena el teléfono; *de ~ staat niet stil* el teléfono no para; *aan de ~ komen* ponerse al aparato
telefoon|beantwoorder contestador *m* automático; **-boek** guía de teléfonos; **-cel** cabina (telefónica); **-centrale** central *v* de teléfonos; **-gesprek** 1 conversación *v* por teléfono; 2 (*het opbellen*) llamada telefónica; **-nummer** número de teléfono
telefoontje telefonazo, llamada
telefoontoestel teléfono, aparato
telegraaf telégrafo; **telegraferen** telegrafiar *í*, cablegrafiar *í*; **telegrafisch** telegráfico; **telegram** telegrama *m*, cable *m*; *een ~ sturen* poner un telegrama; **telegramstijl** estilo telegrama
telelens teleobjetivo
telen cultivar
telepathie telepatía
teler cultivador *m*
telescoop telescopio
teleurstellen defraudar, desilusionar, decepcionar; **teleurstellend** decepcionante, defraudador *-ora*; **teleurstelling** desencanto, desengaño, desilusión *v*
televisie televisión *v*; (*fam*) tele v; *op de ~ uitzenden* televisar
televisie|apparaat televisor *m*, aparato de televisión; **-journaal** telediario
telex 1 (*apparaat*) teletipo; 2 (*bericht*) télex *m*
telg descendiente *m,v*, vástago
telkens cada vez, a cada momento, a cada paso; *~ wanneer* cada vez que
tellen contar *ue*; *tot 10 ~* contar hasta diez; *hij kan niet verder ~ dan 5* no sabe contar por encima de cinco; *alsof hij geen 10 kan ~* abobado, haciendo el bobo, alelado; *opnieuw ~* recontar *ue*; *hij telt voor twee* vale por dos; *dat telt niet* eso no cuenta; *zijn dagen zijn geteld* tiene sus días contados; **teller** 1 (*elektr, telef*) contador *m*; 2 (*van breuk*) numerador *m*; **telling** 1 cuenta, cómputo; (*herhaald*) recuento; 2 (*van stemmen*) escrutinio; 3 (*van bevolking*) censo; **telraam** ábaco, contador *m*, cuentabolas *m*; **telwoord** numeral *m*
temeer: *~ daar* cuanto más que
temmen domar, amansar; **temmer** domador *m*
tempel templo
temperament temperamento
temperatuur temperatura
temperen moderar, templar; (*van verdriet*) mitigar; (*van licht*) atenuar *ú*
tempo 1 (*snelheid*) velocidad *v*, ritmo; *in een snel ~* a un ritmo acelerado; 2 (*muz*) tempo, movimiento
temster domadora
ten: *~ eerste* en primer lugar; *~ goede komen aan* redundar en beneficio de
tendens tendencia; **tendentieus** tendencioso
teneinde para, a fin de, a efectos de
teneur tenor *m*
tenger fino, delgado; (*sierlijk*) esbelto
tengevolge: *~ van* a consecuencia de, a resultas de
tenietdoen anular, invalidar
tenlastelegging acusación *v*, imputación *v*
tenminste por lo menos, al menos
tennis tenis *m*
tennis|baan campo de tenis; **-bal** pelota de tenis; **-racket** raqueta (de tenis)
tennissen jugar *ue* al tenis
tenor tenor *m*; **tenorsaxofoon** saxófono tenor, saxo tenor
tenslotte finalmente, al final
tent 1 tienda (de campaña); (*op kermis*) barraca (de feria); *zijn ~en opslaan* asentar *ie* sus reales; *uit zijn ~ lokken* (*uithoren*) tirar de la lengua; 2 (*horeca*) sitio
tentamen examen *m* parcial; **tentamenperiode** período de exámenes
tentenkamp campamento
tentoonspreiden exhibir, desplegar *ie*
tentoonstellen exponer, exhibir; **tentoonstelling** exposición *v*
tentstok palo de tienda
tenue uniforme *m*; (*vnl sp*) atuendo
tenuitvoerlegging ejecución *v*
tenzij a no ser que, a menos que
tepel pezón *m*
ter para; *zie: te*
teraardebestelling enterramiento
terbeschikkingstelling 1 puesta a disposición; 2 (*jur*) internamiento para tratamiento o reeducación
terdege (*grondig*) a fondo, detenidamente; *het is hem ~ bekend* lo sabe de sobra
terecht 1 con razón, con motivo, justificadamente; *~ of ten onrechte* con razón o sin ella; 2 *~ zijn* haber aparecido; *het geld is ~* han encontrado el dinero, ha aparecido el dinero

terecht|brengen: *iets* ~ *van* saber hacer u.c.; *van Frans brengt hij niets terecht* no se le da el francés; **-komen** 1 (*in orde komen*) arreglarse; 2 (*gevonden worden*) aparecer; 3 (*worden*) ser; *wat is er van hem -gekomen?* ¿qué se hizo de él?; *wat moet er van jou* ~? ¿qué va a ser de ti?; *daar komt niets van terecht* eso va a acabar mal; 4 ~ *bij* (venir a) parar en manos de; 5 ~ *in* ir a parar en, dar en; *in een sloot* ~ caer en una zanja; **-staan** ser procesado, comparecer en juicio

terechtstellen ejecutar, ajusticiar; **terechtstelling** ejecución *v*, ajusticiamiento

terechtwijzen reprender, amonestar; **terechtwijzing** reprimenda, amonestación *v*

teren 1 (*met teer*) alquitranar, embrear; 2 ~ *op* vivir de

tergen provocar, exasperar, molestar

tering tisis *v*; *vliegende* ~ tisis galopante || *de* ~ *naar de nering zetten* no hay que estirar las piernas que hasta donde dan las sábanas (o las mantas)

terloops de paso

term término; *in bedekte* ~*en* con indirectas; *in de* ~*en vallen om* reunir *ú* los requisitos para

termiet termes *m*, termita, comején *m*

termijn término, plazo; *in maandelijkse* ~*en* en plazos mensuales; *op korte* ~ a corto plazo; *op lange* ~ a largo plazo; *als de* ~ *verstreken is* transcurrido el plazo

terminal terminal *v*

terminologie terminología

ternauwernood apenas; ~ *ontkomen* escaparse por los pelos

terneergeslagen abatido

terp terpe *m*

terpentijn trementina; **terpentijnolie** esencia de trementina, aguarrás *m*; **terpentine** trementina mineral, aguarrás *m* mineral

terras terraza

terrein 1 terreno; *bekend* ~ terreno conocido; *het* ~ *verkennen: a*) (*fig*) tentar *ie* el vado; *b*) (*mil*) reconocer el terreno; ~ *verliezen* perder *ie* terreno; ~ *winnen op links* ganar terreno a la izquierda; 2 (*sportveld*) campo; 3 (*perceel*) parcela, terreno; 4 (*om te bouwen*) solar *m*

terrein|gesteldheid configuración *v* del terreno, condiciones *vmv* del terreno; **-wagen** coche *m* de todo terreno, vehículo todo terreno

terreur (*pol*) terrorismo

terriër (perro) terrier *m*

terrine sopera

territoriaal territorial; *-toriale wateren* aguas jurisdiccionales; **territorium** territorio

terroriseren terrorizar; **terrorisme** terrorismo; **terrorist**, **terroriste** terrorista *m,v*

tersluiks a escondidas, a hurtadillas, de tapadillo

terstond en el acto, inmediatamente, sin demora

tertiair: ~*e sector* sector *m* terciario

terts tercera; *grote* ~ tercera mayor; *kleine* ~ tercera menor

terug de vuelta; ~ *zijn* estar de vuelta; *een stap* ~ un paso atrás; *ik ben zo* ~ vuelvo en seguida, ahora vuelvo; *hebt u van f 25* ~? ¿tiene vuelta de fls 25?; *ik heb niet* ~ no tengo cambio; *daar had hij niet van* ~ a eso no sabía qué contestar

terugbellen volver *ue* a llamar

terugbetalen devolver *ue*; (*van lening ook:*) reintegrar; **terugbetaling** devolución *v*; (*van lening ook:*) reintegro

terug|blik mirada retrospectiva; **-brengen** devolver *ue*, traer de vuelta; *tot het minimum* ~ reducir al mínimo; *in de oude toestand* ~ restituir al estado primitivo; **-deinzen** echarse atrás, retroceder (asustado); *voor niets* ~ no arredrarse ante nada; **-denken**: ~ *aan* evocar, recordar *ue*; **-draaien**: *de zaak* ~ volverse atrás; **-dringen** 1 hacer retroceder; 2 (*fig*) reprimir

teruggaan volver *ue*, regresar; **teruggang** declinación *v*, descenso

terug|gave devolución *v*; **-getrokken**: ~ *leven* vivir retirado; **-geven** devolver *ue*; *aan de eigenaar* ~ restituir a su dueño; *te weinig* ~ devolver menos de lo debido; **-gooien** (*van bal*) devolver *ue*; **-groeten** devolver *ue* el saludo, responder al saludo

terughoudend reservado, reticente; **terughoudendheid** reserva, actitud *v* reticente

terugkaatsen 1 (*mbt licht*) reflejar; 2 (*mbt geluid*) repercutir; 3 (*mbt bal*) rebotar

terugkeer regreso, vuelta; (*lit*) retorno; **terugkeren** regresar, volver *ue*; *op zijn schreden* ~ volver sobre sus pasos

terugkomen volver *ue*, regresar; ~ *op: a*) (*op een kwestie*) volver sobre; *b*) (*op een besluit*) volverse atrás de; ~ *van iets* volverse atrás de u.c., retractarse de u.c., estar de vuelta de u.c.; **terugkomst** vuelta, regreso

terug|krabbelen retractarse, echarse atrás; **-krijgen** 1 recobrar; 2 (*na betaling*) recibir de vuelta; **-leggen** (*op zijn plaats*) regresar a su sitio; **-lopen** 1 volver *ue* andando; 2 (*verminderen*) decaer, disminuir; **-nemen** (*van woorden*) desdecirse de, retractarse de, retirar; *ik neem mijn woorden terug* retiro lo dicho || *gas* ~ disminuir la marcha; **-reis** (viaje *m* de) vuelta, regreso; **-roepen** (*van diplomaat*) retirar, llamar; **-schakelen** cambiar a una velocidad inferior; **-schrijven** contestar (una carta); **-slag** 1 (*van geweer*) rechazo; 2 (*fig*) reacción *v*; ~ *op* repercusión *v* en; ~ *hebben op* repercutir en, incidir en; **-spoelen** rebobinar; **-springen** dar un salto atrás; **-sturen** 1 (*per post*) devolver *ue*; 2 (*van iem*) mandar por donde vino; **-tocht** regreso; **-traprem** freno de contrapedal; **-treden** retirarse; **-trekken** retirar; *zich* ~ retirarse; *zich in zichzelf* ~ recogerse en sí mismo; **-val** retroceso; **-vallen**: ~ *op* recurrir a

terug|verlangen: ~ *naar* añorar; **-vinden** volver *ue* a encontrar; **-vorderen** reclamar; **-weg** (camino de) vuelta, regreso; *op de* ~ de regre-

so; **-werkend**: *met ~e kracht* con retroactividad, con efectos retroactivos; **-zeggen** contestar; **-zetten** 1 (*van klok*) atrasar; 2 (*van stoel, boek*) volver *ue* a colocar en su sitio; **-zien** 1 volver *ue* a ver; 2 *~ op* recordar *ue*, volver *ue* la vista sobre
terwijl 1 (*gelijktijdigheid*) mientras; 2 (*tegenstelling*) mientras que, en tanto que
terzelfder: *~ tijd* al mismo tiempo
terzijde: *iem ~ staan* secundar a u.p., ayudar a u.p.; *~ leggen* apartar, poner de lado; **terzijdestelling**: *met ~ van* con prescindencia de
test 1 (*proefneming*) prueba, experimento; 2 (*psych*) test *m*, prueba psicológica
testament 1 testamento; *zijn ~ maken* testar, hacer testamento; 2 *het Oude en het Nieuwe ~* el Testamento Antiguo y el Testamento Nuevo; **testamentair** testamentario; **testateur**, **testatrice** testador, -ora, causante *m,v*
testbeeld carta de ajuste
testcase prueba piloto, caso de prueba
testen probar *ue*, ensayar
testikel testículo
testimonium 1 testimonio; 2 (*van aanwezigheid*) certificado (de asistencia)
testpiloot piloto de pruebas
tetanus tétanos *m*, tétano
tetteren 1 parlotear, chacharear; 2 (*muz*) tocar la trompeta
teug trago; *met volle ~en genieten* gozar plenamente, gozar a todo lo que da
teugel rienda; *de ~s laten vieren* aflojar las riendas; *de ~s in handen nemen* tomar las riendas; *de vrije ~ laten* dar rienda suelta a
teugje sorbo; *met kleine ~s* a pequeños sorbos
1 teut (*treuzel*) tortuga
2 teut: *~ zijn* tener una merluza, tener una curda
teuten holgazanear, remolonear
teveel I *bn* demasiado; II *zn* excedente *m*, surplús *m*, exceso
tevens además
tevergeefs I *bn* vano, inútil; II *bw* en vano, inútilmente
tevoren antes; *2 jaar ~* 2 años antes; *van ~* con anticipación, de antemano, previamente, por anticipado; *2 dagen van ~* con 2 días de antiticipación; *ik zeg het je van ~* te lo adelanto; *van ~ bepalen* predeterminar
tevreden contento; (*voldaan*) satisfecho; *hij is niet gauw ~* no se contenta con poco; *hij was maar half ~* quedó satisfecho sólo a medias; **tevredenheid** contento, satisfacción *v*; *tot mijn volle ~* a mi entera satisfacción; **tevredenstellen** contentar, satisfacer; *zich ~ met*: *a*) contentarse con; *b*) (*genoegen nemen met*) conformarse con
tewaterlating botadura
teweegbrengen ocasionar, causar, motivar, originar, producir
tewerkstellen emplear; **tewerkstelling** empleo; **tewerkstellingsdienst** (*Belg*) oficina de colocación, oficina de empleo

textiel tejidos *mmv*, géneros *mmv* textiles; **textielindustrie** industria textil
tezamen juntos
thans ahora, en estos momentos, actualmente
theater teatro; **theaterworkshop** taller *m* de teatro; **theatraal** teatral
thee té *m*; *slappe ~* té flojo; *sterke ~* té cargado; *~ drinken* tomar (el) té; *~ zetten* hacer (el) té
thee|blaadjes hojitas de té; **-blad** bandeja; **-doek** paño de cocina; **-kopje** taza para té; **-lepeltje** 1 cucharilla; 2 (*maat*) cucharadita
Theems Támesis *m*
thee|muts cubretetera *m*; **-pot** tetera; **-roos** rosa de té; **-servies** juego de té, servicio de té; **-zakje** bolsita de té, bolsa de té; **-zeefje** colador *m* de té
thema 1 (*onderwerp; muz*) tema *m*; 2 (*les*) ejercicio
theologie teología; **theoloog** teólogo
theoreticus teórico; **theoretisch** I *bn* teórico; II *bw* teóricamente, en teoría; **theoretiseren** teorizar; **theorie** teoría
theosofie teosofía
therapeut, **therapeute** terapeuta *m,v*; **therapie** terapia
thermiek térmica
thermometer termómetro
thermosfles termo, termos *m*
thermostaat termostato
thinner aclarador *m* (de pintura), diluyente *m*
thriller película de suspenso
thuis I *bw* en casa; *ik ben voor niemand ~* no estoy para nadie; *is je moeder ~?* ¿está tu madre (en casa)?; *ik ben net ~* acabo de llegar; *doe alsof je ~ bent* estás en tu casa; *handen ~!* ¡las manos quietas!; *goed ~ zijn in* ser entendido en, ser versado en; II *zn* hogar *m*
thuis|blijven quedarse en casa; **-brengen** acompañar (a su casa); *ik kan hem niet ~* no sé de dónde sale ése; *ik kan dat geluid niet ~* no puedo identificar ese sonido; **-club** club casero, (los) locales; **-haven** puerto de matrícula; **-horen**: *jij hoort hier niet thuis* tu sitio no es aquí; **-komen** llegar a casa; **-komst** regreso, vuelta a casa; **-landen** (*Z-Afr*) bantustanes *mmv*; **-raken**: *~ in* familiarizarse con; **-reis** (viaje *m* de) regreso; **-voelen**: *zich ~* sentirse *ie, i* como en su casa; **-wedstrijd** partido casero, partido en casa; **-werk** trabajo (hecho) en casa; **-werker** trabajador domiciliario; **-werkster** trabajadora domiciliaria; **-zorg** cuidados *mmv* domiciliarios, asistencia a domicilio
tic 1 tic *m*, *mv tiques* (nervioso); 2 *zie: tik*
tien diez; *periode van ~ jaar* decenio, década; **tiende** I *bn* décimo; II *zn* décimo; **tiendelig**: *een ~e breuk* una fracción decimal; **tienduizend** diez mil; *~en* decenas de miles; **tienduizendste** diezmilésimo
tiener quinceañero, -a, teen-ager *m,v*
tienfrankstuk (*Belg*) moneda de diez francos
tienkamp decatlón *m*

tienrittenkaart billete *m* para diez viajes
tiental decena; **tientallig** decimal
tientje billete *m* de diez florines
1 tieren (*groeien*) crecer, prosperar
2 tieren (*razen*) gritar, darse a todos los diablos
tierlantijntjes perifollos, ringorrangos
tierig alegre, sano
tij marea; *dood* ~ marea muerta; *hoog* ~ marea alta; *laag* ~ marea baja; *opkomend* ~ marea creciente, marea entrante; *vallend* ~ marea menguante, marea saliente
tijd 1 tiempo; *een hele* ~ mucho rato; *de hele* ~ todo el tiempo; *korte* ~ poco tiempo; *korte* ~ *later* al poco (tiempo); *lange* ~ mucho tiempo; *vrije* ~ ocio, tiempo libre; *een* ~ *geleden* hace tiempo; *de* ~ *dringt* el tiempo urge; ~ *is geld* el tiempo es oro; *de* ~ *is om* se ha acabado el tiempo; *komt* ~ *komt raad* (hay que) dar tiempo al tiempo; *de* ~ *zal het leren* el tiempo dirá; *de* ~ *vliegt om* las horas pasan sin sentir; *daar is geen* ~ *meer voor* ya no da tiempo; *er is nog* ~ *genoeg* hay tiempo; *dat waren nog eens* ~*en!* ¡qué tiempos aquéllos!; *de* ~ *doden* hacer tiempo, matar el tiempo; *we hebben alle* ~ tenemos tiempo de sobra, nos sobra tiempo; *heb je even* ~*?* ¿tienes un momento?; *hij maakt een slechte* ~ *door* pasa una mala temporada; *de* ~ *nemen voor iets* tomarse tiempo para u.c.; ~ *winnen* ganar tiempo; *ik ben aan* ~ *gebonden* no dispongo de mucho tiempo; *bij de* ~ *zijn* estar al tanto de las cosas; *bij* ~ *en wijle* de tiempo en tiempo; *binnen afzienbare* ~ en breve; *in* ~ *van oorlog* en tiempos de guerra; *in minder dan geen* ~ en un santiamén; *in geen* ~*en heb ik je gezien* hace siglos que no te veo; *sinds* ~*en* desde hace tiempo, de tiempo (atrás); *tegen die* ~ para entonces; *ten* ~*e van* en tiempos de, cuando; *te zijner* ~ a su (debido) tiempo, oportunamente; *uit de* ~ pasado de moda; *van* ~ *tot* ~ de tiempo en tiempo; *iets van de laatste* ~ cosa reciente; *koud voor de* ~ *van het jaar* frío para la temporada; *voor kortere of langere* ~ por más o menos tiempo; **2** (*tijdstip*) hora; *plaatselijke* ~ hora local; *is het al* ~*?* ¿ya es hora?; *het wordt hoog* ~ *om* ya es tiempo de, ya es hora de; *zijn* ~ *was gekomen* le había llegado su hora; *om deze* ~ a estas horas; *op* ~ a tiempo; *ze komen altijd op* ~ son muy puntuales; *ruimschoots op* ~ con tiempo; *precies op* ~ a la hora exacta; *je komt net op* ~ llegas justo; *alles op zijn* ~ todo a su tiempo; *op vaste* ~*en* regularmente; *te allen* ~*e* en todo momento; **3** (*periode*) época; *de* ~ *van Filips II* la época de Felipe II; **4** (*seizoen*) época, temporada; *de* ~ *van de haring* la época del arenque; **5** (*gramm*) tiempo; **6** (*in sport*) marca; *een goede* ~ *rijden* obtener una buena marca
tijdbom bomba de reloj, bomba de acción retardada
tijdelijk 1 (*mbt baan, adres*) temporal, accidental, eventual; *een* ~*e baan* un empleo temporal; **2** (*voorlopig*) provisional; **3** (*voorbijgaand*) transitorio, pasajero; ~*e maatregel* medida transitoria; **4** (*waarnemend*) interino
tijdens durante
tijd|gebrek falta de tiempo, apremio de tiempo; *uit* ~ por falta de tiempo; **-genoot, -genote** contemporáneo, -a, coetáneo, -a
tijdig I *bn* oportuno; **II** *bw* con tiempo, a tiempo, con antelación, con la anticipación necesaria
tijding noticia; *goede* ~ buenas noticias *vmv*
tijdje rato, algún tiempo
tijdlang: *een* ~ durante algún tiempo; *al een* ~ desde hace tiempo, de tiempo atrás
tijd|limiet fecha tope, límite *m* (de tiempo); **-nood**: *ik zit in* ~ me falta el tiempo, ando muy escaso de tiempo; **-opname** exposición *v*; **-opnemer** cronometrador *m*; **-perk** época, era; *het stenen* ~ la edad de (la) piedra; *het ijzeren* ~ la edad del hierro; **-rovend** que exige mucho tiempo
tijds|besparing ahorro de tiempo; **-bestek** lapso, plazo, espacio (de tiempo)
tijd|schrift revista; **-sein** señal *v* horaria
tijdsgewricht coyuntura
tijdstip momento
tijdsverloop intervalo (de tiempo), lapso
tijd|vak período; **-verdrijf** pasatiempo; **-verlies** pérdida de tiempo
tijger tigre *m*; **tijgerin** tigra, tigresa
tijk 1 (*stof*) tela para colchones; **2** (*overtrek*) funda
tijm tomillo
tik 1 (*klap*) golpe *m* (leve); **2** (*sterke drank*) gotas *vmv*
tikfout error *m* de máquina
tikje golpecito; **tikkeltje**: *een* ~ un poco, un poquito; (*een snufje*) una pizca; *een* ~ *humor* una nota de humor
tikken I *ww* **1** (*mbt klok*) hacer tictac; *een* ~*d geluid* un tictac; **2** (*op schouder*) dar palmaditas; **3** (*op deur*) dar un golpecito en, golpear, llamar a; *met zijn vingers* ~ *op* dar con los dedos en; **4** (*bij krijgertje*) tocar; **5** (*typen*) escribir a máquina; **II** *zn zie: getik*; **tikkertje** pillapilla *m*; ~ *spelen* jugar al pillapilla, perseguirse *i*;
tikwerk trabajo(s) de mecanografía
1 til *zie: duiventil*
2 til: *op* ~ *zijn* ser inminente, avecinarse
tillen levantar; *ergens zwaar aan* ~ tomar algo muy a pecho
timen calcular el tiempo de, para; *goed getimed* en el momento oportuno
time-out interrupción *v*
timide tímido
timmeren 1 *intr* carpintear; *hij kan goed* ~ es buen carpintero; *erop los* ~ tirarse a golpes, pegar a lo loco; **2** *tr* hacer, construir, fabricar; *een kast* ~ hacer un armario || *aan de weg* ~ buscar la publicidad; *hij timmert niet hoog* no es ninguna lumbrera
timmer|hout madera (de construcción), ma-

dera (laborable); **-man** carpintero; **-werkplaats** carpintería
1 tin estaño; (*legering*) peltre *m*
2 tin (*kanteel*) almena
tin|erts mineral *m* de estaño; **-folie** hoja de estaño
tingelen 1 tintinear; 2 (*op piano*) teclear
tinnef (*gespuis*) chusma
tinnegieter estañero
tinnen de estaño
tint tono (de color), matiz *m*, tinte *m*
tintelen 1 (*mbt sterren*) centellear; 2 (*mbt ogen*) brillar, chispear; 3 (*mbt wijn*) ser espumoso, burbujear; 4 (*mbt vingers*) picar, hormiguear; *zijn vingers tintelden* sentía picazón en los dedos, sentía hormigueo en los dedos; **tinteling** 1 (*flonkering*) centelleo, destello; 2 (*jeuk*) hormigueo, picazón *v*
tinten (*verven*) teñir *i*; *sociaal getint* con un tinte social; **tintje** tinte *m*, matiz *m*, sabor *m*
1 tip (*van doek*) punta
2 tip 1 (*aanwijzing*) consejo, sugerencia; 2 (*aan politie*) soplo; 3 (*fooi*) propina
tipgever informante *m*
tippel paseo; **tippelaar**: *een goede* ~ un buen andarín; **tippelaarster** (*hoer*) trotacalles *v*; **tippelen** 1 (*lopen*) andar; 2 (*mbt prostituées*) hacer la carrera
tippen (*van politie*) informar, dar el soplo || *daar kan hij niet aan* ~ no lo alcanza ni de lejos
tiran tirano; **tirannie** tiranía; **tiranniek** tiránico; **tiranniseren** tiranizar
titel título; **titelblad** portada; **titelen** titular
titel|houder (*sp*) poseedor *m* del título; **-verdediger** (*sp*) defensor *m* del título
tjilpen trinear, gorjear
tjokvol (lleno) hasta los topes
TL-buis tubo fluorescente
tobbe tina
tobben 1 (*zwoegen*) afanarse; 2 ~ *over* preocuparse de, cavilar sobre; **tobber** 1 (*zwoeger*) pobre diablo; 2 (*zwaartillend*) aprensivo
toch 1 (*evenwel*) sin embargo, no obstante, con todo, aun así, a pesar de todo; 2 (*immers*) *je weet* ~ *dat ...?* ya sabes que ... ¿no?; *je was er* ~ *bij?* estuviste allí ¿no?; *zo is het* ~*?* así es ¿no?, es eso ¿verdad?; *u hebt* ~ *geen haast?* no tiene Ud. prisa ¿verdad?; 3 (*aansporing bij geb wijs*) *ga* ~ *zitten* anda, siéntate; *schiet* ~ *eens op* anda, despabila; 4 (*wens*) *was hij* ~ *maar gebleven* ¡ojalá se hubiera quedado!; 5 (*soms onvertaald*) *waarom deed je dat* ~ ¿por qué lo hiciste?; *wat is er* ~ *met hem?* ¿qué (demonios) le pasa?; *waar zou hij* ~ *zitten?* ¿por dónde andará?, ¿dónde se habrá metido?; *wat bent u* ~ *goed!* ¡es Ud. más bueno!; 6 (*hoe dan ook*) de todos modos; *te laat komen we* ~ llegaremos tarde de todos modos; 7 ~ *al* de por sí; *het is* ~ *al zo ingewikkeld* ya de por sí es tan complicado
1 tocht (*wind*) corriente *v* de aire
2 tocht (*reis*) viaje *m*, excursión *v*

tochtband burlete *m*
tochten: *het tocht hier* hay una corriente (de aire)
tochtig expuesto a las corrientes de aire
toe I *bw* 1 (*richting*) *waar ga je naar* ~*?* ¿adónde vas?; *ik ga naar Parijs* ~ voy a París; *naar iets* ~ *lopen* dirigirse a u.c., acercarse a u.c.; *waar moet dat naar* ~*?* (*fig*) ¿dónde iremos a parar?; *waar wilt u eigenlijk naar* ~*?* (*fig*) ¿adónde va Ud. a parar?; 2 *er* ~ *doen* importar; *het doet er niet* ~ no importa; 3 *aan* ~*: ik kom er niet aan* ~ no me da tiempo para hacerlo; *daar zijn we nog niet aan* ~ no hemos llegado tan lejos; *hij is er slecht aan* ~*: a*) (*ziek*) está muy mal; *b*) (*financ*) anda muy mal de dinero; *weten waar je aan* ~ *bent* saber a qué atenerse; *ik ben aan rust* ~ necesito descansar; *zonder haar zou je er mooi aan* ~ *zijn!* (*fig*) sin ella ¡estarías bueno!; *hij is aan het examen* ~ está listo para el examen; 4 (*na*) *er is ijs* ~ como postre hay helado; 5 (*tot aan*) *tot daar aan* ~ (*lett*) hasta allí; *dat is tot daaraan* ~ (*fig*) no es tan grave; *tot nu* ~ hasta ahora; *tot drie keer* ~ por tres veces; II *bn* (*gesloten*) cerrado; III *tw* ¡anda!; ~*, help me eens!* ¡anda, ayúdame!; ~*, luister eens!* ¡oye, tú!; ~ *maar!: a*) (*verbazing*) ¡qué barbaridad!, ¡no me digas!; *b*) (*aanmoediging*) ¡anda!; ~ *maar, tast* ~ bueno, sírvete
toe|bedelen asignar, adjudicar; **-behoren** I *ww*: ~ *aan* pertenecer (a); II *zn* accesorios *mmv*; *met alle* ~ completamente equipado
toebereiden preparar; **toebereidselen** preparativos
toe|bijten 1 (*toehappen*) morder *ue*; 2 (*toesnauwen*) decir con aspereza; **-brengen** 1 (*van schade, wond*) inferir *ie, i*, causar, ocasionar; 2 (*van klap, nederlaag*) infligir; 3 (*van messteek, klap*) asestar; **-dekken** cubrir; (*in bed ook:*) arropar; **-dichten** atribuir; **-dienen** 1 (*van medicijn, sacrament*) administrar; 2 (*van klap*) asestar, propinar; 3 (*van straf*) aplicar, infligir
toedoen I *ww* 1 (*sluiten*) cerrar *ie*; 2 *er* ~ importar; *iets, het doet er niet toe wat* cualquier cosa, lo que sea; II *zn* intervención *v*; *door uw* ~*: a*) (*gunstig*) gracias a su intervención; *b*) (*ongunstig*) por su culpa
toedracht: *de* ~ *vertellen* contar *ue* cómo fue, contar *ue* cómo pasó la cosa, contar *ue* lo ocurrido (con todo detalle); **toedragen**: *iem achting* ~ sentir *ie, i* respeto por u.p.; *zich* ~ ocurrir
toe|ëigenen: *zich iets* ~ apropiarse (de) u.c.; **-fluisteren** decir al oído
toegaan: *het gaat er vreemd toe* pasan cosas raras allí
toegang 1 (*ingang*) entrada; 2 (*toegangsweg, toelating*) acceso; ~ *alle leeftijden* tolerado para menores; ~ *boven 18 jaar* autorizado para mayores de 18 años; *verboden* ~ prohibido el paso, se prohíbe la entrada; *vrij* ~ entrada libre; ~ *geven tot* dar acceso a, comunicar

con; ~ *hebben tot* tener acceso a; *iem ~ verschaffen* franquear el paso a u.p.; *zich ~ verschaffen* (*tot*) abrirse paso (a)
toegangs|bewijs billete *m* de entrada; **-prijs** precio de entrada; **-weg** (vía de) acceso
toegankelijk accesible; (*mbt persoon*) accesible, abordable; *goed ~* de fácil acceso; *slecht ~* de acceso difícil; **toegankelijkheid** accesibilidad *v*
toegedaan: *iem ~ zijn* tener afecto a u.p.; *de mening ~ zijn* tener la opinión, opinar
toegeeflijk indulgente, complaciente; **toegeeflijkheid** indulgencia, complacencia
toegepast aplicado
toegestaan permitido
toegeven 1 (*erkennen*) reconocer, admitir, conceder; *toegegeven moet worden dat* hay que reconocer que; 2 (*toegeeflijk zijn*) *iem wat ~* seguirle *i* el humor a u.p., contemporizar con u.p.; 3 (*wijken*) ceder, dar el brazo a torcer; *hij gaf niet toe* se mantuvo inflexible; 4 *~ aan* ceder ante; (*zich overgeven aan*) entregarse a, abandonarse a; *~ aan iems grillen* ceder ante los caprichos de u.p.; *~ aan zijn verdriet* entregarse al dolor; **toegift** número fuera de programa, propina, extra *m*
toehoorder oyente *m,v*; *~s* (*publiek*) oyentes *mmv*, audiencia
toejuichen ovacionar, aplaudir, aclamar; **toejuichingen** aplausos, vítores *mmv*, vivas *mmv*; aclamación *v*
toekennen 1 (*van prijs*) conceder, otorgar, adjudicar; 2 (*van eigenschappen*) atribuir, discernir *ie, i*; 3 (*van recht*) conferir *ie, i*; 4 (*van salaris*) señalar; 5 (*van waarde*) asignar; **toekenning** 1 (*van prijs*) otorgamiento, adjudicación *v*; 2 (*van eigenschappen*) atribución *v*; 3 (*van salaris*) señalamiento
toe|keren: *iem de rug ~* volver *ue* la espalda a u.p.; **-kijken** mirar; **-knijpen** atenazar; **-knikken** hacer una seña con la cabeza; **-komen** 1 *doen ~* enviar *í*, remitir; 2 *~ aan* corresponder a, pertenecer a, incumbir a; 3 *~ met: ik kom met dat geld niet toe* ese dinero no me alcanza
toekomst futuro, porvenir *m*; *in de ~* en el futuro, en lo sucesivo; *in een nabije ~* en un futuro no lejano; *de ~ voorspellen* adivinar el porvenir; **toekomstdroom** sueño de futuro; **toekomstig** futuro; **toekomstmogelijkheden** perspectivas
toekunnen: *met f 100 kan ik een maand toe* fls 100 me alcanzan para un mes
toelaatbaar admisible, tolerable
toelachen sonreír *i* a u.p.
toelage suma asignada, asignación *v*, pensión *v*, subsidio
toelaten 1 (*binnenlaten*) admitir; 2 (*toestaan*) permitir; *vragen om -gelaten te worden* pedir *i* su ingreso; *-gelaten worden* (*slagen*) aprobar *ue*; **toelating** admisión *v*
toelatings|examen examen *m* de ingreso; **-raad** (*Belg*) comité *m* de admisión
toeleg intención *v*, propósito; (*ijver*) ahinco;
toeleggen 1 *er* (*geld*) *op ~* poner dinero encima, perder *ie* dinero; 2 *het erop ~ om* estar empeñado en; 3 *zich ~ op* dedicarse a
toelichten explicar, aclarar, elucidar; **toelichting** explicación *v*, aclaración *v*; *memorie van ~* exposición *v* de motivos, memoria explicativa
toeloop concurrencia; **toelopen** 1 *~ op* avanzar hacia; 2 (*spits*) *~* terminar en punta, estrecharse hacia arriba
toen I *bw* 1 (*op dat moment*) entonces; *van ~ af* desde entonces; 2 (*daarna*) después, luego; II *vw* cuando; *~ ik klein was* cuando (era) pequeño
toenadering acercamiento, aproximación *v*
toename aumento, crecimiento, acrecentamiento
toendra tundra
toenemen 1 aumentar, crecer, acrecentar; (*duidelijker worden*) acentuarse; *met 10% ~* aumentar en un 10%; 2 (*mbt wind*) arreciar;
toenemend progresivo, creciente; *in ~e mate* en forma progresiva
toenmalig entonces; *de ~e minister* el entonces ministro
toentertijd en aquel tiempo, en aquel entonces
toepasbaar aplicable; **toepasselijk** apropiado; *~ zijn op* aplicarse a; **toepassen** aplicar, emplear, utilizar; *verkeerd ~* aplicar mal, usar indebidamente; **toepassing** aplicación *v*; *van ~ zijn* (*op*) aplicarse (a), ser aplicable (a); *doorhalen wat niet van ~ is* táchese lo que no proceda
toer 1 (*reis*) excursión *v*, recorrido; 2 (*kunststuk*) proeza; *acrobatische ~en* acrobacias *vmv*; *het is een hele ~* no es nada fácil, es bocado duro; 3 (*van breiwerk*) hilera, vuelta; 4 (*techn*) vuelta, revolución *v* || *over zijn ~en* sobreexcitado; **toerbeurt**: *bij ~* por turno(s), por rotación
toereikend suficiente; *~ zijn* (*ook:*) alcanzar
toerekenbaar 1 (*mbt daad*) imputable; 2 *zie: toerekeningsvatbaar*; **toerekenbaarheid** imputabilidad *v*; *verminderde ~* imputabilidad atenuada; **toerekeningsvatbaar** en plena facultad de sus poderes mentales, consciente de sus actos, capaz moralmente
toeren salir de paseo, pasear (en coche)
toerental número de revoluciones; **toerenteller** cuentarrevoluciones *m*
toerisme turismo; **toerist**, **toeriste** turista *m,v*
toeristen|klasse clase *v* turista, clase *v* turística; **-kaart** tarjeta turística
toeristisch turístico
toernooi torneo
toeroepen gritar
toerusten equipar; *-gerust met* provisto de
toeschietelijk amable, abierto; *niet erg ~* reservado
toeschieten acudir; *op iem ~* correr hacia u.p.
toeschouwer espectador *m*

toe|schreeuwen gritar; **-schrijven** (*aan*) atribuir (a); (*wijten*) achacar (a); **-slaan** descargar el golpe; **-slag** 1 (*bij te betalen*) suplemento, recargo, sobretasa; 2 (*op loon*) sobresueldo; **-snauwen** hablar con dureza; **-snellen** acudir
toespelen: *iem de bal* ~ hacerle juego a u.p.; **toespeling** alusión *v*, insinuación *v*
toespitsen, zich recrudecerse, radicalizarse
toespraak discurso, alocución *v*; *een* ~ *houden* pronunciar un discurso; **toespreken** hablar a, dirigirse a
toestaan permitir
toestand estado, situación *v*, condiciones *vmv*
toesteken tender *ie*; *de hand* ~ tender la mano
toestel 1 (*gymn, tv, foto, telef*) aparato; ~ *205* extensión *v* 205; 2 (*vliegtuig*) máquina
toestemmen (*in*) acceder (a), consentir *ie, i* (en); **toestemming** consentimiento, permiso
toe|stoppen dar disimuladamente, deslizar; **-stromen** afluir, acudir en masa
toet *zie: gezicht*
toetakelen 1 (*gek kleden*) ataviar *í*; 2 (*mishandelen*) maltratar; *ernstig toegetakeld* maltrecho, malparado
toetasten servirse *i*
toeten: *hij weet van* ~ *noch blazen* no sabe nada de nada; **toeter** bocina; **toeteren** tocar la bocina
toetje 1 (*nagerecht*) postre *m*; 2 (*gezicht*) carita
toetreden (*tot*) afiliarse (a), hacerse socio (de), ingresar (en); **toetreding** (*tot*) ingreso (a), afiliación *v* (a), adhesión *v* (a)
toets 1 (*op toetsenbord*) tecla; 2 (*proef*) prueba, ensayo; 3 (*penseelstreek*) toque *m*; **toetsen** 1 probar *ue*, someter a prueba; 2 (*op school*) examinar; **toetsenbord** teclado; **toetssteen** piedra de toque
toeval 1 casualidad *v*, suerte *v*, azar *m*; *bij* ~ por casualidad; *het* ~ *wilde dat* dio la casualidad que; 2 (*med*) ataque *m* de epilepsia; **toevallig** I *bn* casual, accidental, fortuito; II *bw* por casualidad, casualmente, por (puro) azar; *hij zag het* ~ acertó a verlo; **toevalstreffer** golpe *m* de suerte
toe|verlaat apoyo, sostén *m*; **-vertrouwen** confiar *í*; *iets aan iem* ~ confiar u.c. a u.p.; **-vloed** afluencia
toevlucht refugio; *zijn* ~ *nemen tot* recurrir a, apelar a; **toevluchtsoord** refugio
toevoegen 1 añadir, agregar; *-gevoegde waarde* valor *m* añadido; 2 (*zeggen*) decir; *toegevoegd* (*mbt advocaat*) de oficio; **toevoeging** añadidura, adición *v*; **toevoegsel** (*aanhangsel*) apéndice *m*
toevoer suministro; **toevoerleiding** alimentador *m*
toewensen desear
toewijding devoción, *v*, dedicación *v*
toewijzen asignar, adjudicar, conceder, otorgar; **toewijzing** asignación *v*, otorgamiento, adjudicación *v*; concesión *v*

toezeggen prometer; **toezegging** promesa
toezenden enviar *í*, mandar, remitir
toezicht vigilancia, control *m*; ~ *houden op* vigilar; *raad van* ~ consejo de vigilancia; *onder* ~ *van* bajo la vigilancia de
toezien 1 mirar; 2 *erop* ~ *dat* cuidar de que, procurar que; 3 ~ *op* vigilar; **toezwaaien**: *iem lof* ~ elogiar
toga toga
toilet 1 (*wc*) baño, lavabo, aseo; (*in hotel*) servicios *mmv*; 2 (*jurk*) vestido; 3 ~ *maken* arreglarse
toilet|artikelen artículos de tocador; **-papier** papel *m* higiénico; **-tafel** tocador *m*; **-tas** neceser *m*; **-zeep** jabón *m* de tocador
tokkelen puntear
1 tol peaje *m*; ~ *heffen* cobrar peaje
2 tol trompo, trompa, peón *m*; (*met zweep*) peonza; (*klein:*) perinola
tolerant tolerante; **tolerantie** tolerancia; **tolereren** tolerar
tolk intérprete *m,v*; **tolken** hacer de intérprete
tollen 1 (*draaien*) girar, dar vueltas; 2 (*wankelen*) tambalearse; 3 (*sp*) jugar *ue* al trompo
tolueen tolueno
tol|vrij exento de derechos; **-weg** autopista de peaje
tomaat tomate *m*
tomaten|puree pasta de tomate; **-sap** jugo de tomate
tombe tumba
tombola tómbola, rifa
tomeloos desenfrenado, sin tasa
ton 1 (*vat*) tonel *m*, barril *m*; 2 (*boei*) boya; 3 (*gewicht*) tonelada; 4 (*geld*) cien mil florines
tondeuse maquinilla (para cortar el pelo)
toneel 1 teatro; 2 (*podium*) escena, escenario, tablas *vmv*; *op het* ~ *verschijnen* salir a escena; *ten tonele brengen* presentar, poner en escena; *van het* ~ *verdwijnen* hacer mutis (por el foro); 3 (*deel van bedrijf*) escena
toneel|benodigdheden accesorios; **-bewerking** adaptación *v* escénica; **-criticus** crítico de teatro; **-gezelschap** compañía de teatro; **-kijker** prismáticos *mmv*, gemelos *mmv*; **-school** escuela (superior) de arte dramático; **-schrijver** autor *m* de teatro; **-seizoen** temporada de teatro; **-speelster** actriz *v*; **-spel** (*het spelen*) actuación *v*; **-speler** actor *m*; **-stuk** pieza de teatro, obra teatral; **-voorstelling** representación *v* teatral
tonen mostrar *ue*, enseñar
tong 1 lengua; *boze* ~*en* malas lenguas; *dikke* ~ lengua estropajosa; *een scherpe* ~ *hebben* tener la lengua afilada; *de* ~ *uitsteken* sacar la lengua; *heb je je* ~ *ingeslikt?* ¿te has tragado la lengua?; *met zijn* ~ *op zijn schoenen* con la lengua fuera; *het lag mij op de* ~ lo tenía en la punta de la lengua; *over de* ~ *gaan* ser la comidilla de todos, andar en lenguas; 2 (*vis*) lenguado; 3 (*van slot*) pestillo
tong|riem: *goed van de* ~ *gesneden zijn* tener

mucha labia; **-val** 1 (*uitspraak*) acento; 2 (*dialect*) dialecto
tonic (agua) tónica
tonnage tonelaje *m*, arqueo
tonrond rechoncho
toog 1 (*bouwk*) arco; 2 (*soutane*) sotana; 3 (*in bar*) barra
tooi 1 (*sier*) atavío, adorno; 2 (*dracht*) atuendo; **tooien** ataviar *í*, adornar, engalanar
toom brida; *in ~ houden* refrenar, poner freno a
toon tono; *een halve ~* medio tono; *de ~ aangeven* dar el tono; *een (hoge) ~ aanslaan* subir el tono, subirse de tono; *de juiste ~ treffen* acertar *ie* con el tono; *op vriendelijke ~* en tono amable; *op zachte ~* en voz baja; *uit de ~ vallen* desentonar, no estar a tono; *uit de ~ vallend* fuera de tono
toon|aangevend prominente, influyente; **-aard** tono, tonalidad *v*; *in alle ~en* en todos los tonos
toonbaar presentable
toon|bank mostrador *m*; **-beeld** ejemplo, modelo
toonder portador *m*
toonladder escala (musical); **toonloos** átono; **toonsoort** *zie: toonaard*
toontje: *een ~ lager zingen* bajar el tono; (*pop*) achantarse
toonzaal sala de muestras
toorn ira, cólera
toorts antorcha
toost 1 (*geroosterd brood*) pan *m* tostado, tostada; 2 (*feestdronk*) brindis *m*; *een ~ uitbrengen op* brindar por
top 1 (*van berg*) cima, cumbre *v*; *de ~ van de ijsberg* la punta del iceberg; 2 (*van boom*) cima; 3 (*van mast, vinger*) punta; 4 (*van driehoek*) vértice *m*; 5 (*topconferentie*) cumbre *v*; 6 (*kledingstuk*) bustier *m*, corpiño || *ten ~ stijgen* tocar techo; *de spanning stijgt ten ~* la tensión sube al rojo vivo; *van ~ tot teen* de arriba abajo
topaas topacio
top|cijfer cifra tope *mv cifras tope*; **-conferentie** conferencia (en la) cumbre; **-functionaris** alto mando, alto cargo, directivo; **-hit** tophit *m*; **-licht** luz *v* de tope
toppen (*van bomen*) descabezar
top|prestatie 1 rendimiento máximo, esfuerzo supremo; 2 (*sp*) récord *m*, marca; **-punt** (*fig*) apogeo, cumbre *v*, cúspide *v*, colmo; *dat is het ~!* ¡es el colmo!; *het ~ van egoïsme* el colmo de egoísmo; *op het ~ van zijn roem* en el apogeo de la fama; *op het ~ van de macht* en la cumbre del poder; **-snelheid** velocidad *v* máxima; **-speler** as *m*, primera figura; **-sport** deporte *m* profesional de selección; **-vorm**: *in ~* en plena forma; **-zwaar** sobrecargado
tor escarabajo
toreador torero
toren torre *v*; *ivoren ~* torre de marfil
toren|flat edificio torre, bloque *m* de casas; **-klok** campana; **-spits** aguja; **-valk** cernícalo
torn descosido
tornado tornado, huracán *m*, ciclón *m*
tornen descoser; *daar valt niet aan te ~* no hay quien lo cambie, no admite contradicción
torpederen torpedear; **torpedo** torpedo; **torpedojager** destructor *m*
torsen cargar
torso torso
tortelduif tórtola; *-duiven* (*fig*) tórtolos
toss sorteo (de campos)
tosti tostada
tot I *vz* hasta; *~ morgen!* ¡hasta mañana!; *~ straks!* ¡hasta luego!; *helemaal ~ aan de deur* hasta la misma puerta; *~ boven de 30%* hasta más del 30%; *~ boven toe* hasta arriba; *dat is ~ daar aan toe* no es tan grave, es lo de menos; *~ laat in de nacht* hasta muy entrada la noche; *~ en met 1982* incluido el año 1982; *~ en met 30 jaar* hasta (los) 30 años inclusive; *de nummers 1 ~ en met 80* los números 1 a 80 ambos inclusive; *~ nu toe* hasta ahora, hasta el momento, hasta la fecha; *~ drie keer toe* nada menos que tres veces; *~ op de huid nat* mojado hasta los huesos; *~ mijn verbazing* a mi asombro; *~ elke prijs* a cualquier precio; II *vw* hasta que; *~ hij komt* hasta que venga
totaal I *bn* total, completo, entero; II *bw* totalmente; *~ niet* en absoluto; *~ geen begrip van iets hebben* no tener la menor idea de u.c.; III *zn* total *m*; **totaalbedrag** suma total, importe *m* total, total *m*
totalitair totalitario; **totaliteit** totalidad *v*
total-loss perdido totalmente
totdat hasta que
toto quinielas *vmv*
totstandkoming realización *v*
touperen cardar, batir
toupet postizo, tupé *m*
touringcar autocar *m*, autopullman *m*
tournee gira, turné *m*; *op ~ zijn* estar de gira, hacer una gira
tourniquet torniquete *m*
touroperator tour operador *m*, agente *m* de turismo, operador turístico
touw cuerda; (*dun:*) cordel *m*, bramante *m*; (*ruw:*) soga; *ik kan er geen ~ aan vastknopen* no saco nada en claro, no entiendo ni palabra; *steeds in ~ zijn* estar en danza, estar siempre en tiro; *op ~ zetten* organizar; **touwladder** escala de cuerda; **touwtje** bramante *m* || *de ~s in handen hebben, aan de ~s trekken* tener la sartén por el mango, mover *ue* los hilos, tirar de cabos; *~ springen* saltar a la comba; **touwtrekken** juego de la cuerda; *het politieke ~* el tira y afloja político
tovenaar, **tovenaarster** mago, -a, brujo, -a, hechicero, -a
toveren hacer magia; *ik kan niet ~* no puedo hacer milagros; **toverij** magia
tover|kracht poder *m* mágico; **-kunst** (arte *m*

de) magia; **-middel** hechizo; **-slag**: *als bij ~* como por encanto, como por ensalmo; **-spreuk** fórmula mágica; **-staf** varita mágica
toxicologie toxicología
traag lento; ~ *van begrip* (*ook:*) torpe; **traagheid** 1 lentitud *v*, inercia; 2 (*natk*) inercia
1 traan lágrima; *de tranen schoten hem in de ogen* se le soltaron las lágrimas, se le aguaron los ojos; *zijn tranen drogen* secarse las lágrimas, secarse los ojos; *tranen met tuiten huilen* llorar a lágrima viva; *zijn tranen inslikken* tragar las lágrimas; *bittere tranen wenen* llorar lágrimas amargas; *in tranen* llorando; *in tranen uitbarsten* romper a llorar
2 traan (*olie*) aceite *m* de hígado de bacalao
traan|buis conducto lagrimal; **-gas** gas *m* lacrimógeno; **-klier** glándula lagrimal
tracé trazado; **traceren** trazar
trachten tratar de, intentar
tractie tracción *v*
tractor tractor *m*; **tractorbestuurder** tractorista *m*
traditie tradición *v*; **traditioneel** tradicional
tragedie tragedia; **tragikomisch** tragicómico; **tragisch** trágico
trailer remolque *m*
trainee persona que está de prácticas
trainen I *tr* entrenar; II *intr* entrenarse; **trainer** entrenador *m*; (*ivm selectie*) seleccionador *m*
traineren I *tr* dar largas a; *de zaak ~* dar largas al asunto; II *intr* eternizarse; *de zaak traineert* el asunto se eterniza
training entrenamiento, adiestramiento
trainings|broek pantalón *m* deporte; **-pak** chándal *m*, traje *m* deporte, equipo de entrenamiento
trainster entrenadora
traject trayecto, tramo, recorrido
traktaat tratado
traktatie delicia; **trakteren** convidar; (*voor iem betalen ook:*) invitar
tralie barra; *achter ~s* (*in gevang*) entre barrotes, entre rejas
tralie|hek (*om tuin*) verja; (*voor raam*) reja; **-venster** ventana con reja, ventana enrejada; **-werk** enrejado; (*gaas*) rejilla
tram tranvía *m*
tram|bestuurder conductor *m* de tranvía; **-conducteur** cobrador *m*; **-halte** parada (del tranvía); **-lijn** número de tranvía
trampoline cama elástica
tramrails vía del tranvía
trance trance *m*; *in ~ raken* entrar en trance
trancheren trinchar
tranen *ww* lagrimear; **tranendal** valle *m* de lágrimas
tranquillizer *zie: middel*
trans almena; (*van toren*) galería
transactie transacción *v*, operación *v*
transatlantisch transatlántico
transcriptie transcripción *v*
transfer transferencia, transmisión *v*; (*sp*) traspaso; **transfersom** traspaso
transformatie transformación *v*; **transformator** transformador *m*; **transformeren** transformar
transfusie transfusión *v*
transistor transistor *m*; (*radio ook:*) radio *v* de transistores
transito tránsito; **transitogoederen** mercancías de tránsito
transitvisum permiso de tránsito
transmissie transmisión *v*
transmissietroepen (*Belg*) cuerpo de transmisiones
transparant transparente
transpiratie transpiración *v*, sudor *m*; **transpireren** transpirar, sudar
transplantatie tra(n)splante *m*, tra(n)splantación *v*; **transplanteren** tra(n)splantar
transponeren transcribir
transport 1 transporte *m*; 2 (*boekh*) suma anterior, suma y sigue; **transportband** cinta transportadora; **transporteren** transportar
transport|kosten gastos de transporte; **-middel** medio de transporte; **-onderneming** empresa de transportes
transseksueel transexual
trant estilo, modo, manera; *in de ~ van* a la manera de; *iets in die ~* algo por el estilo
1 trap 1 escalera; *de ~ afgaan* bajar las escaleras; *de ~ afrennen* correr escaleras abajo; *de ~ opgaan* subir las escaleras; *de ~ oprennen* correr escaleras arriba; *de ~ opstormen* tragarse las escaleras; 2 (*trede*) escalón *m*; 3 (*van raket*) etapa; 4 (*niveau*) grado; ~ *van beschaving* grado de civilización; *~pen van vergelijking* grados de comparación
2 trap 1 (*schop*) patada, puntapié *m*; 2 (*mbt dier*) coz *v* || *het is een hele ~* (*per fiets*) hay un buen rato de pedaleo
trapeze trapecio; **trapezium** trapecio
trap|gat hueco de la escalera; **-gevel** hastial *m* dentado, fachada escalonada a dos vertientes, frontispicio escalonado; **-leuning** barandilla, pasamano
traploos continuo
traploper alfombra de la escalera
trappelen patalear; (*mbt paard*) piafar
trappen 1 (*stappen*) pisar; *op iems tenen ~* pisar el pie de u.p.; *hij trapte in een plas* metió el pie en un charco; 2 (*schoppen*) dar un puntapié, dar patadas; ~ *tegen de bal* pegar patadas al balón, botar; *iem eruit ~* echar a patadas a u.p.; 3 (*mbt dier*) dar coces; *iem ~* dar una coz a u.p.; 4 (*fietsen*) pedalear || *erin ~: a*) (*erin vliegen*) picar, caer en la trampa; *b*) (*geloven*) tragárselo
trapper pedal *m*
trapportaal descansillo de la escalera
trapsgewijs escalonado, gradual, por grados
traptrede peldaño
trauma trauma *m* psíquico
travellercheque cheque *m* de viajero, cheque *m* de viaje

travestie travestismo; **travestiet** travestido
trawant satélite *m*, cómplice *m*
trawler trainera, arrastrero; **trawlnet** red *v* de arrastre, traína
trechter embudo; **trechtermonding** estuario
tred paso; *gelijke ~ houden met* ir al paso de, ir emparejado con
trede escalón *m*, peldaño
treden: *in bijzonderheden ~* entrar en detalles; *in de plaats ~ van* reemplazar a; *met voeten ~* pisar; *uit de regering ~* salir del gobierno, dimitir del gobierno
tredmolen noria
treeplank estribo
tref suerte *v*
trefcentrum centro de reunión
treffen I *ww* 1 (*raken*) alcanzar; *doel ~* acertar *ie*, dar en el blanco; 2 (*over'komen*) afectar; *het getroffen gebied* la zona afectada; 3 (*ontroeren*) mover *ue*; 4 (*verrassen*) sorprender; 5 (*aantreffen*) encontrar *ue*, encontrarse *ue* con; *iem thuis ~* encontrar en casa a u.p.; 6 (*van maatregelen*) adoptar, tomar || *mij treft geen schuld* no es mía la culpa, yo no tengo la culpa; *het goed ~* tener suerte; *het slecht ~* tener mala suerte; *dat treft goed!* ¡qué bueno!; II *zn* 1 encuentro; 2 (*mil*) combate *m*; **treffend** sorprendente, notable, impresionante; **treffer** 1 (*sp*) golpe *m* certero, gol *m*; 2 (*mil*) impacto
tref|punt lugar *m* de reunión; **-woord** voz *v* guía *mv voces guía*; **-zeker** seguro
trein tren *m*; *met de ~ gaan* ir en tren; *iem naar de ~ brengen* acompañarle a la estación a u.p.; *zich voor de ~ gooien* tirarse al tren || *het loopt als een ~* tiene un éxito tremendo
trein|conducteur revisor *m*; **-kaartje** billete *m* de tren; **-reis** viaje *m* en tren; **-stel** convoy *m*; **-verkeer** tráfico de trenes
treiteren atormentar, fastidiar, trabajar la paciencia; (*fam*) chinchar, jorobar, incordiar
trek 1 (*ruk*) tirón *m*; 2 (*tocht*) corriente *v*; (*in schoorsteen*) tiro; 3 (*in gelaat*) rasgo; *in grote ~ken* a grandes rasgos, en líneas generales; 4 (*eetlust*) apetito, ganas *vmv* (de comer); *waar heb je ~ in?* ¿qué te apetece?, ¿qué te comerías?; *ik heb ~ in koffie* con mucho gusto me tomaría un café; *geen ~ hebben* estar desganado, no tener ganas; 5 (*reis*) (e)migración *v* || *zijn ~ken thuiskrijgen* llevar su merecido; *niet aan zijn ~ken komen* quedar relegado, quedar desbancado; *in ~ zijn* tener aceptación, estar en boga
trek|dier animal *m* de tiro; **-gat** respiradero, garganta de tiro; **-haak** gancho de tiro
trekken I *tr* 1 tirar; *~ aan* tirar de; 2 (*van lijn*) trazar; 3 (*slepen*) remolcar; 4 (*aantrekken*) atraer; *de aandacht ~* llamar la atención; 5 (*tevoorschijn halen*) sacar; *~ uit* sacar de; 6 (*van kies*) sacar, extraer; 7 *~ op* (*van wissel*) librar, girar contra, girar sobre; II *intr* 1 (*mbt schoorsteen*) tirar; 2 (*mbt trekvogels*) emigrar; 3 (*reizen*) viajar (a pie); hacer senderismo; *~ door een land* recorrer un país; *dwars door de bergen ~* atravesar *ie* la montaña; (*het*) *~* senderismo; 4 (*mbt hout; vervormen*) torcerse *ue*, deformarse; 5 (*mbt pijn; zich verspreiden*) propagarse; 6 *~ aan een sigaret* chupar un cigarrillo; 7 *~ in: a*) *in de stof ~* penetrar en la tela; *b*) *in een huis ~* mudarse a una casa, instalarse; 8 *over zich heen ~* atraer sobre sí || *met zijn been ~* renquear; *de thee staat te ~* el té se está haciendo; III *zn* (*van kies*) extracción *v*; **trekkend** ambulante; *een ~e ooievaar* una cigüeña viajera; **trekker** 1 (*reiziger*) viajero (a pie), excursionista *m* (a pie), caminante *m*; 2 (*van vuurwapen*) gatillo; *de ~ overhalen* apretar *ie* el gatillo; 3 tractor *m*; 4 (*van bel, wc*) tirador *m*; **trekking** 1 (*loting*) sorteo; 2 (*tochten maken*) senderismo, trekking *m*
trek|koord cordón *m*; **-kracht** fuerza de tracción; **-paard** caballo de tiro; **-pen** tiralíneas *m*; **-pleister** atracción *v*, aliciente *m*; **-schakelaar** interruptor *m* de tiro; **-tocht** excursión *v*; *~ te voet of per fiets* excursión a pie o en bicicleta; **-veer** muelle *m* de tensión; **-vogel** pájaro emigrante, ave *v* migradora, pájaro migratorio; **-zaag** sierra de tronzar, tronzadora
trema diéresis *v*, crema
trenchcoat trinchera
trend tendencia; (*van lonen*) desarrollo (de los sueldos)
trens presilla
tres galón *m*
treure: *tot in den ~* exhaustivamente, hasta el cansancio; **treuren** afligirse; *~ over* lamentar, llorar, afligirse por; *daarom niet getreurd* no nos entristezcamos por eso; **treurig** triste; (*betreurenswaard ook:*) lamentable, deplorable; *~ maken* entristecer
treur|mars marcha fúnebre; **-spel** tragedia; **-wilg** sauce *m* llorón
treuzel tortuga *v*, tardón, -ona; **treuzelen** perder *ie* el tiempo, remolonear
triangel triángulo
tribunaal tribunal *m*
tribune tribuna; (*in stadion ook:*) gradería; *de publieke ~* las galerías para el público
tricot I *zn* 1 (*stof*) (tejido de) punto; 2 (*kostuum*) traje *m* de punto, tricot *m*; II *bn* de punto; **tricotsteek** punto jersey
triest triste, melancólico, sombrío
triktrak (juego del) chaquete *m*
trilbeton hormigón vibrado
triljoen trillón *m*
trillen 1 vibrar; 2 (*beven*) temblar *ie*; *zijn stem trilt* le tiembla la voz; *hij trilde helemaal* estaba todo temblando; **trilling** 1 vibración *v*; 2 (*beving*) temblor *m*
trilogie trilogía
trimbaan circuito de footing
trimester trimestre *m*
trimmen I *intr* (*sp*) hacer footing; II *tr* (*van hond*) cortar el pelo y asear; III *zn* footing *m*;
trimschoen zapato de footing

trio trío
triomf triunfo; **triomfantelijk** triunfante; **triomfboog** arco triunfal, arco de triunfo; **triomferen** (*over*) triunfar (de, sobre); **triomftocht** marcha triunfal
trip 1 excursión *v*; 2 (*bij drugs*) viaje *m*
triplex madera contrachapeada, madera terciada
trippelen andar menudito, andar de codorniz; **trippelpas** paso de gallina
trippen (*bij drugs*) marchar, viajar
trits trío
triviaal trivial, banal
troebel turbio; (*mbt water ook:*) revuelto; ~ *maken* enturbiar; ~ *worden* enturbiarse; *in ~ water vissen* pescar en aguas revueltas, pescar en ríos revueltos; *in ~ water is het goed vissen* a río revuelto, ganancia de pescadores; **troebelen** *zn* desórdenes *mmv*, disturbios; **troebelheid** turbiedad *v*
troef triunfo; *alle troeven in handen hebben* tener todos los triunfos en la mano; *armoe is ~* no hay más que pobreza
troep 1 (*soldaten*) tropa; 2 (*menigte*) grupo, multitud *v*; 3 (*bende*) banda, cuadrilla; (*iron*) jauría; *een ~ kinderen* una jauría de niños; 4 (*rommel*) desbarajuste *m*; 5 (*viezigheid*) porquerías *vmv*
troepen|beweging movimiento de tropas, maniobras *vmv* militares; **-macht** fuerzas *vmv* militares, tropas *vmv*
troetel|kind niño mimado, niña mimada; **-naam** nombre *m* cariñoso
troeven fallar (con un triunfo)
trofee trofeo
troffel llana (de albañil), paleta
trog 1 (*bak*) pesebre *m*, artesa; 2 (*diepte*) depresión *v*; 3 (*weerk*) zona de baja presión
trolleybus trolebús *m*
trom tambor *m*; *de grote ~* el bombo; *met slaande ~* a tambor batiente; *met stille ~ vertrekken* escabullirse
trombone trombón *m* de varas; **trombonist** trombón *m*
trombose trombosis *v*
trommel 1 (*muz; techn*) tambor *m*; 2 (*doos*) caja; 3 (*met loten*) bombo; **trommelaar** tamborilero; **trommelen** 1 (*muz*) tocar el tambor; 2 (*met vingers*) tamborilear
trommel|rem freno de tambor; **-slag** toque *m* de tambor; **-stok** palillo de tambor; **-vlies** tímpano; **-vuur** fuego graneado
trompet trompeta; **trompetteren** (*mbt olifant*) berrear; **trompettist** trompeta *m*
tronen estar entronizado
tronie jeta, cara fea
troon trono
troon|opvolger, **-opvolgster** heredero, -a del trono; **-pretendent**, **-pretendente** pretendiente *m,v* al trono; **-rede** (*Ned*) Discurso Anual de la Reina
troons|afstand abdicación *v* (del trono); **-bestijging** investidura, subida al trono
troost consuelo; *een schrale ~* poco consuelo; *~ vinden in* consolarse *ue* con; **troosteloos** 1 (*mbt landschap*) desolado; 2 (*mbt persoon*) desconsolado, inconsolable; **troosten** consolar *ue*; **troostend** consolador *-ora*, reconfortante; **troostprijs** premio de consolación *v*
tropen trópicos, países *mmv* tropicales
tropen|helm salacot *m*; **-koorts** fiebre *v* tropical; **-rooster** jornada (estival) intensiva
tropisch tropical
tros 1 (*druiven, bloemen*) racimo; 2 (*bijen*) enjambre *m*; 3 (*kabel, scheepv*) estacha, amarra, cable *m*, cabo
trots I *zn* orgullo; II *bn*: ~ (*op*) orgulloso (de), ufano (con, de); ~ *zijn* (*op*) enorgullecerse (de), estar orgulloso (de), ufanarse (con, de); III *vz* (*ondanks*) a pesar de, no obstante
trotseren arrostrar, hacer frente a, afrontar
trottoir acera; **trottoirband** bordillo
troubadour trovador *m*
trouw I *zn* fidelidad *v*, lealtad *v*; *te goeder ~* de buena fe; *te kwader ~* de mala fe; II *bn*: ~ (*aan*) fiel (a); *een ~e klant* un cliente asiduo; *iem ~ blijven* seguir *i* fiel a u.p.
trouw|akte partida de matrimonio; **-belofte** promesa de matrimonio; **-boekje** libro de familia; **-dag** día *m* de la boda
trouweloos infiel, desleal
trouwen I *intr*: ~ (*met*) casarse (con); ~ *in het wit* casarse de blanco; *vóór haar ~* antes de su boda, antes de casarse; *om het geld ~* hacer un casamiento de interés; II *tr* casar || *zo zijn we niet getrouwd* eso no es lo convenido
trouwens por lo demás, por otra parte, además
trouwerij boda
trouw|hartig sincero, ingenuo; **-jurk** traje *m* de novia; **-kaart** participación *v* de boda; **-ring** alianza (matrimonial), anillo de boda
truc truco
truck camión *m*
truffel 1 (*zwam*) trufa; 2 (*chocola*) trufa de chocolate
trui jersey *m*
trustmaatschappij sociedad *v* fiduciaria
trut tontaina
tsaar zar *m*; **tsarina** zarina
T-shirt camiseta
Tsjech checo; **Tsjechisch** checo; **Tsjechische** checa; **Tsjechoslowakije** Checoslovaquia
tsjirpen piar *í*, gorjear
tuba tuba
tube tubo
tuberculose tuberculosis *v*; *open ~* tuberculosis abierta
tucht disciplina; **tuchtigen** castigar
tucht|recht derecho disciplinario; **-school** correccional *m*, reformatorio
tui tirante *m*, viento; **tuien** arriostrar
tuig 1 (*gereedschap*) útiles *mmv*, herramientas *vmv*; 2 (*van paard*) arneses *mmv*; 3 (*van schip*) cordaje *m*, jarcias *vmv*, aparejo; 4 (*slecht volk*)

chusma, gentuza, canalla; **tuigage** *zie: tuig*; **tuigje** (*om te leren lopen*) andaderas *vmv*
tuil ramo de flores
tuimelen volcarse *ue*, caerse, dar tumbos
tuimel|raam ventana rebatible; **-schakelaar** interruptor *m* de volquete
tuin jardín *m* || *om de ~ leiden* burlar, llevar al huerto, engatusar, timar
tuin|aarde tierra vegetal, tierra de jardín; **-architect** arquitecto paisajista; **-boon** haba; **-bouw** horticultura
tuinbouw|produkten hortalizas, productos hortícolas; **-school** escuela de horticultura
tuin|broek (pantalón *m*) jardinero, pantalón *m* con peto; **-centrum** centro de jardinería
tuinder horticultor *m*; **tuinderij** huerta
tuinen: *erin ~* caer en la trampa, hacer el primo
tuin|gereedschap herramientas *vmv* de jardinería; **-huisje** pabellón *m*
tuinieren jardinear
tuin|man jardinero; **-meubelen** muebles *mmv* de jardín; **-plant** planta cultivada; **-slang** manga, manguera; **-stad** ciudad *v* jardín *mv ciudades jardín*
tuit pico || *tranen met ~en huilen* llorar a lágrima viva, anegarse en lágrimas, deshacerse en lágrimas; **tuiten**: *mijn oren ~* me silban los oídos, me zumban los oídos
tuk: *~ op* aficionado a, loco por
tukje (*'s middags*) siesta, siestecita; *een ~ doen* dormir *ue, u* la siesta
tulband turbante *m*
tule tul *m*
tulp tulipán *m*; **tulpebol** bulbo de tulipán
tumor tumor *m*
tumult tumulto, escándalo, alboroto
tuner sintonizador *m*
Tunesië Túnez; **Tunesiër** tunecino; **Tunesisch** tunecí, tunecino; **Tunesische** tunecina
tuniek túnica
tunnel túnel *m*; (*onder straat*) paso subterráneo
turbine turbina
turbulent turbulento
tureluurs: *om ~ van te worden* para volverse loco, para exasperarse
turen mirar entornando los ojos, mirar fijamente; *naar de horizon ~* escrutar el horizonte
turf turba; *~ steken* extraer la turba, sacar turba; **turfmolm** serrín *m* de turba
Turk turco; **Turkije** Turquía; **Turks** turco; **Turkse** turca
turnen hacer gimnasia (con aparatos); **turner**, **turnster** gimnasta *m,v*
turquoise turquesa
turven apuntar los tantos (por medio de rayas)
tussen entre; (*te midden van*) en medio de; *~ de bomen door* por entre los árboles; *~ de middag* a mediodía; *ergens ~ plaatsen* interponer, intercalar; *het blijft ~ ons* queda entre nosotros; *ik kon er geen woord ~ krijgen* no pude meter baza || *iem er ~ nemen* tomarle el pelo a u.p.; *er van ~ gaan* largarse, escabullirse; *er is iets ~ gekomen* ha sucedido algo entre medio, se ha interferido algo, ha surgido algo imprevisto
tussen|beide: *~ komen* intervenir, interponerse; **-dek** entrepuente *m*; **-door** 1 (*ondertussen*) entretanto; *~ iets eten* tomar algo entre horas; 2 (*af en toe*) de vez en cuando; **-handel** comercio intermediario; **-in** en medio; **-komst** intervención *v*, (inter)mediación *v*; *door ~ van: a*) (*bij bemiddeling*) por intervención de; *b*) (*via*) por conducto de; **-landing** escala (intermedia); **-liggend** intermedio; **-oplossing** solución *v* intermedia; **-persoon** intermediario; (*bij verzekering*) agente *m*; **-poos** intervalo, lapso (intermedio); *met -pozen* a intervalos, espaciadamente; *geluiden met -pozen* ruidos espaciados; **-ruimte** espacio intermedio; **-schot** tabique *m* (divisorio); **-stand** posición *v* intermedia
tussentijd intervalo; *in de ~* en el ínterin, entretanto, mientras tanto; **tussentijds** I *bn* entre horas; (*vervroegd*) anticipado; *~e verkiezingen* elecciones *vmv* anticipadas; II *bw* entre horas; (*vervroegd*) anticipadamente; *het contract ~ opzeggen* rescindir anticipadamente el contrato; *~ eten* comer entre horas
tussen|uit: *er ~ knijpen* escabullirse, salir pitando; *een dag er ~ gaan* tomarse un día libre; **-voegen** interponer, intercalar; **-wand** tabique *m*; **-weg** (*fig*) término medio; **-werpsel** interjección *v*
tutoyeren tutear
t.w. *te weten* a saber
twaalf doce; *om ~ uur 's middags* a mediodía; *om ~ uur 's nachts* a medianoche; **twaalfde** I *bn* duodécimo; II *zn* dozavo, duodécimo, duodécima parte *v*; **twaalftal** docena; **twaalfuurtje** almuerzo
twee dos; *~ zien meer dan een* más ven cuatro ojos que dos; *~ aan ~* de dos en dos; *in ~ën* en dos pedazos; *een van ~ën: of eten of naar bed* una de dos: a comer o a la cama; **tweebaans** de dos carrilese
tweed tweed *m*
tweede segundo; *Filips de ~* Felipe Segundo; *~ Kamer zie: kamer*; **tweedehands** de segunda mano, de lance
tweedelig de dos piezas; **tweedeling** dicotomía
tweederangs de segunda fila, secundario; (*van produkten*) de pacotilla
tweedimensionaal bidimensional
tweedracht discordia; *~ zaaien* sembrar *ie* discordia
tweeërlei de dos clases
twee|gesprek diálogo; **-gevecht** duelo; **-hoevig** de pezuña hendida
tweehonderd doscientos, -as; **tweehonderdste** ducentésimo

twee|kamerstelsel sistema *m* bicameral; **-klank** diptongo; **-kwartsmaat** compás *m* de dos por cuatro
tweeledig doble
tweeling 1 mellizos, -as, gemelos, -as; 2 (*astrol*) Géminis *m*
tweeling|broer hermano gemelo; **-zuster** hermana gemela
twee|maal dos veces; *hij liet het zich geen ~ zeggen* no se lo hizo repetir; **-maandelijks** bimestral; **-motorig** bimotor *-ora*
tweepersoons|bed cama de matrimonio; **-kamer** habitación *v* doble
twee|richtingsverkeer dirección *v* doble; **-slachtig 1** bisexual, hermafrodita; 2 (*dubbelzinnig*) ambiguo; *een ~e moraal* una moral de dos caras; **-spalt** división *v*, discordia; **-sprong** bifurcación *v*; **-stemmig** a dos voces; **-strijd** lucha interior; *in ~ staan* estar indeciso
tweetaktmotor motor *m* de dos tiempos
tweetal pareja
tweetalig bilingüe; **tweetaligheid** bilingüismo
tweetallig binario; **tweevoud**: *in ~* por duplicado; **tweezijdig** bilateral
twijfel duda; *het lijdt geen ~* no cabe duda; *de ~ wegnemen* despejar dudas; *boven alle ~ verheven* fuera de toda duda; *in ~ trekken* poner en duda; *zonder ~* sin duda alguna, indudablemente; **twijfelaar 1** escéptico; 2 (*bed*) cama de matrimonio estrecha; **twijfelachtig** dudoso; **twijfelen** (*aan*) dudar (de); *twijfel daar maar niet aan!* ¡no lo dudes!; *ik twijfel of* dudo (de) que, dudo si; *~ over* dudar sobre, dudar acerca de; *~ tussen Madrid en Parijs* dudar entre Madrid y París; **twijfelend** dubitativo; **twijfelgeval** caso dudoso
twijg ramito
twinkelen titilar
twinset conjunto
twintig veinte; *in de jaren ~* en los años veinte; **twintigfrankstuk** (*Belg*) moneda de veinte francos; **twintigste I** *bn* vigésimo; **II** *zn* veinteavo, vigésimo, vigésima parte *v*; **twintigtal** veintena, unos veinte
twist (*met woorden*) disputa, altercado; (*onenigheid*) controversia, discordia; (*ruzie*) riña; (*fam*) trifulca; **twistappel** manzana de la discordia; **twisten** (*over*) disputar (sobre); (*ruziën*) reñir *i* (sobre)
twist|gesprek discusión *v*; (*heftiger:*) disputa, altercado; **-punt** punto controvertido; **-ziek** pendenciero
tyfoon tifón *m*
tyfus tifus *m*, fiebre *v* tifoidea
type tipo
typen escribir a máquina, mecanografiar *í*; *blind ~ zn* mecanografía al tacto
typeren caracterizar, tipificar; **typerend** típico, característico; **typering** caracterización *v*
typewerk trabajo de mecanografía
typisch 1 típico, característico; 2 (*vreemd*) peculiar
typist, typiste mecanógrafo, -a
typografisch tipográfico
t.z.t. *te zijner tijd* a su (debido) tiempo, oportunamente

Uuu

u 1 (*ondw; na vz*) Usted; (*mv*) Ustedes; 2 (*meew vw, lijd vw*) le; (*mv*) les
ui cebolla; **uiensoep** sopa de cebolla
uier ubre *v*
uil lechuza, buho; **uilskuiken** calabaza, majadero, -a, estúpido, -a; **uiltje**: *een ~ knappen* echar un sueñecito
uit I *vz* 1 (*vanuit*) de, desde; *~ de fles drinken* beber de la botella; *~ het huis komen* salir de la casa; *2 km ~ de kust* 2 kms desde la costa; 2 (*reden:*) por; *~ angst* por miedo; *~ liefde* por amor; II *bw* fuera; *~ en thuis* (de) ida y vuelta; *er ~!* ¡fuera!; *en daarmee ~!* y ¡sanseacabó!; *dat moet ~ zijn* tiene que acabarse; *ik ben er helemaal ~* he perdido la rutina; *hij is ~* (*ook:*) ha salido; *alles komt er weer ~* (*bij zieke*) no retiene nada en el estómago; *het boek is net ~* el libro acaba de salir; *de kaars is ~* se ha apagado la vela; *de kachel is ~* está apagada la estufa; *het spel is ~* se acabó el juego; *de vriendschap is ~* las amistades se han terminado; *hij is met haar ~ geweest* ha salido con ella; *erop ~ zijn om* proponerse, apuntar a; *hij is op haar geld ~* está detrás de su dinero
uit|ademen espirar; **-baggeren** dragar; **-balanceren** balancear, poner en equilibrio; **-bannen** erradicar
uitbarsten estallar; (*mbt vulkaan*) entrar en erupción; *in lachen ~* soltar *ue* la risa, estallar en carcajadas; *in tranen ~* prorrumpir en llanto, romper en lágrimas; **uitbarsting** 1 explosión *v*, estallido; 2 (*van vulkaan*) erupción *v*; 3 (*van woede, verdriet*) exabrupto, estallido
uitbating (*Belg*) explotación *v*; (*bedrijf*) empresa
uitbeelden 1 (*weergeven*) representar, expresar, pintar; 2 (*theat*) interpretar; **uitbeelding** 1 (*weergave*) representación *v*, expresión *v*; 2 (*theat, van personage*) interpretación *v*
uit|benen deshuesar; **-besteden** 1 (*van werk*) subcontratar; 2 (*van kind*) alojar, colocar (en una familia)
uitbetalen pagar, entregar, desembolsar, hacer efectivo; **uitbetaling** 1 (*het betalen*) pago, entrega, desembolso; (*bij spaarbank ook:*) reintegro; 2 (*bedrag*) paga
uit|bijten corroer; **-blazen** I *tr* 1 (*van kaars*) apagar (soplando) 2 (*van rook*) echar, lanzar, expeler; II *intr*: (*even*) *~* tomar aliento, respirar; **-blijven** no llegar, hacerse esperar; *de gevolgen bleven niet uit* se dejaron sentir las consecuencias; *de reactie kan niet ~* es inevitable la reacción, a la fuerza habrá una reacción; *de regen zal niet lang ~* la lluvia no tardará en llegar; **-blinken** distinguirse, sobresalir; **-blussen** extinguir; **-boren** barrenar; **-botten** brotar, retoñar, echar brotes, abotonar
uitbouw anejo; **uitbouwen** ensanchar
uitbraken vomitar, arrojar
uitbranden *intr* 1 (*mbt vuur*) apagarse, extinguirse; 2 (*mbt gebouw*) reducirse a cenizas, ser destruido por el fuego; **uitbrander** rapapolvo, reprimenda; *een ~ geven* echar un rapapolvo
uitbreiden extender *ie*; (*vergroten*) ampliar *í*, aumentar, agrandar, ensanchar; *zijn kennis ~* ampliar sus conocimientos; *zich ~: a*) (*mbt stad*) ensancharse; *b*) (*mbt ziekte, vuur*) propagarse, extenderse *ie*; **uitbreiding** extensión *v*, expansión *v*; (*vergroting*) engrandecimiento, ampliación *v*, agrandamiento, aumento; *~ van de handel* expansión del comercio; *~ van kapitaal* ampliación del capital; **uitbreidingsplan** plan *m* de desarrollo; (*van stad*) proyecto de urbanización
uit|breken I *intr* 1 (*mbt oorlog, epidemie*) estallar, producirse; 2 (*uit gevang*) escaparse || *er even ~* tomarse unos momentos libres; II *tr* (*van huis*) cambiar la estructura interior de; III *zn* 1 (*van oorlog*) estallido; 2 (*van epidemie*) brote *m*; **-brengen** 1 (*van stem*) emitir; *advies ~* emitir un dictamen; *de uitgebrachte stemmen* los votos emitidos; 2 (*van woord*) proferir *ie, i*; *hij kon geen woord ~* (*van emotie*) no pudo articular una sílaba, (la emoción) le embargaba la voz; 3 (*van boek*) publicar; (*van produkt*) lanzar al mercado; **-broeden** 1 (*van ei*) empollar, incubar; 2 (*van plan*) incubar
uitbuiten explotar; *handig ~* explotar habilidosamente; **uitbuiter** explotador *m*; **uitbuiting** explotación *v*
uitbundig efusivo, exuberante
uitdagen desafiar *í*, provocar, retar, lanzar un reto a; *daag me niet uit!* ¡no me provoques!; *elkaar ~* retarse; **uitdagend** desafiante, retador *-ora*; *~e houding* actitud *v* desafiante, actitud *v* de reto, aire *m* retador; **uitdaging** reto, desafío; *de ~ aannemen* aceptar el reto
uit|delen distribuir, repartir; *klappen ~* dar golpes; **-denken** pensar *ie*, planear, elaborar; *een plan ~* formular un plan; **-deuken** desabollar; **-diepen** hacer más profundo, profundizar (en); (*fig ook:*) ahondar en; **-dijen** crecer, hincharse; **-doen** 1 (*van licht*) apagar; 2 (*van kleren*) quitarse; *zijn kleren ~* quitarse la ropa, desnudarse; **-dossen** ataviar *í*; **-doven** I *tr* extinguir, apagar; II *intr* extinguirse, apagarse
uitdraai (*comp; print*) impreso (de ordenador); (*in cijfers ook:*) cómputo; **uitdraaien** 1 (*van licht*) apagar; (*van gas*) cerrar *ie*; 2 *~ op* acabar en; *waar zal dat op ~?* ¿adónde irá a parar?; *op niets ~* frustrarse, fracasar, malograrse, salir fallido; 3 *zich ergens ~* (lograr) salir del (mal) paso

uitdragen propagar; **uitdrager** chamarilero; **uitdragerij** tienda de viejo, prendería, ropavejería

uit|drijven 1 expeler, ahuyentar; **2** (*van geesten*) exorcizar; **-drinken** beberse, apurar, vaciar *í*; **-drogen** *intr* secarse; *uitgedroogd* seco, reseco

uitdrukkelijk expresamente, de modo expreso, explícitamente; **uitdrukken 1** (*persen*) exprimir; **2** (*zeggen*) expresar; *zich* ~ expresarse; *ik weet niet of ik me duidelijk uitdruk* no sé si me explico; *om het zo uit te drukken* por así decirlo; **uitdrukking** expresión *v*; (*gramm ook:*) locución *v*, frase *v*; *een vaste* ~ una frase hecha; ~ *geven aan* dar expresión a, manifestar *ie*; *tot* ~ *komen* expresarse, encontrar *ue* expresión; **uitdrukkingskracht** expresividad *v*; **uitdrukkingsloos** inexpresivo

uitdunnen entresacar; (*van bos ook:*) aclarar

uiteen separado; *de wijken liggen ver* ~ los barrios están muy separados, los barrios están muy apartados entre sí

uiteen|drijven dispersar; **-gaan** separarse; (*mbt menigte*) disolverse *ue*; (*mbt stoet*) desarticularse; **-houden** distinguir

uiteenlopen diferir *ie, i*, divergir; *de meningen lopen uiteen* las opiniones son varias, hay disparidad de criterios; **uiteenlopend** diferente, divergente, dispar

uiteen|rafelen desenredar, desembrollar, desenmarañar; **-spatten** restallar; **-vallen** deshacerse; (*mbt groep, rijk ook:*) desarticularse, desintegrarse; *het* ~ *van het gezin* la desunión familiar

uiteenzetten explicar, exponer; *nader* ~ precisar; *zoals wij hebben -gezet* como hemos dejado expuesto; **uiteenzetting** exposición *v*; *hij gaf een uitvoerige* ~ hizo una amplia exposición

uiteinde extremo, cabo, punta; **uiteindelijk I** *bn* final; **II** *bw* finalmente, para terminar, al fin y al cabo

uiten exteriorizar, expresar, dar voz a; *bedreigingen* ~ proferir *ie, i* amenazas; *zijn woede* ~ exteriorizar su cólera; *zich* ~ expresarse

uit-en-te-na una vez y otra, largo y tendido

uitentreuren continuamente, hasta el cansancio, hasta la saciedad

uiteraard desde luego, naturalmente, por supuesto

uiterlijk I *bn* exterior, externo; **II** *bw* a más tardar, como máximo; **III** *zn* aspecto (exterior), apariencia; (*fam*) facha; *iem beoordelen naar zijn* ~ juzgar a u.p. por su aspecto

uitermate extrema(da)mente, sobremanera

uiterst I *bn* extremo; *~e datum* fecha límite; *~e prijs* precio último; *~e termijn* plazo máximo; *zijn ~e best doen* extremar los esfuerzos; *in het ~e geval* en el peor de los casos; **II** *bw* extremadamente, en extremo, en sumo grado; ~ *nauwkeurig* escrupulosamente exacto; ~ *vaag* sumamente vago; **uiterste** *zn* extremo; *de ~n raken elkaar* los extremos se tocan; *in ~n vervallen* llegar a extremos; *tot het* ~ al extremo; *tot het* ~ *drijven* llevar al extremo; *zich tot het* ~ *verzetten* extremar su resistencia; *van het ene* ~ *in het andere vervallen* pasar de un extremo a otro

uit|flappen: *hij flapt er alles uit* dice cada cosa, suelta cada barbaridad; **-fluiten** abuchear, sisear, abroncar

uitgaaf *zie: uitgave*

uitgaan 1 salir; *als de bioscoop uitgaat* a la salida del cine; *de school ging uit* era la salida de la escuela; *de vlek gaat er niet uit* la mancha no desaparece; *de kamer* ~ salir del cuarto; *met een meisje* ~ salir con una chica; *erop* ~ salir (de excursión); *op brood* ~ ir (a) por pan; **2** (*mbt licht*) apagarse; **3** ~ *boven* sobrepasar a, exceder; **4** ~ *op* (*gramm*) terminar en; *woorden die* ~ *op een n* palabras que terminan en n; **5** ~ *van* partir de; ~ *van de veronderstelling dat* partir de la suposición de que; *ervan* ~ *dat* partir de (la idea) que, dar por hecho que; *ervan ~de dat* ... suponiendo que ...; *van wie gaat dit uit?* ¿quién lo organiza?; *het initatief gaat uit van* la iniciativa pertenece a; *er gaat kracht van hen uit* emanan poder; *van die muziek gaat een grote rust uit* esa música emana una gran paz

uitgaans|pasje pase *m* de salida; **-verbod** prohibición *v* de salida; (*avondklok*) (toque *m* de) queda; **-verlof** (*uit gevangenis*) permiso de salida

uitgang 1 salida; **2** (*gramm*) desinencia; **uitgangspunt** punto de partida, punto de salida, punto de arranque, base *v* de discusión

uitgave 1 (*van geld*) gasto, desembolso; **2** (*van boek*) edición *v*; (*het uitgeven ook:*) publicación *v*; *volledige* ~ edición íntegra; **uitgavenpeil** nivel *m* de gastos

uitgebreid 1 (*ruim*) extenso, amplio; *~e bevoegdheden* amplios poderes *mmv*; *~e sociale voorzieningen* extensos beneficios sociales; **2** (*in detail*) detallado, en todo detalle

uitgeefster editora

uit|gehongerd muerto de hambre, famélico; **-gekeken**: *niet* ~ *raken* mirar y remirar; ~ *zijn op iets* estar cansado de ver u.c.; **-gekookt** cuco; **-gelaten** exuberante, eufórico; **-geleefd** decrépito, caduco

uitgeleide: ~ *doen* despedir *i*

uit|gelezen selecto; **-gemaakt**: *het is een ~e zaak* es cosa hecha; **-gemergeld** demacrado, macilento; **-geput** agotado, extenuado, exánime; *een financieel* ~ *land* un país financieramente exangüe; **-gerekend I** *bn* (*berekenend*) calculador *-ora*; **II** *bw* precisamente; **-geslagen**: ~ *muren* muros que rezuman humedad; **-geslapen** (*slim*) astuto, ladino; **-gesloten** excluido; *het is niet helemaal* ~ *dat* no está del todo excluido que; *men acht dat volkomen* ~ se descarta totalmente esa posibilidad; **-gesneden**: *laag* ~ (*mbt hals*) de mucho escote;

-gesproken (*opvallend*) marcado, acusado; *een ~ knoflooksmaak* un marcado sabor de ajo; *een ~ indiaans type* un tipo de indio muy acusado; *~ voorkeuren* marcadas preferencias; *zie ook: uitspreken*; **-gestorven 1** (*mbt dier*) extinguido; 2 (*verlaten*) desierto; **-gestreken**: *een ~ gezicht* una cara estirada; **-gestrekt** extenso, vasto; *het ~e strand* la dilatada playa; **-geteerd** demacrado, macilento

uitgeven 1 (*van geld*) gastar; *geld ~ aan boeken* gastar dinero en libros; **2** (*van lening*) emitir; **3** (*van boek*) publicar, editar; *opnieuw ~* reeditar; **4** (*van paspoort*) expedir *i*; (*van document*) extender *ie*; **5** *zich ~ voor* hacerse pasar por; **uitgever** editor *m*; **uitgeverij** (casa) editorial *v*, empresa editora

uit|geweken refugiado; **-gewerkt**: *~ hout* madera estacionada; **-gewoond** (*mbt huis*) destartalado (por el uso); **-gezonderd** excepto, con excepción de, menos, salvo

uitgieren: *het ~ van het lachen* desternillarse (de risa), descoyuntarse de risa, soltar *ue* la carcajada

uitgifte (*van aandeel, postzegel*) emisión *v*; (*van document*) extensión *v*, expedición *v*

uitgiftepremie (*Belg*) prima de emisión

uit|glijden resbalar, deslizarse; **-gooien** echar; *de deur ~* echar a la calle; *de netten ~* desplegar *ie* las redes; **-graven 1** (*van kuil*) cavar, excavar; 2 (*van ding*) desenterrar *ie*; **-groeien** crecer, desarrollarse; *hij is uit zijn jas gegroeid* el abrigo le queda pequeño; **-gummen** borrar; **-halen I** *tr* **1** (*uit zak*) sacar; 2 (*van breiwerk*) deshacer; 3 (*van streken*) hacer; *een lelijke streek ~* hacer una mala jugada || *het haalt niets uit* no sirve para nada, de nada vale, no se consigue nada; **II** *intr* **1** (*uitwijken*) desviarse *í*; 2 (*royaal doen*) echar la casa por la ventana

uithangbord muestra, rótulo, letrero

uithangen 1 (*van vlag*) colocar, izar; 2 (*zich voordoen*) dárselas de; *de grote meneer ~* dárselas de gran señor || *waar zou hij ~?* ¿por dónde andará?, ¿dónde se habrá metido?

uitheems extranjero, exótico

uithoek lugar *m* aislado

uithollen 1 vaciar *í*, ahuecar, excavar; *de druppel holt de steen uit* gota a gota se llena la bota; 2 (*fig*) vaciar *í* de sentido; *een uitgehold ideaal* un ideal vacío de sentido, un ideal hueco; **uitholling** ahuecamiento; (*uitgraving*) excavación *v*; *~ overdwars* badén *m*

uithoren tirar de la lengua

uithouden aguantar, resistir; *het ~* aguantar; *ik houd het niet meer uit* no aguanto más, ya no puedo conmigo; *de warmte is niet uit te houden* este calor no se resiste; **uithoudingsvermogen** aguante *m*

uithuilen desahogarse llorando

uithuizig: *~ zijn* no estar nunca en casa, no parar en casa

uithuwelijken casar

uiting expresión *v*; *~ geven aan* expresar, dar voz a, exteriorizar

1 uitje (*plantk*) cebollita

2 uitje (*tochtje*) excursión *v*; (*verzetje*) diversión *v*, distracción *v*

uit|jouwen abuchear, increpar, gritar; **-kafferen** poner verde; **-kammen** (*fig*) rastrear; *de hele buurt is door de politie uitgekamd* todo el barrio fue pasado por el peine fino de la policía

uitkeping muesca

uitkeren pagar; (*van dividend*) repartir; **uitkering** prestación *v*; *het staken van de ~en* la suspensión de las prestaciones; **uitkeringsgerechtigde** pensionista *m,v*, beneficiario, -a de la seguridad social, beneficiario, -a de prestaciones

uit|kienen elaborar; *uitgekiend* sutil, bien calculado; **-kiezen** elegir *i*, escoger

uitkijk 1 (*persoon*) vigía *m,v*, guardia *m*, atalaya *m*; 2 (*uitzicht*) vista; *op de ~ staan* estar de guardia; **uitkijken 1** estar de mira; (*als wachtpost*) estar de guardia; **2** *~ voor* (*oppassen*) tener cuidado de; *kijk uit!* ¡atención!, ¡cuidado!, ¡ojo!; *hij keek voor zich uit* miraba ante él; **3** *~ naar: a*) (*verwachten*) estar a la expectativa de, esperar con impaciencia; *b*) (*zoeken*) buscar || *zijn ogen ~* mirar con asombro, abrir los ojos de par en par; *zie ook: uitgekeken*; **uitkijkpost** (puesto de) vigía, atalaya

uit|klaren (*van schip*) despachar de salida; **-kleden** desvestir *i*, desnudar; *zich ~* desvestirse *i*, desnudarse; **-kloppen** (*van kleed*) sacudir; (*van pijp*) vaciar *í*; **-knijpen** exprimir; **-knippen** (re)cortar

uitkomen 1 salir; *de deur ~* salir de la puerta; **2** (*opvallen*) destacar; *doen ~* destacar, realzar, hacer resaltar; **3** (*kloppen*) salir; *het komt altijd uit* no falla nunca; *de berekeningen komen niet uit* no salen las cuentas; *de voorspelling kwam uit* la predicción se cumplió; **4** (*schikken*) convenir; *komt het je uit?* ¿te conviene?; *als het zo uitkomt* si a mano viene; *al naar het uitkomt* según el caso; **5** (*bekend worden*) ser descubierto; *alles is uitgekomen* todo se ha descubierto; **6** (*rondkomen*) tener suficiente; *daarmee kom ik wel uit* con eso me las arreglaré; **7** *er ~* (*oplossen*) resolver *ue*; **8** *~ op* (*mbt raam*) dar a, abrir a; (*mbt straat*) llevar a; **9** *~ tegen* jugar *ue* contra; **10** *~ voor* (*sp*) jugar *ue* por, salir por; **11** *~ voor iets* admitir u.c.; *openlijk voor iets ~* admitir u.c. públicamente; *voor zijn mening ~* decir abiertamente su opinión || *het kwam duur uit* salió caro; **uitkomst** resultado; (*rekenk*) resolución *v*; (*van optelling*) suma

uit|kopen: *iem ~* comprar la parte de u.p.; **-kramen**: *zijn kennis ~* hacer alarde de sus conocimientos; *onzin ~* desvariar *í*, decir tonterías; **-krijgen 1** (*van boek*) terminar; 2 (*van schoen*) quitarse; **-kristalliseren** cristalizarse; **-kunnen**: *ik kan er niet over uit* no me cabe en la cabeza

uitlaat escape *m*, salida
uitlaat|gassen gases *mmv* de escape; **-klep** válvula de escape; (*fig ook:*) válvula expansiva; **-pijp** tubo de escape
uit|lachen reírse *i* de, burlarse de; **-laden** descargar
uitlaten 1 (*van persoon*) acompañar a la puerta; 2 (*van kleding*) no ponerse; 3 (*van hond*) pasear; 4 *zich* ~ *over* pronunciarse acerca de, manifestar *ie* su opinión acerca de; **uitlating** observación *v*, opinión *v*
uitleenbibliotheek biblioteca circulante
uitleg explicación *v*, interpretación *v*; **uitleggen** 1 (*van kleding*) ensanchar; 2 (*verklaren*) explicar, aclarar; *verkeerd* ~ interpretar mal
uitlekgewicht peso escurrido
uit|lekken 1 (*uitdruipen*) escurrir; (*druppen*) gotear; 2 (*mbt geheim*) trascender; **-lenen** dar prestado, prestar; **-leven, zich** expansionarse
uitleveren entregar; (*van misdadiger ook:*) extraditar; *tegen elkaar* ~ canjear; **uitlevering** extradición *v*, entrega
uit|lezen (*van boek*) terminar; **-lijnen** alinear; **-lijst** cartelera (de espectáculos)
uitlokken 1 provocar; *geweld lokt geweld uit* la violencia engendra la violencia; 2 (*oproepen*) suscitar; **uitlokking** provocación *v*, inducción *v*
uitlopen 1 (*plantk*) germinar; 2 (*naar buiten gaan*) salir; (*mbt schip*) salir del puerto; *het hele dorp liep uit* el pueblo acudió en masa; *het huis* ~ salir de (la) casa; 3 (*langer duren*) durar más de lo previsto, prolongarse; 4 (*voorsprong nemen*) destacarse; 5 ~ *in* desembocar en; 6 ~ *op* terminar en, ir a parar en; *op niets* ~ caer en el vacío, fracasar, malograrse, disolverse *ue* en agua; *waar zal dit op* ~? ¿adónde iremos a parar?; **uitloper** 1 (*plantk*) brote *m*; 2 (*van berg*) estribo, estribación *v*, ramal *m*
uit|loten (*loten*) sortear; *uitgeloot worden* no ser admitido (después del sorteo); **-loven** ofrecer; **-luiden** despedir *i*
uit|maken 1 (*van vuur*) apagar; 2 (*vormen*) constituir, formar; *deel* ~ *van* formar parte de; *deel gaan* ~ *van* incorporarse a, integrarse a; 3 (*beslissen*) decidir; *de dienst* ~ mandar, (*fam*) cortar el bacalao; 4 (*betekenen*) importar; *het maakt niet uit* no importa, (*fam*) no le hace; 5 *het* ~ *met iem* terminar con u.p.; 6 ~ *voor* calificar de, llamar; *iem* ~ *voor al wat lelijk is* poner a u.p. como un trapo; **-melken** (*fig*) exprimir, explotar; **-mergelen** agotar, explotar; **-mesten** limpiar a fondo; **-meten** medir *i*; *breed* ~ hablar largo y tendido de, explicar con pelos y señales; **-monden**: ~ *in* desembocar en, verter *ie, i* sus aguas en; (*fig ook:*) resultar en; **-monsteren** equipar, adornar; **-moorden** masacrar, hacer una matanza en, entre
uitmunten: ~ *boven* sobresalir entre, exceder a; ~ *in* sobresalir en; **uitmuntend** sobresaliente
uitnemend *zie: uitstekend*
uitnodigen invitar; (*voor eten ook:*) convidar; **uitnodiging** invitación *v*; (*voor eten ook:*) convite *m*; *op* ~ *van* por invitación de
uitoefenen 1 ejercer; (*van functie ook:*) desempeñar; *een beroep* ~ ejercer una profesión; *gezag* ~ ejercer autoridad; 2 (*van recht*) ejercer, ejercitar, usar, hacer valer; **uitoefening** ejercicio; (*van functie ook:*) desempeño; (*van recht*) uso
uit|pakken desenvolver *ue* || *het pakte niet goed uit* no salió bien; **-persen** exprimir; **-pikken**: *er* ~ escoger, elegir *i*; **-pluizen** desmenuzar; (*ontraadselen ook:*) desenmarañar; **-praten** I *tr* solucionar hablando (con franqueza); II *intr* terminar; *laat me* ~! ¡déjame terminar!; *hij liet me niet* ~ no me dejó terminar, me dejó con la palabra en la boca || *zich ergens* ~ salir del paso; **-proberen** probar *ue*, experimentar; **-proesten**: *het* ~ soltar *ue* la carcajada; **-puilen**: *zijn ogen puilden uit* se le desorbitaban los ojos; *zijn zakken puilden uit* se le hinchaban los bolsillos; ~*de ogen* ojos saltones
uitputten agotar; *mijn geduld raakt uitgeput* se me acaba la paciencia; *zich* ~ agotarse; *zich* ~ *in complimenten* deshacerse en cumplidos; **uitputtend** exhaustivo; *het onderwerp* ~ *behandelen* agotar el tema
uit|rafelen 1 (*lett*) deshilachar; 2 (*fig*) desmenuzar; 3 (*ontwarren*) desenmarañar; **-rangeren** (*fig*) eliminar, dejar en vía muerta; **-razen** (*mbt persoon*) desfogarse
uitreiken (*van diploma*) entregar; (*van paspoort*) extender *ie*; **uitreiking** entrega
uit|rekenen calcular; **-rekken** estirar; (*verlengen*) alargar; *zich* ~ estirarse; **-rijden** salir
uitrijstrook (rampa de) salida
uitrijzen: ~ *boven* elevarse por encima de
uitrit salida (de coches)
uitroeien (*vernietigen*) erradicar, exterminar, extirpar; **uitroeiing** exterminación *v*, extirpación *v*
uitroep exclamación *v*; **uitroepen** 1 exclamar, gritar; 2 (*van staking*) declarar, convocar; **uitroepteken** (signo de) admiración *v*; exclamación *v*
uitrukken I *tr* arrancar; II *intr* salir
1 uitrusten (*rusten*) descansar
2 uitrusten (*voorzien van*) equipar; *een vloot* ~ aprestar una flota; ~ *met* equipar de, dotar de; **uitrusting** equipo
uit|schakelen 1 (*techn*) desconectar, parar; (*van stroom*) cortar, interrumpir; 2 (*fig*) eliminar, excluir; **-schateren**: *het* ~ reír *i* a carcajadas, soltar *ue* la carcajada
uitscheiden I *intr* dejar de, terminar; *schei uit!* ¡deja!, ¡déjalo!, ¡quita!; ~ *met werken* dejar de trabajar; II *tr* segregar, excretar; **uitscheiding** excreción *v*
uit|schelden insultar, poner verde; ~ *voor* calificar de; **-scheuren** rasgar, quitar
uitschieten 1 (*uitbotten*) brotar, retoñar; 2

(*uitglijden*) resbalar; *haar hand schoot uit* se le fue la mano; *het mes schoot uit* resbaló el cuchillo; **uitschieter** excepción *v*, éxito inesperado
uitschot desecho, chusma, gentuza
uit|schrapen (*van pan*) limpiar los restos; **-schreeuwen** gritar; **-schrijven** escribir, extender *ie*; *een cheque* ~ extender un cheque; *een lening* ~ emitir un empréstito; *verkiezingen* ~ convocar elecciones; **-schudden** sacudir
uitschuifbaar extendible, alargable; **uitschuiven** (*van tafel*) extender *ie*
uitslaan I *tr* 1 (*schudden*) sacudir; 2 (*van vleugels*) desplegar *ie*; 3 (*van taal*) proferir *ie, i*; *onzin* ~ decir disparates; 4 (*van klauw*) sacar; 5 (*van tand*) partir; II *intr* 1 (*mbt vlammen*) salir; 2 (*mbt muur*) rezumar; 3 (*mbt wijzer*) desviarse *í*, oscilar
uitslag 1 (*op huid*) irritación *v* cutánea, erupción *v* cutánea; 2 (*op muur*) moho, enmohecimiento, eflorescencia; 3 (*van wijzer*) desvío, oscilación *v*; 4 (*afloop*) resultado; *de* ~ *van de verkiezingen* el resultado de las elecciones
uitslapen dormir *ue, u* hasta tarde; *ben je uitgeslapen?* ¿has acabado el sueño?; *zie ook: uitgeslapen*
uitsloven, zich afanarse, verse negro, esmerarse, andar de coronilla; **uitslover** 1 (*blokker*) empollón *m*; 2 (*opschepper*) jactancioso; 3 (*vleier, fam*) pelotas *m*
uitsluiten excluir, eliminar; *het een sluit het ander niet uit* una cosa no quita la otra; *een mogelijkheid* ~ descartar una posibilidad; **uitsluitend** *bw* exclusivamente, únicamente; **uitsluiting** exclusión *v*; *met* ~ *van* con exclusión de, exclusive; **uitsluitsel** respuesta definitiva; ~ *geven* (*afdoende zijn*) ofrecer solvencia
uitsmeren untar
uitsmijter 1 (*in bar*) portero, vigilante *m*; (*iron*) cancerbero; 2 (*gerecht*) pan *m* con fiambres y huevos fritos
uitsnijden 1 cortar; 2 (*med*) resecar
uitspannen (*van paarden*) desenganchar; **uitspanning** (*vglbaar:*) merendero; **uitspansel** firmamento, (capa del) cielo, bóveda celeste
uitsparen ahorrar; **uitsparing** recorte *m*
uitspatting exceso, desmán *m*
uit|spelen I *tr* 1 (*van spel*) terminar, acabar; 2 (*van kaart*) jugar *ue*; *twee mensen tegen elkaar* ~ aprovechar la competencia (que hay) entre dos personas; II *intr* (*elders spelen*) jugar *ue* fuera; **-splitsen** analizar; **-spoelen** enjuagar, (*van was*) aclarar; **-spoken** estar haciendo
uitspraak 1 pronunciación *v*; 2 (*jur*) juicio, fallo; ~ *van arbiters* laudo, juicio arbitral, decisión *v* de los árbitros; ~ *doen: a*) (*mbt rechter*) emitir un fallo, dictar un fallo, dictar sentencia; *b*) (*mbt commissie*) establecer criterio; ~ *doen over een zaak* fallar un caso; 3 (*vonnis*) auto, fallo, sentencia; 4 (*bewering*) afirmación *v*, conclusión *v*
uit|spreiden extender *ie*, expandir, desplegar *ie*; **-spreken** I *tr* pronunciar; (*van vonnis ook:*) dictar, emitir; *een moeilijk uit te spreken woord* una palabra difícil de pronunciar; *zich* ~ (*zich uiten*) despacharse a su gusto; *zich* ~ *over* pronunciarse acerca de, dar su opinión sobre; *zich* ~ *tegen* pronunciarse contra; *zich* ~ *voor* pronunciarse por; *zie ook: uitgesproken*; II *intr* acabar, terminar de hablar; *mag ik even* ~*?* ¿me dejas acabar?; **-springen** saltar; *dat springt eruit* resalta, salta a la vista; *het raam* ~ tirarse por la ventana; **-spugen** escupir; **-staan**: 1 *kunnen* ~ soportar, aguantar; *ik kan hem niet* ~ no le aguanto, no le puedo ver; 2 *hebben* ~ (*van geld*) tener colocado; ~*de rekeningen* cuentas pendientes; 3 *wijd* ~ abrirse (en amplio círculo); *met wijd* ~*de oren* con las orejas separadas del cráneo
uitstallen exponer; **uitstalling** exhibición *v*
uitstapje excursión *v*; *een* ~ maken salir de excursión; **uitstappen** bajar, apearse
uitsteeksel saliente *m*
uitstek: *bij* ~ por excelencia
uitsteken I *tr* 1 (*uitstrekken*) tender *ie*, extender *ie*; *iem de ogen* ~: *a*) (*lett*) sacar los ojos a u.p.; *b*) (*fig*) dar envidia a u.p.; *geen poot* ~ no mover *ue* un dedo; *zijn tong tegen iem* ~ sacar la lengua a u.p.; II *intr*: ~ *boven* sobresalir por encima de, asomar sobre, dominar; *de toren steekt boven de huizen uit* la torre asoma por encima de las casas
'uitstekend saliente, prominente
uit'stekend excelente, eminente; ~*!* ¡muy bien!
uitstel aplazamiento, prórroga, suspensión *v*; ~ *van betaling* moratoria, suspensión de pagos; ~ *van dienstplicht* prórroga (de incorporación a filas); ~ *van betaling vragen* solicitar espera; ~ *van executie* (*fig*) tregua; *geen* ~ *duldend* impostergable, inaplazable; *van* ~ *komt afstel* por la calle de después se va a la casa de nunca; **uitstellen** aplazar, posponer, remitir, diferir *ie, i*, dejar para más tarde, dejar para otro día, postergar
uit|sterven extinguirse; **-stippelen** 1 (*van plan*) elaborar, formular; 2 (*van route*) proyectar; **-storten** vaciar *í*; *zijn hart* ~ *bij iem* desahogarse con u.p., franquearse con u.p.; **-stoten** 1 expulsar, expeler; 2 (*van kreet*) lanzar, dar
uitstralen (*ook mbt pijn*) irradiar; **uitstraling** irradiación *v*
uitstrekken tender *ie*, extender *ie*, alargar; *zich* ~: *a*) (*gaan liggen*) tenderse *ie*; *b*) (*betreffen, bereiken*) extenderse *ie*; *zich* ~ *over een oppervlak* extenderse en una superficie; *het onderzoek strekt zich uit over meerdere landen* el estudio se extiende a varios países; *zich* ~ *tot* (*mbt uitnodiging, dank*) hacerse extensivo a; *mijn gelukwensen strekken zich tevens uit tot uw gezin* mis felicitaciones se hacen extensivas a su familia
uitstrijken (*smeren*) untar, extender *ie*; **uitstrijkje** frotis *m* (vaginal y uterino)

uit|strooien esparcir, sembrar *ie*, desparramar; (*van gerucht*) difundir; **-sturen** enviar *í*; **-tekenen** dibujar; **-tellen** contar *ue*; *hij is uitgeteld* está acabado, está hecho polvo, está hecho migas
uittocht éxodo, salida
uittrap (*sp, door keeper*) saque *m* de puerta; **uittrappen** 1 (*van vuur*) apagar pisando; 2 (*van schoenen*) quitarse; 3 (*sp, mbt keeper*) hacer un saque de puerta; 4 *iem er* ~ echar a la calle a u.p.
uittreden retirarse, salir; ~*de leden* socios salientes; **uittreding** salida, retiro; *vervroegde* ~ (*vut, vglbaar:*) jubilación *v* anticipada
uittrekken I *tr* 1 (*van la*) tirar de; 2 (*van kies*) sacar; 3 (*van kleren*) quitarse, despojarse de; 4 (*van bedrag*) separar, destinar, asignar; II *intr* salir; *erop* ~ (*om*) salir (a); **uittreksel** extracto, resumen *m*, compendio; ~ *uit het bevolkingsregister* (*vglbaar:*) fe *v* de vida y estado; ~ *uit het geboortenregister* certificado de inscripción de nacimiento; *een* ~ *maken* extractar
uitvaagsel morralla, chusma
uitvaardigen dictar, decretar, proclamar; *een wet* ~ promulgar una ley
uitvaart funerales *mmv*
uitval 1 (*mil*) salida; 2 (*van boosheid*) exabrupto, sofión *m*; 3 (*van haar*) caída; **uitvallen** 1 (*sp*) quedar eliminado; 2 (*mbt haar*) caer; 3 (*resulteren*) resultar, salir; *slecht* ~ resultar mal, salir mal; *het viel in zijn voordeel uit* resultó ser en su beneficio; *al naar het uitvalt* según salga; 4 (*mbt motor*) fallar; *het* ~ *van stroom* el apagón, el fallo de la electricidad; 5 ~ (*tegen*) desatarse (contra), lanzarse (contra)
uit|varen 1 zarpar, hacerse a la mar, salir; 2 ~ *tegen* desatarse contra, agredir de palabra; **-vechten**: *het* ~ luchar hasta que esté decidido; **-vegen** 1 (*schoonmaken*) limpiar; 2 (*wegvlakken*) borrar; *zoveel mensen kun je niet even* ~ no se puede borrar a tanta gente
uitvergroten ampliar *í* parte de una foto; **uitvergroting** (*fot*) ampliación *v* parcial
uitverkocht agotado; ~*!* (*opschrift, theat*) no hay billetes; *de zaal was geheel* ~ hubo un lleno completo; **uitverkoop** liquidación *v*, saldo, barato; **uitverkopen** vender a precios rebajados, liquidar
uitverkoren elegido, preferido, favorito; *het volk* el pueblo escogido, el pueblo elegido
uitvinden 1 inventar; 2 (*erachter komen*) descubrir; **uitvinder** inventor *m*; **uitvinding** invención *v*, invento; **uitvindster** inventora
uitvlakken borrar
uitvloeien derramarse; **uitvloeisel** secuela, consecuencia, resultado
uitvloeken insultar, injuriar
uitvlucht subterfugio, evasiva, pretexto; *je hoeft niet aan te komen met* ~*en!* ¡no me vengas con evasivas!

uitvoer exportación *v*; *ten* ~ *brengen, leggen* efectuar *ú*, poner por obra, llevar a efecto, realizar, ejecutar; **uitvoerbaar** realizable, viable, factible; **uitvoerbaarheid** viabilidad *v*, factibilidad *v*; **uitvoerder** (*bouwk, vglbaar:*) aparejador *m*, jefe *m* de obras, administrador *m* de obra; **uitvoeren** 1 ejecutar, efectuar *ú*, llevar a cabo, realizar, cumplir; *een muziekstuk* ~ ejecutar una pieza musical; *de opdracht* ~ ejecutar la orden, cumplir la orden; *het plan* ~ llevar a cabo el proyecto; *wat heb je uitgevoerd?* ¿qué has estado haciendo?; *niets* ~ no hacer nada, hacer el gandul; 2 (*exporteren*) exportar; *opnieuw* ~ reexportar; **uitvoerend** (*mbt kunstenaar*) ejecutante; *de* ~*e kunsten* las artes interpretativas; **uitvoerhaven** puerto de exportación; **uitvoerig** I *bn* detallado, extenso, circunstanciado; *om niet al te* ~ *te zijn* por no pecar de prolijo; II *bw* detalladamente, largo y tendido; *hij heeft ons* ~ *geschreven* nos ha escrito largo y tendido
uitvoering 1 ejecución *v*, realización *v*; (*muz ook:*) audición *v*; ~ *van een toneelstuk* representación *v* de una pieza de teatro; ~ *geven aan* cumplir, dar cumplimiento a; *in* ~ *zijn* estar en vías de realización, estar en curso de ejecución; 2 (*type*) tipo, modelo, versión *v*; *dit model bestaat in drie* ~*en* este modelo existe en tres versiones; 3 (*constructie*) construcción *v*; *ontwerp en* ~ diseño y construcción; *in solide* ~ de construcción sólida, de diseño robusto; **uitvoeringsorgaan** órgano ejecutivo
uitvoerrechten derechos de exportación
uit|vouwen desplegar *ie*; **-vragen** 1 *iem* (*mee*) ~ invitar a salir a u.p.; 2 (*uithoren*) interrogar, tirar de la lengua
uitwas excrecencia; ~*sen* excesos, desmanes *mmv*
uitwasemen emanar, exhalar; **uitwaseming** emanación *v*, exhalación *v*
uitwassen 1 (*van vlek*) quitar (lavando); 2 (*van kleding*) lavar
uitwatering desagüe *m*; **uitwateringskanaal** (canal *m* de) desagüe, desaguadero
uit|wedstrijd partido fuera (de casa); **-weg** escapatoria
uitweiden (*over*) extenderse *ie* (sobre), explayarse (sobre), alargarse; ~ *over* (*ook:*) extenderse en consideraciones de; **uitweiding** digresión *v*
uitwendig externo; ~ *gebruik* uso externo
uitwerken I *tr* (*van plan, aantekeningen*) elaborar; *een idee* ~ (*ook:*) desarrollar una idea; *de laatste details* ~ ultimar los detalles; II *intr* 1 (*mbt hout*) estacionar, curar; 2 *uitgewerkt zijn* ya no producir efecto; *de batterij is uitgewerkt* está agotada la pila; **uitwerking** 1 elaboración *v*; 2 (*resultaat*) efecto; ~ *hebben* producir efecto, surtir efecto; *geen* ~ *hebben* ser inoperante, no producir efecto; *de woorden misten hun* ~ *niet* las palabras no cayeron en saco roto

uitwerpen echar; **uitwerpselen** excrementos
uit|wijken 1 (*mbt auto*) desviarse *í*; *plotseling* ~ dar un viraje brusco; *de chauffeur wilde ~ voor* ... el chófer quiso evitar un encuentro con ...; 2 (*mbt voetganger*) apartarse, hacerse a un lado; 3 (*uit land*) emigrar, salir desterrado; **-wijzen** 1 (*tonen*) mostrar *ue*, probar *ue*; 2 (*uit land*) expulsar, ordenar la expulsión de
uitwisselen cambiar, intercambiar; (*van gevangenen, nota's*) canjear; **uitwisseling** intercambio; (*van gevangenen, nota's*) canje *m*
uitwissen borrar
uitwonend no residente, externo
uit|wrijven frotar; *zijn ogen* ~ restregarse *ie* los ojos; **-wringen** escurrir, retorcer *ue*
uitzaaien diseminar; **uitzaaiing** diseminación *v*; (*med*) metástasis *v*
uitzendbureau agencia de colocaciones (temporales)
uitzenden enviar *í*; (*op radio*) emitir, transmitir, radiar *í*, difundir; (*op tv*) televisar; ~ *op radio en tv* radiotelevisar; *uitgezonden via radio en tv* radiotelevisado; **uitzending** 1 envío; 2 (*op radio, tv*) transmisión *v*, emisión *v*; *rechtstreekse* ~ emisión *v* en directo; **uitzendkracht** temporero, empleado interino; *~en* personal *m* temporero
uitzet ajuar *m*; **uitzetten** I *intr* (*door warmte*) dilatarse, hincharse, ampliarse; II *tr* 1 (*uit land*) expulsar; (*fam*) echar fuera; 2 (*van netten*) tender *ie*; 3 (*van grafiek*) trazar; 4 (*van huurder*) desahuciar, despachar, echar; 5 (*van geld*) colocar, invertir *ie*; 6 (*van wacht*) apostar *ue*; 7 (*van terrein, route*) jalonar; 8 (*ontslaan*): *er* ~ echar, despedir *i*, poner en la calle; **uitzetting** 1 (*uit land*) expulsión *v*; 2 (*van huurder*) desahucio; 3 (*natk*) dilatación *v*, expansión *v*; ~ *van een gas* expansión de un gas; **uitzettingscoëfficiënt** coeficiente *m* de dilatación
uitzicht vista, panorama *m*; ~ *op werk* perspectivas *vmv* ocupacionales; *het ~ belemmeren* impedir *i* la vista, cortar la vista; ~ *hebben op* dar a; *met ~ op zee* con vista al mar; **uitzichtloos** sin perspectiva
uitzieken recuperarse completamente
uitzien 1 ~ *naar: a*) (*zoeken*) buscar; *b*) (*verlangen*) esperar con ilusión; *c*) *het ziet ernaar uit dat* ... parece que ...; *het ziet er wel naar uit* parece que sí; 2 ~ *op* dar a; 3 *er* ~ tener cara de; *wat zie je eruit!* ¡cómo te has puesto!, ¡qué facha tienes!; *er goed* ~ tener buena cara; *hij ziet er nog goed uit voor zijn leeftijd* está de muy buen ver para los años que tiene; *het begon er lelijk uit te zien* aquello se ponía feo; *het ziet er lelijk voor ons uit* estamos apañados; *de toekomst ziet er rooskleurig uit* el porvenir se presenta halagüeño; *er slecht* ~ tener mala cara; *vindt u dat ik er slecht uitzie?* ¿me encuentra Ud. mal aspecto?; *de kamer zag er vreemd uit* el aspecto del cuarto era muy curioso; *hij ziet er ziek uit* tiene cara de enfermo; *hij ziet eruit als een boef* tiene pinta de gamberro; *zie ik eruit als een moordenaar?* ¿tengo yo cara de asesino?; *hij ziet eruit als 40* representa tener unos 40 años; *hij was 50, maar zag eruit als 70* tenía 50 años, pero aparentaba 70; *een vreemd ~de man* un hombre de apariencia extraña
uitzingen: *ik kan het nog wel even* ~ (*met geld*) me queda (dinero) para unos días más
uitzinnig frenético
uit|zitten: *zijn straf* ~ cumplir la condena; *zijn tijd* ~ estarse esperando el fin; **-zoeken** 1 (*kiezen*) escoger, elegir *i*; 2 (*sorteren*) ordenar; 3 (*uitpluizen*) investigar, indagar; *de zaak tot op de bodem* ~ llegar hasta el final del asunto; *jullie zoeken het maar uit!* ¡allá vosotros!; *dat moet je zelf maar ~!* ¡allá te los hayas!; *en zoek dat maar eens uit!* y ¡vete a saber!
uitzonderen exceptuar *ú*, excluir; **uitzondering** excepción *v*; *een gunstige* ~ una excepción a lo bueno; *~en daargelaten* salvo excepciones; *~en bevestigen de regel* la excepción confirma la regla; *een ~ vormen* constituir una excepción; *bij hoge* ~ muy raras veces; *behoudens heel enkele ~en* aparte de algunos casos singularísimos; *bij wijze van* ~ por excepción, excepcionalmente; *met ~ van* a excepción de, con excepción de, quitando, excepto; *zonder enige* ~ sin excepción alguna
uitzonderings|geval caso excepcional; **-toestand** estado de excepción, estado de alarma
uitzonderlijk excepcional
uit|zuigen 1 chupar; 2 (*uitbuiten*) exprimir, explotar, estrujar; **-zwermen** 1 (*mbt bijen*) enjambrar; 2 (*mbt mensen*) dispersarse
ultimatum ultimátum *m*; *een ~ stellen* lanzar un ultimátum, dirigir un ultimátum
ultrakort ultracorto; *~e golf* onda ultracorta; **ultrasoon** ultrasónico, supersónico; **ultraviolet** ultravioleta; *~te stralen* rayos ultravioleta
unaniem I *bn* unánime; II *bw* unánimemente, por unanimidad; **unanimiteit** unanimidad *v*
unicum cosa única, ejemplar *m* único
unie unión *v*
unief (*Belg, fam*) universidad *v*
uniek único
Unifil FINUL *v*
uniform I *zn* uniforme *m*; II *bn* uniforme; **uniformiteit** uniformidad *v*; **uniformjas** 1 (*colbert*) guerrera; 2 (*overjas*) gabán *m* de uniforme
unitair unitario
universeel universal
universitair universitario; *een ~e opleiding volgen* hacer una carrera universitaria; *personen met een ~e of gelijkwaardige opleiding* titulados superiores; **universiteit** universidad *v*; *open* ~ (*vglbaar:*) universidad a distancia
upper ten élite *v*, aristocracia, altos círculos *mmv*, alta sociedad *v*
ups en downs altibajos, altos y bajos, vicisitudes *vmv*

up to date al día, a la altura de los tiempos; ~ *gebracht* puesto al día
uranium uranio; **uraniumhoudend** uranífero; ~*e laag* capa uranífera; **uraniumstaaf** lingote *m* de uranio
urbanisatie urbanización *v*
urenlang horas y horas, hora tras hora
urgent urgente; **urgentieverklaring** (*Ned*) certificado de urgencia
urine orina; **urineonderzoek** análisis *m* de orina; **urineren** orinar; **urinoir** urinario, mingitorio
urn urna
urologe, **uroloog** uróloga, -o
Uruguay Uruguay *m*; **Uruguayaans** uruguayo
usance uso, costumbre *v*; (*handel*) usanza, uso comercial
USSR Unión *v* de Repúblicas Socialistas Soviéticas; *afk* URSS
utiliteitsbouw construcción *v* utilitaria
utopie utopia; **utopisch** utópico
uur hora; *ieder* ~ cada hora; *een* ~ *rijden* una hora en coche; *om zes* ~ a las seis; *op dat* ~ a esa hora; *op elk* ~ *van de dag* a cualquier hora; *per* ~ por hora; *over een* ~ dentro de una hora
uur|loon pago por hora, salario por hora; **-vergoeding** compensación *v* horaria; **-werk** 1 (*klok*) reloj *m*; 2 (*mechaniek*) mecanismo (del reloj)
uw su; ~ *boek: a*) su libro (de Ud.); *b*) (*met nadruk*) el libro suyo; *het* ~*e* lo suyo; *u en de* ~*en* Ud. y los suyos; **uwent**: *te* ~ en ésa; **uwentwil**: *om* ~ por Usted, por su bien; **uwerzijds** de su parte (de Usted)

vaag vago, confuso, indeterminado; (*mbt personen*) indeciso, confuso; **vaagheid** vaguedad *v*, indeterminación *v*
vaak muchas veces, a menudo, frecuentemente; *hoe* ~? ¿cuántas veces?; *zo vaak al* tantas veces ya; *des te vaker* tanto más a menudo; *ik heb het al vaker gezegd* ya lo he dicho en otras ocasiones, ya lo he dicho más de una vez
vaal deslucido, descolorido; **vaalbruin** pardo
vaan bandera; **vaandel** bandera, estandarte *m*; (*van vereniging*) pendón *m*; *met vliegende* ~*s* a banderas desplegadas; **vaandrig** alférez *m*; **vaantje** gallardete *m*, grímpola
vaardig hábil, diestro; ~ *zijn met de pen* tener la pluma fácil, tener buena pluma; **vaardigheid** habilidad *v*, destreza; *elementaire -heden* destrezas básicas
vaargeul canal *m* (de navegación)
vaars ternero, becerro
vaart 1 (*scheepv*) navegación *v*; *grote* ~ navegación de altura; *kleine* ~ (navegación de) cabotaje *m*; *de wilde* ~ la navegación irregular; *in de* ~ *blijven* seguir *i* navegando; *in de* ~ *brengen* poner en servicio; *uit de* ~ *nemen* quitar del servicio; 2 (*snelheid*) velocidad *v*; ~ *krijgen* ganar velocidad; ~ *minderen* disminuir la marcha, aminorar la velocidad; *er* ~ *achter zetten* activar u.c.; *in volle* ~ en plena marcha || *ik geloof niet dat het zo'n* ~ *zal lopen* no creo que llegue la sangre al río
vaar|tuig embarcación *v*; **-water** vía fluvial; *iem in het* ~ *zitten* contrariar *í* a u.p.
vaarwel adiós *m*; ~ *zeggen* despedir *i*
vaas florero, jarrón *m*
vaat: *de vaat doen* fregar *ie* los platos; **vaatdoek** trapo de cocina
vaatverwijdend vasodilatorio
vaatwerk vajilla, cacharros *mmv*
vaatziekte enfermedad *v* vascular
vacant vacante; ~ *worden* quedar vacante; ~ *zijn* hallarse vacante; **vacature** vacante *v*, vacancia, plaza a cubrir; *een* ~ *vervullen* cubrir una vacante; *in de* ~ *is voorzien* se ha cubierto la vacante, la plaza está provista
vaccin vacuna; **vaccineren** vacunar
vacht 1 (*van schaap*) lana; 2 (*van kat*) pelo
vacuüm vacío; ~ *verpakt* envasado al vacío
vacuüm|sluiting cierre *m* al vacío; **-tank** tanque *m* de vacío
vadem braza
vader padre *m*, papá *m*; *Heilige* ~ Santo Padre; *het onze* ~ el padrenuestro; *zo* ~ *zo zoon* de tal

palo, tal astilla; *daar helpt geen lieve ~ of moeder aan* no hay súplicas que valgan, no hay quien lo cambie; **vaderdag** día *m* del padre

vaderland patria; **vaderlands** patrio; *~e geschiedenis* historia patria; **vaderlandslievend** patriótico

vaderliefde amor *m* paternal; **vaderlijk** paternal; **vaderschap** paternidad *v*; **vaderstad** ciudad *v* natal; **vaderszijde**: *van ~* por línea paterna

vadsig indolente, perezoso; **vadsigheid** indolencia, pereza

vagebond vagabundo

vagelijk vagamente

vagevuur purgatorio

vagina vagina

vak 1 (*hokje, ook op papier*) casilla; 2 (*in plafond*) casetón *m*; 3 (*van parkeerterrein*) sitio para aparcar; 4 (*van onderwijs*) materia, asignatura; *facultatief ~* materia facultativa; *verplicht ~* materia obligatoria; 5 (*beroep*) oficio, profesión *v*; *ieder zijn ~* cada uno a su oficio

vakantie vacaciones *vmv*; *een paar dagen ~* unos días libres, unos días de asueto; *de ~ doorbrengen: a*) pasar las vacaciones; *b*) (*in zomer*) veranear; *ik ben aan ~ toe* necesito unas vacaciones; *met ~ zijn* estar de vacaciones

vakantie|cursus curso de vacaciones; (*in de zomer*) curso de verano; **-drukte** movimiento de vacaciones; **-ganger** turista *m,v*; (*in zomer*) veraneante *m,v*; **-kolonie** colonia infantil; **-oord** lugar *m* de vacaciones; (*badplaats*) balneario; **-spreiding** escalonamiento de vacaciones; **-tijd** período de vacaciones; **-toeslag** plus *m* de vacaciones, sobresueldo de vacaciones; **-verblijf** residencia

vak|bekwaamheid capacidad *v* profesional, pericia; **-beurs** feria; **-beweging** movimiento sindical; **-blad** revista profesional; **-bond** sindicato (obrero); *aangesloten bij een ~* sindicalizado

vakbonds|front (*Belg*) frente *m* sindical; **-leider** líder *m* sindical; **-overleg** deliberaciones *vmv* sindicales

vak|centrale central *v* sindical; **-didactiek** didáctica; **-gebied** terreno profesional, especialidad *v*; **-groep** (*univ, vglbaar:*) sección *v*, (grupo de) especialidad *v*; **-kennis** conocimientos *mmv* profesionales, conocimientos *mmv* técnicos

vakkenpakket paquete *m* de asignaturas

vak|kringen círculos profesionales; **-kundig** experto, profesional; **-literatuur** literatura profesional

vakman experto, profesional *m*; **vakmanschap** pericia, experiencia, capacidad *v* profesional

vak|opleiding formación *v* profesional; **-pers** prensa profesional; **-term** término técnico, tecnicismo; **-werk** 1 trabajo de especialista; 2 (*bouwk*) maderaje *m*

1 val 1 caída; *een lelijke ~ maken* sufrir una mala caída; *ten ~ brengen* hacer caer; *ten ~ komen* caer; 2 (*ondergang*) caída, ruina; *de ~ van het kabinet* la caída del gabinete; *de ~ van het rijk* la caída del imperio

2 val (*valstrik*) lazo, trampa, ratonera; *in de ~ lopen* caer en la ratonera, caer en la trampa

valavond (*Belg*) atardecer *m*, crepúsculo

valeriaan valeriana

valhelm casco protector

valide 1 (*gezond*) sano, apto para el trabajo; 2 (*geldig*) válido

valk halcón *m*

valkuil trampa

vallei valle *m*

vallen I *ww* 1 caer; *er is een steek gevallen* se ha escapado un punto; *laten ~: a*) dejar caer; *b*) (*van plan, eis*) dejar, abandonar; *c*) (*van persoon, fig*) dejar caer, volver *ue* la espalda a; *zijn oog laten ~ op* poner los ojos en; *zich laten ~: a*) dejarse caer; *b*) (*uit de lucht, omlaag schieten*) desplomarse; *in het water ~: a*) caer al agua; *b*) (*fig*) quedar en agua de borrajas; *op de grond ~* caer al suelo; 2 (*ontstaan, vnl in vt*) haber; *er vielen klappen* hubo golpes; *er viel een stilte* hubo un silencio; 3 (*zijn*): *het valt me lang* se me hace largo; *het valt ons zwaar* se nos hace duro, nos resulta difícil; *het valt niet te ontkennen* no se puede negar; *daar valt niet aan te denken* no cabe pensar en eso, de eso ¡ni hablar!; *daar valt niet mee te spotten* aquí no caben bromas; *er valt niet veel te vertellen* hay poco que decir; *er valt niets meer te zeggen* no queda nada por decir; 4 *~ buiten* caer fuera de, salir fuera de; 5 *~ onder* caer bajo; *wie ~ er onder de loonsverhoging?* ¿a quiénes alcanza la subida de sueldos?; 6 *~ op* (*mbt klemtoon, verdenking, keus*) recaer en; *~ op donderdag* caer en jueves; 7 *~ over* tropezar *ie* con (y caer); (*fig*) ofenderse por, molestarse por; *hij viel over een tak* tropezó con un ramo y cayó; 8 *uit elkaar ~* deshacerse, hacerse pedazos || *de avond valt* cae la noche, anochece; *in de smaak ~* gustar; *~ op* (*iem, iets*) chiflarse por, volverse *ue* loco por; *ten deel ~* corresponder; II *zn*: *~ van de avond* anochecer *m*, caída de la noche; **vallend**: *~e ziekte* epilepsia

valreep: *op de ~* al último momento, ya a la carrera; *op de ~ nog een glaasje drinken* tomar la espuela; *glaasje op de ~* la del estribo

vals I *bn* falso, falsificado; *~ alarm* falsa alarma; *~ bankbiljet* billete *m* falsificado; *~e handtekening* firma falsificada; *~e naam* nombre *m* fingido, nombre *m* supuesto 1 (*onbetrouwbaar*) traidor *-ora*, falso, pérfido; 2 (*muz*) desacorde, desafinado; II *bw* 1 falsamente; 2 (*muz*) fuera de tono; *het orkest speelt ~* la orquesta toca fuera de tono; 3 *~ spelen* (*sp*) hacer trampas, hacer fullerías; *iem die ~ speelt* fullero, -a, tramposo, -a

valscherm *zie: parachute*

valselijk *zie: vals* II

valsemunter monedero falso; **valsemunterij** fabricación *v* de moneda falsa

valserik hombre *m* falso, traidor *m*
valsheid falsedad *v*; ~ *in geschrifte* falsificación *v* de documentos, falsedad de documentos, falsificación *v* de firmas
valstrik lazo, trampa, añagaza; *een ~ zetten* tender *ie* una trampa, tender *ie* un lazo
valuta 1 (*munt*) moneda, divisas *vmv*; *harde ~* moneda fuerte; **2** (*koers*) cambio; *~ 2 mei* valor *m* 2 de mayo
valuta|handel comercio de divisas; **-markt** mercado de divisas; **-transacties** operaciones *vmv* de cambio
valwind viento descendente
vampier vampiro
van de; *~ hout* de madera; *een ~ hen* uno de ellos; *het is ~ mij* es mío; *een kind ~ zes* un niño de seis años; *de krant ~ 8 mei* el periódico del 8 de mayo; *bibberend ~ kou* tiritando de frío || *klein ~ stuk* de baja estatura; *~ nu af aan* a partir de ahora; *dat is aardig ~ je* eres muy amable; *genoeg om ~ te leven* suficiente para vivir; *daar komt niets ~ in* de eso ¡ni hablar!; *~ de week* esta semana; *hij zegt ~ wel* dice que sí; *ik geloof ~ niet* creo que no; *~ te voren* de antemano; *een jaar ~ te voren* con un año de antelación
vanaf desde, a partir de; empezando por; *~ heden* desde hoy, de hoy en adelante; *~ de 31e* del 31 en adelante
vanavond esta noche; (*vroeg:*) esta tarde; *tot ~!* ¡hasta la noche!
vandaag hoy; *~ nog* hoy mismo; *~ de dag* hoy día; *~ of morgen* (*fig*) tarde o temprano; *~ over een week* hoy en ocho días; *de hoeveelste is het ~?* ¿a cuántos estamos?; *voor ~ is het genoeg* basta por hoy
vandaan: *waar ~?* ¿de dónde?; *waar haalt hij het geld ~?* ¿de dónde saca el dinero?; *waar haal je dát ~?* (*fig*) ¿cómo se te ocurre?; *blijf van de rand ~!* ¡no te acerques al borde!
vandaar (*daarom*) por eso; *~ dat ik schrijf* de ahí que escribo, por eso escribo; *o, ~!* ¡ahora caigo!, ¡ah, es por eso!
vandalisme vandalismo; **vandalistisch** vandálico
vandoor: *er ~ gaan* salir pitando, largarse; *hij is er ~* se ha largado, se ha marchado; *nou, ik ga er ~* bueno, me voy
vangen 1 (*van bal*) coger; **2** (*van dief*) capturar, atrapar, apresar; **3** (*jagen op*) cazar; (*vissen ook:*) pescar; *haring ~* pescar arenques; *vliegen ~* cazar moscas; **4** (*verdienen*) ganar
vang|net red *v* (de seguridad), tela salvavidas; **-rail** barrera (de seguridad)
vangst captura, presa; (*van vis ook:*) pesca
vanille vainilla
vanille|ijs helado de vainilla; **-stokje** tallo de vainilla; **-suiker** azúcar *m* de vainilla
vanmiddag esta tarde; **vannacht 1** (*komend*) esta noche; **2** (*afgelopen*) anoche, la noche pasada
vanouds desde siempre, tradicionalmente
vanuit de, desde; *vertalen ~ het Spaans* traducir del español
vanwaar 1 (*betr*) de donde; **2** (*vrag*) ¿de dónde?
vanwege 1 (*door*) a causa de; **2** (*van de kant van*) de parte de
vanzelf de por sí, por sí mismo; *het houdt ~ op* termina por sí mismo; *de deur gaat ~ open* la puerta se abre sola; *de rest komt ~* lo demás sigue solo; *het wordt ~ opgelost* se soluciona de suyo; **vanzelfsprekend** natural, evidente; *als ~ beschouwen* dar por descontado; *het is ~* ni que decir tiene; **vanzelfsprekendheid** evidencia
1 varen *zn* helecho
2 varen *ww* navegar; *12 mijl per uur ~* hacer 12 millas por hora; (*tussen twee plaatsen*) hacer el trayecto de, hacer el servicio entre; *gaan ~* hacerse marinero; *~ op Zuid-Amerika* hacer la ruta de Sudamérica || *laten ~* abandonar, dejar; *er wel bij ~* prosperar, medrar
variabel variable; **variant** variante *v*; **variatie** variación *v*; *voor de ~* para variar; **variëren** variar *í*; **variété** variedades *vmv*, varietés *vmv*, revista; **variëteit** variedad *v*
varken puerco, cerdo, cochino, guarro; *wild ~* cerdo salvaje, jabalí *m*; *lui ~* vago || *ik zal dat ~tje wel wassen* ya lo arreglaré yo; **Varkensbaai** Bahía Cochinos
varkens|blaas vejiga de cerdo; **-fokker** criador *m* de cerdos; **-fokkerij 1** criadero de cerdos; **2** (*het fokken*) cría de cerdos; **-gehakt** carne *v* picada de cerdo; **-haas** solomillo de cerdo; **-karbonade** chuleta de cerdo; **-krabje** costilla de cerdo; **-lapje** filete *m* de cerdo; **-leer** piel *v* de cerdo; **-oogjes** ojillos de cerdo; **-pest** peste *v* porcina; **-pootjes** patas de cerdo; **-stal** pocilga; **-vlees** carne *v* de cerdo
vaseline vaselina
vast I *bn* **1** fijo, firme; *~e baan* empleo fijo; *~ besluit* decisión *v* firme; *~e datum* fecha fija; *~e gewoonte* costumbre *v* fija, costumbre *v* establecida; *~e hand* mano *v* firme; *~e halte* parada fija, parada obligatoria; *~e kosten* gastos fijos; *~e lijn* (*scheepv*) línea fija, línea establecida; *~e overtuiging* firme convicción *v*; *~ personeel* personal *m* fijo, personal *m* de plantilla; *~e prijs* precio fijo; *~ principe* principio fijo, principio inmutable; *~ salaris* sueldo fijo; *~e uitdrukking* frase *v* hecha; *~e vloerbedekking* moqueta, revestimiento de piso fijo; *~e wal* tierra (firme); *~e wastafel* lavabo; *op ~e tijden* a horas fijas, a horas regulares; *zonder ~e woonplaats* sin domicilio fijo; **2** (*stabiel*) estable; *~ weer* tiempo estable; **3** (*niet vloeibaar*) sólido; *~e stof* substancia sólida || *~e slaap* sueño profundo; **II** *bw* **1** firmemente; *~ beloven* prometer firmemente; *de auto ligt ~ op de weg* el coche tiene estabilidad en la carretera; *~ slapen* dormir *ue, u* profundamente; **2** (*bijna zeker*) sin duda; *hij komt ~* seguramente vendrá, sin duda vendrá; **3** (*alvast*): *begin maar ~ te eten* vete comiendo

(ya); *terwijl jij schoonmaakt ga ik ~ koken* mientras tú limpias yo voy haciendo la comida

vastberaden firme, decidido, resuelto; **vastberadenheid** determinación *v*, firmeza

vastbesloten (*om*) decidido (a)

vast|bijten: *zich ~ in* aferrarse a; **-binden** atar, sujetar; **-draaien** fijar (dando vueltas)

vasteland tierra firme, continente *m*

vasten I *ww* ayunar; II *zn* ayuno; *de ~* la cuaresma; **vastenavond** martes *m* de carnaval; **vastentijd** cuaresma

vast|goed bienes *mmv* raíces, bienes *mmv* inmuebles; **-grijpen** agarrar, coger; **-groeien** adherirse *ie, i*; **-hebben** tener cogido, tener agarrado; **-hechten** fijar, unir

vastheid 1 firmeza, fijeza, solidez *v*; 2 (*zekerheid*) seguridad *v*

vasthouden 1 sujetar, tener agarrado, tener cogido, no soltar *ue*; *hou je vast!* ¡agárrate!; 2 (*in arrest*) tener detenido; 3 (*achterhouden*) retener, tener retenido; 4 *~ aan* (*fig*) aferrarse a, persistir en; *~ aan zijn mening* seguir *i* aferrado a su opinión; *zich ~ aan* agarrarse a; **vasthoudend** tenaz, porfiado; **vasthoudendheid** tenacidad *v*, tesón *m*

vast|klampen: *zich ~ aan* abrazarse a, agarrarse a; **-klemmen** apretar *ie*; *zich ~ aan* aferrarse (a); **-kleven** pegar; **-knopen** 1 (*van touw*) anudar; *er een dagje aan ~* hacer puente, tomarse un día de vacaciones más; 2 (*van jas*) abrochar; **-leggen** 1 (*van hond*) atar; 2 (*van boot*) amarrar; 3 (*van geld*) colocar, situar *ú*; 4 (*in geheugen*) fijar; 5 (*registreren*) registrar, dejar sentado, hacer constar, consignar (por escrito); 6 *zich ~* (*op*) comprometerse (a); **-liggen** 1 (*mbt hond*) estar atado; 2 (*mbt boot*) estar amarrado; 3 (*geregistreerd zijn*) constar, estar fijado; **-lopen** 1 (*mbt schip*) encallar, varar, abarrancarse; 2 (*fig*) atascarse; *de onderhandelingen zijn -gelopen op* las negociaciones se han atascado por; *het verkeer is -gelopen* (*ook:*) el tránsito se ha embotellado; 3 (*mbt machine*) atrancarse, agarrotarse; **-maken** 1 fijar, atar, sujetar; 2 (*vastknopen*) abrochar; **-naaien** coser; **-pinnen**: *~ op* comprometer a; **-plakken** pegar (con goma); **-prikken** fijar, sujetar

vastrecht derechos *mmv* de base invariables, tarifa base

vast|roesten quedarse atascado (por el óxido); **-schroeven** atornillar; **-spijkeren** clavar, sujetar con clavos; **-staan** constar, ser un hecho; *het staat vast dat* es indudable que; *doen ~* hacer constar; *een -staand feit* un hecho probado; *mijn besluit staat vast* estoy decidido a; *van te voren ~* ser conocido de antemano

vaststellen 1 (*bepalen*) fijar, establecer, determinar, estipular, hacer constar; 2 (*constateren*) comprobar *ue*, constatar; **vaststelling** 1 fijación *v*, determinación *v*; 2 (*constatering*) comprobación *v*, constatación *v*

vastzetten 1 fijar; 2 (*van wiel, met wig*) calzar; 3 (*van gevangene*) encarcelar; 4 (*van kapitaal*) inmovilizar; 5 (*van lading*) asegurar

vastzitten 1 (*mbt verkeer*) estar atascado, estar embotellado; 2 (*mbt machine*) estar atrancado; 3 (*mbt schip, in zand*) estar varado; (*op rots*) estar encallado; (*gemeerd zijn*) estar amarrado; 4 (*mbt geld*) estar inmovilizado; 5 (*niet los zitten*) estar agarrado; *de pleister zit vast aan de huid* el parche está agarrado a la piel; 6 *blijven ~* agarrarse, quedar prendido; *de boor bleef ~* el barreno se agarró; *een draad bleef ~ aan een spijker* un hilo quedó prendido de un clavo || *het conflict met alles wat eraan -zit* el conflicto con todas las implicaciones; *er zit veel werk aan vast* trae consigo mucho trabajo, implica mucho trabajo; *ik zit eraan vast* me he comprometido a ello

1 vat barril *m*; *bier uit het ~* cerveza del barril; *wijn uit het ~* vino a granel; *wat in het ~ zit, verzuurt niet* lo que se aplaza no se pierde

2 vat: *ik kan geen ~ op hem krijgen* siempre se me escapa; *de jaren hebben geen ~ op haar* los años no pasan para ella

vatbaar 1 (*med*) predispuesto a enfermarse; *~ voor* propenso a, predispuesto a; *~ voor verkoudheid* propenso a acatarrarse; 2 (*fig*) susceptible a, de; (*gevoelig voor*) sensible a; *~ voor indrukken* impresionable; *niet voor rede ~ zijn* no estar para razones; *voor uitvoering ~* ejecutable, realizable; *voor verbetering ~ zijn* ser susceptible de enmienda; **vatbaarheid** (*med*) predisposición *v*, propensión *v*; *~ voor indrukken* impresionabilidad *v*

Vaticaan Vaticano

vatten 1 coger; (*van boef*) atrapar, coger, prender; 2 (*begrijpen*) comprender, entender *ie*; 3 (*van diamant*) montar, engastar || *kou ~* coger frío; *post ~* apostarse *ue*; *de slaap niet kunnen ~* no poder conciliar el sueño

vazal vasallo

vechten (*om, voor*) luchar (por), pelear (por); *ze hebben gevochten* han peleado; *er wordt zwaar gevochten* se lucha con dureza; *~ om* (*fig*) disputarse; *ze vochten om de koffers* se disputaron las maletas; *~ tegen* luchar contra, combatir; *je moet voor je toekomst ~* el futuro, hay que ganárselo por puños

vechtersbaas, **vechtjas** matón *m*, bravucón *m*, pendenciero

vechtlust belicosidad *v*, afán *m* de lucha, combatividad *v*; **vechtlustig** belicoso, combativo

vechtpartij pelea, riña, lucha; (*pop*) camorra, cachetina

veder *zie: veer*

veder|dos plumaje *m*; **-gewicht** peso pluma; **-licht** ligero como una pluma

vedette estrella

vee ganado

vee|arts veterinario, -a; **-fokker** criador *m* de ganado; **-fokkerij** 1 criadero de ganado; 2 (*het fokken*) cría de ganado, ganadería

1 veeg *zn* 1 (*met doek*) toque *m* (de limpieza); (*met borstel*) cepillazo; 2 (*vlek*) mancha || *een ~ uit de pan geven* soltar *ue* una reprimenda, soltar *ue* una indirecta; (*sterker:*) echar un rapapolvo

2 veeg *bn*: *een ~ teken* mala señal; *het vege lijf redden* salvar la piel

vee|handelaar tratante *m* de ganado; **-houder** ganadero

veel I *telw* mucho; *het doet me ~ plezier* me alegra mucho; *~ (weg)hebben van* parecerse mucho a; *heel ~* muchísimo; *te ~* demasiado; *een glaasje te ~* una copita de más; *beter te ~ dan te weinig* más vale que sobre que no falte; *het is niet te ~ en niet te weinig* ni sobra, ni falta; *te ~ zijn* sobrar; *jij bent hier te ~* tú sobras aquí, tú estás de más; *als het je niet te ~ is* si no te molesta, si no te es molestia; *niets is hem te ~* nada le viene cuesta arriba; II *bw* mucho; *~ te duur* demasiado caro; *~ meer* mucho más; *~ minder* mucho menos; *~ liever willen* preferir *ie, i* con mucho

veelal generalmente

veel|belovend prometedor *-ora*; **-besproken** traído y llevado; **-betekenend** 1 (*belangrijk*) significativo; 2 (*met bedoeling*) alusivo; **-bewogen** movido, agitado

veeleer más bien

veeleisend exigente

veelheid multiplicidad *v*, multitud *v*, abundancia; (*verscheidenheid*) diversidad *v*

veel|hoek polígono; **-kleurig** multicolor; **-omvattend** extenso, vasto; **-schrijver** polígrafo; **-soortig** múltiple; **-stemmig** polifónico; **-vormig** multiforme; **-voud** múltiplo; **-vraat** glotón, -ona, tragón, -ona; **-vuldig** I *bn* frecuente; II *bw* con frecuencia, a menudo; **-zeggend** significativo, revelador *-ora*, delator *-ora*, indicativo

veelzijdig (*fig*) universal, polifacético, variado; **veelzijdigheid** universalidad *v*, carácter *m* polifacético, diversos talentos *mmv*

veem (*pakhuis*) almacén *m* de depósito

veemarkt mercado de ganado

veen 1 (*grondstof*) turba; 2 (*turfland*) turbera

veer 1 (*van vogel*) pluma; *zo licht als een ~* ligero como una pluma; *men kan geen veren plukken van een kikker* no se pueden pedir *i* imposibles, no se pueden pedir *i* peras al olmo; *in de veren kruipen* acostarse *ue*; *pronken met andermans veren* adornarse con plumas ajenas; *vroeg uit de veren zijn* levantarse con el alba; 2 (*techn*) resorte *m*, muelle *m*; 3 (*veerpont*) transbordador *m*, ro-ro *m*; 4 (*dienst*) *zie: veerdienst* || *een ~ laten* hacer concesiones, recoger velas

veer|boot *zie: veer*; **-dienst** servicio de transbordador

veerkracht elasticidad *v*, empuje *m*; **veerkrachtig** elástico, resistente

veer|man barquero; **-pont** *zie: veer*

veertien catorce; *~ dagen* quince días; *om de ~ dagen* cada quince días; *vandaag over ~ dagen* hoy en quince días; **veertiende** I *bn* décimocuarto; *Lodewijk de ~* Luis Catorce; II *zn* catorzavo

veertig cuarenta; **veertiger** cuarentón *m*; **veertigste** cuadragésimo

vee|stal establo; **-stapel** ganado, censo ganadero, plantel *m* ganadero; **-teelt** ganadería, industria ganadera; **-voeder** (*groen*) forraje *m*, forrajes *mmv*; (*droog*) piensos *mmv*

vegen (*met bezem*) barrer; (*met borstel*) cepillar; (*met doek*) frotar, limpiar; *zijn voeten ~* limpiarse los zapatos; *met een doek over de tafel ~* pasar un paño por (encima de) la mesa; *met de zakdoek over zijn gezicht ~* pasarse el pañuelo por el rostro; **veger** (*stoffer*) cepillo; (*bezem*) escoba

vegetariër vegetariano, -a; **vegetarisch** vegetariano; **vegetatie** vegetación *v*; **vegeteren** vegetar

vehikel cacharro, armatoste *m*

veilen subastar, vender en subasta, sacar a subasta; *geveild worden* salir a subasta

veilig seguro; (*voorzichtig*) prudente; *op een ~e afstand* a una distancia prudente; *~ stellen* poner a salvo, poner a buen recaudo; *zich ~ weten* saberse seguro; *~ voor* a salvo de; *~ en wel* sano y salvo; *het sein staat op ~* (*fig*) no hay moros en la costa; **veiligheid** seguridad *v*; *voor de ~* para mayor seguridad; *in ~ brengen zie: veilig stellen*

veiligheids|dienst servicio de seguridad; **-glas** vidrio de seguridad, cristal *m* inastillable; **-gordel** cinturón *m* de seguridad; **-halve** para mayor seguridad; **-maatregel** medida de seguridad, dispositivo de seguridad; **-overwegingen**: *uit ~* por razones de seguridad; **-raad** Consejo de Seguridad; **-ruit** (*in taxi*) mampara antiatracos, mampara de seguridad; **-speld** imperdible *m*; **-voorschriften** prescripciones *vmv* de seguridad

veiling subasta; **veilingklok** aparato de adjudicación; **veilingmeester** subastador *m*

veinzen fingir, simular; **veinzerij** fingimiento, simulación *v*

vel 1 piel *v*; (*fam*) pellejo; *hij is ~ over been* está en los puros huesos, no tiene más que la piel y los puros huesos; *het ~ over de oren halen* desplumar, dejar pelado; *uit zijn ~ springen* enfurecerse, salirse de sus casillas, ponerse frenético; 2 (*papier*) hoja; 3 (*op melk*) tela

veld (*alg, ook comp*) campo; (*sp ook:*) cancha; *het ~ ruimen* abandonar el campo; *~ winnen* ganar terreno; *in het open ~* a campo abierto, a campo libre, en descampado; *in geen ~en of wegen* en ninguna parte; *te ~e trekken* ir a la guerra; *te ~e trekken tegen* emprender una campaña contra; *uit het ~ sturen* (*sp*) expulsar del campo || *uit het ~ geslagen* perplejo, estupefacto, desconcertado; *zich niet uit het ~ laten slaan* no dejarse amilanar, poner a mal tiempo buena cara

veld|bed catre *m* (de tijera); **-boeket** ramo de flores silvestres; **-fles** cantimplora; **-heer** general *m*, estratega *m*; **-hospitaal** hospital *m* de campaña, hospital *m* de sangre; **-keuken** cocina de campaña; **-kijker** gemelos *mmv*; **-loop** carrera a campo través, cross *m*, cross-country *m*; **-maarschalk** mariscal *m* de campo; **-muis** ratón *m* de campo; **-prediker** capellán *m* castrense; **-rit** *zie: veldloop*; **-sla** hierba de canónigos; **-slag** batalla; *een ~ leveren* librar una batalla; **-sporten** deportes *mmv* al aire libre; **-tocht** campaña

1 velen *ww*: *iets niet kunnen ~* no soportar u.c., no aguantar u.c.

2 velen *telw* muchos, muchas

velerlei diversos, varios

velg llanta; **velgrem** freno sobre la llanta

vellen 1 cortar, talar; (*fig*) derribar; **2** (*van vonnis*) pronunciar, dictar; **3** (*van oordeel*) emitir

velletje 1 (*op wond*) película; **2** (*op melk*) tela; **3** *~ papier* cuartilla

velours felpa

ven pantano

vendetta vendetta

Venetië Venecia

Venezolaan, Venezolaans venezolano; **Venezolaanse** venezolana; **Venezuela** Venezuela

venijn veneno; **venijnig** venenoso; *~e tong* lengua viperina

vennoot socio; *stille ~* socio comanditario, socio oculto; **vennootschap** sociedad *v*; *besloten ~* (*vglbaar:*) sociedad anónima de responsabilidad limitada; *afk* S.R.L.; *commanditaire ~* sociedad comanditaria; *naamloze ~* sociedad anónima; *afk* S.A.; *~ onder firma* sociedad colectiva; *een ~ aangaan, oprichten* constituir una sociedad; *een ~ ontbinden* disolver *ue* una sociedad

venster ventana

venster|bank alféizar *m*; **-envelop** sobre *m* con ventanilla; **-glas** vidrio (para ventanas), cristal *m* (de ventanas); **-omslag** (*Belg*) sobre *m* con ventanilla

vent tipo, tío; *een fijne ~* un tipo estupendo; *klein ~je* chiquitín *m*

venten vender por las calles; **venter** vendedor *m* ambulante

ventiel válvula

ventilatie ventilación *v*; **ventilator** ventilador *m*; **ventilatorriem** correa del ventilador; **ventileren** ventilar, airear

ventweg vía lateral, vía de servicio

ver I *bn* lejano, distante, remoto; *~ familielid* pariente *m,v* lejano, -a; *een ~re toekomst* un futuro lejano; *een ~ verleden* un pasado remoto; *het was ~re van dat* distaba mucho de serlo; *~re van gemakkelijk* lejos de ser fácil; *hij is ~re van slim* está lejos de ser listo, dista mucho de ser listo; **II** *bw* lejos; *~ weg* lejos; *het is erg ~* es muy lejos; *hoe ~ is het?* ¿qué distancia hay?; *hoe ~ is het nog?* ¿cuánto queda?; *hoe ~ ben je?* ¿cuánto (te) falta?; *nu zijn we nog even ~* no hemos adelantado nada; *het ~ brengen* llegar lejos; *zich ~ houden van* mantenerse apartado de; *het gezang klonk ~ weg* el canto sonaba distante; *de steden liggen ~ uit elkaar* las ciudades están distantes entre sí; *het ligt ~ boven de f 100* es muy por encima de los fls 100, supera con creces los fls 100; *te ~ gaan* ir demasiado lejos, pasarse, pasarse de la raya; *dat zou ons te ~ voeren* sería prolijo, nos llevaría demasiado lejos; *tot ~ in de nacht* hasta muy entrada la noche; *van ~re* de lejos; *zo ~ ga ik niet* hasta allí no llego yo; *het hoeft zo ~ niet te komen* no hace falta llegar a tanto

veraangenamen hacer más ameno, amenizar

verachtelijk 1 despreciable; **2** (*vol verachting*) despectivo, desdeñoso, con desdén; **verachten** despreciar, menospreciar, desdeñar; **verachting** desprecio, menosprecio, desdén *m*

verademing alivio

veraf lejos; **verafgelegen** apartado, distante, lejano

verafgoden idolatrar, endiosar; **verafgoding** idolatría

verafschuwen detestar, aborrecer, tener horror a, abominar (*soms:* de)

veralgemenen generalizar

veranda veranda, galería

veranderen I *tr* cambiar, alterar; (*wijzigen*) modificar; (*ingrijpend:*) transformar, convertir *ie, i*; *een jurk ~* transformar un vestido; *het programma ~* cambiar el programa; *zijn stem ~* disfrazar la voz; *dat verandert de zaak* eso ya es otra cosa; *dat verandert niets aan de zaak* eso no cambia nada; **II** *intr*: *~ (in)* cambiar(se) (en); (*ingrijpend:*) transformarse (en), convertirse *ie, i* (en); *er is iets veranderd* ha habido un cambio; *er verandert niets* las cosas siguen igual, nada cambia; *er is niets meer aan te ~* ya no tiene remedio; *je bent erg in je voordeel veranderd* has ganado mucho; *~ in een oude man* convertirse *ie, i* en un anciano; *van baan ~* cambiar de colocación; *~ van onderwerp* cambiar de tema; *~ van studie* cambiar de carrera; **verandering** cambio, alteración *v*; (*wijziging*) modificación *v*; (*totaal:*) transformación *v*; *~ ten goede* cambio favorable; *~ ten kwade* cambio desfavorable; *geen ~ (in de toestand)* sin novedad; *~en aanbrengen* introducir modificaciones; *een ~ ondergaan* sufrir un cambio; *voor de ~* para cambiar, para variar; *zie ook: spijs*; **veranderlijk** variable, inestable, inconstante, voluble, versátil; **veranderlijkheid** variabilidad *v*, inestabilidad *v*, inconstancia, volubilidad *v*

verantwoord justificado; *~e kosten* gastos justificados; *economisch ~* justificado desde el punto de vista económico; *het is niet ~* no se puede justificar, no tiene justificación; **verantwoordelijk** (*voor*) responsable (de); *~e baan* cargo de responsabilidad; *~ stellen voor* hacer responsable de; *~ zijn tegenover* ser responsable ante; ~ *zijn voor* responder de, ser responsable de; **verantwoordelijkheid** responsabilidad *v*; *de volle* ~ la completa responsabilidad; *de* ~ *afwijzen* declinar la responsabilidad, rechazar la responsabilidad; *de* ~ *dragen* cargar con la responsabilidad; *de* ~ *op zich nemen* (*voor*) asumir la responsabilidad (de), responsabilizarse (de); *op eigen* ~ bajo su propia responsabilidad; **verantwoordelijkheidsgevoel** sentido de la responsabilidad; **verantwoorden** (*rekenschap geven*) dar cuenta de; (*rechtvaardigen*) justificar; *zich* ~ justificarse; *zich voor iets moeten* ~ *tegenover iem* tener que dar cuenta de u.c. a u.p.; **verantwoording** 1 (*rechtvaardiging*) justificación *v*; *rekening en* ~ *afleggen van* dar cuenta de; ~ *schuldig zijn aan* ser responsable ante; *iem ter* ~ *roepen* pedir *i* cuentas a u.p.; 2 (*verantwoordelijkheid*) responsabilidad *v*; *voor mijn* ~ bajo mi responsabilidad; *iets voor zijn* ~ *nemen* responsabilizarse de u.c.

verarmen empobrecerse; **verarming** empobrecimiento

verbaasd asombrado, sorprendido; (*sterker:*) perplejo, atónito; *ze keek hem* ~ *aan* le miró asombrada, le dirigió una mirada de asombro

verbaliseren: *iem* ~ instruir expediente a u.p., instruir atestado a u.p.

verband 1 (*samenhang*) relación *v*; *onderling* ~ interrelación *v*, interdependencia; ~ *houden met* tener relación con, guardar relación con, enlazar con; *problemen die hier* ~ *mee houden* problemas conexos; *kosten die* ~ *houden met* gastos relacionados con; *in* ~ *met* en relación con; *in* ~ *hiermee* a este propósito, en este respecto; *in* ~ *brengen met* relacionar con; *met elkaar in* ~ *brengen* combinar; *uit zijn* ~ *rukken* sacar del contexto, aislar *í*; *zonder* ~ inconexo; 2 (*zwachtel*) venda, vendaje *m*; *met zijn hoofd in* ~ (con) la cabeza vendada

verband|gaas venda de gasa, gasa hidrófila; **-trommel** botiquín *m*

verbannen desterrar *ie*, exilar, exiliar; **verbanning** exilio, destierro

verbazen sorprender, asombrar, extrañar; *zich* ~ (*over*) quedar sorprendido (de), asombrarse (de), maravillarse (de), extrañarse (de); **verbazend** asombroso, sorprendente; (*zeer groot*) enorme, extraordinario; **verbazing** asombro, sorpresa, extrañeza; (*sterker:*) estupor *m*, perplejidad *v*; *vol* ~ *zie: verbaasd*; **verbazingwekkend** asombroso

verbeelden 1 (*uitbeelden*) representar; 2 *zich* ~ imaginarse, figurarse; *zich veel* ~ presumir; *wat verbeeld je je wel!* ¡qué te has creído tú!; *ik moet het me verbeeld hebben* he debido tener una alucinación; **verbeelding** 1 (*fantasie*) imaginación *v*, fantasía; *het is allemaal* ~ *van je* todo son figuraciones tuyas; 2 (*verwaandheid*) presuntuosidad *v*; *veel* ~ *hebben* presumir, ser un presuntuoso, ser una presuntuosa; *je hebt wél* ~ no eres tú poco fatuo; **verbeeldingskracht** (fuerza de la) imaginación *v*, poder *m* imaginativo

verbergen (*voor*) esconder (de), ocultar (a); (*verhullen ook:*) disimular; *zijn angst* ~ disimular su miedo; *zich* ~ (*voor*) esconderse (de), ocultarse (de); *zich verborgen houden* mantenerse oculto

verbeten enconado, obstinado; ~ *uitdrukking* expresión *v* fanática; ~ *woede* cólera reconcentrada

verbeteren I *tr* 1 mejorar, hacer mejor; *zijn positie* ~ mejorar (de posición); *zijn Spaans* ~ perfeccionar su español; 2 (*corrigeren*) corregir *i*, rectificar, enmendar *ie*; II *intr* mejorar, hacerse mejor; *de toestand is verbeterd* ha mejorado la situación; **verbetering** 1 mejora, mejoramiento; *sociale* ~*en* avances *mmv* sociales; *technische* ~*en* mejoras técnicas; ~*en aanbrengen* introducir mejoras; 2 (*correctie*) corrección *v*, rectificación *v*; 3 (*vervolmaking*) perfeccionamiento

verbeurdverklaren confiscar, decomisar, incautarse de; **verbeurdverklaring** confiscación *v*, decomiso, incautación *v*

verbeuren perder *ie*

verbeuzelen: *zijn tijd* ~ perder *ie* el tiempo

verbieden prohibir; *ik verbied je dat boek te lezen* te prohibo leer ese libro, te prohibo que leas ese libro; *verboden te roken* prohibido fumar; *verboden toegang* prohibida la entrada, prohibido el paso; *verboden in te rijden* dirección prohibida

verbijsterd perplejo, desconcertado; **verbijsteren** dejar perplejo, desconcertar *ie*

verbijten reprimir, contener; *zich* ~ morderse *ue* los labios

verbinden (*met*) 1 unir (a), ligar (a), vincular (con); *nauw verbonden zijn met* estar estrechamente vinculado a; *onderling zeer nauw verbonden landen* países *mmv* estrechísimamente ligados entre sí; *zich* ~ unirse, (*pol ook:*) aliarse *í*; *in het huwelijk* ~ unir en matrimonio, casar; 2 (*mbt radio*) conectar (con); 3 (*mbt trein*) enlazar (con); *de trein verbindt Madrid met Toledo* el tren enlaza Madrid con Toledo; *een tunnel verbindt beide landen* un túnel enlaza a los dos países; 4 ~ *met* (*telef*) poner en comunicación con; *wilt u mij* ~ *met de heer Pals?* ¿me quiere poner en comunicación con el señor Pals?; *u bent verkeerd verbonden* se ha equivocado de número; 5 ~ *aan* relacionar con; *er is een nadeel aan verbonden* trae consigo una desventaja; *er zijn veel voordelen aan verbonden* esto acarrea muchas ventajas; *er zijn kosten aan verbonden* supone ciertos gastos; *er is enig gevaar aan verbonden* implica algún riesgo; *de daaraan verbonden kosten* los gastos relacionados (con ello); *het daaraan verbonden nadeel* el perjuicio consiguiente; *verbonden zijn aan El País* trabajar para El País, escribir para El País; 6 ~ *tot* comprometer a, obligar a; *het verbindt u tot niets* no le

compromete a nada; *zich ~ tot* obligarse a, comprometerse a; 7 (*med*) vendar
verbinding 1 unión *v*, conexión *v*; 2 (*per trein*) comunicación *v*, enlace *m*; *rechtstreekse ~* enlace directo; *door de slechte ~en* por la escasez de comunicaciones; 3 (*telef, post*) comunicación *v*; *~ krijgen* (*met*) conseguir *i* comunicar (con); *de ~ tot stand brengen* (*telef*) establecer la comunicación; *de ~ was verbroken* se había cortado la comunicación; *zich in ~ stellen met* ponerse en comunicación con, ponerse al habla con, ponerse en contacto con; 4 (*chem*) compuesto, combinación *v*; *chemische ~* combinación química; *organische ~* compuesto orgánico; 5 (*schakel*) nexo; *Rusland is de ~ tussen Europa en Azië* Rusia es el nexo entre Europa y Asia; **verbindingstroepen** cuerpo de transmisiones
verbintenis 1 obligación *v*, compromiso; *schriftelijke ~* contrato; *een ~ aangaan* contraer un compromiso, contraer una obligación; 2 (*huwelijk*) enlace *m*
verbitterd amargado, resentido; (*heftig:*) enconado, encarnizado; **verbitteren** amargar; **verbittering** amargura, resentimiento
verbleekt (*mbt stof*) descolorido; **verbleken** 1 (*mbt persoon*) palidecer, ponerse pálido; 2 (*mbt stof*) decolorarse, empalidecer
verblijd, **verblijden** *zie: verheugd, verheugen*
verblijf 1 (*het vertoeven*) estancia, permanencia; 2 (*plaats*) residencia; *~ houden in* residir en; 3 (*vertrek*) alojamiento; *de verblijven voor de bemanning* los alojamientos para la tripulación
verblijf|kosten: *reis- en ~* gastos de viaje y residencia; **-plaats** paradero; *~ onbekend* de paradero desconocido
verblijfsvergunning autorización *v* de residencia, permiso de residencia
verblijven 1 permanecer, estar; (*tijdelijk ook:*) alojarse; 2 (*eind van brief:*) *ik verblijf, hoogachtend* quedo de Ud. atentamente, le saludo muy atentamente
verblind ciego, cegado; **verblinden** cegar *ie*, deslumbrar; *de bestuurder werd verblind door de koplampen* el conductor quedó deslumbrado por los faros; **verblindend** que ciega, cegador *-ora*, deslumbrador *-ora*, deslumbrante; *een ~ licht* una luz que ciega; *een ~e zon* un sol deslumbrador; **verblinding** ceguera, deslumbramiento
verbloemen encubrir, disfrazar, enmascarar
verbluffend asombroso, sorprendente, pasmoso; **verbluft** estupefacto, alelado, pasmado, turulato
verbod prohibición *v*; *uitdrukkelijk ~* prohibición expresa; **verbodsbord** señal *v* preceptiva (que advierte una prohibición)
verbolgen enojado, enfadado; **verbolgenheid** enfado, enojo
verbond 1 alianza, liga, unión *v*; 2 (*verdrag*) pacto, tratado
verborgen (*verstopt*) escondido; (*niet zichtbaar, geheim*) secreto, oculto; *~ gebreken* defectos ocultos; *~ werkloosheid* desempleo encubierto; *~ houden voor* ocultar a; *zich ~ houden* esconderse, ocultarse; *in het ~e* en secreto, a escondidas, clandestinamente
verbouw cultivo; **verbouwen** 1 (*van gewas*) cultivar; 2 (*van huis*) reformar; *aan het ~ zijn* estar de reformas
verbouwereerd pasmado, aturdido
verbouwing reforma (de edificios); *in de ~ zitten* estar en obras
verbranden I *tr* 1 quemar; *levend ~* quemar vivo; (*van lijk ook:*) incinerar; 2 (*in het lichaam verbruiken*) consumir, abrasar; II *intr* 1 (*mbt persoon*) morir *ue, u* abrasado, perecer abrasado; 2 (*mbt huis*) quemarse; 3 (*mbt huid*) tostarse *ue* (al sol); 4 (*chem*) combinarse con el oxígeno; **verbranding** 1 combustión *v*, quema; *onvolledige ~* combustión incompleta; 2 (*van lijk*) cremación *v*, incineración *v*
verbrandings|gassen gases *mmv* de combustión; **-motor** motor *m* de combustión; **-waarde** potencia calorífica
verbrassen malgastar, despilfarrar, derrochar
verbreden ensanchar, hacer más ancho
verbreiden difundir, divulgar, extender *ie*; *zich ~* (*mbt gerucht*): *a*) (echarse a) correr; *b*) (*mbt ziekte*) propagarse; **verbreiding** 1 (*mbt bericht, verschijnsel*) difusión *v*, divulgación *v*, propagación *v*; 2 (*mbt ziekte*) propagación *v*
verbreken 1 romper; *de betrekkingen ~* romper las relaciones; *de stilte ~* romper el silencio; *de verbinding ~* cortar la comunicación; 2 (*van contract*) rescindir
verbrijzelen astillar, destrozar, machacar, triturar; *het schip werd verbrijzeld op een rots* el buque se estrelló contra una roca
verbroederen (con)fraternizar; *zich ~* hermanarse; **verbroedering** fraternización *v*
verbrokkelen I *tr* 1 desmenuzar; (*fig ook:*) atomizar; 2 (*van brood*) desmigajar; II *intr* 1 deshacerse, desmoronarse; 2 (*mbt brood*) desmigajarse; **verbrokkeling** 1 atomización *v*; 2 (*instorting*) desmoronamiento
verbruien: *het bij iem ~* perder *ie* el favor de u.p., colocarse en la lista negra
verbruik consumo; **verbruiken** consumir, gastar; **verbruiker** consumidor *m*
verbruiks|coöperatie cooperativa de consumo; **-doeleinden** fines *mmv* de consumo; **-goederen** bienes *mmv* de consumo
verbruikster consumidora
verbuigen 1 torcer *ue*; 2 (*gramm*) declinar; **verbuiging** (*gramm*) declinación
verchromen cromar
verdacht 1 *~* (*van*) sospechoso (de); *waar wordt hij van ~?* ¿de qué se le sospecha?; *het ziet er ~ uit* tiene aire sospechoso; 2 *~ op* preparado a; *~ zijn op* estar preparado a, esperar; *daar was ik niet op ~* no esperaba tanto, fue

una sorpresa para mí; **verdachte** acusado, -a, inculpado, -a; **verdachtmaking** difamación *v*, insinuación *v*
verdagen aplazar, suspender
verdampen evaporar; **verdamper** evaporador *m*; **verdamping** evaporación *v*
verdedigbaar 1 defendible; 2 (*te rechtvaardigen*) justificable; 3 (*houdbaar*) sostenible
verdedigen defender *ie*; *tot het uiterste ~* defender a ultranza; *zijn houding is niet te ~* su actitud no tiene justificación; *zich ~* (*tegen*) defenderse *ie* (de); **verdedigend** defensivo; **verdediger** defensor *m*; **verdediging** defensa
verdedigings|plan plan *m* defensivo; **-wapen** arma defensiva; **-werken** obras de defensa
verdedigster defensora
verdeeld dividido; (*oneens*) desunido; *de meningen zijn ~* las opiniones están divididas; *het volk was ~* el pueblo estaba desunido; **verdeeldheid** división *v*; (*onenigheid*) desunión *v*, discordia; *~ zaaien* sembrar *ie* desunión
verdeel|sleutel llave *v* de distribución; **-stekker** distribuidor *m*, base *v* múltiple para enchufes
verdekt: *~ opstellen* esconder; (*in hinderlaag*) emboscar; *zich ~ opstellen* apostarse *ue* en sitio oculto
verdelen 1 partir, dividir; *verdeel en heers* divide y reinarás; *~ in* dividir en; 2 (*uitdelen*) distribuir, repartir; *~ onder, over* repartir entre, distribuir entre
verdelgen exterminar, destruir; **verdelging** exterminación *v*, destrucción *v*; **verdelgingsmiddel** (*alg*) plaguicida *m*; (*van insecten*) insecticida *m*; (*van onkruid*) herbicida *m*
verdeling 1 partición *v*, división *v*; 2 (*uitdeling*) distribución *v*, reparto; *gelijke ~ van de rijkdom* reparto equitativo de la riqueza
verdenken sospechar, tener sospechas; *iem ~* sospechar de u.p.; *men verdenkt Pablo* se sospecha de Pablo; *iem van iets ~* sospechar a u.p. de u.c.; *ze ~ hem van diefstal* le sospechan de robo; **verdenking** sospecha; *de ~ valt op* la sospecha recae en; *boven iedere ~* fuera de toda sospecha; *hij staat onder ~* se sospecha de él; *op ~ van* por sospechas de
verder 1 más lejos; *3 regels ~* 3 líneas más abajo; *3 bladzijden ~* 3 páginas más adelante; *~ gaan: a*) (*doorlopen*) pasar adelante, seguir *i* adelante; *niet ~ gaan dan de brug* no ir más allá del puente; *b*) (*doorgaan*) continuar *ú*, seguir *i*; *ga ~!* ¡sigue!, ¡continúa!; *maar zij gingen nog ~* (*fig*) pero no pararon allí; *~ ging zijn gezag niet* su autoridad no pasaba de ahí; *zo komen we niet ~* así no adelantamos nada; *niet ~ komen dan de eerste bladzij* no pasar de la primera página; *~ vertellen* (*doorgaan*) seguir *i* contando; *je moet het niet ~ vertellen* no se lo digas a nadie; 2 (*meer*) más, otro; *~e inlichtingen* más información; *is er ~ nog iets?* ¿hay algo más?; *~ niemand* nadie más; *~e maatregelen* medidas adicionales; *zonder ~e vertraging* sin otra demora; 3 (*bovendien*) además; *~ wil ik je nog zeggen* y además quiero decirte
verderf ruina, perdición *v*; *zich in het ~ storten* hundirse en la ruina; *een oord van ~* un lugar de perdición; **verderfelijk** pernicioso
verderop más adelante; *~ in de gang* pasillo adelante
verdienen 1 merecer, hacerse acreedor a; *hij verdient onze waardering* merece nuestro aprecio; *hij heeft het verdiend!: a*) (*fig, neg*) le está bien empleado; *b*) (*prijzend:*) bien ganado (se) lo tiene; *hij kreeg zijn verdiende loon* tuvo su merecido; 2 (*van loon*) ganar; *die verdient flink!* ¡ése sí que gana!; *de kost ~* ganarse la vida; *~ op* sacar beneficio de; *ik heb er f 100 op verdiend* he sacado un beneficio de fls 100
verdienste 1 (*loon*) sueldo; 2 (*winst*) ganancia, beneficio; 3 mérito; (*verdienstelijkheid*) cosa meritoria; *dat is helemaal geen ~* no es ningún mérito; **verdienstelijk** meritorio; *een ~ schrijver* un autor de mérito; *zich ~ maken* hacer méritos
verdiepen profundizar; *zich ~ in: a*) (*doordringen*) profundizar en, ahondar en; *b*) (*wegzinken*) sumergirse en, sumirse en, abismarse en, engolfarse en, enfrascarse en; *verdiept in* absorto en, sumido en, abismado en
verdieping 1 piso; *bovenste ~* piso más alto; *eerste ~* primer piso; *onderste ~* planta baja, piso bajo; 2 (*het dieper maken*) profundización *v*, ahondamiento
verdierlijken *intr* embrutecerse, caer en estado de bestialidad
verdikkeme: *~!* ¡caray!
verdikking (*zwelling*) hinchazón *v*
verdisconteren 1 descontar *ue*; 2 (*fig*) tomar en cuenta
verdoemen condenar; **verdoemenis** condenación *v*
verdoen malgastar, desperdiciar
verdoezelen esfumar, difuminar, desvanecer; *de waarheid ~* desdibujar la verdad; *de feiten ~* disimular los hechos
verdomd maldito, puñetero; *die ~e kou* ese maldito frío; *~ hinderlijk* muy enojoso, ¡maldita lata!; *~!* ¡caramba!
verdomhoekje: *hij zit in het ~* le tienen manía, le tienen tirria, le tienen ojeriza
verdomme ¡caramba!
verdommen *zie: vertikken*
verdonkeremanen escamotear
verdoofd aturdido, atontado
verdoold *zie: verdwaald*
verdord seco, marchito
verdorie ¡demonio!, ¡caray!
verdorren marchitarse
verdorven depravado, perverso; **verdorvenheid** maldad *v*, perversidad *v*, depravación *v*
verdoven 1 (*van pijn*) calmar, amortiguar; 2 (*med*) anestesiar; 3 (*van geest*) aturdir; *~d middel* (producto) estupefaciente *m*, droga;

~de middelen gebruiken drogarse; **verdoving** 1 (*versuffing*) aturdimiento; 2 (*med*) narcosis *v*, anestesia; *plaatselijke ~* anestesia local
verdraagzaam tolerante; **verdraagzaamheid** tolerancia; *geest van ~* (*ook:*) espíritu *m* de convivencia
verdraaid I *bn* torcido; *~ handschrift* letra desfigurada; II *bw* muy; *het is ~ mooi* es sumamente hermoso, tiene una gran belleza; *wel ~!* ¡maldita sea!; **verdraaien** 1 torcer *ue*; 2 (*van feiten*) desfigurar, desvirtuar *ú*, tergiversar; 3 (*van handschrift*) desfigurar; **verdraaiing** 1 torcedura; 2 (*van feiten*) distorsión *v*, desfiguración *v*, tergiversación *v*
verdrag tratado, acuerdo, pacto, convenio; *een ~ sluiten* concluir un tratado, cerrar *ie* un trato
verdragen 1 sufrir, soportar, aguantar; *dat kan ik niet ~* no lo aguanto; 2 (*van warmte*) resistir; 3 (*van eten*): *vis verdraag ik niet goed* el pescado no me sienta bien
'**verdragend** de gran alcance
verdriet tristeza, pena; *het doet me ~* me da pena; *~ hebben over* sentir *ie, i* tristeza por; *u hebt ons veel ~ gedaan* nos ha dado un gran disgusto; **verdrietig** triste; *het is ~* es una pena
verdrievoudigen triplicar
verdrijven 1 (*wegjagen*) echar, expulsar; (*van zorgen*) ahuyentar, hacer desaparecer; *de wolken ~* esparcir las nubes; *de mist ~* disipar la niebla; *verdrijft de jeuk* suprime el picor; 2 (*van tijd*) pasar, matar; *om de tijd te ~* para pasar el rato
verdringen 1 empujar, echar; *zich ~* apretujarse, agolparse, apiñarse; 2 (*vervangen*) suprimir, suplantar; *van de markt ~* suplantar en el mercado; 3 (*psych*) reprimir; *verdrongen complexen* complejos reprimidos; **verdringing** (*psych*) represión *v*
verdrinken I *tr* 1 ahogar; 2 (*aan alcohol uitgeven*) gastar en alcohol; II *intr* ahogarse, morir ahogado; **verdrinking** ahogo; **verdrinkingsdood** muerte *v* por ahogo
verdrogen secarse
verdrukken oprimir; **verdrukker** opresor *m*; **verdrukking** opresión *v*; *hij komt in de ~* no recibe bastante atención; *tegen de ~ in* a pesar de todo
verdubbelen redoblar; **verdubbeling** redoblamiento
verduidelijken aclarar, elucidar, poner en claro; (*met voorbeelden*) ilustrar; *~d* ilustrativo; **verduidelijking** aclaración *v*, explicación *v*; (*dmv voorbeelden*) ilustración *v*; *ter ~* a título ilustrativo, para mejor claridad
verduisteren 1 (*donker maken*) oscurecer; 2 (*van geld*) malversar, desfalcar; 3 (*van document*) sustraer; 4 (*van geest*) oscurecer, ofuscar; **verduistering** 1 oscurecimiento; 2 (*astron*) eclipse *m*; 3 (*van geld*) desfalco, malversación *v* (de fondos); 4 (*van document*) sustracción *v* (de documentos)
verduiveld I *bn* maldito, dichoso; *dat ~e examen* ese dichoso examen; II *bw* terriblemente; *een ~ leuk idee* una idea estupenda; *~ moeilijk* dificilísimo; *~ veel lawaai* un ruido de mil demonios
verdund diluido, ligero; **verdunnen** diluir, aclarar; (*met water*) aguar; **verdunner** diluyente *m*; **verdunning** dilución *v*
verduren soportar, aguantar
verdwaald extraviado; *een ~e kogel* una bala perdida; *een ~ schaap* una oveja descarriada; *~ zijn* haber perdido el camino
verdwaasd aturdido, atontado
verdwalen perder *ie* el camino, extraviarse *í*; *u kúnt niet ~* no hay pérdida
verdwazing aturdimiento, atontamiento
verdwijnen desaparecer; (*vervagen*) esfumarse, desvanecerse, disiparse; *verdwijn!* ¡vete!; **verdwijning** desaparición *v*
veredelen 1 mejorar, perfeccionar; 2 (*van metaal*) refinar, afinar; **veredeling** 1 mejora, mejoramiento, perfeccionamiento; 2 (*van metaal*) refinación *v*
vereelt calloso
vereend: *met ~e krachten* en un esfuerzo común, reuniendo las fuerzas
vereenvoudigen simplificar; *breuken ~* simplificar fracciones; **vereenvoudiging** simplificación *v*
vereenzelvigen identificar; *zich ~ met* identificarse con
vereerder, vereerster adorador, -ora, admirador, -ora
vereeuwigen inmortalizar
vereffenen liquidar, arreglar, saldar; (*betalen*) pagar, satisfacer; *een rekening ~* saldar una cuenta; **vereffening** liquidación *v*, arreglo; (*betaling*) pago
vereisen exigir, requerir *ie, i*; **vereist** necesario, preciso; *~ zijn* requerirse *ie, i*, necesitarse, hacer falta; *een diploma is ~* se requiere un diploma, se necesita un diploma; *beslist ~* imprescindible; **vereiste** necesidad *v*, exigencia, requisito; *aan de ~n voldoen* cumplir los requisitos, reunir *ú* las condiciones
1 veren *ww* ser elástico; (*mbt auto*) *goed ~* tener buena suspensión; *hij veerde overeind* se levantó de un salto
2 veren *bn* (*van dons*) de pluma
verend elástico
verengen, zich estrecharse
verenigbaar (*met*) compatible (con), conciliable (con); **verenigd** unido; *het ~ Koninkrijk* el Reino Unido; *de ~e Naties* las Naciones Unidas; *afk* O.N.U.; *de troepen van de ~e Naties* las tropas naciunidenses; *de ~e Staten* los Estados Unidos; *afk* EEUU; *de politiek van de ~e Staten* la política estadounidense
verenigen 1 unir, reunir *ú*, juntar, combinar; *in de echt ~* casar; *zich ~* unirse, juntarse; *stemmen op zich ~* obtener votos; 2 (*van gemeenten*) mancomunar; 3 (*van legers*) enlazar; 4

(*fig*) compaginar, conciliar; *het is niet te ~ met* no se puede compaginar con, no es conciliable con; 5 *zich ~ met: a*) (*zich neerleggen bij*) conformarse con; *b*) (*het eens zijn met*) compartir, estar de acuerdo con; *ik kan mij met uw zienswijze ~* comparto su punto de vista
vereniging 1 asociación *v*; 2 (*het verenigen*) unión *v*, reunión *v*; 3 (*van legers*) enlace *m*, unión *v*; **verenigingswezen** asociacionismo
vereren honrar, venerar, adorar; *~ met zijn aanwezigheid* honrar con su presencia
verergeren I *tr* hacer peor, empeorar, agravar; II *intr* ponerse peor, empeorar(se)
verering adoración *v*, veneración *v*
verf 1 pintura; 2 (*voor stof*) tinte *m* || *het komt niet goed uit de ~* no convence; **verfdoos** caja de pinturas
verfijnen refinar, perfeccionar; **verfijning** refinamiento
verfilmen filmar; (*van roman*) llevar a la pantalla; **verfilming** filmación *v*; (*van roman*) adaptación *v* cinematográfica
verfkwast brocha; (*van artiest*) pincel *m*
verflauwen flaquear, aflojar
verfoeien detestar, aborrecer, odiar; **verfoeilijk** odioso, detestable
verfomfaaien arrugar, estrujar
verfraaien embellecer
verfrissen refrescar; **verfrissing** refresco
verfroller rodillo
verfrommelen estrujar, arrugar
verf|spuit soplete *m*, pistola para pintar; **-stof** tinte *m*, colorante *m*; **-verdunner** diluyente *m*; **-winkel** tienda de pinturas
vergaan I *ww* 1 (*verongelukken*) naufragar, hundirse; (*van schip ook:*) irse a pique; *de wereld vergaat* se hunde el mundo, se acaba el mundo; 2 (*rotten*) pudrirse, deshacerse; *tot stof ~* deshacerse en polvo; 3 (*gebeuren*) ocurrir, pasar; *hoe is het je ~?* ¿cómo te ha ido?; *zo verging het hem altijd* así le pasaba siempre; *het zal hem slecht ~* acabará mal; 4 (*voorbijgaan*) pasar; *er verging geen dag of ...* no pasaba ni un día sin que ...; 5 *~ van* morir(se) *ue, u* de; *ik verga van de kou* me muero de frío; *~ van ongeduld* morirse de impaciencia; II *bn* podrido, deshecho
vergaderen reunirse *ú*, celebrar una reunión; **vergadering** reunión *v*, asamblea, junta; *algemene ~* junta general; *buitengewone ~* junta extraordinaria; *een ~ bijeenroepen* convocar una reunión; *in gezamenlijke ~ bijeen* reunidos en sesión conjunta; **vergaderzaal** sala de reuniones, sala de juntas
vergallen amargar, estropear; *het plezier ~* aguar la fiesta
vergalopperen, zich propasarse, extralimitarse, descomedirse *i*
vergankelijk pasajero, perecedero
vergapen: *zich ~ aan* embobarse ante
vergaren reunir *ú*, juntar; (*van rijkdom*) amontonar; *het ~ van kennis* la adquisición de conocimientos
vergassen 1 vaporizar, carburar; 2 (*doden*) matar con gas, gasear
vergasten: *~ op* regalar con, agasajar con, obsequiar con
vergeeflijk perdonable
vergeefs I *bn* vano, inútil; *het is ~* es inútil, es en vano; II *bw* en vano; *zie ook: tevergeefs*
vergeeld amarilleado, amarillento
vergeetachtig olvidadizo; **vergeetachtigheid** falta de memoria
vergeetboek: *in het ~ raken* olvidarse, caer en olvido
vergeet-mij-nietje nomeolvides *m*
vergelden pagar, devolver *ue*; *goed met kwaad ~* devolver mal por bien; **vergelding** pago, desquite *m*; *als ~ voor* en desquite de; (*wraak*) venganza; **vergeldingsmaatregel** represalia
vergelen amarillear
vergelijk arreglo, avenencia, compromiso; *tot een ~ komen* llegar a un arreglo, avenirse; **vergelijkbaar** (*met*) comparable (con); **vergelijken** comparar; *te ~ met* comparable con, equiparable a; *dat is niet te ~* no se puede comparar, no admite comparación; *vergeleken met* comparado con; *vergelijk* (*geb w*) compárese; *afk* cp.; **vergelijkend** comparativo; *~ examen* (*vglbaar:*) oposiciones *vmv*; *een ~e studie* un estudio comparativo; *~e taalwetenschap* lingüística comparada; **vergelijking** 1 comparación *v*, parangón *m*; *een ~ trekken* establecer una comparación, trazar un parangón; *bij wijze van ~* a título de comparación; *in ~ met* comparado con, en comparación con; 2 (*wisk*) ecuación *v*; *~ van de tweede graad* ecuación de segundo grado
vergemakkelijken hacer más fácil, facilitar
vergen exigir, pedir *i*; *dat is teveel gevergd* es pedir demasiado
vergenoegd contento, satisfecho
vergetelheid olvido; *in de ~ raken* caer en el olvido, pasar al olvido
vergeten olvidar, olvidarse de; *helemaal ~* olvidar por completo; *ik heb mijn boek ~* he olvidado mi libro; *ik ben uw achternaam ~* se me ha olvidado su apellido; *ik heb ~ het je te zeggen* me he olvidado de decírtelo, se me ha olvidado decírtelo; *oh, ik vergeet iets!* ¡ah, se me olvida una cosa!; *ik vergat de bloemen* se me olvidaban las flores; *men moet niet ~* no hay que olvidar, hay que tener presente; *je kunt het verder wel ~* (entonces) apaga y vámonos
vergeven 1 perdonar; 2 (*van ambt*) dar; 3 (*vergiftigen*) envenenar || *het is er ~ van de muggen* el sitio está plagado de mosquitos; **vergeving** *zie: vergiffenis*; **vergevingsgezind** indulgente, inclinado al perdón
vergevorderd muy avanzado; *wegens het ~e uur* a causa de lo avanzado de la hora
vergewissen: *zich ~ van iets* averiguar u.c., cerciorarse de u.c.

vergezellen acompañar; *vergezeld zijn van* ir acompañado de
vergezicht vista, panorama *m*
vergezocht rebuscado, exagerado
vergiet escurridor *m*, colador *m*
vergieten (*van bloed, tranen*) verter *ie*, derramar
vergif veneno, ponzoña, tóxico
vergiffenis perdón *m*; ~ *schenken* perdonar; ~ *vragen* pedir *i* perdón
vergiftig venenoso, tóxico; *een ~e slang* una serpiente venenosa; **vergiftigen** envenenar, intoxicar, emponzoñar; *~de werking* acción *v* tóxica; **vergiftiging** envenenamiento, intoxicación *v*; **vergiftigingsverschijnselen** manifestaciones *vmv* tóxicas
vergissen, zich equivocarse, confundirse, engañarse, estar en un error; *als ik me niet vergis* si no me equivoco, si no me engaño; *daarin vergis je je* en eso te equivocas; *zich ~ in de bladzij* equivocarse de página; *we hadden ons in hem vergist* estábamos equivocados con respecto a él; *zich gruwelijk ~* equivocarse clamorosamente; ~ *is menselijk* quien tiene boca, se equivoca; **vergissing** error *m*, equivocación *v*; (*misgreep*) desacierto; *een ~ begaan* cometer un error, incurrir en un error; *een grote ~* un error de peso; *bij ~* erróneamente, por equivocación, por descuido
vergoeden 1 pagar, abonar, compensar, resarcir de; (*terugbetalen*) devolver *ue*; *de kosten ~* compensar (de) los gastos; *dat vergoedt veel* eso compensa; *iem de schade ~* indemnizar a u.p. (de) los daños; **2** (*als loon*) pagar, remunerar; **vergoeding 1** indemnización *v*, compensación *v*, abono, resarcimiento; ~ *van medische kosten* prestaciones *vmv* médicas; ~ *van reiskosten* abono de los gastos de viaje; **2** (*loon*) remuneración *v*, pago
vergoelijken excusar, disculpar
vergokken perder *ie* en el juego
vergooien 1 (*van geld*) derrochar, malgastar; **2** (*van kans*) desperdiciar, echar a perder
vergrendelen 1 (*van deur*) echar el cerrojo a; **2** (*techn*) bloquear
vergrijp delito; (*licht:*) falta; ~ *tegen* infracción *v* a; **vergrijpen**: *zich ~ aan: a*) (*aanslag plegen op*) atentar contra; *b*) (*stelen*) robar; *c*) (*verkrachten*) violar
vergrijzen encanecer, echar canas; *de bevolking vergrijst* envejece la población; **vergrijzing** envejecimiento
vergroot ampliado; (*mbt foto ook:*) *30 maal ~* 30 aumentos; **vergrootglas** lente *m,v* de aumento, lupa
vergroten 1 ampliar *í*, agrandar; **2** (*van foto*) ampliar *í*; **3** (*van moeilijkheden*) aumentar; *~de trap* (grado) comparativo; **vergroting 1** ampliación *v*, agrandecimiento; **2** (*toename*) aumento, incremento; **vergrotingsapparaat** aparato ampliador, ampliadora
verguld dorado; ~ *zijn met iets* estar muy contento con u.c.; **vergulden** dorar
vergunning permiso, autorización *v*; (*van drankverkoop*) licencia; *de ~ verlengen* prorrogar la autorización
verhaal 1 cuento, historia, narración *v*; *het ~ gaat dat* se dice que; **2** (*eis tot vergoeding*) derecho a indemnización || *op ~ komen* reponerse, recobrar fuerzas
verhaasten precipitar, apresurar, acelerar
verhalen 1 contar *ue*, narrar; **2** *~ op* recobrar de, cargar a; **verhalend** narrativo
verhandelbaar negociable; **verhandelen** negociar; **verhandeling 1** (*opstel*) tratado, ensayo; **2** (*handel*) comercialización *v*, venta
verhangen 1 (*verplaatsen*) cambiar de sitio; **2** *zich ~* colgarse *ue*, ahorcarse
verhard 1 endurecido; **2** (*geplaveid*) pavimentado, empedrado; **verharden I** *tr* **1** endurecer; (*techn ook:*) solidificar; *zijn standpunten ~* endurecer sus posiciones; **2** (*plaveien*) pavimentar, empedrar *ie*; **II** *intr* endurecer, solidificarse; **verharding** endurecimiento; (*techn ook:*) solidificación *v*
verharen pelechar, mudar (de pelo)
verhaspelen farfullar, embarullar
verheerlijken ensalzar, enaltecer, glorificar; **verheerlijking** ensalzamiento, encumbramiento, glorificación *v*
verheffen levantar, alzar, elevar; *zijn stem ~* levantar la voz, alzar la voz; *iem in de adelstand ~* ennoblecer a u.p., conceder a u.p. un título (de nobleza); *tot de tweede macht ~* elevar al cuadrado; *tot de vijfde macht ~* elevar a la quinta potencia; *zich ~* levantarse, alzarse; **verheffend**: *weinig ~* poco edificante; **verheffing** elevación *v*
verheimelijken ocultar, mantener secreto, disimular
verhelderen I *tr* aclarar, elucidar; **II** *intr* **1** (*mbt weer*) aclararse; **2** (*mbt gezicht*) iluminarse, animarse; **verhelderend** (*fig*) esclarecedor *-ora*; **verheldering** aclaración *v*
verhelen ocultar
verhelpen remediar, arreglar; *dat is gauw verholpen* tiene fácil arreglo; *niet te ~* irremediable
verhemelte paladar *m*
verheugd alegre, contento; **verheugen** alegrar; *het verheugt mij te horen dat* me alegra saber que, me alegro de saber que; *het verheugt mij dat je het mooi vindt* me alegra que te guste, me alegro de que te guste; *dat verheugt mij* lo celebro; *zich ~ in een goede gezondheid* gozar de buena salud; *ik verheug me op je bezoek* me hace ilusión tu visita; *zich ~ over* alegrarse de; **verheugend** grato, satisfactorio
verheven elevado; (*fig ook:*) noble; *een ~ doel* un fin elevado; *zich ~ voelen boven* considerarse por encima de; *boven alle lof ~* superior a todo elogio; *boven verdenking ~* fuera de toda sospecha
verhevigen intensificar
verhinderen impedir *i*; *verhinderd zijn* no po-

der asistir; *morgen ben ik verhinderd* mañana tengo (otras cosas) que hacer, mañana estaré impedido; **verhindering** ausencia; *bericht van ~* comunicado de inasistencia
verhit (*fig*) acalorado, caldeado; *de ~te atmosfeer* la caldeada atmósfera; *een ~te discussie* una discusión acalorada; **verhitten** calentar *ie*; (*fig*) acalorar; **verhitting** calentamiento; (*fig*) acaloramiento
verhoeden prevenir; *dat verhoede God!* ¡no lo permita Dios!
verhogen 1 hacer más alto, elevar, subir, alzar; (*vermeerderen ook:*) aumentar; 2 (*versterken*) ensalzar; 3 (*verbeteren*) mejorar; *het verhoogt uw charme* ensalza su encanto; *het effect ~* realzar el efecto, intensificar el efecto; *de kwaliteit ~* mejorar la calidad; *de prijzen ~* subir los precios; *de produktie ~* aumentar la producción; *het salaris ~* aumentar el sueldo, subir el sueldo; *de leeftijd ~* aumentar la edad; *~ met* aumentar en; *met 5% verhoogd* aumentado en un 5%; **verhoging** 1 elevación *v*, alza, subida; (*vermeerdering ook:*) aumento; 2 (*concr, hogere plek*) elevación *v*; 3 (*in zaal*) tarima, plataforma; (*voor dans*) tablado; 4 (*lichte koorts*) unas décimas *vmv* (de fiebre)
verholen encubierto, disimulado
verhongeren morirse *ue, u* de hambre; *laten ~* matar de hambre
verhoor 1 (*van getuigen*) examen *m*, toma de declaración; 2 (*van verdachte*) interrogatorio; *iem een ~ afnemen* someter a u.p. a un interrogatorio; **verhoren** 1 (*van getuige*) tomar declaración a; 2 (*van verdachte*) interrogar
verhouden: *zich ~ tot: a verhoudt zich tot b als 2 tot 3* a es a b como 2 a 3; **verhouding** 1 proporción *v*; (*wisk ook:*) razón *v*; *buiten ~ tot* fuera de proporción con, desproporcionado con; *in ~ staan tot* guardar proporción con, estar en proporción con, a; *in de ~ twee op een* en la proporción de dos a uno; *naar ~* proporcionalmente; 2 (*betrekking*) relación *v*; (*intiem:*) relaciones *vmv*; *een ~ hebben* mantener relaciones, mantener una relación
verhuis|kaart aviso de cambio de domicilio; **-kosten** gastos de traslado; **-wagen** camión *m* de mudanzas
verhuizen cambiar de domicilio, mudarse, mudar de casa; *ik ben verhuisd* me he mudado (de casa); **verhuizer** empresario de mudanzas; **verhuizing** mudanza, cambio de domicilio
verhullen tapar, velar, encubrir, ocultar
verhuren alquilar, dar en alquiler, arrendar *ie*, dar en arriendo; **verhuur** alquiler *m*, arriendo; **verhuurder**, **verhuurster** alquilador, -ora, arrendador, -ora
verifiëren verificar, comprobar *ue*
verijdelen desbaratar, frustrar; *een complot ~* desbaratar un complot; **verijdeling** desbaratamiento, frustración *v*
vering 1 muelles *mmv*; 2 (*van auto*) suspensión *v*
verjaard prescrito
verjaardag 1 cumpleaños *m*, aniversario; *hij viert zijn 60e ~* celebra su sesenta cumpleaños; *gefeliciteerd met uw ~* feliz cumpleaños; 2 (*van gebeurtenis*) aniversario
verjagen ahuyentar
verjaren prescribir
verjongen I *tr* rejuvenecer, remozar; II *intr* rejuvenecerse, remozarse; **verjonging** rejuvenecimiento, remozamiento; **verjongingskuur** cura de rejuvenecimiento
verkapt disfrazado, encubierto
verkavelen parcelar, dividir en lotes; **verkaveling** parcelamiento, parcelación *v*, división *v* en lotes
verkeer 1 tráfico, circulación *v*; *doorgaand ~* (*bord*) todas las direcciones; *rijdend ~* circulación rodada; *een straat met veel ~* una calle de mucho tráfico, una calle muy transitada; *gesloten voor alle ~* cerrado al tránsito; 2 (*schoolvak*) educación *v* vial; 3 (*omgang*) trato; *seksueel ~* trato sexual
verkeerd I *bn* 1 malo; *~e gewoonte* mala costumbre *v*; *met het ~e been uit bed stappen* levantarse con mal pie; 2 (*onjuist*) erróneo, indebido, impropio, equivocado; *~ gebruik* uso indebido, uso impropio; *de ~e deur nemen* equivocarse de puerta; 3 (*omgekeerd*) al revés; *de ~e wereld* el mundo al revés; *de ~e kant* el envés, el revés; *van de ~e kant* (*fig*) de la acera de enfrente; II *bw* mal; *het zal ~ met hem aflopen* acabará mal; *~ begrijpen* comprender mal, entender *ie* mal; *je begrijpt het helemaal ~* no has comprendido nada; *~ beoordelen* juzgar mal; *je doet er ~ aan niet te gaan* haces mal en no ir; *alles gaat ~* todo va mal; *~ lopen* equivocarse de camino; *ik vind het ~* me parece mal, no me parece bien; *wat is daar ~ aan?* ¿qué tiene de malo?
verkeers|ader arteria (de tráfico); **-agent**, **-agente** guardia *m,v* de tráfico, policía *m,v* de tráfico, agente *m,v* de circulación; **-bord** señal *v* de tráfico, disco de señales; **-chaos** desbarajuste *m* circulatorio; **-dichtheid** densidad *v* del tráfico; **-drempel** espigones *mmv*; (*sleuf*) badén *m*; **-heuvel** isleta, isla, refugio; **-leider** (*luchtv*) controlador *m* aéreo; **-leiding** control *m* aéreo; **-licht** luz *v* de tráfico, semáforo; *hij reed door het ~ heen* hizo caso omiso de la luz de tránsito; **-ongeval** accidente *m* de circulación, accidente *m* de tráfico; **-opstopping** embotellamiento, atasco, congestión *v*; **-overtreding** infracción *v* (a las normas de circulación); **-plein** glorieta; **-politie** policía de tráfico; **-regel** norma de circulación, medida de circulación; **-slachtoffer** víctima de un accidente de circulación; **-stroom** corriente *v* circulatoria; **-toren** torre *v* de mandos, torre *v* de control; **-veiligheid** seguridad *v* del tráfico; **-voorschriften** reglamento de la circulación; **-weg** carretera, vía de comunicación; **-wetgeving** código de la circulación

verkennen reconocer, explorar; *het terrein* ~ (*fig*) tentar *ie* el vado; **verkenner** (*padvinder*) explorador *m*; **verkenning** reconocimiento, exploración *v*; **verkenningsvlucht** vuelo de reconocimiento
verkeren 1 (*zich bevinden*) estar, encontrarse *ue*; *in gevaar* ~ estar en peligro; 2 (*veranderen*) cambiar; 3 ~ *met* tratar a, tener trato con; **verkering**: ~ *hebben* tener relaciones; *hoe lang heb je al* ~? ¿cuánto tiempo llevas en relaciones?
verkiesbaar elegible; *zich* ~ *stellen* presentarse como candidato, presentarse para las elecciones, presentar su candidatura; **verkiesbaarheid** elegibilidad *v*
verkieslijk preferible
verkiezen 1 (*bij stemming*) elegir *i*; 2 ~ (*boven*) preferir *ie, i* (a); *te* ~ *zijn boven* ser preferible a; **verkiezing** elección *v*; *de* ~*en* (*ook:*) los comicios; ~*en voor de Kamer* elecciones legislativas; *vervroegde* ~*en* elecciones anticipadas || *naar* ~ a voluntad
verkiezings|bijeenkomst mitín *m* electoral, reunión *v* electoral; **-campagne** campaña electoral; **-lijst** lista electoral; **-plakkaat** cartel *m* electoral; **-programma** programa *m* electoral; **-strijd** lucha electoral; **-uitslagen** resultados electorales
verkijken: *zich* ~ *op* juzgar mal, equivocarse en; *de kans is nu verkeken* la ocasión se ha perdido
verkikkerd: ~ *zijn op* estar metido por, chiflarse por
verklaarbaar explicable
verklappen: *het aan iem* ~ ir con el soplo a u.p.
verklaren 1 (*uitleggen*) explicar; *dat verklaart alles* eso lo explica todo; *zich* (*nader*) ~ explicarse (mejor); *verklaar je nader!* ¡explícate!; 2 (*zeggen*) declarar; *onder ede* ~ declarar bajo juramento; *failliet* ~ declarar en quiebra; *de oorlog* ~ declarar la guerra; *zich vóór het besluit* ~ declararse a favor del acuerdo; 3 (*te kennen geven*) manifestar *ie*, exponer; 4 (*formeel bevestigen*) certificar; *hierbij verklaar ik dat* por la presente certifico que; **verklarend** explicativo; **verklaring** 1 (*uitleg*) explicación *v*, explanación *v*; 2 (*mbt getuige*) declaración *v*; *een* ~ *afleggen* declarar, hacer una declaración; *beëdigde* ~ declaración jurada; (*officieel:*) certificado, certificación *v*; (*mededeling*) manifestación *v*; *eigen* ~ (*bij aanvraag rijbewijs*) manifestación *v* del conductor; *medische* ~ certificado médico; ~ *omtrent het gedrag* certificado de buena conducta
verkleden 1 cambiar la ropa a; *zich* ~ cambiarse, cambiar(se) de ropa; 2 (*vermommen*) disfrazar; *zich* ~ (*als*) disfrazarse (de)
verkleinen 1 reducir, empequeñecer; 2 (*verminderen*) reducir, rebajar, disminuir, minimizar; **verkleining** 1 reducción *v*, empequeñecimiento; 2 (*vermindering*) disminución *v*, reducción *v*; **verkleinwoord** diminutivo
verkleumd aterido, transido de frío
verkleuren desteñirse *i*, decolorarse; **verkleuring** decoloramiento
verklikken delatar, denunciar en secreto, ir con el soplo; **verklikker** 1 chivato, delator *m*, soplón *m*; 2 (*techn*) indicador *m*
verknallen echar a perder, malgastar
verkneukelen, zich regocijarse, regodearse
verknippen 1 cortar; 2 (*verkeerd knippen*) cortar mal; **verknipt** (*getikt*) chiflado, estrafalario
verknocht (*aan*) afecto (a), devoto (de), adicto (a); ~ *zijn aan* tener apego a
verknoeien 1 estropear, echar a perder; 2 (*van tijd, geld*) desperdiciar, malgastar
verkoken consumirse; *het water is verkookt* el agua se ha consumido
verkolen carbonizarse
verkommeren desmedrar(se), languidecer, consumirse
verkondigen 1 anunciar, publicar, pregonar, proclamar; *een idee* ~ ventilar una idea; *een theorie* ~ exponer una teoría; 2 (*godsd*) predicar; **verkondiging** publicación *v*, proclamación *v*; (*godsd*) predicación *v*
verkoop venta; *gedwongen* ~ venta forzosa; *openbare* ~ subasta pública; *een* ~ *tot stand brengen* realizar una venta; *ten* ~ *aanbieden* poner a la venta; **verkoopafdeling** departamento de ventas, sección *v* de ventas; **verkoopbaar** vendible; *goed* ~ fácil de vender, de fácil venta
verkoop|bewijs vendí *m*; **-campagne** campaña vendedora; **-contract** contrato de compraventa; **-datum** fecha de venta; *uiterste* ~ fecha límite de venta, fecha de caducidad; **-kantoor** oficina de ventas, agencia de ventas; **-leider** jefe *m* de ventas; **-prijs** precio de venta
verkoopster vendedora; (*in winkel ook:*) dependienta
verkoop|technieken técnicas *vmv* de venta, técnicas comerciales; **-waarde** valor *m* de venta
verkopen vender; *gerechtelijk* ~ vender judicialmente; *onderhands* ~ vender por contrato privado; *publiek* ~ vender en pública subasta; *in détail* ~ vender al por menor; *in het groot* ~ vender al por mayor; *de meest verkochte produkten* los productos de mayor venta; **verkoper** vendedor *m*; (*in winkel ook:*) dependiente *m*
verkoperd encobrado, bañado en cobre
verkoping: *openbare* ~ venta pública, subasta pública
verkorten 1 (*van jurk, leven*) acortar; 2 (*van termijn, tekst*) abreviar, reducir; **verkorting** 1 (*van jurk, leven*) acortamiento; 2 (*van termijn, tekst*) abreviación *v*
verkouden resfriado, acatarrado, constipado; ~ *worden* resfriarse *í*, acatarrarse; *zo* ~ *als een kip* resfriado como una sopa; **verkoudheid** resfriado, catarro, constipado

verkrachten violar; **verkrachting** violación *v*
verkrampt crispado
verkreukelen *tr* arrugar, estrujar
verkrijgbaar: ~ *zijn* poderse obtener, poderse comprar; *niet meer* ~ *zijn* estar agotado; *inlichtingen hier* ~ razón aquí; ~ *bij de apotheek* se vende en las farmacias, de venta en las farmacias; *in 4 kleuren* ~ los hay en cuatro colores
verkrijgen obtener, adquirir *ie*; *toegang* ~ ser admitido; *ik kan het niet over mijn hart* ~ se me hace muy violento
verkroppen: *ik kan dat niet* ~ eso no me pasa; *verkropte woede* cólera reprimida, rabia contenida
verkrotten venir a menos, caer en ruinas
verkruimelen hacer migajas, desmigar, desmenuzar
verkwanselen malbaratar, malvender
verkwikken refrescar, (re)animar, (re)confortar; **verkwikking** alivio, confortación *v*, solaz *m*
verkwisten malgastar, derrochar, desperdiciar, despilfarrar, dilapidar, disipar; **verkwistend** malgastador *-ora*, derrochador *-ora*, despilfarrador *-ora*; **verkwister** derrochador *m*, despilfarrador *m*; **verkwisting** derroche *m*, despilfarro, desperdicio, disipación *v*, dilapidación *v*
verladen embarcar
verlagen 1 bajar, rebajar, reducir; *met 10%* ~ reducir en un 10%; *in rang* ~ degradar; *de pensioenleeftijd* ~ *tot 55 jaar* rebajar la (edad de) jubilación a los 55 años; *verlaagd plafond* techo rebajado; 2 *zich* ~ envilecerse, degradarse; **verlaging** (*van tarief*) rebaja, reducción *v*; (*van lonen ook:*) recorte *m*; ~ *van het levenspeil* rebaja del nivel de vida; ~ *van straf* reducción de la pena
verlakken embaucar, timar, engañar; **verlakkerij** engaños *mmv*, timo
verlamd paralítico; (*verlamd geraakt; fig*) paralizado, tullido, baldado; **verlammen** paralizar, tullir, baldar; **verlamming** parálisis *v*; (*fig*) paralización *v*
verlangen I *ww* 1 (*wensen*) desear, querer, apetecer; *hij verlangt dat ik ga* quiere que vaya; *al wat men maar kan* ~ todo lo que se desee; *wat kan men nog meer* ~? ¿qué más se puede apetecer?; 2 (*eisen*) pedir *i*, exigir; *er werd veel van hem verlangd* se le exigía mucho; 3 ~ *naar* sentir *ie, i* deseos de; (*heimwee hebben*) añorar; *naar iem* ~ echar de menos a u.p., sentir *ie, i* deseos de ver a u.p.; ~ *naar de vakantie* tener ganas de que lleguen las vacaciones; *vurig* ~ *naar* morirse *ue, u* por, desear ansiosamente, anhelar; II *zn* deseo; (*sterker:*) ansia, afán *m*, anhelo; ~ *naar* deseo de; (*sterker:*) anhelo de; *branden van* ~ *om* arder en deseos de, abrasarse en deseos de; *op zijn uitdrukkelijk* ~ por expreso deseo suyo; *vol* ~ *zie: verlangend*; **verlangend** (*naar*) deseoso (de), ansioso (de), anhelante (de); **verlanglijst** lista de regalos deseados; (*bij huwelijk*) lista de bodas
1 verlaten I *ww* 1 (*achterlaten*) dejar; (*in de steek laten ook:*) abandonar; *zijn huis* ~ irse de casa; 2 *zich* ~ *op* confiar *í* en; II *bn* (*mbt persoon*) 1 solo; 2 (*in de steek gelaten*) abandonado; *van God* ~ dejado de la mano de Dios; 3 (*zonder mensen*) desierto, solitario; 4 (*afgelegen*) aislado
2 verlaten *ww*: *ik heb mij verlaat* se me ha hecho tarde
verlatenheid soledad *v*, abandono; **verlating** abandono
verleden I *bn* pasado, último; ~ *dinsdag* el martes último; ~ *week* la semana pasada; ~ *tijd* (*gramm*) tiempo pasado, pretérito; II *zn* pasado; *een duister* ~ un pasado tenebroso; *een nabij* ~ un pasado reciente; *in het* ~ en el pasado; *hij had gebroken met zijn* ~ había roto con su pasado
verlegen 1 tímido, cohibido, confundido; (*onhandig*) torpe; *ze is niet gauw* ~ a ésa no le suben los colores fácilmente; *hij werd er* ~ *van* le confundió; 2 ~ *zijn om* necesitar, precisar; *ik ben niet om meer werk* ~ lo que menos falta me hace es más trabajo; *hij zit* ~ *om geld* le falta dinero; *niet om een antwoord* ~ *zijn* tener la respuesta siempre a punto; **verlegenheid** 1 timidez *v*, confusión *v*; 2 (*moeilijkheid*) apuro; *in* ~ *zitten* estar en apuros, estar en un aprieto; *iem in* ~ *brengen* comprometer a u.p., poner en un compromiso a u.p., (*fam*) poner en un brete a u.p.
verleggen cambiar de sitio, desplazar
verleidelijk 1 tentador *-ora*; *een* ~ *aanbod* una oferta tentadora; 2 (*charmant*) encantador *-ora*, atractivo, seductor *-ora*; **verleiden** 1 seducir; 2 (*verlokken; fig*) tentar *ie*; 3 ~ *om* inducir a; *ik heb me laten* ~ me han persuadido, no he podido resistir; **verleider** seductor *m*, tentador *m*; **verleiding** 1 seducción *v*; 2 (*verzoeking*) tentación *v*; *de* ~ *voelen om* estar tentado de; *voor de* ~ *bezwijken* ceder a la tentación, caer en la tentación; **verleidster** seductora, tentadora
verlenen (*van gunst*) conceder; (*van vergunning, volmacht*) otorgar; (*toekennen*) conferir *ie, i*; *amnestie* ~ amnistiar *í*; *asiel* ~ conceder asilo; *bemiddeling* ~ intervenir; *hulp* ~ prestar ayuda; *krediet* ~ conceder un crédito; *macht* ~ conferir *ie, i* poder; *zijn medewerking* ~ prestar su colaboración, prestar su concurso; *toestemming* ~ permitir, dar permiso, otorgar permiso; *vrijstelling* ~ *voor* dispensar de, eximir de
verlengen 1 (*van verblijf, straat*) prolongar, hacer más largo; 2 (*van jurk*) alargar; 3 (*van termijn*) prorrogar, renovar *ue*; *zijn pas* ~ renovar su pasaporte; *de termijn kan niet verlengd worden* el plazo es improrrogable; **verlenging** 1 prolongación *v*; 2 (*van pas*) renovación *v*; **verlengsnoer** cable *m* de extensión, prolongable *m*, prolongador *m*

verlening concesión *v*, otorgamiento
verleppen marchitarse; **verlept** marchito, mustio
verleren olvidar; *om het niet te ~* para no perder la práctica
verlevendigen avivar, dar viveza a, animar, amenizar
verlicht 1 alumbrado, iluminado; 2 (*fig*) ilustrado; 3 (*van last*) aliviado; *~ ademhalen* respirar con alivio; **verlichten** 1 alumbrar, iluminar; 2 (*van geest*) ilustrar; 3 (*van last*) aligerar, aliviar; 4 (*van pijn*) mitigar, aliviar; **verlichting** 1 alumbrado, iluminación *v*; 2 (*van geest*) ilustración *v*; (*in 18e eeuw*) Ilustración *v*; 3 (*van last*) aligeramiento, alivio; 4 (*van pijn*) alivio
verliefd (*op*) enamorado (de); *~ worden* (*op*) enamorarse (de); *een ~e blik* una mirada amorosa; *hopeloos ~* perdidamente enamorado; *hij is gauw ~* es enamoradizo; **verliefdheid** enamoramiento
verlies pérdida; (*in oorlog ook:*) baja; *de verliezen waren enorm* las bajas fueron tremendas; *zware verliezen lijden* sufrir duras pérdidas; *~ aan* pérdida de; *met ~ verkopen* vender con pérdida; *hij kan goed tegen zijn ~* tiene buen perder, es buen perdedor
verliezen perder *ie*; *het ~ van* perder de, ceder la palma a; *er is geen tijd te ~* no hay que perder tiempo; *tijd ~ met* perder tiempo en; *je verliest er niets mee* no pierdes nada, no te cuesta nada; *~ met 5 - 0* perder por 5 a 0; **verliezer** perdedor *m*
verloederen venir a menos, degradarse
verlof 1 permiso; (*mil ook:*) licencia; *groot ~* licencia absoluta; *met ~ zijn* estar de permiso, estar con licencia; *iem ~ geven om weg te gaan* permitir salir a u.p.; 2 (*vergunning*) licencia
verlokken tentar *ie*, seducir
verloochenen negar *ie*; (*van geloof*) renegar *ie* de; *zijn afkomst ~* desdecir de su origen, desmentir *ie, i* su origen
verloofd prometido; *zij zijn ~* son novios; **verloofde** prometido, -a, novio, -a, comprometido, -a
verloop 1 (*mbt tijd*) curso, decurso, transcurso; *na ~ van tijd* pasado algún tiempo; *na ~ van 3 dagen* pasados 3 días, transcurridos 3 días; 2 (*ontwikkeling*) curso, proceso, desarrollo; *ordelijk ~* ordenado desarrollo; *het ~ van de strijd* el curso de la batalla; 3 (*achteruitgang*) decadencia; 4 (*van personeel*) rotación *v*
verloop|stekker adaptador *m*; **-stuk** adaptador *m*, niple *m* de reducción
verlopen I *ww* 1 (*mbt tijd*) pasar, transcurrir; 2 (*gebeuren*) ir, marchar, pasar, ocurrir, desarrollarse; *alles is goed ~* todo ha ido bien; *de operatie verliep goed* la operación resultó afortunada; *naar wens ~* salir a medida de los deseos; 3 (*achteruitgaan*) venir a menos, decaer; *de staking verloopt* la huelga se agota; 4 (*vervallen*) caducar, expirar; *de termijn verloopt* expira el plazo; *mijn pas is ~* ha caducado mi pasaporte; II *bn* hecho una ruina, acabado
verloren perdido; *~ moeite* esfuerzo inútil; *~ ogenblikken* ratos perdidos; *de ~ zoon* el Hijo Pródigo; *~ gaan* perderse *ie*
verloskamer sala de partos; **verloskunde** obstetricia, tocología; **verloskundige** tocólogo, -a; (*fam*) comadrón, -ona, partero, -a
verlossen 1 liberar, librar; *het ~de woord* la palabra de salvación, la palabra redentora; 2 (*godsd*) redimir; 3 (*med*) asistir en el parto; **Verlosser**: *de ~* el Redentor, el Salvador; **verlossing** 1 liberación *v*, salvación *v*; 2 (*godsd*) redención *v*; 3 (*med*) parto, alumbramiento
verloten rifar; **verloting** rifa, sorteo
verloven, zich formalizar el noviazgo; **verloving** noviazgo
verluiden: *naar verluidt* según dicen
verluieren 1 (*verschonen*) cambiar de pañales; 2 *zie: verlummelen*
verlummelen desaprovechar, desperdiciar; *de hele dag ~* hacer el gandul todo el santo día
verlustigen: *zich ~ in* recrearse en, regocijarse en
vermaak diversión *v*, distracciones *vmv*, entretenimiento; *~ scheppen in* complacerse en, divertirse *ie, i* en
vermaard famoso, célebre; **vermaardheid** fama, renombre *m*; *zo grote ~* tan extendido renombre
vermageren 1 enflaquecer; *zijn sterk vermagerde gezicht* su cara demacrada; 2 (*slank worden*) adelgazar, perder *ie* peso; **vermagering** 1 enflaquecimiento; 2 (*het slank worden*) adelgazamiento, pérdida de peso
vermagerings|dieet régimen *m* para adelgazar; **-kuur** cura de adelgazamiento
vermakelijk divertido
vermaken 1 divertir *ie, i*; *zich ~* divertirse *ie, i*, distraerse; 2 (*van kleren*) cambiar, arreglar; 3 (*bij testament*) legar, dejar (por testamento)
vermanen amonestar; (*kritisch:*) reprender; (*waarschuwen*) advertir *ie, i*; **vermanend** monitorio; (*kritisch:*) reprensor *-ora*; **vermaning** amonestación *v*, admonición *v*; (*kritisch:*) reprensión *v*; (*waarschuwing*) advertencia
vermannen, zich sobreponerse
vermeend supuesto, presunto
vermeerderen I *tr* aumentar, ampliar *í*, incrementar, acrecentar *ie*; *tweede vermeerderde druk* segunda edición ampliada; *vermeerderd met* más, aumentado con; *vermeerderd met de rente* más los intereses; II *intr zie: toenemen*; **vermeerdering** aumento, incremento, crecimiento
vermelden mencionar, hacer mención de, citar, nombrar; *vermeld moet worden* hay que mencionar, hay que destacar, debe hacerse constar; **vermeldenswaard** digno de mención, memorable; **vermelding** mención *v*;

(*notitie*) anotación *v*, registro; *eervolle* ~ mención honorífica
vermengen mezclar; **vermenging** mezcla
vermenigvuldigen (*met*) multiplicar (por); **vermenigvuldiging** multiplicación *v*
vermetel audaz, temerario, muy atrevido; **vermetelheid** audacia, osadía, temeridad *v*
vermicelli fideos *mmv*
vermijden evitar; (*ontwijken*) rehuir
verminderen I *tr* disminuir, reducir, aminorar, bajar; II *intr*: ~ (*met*) disminuir (en), reducirse (en), decrecer (en), bajar (en); *de export is met 5% verminderd* la exportación ha disminuido en un 5%; **vermindering** disminución *v*, reducción *v*, aminoración *v*; (*verlaging ook*:) baja; ~ *van straf* reducción de pena
verminken mutilar, lisiar; *gruwelijk verminkt* horrorosamente desfigurado; **verminking** desfiguración *v*
vermist desaparecido; ~ *raken* desaparecer; ~ *worden* darse por desaparecido, haber desaparecido
vermoedelijk I *bn* supuesto, presunto; *de ~e dader* el presunto autor; II *bw* probablemente, presumiblemente
vermoeden I *ww* presumir, barruntar, suponer; (*verdenken*) sospechar; *hij vermoedt het in de verste verte niet* ni por asomo lo sospecha; II *zn* presunción *v*, barrunto, suposición *v*; (*verdenking*) sospecha; *bang* ~ aprensión *v*; *niet het flauwste* ~ ni la menor idea, ni el más lejano presentimiento
vermoeid cansado; *je ziet er* ~ *uit* se te nota cansado; **vermoeidheid** cansancio, fatiga; **vermoeien** cansar; *zich* ~ cansarse; *hij heeft zich vermoeid met werken* se ha cansado trabajando; **vermoeiend** cansado
vermogen I *ww* poder, ser capaz de; *niets* ~ *tegen* no poder nada contra; II *zn* 1 (*financ*) patrimonio, haber *m*, bienes *mmv*, capital *m*; 2 (*macht*) poder *m*; *al wat in mijn* ~ *is* cuanto está en mi poder; *naar mijn beste* ~ como mejor pueda; 3 (*gave*) don *m*, talento; *geestelijke ~s* facultades *vmv* mentales; 4 (*techn*) potencia, poder *m*; *isolerend* ~ poder aislante; **vermogend** rico, acaudalado, adinerado
vermogens|aanwasdeling reparto del incremento de capital; **-belasting** impuesto sobre el patrimonio
vermolmd carcomido
vermommen (*als*) disfrazar (de); *zich* ~ (*als*) disfrazarse (de); **vermomming** disfraz *m*
vermoorden asesinar, matar
vermorzelen triturar, destrozar; (*verpletteren*) aplastar
vermout vermú *m, mv vermús*, vermut *m*
vermurwen ablandar; *hij laat zich niet* ~ no se deja ablandar, no cede; *niet te* ~ inexorable, sin compasión
vernauwen estrechar; **vernauwing** estrechamiento
vernederen humillar, rebajar; *zich* ~ humillarse, rebajarse, achicarse; **vernederend** humillante; **vernedering** humillación *v*
vernemen saber, aprender, enterarse de; *iets* ~ *via iem* saber u.c. por u.p.; *ik heb vernomen dat* tengo noticia de que, estoy enterado de que, me han informado de que, he venido a saber que
vernielen destruir, destrozar; **vernieling** destrucción *v*, destrozo; *~en aanrichten* causar estragos; *in de* ~ destrozado; **vernielzucht** vandalismo
vernietigen 1 aniquilar, destruir, deshacer; 2 (*ongeldig maken*) anular, invalidar; **vernietigend** destructivo, arrollador *-ora*, aniquilador *-ora*; *een ~e blik* una mirada fulminante; *~e kritiek* crítica demoledora; **vernietiging** 1 aniquilación *v*, destrucción *v*; 2 (*nietigverklaring*) anulación *v*, invalidación *v*
vernieuwen renovar *ue*; **vernieuwing** 1 renovación *v*, remodelación *v*; 2 (*hervorming*) reforma, innovación *v*
vernis barniz *m*; **vernissen** barnizar
vernoemen: ~ *naar* poner el nombre de
vernuft ingenio, genio; **vernuftig** ingenioso
veronachtzamen desatender *ie*, descuidar, no hacer caso de; **veronachtzaming** negligencia, descuido
veronderstellen suponer, asumir, presumir; *ik -stel van wel* supongo que sí; *naar -steld wordt* según se supone; *-steld dat* en el supuesto de que, suponiendo que; **veronderstelling** suposición *v*; *in de* ~ *verkeren* suponer; *van de* ~ *uitgaan dat* partir de la suposición de que, proceder en la presunción de que
verongelijkt ofendido; *hij toonde zich* ~ (*ook*:) se dio por sentido
verongelukken 1 (*mbt persoon*) perecer, morir *ue, u* en un accidente; 2 (*mbt schip*) naufragar; (*mbt vliegtuig*) accidentarse
verontreinigen contaminar, impurificar; **verontreiniging** contaminación *v*
verontrusten inquietar, asustar, alarmar, preocupar; **verontrustend** inquietante, alarmante, preocupante; **verontrusting** inquietud *v*, alarma, preocupación *v*
verontschuldigen disculpar, excusar; *zich* ~ disculparse, excusarse; **verontschuldigend** de disculpa; *op ~e toon* en tono de disculpa; **verontschuldiging** disculpa, excusa; *zijn ~en aanbieden* presentar excusas, ofrecer disculpas
verontwaardigd (*over*) indignado (de); **verontwaardiging** indignación *v*
veroordelen 1 condenar; (*jur ook*:) sentenciar; *ter dood* ~ condenar a muerte, sentenciar a muerte; *tot een jaar gevangenisstraf* ~ condenar a un año de cárcel; 2 (*afkeuren*) desaprobar *ue*, condenar; *openlijk* ~ denunciar; **veroordeling** condena
veroorloven permitir; *zich de luxe* ~ permitirse el lujo
veroorzaken causar, ocasionar, provocar, originar

verorberen comerse
verordenen ordenar, decretar; **verordening** ordenanza, decreto; *plaatselijke* ~ ordenanza local
verouderd 1 anticuado, pasado de moda; 2 (*mbt woord*) (caído) en desuso; **verouderen** 1 (*mbt persoon*) envejecer; 2 (*mbt woord*) caer en desuso; 3 (*mbt kaart, boek*) perder *ie* actualidad
veroveraar conquistador *m*; **veroveren** conquistar; **verovering** conquista
verpachten arrendar *ie*, dar en arriendo
verpakken embalar, empaquetar; (*inwikkelen*) envolver *ue*; (*in glas, blik*) envasar; *zeer slecht verpakt* en pésimas condiciones de embalaje; *in karton verpakte melk* leche *v* envasada en cartones; **verpakking** embalaje *m*, envase *m*, empaquetado
verpanden empeñar, pignorar; (*van bezit*) hipotecar
verpatsen malbaratar, malgastar
verpauperen empobrecer; **verpaupering** pauperización *v*, degradación *v*
verpesten 1 apestar; *de lucht* ~ emponzoñar el aire; *de markt* ~ apestar el mercado; 2 (*van sfeer, feest*) estropear, echar a perder, aguar
verpieterd 1 (*mbt eten*) pasado; *de rijst is* ~ el arroz está pasado; 2 (*mbt plant, persoon*) mustio
verplaatsen 1 cambiar de sitio, trasladar, desplazar; *de komma* ~ (*rekenk*) correr el punto decimal; *zich* ~ cambiar de sitio, trasladarse, desplazarse; *zich in iem* ~ ponerse en el caso de u.p.; 2 (*van schaakstuk*) mover *ue*; 3 (*van gewicht*) cambiar, pasar; **verplaatsing** cambio (de sitio), traslado
verplanten transplantar
verpleegdag día *m* en el hospital; **verpleegde** enfermo, -a; (*in inrichting*) internado, -a; **verpleeghuis** casa de reposo, casa de convalecencia; **verpleegster** enfermera
verplegen atender *ie*, cuidar, asistir; *de jongen wordt verpleegd in een ziekenhuis* al muchacho se le atiende en un hospital; **verpleger** enfermero; **verpleging** 1 (*beroep*) profesión *v* de enfermero, -a; *in de* ~ *zijn* trabajar de enfermero, -a; 2 (*bezigheid*) asistencia (a los enfermos)
verpletteren aplastar, hacer pedazos; *~de meerderheid* mayoría aplastante; *~de nederlaag* derrota aplastante
verplicht obligatorio; *~e feestdag* (*godsd*) fiesta de guardar, fiesta de precepto; *~e verzekering* seguro obligatorio; *donker pak is* ~ el traje oscuro es de rigor; ~ *stellen* hacer obligatorio; ~ *om* obligado a; ~ *tot geheimhouding* obligado al secreto; *dat zijn we aan hem* ~ se lo debemos, nos lo merece || *ik ben u zeer* ~ se lo agradezco mucho
verplichten (*om, tot*) obligar (a); *het verplicht u tot niets* no le compromete a nada, no implica compromiso alguno por su parte; *zich* ~ *om* obligarse a, comprometerse a; **verplichting** obligación *v*, compromiso; *zijn ~en nakomen* cumplir (con) sus obligaciones; *sociale ~en* deberes *mmv* sociales, obligaciones *vmv* sociales
verpoten trasplantar
verpotten trasplantar, cambiar de tiesto
verprutsen 1 (*van tijd*) desperdiciar, perder *ie*; 2 (*van werk*) arruinar, echar a perder, estropear
verpulveren pulverizar
verraad traición *v*; ~ *plegen jegens* hacer traición a; **verraadster** traidora; **verraden** 1 traicionar; *iem heeft hem* ~ (*fam*) alguien le dio el chivatazo; 2 (*van geheim*) revelar; **verrader** traidor *m*; (*verklikker*) delator *m*; (*fam*) chivato, soplón *m*; **verraderlijk** traicionero, traidor *-ora*; *~e bocht* curva peligrosa
verrassen 1 sorprender, causar (una) sorpresa; *ik wilde je* ~ quería darte una sorpresa; 2 (*overvallen, ook fig*) tomar de sorpresa; **verrassend** sorprendente; **verrassing** sorpresa; *een onaangename* ~ *bezorgen* causar una sorpresa desagradable; *hij kwam voor de* ~ *te staan dat* se encontró inesperadamente con que
verrechtsing derechización *v*
verregaand extremo, excesivo, tremendo
verregenen echarse a perder a causa de la lluvia
'**verreikend** de gran alcance, trascendental
verrekenen 1 arreglar, compensar, poner en cuenta; (*aftrekken*) deducir, descontar *ue*; 2 ~ *met* imputar sobre; 3 *zich* ~ calcular mal, hacer mal un cálculo; *hij had zich verrekend* le salió mal la cuenta; **verrekening** 1 arreglo (de compensación); 2 (*fout*) error *m* de cálculo, equivocación *v*
verrekijker prismáticos *mmv*
verrekken 1 (*van spier*) distender *ie*; (*van nek*) torcer *ue*; *zijn nek* ~ torcerse *ue* el cuello; (*van arm*) dislocar; 2 (*doodgaan*) hincar el pico; *hij kan ~!* ¡déjalo que se pudra!, ¡que lo aspen!; 3 *verrek!* ¡caray!; **verrekt** maldito, condenado; *die ~e pen* esa maldita pluma
verreweg con mucho, con gran diferencia; ~ *de hoogste inkomens* los ingresos más altos, con gran diferencia; *hij is* ~ *de beste* es de lejos el mejor
verrichten hacer, realizar, efectuar *ú*, llevar a cabo; *diensten* ~ prestar servicios; **verrichting**: *bijzondere ~en* (*med*) tratamientos especiales
verrijden trasladar
verrijken enriquecer; *zich* ~ hacerse rico
verrijzen surgir, levantarse, erguirse *ie, i*; *uit de dood* ~ resucitar; **verrijzenis** resurrección *v*
verroeren mover *ue*; *verroer je niet!* ¡no te muevas!
verroest oxidado, herrumbroso; **verroesten** oxidarse, enmohecerse
verrot podrido; *door en door* ~ podrido por

dentro y por fuera; **verrotten** pudrir, podrirse *u*
verruilen (*voor*) cambiar (por)
verruimen ensanchar, ampliar *í*
verrukkelijk delicioso, encantador *-ora*; **verrukken** encantar, embelesar; *verrukt zijn* (*over, van*) estar encantado (con, de); *ik ben verrukt van de kleur* me encanta el color; *hij is verrukt van die spelletjes* le embelesan esos juegos; **verrukking** embeleso, éxtasis *m*
verruwen embrutecer; **verruwing** embrutecimiento
1 vers *zn* verso, poesía; *dat is ~ twee* eso ya es otro cantar, ésa es otra copla
2 vers fresco; *het ligt nog ~ in het geheugen* está todavía fresco en la memoria
versagen desmayar, desalentarse *ie*, desanimarse
verschaffen procurar, proporcionar, facilitar, suministrar; *zich iets ~* procurarse u.c., adquirir *ie* u.c.
verschansen: *zich ~* (*achter*) atrincherarse (detrás de), parapetarse (tras)
1 verscheiden *zn* fallecimiento, óbito, defunción *v*
2 verscheiden varios, diversos; *~e kinderen* varios niños
verscheidenheid variedad *v*, diversidad *v*
verschepen embarcar; **verscheper** fletador *m*; **verscheping** embarque *m*
verscherpen I *tr* agudizar; (*strenger maken*) apretar *ie*; *de controle ~* apretar el control; II *intr* agudizarse, subir de grado, recrudecerse, exacerbarse; **verscherping** recrudecimiento, exacerbación *v*
verscheuren 1 romper, rasgar; 2 (*mbt wild dier; fig*) desgarrar; *verscheurd door smart* desgarrado por el dolor
verschiet distancia; *dat ligt voor jou in het ~* eso te espera
verschieten I *tr* gastar; *zijn kruit ~* gastarse la pólvora; II *intr* 1 (*mbt kleur*) desteñirse *i*, decolorarse; 2 (*mbt persoon*) demudarse, ponerse de mil colores; (*bleek worden*) palidecer
verschijnen 1 aparecer, hacer su aparición, presentarse, hacerse ver; *persoonlijk ~* personarse, presentarse personalmente; 2 (*voor gerecht, notaris*) comparecer; 3 (*mbt boek*) publicarse, salir, aparecer; **verschijning** 1 aparición *v*; 2 (*voor rechter, notaris*) comparecencia; 3 (*mbt boek*) publicación *v*; 4 (*spook*) fantasma *m*, espectro, aparecido, aparición *v*; 5 (*persoon*) tipo, persona; *zij is een charmante ~* tiene un tipo encantador, es encantadora
verschijnsel fenómeno
verschil 1 diferencia, discrepancia, distinción *v*; *duidelijke ~len* diferencias acusadas; 2 *~ van mening* diferencia de opiniones, contraste *m* de pareceres; *~ maken tussen* distinguir entre; *dat maakt een groot ~* de ahí la gran diferencia, por eso la gran diferencia; 3 *~ in hoogte* desnivel *m*
verschillen diferir *ie, i*, ser diferente, ser distinto; *hoezeer zij ook ~* por mucho que difieran; *ze ~ een paar jaar in leeftijd* se llevan unos años; *van mening ~* no estar de acuerdo, tener opiniones distintas; **verschillend** diferente, distinto; *~e* (*verscheidene*) varios, distintos; *geheel ~ zijn van* ser muy diferente de, ser muy otro que; *twee ~e sokken* dos calcetines *mmv* desparejados
verscholen escondido, oculto; *zich ~ houden* esconderse, ocultarse
verschonen 1 (*van bed*) mudar, poner sábanas limpias; 2 (*van kind*) cambiar, poner ropa limpia; *zich ~* ponerse ropa limpia, vestirse *i* de limpio; 3 (*excuseren*) excusar, disculpar; *verschoond blijven van* quedar librado de; **verschoning** 1 (*kleren*) muda; *in de koffer zit een ~* en la maleta hay una muda; 2 (*voor bed*) juego de sábanas limpias; 3 (*excuus*) perdón *m*
verschoppeling, verschoppelinge paria *m,v*
verschoten desteñido
verschrikkelijk terrible, horrible, espantoso; *het is ~* (*ook:*) es de espanto; *het is ~ koud* hace un frío espantoso; **verschrikken** asustar, dar un susto, espantar; **verschrikking** horror *m*
verschroeien abrasar, calcinar; (*door zon ook:*) quemar; *tactiek van de verschroeide aarde* táctica de la tierra calcinada, táctica de la tierra devastada
verschrompelen arrugarse y encogerse; (*mbt noten ook:*) mermar(se)
verschuilen: *zich ~* esconderse, ocultarse; (*fig*) *zich ~ achter* acogerse a, atrincherarse detrás de
verschuiven I *tr* 1 correr; *hij verschoof de tafel* corrió la mesa; 2 (*uitstellen*) aplazar, postergar, diferir *ie, i*; II *intr* correrse; **verschuiving** 1 cambio (de sitio), desplazamiento; 2 (*van datum*) aplazamiento
verschuldigd debido; *~ zijn* deber, adeudar; *het ~e bedrag* el importe debido, el débito
versie versión *v*
versieren adornar, engalanar; (*amoureus*) ligar (a, con), ligarse (a); *een fotograaf ~* (*charteren*) agenciarse un fotógrafo; **versiering** adorno; **versierselen** (*ridderorde*) insignias; **versiertoer**: *op de ~ zijn* andar de ligue
versjacheren *zie: verkwanselen*
versjouwen trasladar, arrastrar
verslaafd (*aan*) dado (a), adicto (a), enviciado (con); (*fam*) enganchado; *~ aan de drank* alcohólico, entregado a la bebida; *~ aan drugs* adicto a las drogas, (*fam*) enganchado; *~ raken aan toneel* enviciarse con el teatro; *hij is ~ aan roken* es un fumador empedernido; **verslaafde** (*aan drugs*) drogadicto, -a, adicto, -a, drogadependiente *m,v*, toxicómano, -a; **verslaafdheid** (*aan roken, drank*) vicio, adicción *v*; (*aan drugs*) condición *v* de adicto, adicción *v*, drogadicción *v*
verslaan 1 batir, derrotar; 2 (*voor krant, tv*)

comentar, informar acerca de, escribir la crónica de; (*door tv*) recoger; **verslag 1** informe *m*, relación *v*, memoria; ~ *doen van* dar cuenta de; *een* ~ *schrijven* redactar una memoria; ~ *uitbrengen* rendir *i* informe; 2 (*krant, tv*) reportaje *m*, crónica

verslagen 1 derrotado, batido; 2 (*fig*) abatido, anonadado; **verslagenheid** abatimiento, perplejidad *v*

verslaggeefster, **verslaggever** 1 (*krant*) periodista *m,v*, corresponsal *m,v*; 2 (*radio*) reportera, -o, corresponsal *m,v*

verslapen: *hij heeft zich* ~ se le han pegado las sábanas, ha dormido hasta muy tarde

verslappen aflojar, relajar; **verslapping 1** relajamiento; *de* ~ *van het economisch leven* la atonía de la vida económica; ~ *van de zeden* relajamiento moral; 2 (*van spieren*) atonía

verslavend adiccionante; **verslaving** adicción *v*; (*aan drugs ook:*) drogadicción *v*, toxicomanía

verslechteren empeorar, ir empeorando, deteriorar, desmejorarse; **verslechtering** deterioro, menoscabo, empeoramiento, desmejoramiento

verslepen 1 arrastrar; 2 (*van kar, boot*) remolcar

versleten 1 raído, gastado, desgastado, deslucido; 2 (*mbt persoon*) gastado, caduco, agotado; 3 (*mbt taal*) manoseado, desgastado; **verslijten** I *tr* 1 desgastar, gastar; 2 ~ *voor* tomar por; II *intr* gastarse, desgastarse

verslikken: *zich* ~ (*in*) atragantarse (con)

verslinden devorar, engullir

verslingeren: *zich* ~ *aan* aficionarse a, enamorarse perdidamente de

versloffen: *laten* ~ descuidar

verslonzen echar a perder por desidia, echar a perder por dejadez

versluieren velar

versmachten: ~ *van dorst* morir(se) *ue, u* de sed

versmaden desdeñar, despreciar; *zo'n erfenis is niet te* ~ una herencia así no tiene desperdicio, una herencia así no es para desdeñada

versmallen estrechar

versnapering golosina; ~*en* (*ook:*) dulces *mmv*

versnellen acelerar, activar; *zijn pas* ~ aligerar el paso; *versnelde scholing* formación *v* acelerada; **versneller** (*van deeltjes*) acelerador *m*; **versnelling 1** (*het versnellen; op fiets*) aceleración *v*; 2 (*in auto*) velocidad *v*; *eerste* ~ primera velocidad, primera marcha; *de auto rijdt in de derde* ~ el coche marcha en tercera velocidad; *steeds in de tweede* ~ *rijden* mantener la segunda; *in de tweede* ~ *zetten* poner (la palanca de cambio) en la posición de segunda velocidad

versnellings|bak caja de cambios, caja de velocidades; **-handel** palanca de cambio

versnijden 1 (*aan stukken*) cortar; 2 (*van wijn*) diluir, cortar; (*met water*) aguar

versnipperen 1 hacer añicos; 2 (*van aandacht*) disipar, dispersar; **versnippering** atomización *v*

versnoepen gastar en golosinas; *hij kijkt of hij zijn laatste oortje heeft versnoept* está cariacontecido

versoberen economizar, gastar menos, reducir los gastos; **versobering** austeridad *v*, reducción *v* de gastos

versoepelen 1 relajar; 2 (*fig; versnellen*) agilizar

verspaansen (*van woorden*) castellanizar

verspelen 1 (*van geld*) jugarse *ue*; 2 (*van recht*) perder *ie*; *de jaren die ik in de oorlog heb verspeeld* los años que se me han ido en la guerra

versperren 1 (*van weg*) cortar, bloquear; 2 (*van doorgang*) estorbar; *de doorgang* ~ estorbar el paso; 3 (*van haven*) cerrar *ie*, bloquear; **versperring** obstáculo, barrera, barricada, obstrucción *v*

verspieden espiar *í*; **verspieder** espía *m,v*

verspillen desperdiciar, despilfarrar; *ik wil er geen woord meer aan* ~ no vale la pena gastar más saliva; **verspilling** desperdicio, despilfarro; ~ *van arbeid* desperdicio de trabajo

versplinteren I *tr* astillar; (*fig*) atomizar; II *intr* astillarse, saltar en astillas, hacerse añicos

verspreid disperso, esparcido; ~*e buien* chubascos dispersos; ~ *over de wereld* distribuido por el mundo; **verspreiden 1** esparcir, diseminar, desparramar, desperdigar, dispersar; ~*!* (*mil*) ¡rompan filas!; *de stukken lagen overal verspreid* los restos quedaron desperdigados por todo el sitio; *verspreid zijn over* hallarse diseminado por; *de menigte* ~ dispersar la multitud; *zich* ~ dispersarse; *zich* ~ *over de stad* distribuirse por la ciudad; 2 (*van bericht*) difundir, divulgar; 3 (*afgeven*) despedir *i*; *een geur* ~ despedir un olor; *warmte* ~ despedir calor; **verspreiding 1** diseminación *v*, dispersión *v*, distribución *v*; 2 (*van bericht*) divulgación *v*, difusión *v*; 3 (*van wapens*) proliferación *v*; *Verdrag tegen de* ~ *van kernwapens* Tratado de no proliferación nuclear

verspreken, zich equivocarse al hablar; **verspreking** lapsus *m* linguae, equivocación *v*

'verspringen *zn* salto de longitud

ver'springen 1 saltar; 2 (*mbt accent*) desplazarse

verstaan 1 entender *ie*; *versta me goed!* ¡entiéndeme bien!; *verkeerd* ~ entender mal; ~ *onder* entender por; *hieronder wordt* ~ por esto se entiende; *te* ~ *geven* insinuar *ú*; *mij is te* ~ *gegeven* se me ha dado a entender; *wel te* ~ entiéndase bien; 2 *zich* ~ *met* entenderse *ie* con; **verstaanbaar** inteligible, entendible; *zich* ~ *maken in het Spaans* darse a entender en español; **verstaander**: *een goed* ~ *heeft maar een half woord nodig* a buen entendedor con pocas palabras basta

verstand 1 (*rede*) razón *v*, entendimiento, inteligencia; *gezond* ~ sentido común; *zijn* ~ *ge-*

bruiken aplicar su inteligencia; *de mensen beginnen hun ~ te gebruiken* la gente empieza a discurrir; *een goed ~ hebben* ser inteligente, tener buena inteligencia, tener una cabeza muy clara; *~ hebben van* entender *ie* de; *zijn ~ verliezen* perder *ie* el juicio, perder *ie* la razón; *met ~ te werk gaan* actuar *ú* con discreción; *met een beetje gezond ~* (*fam*) teniendo cuatro dedos de frente; 2 (*kennis*) conocimiento(s); *een man die ~ heeft van het onderwerp* un hombre entendido en la materia || *met dien ~e dat* entendiéndose que; **verstandelijk** intelectual; *~e vermogens* facultades *vmv* discrecionales

verstandhouding comprensión *v*; *blikken van ~ wisselen* cruzar miradas de inteligencia; *hun ~ is slecht* no se entienden entre sí

verstandig sensato; (*redelijk*) razonable; (*bedachtzaam*) discreto, prudente; (*intelligent*) listo, inteligente; (*scherpzinnig*) sagaz; *een ~ mens* una persona sensata; *het leek hem niet ~ om zich te verzetten* no le pareció prudente oponerse; *je zou ~ doen met te komen* harías bien en venir; *zou het niet ~er zijn ...?* ¿no sería más sensato ...?; **verstandigheid** cordura

verstands|kies muela del juicio, (muela) cordal *v*; **-verbijstering** perturbación *v* mental

verstarren inmovilizarse; (*mbt denktrant*) anquilosarse, fosilizarse; *een verstarde manier van denken* un modo de pensar fosilizado

verstedelijken urbanizarse; **verstedelijking** urbanización *v*

versteend 1 petrificado; 2 (*van kou*) entumecido, aterido

verstek (*jur*) rebeldía, incomparecencia; *~ laten gaan* no aparecer; *~ verlenen* declarar en rebeldía; *bij ~ veroordelen* juzgar en rebeldía

verstekeling polizón *m*

verstelbaar ajustable; *-bare roosters* (*in koelkast*) parrillas ajustables; *-bare rugleuning* respaldo reclinable

versteld: *~ staan* quedarse atónito, quedarse absorto, quedarse pasmado; *~ doen staan* confundir, dejar perplejo; *het deed ons ~ staan* nos dejó perplejos

verstellen 1 (*techn*) ajustar; 2 (*van rugleuning*) inclinar; 3 (*naaien*) remendar *ie*, reparar

versterken 1 fortalecer, reforzar *ue*, robustecer, vigorizar, potenciar; *de rol van de provincie ~* potenciar el papel de la provincia; *~de middelen* medios vigorizantes, reconstituyentes *mmv*, fortificantes *mmv*; 2 (*van indruk*) intensificar, reforzar *ue*; 3 (*geluidstechn*) amplificar; **versterker** amplificador *m*

verstevigen fortalecer, consolidar; **versteviger** (*van haar*) acondicionador *m*

verstijfd entumecido, rígido; (*van kou ook:*) aterido; (*fig*) paralizado; *~ van schrik* estupefacto; **verstijven** entumecerse, agarrotarse, quedarse entumecido, quedarse rígido; *hij verstijfde toen ik zei ...* se quedó de piedra cuando dije ...

verstikken ahogar, asfixiar; (*benauwen*) sofocar; *de emotie verstikte zijn stem* la emoción le embargaba la voz; **verstikkend** sofocante; **verstikking** asfixia; (*benauwdheid*) sofoco

verstoken: *~ zijn van* carecer de

verstokt empedernido, impenitente; *een ~ verdediger* un defensor a ultranza

verstomd atónito, mudo, sin habla; *~ doen staan* dejar mudo, dejar perplejo; **verstommen** 1 (*mbt persoon*) enmudecer; 2 (*mbt geluid*) apagarse; *het gelach verstomde* cedieron las risas

verstoord (*boos*) enojado

verstoppen 1 (*afsluiten*) atascar, obstruir, obturar, tapar; *zie ook: verstopt*; 2 (*verbergen*) esconder; **verstoppertje**: *~ spelen* jugar *ue* al escondite; **verstopping** 1 atasco, obstrucción *v*; 2 (*med*) obstrucción *v*; **verstopplaats** escondite *m*; **verstopt**: *~ raken* atascarse, quedar obstruido, taparse; *dit apparaat raakt gauw ~* este aparato se tapa pronto; *de afvoer is ~* el desagüe se ha atascado

verstoren 1 turbar, perturbar, trastornar, alterar; *het evenwicht ~* perturbar el equilibrio; *de rust ~* turbar la paz; 2 (*bederven*) echar a perder, dar al traste con; *die wolkenkrabber verstoort de schoonheid van het centrum* ese rascacielos da al traste con la belleza del centro; 3 (*ontstemmen*) enfadar, enojar; **verstoring** perturbación *v*; *~ van de openbare orde* alteración *v* del orden público, perturbación *v* del orden público

verstoten (*jur*) repudiar

verstouten: *zich ~ om* atreverse a

verstrekken facilitar, suministrar, proporcionar; *inlichtingen ~* facilitar informes; *een lening ~* conceder un préstamo

'**verstrekkend** de gran alcance, trascendental

verstrekking facilitación *v*, suministro; *~en in natura* prestaciones *vmv* en especie

verstrijken 1 (*voorbijgaan*) pasar, avanzar; *naarmate de dag verstreek* a medida que avanzaba el día; *naarmate de tijd verstreek* con el correr del tiempo, con el paso del tiempo; 2 (*aflopen*) expirar, vencer; *zodra de termijn verstrijkt* en cuanto expire el plazo

verstrikken: *zich ~ in* enredarse en

verstrooid distraído, despistado; **verstrooidheid** distracción *v*; **verstrooiing** 1 (*vermaak*) esparcimiento, diversión *v*; 2 (*van volk*) dispersión *v*; (*van de joden*) diáspora

verstuiken torcer *ue*; *zijn enkel ~* torcerse *ue* el tobillo; **verstuiking** torcedura, esguince *m*

verstuiven 1 (*van vloeistof*) pulverizar, vaporizar; 2 (*van poeder*) espolvorear; **verstuiver** pulverizador *m*, atomizador *m*, vaporizador *m*

versturen *zie: verzenden*

versuft atontado, abobado; *~ door slaapgebrek* atontado por la falta de sueño; *~ van de slaap* abobado por el sueño

versukkeling: *in de ~ raken* venir a menos

vertaalmachine máquina traductora; **vertaaloefening** ejercicio de traducción; **vertaalster** traductora; **vertaalwetenschap** ciencia de la traducción, traductología
vertakken, zich ramificarse; (*in tweeën ook:*) bifurcarse
vertalen traducir; *uit het Nederlands in het Spaans ~* traducir del holandés al español; **vertaler** traductor *m*; *beëdigd ~* traductor jurado; **vertaling** traducción *v*
verte lejanía; *in de ~* a lo lejos; *wij zijn in de ~ familie* somos parientes lejanos; *in de verste ~ niet* ni con mucho, ni por asomo; *uit de ~ bekijken* mirar desde lejos
vertederen enternecer; **vertedering** enternecimiento
verteerbaar digerible; *licht ~ voedsel* alimentos de fácil digestión
vertegenwoordigen representar; **vertegenwoordiger** representante *m*; *wettelijk ~* representante legal; **vertegenwoordiging** representación *v*; **vertegenwoordigster** representante *v*
vertekenen desfigurar, desvirtuar *ú*
vertellen 1 contar *ue*, decir; (*verhalen*) narrar; *niet verder ~!* ¡no se lo digas a nadie!; *zal ik je eens wat ~?* ¿sabes una cosa?; *dat zal ik ~* pues, verá Ud.; *de muren van de cellen kunnen veel ~* los muros de las celdas saben mucha historia; *ik heb me laten ~* me han dicho; **2** *zich ~* equivocarse al contar || *hij heeft hier niet veel te ~* no es de los que mandan aquí, su actuación no tiene peso; *hij kan me nog meer ~* que se vaya a paseo; **verteller** narrador *m*; **vertelling** narración *v*, cuento
verteren I *tr* **1** (*van geld*) gastar; **2** (*van voedsel*) digerir *ie, i*; *hij wordt verteerd door jaloezie* le come la envidia, está muerto de envidia; *licht te ~* de fácil digestión; *niet te ~: a)* (*mbt eten*) indigesto; *b)* (*mbt gedrag*) inaceptable, inaguantable; **II** *intr* **1** (*mbt voedsel*) digerirse *ie, i*; **2** (*vergaan*) descomponerse; **vertering 1** (*van eten*) digestión *v*; **2** (*uitgaven*) gasto; **3** (*consumptie*) consumición *v*
verticaal vertical
vertier diversiones *vmv*
vertikken: *het ~* negarse rotundamente; *mijn auto vertikte het* me ha dejado el coche en la estacada
vertillen: *zich ~* derrengarse al levantar u.c.
vertimmeren cambiar, transformar
vertoeven permanecer, estar; *enkele dagen aan zee ~* pasar unos días en la costa
vertolken 1 interpretar; **2** (*uitspreken*) expresar, hacerse eco de; **vertolking** interpretación *v*
vertonen 1 mostrar *ue*; *zich ~* aparecer, presentarse; *zich aan het raam ~* asomarse a la ventana; *dat is nog nooit vertoond* es algo nunca visto; **2** (*van document*) presentar, exhibir; **3** (*van film*) exhibir, poner, proyectar; *voor het eerst ~* estrenar; **4** (*van dia's*) enseñar, mostrar *ue*, proyectar; **5** (*van toneel*) representar; **vertoning 1** (*van film*) exhibición *v*, proyección *v*; **2** (*van dia's*) proyección *v*; **3** (*van toneel*) representación *v*; **4** (*schouwspel; iron*) espectáculo
vertoog prédica
vertoon demostración *v*, despliegue *m*; *uiterlijk ~* pompa externa; *met veel ~ van macht* con gran despliegue de fuerzas; *op ~ van* presentando, contra presentación *v* de
vertoornd iracundo, muy enfadado
vertragen 1 (*uitstellen*) retrasar, retardar, demorar; *vertraagde werking* acción *v* retardada; *vertraagd worden* retrasarse; **2** (*van snelheid*) reducir la velocidad; **vertraging** (*uitstel*) retraso, demora, tardanza; *de trein heeft een uur ~* el tren lleva un retraso de una hora; *~ ondervinden* sufrir un retraso; *zonder verdere ~* sin otra demora
vertrappen pisar, aplastar, patear || *de vertrapten* los oprimidos
vertreden, zich estirar las piernas
1 vertrek (*kamer*) cuarto, estancia, pieza
2 vertrek (*aftocht*) salida, partida; (*van schip ook:*) zarpe *m*
vertrekken 1 (*mbt trein*) salir; *de trein moet om 5 uur ~* el tren ha de salir a las 5; (*mbt persoon*) salir, irse, marcharse; (*mbt vliegtuig*) salir, despegar; (*mbt schip*) salir, zarpar; *~ naar* salir para; **2** (*mbt gezicht*) desencajarse; *haar gezicht vertrok* hizo un gesto, hizo una mueca; *met vertrokken gelaat* con el rostro desencajado
vertrek|punt punto de partida; **-tijd** hora de salida
vertroebelen enturbiar, confundir
vertroetelen mimar, consentir *ie, i*
vertrouwd 1 (*betrouwbaar*) de confianza; **2** (*bekend*) familiar; *de ~e dingen* los objetos familiares; *~ met* versado en, familiarizado con; *~ raken met* familiarizarse con; **vertrouwdheid** (*met*) familiaridad *v* (con), conocimientos *mmv* (de); **vertrouwelijk** (*geheim*) confidencial; (*intiem*) íntimo, familiar; *strikt ~* estrictamente confidencial; *~ worden* ponerse en plan de confidencias; *in de ~e omgang* en el trato familiar; *van ~e aard* de carácter confidencial; **vertrouwelijkheid** familiaridad *v*, intimidad *v*
vertrouwen I *ww* **1** fiarse *í* de, tener confianza en; *ik vertrouw hem niet zo* no me fío de él; *ik vertrouw het zaakje niet* la cosa me da mala espina; *~de dat* en la confianza de que; **2** *~ op* confiar *í* en; *ik vertrouw op je hulp* confío en tu ayuda; **3** *erop ~ dat* confiar *í* en que; **II** *zn* confianza, fe *v*; *een vast ~* una confianza arraigada; *vol ~* confiadamente; *iems ~ beschamen* burlar la confianza de u.p.; *hij heeft ~ in je* te tiene confianza; *~ inboezemen* inspirar confianza; *~ stellen in* confiar *í* en, depositar confianza en; *het ~ verdienen* merecer la confianza; *het ~ winnen van zijn chef* ganarse la

confianza de su jefe; *in ~* reservadamente, confidencialmente; *in het ~ dat* en la confianza de que; *met ~* lleno de confianza, con optimismo; *wij zijn te goed van ~* pecamos de confiados

vertrouwens|kwestie cuestión *v* de confianza; **-positie** puesto de confianza

vertwijfeld desesperado; **vertwijfeling** desesperación *v*, desesperanza

veruit de lejos; *zie ook: verreweg*

vervaardigen fabricar, hacer, manufacturar, confeccionar, elaborar; *vervaardigd volgens een nieuw procédé* elaborado según un procedimiento nuevo; **vervaardiging** fabricación *v*, confección *v*, elaboración *v*

vervaarlijk tremendo, terrible, horrendo, espantoso

vervagen desvanecerse, esfumarse, desdibujarse; *doen ~* desdibujar, disipar, desvanecer

verval 1 decadencia, decaimiento; *in ~ raken* decaer, declinar; caer en abandono; 2 (*van rivier*) diferencia de nivel

verval|dag, **-datum** (fecha de) vencimiento, fecha de caducidad

vervallen I *ww* 1 (*achteruitgaan*) decaer, declinar; 2 (*mbt huis*) caer en ruina, desmoronarse; 3 (*mbt wissel*) vencer; 4 (*ongeldig worden*) caducar, quedar sin efecto; 5 (*mbt termijn*) vencer, cumplirse, expirar; (*in opsomming*) *...vervalt* ...no vale; 6 *~ verklaren* (*verzekering*) rescindir || *in een fout ~* incurrir en un error; *weer in de oude fout ~* volver *ue* a las andadas; *in herhalingen ~* repetirse *i*; *tot armoede ~* ser reducido a la pobreza; II *zn* 1 (*ongeldigheid*) caducidad *v*; 2 (*verjaring*) prescripción *v*; 3 (*van termijn*) expiración *v*, vencimiento; III *bn* 1 (*mbt huis*) en ruinas, ruinoso, desmoronado; 2 (*verlopen*) vencido; *~ schuld* deuda vencida; *~ termijn* plazo vencido; 3 (*ongeldig*) nulo, caducado; **vervallenverklaring** declaración *v* de nulidad

vervalsen falsificar; (*knoeien met*) adulterar, alterar; **vervalser** falsificador *m*; **vervalsing** falsificación *v*

vervangbaar sustituible; **vervangen** reemplazar, sustituir; *niet te ~* insustituible, irreemplazable; *moeilijk te ~* de difícil sustitución; **vervanger** sustituto, suplente *m*; **vervanging** su(b)stitución *v*, reemplazo; (*mbt baan ook:*) suplencia; *ter ~ van* en sustitución de

vervangings|inkomen (*Belg*) ingresos *mmv* sustitutivos; **-middel** sustituto; **-onderdeel** pieza de recambio; **-waarde** valor *m* de reposición

vervatten expresar, consignar, incluir

verveeld tedioso, aburrido; **vervelen** aburrir, cansar; (*ergeren*) fastidiar; *zich ~* aburrirse, estar aburrido, cansarse; *zich vreselijk ~* aburrirse como una ostra, fastidiarse de muerte, aburrirse mortalmente; *tot ~s toe* hasta el cansancio, hasta la saciedad; **vervelend** 1 (*saai*) aburrido, tedioso, pesado; *de film is ~* la película es aburrida; 2 (*hinderlijk*) fastidioso, enojoso; *wat ~!* ¡qué fastidio!, ¡qué lata!; *wat een ~e lampen!* ¡qué lata de luces!; *doe niet zo ~!* ¡no fastidies!, ¡no des la lata!, ¡no te pongas tan pesado!; *wat een ~e vent!* ¡qué latoso!, ¡qué pelma!; *ik zou het erg ~ vinden* me sabría muy mal; *vind je dat ~?* ¿te molesta?, ¿te contraría?; **verveling** aburrimiento, tedio, cansancio

vervellen 1 (*mbt slang*) mudarse; 2 (*mbt mens*): *ik vervel* la piel se me salta

verveloos despintado

verven 1 pintar; *pas geverfd* recién pintado; 2 (*van kleding, haar*) teñir *i*

verversen cambiar, renovar *ue*; *olie ~ zn* cambio de aceite; **verversing** 1 cambio, renovación *v*; 2 (*verfrissing*) refresco; **verversingstroepen** tropas de refresco

vervilten fieltrarse

vervlakken 1 (*mbt kleuren*) difuminarse, desdibujarse; 2 (*mbt karakter*) hacerse superficial

vervliegen 1 evaporarse, volatilizarse; *een substantie die vervliegt* una sustancia volátil; 2 (*mbt tijd*) pasar volando; *in lang vervlogen tijden* en tiempos remotos; *al mijn hoop is vervlogen* se han perdido mis esperanzas

vervloeken maldecir; **vervloeking** maldición *v*; **vervloekt** maldito, condenado; *die ~e geheimzinnigheid* ese dichoso misterio; *die ~e school* esa maldita escuela

vervluchtigen *zie: vervliegen*

vervoegen 1 (*van ww*) conjugar; 2 *zich bij iem ~* personarse ante u.p., presentarse ante u.p.; *zich ~ op het adres* personarse en la dirección; **vervoeging** conjugación *v*

vervoer transporte *m*; *~ door de lucht* transporte aéreo; *~ over de weg* transporte por carretera; *~ over zee* transporte marítimo; *gemotoriseerd ~* transporte motorizado; *openbaar ~* transporte público, transportes *mmv* públicos; **vervoerder** transportador *m*, porteador *m*, transportista *m*; **vervoeren** transportar, trasladar, llevar

vervoering éxtasis *m*, arrobo, arrobamiento, trance *m*; *in ~ brengen* extasiar, arrobar; *in ~ raken* (*over*) arrobarse (con), extasiarse (con), quedarse extasiado (con)

vervoermiddel medio de transporte

vervoerswezen servicio de transportes (públicos)

vervolg continuación *v*; *~ op blz 5* sigue en la página 5; *als ~ op* en continuación a; *in het ~* en lo sucesivo, en adelante, en el futuro; **vervolgcursus** curso de perfeccionamiento

vervolgen 1 (*voortzetten*) continuar *ú*, seguir *i*; *wordt vervolgd* continuará; 2 (*achtervolgen*) perseguir *i*; 3 (*jur*) procesar, enjuiciar, perseguir *i* judicialmente, proceder (en justicia) contra; **vervolgens** a continuación, seguidamente; **vervolging** persecución *v*; (*jur ook:*) procesamiento; *een ~ instellen tegen iem* entablar una acción judicial contra u.p.

vervolgingswaanzin manía persecutoria

vervolg|onderwijs enseñanza postescolar; **-verhaal** novela por entregas
vervolmaken perfeccionar
vervormen deformar, desfigurar; **vervorming** deformación *v*, desfiguración *v*
vervreemdbaar enajenable, alienable; **vervreemden** I *tr* enajenar, alienar; II *intr*: ~ *van* alejarse de, distanciarse de; **vervreemding** enajenación *v*, alienación *v*; (*verwijdering*) distanciamiento, alejamiento
vervroegen adelantar, anticipar; *vervroegde pensionering* jubilación *v* anticipada; *vervroegde verkiezingen* elecciones *vmv* anticipadas
vervuilen 1 ensuciar; 2 (*van milieu*) contaminar; **vervuiling** 1 suciedad *v*; 2 (*van milieu*) contaminación *v*
vervullen 1 (*van vacature*) ocupar, llenar; 2 (*van rol*) desempeñar; 3 (*van plicht, wensen*) cumplir (con); *de dienstplicht* ~ hacer el servicio militar; *voorwaarden* ~ reunir *ú* las condiciones; 4 ~ *met* llenar de; *het vervulde mij met vrees* me llenaba de miedo; 5 *vervuld van* lleno de; *vervuld van bewondering* lleno de admiración; *hij was er geheel van vervuld* no pensaba en otra cosa; **vervulling** 1 (*verwerkelijking*) cumplimiento, realización *v*; *de* ~ *van zijn droom* la realización de su sueño; *de* ~ *van zijn wensen* el logro de sus deseos; *in* ~ *gaan* cumplirse; 2 (*van taak*) desempeño
verwaaid: *met* ~*e haren* despeinado (por el viento)
verwaand presumido, engreído, pagado de sí mismo; *je bent wel* ~ no eres tú poco fatuo; **verwaandheid** presunción *v*, engreimiento, vanidad *v*
verwaardigen: *zich* ~ *om* dignarse; *zich* ~ *om te komen* dignarse venir
verwaarlozen descuidar, abandonar; *volkomen* ~ dejar en completo abandono; *zijn vrienden* ~ no hacer caso de sus amigos; *een te* ~ *verschil* una diferencia desdeñable; *een niet te* ~ *factor* un factor no despreciable; *-loosde kinderen* niños abandonados; **verwaarlozing** descuido, abandono, negligencia
verwachten esperar; (*voorzien*) prever, adivinar; *algemeen wordt verwacht dat* todos esperan que; *een baby* ~ esperar un hijo; *de crisis die men kon* ~ la crisis que se podía adivinar; *dat had ik niet verwacht* yo no esperaba tanto; *men verwacht problemen* se prevén problemas; *er wordt regen verwacht* hay amenaza de lluvia; *met een lenigheid die men bij hem niet zou* ~ con una agilidad insospechada en él; *veel* ~ *van* poner muchas esperanzas en; **verwachting** esperanza, previsión *v*; (*hoopvol*) expectación *v*; *de* ~*en kwamen niet uit* las esperanzas salieron fallidas; ~*en koesteren* abrigar esperanzas; *vol* ~ lleno de expectación; *voldoen aan de* ~*en* corresponder a las esperanzas, confirmar las esperanzas; *boven alle* ~ rebasando las esperanzas; *in* ~ *zijn* estar esperando, estar en estado; *in de* ~ *dat* esperando que; *onder de* ~ *blijven* quedarse por debajo de las previsiones; *tegen de* ~ *in* contrariamente a lo que se espera
verwant I *bn*: ~ (*aan*) emparentado (con); (*fig*) afín (a), relacionado (a); II *zn* pariente *m,v*; *de naaste* ~*en* los parientes más cercanos; **verwantschap** parentesco; *nauwe* ~ íntimo parentesco; (*fig ook:*) afinidad *v*
verward 1 (*verstrengeld*) enredado, enmarañado; (*mbt haar*) revuelto, desordenado; *met* ~*e haren* despeinado; ~ *raken in* enredarse en; 2 (*onduidelijk, onzeker*) confuso; ~ *spreken* hablar confusamente; 3 (*chaotisch*) caótico
verwarmen calentar *ie*; *verwarmd worden* calentarse *ie*; *de auto is verwarmd* el coche lleva calentador; **verwarming** 1 calentamiento; 2 (*van huis*) calefacción *v*; *centrale* ~ calefacción central; *de* ~ *afzetten* apagar la calefacción
verwarmings|element elemento calentador; **-ketel** caldera de calefacción
verwarren (*met*) confundir (con); *niet te* ~ *met* que no hay que confundir con; *ik verwar ze altijd* siempre los confundo; **verwarrend** desconcertante; **verwarring** confusión *v*; (*warboel*) enredo; (*fig ook:*) desorientación *v*, desconcierto; ~ *stichten* causar desconcierto; *in* ~ confuso; *in* ~ *raken* turbarse, desconcertarse *ie*, quedarse confuso
verwaterd diluido; **verwateren** aguar
verwedden 1 apostar *ue*; *ik verwed er alles onder dat hij niet komt* apuesto cualquier cosa a que no viene; 2 (*verliezen met wedden*) perder *ie* en apuestas
verweer defensa; **verweerd** 1 (*mbt gezicht*) curtido; 2 (*mbt steen*) corroído; **verweerschrift** apología
verwekelijken, **verweken** debilitar, ablandar, reblandecer
verwekken 1 (*van kind*) engendrar; 2 (*van onrust*) originar, causar, provocar; **verwekker** progenitor *m*
verwelken ajarse, marchitarse; *doen* ~ ajar, marchitar
verwelkomen dar la bienvenida; *iem hartelijk* ~ dar una calurosa bienvenida a u.p.; **verwelkoming** bienvenida
verwelkt marchito, mustio
verwend mimado, consentido; *de meest* ~*e rokers* los fumadores más exigentes; **verwennen** mimar, consentir *ie, i*
verwensen maldecir; **verwensing** maldición *v*, invectiva
verweren: *zich* ~ defenderse *ie*; (*tegenstribbelen*) forcejear
verwerken 1 elaborar; (*via computer ook:*) tratar, procesar; *de laatste cijfers zijn erin verwerkt* se han incluido las últimas cifras; 2 (*van problemen*) digerir *ie, i*; 3 (*van lectuur*) asimilar; 4 ~ *tot* (*chem*) convertir *ie, i* en; **verwerking** 1 (*van lectuur*) elaboración *v*; ~ *van gegevens* tratamiento de datos, procesamiento

de datos, elaboración de datos; 2 (*van lectuur*) asimilación *v*; *de ~ van zoveel stof* la asimilación de tanto material; 3 (*afhandeling*) manipulación *v*, tramitación *v*; *foute ~* error *m* de manipulación; **verwerkingseenheid**: *centrale ~* (*comp*) unidad *v* central (de proceso)
verwerpelijk censurable, reprensible; **verwerpen** rechazar, rebatir, descartar; *resoluut ~* rechazar de plano
verwerven obtener, ganar, adquirir *ie, i*; *een positie ~* alcanzar una posición; *een goede reputatie ~* ganar buena reputación; **verwerving** adquisición *v*, obtención *v*
verwesterlijking occidentalización *v*
verweven entretejer, entrelazar
verwezen pasmado, aturdido
verwezenlijken realizar, poner en práctica; **verwezenlijking** realización *v*, logro
verwijden ensanchar; (*van gat*) agrandar
verwijderd distante; *ver ~* remoto; **verwijderen 1** quitar (de en medio), remover *ue*, eliminar; *een kogel ~* extraer una bala; 2 (*van school; van het veld*) expulsar, echar; 3 (*van vlekken*) quitar; 4 *zich ~* alejarse; **verwijdering 1** eliminación *v*; 2 (*med*) extracción *v*, extirpación *v*; 3 (*afstand, vervreemding*) apartamiento, enajenación *v*, alejamiento
verwijfd afeminado
verwijsbriefje volante *m* (del médico para un especialista)
verwijt reproche *m*; *iem een ~ maken* reconvenir a u.p.; *ik maak u geen enkel ~* no le hago ningún reproche; *men kan ons daar geen ~ van maken* no puede culpársenos de ello, no se nos puede tachar de nada; **verwijten** reprochar, echar en cara
verwijzen (*naar*) referir(se) *ie, i* (a), remitir (a), hacer referencia (a); *~ naar een specialist* remitir a un especialista; **verwijzing 1** referencia; *onder ~ naar* refiriendo a, con referencia a; 2 *~ naar een specialist* remisión *v* a un especialista
verwikkelen (*in*) envolver *ue* (en), complicar (en), involucrar (en); *verwikkeld raken in* verse envuelto en, involucrarse en; *in iets verwikkeld raken* (*fam*) meterse en un lío; **verwikkeling** complicación *v*; (*fam*) lío
verwilderd (*fig*) azorado; *een ~e blik* una mirada extraviada; **verwilderen 1** (*mbt dier*) hacerse salvaje; 2 (*mbt plant*) crecer en estado salvaje; 3 (*mbt zeden*) relajarse; **verwildering** (*fig*) relajamiento; *zedelijke ~* relajamiento moral
verwisselbaar intercambiable; **verwisselen** (*met, voor*) cambiar (por); *twee zaken met elkaar ~* confundir dos cosas
verwittigen (*van*) informar (de), avisar, notificar
verwoed 1 (*heftig*) sañudo, enconado, rabioso, encarnizado; *een ~ gevecht* una enconada pelea; 2 (*vurig*) apasionado, empedernido; *een ~ fietser* un ciclista apasionado
verwoesten 1 destruir; *iems leven ~* arruinar la vida de u.p.; 2 (*van gebied*) devastar, asolar *ue*; **verwoestend** destructor *-ora*, destructivo; **verwoesting** destrucción *v*; (*van stad ook:*) devastación *v*; *~en aanrichten* hacer estragos
verwonden herir *ie, i*
verwonderd sorprendido, asombrado, extrañado; *~ kijken* mirar sorprendido, hacer un gesto de extrañeza; **verwonderen** asombrar, extrañar, admirar; *het verwondert mij dat* me asombra que, me admira que; *het is niet te ~ dat* no es de extrañar que, no tiene nada de sorprendente que; *het zou me niet ~* no me extrañaría; *ik verwonder me over je* me dejas admirado; *zich ~* extrañarse, asombrarse, quedarse asombrado, admirarse; *ik verwonder mij erover dat* me asombro de que, me admiro de que; **verwondering** asombro, sorpresa; *tot onze grote ~* con gran sorpresa nuestra; **verwonderlijk** extraño; *het is geenszins ~* no es nada extraño, no tiene nada de extraño
verwonding herida
verwoorden expresar (con palabras)
verworden (*tot*) degenerar (en); **verwording** degeneración *v*
verworvenheid logro; *sociale ~* conquista social
verwrongen 1 (*mbt gezicht*) crispado, demudado, desencajado; 2 (*mbt mond*) torcido
verzachten 1 (*zacht maken*) ablandar, suavizar; 2 (*verlichten*) atenuar *ú*, paliar, mitigar, templar, aliviar; **verzachtend**: *~e omstandigheden* circunstancias atenuantes; **verzachter** (*van was*) suavizante *m*
verzadigd 1 saciado; (*fam*) harto; 2 (*chem*) saturado; **verzadigen 1** saciar; *zich ~* saciarse; 2 (*chem*) saturar; **verzadiging** saturación *v*
verzaken: *zijn plicht ~* no cumplir su deber, faltar a su deber
verzakken hundirse; **verzakking** hundimiento; (*med*) prolapso, descenso de la matriz
verzamelaar, verzamelaarster coleccionista *m,v*; **verzamelen 1** coleccionar; *postzegels ~* coleccionar sellos; 2 (*bijeenbrengen*) reunir *ú*; *zijn krachten ~* reunir fuerzas; *al zijn moed ~* armarse de valor; *zich ~* reunirse *ú*, congregarse, juntarse; 3 (*van gegevens*) acopiar, reunir *ú*, acumular; (*in bloemlezing*) compilar; **verzameling 1** colección *v*; (*bloemlezing*) compilación *v*, antología; 2 (*wisk*) conjunto
verzamel|naam nombre *m* colectivo; **-plaats** lugar *m* de reunión; **-staat** estado resumen, cuadro de conjunto; **-woede** afán *m* coleccionista
verzanden enarenarse
verzegelen sellar; (*met loodje*) precintar
verzeild: *~ raken in* verse en; (*fam*) dar con sus huesos en
verzekeraar asegurador *m*; **verzekerde** asegurado, -a; **verzekeren 1** (*bevestigen*) asegurar; *dat verzeker ik je!* ¡te lo aseguro!; 2 *~ tegen*

asegurar contra; *zich* ~ (*tegen*) asegurarse (contra); 3 *zich* ~ *van* asegurarse de; *zich* ~ *van iems hulp* asegurar(se) la ayuda de u.p.; *zich ervan* ~ *dat* cerciorarse de que, asegurarse de que; **verzekering** seguro; *gemengde* ~ seguro mixto; *sociale* ~*en* seguros sociales; *de* ~ *dekt de schade* el seguro cubre el daño
verzekerings|agent agente *m* de seguros; **-maatschappij** compañía de seguros; **-makelaar** corredor, -ora de seguros; **-polis** póliza de seguro; **-premie** prima de seguro
verzenden enviar *í*, mandar, remitir; (*van goederen ook:*) expedir *i*; **verzender** remitente *m*; (*van goederen ook:*) expedidor *m*; **verzending** envío; (*van goederen ook:*) expedición *v*; **verzendkosten** gastos de envío
verzengen abrasar, calcinar; (*door zon ook:*) quemar
verzet resistencia, oposición *v*; (*protest*) protesta; *lijdelijk* ~ resistencia pasiva; *een taai* ~ *bieden* resistir tenazmente; *in* ~ *komen* (*tegen*): *a*) (*bezwaar maken*) oponerse (a), protestar (contra); *b*) (*in opstand komen*) rebelarse (contra); **verzetje** diversión *v*, distracción *v*; *een mens moet eens een* ~ *hebben* hay que divertirse de vez en cuando
verzets|beweging movimiento de resistencia; **-strijder**, **-strijdster** resistente *m,v*
verzetten 1 (*verplaatsen*) cambiar de sitio, mover *ue*; *hij kon geen voet* ~ no pudo dar un paso; 2 (*doen*) hacer, despachar; *veel werk* ~ trabajar mucho; 3 (*van datum*) aplazar, cambiar la fecha de; 4 *zich* ~ (*tegen*): *a*) (*bezwaar maken*) oponerse (a), protestar (contra); *b*) (*weerstand bieden*) resistirse (a)
verzieken malear, corromper, estropear
'**verziend** présbita; **verziendheid** presbicia
verzilten salinizarse; **verzilting** salinización *v*
verzilveren 1 platear; 2 (*te gelde maken*) cobrar
verzinken I *intr* hundirse; (*in water*) sumergirse; *in gedachten* ~ abismarse en sus pensamientos; *in gedachten verzonken* absorto, ensimismado; *in sombere gedachten verzonken* hundido en negros pensamientos; II *tr* 1 (*met zink bedekken*) galvanizar; 2 (*van schroef*) embutir, embeber; *verzonken kop* cabeza embebida
verzinnen inventar, idear; **verzinsel** invención *v*, invento; (*leugen*) embuste *m*; *het zijn allemaal* ~*s van hem* todo son inventos suyos
verzitten: *gaan* ~: *a*) cambiar de postura; *b*) (*op andere stoel*) cambiar de asiento
verzoek ruego, solicitud *v*; (*formeler:*) petición *v*; (*verzoekschrift*) instancia; ~ *om hulp* solicitud de ayuda; ~ *om inlichtingen* petición de informes; *een* ~ *indienen* presentar una solicitud; *op* ~ *van* a petición de, a instancias de; *op mijn* ~ a ruego mío; **verzoeken** (*om*) 1 rogar *ue*, pedir *i*, solicitar; *ik verzoek u mij op te bellen* le ruego que me llame por teléfono; *hij verzocht mij om hulp* me pidió ayuda; 2 (*verleiden*) tentar *ie*; **verzoeking** tentación *v*
verzoek|programma emisión *v* de discos solicitados por los oyentes; **-schrift** instancia, petición *v*, solicitud *v*
verzoenen reconciliar; *zich* ~ reconciliarse, hacer las paces; **verzoening** reconciliación *v*
verzoeten endulzar, dulcificar
verzolen echar unas medias suelas
verzonken *zie: verzinken*
verzorgd 1 (*mbt uiterlijk*) pulcro, cuidado; *een* ~ *uiterlijk* un aspecto pulcro; ~*e handen* manos *vmv* cuidadas; *een* ~*e tuin* un jardín bien atendido; 2 *goed* ~: *a*) (*met voldoende geld*) en posición desahogada; *b*) (*met voldoende aandacht*) bien atendido, bien cuidado; **verzorgen** cuidar, cuidar de, atender *ie*; *het programma wordt verzorgd door* el programa está a cargo de; *zich* ~ cuidarse; **verzorging** cuidado, cuidados *mmv*; *medische* ~ asistencia médica; *persoonlijke* ~ aseo personal; *sociale* ~ previsión *v* social; *uitstekende* ~ atención *v* esmerada
verzorgings|flat apartamento con servicios; **-staat** estado-nodriza
verzot: ~ *zijn op* chiflarse por, pirrarse por; *hij is* ~ *op strips* se chifla por los tebeos, los tebeos le chiflan
verzuchten suspirar, decir con un suspiro; **verzuchting** suspiro
verzuiling compartimentación *v*, sectarismo
verzuim 1 omisión *v*, descuido, negligencia, falta; 2 (*afwezigheid*) ausencia; (*als verschijnsel*) ausentismo; *het* ~ *is verminderd* ha disminuido el ausentismo; **verzuimen** 1 (*van plicht*) faltar a, no cumplir (con); *een verzuimde gelegenheid* una ocasión *v* perdida; 2 ~ *te* dejar de; *hij verzuimde te waarschuwen* dejó de avisar; 3 (*van school*) faltar (a clase)
verzuipen I *tr* 1 ahogar; 2 (*uitgeven aan drank*) gastar en alcohol; II *intr* ahogarse
verzuren I *tr* agriar; (*fig ook:*) amargar; II *intr* agriarse; (*fig ook:*) amargarse; *hij verzuurde* se le agrió el carácter
verzustering hermanamiento
verzwakken debilitar, aflojar; **verzwakking** debilitación *v*, debilitamiento
verzwaren 1 hacer más pesado; 2 (*van dijk*) reforzar *ue*; 3 (*van straf*) aumentar; ~*de omstandigheid* circunstancia agravante; **verzwaring** 1 agravamiento; 2 (*van dijk*) reforzamiento
verzwelgen tragarse, engullir
verzwijgen callar, ocultar
verzwikken torcer *ue*; *zijn enkel* ~ torcerse *ue* el tobillo
vest 1 (*zonder mouwen*) chaleco; 2 (*damesvest, met mouwen*) chaqueta, rebeca
vestiaire guardarropa *m*
vestibule zaguán *m*
vestigen 1 establecer; *de aandacht* ~ *op* llamar la atención hacia; *de blik* ~ *op* fijar la mirada en; *zijn hoop* ~ *op* depositar la esperanza en; *een hypotheek* ~ constituir una hipoteca; 2

(*doen wonen*) asentar *ie*, domiciliar; *zich* ~ domiciliarse, establecerse; *gevestigd te* con domicilio en, domiciliado en; *zich* ~ *als advocaat* abrir bufete
vestiging 1 (*van zaak*) establecimiento; 2 (*oprichting*) constitución *v*, creación *v*; *plaats van* ~: *a*) (*van bedrijf*) domicilio (comercial); *b*) (*van n.v., b.v.*) domicilio social; 3 (*nederzetting*) asentamiento, domiciliamiento; *industriële* ~*en* asentamientos industriales; ~ *van buitenlanders* domiciliamiento de extranjeros; *de* ~ *van zigeuners in de stad* el asentamiento de gitanos en la ciudad; **vestigingsvergunning** autorización *v* de establecimiento
vesting fortaleza
vestzak bolsillo del chaleco; **vestzakformaat** tamaño miniatura
vet I *zn* grasa, manteca; (*dierlijk ook*:) sebo; *dierlijke* ~*ten* grasas de origen animal; *plantaardige* ~*ten* grasas vegetales; *in het* ~ *zetten* engrasar || *ik heb hem zijn* ~ *gegeven* le he dado su merecido; *er zit wat voor je in het* ~ se está friendo algo para ti; II *bn* graso; (*dik*) gordo; (*vettig*) grasiento; ~ *haar* cabellos grasos; *de* ~*te jaren* los años de las vacas gordas; ~*te letter* letra negrita, negrilla; ~*te winsten* pingües beneficios
vet|aanslag adherencia grasosa; **-bolletje** glóbulo graso
vete odio de familia, enemistad *v* hereditaria
veter cordón *m*
veteraan veterano; **veteranenziekte** enfermedad *v* del legionario, legionella
vet|gehalte porcentaje *m* de grasa; **-kaars** vela de sebo; **-leer** cuero graso; **-mesten** cebar
veto veto; *het* ~ *uitspreken* poner el veto, vetar; *recht van* ~ derecho al veto, derecho de veto
vet|oogje ojo de grasa; **-plant** planta carnosa; **-pot** (*techn*) grasera, copa de grasa || *het is daar geen* ~ escasea el dinero; **-puistje** comedón *m*, espinilla; **-rol** rollo de grasa; ~*len* (*fam*) michelines *mmv*
vettig grasiento; (*plakkerig*) pringoso
vet|vlek mancha de grasa; **-vrij**: ~ *papier* papel *m* aceitado; **-zucht** obesidad *v*, adiposidad *v*; **-zuur**: *meervoudig onverzadigde -zuren* ácidos grasos poli-insaturados
veulen potro
vezel fibra; **vezelig** fibroso
vezel|plaat (tabla de) fibra prensada; **-rijk** rico en fibras; **-stof** materia fibrosa
V-hals escote *m* en pico
via 1 por, pasando por; 2 (*fig*) a través de, por conducto de; ~ *het consulaat* a través del consulado
viaduct viaducto, paso elevado
vibrafoon vibráfono; **vibreren** vibrar
vicaris vicario
vice-admiraal vicealmirante *m*
vice-eerste-minister (*Belg*) vicepresidente *m*, *v* del gobierno
vice-president vicepresidente *m*

vice versa: *en* ~ y viceversa
vicieus vicioso; *vicieuze cirkel* círculo vicioso
victorie victoria, triunfo
video vídeo, magnetoscopio; *op* ~ *opnemen* grabar en vídeo; **videoband** cinta de vídeo, videocinta, video-tape *m*; **videocamera** cámara de vídeo; **videocassette** videocasete *m*; **video-opname** videograbación *v*, vídeo; **videorecorder** videograbador *m*; **videospel** videojuego; **videotheek** videoteca, videoclub *m*
vier cuatro; *in* ~*en vouwen* doblar en cuatro; *onder* ~ *ogen* sin testigos, a solas
vierbaansweg carretera de cuatro vías
viercilindermotor motor *m* de cuatro cilindros
vierdaagse marcha atlética de cuatro días
vierde I *bn* cuarto; II *zn* cuarto, cuarta parte *v*
vierdeurs: ~ *auto* coche *m* de cuatro puertas
vieren 1 celebrar; (*feestelijk ook*:) festejar; *dat moet gevierd worden* hay que celebrarlo; 2 (*van touw*) filar, soltar *ue* poco a poco
vierendelen descuartizar
vierhoek cuadrilátero; **vierhoekig** cuadrangular, cuadrilátero
viering celebración *v*
vierkant I *bn* cuadrado; II *zn* 1 (*wisk*) cuadrado; 2 (*vierkantje*) cuadro; *twee meter in het* ~ dos metros en cuadro; III *bw* rotundamente, terminantemente, categóricamente; *ik ben er* ~ *tegen* estoy totalmente en contra, estoy contra cien por cien; **vierkantsvergelijking** ecuación *v* de segundo grado
vierkwartsmaat (compás *m* de) dos por cuatro *m*
vierling cuatrillizos, -as, cuádruplos, -as; **viermaal** cuatro veces; **viermotorig** cuatrimotor *-ora*; **viersprong** encrucijada; **vierstemmig** para cuatro voces; (*wijze van zingen*) a cuatro voces; **viertaktmotor** motor *m* de cuatro tiempos; **viervlak** tetraedro; **viervoeter** cuadrúpedo; **viervoud** cuádruplo; *in* ~ por cuadruplicado
vies I *bn* 1 sucio; *heel vieze lucht* olor *m* repugnante; ~ *weer* tiempo muy desagradable; 2 (*onfatsoenlijk*) indecente; *vieze dingen doen* hacer cochinerías; II *bw* mal; *het ruikt* ~ huele mal || *een* ~ *gezicht zetten* torcer *ue* el gesto; *hij is er niet* ~ *van* no le desagrada; **viespeuk** puerco, -a, cochino, -a, guarro, -a
Vietnam Vietnam *m*; **Vietnamees** vietnamita
viezerik *zie: viespeuk*; **viezigheid** suciedad *v*, porquería
vignet viñeta
vijand enemigo; *gezworen* ~ enemigo jurado; *een* ~ *zijn van* ser enemigo de; **vijandelijk** enemigo; (*mbt gezindheid*) hostil; **vijandelijkheid** hostilidad *v*; **vijandig** hostil; ~ *staan tegenover* ser contrario a, estar en contra de; **vijandin** enemiga; **vijandschap** enemistad *v*
vijf cinco; *wij zijn met ons vijven* somos cinco; *geef me de* ~! ¡vengan esos cinco!; **vijfdaags** de cinco días; **vijfde** I *bn* quinto; *de* ~ *colonne*

la quinta columna; *Karel de ~* Carlos Quinto; II *zn* quinto, quinta parte *v*
vijfenzestigplusser anciano, -a, persona de la tercera edad
vijffrankstuk (*Belg*) moneda de cinco francos
vijfhoek pentágono
vijfjarenplan plan *m* quinquenal
vijfmaal cinco veces
vijftien quince; **vijftiende** I *bn* decimoquinto; II *zn* quinzavo, quinzava parte *v*
vijftig cincuenta; **vijftiger** persona de unos cincuenta años, cincuentón, -ona; **vijftigfrankstuk** (*Belg*) moneda de cincuenta francos; **vijftigste** *bn, zn* quincuagésimo
vijfvoud quíntuplo; *in ~* por quintuplicado
vijg higo; **vijgeblad** 1 hoja de higuera; 2 (*in kunst*) hoja de parra; **vijgeboom** higuera
vijl lima; **vijlen** limar; **vijlsel** limaduras *vmv*
vijver estanque *m*, lago
vijzel 1 (*voor fijnstampen*) mortero; 2 (*krik*) gato (de elevación)
villa chalet *m*, villa; **villawijk** barrio residencial
villen desollar *ue*
vilt fieltro; **viltachtig** afieltrado; **vilten** *bn* de fieltro; **viltje** platillo de fieltro; (*onderzetter*) posavasos *m*; **viltstift** rotulador *m*
vin aleta; *geen ~ verroeren* no mover *ue* un dedo; *niemand durft een ~ te verroeren* no se mueve una rata
vinaigrette vinagreta
vinden 1 encontrar *ue*, hallar; (*aantreffen*) dar con, encontrarse *ue* con; *ik kan het niet ~* no lo encuentro; *heb je hem al gevonden?* ¿ya has dado con él?; *als je de tijd kunt ~* si te queda tiempo; *hij was nergens te ~* no aparecía ni vivo ni muerto; 2 (*menen*) encontrar *ue*; *hoe vind je het?* ¿qué te parece?; *dat vind ik ook* eso digo yo; *omdat ik vind dat* por considerar que; *wat vindt ú?* a Ud. ¿qué le parece?, Ud. ¿qué opina?; *wat vind je van hem?* ¿qué opinas de él?; *wat vind je daar nu leuk aan?* ¿qué gracia le encuentras?; *vind je het goed?* ¿te parece bien?; *zij vindt het niet lekker, leuk* no le gusta; *ik vind er niets aan: a*) (*niet lekker*) no me sabe a nada; *b*) (*niet leuk*) no me gusta nada; *ik vind er niets moeilijks aan* yo no le veo nada difícil; *ik vond hem aardig* me cayó simpático; *ik vind het duur* me parece caro, lo encuentro caro; *ik vond haar verdrietig* la noté triste; *hij had het altijd hinderlijk gevonden* siempre le había resultado enojoso || *daar was hij wel voor te ~* le parecía buena idea, se animaba en seguida; *het samen kunnen ~* entenderse *ie* (bien)
vinding descubrimiento, invento, adelanto; **vindingrijk** inventivo, ingenioso; **vindingrijkheid** inventiva, ingeniosidad *v*
vindplaats 1 lugar *m* del hallazgo; 2 (*van delfstof*) yacimiento
vinger dedo; *lange ~* (*koekje*) lengua de gato; *er staan vuile ~s op* tiene marcas de dedos sucios; *zijn ~s branden* cogerse los dedos; *als je hem een ~ geeft neemt hij de hele hand* dale un dedo y se tomará hasta el codo; *hij heeft lange ~s* es largo de uñas, tiene manos largos, es listo de manos; *een ~ in de pap hebben* tener mano en el asunto; *de ~ op de lippen leggen* ponerse el dedo en la boca; *de ~ op de wond leggen* poner el dedo en la llaga; *zijn ~ opsteken* levantar el dedo; *geen ~ uitsteken* no mover *ue* un dedo; *het is mij door de ~s geglipt* se me ha escapado de las manos; *door de ~s zien* hacer la vista gorda; *iets in de ~s hebben* ser versado en u.c., conocer u.c. al dedillo; *in zijn ~ snijden* cortarse el dedo; *zich in de ~s snijden* (*fig*) cogerse los dedos; *blijf daar met je ~s af* no lo toques; *met de natte ~* (*willekeurig*) a dedo; *iets met een natte ~ berekenen* hacer un cálculo aproximado; *hij is met een natte ~ te lijmen* es muy fácil de convencer; *met de ~ nawijzen* señalar con el dedo; *je kunt hem om je ~ winden* puedes hacer con él lo que quieras, es blando como la cera, se le puede meter en el bolsillo; *iem op de ~s kijken* vigilar de cerca a u.p.; *op de ~s natellen* contar *ue* con los dedos
vinger|afdruk huella dactilar, huella digital; **-doekje** servilleta pequeña; **-hoed** dedal *m*; **-oefening** ejercicio de pulsación; **-top** punta del dedo, yema del dedo; **-vlugheid** destreza, agilidad *v* de dedos; **-wijzing** pista, indicación *v*; **-zetting** digitación *v*
vink pinzón *m*; **vinkentouw**: *op het ~ zitten* estar al acecho
vinnig 1 (*mbt antwoord*) acre, mordaz, brusco, tajante; 2 (*mbt toon*) cortante; 3 (*mbt klap, haal*) agresivo, vehemente
vinyl vinilo; **vinyltegel** losa vinílica, baldosa vinílica; **vinylverf** pintura plástica
violet (de color) violeta
violist, violiste violinista *m,v*
viool violín *m*; *eerste ~* primer violín; *~ spelen* tocar el violín; *de eerste ~ spelen* (*fig*) llevar la voz cantante
viool|concert 1 (*stuk*) concierto de violín; 2 (*uitvoering*) recital *m* de violín; **-sleutel** clave *v* de sol
viooltje 1 (*driekleurig*) pensamiento, trinitaria; 2 (*maarts*) violeta
virtuoos virtuoso; **virtuositeit** virtuosidad *v*
virulent virulento; **virulentie** virulencia
virus virus *m*; **virusinfectie** infección *v* vírica
vis 1 (*levend*) pez *m*; *vliegende ~* pez volante; *als een ~ in het water* como un pez en el agua; 2 (*als gerecht*) pescado; 3 *~ sen* (*astrol*) Piscis *m*
visagist técnico facial
vis|akte licencia de pesca; **-arend** águila pescadora; **-bank** banco de peces
viscose viscosa
vis|filet filete *m* de pescado; **-gerei** aparejo (de pescar), arte *v* de pesca; **-graat** 1 espina de pez; 2 (*motief, in stof*) dibujo de espiga, dibujo de espiguilla; (*motief, in vloer*) dibujo de espigapez; **-haak** anzuelo

visie visión *v*, opinión *v*; *mijn persoonlijke ~* mi visión personal
visioen visión *v*, fantasía, sueño; *~en zien* ver visiones
visitatie registro
visite visita; *er is veel ~* hay muchas visitas; *de dokter maakt zijn ~s* el médico pasa (la) visita; *op ~ gaan* ir de visita; *op ~ zijn* estar de visita; **visitekaartje** tarjeta de visita; **visiteren** registrar
visje pececito
viskroket croqueta de pescado
viskweken *zn* piscicultura; **viskwekerij** vivero de peces
vis|man pescadero; **-markt** mercado de pescado; **-meel** harina de pescado; **-net** red *v* de pesca; **-otter** nutria; **-rijk** abundante en pesca; **-rijkdom** riqueza pesquera
vissebloed: *~ hebben* tener sangre de horchata
vissen pescar; (*in diepzee*) faenar; *gaan ~* ir de pesca; *~ naar een compliment* estar ávido de cumplidos; **visser 1** (*beroep*) pescador *m*; 2 (*sp*) pescador *m* de caña; **visserij** pesca
vissers|boot barco de pesca, barco pesquero; (*met motor*) motopesquero; **-dorp** pueblo de pescadores; **-garen** sedal *m* de pesca; **-haven** puerto pesquero; **-vloot** flota pesquera
vissoep sopa de pescado
visueel visual; *visuele inspectie* inspección *v* ocular
visum visado; *een ~ aanvragen* solicitar un visado
vis|vangst pesca; **-verlof** (*Belg*) licencia de pesca; **-vijver 1** (*kweekvijver*) vivero, criadero; 2 (*siervijver*) estanque *m* con peces; **-vrouw** pescadera; **-water** aguas *vmv* de pesca; **-wijf** (*kijvend*) verdulera; **-winkel** pescadería
vitaal vital; (*belangrijk*) fundamental; **vitaliteit** vitalidad *v*
vitamine vitamina; *behandeling met ~n* tratamiento vitamínico
vitamine|gebrek deficiencia de vitaminas, carencia vitamínica; **-preparaat** preparado vitamínico
vitrage visillos *mmv*
vitrine vitrina
vitten poner tachas; *op iem ~* criticar a u.p.; **vitterig** reparón *-ona*
vivisectie vivisección *v*
vizier 1 (*aan helm*) visera; *in het ~ krijgen* divisar; 2 (*op geweer*) mira
vla natillas *vmv*
vlaag 1 (*wind*) racha, ráfaga; *een ~ muziek* una racha de música; 2 (*aanval*) acceso, arrebato, ramalazo, ataque *m*; *een ~ van woede* un acceso de cólera; *bij vlagen* a rachas
Vlaams flamenco; *~e gaai* arrendajo; **Vlaamse** flamenca; **Vlaanderen** Flandes *m*
vlag bandera, pabellón *m*; *de ~ wappert* ondea la bandera; *de ~ hijsen* izar la bandera; *de ~ strijken* arriar *í* la bandera; *een ~ voeren* ostentar una bandera; *met ~ en wimpel slagen* salir airoso; *onder Spaanse ~* con pabellón español; **vlaggen** poner banderas; **vlaggeschip 1** (*bij marine*) buque *m* insignia, buque *m* almirante; 2 (*pronkschip*) buque *m* gallardete; **vlaggestok** asta de bandera; **vlaggetje** banderín *m*
vlak I *bn* llano, plano; *een ~ landschap* un paisaje llano; *~ke meetkunde* planimetría; *met de ~ke hand* con la palma de la mano; **II** *bw*: *~ bij* (muy) cerca; *~ bij de deur* muy cerca de la puerta; *er ~ boven* inmediatamente encima; *hij liep ~ langs me* me rozaba al pasar; *~ na* a raíz de; *~ onder de ogen van* en los mismos ojos de; *~ voor de muur* pegado a la pared; *het staat ~ voor je* lo tienes delante, está ahí delante; *~ voor het raam* a dos pasos de la ventana; **III** *zn* **1** plano; *hellend ~* plano inclinado; 2 (*oppervlak*) superficie *v*; *de ~ken van een kubus* las caras de un cubo
vlakgom goma de borrar
vlakte 1 llanura, llano; (*vruchtbaar:*) vega; (*open, kaal:*) descampado; 2 (*oppervlakte; van water, ijs*) superficie *v* || *zich op de ~ houden* no comprometerse; *tegen de ~ slaan tr* tumbar de un golpe
vlakvulling (*comp*) trama
vlam llama; *grote ~* llamarada; *een oude ~* un viejo amor; *~ vatten* prender fuego; *het huis ging in ~men op* la casa fue pasto de las llamas; *haar hart stond in ~men* tenía el corazón encandilado; *in vuur en ~* (*verliefd*) enamoradísimo; **vlammen** llamear, arder; **vlammend** llameante; *het ~ zwaard* la fulgurante espada; *met ~e blik* con ojos llameantes, echando chispas por los ojos; **vlammenwerper** lanzallamas *m*
vlas lino; **vlasblond** rubio muy claro
vlassen: *~ op* esperar con impaciencia e ilusión
vlecht trenza; **vlechten 1** trenzar; 2 (*van manden*) tejer, hacer; **vlechtwerk 1** trenzado; 2 (*van manden*) tejido; *metalen ~* alambre *m* trenzado
vleermuis murciélago
vlees carne *v*; *mager ~* carne magra; *vet ~* carne gorda; *~ noch vis* ni carne ni pescado; *goed in zijn ~ zitten* ser corpulento, ser gordinflón; *van ~ en bloed* de carne y hueso
vlees|boom mioma *m*; **-conserven** conservas de carne; **-eter** carnívoro; **-geworden** encarnado; **-kleurig** de color carne; **-molen** trinchacarnes *m*; **-pastei** empanada de carne; **-waren** embutidos, fiambres *mmv*; **-wond** herida superficial
vleet: *bij de ~* a chorros, en cantidad, en abundancia
vlegel palurdo, grosero, gamberro; **vlegelachtig** insolente, impertinente
vleien 1 halagar, adular, lisonjear; *zich ~ met de hoop dat* abrigar esperanzas de que; *zich gevleid voelen* sentirse *ie, i* halagado; 2 (*lief doen*) hacer arrumacos, hacer carantoñas, hacer zalamerías; **vleiend 1** lisonjero, halaga-

dor *-ora*; (*mbt woorden ook:*) halagüeño; 2 (*vleierig*) zalamero; **vleierig** zalamero, acaramelado; **vleierij** 1 lisonja, halagos *mmv*, adulación *v*; 2 (*vleierig doen*) zalamerías *vmv*, arrumacos *mmv*
vlek mancha; **vlekkeloos** sin mancha, impecable; **vlekken** manchar; (*mbt inkt*) emborronar; **vlekvrij** resistente a las manchas, a prueba de manchas
vlerk 1 ala; 2 *zie: vlegel*
vleselijk carnal
vlet chalana, bote *m* chato
vleugel 1 ala; *de linker ~* el ala izquierda; *met de ~s slaan* aletear; *iem onder zijn ~s nemen* tomar a u.p. bajo su protección; 2 (*muz*) piano de cola
vleugel|boot aerodeslizador *m*; **-lam** aliquebrado, paralizado; **-moer** (tuerca con) mariposa; **-slag** aletazo; **-wijdte** envergadura
vleugje asomo, dejo
vlezig 1 (*mbt vrucht*) carnoso; 2 (*mbt mens*) metido en carnes
vlieg mosca; *hij doet geen ~ kwaad* es más bueno que el pan; *twee ~en in een klap slaan* matar dos pájaros de un tiro
vlieg|basis base *v* aérea; **-bereik** alcance *m* de vuelo; **-brevet** certificado de piloto; **-dekschip** portaviones *m*; **-demonstratie** demostraciones *vmv* de vuelo
vliegen I *intr* 1 volar *ue*; (*per vliegtuig reizen ook:*) ir en avión; *de tijd vliegt* el tiempo pasa volando, el tiempo corre; *de vogel is gevlogen* el pájaro voló; *~ over een gebied* sobrevolar una región; *in de lucht ~* volar, estallar; *in de lucht laten ~* hacer volar, hacer saltar; *in stukken ~* hacerse pedazos; *hoog ~* (*fig*) picar alto; 2 (*snel bewegen*) precipitarse, ir volando; *hij vliegt voor me* hace todo para mí; *ik vlieg al!* ¡voy volando!; *deze boeken ~ weg* estos libros se venden como pan caliente; *hij vloog weg* se fue corriendo; *naar de deur ~* precipitarse hacia la puerta; *naar buiten ~* lanzarse afuera; *de auto vloog tegen een boom* el coche se precipitó contra un árbol || *hij ziet ze ~* ve visiones, está majareta; *erin ~* dejarse engañar, hacer el primo; *iem erin laten ~* hacer trampa a u.p.; *eruit ~* (*ontslagen worden*) salir despedido; II *tr* pilotar; *een toestel ~* pilotar un avión; III *zn* 1 vuelo; 2 (*het besturen*) pilotaje *m*; **vliegend** volante, volador *-ora*; *~ personeel* personal *m* de vuelo; *~e schotel* platillo volante; *~e vis* pez *m* volador, pez *m* volante; *in ~e haast* de prisa y corriendo, a toda marcha
vliegengaas tela metálica
vliegenier aviador, -ora
vliegenmepper matamoscas *m*
vliegensvlug a escape
vliegenvanger cazamoscas *m*
vlieger 1 cometa; *een ~ oplaten* correr una cometa, remontar una cometa; *die ~ gaat niet op* eso no cuela; 2 (*piloot*) piloto, aviador
vlieg|hoogte altura de vuelo; **-instructeur** *m* instructor de vuelo; **-machine** aeroplano; *zie ook: vliegtuig*; **-ramp** desastre *m* aéreo; **-sport** aviación *v* deportiva; **-tuig** avión *m*; *klein ~* avioneta
vliegtuig|kaper secuestrador *m*; **-moederschip** portaviones *m*; **-motor** motor *m* de aviación; **-ongeluk** accidente *m* aéreo, accidente *m* de aviación
vlieg|uren horas de vuelo; **-veld** aeródromo; (*luchthaven*) aeropuerto; **-wiel** volante *m*
vlier saúco
vliering buhardilla, guardilla, desván *m*
vlies 1 película; 2 (*anat*) membrana
vlijmscherp muy afilado
vlijt aplicación *v*, celo, afán *m*; **vlijtig** aplicado, diligente
vlinder mariposa; **vlinderdasje** corbata de lazo; **vlinderslag** braza mariposa
vlo pulga
vloed marea creciente; (*hoogwater*) marea alta; *een ~ van tranen* un mar de lágrimas; *een ~ van woorden* un flujo de palabras; *de ~ komt op* sube la marea; *bij ~* en la marea alta; **vloedgolf** marejada; **vloedlijn** (línea de) altura de la marea
vloei (*van anker*) uña
vloeibaar líquido, fluido; *~ gas* gas *m* licuado, gas *m* líquido, gas *m* fluido; *-bare honing* miel *v* fluida; *~ maken* licuar, liquidar; *het ~ maken van gassen* la licuación de gases; **vloeiblad** (*onderlegger*) carpeta de papel secante; **vloeien** fluir; **vloeiend** fluido; *~e bocht* curva suave; *~ spreken* hablar con soltura, hablar con fluidez; **vloeiing** (*med*) derrame *m*; **vloeipapier** 1 papel *m* secante; 2 (*zijdepapier*) papel *m* de seda; 3 (*sigarettepapier*) papel *m* de fumar; **vloeistof** líquido, fluido
vloek 1 (*vervloeking*) maldición *v*; *er rust een ~ op hem* sobre él pesa una maldición; 2 (*lastering*) blasfemia; 3 (*lelijk woord*) palabrota; (*fam*) taco || *in een ~ en een zucht* en un decir amén, en un dos por tres; **vloeken** 1 blasfemar, renegar *ie*, lanzar blasfemias, soltar *ue* un taco, soltar *ue* palabrotas; *~ als een ketter* jurar como un carretero; 2 (*mbt kleuren*) desentonar; *deze kleuren ~* (*fam*) estos colores no pegan
vloer suelo, piso; *ze komen veel bij elkaar over de ~* se visitan mucho; *ik heb hem liever niet over de ~* prefiero que no ponga los pies en mi casa; *daar kun je van de ~ eten* ahí se puede comer sopas en el suelo; **vloerbedekking** revestimiento del piso; *met vaste ~* enmoquetado
vloeren tumbar
vloer|kleed alfombra; **-mat** estera; **-oppervlakte** superficie *m* (de suelo); **-tegel** baldosa; **-verwarming** calefacción *v* de suelo
vlok copo
vlonder (*loopplank*) pasadera
vlooien espulgar
vlooien|markt mercado de objetos usados, mercadillo; (*in Madrid*) Rastro; **-spel** pulga

vloot flota; (*Sp oorlogsvloot*) armada
vloot|basis base *v* naval; **-bezoek** visita naval; **-schouw** revista naval
vlot I *zn* balsa; II *bn* 1 (*mbt schip*) a flote; ~ *komen* salir a flote; ~ *krijgen* sacar a flote; 2 (*mbt persoon*) desenvuelto; *hij is een* ~ *spreker* habla con gran soltura; *hij is een* ~*te vent* es muy sociable; 3 (*mbt gang van zaken*) fácil; ~*te stijl* estilo fluido; III *bw* con soltura; ~ *geschreven* escrito con soltura; ~ *van de hand gaan* venderse fácilmente; ~ *verkocht worden* tener fácil salida; *zich* ~ *bewegen* moverse *ue* con facilidad; **vlotheid** 1 (*van spreken, schrijven*) soltura, fluidez *v*; 2 (*in omgang*) sociabilidad *v*
vlotten: *het gesprek wil niet* ~ la conversación languidece; *het werk wil niet* ~ el trabajo no avanza, se hacen pocos progresos; **vlottend** flotante; ~*e bevolking* población *v* flotante; ~ *kapitaal* capital *m* circulante; ~*e schuld* deuda flotante; **vlotter** flotador *m*
vlucht 1 (*het vliegen*) vuelo; *een grote* ~ *nemen* tomar vuelo; *in de* ~ *schieten* cazar al vuelo; 2 (*ontvluchting*) huida, fuga, evasión *v*; *wilde* ~ desbandada, espantada; ~ *van kapitaal* evasión de capitales, fuga de capitales; *de* ~ *uit het gewone leven* la escapatoria de la vida; *op de* ~ *jagen* hacer huir, ahuyentar; *op de* ~ *slaan* darse a la fuga, huir; *op de* ~ *zijn* haberse escapado; 3 (*zwerm, van vogels*) bandada; 4 (*bereik, bv van hijskraan*) alcance *m*
vluchteling, **vluchtelinge** 1 fugitivo, -a; 2 (*uitgewekene*) refugiado, -a; **vluchtelingenkamp** campo de refugiados
vluchten (*voor*) huir (de); *uit het land* ~ huir del país; **vluchtheuvel** isleta, refugio
vluchthuis (*Belg*) casa-refugio (para mujeres maltratadas)
vluchtig I *bn* 1 (*chem*) volátil; ~*e stoffen* substancias volátiles; 2 (*mbt indruk*) fugaz, precipitado, superficial; *een* ~*e kennismaking* un conocimiento fugaz; *een* ~*e liefkozing* una instantánea caricia; II *bw* a la ligera, por encima; *een onderwerp* ~ *aanstippen* tocar por encima un tema; ~ *bekijken, inkijken* echar una rápida ojeada a, echar un vistazo a
vlucht|leiding control *m* de vuelo; **-misdrijf** (*Belg*) (*vglbaar:*) delito de fuga (después de un accidente); **-oord** refugio, asilo; **-poging** tentativa de fuga; **-strook** arcén *m*; **-weg** camino de huida, paso de fuga; (*fig ook:*) escapatoria
vlug I *bn* 1 rápido; 2 (*lenig, snel van bewegen*) ágil, ligero; 3 (*van begrip*) listo, perspicaz, vivo; II *bw* 1 rápidamente, con rapidez, de prisa; ~*!* ¡de prisa!, ¡date prisa!; ~ *spreken* hablar de prisa; *het ging* ~ *in zijn werk* fue muy rápido; *hij stond zo* ~ *mogelijk op* se levantó lo más de prisa que pudo; 2 (*gauw*) pronto; *hij antwoordt altijd* ~ siempre contesta rápido; *zo* ~ *mogelijk* cuanto antes, lo más pronto posible; **vlugschrift** octavilla, panfleto
V.N. *de Verenigde Naties* (Organización *v* de) las Naciones Unidas; *afk* ONU

vocaal *zn* vocal *v*
vocabulaire vocabulario
vocalist, **vocaliste** vocalista *m,v*
vocht 1 (*vloeistof*) líquido; ~ *in knie* derrame *m* sinovial; 2 (*natk*) fluido; 3 (*sap*) jugo; 4 (*vochtigheid*) humedad *v*
vocht|bestendig hidrófugo; **-gehalte** contenido de humedad
vochtig húmedo; ~ *maken* humedecer, mojar; **vochtigheid** humedad *v*; **vochtigheidsgraad** grado de humedad
vocht|plek mancha de humedad; **-vrij**, **-werend** hidrófugo
vod (*lap*) trapo (viejo); ~*den: a*) trapos viejos; *b*) (*voddige kleren*) harapos, pingajos, andrajos; *iem achter de* ~*den zitten* estar detrás de u.p., estar encima de u.p.; **voddenman** trapero; **voddig** harapiento, andrajoso; (*fig*) mezquino, miserable; **vodje** (*papier*) papelucho
voeden 1 alimentar, nutrir; *slecht gevoed* mal nutrido; *rijst voedt meer dan brood* el arroz es más nutritivo que el pan, el arroz alimenta más que el pan; *zich* ~ (*met*) alimentarse (de, con); 2 (*zogen*) dar de mamar
voeder *zie: voer*
voeder|bak pesebre *m*; **-bakje** comedero; **-biet** remolacha forrajera
voederen *zie: voeren*; **voedergewas** planta forrajera
voeding 1 (*het voeden*) alimentación *v*; 2 (*voedsel*) alimentos *mmv*, comida; 3 (*van baby*) mamada
voedings|bodem (*chem; fig*) caldo de cultivo; **-gewoonten** costumbres *vmv* alimenticias; **-leer** dietética
voedingsmiddelen productos alimenticios; **voedingsmiddelenindustrie** industria alimenticia
voedings|stoffen sustancias nutritivas, materias alimenticias; **-stoornis** trastorno nutritivo; **-waarde** valor *m* nutritivo, valor *m* alimenticio
voedsel alimento; *geestelijk* ~ alimento para el espíritu; ~ *geven aan* alimentar, estimular
voedsel|keten cadena alimenticia; **-pakket** paquete *m* de subsistencias; **-schaarste** escasez *v* de víveres; **-verbruik** consumo alimenticio; **-vergiftiging** intoxicación *v* alimenticia; **-voorraad** provisión *v* de víveres; **-voorziening** aprovisionamiento alimenticio
voedzaam nutritivo, alimenticio
voeg junta; *uit zijn* ~*en* desencajado; **voegen** 1 (*van muur*) juntar; 2 ~ *bij* añadir a, adjuntar a, acompañar; *bij deze brief voeg ik een folder* a esta carta acompaño un folleto; *dit, gevoegd bij* ... y esto, combinado con ...; *zich* ~ *bij* unirse a, juntarse a; 3 *zich* ~ *naar* plegarse *ie* a, acomodarse a, amoldarse a; **voegwoord** conjunción *v*
voelbaar 1 (*tastbaar*) palpable, tangible; 2 (*merkbaar*) perceptible
voelen 1 (*aanraken*) tocar, palpar; ~ *in zijn zak*

buscar en el bolsillo; 2 (*ervaren*) sentir *ie, i*, experimentar; ~ *dat er iets gaat gebeuren* tener un presentimiento; *hij voelde helemaal geen pijn* no sintió ningún dolor; *ik heb het hem goed laten* ~ se lo dejé bien claro; *voel je 'm?* ¿entiendes?, ¿ves?; *het voelt warm* (*aan*) está caliente; 3 *zich* ~ sentirse *ie, i*; *hoe voel je je?* ¿cómo te sientes?, ¿qué tal te encuentras?; *ik voel me een ander mens* me siento como nuevo; *hij voelt zich* (*nogal*) es bastante pagado de sí mismo; *hij voelt zich een dichter* se cree poeta; 4 ~ *voor* tener ganas de, sentir *ie, i* interés por; *weinig* ~ *voor* mostrarse *ue* poco propicio a, no tener ganas de; *ik voel wel voor het plan* a mí el proyecto me atrae, me interesa el proyecto; *ik voel er niets voor* yo no estoy por el asunto; *ik voel er niets voor alleen te blijven* no tengo la menor gana de quedarme solo; *hij voelt niets voor de studie* no tiene afición por la carrera, su vocación no son los estudios; *hij voelt absoluut niets voor die vrouw* esa mujer no le hace ni tilín

voeling: ~ *hebben met* estar en contacto con

voelspriet antena

voer pienso, pasto; (*groenvoer*) forraje *m* (verde); (*voor kippen*) alimento para gallinas

1 voeren (*van kind*) dar la comida, dar de comer; (*van kippen*) echar a comer; (*van vee*) dar pienso, dar de comer || *ze zaten hem te* ~ (*fig*) le estaban hostigando

2 voeren 1 (*leiden*) llevar, traer, conducir; *wat voert u hierheen?* ¿qué le trae por aquí?; *dat zou mij te ver* ~ me llevaría muy lejos; 2 (*van correspondentie, campagne*) llevar; *een beleid* ~ seguir *i* una política; *oorlog* ~ (*tegen*) hacer la guerra (a); *ze voert zelfstandig de Engelse correspondentie* lleva la correspondencia en inglés con iniciativa propia; 3 (*van gesprek*) mantener, sostener, tener; 4 (*hanteren*) llevar, manejar; *de pen* ~ llevar la pluma; *het woord* ~ tener la palabra, hacer uso de la palabra; 5 (*verkopen*) vender; *de door u gevoerde artikelen* los artículos a cuya venta se dedica

3 voeren (*van jas*) forrar

voering forro

voer|taal lengua de trabajo; **-tuig** vehículo

voet pie *m*; *belastingvrije* ~ (*vglbaar:*) mínimo exento; *het heeft veel ~en in de aarde* cuesta lo suyo, eso cuesta Dios y ayuda; ~ *bij stuk houden* no dar el brazo a torcer, seguir *i* en sus trece; *pijnlijke ~en hebben* tener los pies doloridos; *vaste* ~ *krijgen* hacer pie; *geen* ~ *aan de grond krijgen* no tener asidero; *geen* ~ *verzetten* no dar un paso; *iem de* ~ *dwars zetten* contrariar *í* a u.p., poner cortapisas a u.p.; ~ *aan wal zetten* echar pie a tierra, poner pie en tierra, pisar tierra; *geen* ~ *buiten de deur zetten* no salir de casa para nada; *ik zet geen* ~ *meer in zijn huis* no volveré a poner los pies en su casa; *aan de* ~ *van de berg* al pie de la montaña; *met ~en treden* pisar; *niet met zijn ~en op de grond staan* vivir en el limbo, estar en la luna; *onder de* ~ *lopen* pisotear; *op blote ~en* descalzo; *op gespannen* ~ *staan met* tenérselas tiesas con, estar de punta con; *op goede* ~ *staan met* estar en buenos términos con; *op grote* ~ *leven* vivir a todo tren, vivir a lo grande; *op de oude* ~ en la forma acostumbrada, de la misma manera; *op staande* ~ en el acto, de inmediato, al instante; *op staande* ~ *ontslaan* poner en la calle; *op* ~ *van gelijkheid* en pie de igualdad; *op* ~ *van oorlog* en pie de guerra; *op vrije ~en stellen* poner en libertad; *iem op de* ~ *volgen* pisar los talones a u.p.; *te* ~ *gaan* ir a pie; (*fam*) ir a pata; *ten ~en uit* de pies a cabeza; *ik kan wel uit de ~en met Spaans* me defiendo en español; *zich uit de ~en maken* poner pies en polvorosa; *iem iets voor de ~en gooien* echar en cara u.c. a u.p.; *iem voor de ~en lopen* andar estorbando a u.p.

voet|afdruk huella del pie; **-angel**: *~s en klemmen* cepos y trampas, acechanzas; **-bal** 1 (*bal*) balón *m*, pelota; 2 (*spel*) fútbol *m*, balompié *m*

voetbal|elftal equipo de fútbol; **-knie** menisco de futbolista

voetballen jugar *ue* al fútbol; **voetballer** jugador *m* de fútbol, futbolista *m*

voetbal|pool quinielas *vmv* de fútbol; **-schoen** bota de fútbol; **-spel** (*tafelvoetbal*) futbolín *m*; **-uitslagen** resultados de fútbol; **-veld** campo de fútbol, cancha de fútbol; **-wedstrijd** partido de fútbol, match *m* de fútbol

voet|breed: *geen* ~ *wijken* no ceder ni un palmo; **-brug** puente *m* para peatones

voeten|bankje banqueta (para poner los pies), banquillo, escabel *m*; **-eind** pie *m* de la cama

voetganger peatón *m*

voetgangers|gebied área *m* peatonal; *tot* ~ *verklaren* peatonalizar; **-oversteekplaats** paso de peatones, (paso de) cebra; **-traverse** travesía peatonal

voetje piececito; ~ *voor* ~ paso a paso; *een wit* ~ *hebben bij* gozar de la simpatía de, tener un lugar en el corazón de

voet|licht baterías *vmv*, candilejas *vmv*; *in het* ~ *geplaatst worden* ponerse en las candilejas; *voor het* ~ *brengen* poner en escena; **-noot** nota (al pie de la página); **-pad** 1 (*officieel*) vía peatonal; 2 (*paadje*) sendero, senda; **-rem** freno de pie, freno de pedal; **-roer** gobierno de pedal; **-spoor** huella; **-stap** paso; *in iems ~pen treden* seguir *i* los pasos de u.p.; **-steun** apoyapiés *m*, descansapiés *m*, reposapiés *m*; **-stoots**: ~ *aannemen* aceptar a ojos cerrados; **-stuk** pedestal *m*; *iem op een* ~ *plaatsen* poner a u.p. en un pedestal; *iem van zijn* ~ *stoten* bajar a u.p. del pedestal; **-titel** (*Belg*) subtítulo; **-tocht** viaje *m* a pie, excursión *v* a pie; **-veeg**: *iem als een* ~ *behandelen* tratar a u.p. como un trapo; **-volk** infantería; **-zoeker** carretilla, buscapiés *m*; **-zool** planta del pie

vogel 1 pájaro; (*lit*) ave *v*; *de* ~ *is gevlogen* el pájaro voló; *beter één ~ in de hand dan tien in de lucht* más vale pájaro en mano que ciento volando; *zo vrij als een ~ in de lucht* más libre que un pájaro; 2 (*persoon*) tipo

vogel|huisje (*voerhuisje*) comedero de pájaros; **-kenner** ornitólogo; **-kooi** jaula; (*groot:*) pajarera; **-nest** nido (de pájaro); **-spin** araña peluda; **-trek** migración *v* (de los pájaros); **-verschrikker** espantapájaros *m*; **-vlucht**: *in ~* a vista de pájaro; **-vrij** fuera de la ley

vol lleno; (*fig*) pleno; *~!* ¡completo!; *een ~ jaar* un año entero; *~le melk* leche *v* entera, leche *v* completa, leche *v* toda crema; *~le neef* primo hermano; *een ~ uur* una hora completa, nada menos que una hora; *~ maken* llenar; *~le zalen trekken* atraer multitudes, llenar las salas; *~ met* lleno de; *de les is ~ fouten* el ejercicio está lleno de faltas; *de tafel ligt ~ papieren* la mesa está cubierta de papeles; *haar ogen staan ~ tranen* tiene los ojos llenos de lágrimas; *ze had alle twee haar handen ~* llevaba las dos manos ocupadas; *een kamer ~ mensen* un cuarto lleno de gente; *hij was ~ ongeduld* estaba lleno de impaciencia; *~ zijn van iets* no pensar *ie* en otra cosa; *iedereen is er ~ van* no se habla de otra cosa; *in het ~le leven staan* vivir plenamente; *met ~ gas* a todo gas, a pleno gas; *met ~le mond* con la boca llena; *met het ~ste recht* con pleno derecho; *op ~le zee* en alta mar; *ten ~le* plenamente, totalmente; *tot onze ~le tevredenheid* con nuestra entera satisfacción || *iem voor ~ aanzien* tomar en serio a u.p.

vol|automatisch completamente automático; **-bloed I** *zn* pura sangre *m, mv onv*; **II** *bn* de pura sangre

volbrengen llevar a cabo, realizar

voldaan 1 (*tevreden*) satisfecho, contento; *~ zijn over het resultaat* quedar satisfecho del resultado; 2 (*betaald*) pagado; *tekenen voor ~* poner el recibí, finiquitar; **voldaanheid** satisfacción *v*

voldoen 1 (*betalen*) pagar, abonar, satisfacer, liquidar, saldar; 2 (*tevredenstellen*) satisfacer; *het plan voldoet niet* el proyecto no satisface; 3 *~ aan* satisfacer, cumplir, cumplir con; *aan alle eisen, voorwaarden ~* cumplir (con) las exigencias, poseer las condiciones exigidas, reunir *ú* todos los requisitos; *aan iems verlangens ~* corresponder a los deseos de u.p.; *~ aan een verzoek* acceder a un ruego, atender *ie* una petición; *in de hoop dat u aan ons verzoek zult ~* en la espera de que nuestra solicitud será atendida; *hij heeft niet voldaan aan zijn verplichtingen* ha dejado incumplidas sus obligaciones; **voldoende I** *bn* 1 (*genoeg*) suficiente, bastante; *~ zijn* ser suficiente, bastar (con); *woorden zijn niet ~* no basta con palabras; *f 10 is niet ~* fls 10 no bastan, no basta con fls 10; 2 (*bevredigend*) satisfactorio; **II** *zn* nota suficiente; *ik heb een ~ gehaald* saqué una nota suficiente; **voldoening 1** satisfacción *v*; *het gaf haar een zekere ~* le causó cierta satisfacción; 2 (*betaling*) pago; *ter ~ van de rekening* en pago de la cuenta

voldongen: *~ feit* hecho consumado

volgauto coche *m* del cortejo, coche *m* de acompañamiento

vol|geboekt completo; *de reis is ~* ya no hay plazas para el viaje; *de voorstelling is ~* ya no hay localidades; **-gebouwd** completamente edificado, totalmente urbanizado

volgeling, volgelinge partidario, -a, adepto, -a, seguidor, -ora, discípulo, -a

volgen I *tr* seguir *i*; *wilt u mij ~?* ¿quiere seguirme?; *een cursus ~* seguir un curso, tomar un curso; *iem op de voet ~* seguir los pasos de u.p.; *lessen ~ in* seguir clases de, dar clase de; *de tekst precies ~* ceñirse *i* al texto; *ik kan je verhaal niet ~* no sigo tu relato; *een receptie gevolgd door een concert* una recepción seguida de un concierto; *het te ~ beleid* la política a seguir; **II** *intr* seguir *i*; *er volgde een stilte* hubo un silencio; *wie volgt?* ¿quién es el siguiente?, ¿a quién le toca?; *de situatie is als volgt* la situación es la siguiente; *de tekst luidt als volgt* el texto es el siguiente, el texto dice así; *op de cursus volgt een examen* al curso le sigue un examen; *de tijd die volgde op zijn dood* el tiempo que seguía a su muerte; *hieruit volgt dat* de esto se deduce que; **volgend 1** siguiente; *de ~e dag werd hij vroeg wakker* al día siguiente se despertó temprano; *het ~e* lo siguiente; 2 (*aanstaande*) próximo; *de ~e week* la semana próxima, la semana que viene

volgens según; (*in overeenstemming met*) según, de acuerdo con, conforme a; *~ onze afspraak* de acuerdo con lo convenido; *~ mij* según yo, a mi juicio; *dat is niet ~ de regels* no es conforme a las reglas; *~ de statuten moet hij aftreden* según los estatutos debe dimitir

volgieten llenar

volg|nummer número de orden; **-orde** orden *m* (de sucesión); *in alfabetische ~* por orden alfabético; *in ~ van ontvangst* por orden de recibo

volgroeid completamente desarrollado; (*van personen ook:*) adulto

volgzaam dócil

volharden (*in*) perseverar (en), persistir (en); *hij volhardt in zijn voornemen* persiste en su intención; *hij volhardt in de inhoud* (*bij notaris*) se ratifica en el contenido; **volhardend** perseverante, tenaz; **volharding** perseverancia, tesón *m*

volheid plenitud *v*

volhouden I *tr* 1 mantener, sostener, perseverar en; *ik houd vol dat* mantengo que, sostengo que; *hij houdt vol dat hij niets gezien heeft* sigue afirmando que no vio nada; *een mening ~* sostener una opinión; *de strijd ~* no darse por vencido, perseverar en la lucha; 2 (*verdragen*) aguantar; *hij kan het niet langer ~* no aguanta más; *zolang we het ~* mientras el

cuerpo aguante; II *intr* perseverar, persistir; *...en hij houdt maar vol* ...y no se cansa; *hou vol!* ¡sigue!
volière pajarera
volk 1 (*natie*) pueblo, nación *v*; 2 (*mensen*) pueblo, gente *v*; *het gewone* ~ el pueblo; *goed volk* gente de paz; *er was veel* ~ había mucha gente; *een man uit het* ~ un hombre del pueblo
volken|kunde etnología; **-recht** derecho internacional público, derecho de gentes
volkladden emborronar; *blaadjes* ~ emborronar cuartillas
volkomen I *bn* perfecto, completo, total; *een* ~ *mislukking* un fracaso total, un completo fracaso; *u hebt* ~ *gelijk* tiene Ud. perfecta razón; II *bw* completamente, totalmente; ~ *verdiend* plenamente merecido; *wij zijn het* ~ *eens* estamos completamente de acuerdo
volkorenbrood pan *m* integral
volks|aard carácter *m* del pueblo; **-beweging** movimiento popular; **-buurt** barrio popular; **-dans** baile *m* folklórico; **-front** frente *m* popular; **-gezondheid**: *ministerie van* ~ ministerio de sanidad *v* (pública); **-hogeschool** (*vglbaar:*) universidad *v* popular; **-huisvesting**: *ministerie van* ~ Ministerio de la Vivienda; **-kunst** arte *m* popular; **-lied 1** canción *v* popular; 2 (*nationaal*) himno nacional; **-menner** demagogo; **-mond**: *in de* ~ en el habla popular; *zoals het in de* ~ *heet* como popularmente se dice; **-oproer** levantamiento popular, conmoción *v* popular; *zie ook: oproer*; **-opstand** rebelión *v* popular; *zie ook: opstand*; **-partij** partido popular; **-raadpleging** referéndum *m*; **-republiek** república popular; **-soevereiniteit** soberanía del pueblo; **-stam** tribu *v*; *hele ~men* multitud *v*, gentío; **-taal** habla popular; **-telling** censo; *een* ~ *houden* efectuar *ú* un censo; **-tuin** (*vglbaar:*) huerta en las afueras; **-universiteit** (*vglbaar:*) universidad *v* popular; **-verhuizing 1** migración *v* de un pueblo; 2 (*hist*) Invasión *v* de los Bárbaros; **-verkiezingen** elecciones *vmv* populares; **-vertegenwoordiger** representante *m* del pueblo, diputado; **-vertegenwoordiging** representación *v* popular, parlamento; **-vertegenwoordigster** representante *v* del pueblo, diputada; **-verzekering** seguro social; **-vijand** enemigo público
volledig completo, entero, íntegro; ~ *adres* señas *vmv* detalladas; *~e baan* empleo de dedicación plena; *~e opsomming* relación *v* exhaustiva; *met behoud van* ~ *loon* con salario íntegro; ~ *maken* completar; **volledigheidshalve** para ser completo
volleerd consumado, perfecto; (*ervaren*) experto, experimentado; *een* ~ *danser* un bailarín *m* consumado
vollemaan luna llena; **vollemaansgezicht** cara de luna
volleybal balonvolea *m*, volleyball *m*, voleibol *m*
vollopen (*met*) llenarse (de)
volmaakt perfecto; (*vnl techn*) perfeccionado; **volmaaktheid** perfección *v*; (*vnl techn*) perfeccionamiento
volmacht poder *m*; *blanco* ~ poder *m* en blanco; ~ *geven* autorizar, otorgar poder; *bij* ~ por poder
volmondig sincero, franco, incondicional
volontair meritorio
volop en abundancia, más que suficiente; *er is* ~ *tijd* hay tiempo de sobra; ~ *genieten* disfrutar enormemente
volproppen (*met*) abarrotar (de), atiborrar (de); *zich* ~ (*met*) atiborrarse (de), atracarse (de)
volslagen completo, total
volstaan bastar, ser suficiente; *daar kun je niet mee* ~ no es suficiente; *laat ik* ~ *met te zeggen* diré sólo que; *ze volstonden met enkele dreigementen* se contentaron con unas amenazas, no pasaron de unas amenazas
volstoppen llenar; *zie ook: volproppen*
volstrekt I *bn* absoluto; II *bw* absolutamente; ~ *niet* en absoluto, de ningún modo; *je moet er* ~ *heen* debes ir sin falta
volt voltio, volt *m*; **voltage** voltaje *m*
voltallig completo; *niet* ~ incompleto; *de ~e Eerste Kamer* el Pleno del Senado; *de ~e vergadering* la asamblea plenaria; ~ *maken* completar
volte 1 (*menigte*) aglomeración *v*, multitud *v*; (*gedrang*) apretones *mmv*; *wat een ~!* ¡cuánta gente!; 2 (*paardesp*) vuelta
voltooid acabado, terminado; ~ *deelwoord* participio pasado; **voltooien** terminar, acabar, ultimar, dar fin a; *het werk is bijna voltooid* la obra está a punto de terminarse; **voltooiing** terminación *v*
voltreffer impacto directo
voltrekken 1 (*van vonnis*) ejecutar, cumplir; 2 (*van huwelijk*) celebrar; 3 *zich* ~ tener lugar; **voltrekking 1** (*van vonnis*) ejecución *v*, cumplimiento; 2 (*van huwelijk*) celebración *v*
voluit con todas sus letras
volume volumen *m*; (*grootte ook:*) tamaño; **volumineus** voluminoso, abultado
vol|vet con toda su crema; **-waardig 1** completo, digno; ~ *lid* miembro de pleno derecho; 2 (*gezond*) sano
volwassen adulto; ~ *worden* llegar a la edad adulta, llegar a la madurez; *tot hij* ~ *is* hasta la edad adulta; **volwassene** adulto, -a; **volwassenenonderwijs** enseñanza de adultos; **volwassenheid** edad *v* adulta, madurez *v*
volzin oración *v*, frase *v*
vondeling expósito; *te* ~ *leggen* abandonar a un niño
vondst hallazgo, descubrimiento; (*uitvinding ook:*) invento
vonk chispa; *de* ~ *springt over* salta la chispa; **vonken** echar chispas, chispear; **vonkenvanger** parachispas *m*

vonnis sentencia, fallo; (*tussenvonnis*) auto; *zijn ~ is getekend* su suerte está echada; *~ vellen, wijzen* dictar sentencia, pronunciar sentencia; **vonnissen** sentenciar; (*veroordelen*) condenar

voogd tutor *m*; *toeziend ~* protutor *m*; **voogdes** tutora; *toeziend ~* protutora; **voogdij** tutela; *onder ~* bajo tutela

voogdij|minister (*Belg*) ministro responsable; **-overheid** (*Belg*) autoridad *v* responsable

1 voor *zn* surco

2 voor I *vz* 1 (*tijd*) antes de; *lang ~ de oorlog* mucho antes de la guerra; *vóór maandag* antes del lunes; *tien ~ zeven* las siete menos diez; *het is een week ~ Kerstmis* falta una semana para Navidad; *het is niet ~ dinsdag bekend* no se sabrá hasta el martes; 2 (*gedurende*) por; *~ een week* por una semana; 3 (*geleden*) hace; *~ drie dagen* hace tres días; 4 (*ten behoeve van, doel*) para; *dit boek is ~ jou* este libro es para ti; *hij is een vader ~ hen* es un padre para ellos; *goed ~ een kopje koffie* bueno para un café; *kijk eens wie er ~ je is* mira quién te viene a ver; *het was allemaal ~ niets* todo fue en vano; 5 (*omwille van, reden*) por; *ik doe het ~ jou* lo hago por ti; *sterven ~ het vaderland* morir *ue, u* por la patria; *~ zaken* por negocios; 6 (*wat betreft*) por; *ik ~ mij* yo por mí, lo que es yo; *~ het overige* por lo demás; 7 (*in ruil voor, in plaats van*) por; *ik geef je f 5 ~ dat boek* te doy fls 5 por ese libro; *~ niets* gratis; 8 (*plaats*) delante de, frente a; (*vnl fig*) ante; *~ het huis* delante de la casa; *er lag veel werk vóór hem* tenía mucho trabajo por delante; *~ en achter ons* delante y detrás de nosotros; *recht ~ hem* frente a él; *een brief ~ zich hebben* tener a la vista una carta; *het schip ligt ~ Vlissingen* el barco está a la altura de Flesinga; *verschijnen ~ de rechter* comparecer ante el juez; 9 (*niet tegen*) a favor de; *ik ben ~ de motie* estoy a favor de la moción; *ik ben er ~* estoy a favor; *ergens ~ zijn* ser partidario de u.c., inclinarse por u.c., opinar en favor de u.c.; 10 (*in verhouding tot*) para; *lang ~ zijn leeftijd* alto para su edad || *~ de eerste keer* por primera vez; *een ~ een* uno por uno; II *bw* (*plaats*) delante, en la parte delantera; *~ in het huis* en la parte delantera de la casa; *~ in het boek* al comienzo del libro; *~ ligt onze tuin* enfrente tenemos el jardín; *ze is ~ in de twintig* tiene poco más de veinte años; *~ liggen* llevar la delantera, llevar ventaja; *iem ~ zijn* (*er vlugger bij zijn*) tomarle la delantera a u.p., anticiparse a u.p.; *hij is ons nu ~* nos ha tomado la delantera, se nos ha adelantado; *mijn horloge is ~* mi reloj adelanta; *~ en na* (*telkens*) una y otra vez, a cada momento; *er is veel ~ te zeggen* hay muchos argumentos en pro; *200 stemmen ~ en 12 tegen* 200 votos a favor y 12 en contra; III *voegw* antes (de) que; *hij kwam vóór mij* llegó antes que yo; *~ ik het wist* antes de que me diera cuenta; IV *zn het ~ en tegen* el pro y el contra

vooraan delante; **vooraanstaand** prominente, destacado, conspicuo, significado; *een ~e onderneming* (*ook:*) una empresa líder

vooraanzicht vista frontal, vista delantera

vooraf antes, previamente, de antemano; **voorafgaan** (*aan*) preceder (a); *de titel gaat aan de tekst vooraf* el título precede al texto; **voorafgaand** 1 (*vroeger*) precedente, anterior; *het ~e* lo que precede; 2 (*voorbereidend*) preliminar, previo; *de vergaderingen ~ aan het congres* las sesiones previas al congreso; *zonder ~ bericht* sin previo aviso; *~e onderzoeken* investigaciones *vmv* preliminares

vooral sobre todo, ante todo, especialmente, más que nada; *ga ~* no dejes de ir; *doe dat ~ niet* no hagas eso de ninguna manera; *vergeet het ~ niet* procura no olvidarlo

vooralsnog de momento, por el momento

voor|arrest prisión *v* preventiva; *onder aftrek van ~* descontando el tiempo que ya estaba detenido, con abono de prisión preventiva; **-avond** 1 (*vroege avond*) tarde *v*; 2 (*avond tevoren*) víspera; *aan de ~ van* a vísperas de

voorbaat: *bij ~* de antemano, por anticipado; *u bij ~ hartelijk dankend* agradeciéndoselo de antemano, anticipándole las gracias, con mis gracias anticipadas

voor|band neumático delantero; **-bank** asiento delantero

voorbarig prematuro, precipitado; *laten we niet ~ zijn* no nos precipitemos

voorbedacht premeditado; *moord met ~en rade* asesinato premeditado

voorbeeld 1 (*ter navolging*) ejemplo, modelo, paradigma *m*; *goed ~ doet goed volgen* el buen ejemplo es fácil de seguir; *laat dat een ~* (*een lesje*) *voor je zijn* que te sirva de ejemplo; *neem een ~ aan je broer* toma por ejemplo a tu hermano; *een ~ stellen* sentar *ie* un ejemplo; *naar het ~ van* siguiendo el ejemplo de; *de leraar stelde haar ten ~* el profesor la ponía de ejemplo; *tot ~ strekken* servir *i* de ejemplo; 2 (*ter illustratie*) ejemplo; *ik noem maar een ~* pongo por caso; *om maar een ~ te noemen* por poner un ejemplo, pongamos por caso; *bij wijze van ~* por vía de ejemplo; **voorbeeldig** ejemplar, modélico; *een ~e vader* un padre ejemplar, un padre modelo

voor|behandeling pretratamiento; **-behoedsmiddel** anticonceptivo

voorbehoud reserva, salvedad *v*, condición *v*; *er is één ~* hay una sola condición; *een ~ maken* hacer una salvedad; *onder ~ dat* a la condición (de) que; *onder het grootste ~* con la mayor reserva; *zonder enig ~* sin reserva alguna, incondicionalmente; **voorbehouden** reservar; *ongelukken ~* salvo accidentes; *alle rechten ~* reservados todos los derechos; *wijzigingen ~* sujeto a modificaciones; *zich ~* reservarse

voorbereiden (*op, voor*) preparar (a, para); *ik ben op alles -bereid* lo tengo todo bien preparado, lo tengo todo previsto; *zich* ~ (*op, voor*) prepararse (a, para); *zich op het ergste* ~ prepararse para lo peor; **voorbereidend** preparatorio, preparativo; *~e maatregelen* medidas preparatorias, preliminares *mmv*; ~ *werk* preparativos *mmv*; **voorbereiding** 1 (*het voorbereiden*) preparación *v*; *geestelijke* ~ preparación espiritual; 2 (*voorbereidsel*) preparativo; *~en treffen om* hacer los preparativos para

voor|bericht prólogo, introducción *v*; **-beschikken** predestinar; **-bespreking** 1 conversación *v* preliminar; 2 (*in schouwburg*) reserva de localidades; **-bewerkt** pretratado

voorbij I *bn* pasado; *~e tijden* tiempos pasados, tiempos idos; II *bw*: ~ *zijn* haber pasado; *als de vakantie* ~ *is* cuando se acaben las vacaciones, pasadas las vacaciones; *het duurde twee uur voordat de stoet* ~ *was* el desfile tardó dos horas en pasar; III *vz* pasado, al otro lado de, más allá de; ~ *de kerk* pasada la iglesia; *tot* ~ *het plein* hasta más allá de la plaza

voorbijgaan I *intr* pasar; *er ging een uur voorbij* pasó una hora, transcurrió una hora; *een kans voorbij laten gaan* perder *ie* una oportunidad; ~ *aan* pasar por alto, dejar de lado, dejar al margen, desentenderse *ie* de; II *tr* (*voorbijlopen*) pasar por delante de; *we kunnen hem niet* ~*: a*) (*inhalen*) no podemos adelantarle; *b*) (*negeren*) no podemos dejarle de lado; III *zn*: *in het* ~ al pasar; *met* ~ *van* dejando al margen, pasando por alto; **voorbijgaand** transitorio, pasajero; *van ~e aard* de carácter pasajero; **voorbijganger, voorbijgangster** transeúnte *m,v*

voorbij|komen I *intr* pasar; *op welk uur je ook -komt* pases a la hora que pases; II *tr* pasar por delante de; **-kruipen** (*mbt tijd*) pasar muy lentamente; **-lopen** pasar (andando); **-rijden** I *intr* (*in auto*) pasar (en coche); (*op fiets*) pasar (en bicicleta); II *tr* (*inhalen*) adelantar; **-streven** dejar atrás; *zijn doel* ~ dejar atrás su meta; **-vliegen** pasar volando; **-zien** pasar por alto

voorbode mensajero

voordat antes (de) que

voordeel ventaja; (*winst*) provecho, beneficio; *voor- en nadelen* ventajas y desventajas, ventajas e inconvenientes; *het* ~ *van de twijfel* el beneficio de la duda; ~ *bieden* ofrecer ventajas; *zijn* ~ *doen met* aprovecharse de, sacar ventaja de; ~ *hebben boven* tener ventajas sobre; ~ *hebben van* beneficiarse de; ~ *trekken uit* sacar provecho de; *in het* ~ *zijn van* redundar en beneficio de; *in het* ~ *zijn ten opzichte van iem* llevar ventaja a u.p.; *in uw* ~ en beneficio de Ud.; *hij is in zijn* ~ *veranderd* ha cambiado en su favor, ha cambiado para su bien; *ze letten alleen op hun eigen* ~ sólo miran por su medro personal; *tot wederzijds* ~ para beneficio mutuo; **voordelig** 1 ventajoso, provechoso; *het is* ~ *om met de trein te gaan* hay ventaja en ir en tren; 2 (*goedkoop*) económico, barato

voordeur puerta de la calle

voordoen 1 (*van schort*) ponerse; 2 (*tonen*) mostrar *ue*, enseñar; *doe het me eens voor* déjame ver cómo lo haces, enséñamelo; *zich* ~ mostrarse *ue*; *zich vriendelijk* ~ mostrarse *ue* amable; *zich* ~ *als arts* hacerse pasar por médico; 3 *zich* ~ (*gebeuren*) presentarse, producirse, surgir; *als de gelegenheid zich -doet* si se presenta la ocasión; *er deed zich een probleem voor* surgió un problema, hubo un problema; *het verschijnsel deed zich niet voor* el fenómeno no se produjo

voordracht 1 (*lezing*) conferencia; (*wtsch*) disertación *v*; (*toespraak*) discurso; (*praatje*) charla; (*korte inleiding*) ponencia; *een* ~ *houden* dar una conferencia, pronunciar un discurso; 2 (*programma*) recital *m*; 3 (*wijze van voordragen*) estilo de declamar, declamación *v*, dicción *v*; (*muz*) ejecución *v*; 4 (*van kandidaten*) lista de candidatos, propuesta de candidatos; (*van drie voorgestelde kandidaten*) terna; *hij staat nummer drie op de* ~ es el número tres de la terna; *op* ~ *van* por recomendación de, a propuesta de

voordracht|kunst arte *m* de declamar, declamación *v*; **-kunstenaar, -kunstenares** declamador, -ora, recitador, -ora

voordragen 1 (*opzeggen*) declamar, recitar; 2 (*muz*) ejecutar; 3 (*van kandidaat*) proponer; (*aanbevelen*) recomendar *ie*

voorgaan 1 (*vooropgaan*) ir delante, preceder; *velen gingen u voor* muchos le precedieron; 2 (*voorrang hebben*) ser primero, venir primero, tener la prioridad; *het werk gaat voor* el trabajo primero, primero viene el trabajo; *iem laten* ~*: a*) (*voorrang geven*) ceder el paso a u.p.; *b*) (*voor zijn beurt laten*) dejar la vez a u.p.; *gaat u voor!* ¡pase Ud.!, ¡Ud. primero!; *dames gaan voor* las señoras primero; *de zaken laten* ~ dar prioridad a los negocios; 3 (*godsd*) predicar; ~ *in het gebed* dirigir el rezo, llevar el rezo; **voorgaand** precedente, anterior

voor|ganger 1 (*in ambt*) predecesor *m*; 2 (*voorloper*) precursor *m*; 3 (*godsd*) pastor *m* protestante, predicador *m*; **-gebergte** promontorio; **-geboord** pretaladrado; **-gekookt** precocido; **-geleiden** hacer comparecer; **-genomen** proyectado; *het* ~ *huwelijk* el próximo enlace; **-gerecht** primer plato; **-geschiedenis** antecedentes *mmv*; **-geschreven** preceptivo; *de* ~ *vergunning* la preceptiva licencia; **-geslacht** antepasados *mmv*; **-gespannen** pretensado; ~ *beton* hormigón *m* pretensado; **-gevel** fachada; (*statig:*) frontispicio; **-geven** 1 (*sp*) dar una ventaja de; 2 (*voorwenden*) fingir, pretextar, aparentar; **-gevoel** presentimiento; (*plotseling*) corazonada; (*angstig*) aprensión *v*; *ik heb zo'n* ~ *dat* (*fam*) me da en la nariz que

voorgoed para siempre, definitivo; *de oorlog is* ~ *voorbij* la guerra pasó para no volver

voor|grond primer plano; *op de ~ plaatsen* hacer resaltar, colocar en primera línea; *zich op de ~ plaatsen* ponerse en primer plano; *op de ~ staan* estar en (el) primer plano, ocupar el primer plano; *op de ~ treden* destacarse; **-hand** cuarto delantero || *op ~* de antemano, por anticipado
voorhanden (*in voorraad*) en existencia; (*beschikbaar*) disponible; *niet meer ~* agotado; *het enige nog ~ exemplaar* el único ejemplar que queda
voorhebben 1 (*aanhebben*) llevar, tener puesto; **2** (*van plan zijn*) intentar; *wat heeft hij daarmee voor?* ¿con qué intento lo hace?; *wat heb je voor* ¿qué te propones?; *hij heeft niets kwaads voor* no son malas sus intenciones; *het goed ~ met iem* desear lo mejor para u.p.; **3** *~* (*op*) tener ventaja (sobre); *jij hebt veel op hem voor* tú tienes muchas ventajas sobre él; *en dat hebben wij voor* y ahí está nuestra ventaja
voorheen antes, en otros tiempos
voor|heffing (*vglbaar:*) impuesto a cuenta; **-historisch** prehistórico
voorhoede 1 vanguardia; (*mil ook:*) avanzadas *vmv*; **2** (*sp*) línea delantera, delanteros *mmv*; artillería; **voorhoedespeler** delantero
voorhoofd frente *v*; *hoog ~* frente alta, frente despejada; *laag ~* frente angosta; *zijn ~ fronsen* fruncir el entrecejo, fruncir el ceño; **voorhoofdsholte** seno frontal; **voorhoofdsholteontsteking** sinusitis *v*
voorhouden 1 (*niet afdoen, van schort*) no quitarse; **2** (*vasthouden*) tener delante, tender *ie*; *iem een spiegel ~* tener un espejo delante de u.p., tender *ie* un espejo a u.p.; **3** (*onder ogen brengen*) hacer ver, enseñar; *we hielden hem het belang voor* le hicimos ver la importancia; **4** (*verwijten*) amonestar, echar en cara; *iem zijn gedrag ~* amonestar a u.p. por su conducta
voorhuid prepucio
voorin 1 (*in trein*) delante, en la parte de delante; **2** (*in boek*) al principio, al comienzo
vooringang entrada principal
vooringenomen predispuesto, prevenido; **vooringenomenheid** predisposición *v*, prevención *v*
voorjaar primavera; **voorjaarsmoeheid** cansancio de primavera
voor|kamer cuarto que da a la calle; **-kant** *zie: voorzijde*; **-kauwen** dar mascado; *je moet hem alles ~* hay que dárselo todo mascado; *ik heb het hem eindeloos -gekauwd* se lo he repetido cientos de veces; **-kennis** conocimiento previo; *met mijn ~* con mi conocimiento; *zonder mijn ~* sin saberlo yo
voorkeur preferencia; *de ~ genieten* (*boven*) ser preferible (a); *de ~ geven aan* preferir *ie, i*, dar la preferencia a, optar por; *~ tonen voor* mostrar *ue* predilección por; *bij ~* de preferencia, preferiblemente, preferentemente; *recht van ~* derecho de preferencia; **voorkeursbehandeling** trato preferente; **voorkeurstem** voto preferencial, voto de prioridad
'voorkomen I *ww* **1** (*sp*) llevar ventaja; **2** (*voorrijden*) llegar; *een taxi laten ~* hacer venir un taxi; **3** (*mbt getuige*) comparecer; **4** (*jur*) verse; *de dag dat zijn zaak -kwam* el día que se vio su causa; **5** (*gebeuren*) darse el caso, ocurrir, pasar; *het komt vaak voor dat* es cosa frecuente que; *dat komt nooit voor* ese caso no se da nunca; *het zal niet meer ~* no se repetirá, no volverá a pasar; *zulke dingen moesten niet ~* tales cosas no debieran pasar; **6** (*zich bevinden*) figurar, hallarse; *~ op de lijst* figurar en la lista; **7** (*schijnen*) parecer, figurarse; *het komt mij voor dat* se me figura que, se me hace que; *het komt me vreemd voor* me parece extraño, se me antoja extraño; *u komt me bekend voor* su cara me es familiar; *uw naam komt me bekend voor* su nombre me suena; *het laten ~ of* aparentar que; *hij laat het ~ alsof het hem niet kan schelen* aparenta que no le importa; **II** *zn* **1** (*uiterlijk*) aspecto, apariencia, presencia; *keurig ~* buena presencia; *slordig ~* aspecto descuidado; **2** (*aanwezigheid*) existencia, presencia; (*omvang*) extensión *v*; *het ~ van cholera* la presencia de cólera; *het ~ van lepra* la extensión de la lepra
voor'komen 1 (*vermijden*) prevenir, evitar; *hij kon een ruzie ~* supo evitar una riña; *~ is beter dan genezen* más vale prevenir que curar; **2** (*vóór zijn*) adelantarse a, anticiparse a; *je -komt mijn wensen* te adelantas a mis deseos
'voorkomend: *veel ~* frecuente; *zelden ~* raro; *de meest ~e types* los tipos más corrientes; *bij ~e gelegenheid* cuando se presente la ocasión
voor'komend atento, servicial, obsequioso
voor'koming prevención *v*, evitación *v*; *ter ~ van* en evitación de, para evitar
voor|laatst penúltimo; **-land**: *dat is je ~* así va a ser tu futuro; **-leggen** presentar, someter a (la consideración de); *het plan aan de vergadering ~* someter el proyecto a (la aprobación de) la asamblea; *mag ik u een vraag ~?* ¿le puedo hacer una pregunta?; **-letter** inicial *v*; *wat zijn uw ~s?* ¿cuáles son sus iniciales?; **-lezen I** *ww* leer en voz alta; (*formeel:*) dar lectura a, hacer la lectura de; *lees mij de brief eens voor* léeme la carta; *de notaris leest de akte voor* el notario da lectura al acta; **II** *zn* lectura en voz alta
voorlichten (*over*) informar (de), orientar (en, acerca de), instruir (en); **voorlichting** orientación *v*, información *v*, instrucción *v*; *seksuele ~* educación *v* sexual
voorlichtings|ambtenaar funcionario de relaciones públicas; **-dienst** servicio de información
voorliefde (*voor*) predilección *v* (por)
voorliegen mentir *ie, i*
voorlijk precoz, adelantado; *~ voor zijn leeftijd* adelantado para su edad
voorlopen 1 (*voorop lopen*) ir delante; **2** (*mbt klok*) adelantar; **voorloper** precursor, -ora

voorlopig I *bn* provisional; *~e cijfers* cifras provisionales; II *bw* provisionalmente, por el momento, de momento; (*alvast*) entretanto
voormalig antiguo, ex; *de ~e voorzitter* el ex presidente
voor|man 1 capataz *m*; 2 (*leider*) jefe *m*, mando; **-middag** mañana
'**voornaam** *zn* nombre *m* (propio); (*doopnaam*) nombre *m* de pila
voor'naam *bn* 1 (*deftig*) distinguido, eminente, ilustre, destacado; 2 (*belangrijk*) importante, prominente; *een -name plaats innemen* ocupar un lugar prominente; *het ~ste* lo más importante, lo principal
voornaamwoord pronombre *m*
voornamelijk principalmente, en primer lugar, sobre todo
voornemen I *ww*: *zich ~* decidir, proponerse; *hij nam zich voor te blijven* decidió quedarse, se hizo el propósito de quedarse; II *zn* propósito, intención *v*, designio; *ons vaste ~* nuestro firme propósito; *het ~ hebben om, ~s zijn om* tener el propósito de
voornoemd antedicho, precitado, arriba mencionado
voor|onder castillo (de proa); **-onderstellen** (pre)suponer; **-onderzoek** investigación *v* preliminar, estudio preliminar; **-oordeel** (*tegen*) prejuicio (contra); **-oorlogs** de la anteguerra, de la preguerra
voorop delante, a la cabeza, al frente; *ga jij maar ~* toma tú la delantera
voorop|gaan ir a la cabeza, ir delante; **-gesteld** supuesto; *~ dat* supuesto que, siempre que; **-gezet** preconcebido; *een ~ plan* un plan preconcebido; *zonder ~ doel* sin meta previa, sin plan prefijado
vooropleiding formación *v* preparativa, curso preparatorio, estudios *mmv* preliminares
voorop|lopen *zie: vooropgaan*; **-stellen** dejar sentado; *ik wil ~ dat* quiero dejar sentado que
voorouderlijk ancestral; **voorouders** antepasados
voorover 1 (*naar voren*) hacia adelante; *hij liep ~* andaba inclinado hacia adelante, caminaba muy echado para adelante; 2 (*liggend*) boca abajo; *hij viel ~* cayó boca abajo
voorover|buigen inclinarse hacia adelante; **-bukken** agacharse; **-hellen** inclinarse (hacia adelante)
vooroverleg preconsulta, consulta previa
voorover|leunen apoyarse en las manos, inclinarse hacia adelante; *hij leunde voorover op de tafel* apoyó los codos en la mesa; **-liggen** estar (tumbado) boca abajo; **-vallen** caer(se) boca abajo, caerse de cabeza
voor|pagina 1 (*van krant*) primera plana; *de ~ halen* salir en primera plana, tener portadas; 2 (*van boek*) portada; **-pand** delantera; **-poot** pata delantera; **-portaal** zaguán *m*; **-post** puesto avanzado; **-pret** alegría anticipada; **-proefje** anticipo; *als ~* como anticipo, (*fam*) para abrir boca; **-programma** anteprograma *m*, programa *m* de entrada; **-project** anteproyecto
voorraad existencias *vmv*, stock *m*; *~ levensmiddelen* provisión *v* de víveres; *een kleine ~* unas existencias muy reducidas; *zolang de ~ strekt* mientras haya existencia; *de ~ aanvullen* reponer las existencias; *-raden vormen* crear stocks; *in ~ hebben* tener en existencia; *uit ~ leverbaar* (en existencia para) entrega inmediata; *van nieuwe ~ voorzien* reabastecer
voorraad|kamer despensa, cuarto de provisiones; **-kast** despensa; **-kelder** bodega; **-schuur** almacén *m*
voorradig: *~ zijn* estar en almacén
voorrang 1 prioridad *v*, preferencia, prelación *v*; *~ hebben boven* tener prioridad sobre; 2 (*in verkeer*) preferencia de paso, prioridad *v* de paso; *~ verlenen* ceder el paso; *~ hebben* tener la prioridad
voorrangs|bord señal *v* de prioridad (de paso); **-kruising** cruce *m* de prioridad; (*opschrift*) ¡ceda el paso!; **-regel** regla de prioridad; **-weg** carretera de prioridad
voorrecht privilegio, prerrogativa; *het ~ hebben om* tener el privilegio de
voor|rekenen enseñar (mediante cálculos); **-rijden** llegar; **-ronde** eliminatoria, primera vuelta
voorruit parabrisas *m*; **voorruitverwarmer** calentador *m* de parabrisas
voorschieten adelantar, anticipar
voorschijn: *te ~ halen* sacar; *te ~ komen* aparecer, salir, surgir; *te ~ roepen* (*fig*) evocar
voor|schip cuerpo de proa; **-schoot** delantal *m*, mandil *m*; **-schot** anticipo, adelanto, pago anticipado; *renteloos ~* anticipo sin intereses; *een ~ verlenen* conceder un anticipo; **-schotelen** *zie: voorzetten*; **-schrift** 1 prescripción *v*, instrucción *v*; *op medisch ~* por prescripción médica, por prescripción facultativa; *zich aan de ~en houden* atenerse a las instrucciones; 2 (*gedragsregel*) precepto; *de wettelijke ~en* los preceptos de la ley; 3 (*bepaling*) disposición *v*, regulación *v*, regla; *~en voor de export* regulaciones para la exportación; **-schrijven** prescribir, dictar; recetar; *richtlijnen ~* dictar normas; *de dokter heeft een rustkuur -geschreven* el médico ha prescrito una cura de reposo
voorshands de momento, por el momento
voorslag (*muz*) apoyatura
voorsnijden trinchar; **voorsnijmes** cuchillo de trinchar
voor|sorteren colocarse a tiempo en la vía debida; *rechts ~* tomar la fila de la derecha; **-spannen**: *zich ergens voor laten spannen* ser cargado con u.c.; **-spel** preludio; (*fig ook:*) prólogo
voorspelbaar predecible, pronosticable
voorspelen tocar; *speel ons wat voor!* ¡tócanos algo!
voorspellen predecir, pronosticar, presagiar,

augurar; *er is regen -speld* han pronosticado lluvia; *die wolken ~ regen* esas nubes auguran lluvia; *dat -spelt weinig goeds* no augura nada bueno; *het -spelt een heel warme dag te worden* promete ser un día de mucho calor; *ik heb het je wel -speld!* ¡ya te lo he dicho!; **voorspelling** predicción *m*, pronóstico, presagio, augurio

voorspiegelen hacer creer; *iem iets ~* engañar a u.p. con falsas apariencias; *iem van alles ~* engatusar a u.p., embaucar a u.p.; *ze hebben hem -gespiegeld dat* le hicieron creer que; *er werd mij een mooie toekomst -gespiegeld* me hicieron concebir ilusiones de un futuro hermoso

voorspoed prosperidad *v*; *voor- en tegenspoed* vicisitudes *vmv*; *in voor- en tegenspoed* en la suerte y en la desgracia; *in tijden van ~* en tiempos de bonanza; **voorspoedig** próspero; (*succesvol*) exitoso; *het ging hun ~* prosperaban

voor|spraak intercesión *v*, mediación *v*, intervención *v*; *op ~ van* por la intercesión de; *iems ~ zijn bij een ander* interceder por u.p. con otro; *Maria is onze ~ bij God* María es nuestra medianera ante Dios; **-sprong** ventaja, delantera; *een ~ van 10 m* una ventaja de 10 m, 10 m de ventaja; *een ~ hebben* (*op*) tener ventaja (sobre), tener la delantera (sobre)

voorstaan I *tr* propugnar, auspiciar, estar en pro de, ser partidario de; II *intr* **1** (*winnen*) estar ganando, ganar, ir a la cabeza; **2** *er ~* presentarse; *de zaak staat er slecht voor* el asunto se presenta mal, la cosa ha tomado mal cariz; *zoals de zaken er nu ~* tal como se están poniendo las cosas; **3** *zich laten ~ op* alardear de, presumir de; *ik wil me er niet op laten ~, maar* ... no quiero presumir, pero ...

voorstad suburbio; *het verkeer van en naar de -steden* el tráfico suburbano

voorstander partidario; *een ~ zijn van* ser partidario de

voorste primero

voorstel proposición *v*, propuesta; (*suggestie*) sugerencia; *een ~ doen* hacer una propuesta; *een ~ indienen* presentar una proposición; *op ~ van* a propuesta de; **voorstelbaar** imaginable; **voorstellen** **1** (*doen kennismaken*) presentar; *we werden aan elkaar -gesteld* fuimos presentados (el uno al otro); *ik zal jullie aan elkaar ~* os presentaré; *zich ~* presentarse; *hij stelde zich aan mij voor als* se me presentó como; **2** (*een voorstel doen*) proponer; (*opperen*) sugerir *ie, i*; **3** (*tonen*) pintar, representar, describir; *dat schilderij moet een boom ~* ese cuadro debe representar un árbol; *de feiten anders ~* representar los hechos de modo diferente; *hij stelt het somber voor* lo pinta en tonos sombríos; *de zaak verkeerd ~* representar mal la cosa, desfigurar la cosa; **4** (*betekenen*) significar; *dat stelt niets voor* no significa nada; **5** *zich ~* (*indenken*) imaginarse, concebir *i*; *stel je voor!* ¡imagínate!, ¡fíjate!; *ik had het me anders -gesteld* me lo imaginaba de otra manera; *dat kan ik me best ~* ya me lo imagino; *men kan zich ~ dat* es de imaginar que; *ik kan me dat niet ~* no lo concibo; *ik kan me zijn gezicht niet ~* no recuerdo su cara; *niet voor te stellen* inconcebible, inimaginable; **6** *zich ~* (*van plan zijn*) proponerse, pensar *ie*, tener la intención de; *ik stel mij voor hem eens te schrijven* pienso escribirle; **voorstelling** **1** (*afbeelding; theat*) representación *v*; *verkeerde ~* representación falsa; *valse ~ van zaken* tergiversación *v*, desfiguración *v*; **2** (*van film*) función *v*, sesión *v*; *doorlopende ~* sesión continua; **3** (*beeld, gedachte*) imagen *v*, noción *v*, idea; *zich een ~ maken van* hacerse una idea de; **voorstellingsvermogen** (facultad *v* de) imaginación *v*

voor|stemmen votar en pro, votar en favor; **-steven** proa; **-studie** estudio preliminar, estudio previo

voort: *daar kun je even mee ~* (*met werk*) tienes tela para rato

voortaan en lo sucesivo, de hoy en adelante, en el futuro

voortand (diente *m*) incisivo

voortbestaan I *ww* subsistir, seguir *i* en pie; II *zn* subsistencia

voortbewegen mover *ue*, hacer avanzar, desplazar; *zich ~* avanzar, moverse *ue*, desplazarse; **voortbeweging** (*het bewegen*) **1** locomoción *v*; **2** (*drijvende kracht*) propulsión *v*

voort|borduren: *~ op* elaborar; **-bouwen**: *~ op* tomar como base, basarse en, apoyarse en

voortbrengen producir, originar, generar, engendrar; **voortbrenging** producción *v*; **voortbrengsel** *zie: produkt*

voortduren continuar *ú*, durar; **voortdurend** continuo, permanente, constante

voorteken presagio, augurio, signo, señal *v*; *een goed ~* buen presagio; *een bemoedigend ~* un signo alentador

voortgaan continuar *ú*, seguir *i*, proseguir *i*; *~ met lezen* seguir leyendo; *zie ook: doorgaan*; **voortgang** progreso; *~ maken, ~ vinden* hacer progresos, progresar, avanzar

voortgezet (*mbt onderwijs*) secundario

voorthelpen ayudar

voortijd tiempos *mmv* prehistóricos; **voortijdig** prematuro; *~e dood* muerte *v* prematura; *~e verkiezingen* elecciones *vmv* anticipadas; *~ terugkeren* regresar antes de lo previsto

voort|komen: *~ uit* proceder de, provenir de, venir dado de, nacer de, tener su origen en, derivar de; **-maken** darse prisa, apresurarse; *maak voort!* ¡anda!, ¡date prisa!; *~ met* acelerar

voortplanten **1** (*vermenigvuldigen*) reproducir; **2** *zich ~*: *a*) reproducirse; *b*) (*mbt ziekte, geluid, gerucht*) propagarse; **voortplanting** procreación *v*, reproducción *v*; *kunstmatige ~* reproducción asistida; **voortplantingsorganen** órganos genitales

voortreffelijk excelente, inmejorable, magnífico
voortrekken: *iem* ~ favorecer a u.p.
voorts además, encima
voort|slepen arrastrar; *zich* ~ arrastrarse; *de strijd sleept zich voort* la lucha se eterniza; **-spruiten**: ~ *uit* surgir de, nacer de
voortstuwen propulsar, mover *ue*; **voortstuwing** 1 propulsión *v*; 2 (*transmissie*) transmisión *v*
voortsukkelen 1 (*moeizaam lopen*) andar con dificultad; 2 (*mbt zieke*) arrastrar su vida, ni mejorarse ni morir *ue, u*
voortuin jardín *m* delantero
voortvarend enérgico, emprendedor *-ora*; **voortvarendheid** empuje *m*, energía
voortvloeien: ~ *uit zie: voortkomen; hieruit ~d* consiguiente; *het daaruit ~de nadeel* el perjuicio consiguiente; **voortvloeisel** resultado, consecuencia
voort|vluchtig fugitivo; **-woekeren** propagarse como un cáncer; **-zeggen**: *zegt het voort!* ¡dígaselo a otros!
voortzetten continuar *ú*, seguir *i*, proseguir *i*; (*hervatten*) reanudar; *wordt -gezet* continuará; **voortzetting** continuación *v*
vooruit 1 (*voorwaarts*) (hacia) adelante; *recht ~: a*) (*recht voor iem uit*) enfrente; *b*) (*rechtdoor*) todo derecho; *zijn tijd ~ zijn* adelantarse a su época; *hij kon niet ~ of achteruit* no podía ir para adelante ni para atrás; *weer ~ kunnen* tener con que seguir; 2 (*scheepv*) avante; *volle kracht* ~ avante a toda máquina; *langzaam* ~ avante poco a poco; 3 (*aansporing*) anda; ~ *maar!* ¡adelante!, ¡vamos!; *~, naar bed!* ¡anda, a la cama!; 4 (*van te voren*) con anticipación, por adelantado
vooruitbestellen pedir *i* con antelación
vooruit|betalen pagar por adelantado, anticipar, adelantar; **-betaling** pago adelantado, anticipo, adelanto
vooruitgaan 1 (*vorderen*) avanzar, progresar, hacer progresos, adelantar, hacer adelantos; *erop* ~ salir ganando; 2 (*mbt zieke*) mejorar, ir mejorando; *ze is erg -gegaan* ha mejorado mucho; 3 (*mbt barometer*) subir; **vooruitgang** progreso, adelanto, avance *m*; *de bereikte* ~ el adelanto conseguido, los progresos realizados; *dit betekent een grote* ~ esto supone un gran avance
vooruit|helpen 1 (*van iem*) ayudar; 2 (*van werk*) hacer adelantar, hacer progresar; **-komen** 1 (*in het leven*) abrirse paso, avanzar; 2 (*promotie maken*) mejorar su posición; **-lopen**: ~ *op* adelantarse a, anticiparse a; **-schieten** *intr* precipitarse hacia adelante; **-steken** *intr* salir; **-strevend** progresista, amante del progreso; **-zetten** 1 (*van klok*) adelantar; 2 *de borst* ~ sacar el pecho
vooruitzicht perspectiva, previsión *v*, expectativa; *rooskleurige ~en* perspectivas lisonjeras, perspectivas halagüeñas; *alle ~en wijzen erop dat* todas las previsiones indican que; *de ~en zijn niet gunstig* las expectativas son pesimistas; *goede ~en hebben* tener buenas esperanzas; *in het ~ stellen* dejar entrever, prometer; **vooruitzien** prever; *regeren is* ~ gobernar es prever; **vooruitziend**: *een ~e blik* mirada previsora, previsión *v*; *een ~e politiek* una política de previsión
voorvader antepasado; **voorvaderlijk** ancestral
voorval (*gebeurtenis*) suceso, caso, acontecimiento; (*incident*) incidente *m*; **voorvallen** ocurrir, pasar, acontecer, suceder
voor|vechter defensor *m*, paladín *m*; **-vechtster** defensora; **-verkiezing** elección *v* preliminar; **-verkoop** venta anticipada; **-versterker** preamplificador *m*; **-voegsel** prefijo
voorvoelen presentir *ie, i*
voorwaarde condición *v*; (*vereiste*) requisito; *de vereiste ~n* las condiciones requeridas; *~n verbinden aan* imponer condiciones a; *aan bepaalde ~n voldoen* reunir *ú* ciertos requisitos; *~n waaraan zij moet voldoen* condiciones que debe reunir; *onder geen enkele* ~ por ningún motivo; *maar onder één* ~ ... pero ha de ser con una condición ...; *op ~ dat* a condición (de) que; *op gunstige ~n* a términos favorables; **voorwaardelijk** condicional; *~e invrijheidstelling* libertad *v* a prueba; *~e veroordeling* condena condicional
voorwaarts: *~!* ¡adelante!; ~ *mars!* ¡de frente, ar!; *een stap* ~ un paso adelante; ~ *gaan* continuar *ú*
voorwas prelavado
voorwedstrijd eliminatoria
voorwenden fingir, simular, afectar; **voorwendsel** pretexto, excusa; *onder ~ van* bajo el pretexto de
voorwereldlijk prehistórico
voorwerk trabajo preliminar
voorwerp objeto; *afdeling gevonden ~en* sección *v* de hallazgos; ~ *van spot* objeto de burlas; *lijdend* ~ complemento directo; *meewerkend* ~ complemento indirecto
voorwiel rueda delantera; **voorwielaandrijving** tracción *v* delantera
voor|woord prefacio, prólogo; **-zanger** cantor *m*, sochantre *m*; **-zeggen** (*op school*) soplar
voorzet (*sp*) centro; **voorzetlens** objetivo; **voorzetsel** preposición *v*; **voorzetten** poner delante; (*opdienen*) servir *i*
voorzichtig I *bn* cauteloso, prudente; *~e houding* actitud *v* de cautela; ~ *zijn met* tener cuidado con; *wees* ~ anda con ojo; *je kan niet ~ genoeg zijn* todos los cuidados son pocos, toda prudencia es poca; *al te ~ zijn* pecar de prudente; II *bw* con cuidado, con ojo, cautelosamente; *~!* ¡cuidado!, ¡atención!, ¡ojo!; *heel ~ te werk gaan* proceder con mucha cautela, andar con pies de plomo; **voorzichtigheid** cautela, prudencia; **voorzichtigheidshalve** por precaución, por si acaso

voorzien 1 (*vooruitzien*) prever, anticipar; *als ~ in artikel 3* cual prevé el artículo 3; *sneller dan ~* más rápidamente de lo previsto; *het is te ~ dat* cabe prever que; *moeilijk te ~* difícil de prever; 2 ~ *in* proveer a, atender *ie* a, cubrir, satisfacer, subvenir a; *in de behoefte ~* atender *ie* a la necesidad; *daar moet in worden ~* hay que remediarlo; *in zijn onderhoud ~* proveer a su manutención; *~ in een vacature* proveer una vacante, cubrir una vacante; *in de vacature is al ~* la plaza ya está provista; *~ in de vraag* atender a la demanda; 3 ~ *van* proveer de, abastecer de, aprovisionar de; *hij is goed van alles ~* está bien provisto de todo; *wij zijn goed ~* estamos bien surtidos; *zich ~ van* proveerse de || *hij heeft het op mij ~* me las tiene juradas; *hij heeft het op haar geld ~* anda detrás de su dinero
voorzienigheid providencia; **voorziening** 1 (*maatregel*) medida; *~en treffen* tomar medidas; 2 (*van rechter*) providencia; 3 (*bevoorrading*) aprovisionamiento, abastecimiento, suministro; 4 *~en* servicios; *sociale ~en* beneficios sociales, *collectieve ~en* previsiones *vmv* colectivas; *wijken zonder ~en* barrios sin servicios, barrios sin equipamientos
voorzijde 1 (*van huis*) fachada; 2 (*van munt, boek*) cara, parte *v* de delante
voorzitster presidenta; **voorzitten** presidir; (*als gespreksleider*) moderar; **voorzitter** presidente *m,v*; *~ zijn bij de vergadering* presidir la reunión; *tot ~ benoemd worden* ser nombrado presidente; **voorzitterschap** presidencia; *onder ~ van* presidido por
voorzorg precaución *v*, previsión *v*; *als ~ voor* en previsión de; *uit ~* por precaución; **voorzorgsmaatregel** medida de precaución
voos fofo, esponjoso; (*fig; rot*) podrido
vorderen I *intr* progresar, adelantar, avanzar; *goed ~* hacer buenos progresos; *de zaken zijn zover gevorderd dat* las cosas han llegado al punto de que; *naarmate de dag vorderde* a medida que avanzaba el día; II *tr* 1 (*eisen*) demandar, exigir; 2 (*opeisen; in oorlog*) incautar, requisar; **vordering** 1 (*voortgang*) progreso, avance *m*, adelanto; 2 (*eis*) demanda, pretensión *v*; (*financ:*) claim *m*; *een ~ op* un crédito contra
vore surco
voren: 1 *naar ~* hacia adelante; *naar ~ treden* pasar adelante; *een kwestie naar ~ brengen* plantear un problema; 2 *van ~* por delante, en la parte delantera; *de auto van ~ gezien* la vista delantera del coche; *van ~ af aan* desde el comienzo; *weer van ~ af aan beginnen* volver *ue* a empezar; 3 (*mbt tijd*) *zie: tevoren*
vorig 1 (*verleden, voorafgaand aan nu*) pasado, último; *de ~e eeuw* el siglo pasado; *~e dinsdag* el martes último, el martes pasado; 2 (*voorafgaand in het alg*) anterior, precedente; *de ~e dag waren ze vroeg vertrokken* el día anterior habían salido temprano; *in het ~e hoofdstuk* en el capítulo precedente

vork 1 tenedor *m*; 2 (*van fiets*) horquilla || *ik weet hoe de ~ in de steel zit* sé cómo están las cosas, ya sé de qué va; **vorkheftruck** carretilla elevadora (de horquilla)
vorm 1 forma; *de ~en in acht nemen* observar las formalidades; *vaste ~ aannemen* materializarse; *vaste ~ geven aan* dar forma concreta a; *in de ~ van* en forma de; *voor de ~* para cumplir; *het is alleen voor de ~* es pura formalidad; 2 (*gietvorm*) molde *m*; **vormelijk** formal; **vormelijkheid** formalidad *v*; **vormeloos** *zie: vormloos*; **vormen** 1 (*vorm geven*) formar, dar forma a; *~ naar* formar a imitación de, formar según el modelo de; 2 (*techn*) moldear; 3 (*zijn*) formar, constituir; *de basis ~ van* constituir la base de; 4 (*tot stand brengen*) formar; *een regering ~* formar un gabinete; **vormend** formativo, educativo
vormgever diseñador *m*; **vormgeving** diseño, composición *v*
vorming formación *v*, constitución *v*; **vormingswerk** (*vglbaar:*) obra educacional, enseñanza formativa de jóvenes y adultos; **vormloos** informe; **vormsel** (*r-k*) confirmación *v*; **vormvast** indeformable
vorsen investigar, escudriñar; *~de blik* mirada escrutadora
vorst 1 (*regeerder*) monarca *m*, príncipe *m*, soberano; 2 (*het vriezen*) helada; *strenge ~* fuertes heladas *vmv*; 3 (*van dak*) caballete *m*; **vorstelijk** 1 de príncipe, principesco; *het ~ paar* la principesca pareja; 2 (*fig*) regio, principesco; *een ~e beloning* una regia recompensa; *~ belonen* recompensar a lo príncipe; **vorstendom** principado; **vorstenhuis** dinastía; **vorstin** reina, monarca, soberana
vorst|periode época de heladas; **-verlet** paro por helada; **-vrij** a prueba de heladas
vos 1 zorro, -a, raposo, -a; *een slimme ~* un zorro (viejo); *de ~ verliest wel zijn haren maar niet zijn streken* genio y figura hasta la sepultura; 2 (*paard*) alazán, -ana
vosse|bont piel *v* de zorro; **-hol** zorrera, guarida de zorros; **-jacht** caza de zorros; **-staart** cola de zorra, rabo de zorra
voteren votar; **votum** voto
vouw 1 pliegue *m*, doblez *m*; 2 (*in broek*) raya; *uit de ~ gaan* perder *ie* la raya; **vouwblad** folleto; **vouwdeur** puerta plegable; **vouwen** plegar *ie*, doblar; *niet ~!* ¡no doblar!; *zijn handen ~* juntar las manos
vouw|fiets bicicleta plegable; **-stoel** silla plegable; **-wagen** (*met tent*) coche *m* plegable con tienda; **-wagentje** (*voor kind*) coche *m* silla plegable
voyeur mirón *m*
vraag 1 pregunta; (*minder gebruikt:*) interrogante *m*; *de ene ~ lokte de andere uit* una pregunta trajo otra; *de ~ rijst* surge la pregunta; *dat is me ook een ~!* ¡vaya pregunta!; *het is nog de ~ of* aún está por ver si, aún cabe dudar si, aún es discutible si, queda pendiente la cues-

ción de si; *een ~ formuleren* formular una pregunta; *een ~ stellen* hacer una pregunta, plantear una pregunta; 2 (*verzoek*) ruego; 3 (*handel*) demanda; *~ en aanbod* la oferta y la demanda; *de binnenlandse ~* la demanda interior; *er is veel ~ naar wol* la lana tiene gran demanda, hay una gran demanda de lana; *aan de ~ voldoen* satisfacer la demanda; 4 (*kwestie*) cuestión *v*, problema *m*

vraag|baak 1 (*boek*) libro de consulta, vademécum *m*; 2 (*persoon*) oráculo, fuente *v* de información; **-gesprek** entrevista; **-prijs** precio exigido; **-punt** interrogante *m*, incógnita; **-stuk** problema *m*; **-teken** (signo de) interrogación *v*; *een ~ zetten bij iets* poner en duda u.c., plantear un interrogante respecto de u.c.

vraatzucht glotonería, gula, voracidad *v*; **vraatzuchtig** goloso, voraz

vracht 1 (*lading*) carga, cargamento; *het is een hele ~* pesa mucho; 2 (*vrachtwagen vol*) camionada; 3 (*prijs, te water*) flete *m*; 4 (*prijs, te land*) porte *m*, precio de transporte

vracht|auto camión *m*; **-boot** buque *m* de carga, (buque *m*) carguero; **-brief** 1 (*van besteldienst*) carta de porte; 2 (*te water*) conocimiento; 3 (*van trein*) talón *m* ferroviario; **-goed** 1 carga, cargamento; 2 (*per trein*) mercancías *vmv* en pequeña velocidad; **-rijder** camionero; **-schip** *zie: vrachtboot*; **-tarief** tarifa de flete; **-vervoer** transporte *m* de carga; **-vliegtuig** avión *m* de carga; **-wagen** camión *m*

vragen 1 (*informeren*) preguntar; (*ondervragen*) interrogar; *mag ik u iets ~?* ¿puedo preguntarle algo?; *daar vraag je me wat!* ¡vaya pregunta!; *ik moet je iets ~* tengo que hacerte una pregunta; *waarom vraag je me dat?* ¿a qué viene esa pregunta?; *als ik ~ mag* si se puede saber; *laten ~* mandar preguntar; *~ naar* preguntar por; *men vraagt naar u* preguntan por Ud.; (*naar*) *de prijs ~* preguntar el precio; 2 (*verzoeken*) pedir *i*, rogar *ue*, solicitar; *asiel ~* pedir asilo; *een gunst ~* pedir un favor; *wat vraag je ervoor?* ¿cuánto pides?; *dat is toch niet teveel gevraagd* no es mucho pedir; *niemand heeft hem erom gevraagd* nadie le ha rogado que lo hiciera; *hij heeft erom gevraagd* (*het is zijn eigen schuld*) se lo ha buscado; *ten huwelijk ~* pedir la mano de, pedir en matrimonio; 3 (*eisen*) pedir *i*, exigir; *dat vraagt tijd* pide tiempo; *veel ~ van* exigir mucho de; 4 (*uitnodigen*) invitar; *te eten ~* invitar a comer; **vragend** interrogativo; *~ voornaamwoord* pronombre *m* interrogativo; *~ aankijken* mirar interrogativamente; **vragenlijst** cuestionario

vrede paz *v*; *~ op aarde* paz en la tierra; *de ~ bewaren* mantener la paz; *~ sluiten* firmar la paz; *~ stichten* hacer las paces; *ik heb er ~ mee* me conformo con ello; *daar heb ik geen ~ mee* no puedo resignarme a ello; *die in ~ ruste* que en paz descanse; **vredelievend** pacífico; **vrederechter** juez *m,v* de paz

vredes|aanbod oferta de paz; **-duif** paloma de la paz; **-naam**: *in ~* por Dios; **-onderhandelingen** negociaciones *vmv* de paz; **-paleis** Palacio de la Paz; **-pijp** pipa de la paz; **-tijd** tiempo(s) de paz; **-verdrag** tratado de paz; **-voorwaarden** condiciones *vmv* de paz

vredig pacífico, apacible

vreedzaam pacífico

vreemd 1 (*onbekend*) extraño, desconocido; *~e landen* tierras extrañas; *ik ben hier ~* no soy de aquí; *angst is hem ~* el temor le es desconocido; *die gedachte is mij ~* esa idea me es extraña; 2 (*buitenlands*) extranjero; *~e munt* moneda extranjera; *~e taal* idioma *m* extranjero; 3 (*raar*) extraño, raro; *een ~ geval* un caso raro, un caso extraño; *hij gedroeg zich ~* se comportó en forma rara; *~ genoeg* cosa extraña; *het is ~ dat Juan er niet bij is* es extraño que no esté Juan; 4 (*van een ander*) ajeno; *~e ogen* ojos ajenos; 5 (*exotisch*) exótico || *~ gaan* tener aventuras amorosas; **vreemde** 1 (*onbekende*) extraño, -a, desconocido, -a; *dat heeft hij van geen ~* no le viene de lejos, de tal palo tal astilla; 2 (*van elders*) forastero, -a; **vreemdeling**, **vreemdelinge** 1 (*buitenlander*) extranjero, -a *ongewenste ~* extranjero indeseable; 2 *zie: vreemde*

vreemdelingen|dienst servicio de inmigración, servicio de extranjería; **-legioen** legión *v* extranjera; **-politie** policía de extranjeros; **-verkeer** turismo, movimiento turístico

vreemdsoortig singular, exótico, raro

vrees temor *m*, miedo; *~ aanjagen* infundir miedo, intimidar, atemorizar; *geen ~ kennen* no conocer el miedo; *uit ~ voor* por temor a, por miedo a

vreet|partij comilona; **-zak** glotón, -ona, tragón, -ona

vrek avaro; **vrekkig** avariento, avaro

vreselijk terrible, horrible, atroz, horrendo, horroroso; *een ~e heimwee naar* una atroz añoranza de

vreten I *ww* 1 (*mbt dier*) comer; 2 (*mbt personen*) jalar, engullir; 3 (*fig, veel gebruiken*) chupar; *dit apparaat vreet stroom* este aparato chupa corriente; *het vreet aan zijn gezondheid* le chupa la salud; 4 (*vernietigen*) corroer; *roest vreet in het ijzer* la herrumbre corroe el hierro; II *zn* 1 (*vies gerecht*) mala comida, bazofia; 2 (*voor dier*) comida

vreugde alegría; *~ scheppen in* gozar de, regocijarse con; *een reden tot ~* motivo de alegría; *tot mijn grote ~* con gran alegría de mi parte; **vreugdebetoon** júbilo, regocijo, alborozo; **vreugdekreet** grito de alegría

vrezen 1 temer, tener miedo a, tener miedo de; *hij vreesde te worden ontslagen* temía ser despedido; *u hebt niets te ~* no tiene nada que temer; *ik vrees van niet* me temo que no; 2 *~ voor* temer por; *men vreest voor zijn leven* se teme por su vida

vriend 1 amigo; *~ des huizes* amigo de la casa;

hij is een heel goede ~ van me es un gran amigo mío, es muy amigo mío; *hij heeft helemaal geen ~en* carece de amigos; *~en maken* anudar amistades; *~en worden* hacerse amigos; *te ~ houden* seguir *i* siendo amigo de; *beide partijen te ~ houden* encenderle *ie* una vela a San Miguel y otra al diablo; 2 (*partner*) compañero, novio, pareja

vriendelijk 1 (*beminnelijk*) amable, afable; *uw ~e woorden* sus amables palabras; *dat is heel ~ van u* es Ud. muy amable; *wees zo ~ mij te berichten* tenga la bondad de avisarme; *ik verzoek u ~ om* me permito rogarle que; *~ bedankt!* ¡muchas gracias!; *~ zijn voor iem* mostrarse *ue* amable con u.p.; 2 (*mbt gezicht, kamer*) simpático; **vriendelijkheid** amabilidad *v*, bondad *v*

vrienden|dienst servicio de amigo; **-kring** círculo de amigos

vriendin 1 amiga; 2 (*partner*) compañera, novia, pareja; **vriendinnetje** amiguita; (*liefje*) novia

vriendje amiguito; (*liefje*) novio; **vriendjespolitiek** amiguismo, favoritismo, nepotismo, enchufismo

vriendschap amistad *v*; *~ sluiten met* trabar amistad con; *weer ~ sluiten* hacer las amistades; *iems ~ winnen* granjearse la amistad de u.p.; **vriendschappelijk** amistoso, amigable; *~e wedstrijd* (partido) amistoso; **vriendschapsbanden** amarras de la amistad

vries|kist (arcón *m*) congelador *m*; **-punt** punto de congelación; **-weer** tiempo de helada

vriezen helar *ie*; *het vriest hard* hiela fuerte; *het vriest 5 graden* hace 5 grados bajo cero; *de dagen dat het vriest* los días de helada; *'t kan ~ en 't kan dooien* todo es posible

vrij I *bn* 1 (*onbelemmerd*) libre; *~e beroepen* profesiones *vmv* liberales; *~e etage* piso independiente; *~e opgang* entrada independiente; *~e schop* golpe *m* franco; *~e slag* estilo libre; *100 m ~e slag* 100 metros libres; *~e vertaling* traducción *v* libre; *~e wil* libre albedrío; *~ worstelen zn* lucha libre; *ik ben zo ~ om* me tomo la libertad de, me permito; *mag ik zo ~ zijn?* con su permiso; *neem mij niet kwalijk dat ik zo ~ ben* perdóneme el atrevimiento; *het staat u ~ te gaan* es Ud. libre de irse; *het staat ~ van de muur* no toca la pared; *de weg is ~* el camino está libre; *zo ~ als een vogeltje* más libre que un pájaro; *in de ~e natuur* en el campo; *onder de ~e hemel* a la intemperie; 2 *~ van* libre de; *~ zijn van* estar libre de, quedar exento de; *~ van belasting* libre de impuestos; 3 (*vrijmoedig*) desenvuelto; 4 (*gratis*) libre; *toegang ~* entrada libre, entrada gratuita; *~ reizen* viajar gratis; 5 (*onbezet*) libre; *~e tijd* ocio, ratos *mmv* de ocio; *in mijn ~e uren* en mis horas libres, en las horas en que estoy desocupado; *ik ben geen moment ~* no tengo rato mío; *is deze plaats ~?* ¿está libre este asiento?; *~ zijn* (*niet werken*) estar libre; *ik heb nu 2 uur ~* ahora tengo dos horas libres; *ben je vanmiddag ~?* ¿tienes la tarde libre?; *een ~e dag nemen* tomarse un día libre; *~ vragen* pedir *i* un día libre; *ik heb 2 weken ~* tengo dos semanas de vacaciones; II *bw* 1 (*onbelemmerd*) libremente; 2 (*tamelijk*) bastante; *het is ~ warm* hace bastante calor; III *zn*: *in zijn ~ staan* (*mbt auto*) estar desembragado; (*het*) *in de ~ zetten* desbloqueo

vrijaf: *~ geven* dar (un día de) asueto, dar un día libre

vrijblijvend sin compromiso

vrij|brief pase *m*, licencia, salvoconducto; **-buiter** aventurero

vrijdag viernes *m*; *a.s. ~* el viernes (próximo); *Goede ~* Viernes Santo; *~s* los viernes

vrijdenker librepensador *m*

vrijen 1 (*minnekozen*) acariciarse; *~d paartje* pareja haciéndose el amor, pareja dándose el pico; 2 (*naar bed gaan*) hacer el amor, acostarse *ue* (juntos); **vrijer** amante *m*, novio

vrijetijds|besteding ocupación *v* del ocio; **-kleding** ropa de asueto

vrijgeleide salvoconducto

vrijgeven 1 (*van goederen*) levantar la prohibición de, desbloquear; 2 (*van handel*) liberalizar; 3 (*van een lijk*) levantar; 4 *zie: vrijaf*

vrijgevig generoso, liberal, desprendido; **vrijgevigheid** generosidad *v*, liberalidad *v*, desprendimiento

vrijgevochten indisciplinado, rebelde

vrijgezel soltero, -a; **vrijgezellenleven** vida de soltero, soltería

vrijhandel libre cambio, libre comercio; **vrijhandelszone** zona de libre cambio, zona de libre comercio, zona franca

vrijhaven puerto libre, puerto franco

vrijheid libertad *v*; *~ van drukpers* libertad de imprenta, libertad de prensa; *~ van godsdienst* libertad de cultos; *~ van handelen* libertad de acción; *~ van meningsuiting* libertad de expresión; *~ van vergadering* libertad de reunión; *dichterlijke ~* licencia poética; *~ blijheid* ancha es Castilla; *de ~ nemen om* tomarse la libertad de; *zich -heden veroorloven* permitirse libertades; *in ~* en libertad; *in ~ stellen* poner en libertad, libertar; *van zijn ~ beroven* privar de su libertad

vrijheids|beroving privación *v* de libertad; **-drang** ansia de libertad, amor *m* a la independencia; **-liefde** amor *m* a la libertad; **-straffen** penas privativas de libertad; **-strijd** lucha libertadora

vrij|houden 1 (*van tijd*) reservar; *ik houd maandag vrij* reservo el lunes; 2 *iem ~* (*van kosten*) invitar a u.p., convidar a u.p.; 3 (*van pad*) mantener abierto; **-kaartje** entrada de favor, entrada gratuita; **-komen** 1 quedar libre; *er kwam tenslotte een plaats vrij* por fin quedó un sitio libre; 2 (*mbt gevangene*) quedar en libertad, ser puesto en libertad; 3 (*mbt baan*) quedar vacante; 4 (*chem*) ser liberado, quedar libre; **-laten** 1 (*van gevangene*) excarcelar, soltar *ue*, poner en libertad; 2 (*niet bezetten*) dejar libre, dejar sin ocupar; **-loop** marcha en vacío; (*freewheel, op fiets*) piñón *m* libre; **-maken** 1 liberar; *zijn arm* ~ liberar el brazo; 2 (*ruimte maken*) despejar, desocupar; *een stoel* ~ desocupar una silla; *de straat* ~ despejar la calle; *de weg* ~ abrir camino; 3 (*van goederen*) sacar de la aduana; 4 (*chem*) liberar; 5 (*soc*) emancipar; 6 *zich* ~ (*uit bezigheden*) sustraerse a sus ocupaciones; 7 *zich* ~ *van* deshacerse de; *zich* ~ *van een idee* deshacerse de una idea

vrijmetselaar masón *m*, francmasón *m*; **vrijmetselaarsloge** logia francmasónica; **vrijmetselarij** (franc)masonería

vrijmoedig abierto, desenvuelto, directo, franco; **vrijmoedigheid** desenvoltura, franqueza

vrijpleiten (*van*) disculpar (de), exonerar (de); *dit pleit hem vrij van iedere schuld* esto le exonera de toda culpa

vrijpostig descarado, demasiado desenvuelto; **vrijpostigheid** descoco, descaro

vrijspraak absolución *v*; ~ *krijgen* ser absuelto; **vrijspreken** absolver *ue*, pronunciar sentencia absolutoria a favor de

vrijstaan ser permitido, permitirse; *het staat u vrij om te vertrekken* es Ud. libre de irse, se le permite marcharse, tiene Ud. permiso para irse; **vrijstaand** aislado, independiente; ~ *huis* vivienda aislada, chalet *m* independiente; *half* ~ adosado

vrijstellen (*van*) eximir (de), liberar (de), dispensar (de); *-gesteld van belasting* exento de impuestos; *-gesteld worden van militaire dienst* ser eximido del servicio militar; **vrijstelling** exención *v*

vrijster: *oude* ~ solterona

vrijuit libremente, francamente; ~ *gaan* no tener culpa; *niemand gaat* ~ todos están comprometidos, (*fam*) todos están pringados; *volgens mij gaat hij niet* ~ según yo no está libre de culpa

vrijwaren (*tegen, voor*) proteger (de, contra), dejar a salvo (de), guardar (de), preservar (de, contra)

vrijwel casi, prácticamente; *het is* ~ *hetzelfde* es casi lo mismo; *het is* ~ *onmogelijk* es poco menos que imposible; *de jasjes zijn* ~ *gelijk* las chaquetas son casi iguales; *hij was* ~ *klaar* casi había terminado; *er is* ~ *niets over* no queda prácticamente nada

vrijwillig I *bn* voluntario; II *bw* voluntariamente, por (su) propia voluntad, de (su) propio acuerdo; *ik doe het* ~ lo hago por voluntad propia; *zich* ~ *aanbieden* ofrecerse (voluntariamente); **vrijwilliger**, **vrijwilligster** voluntario, -a

vrijzinnig liberal

vroedvrouw partera

vroeg I *bn* temprano; *in de* ~*e morgen* a la mañana temprana, de madrugada; II *bw* temprano, pronto; ~ *of laat* tarde o temprano; ~ *opstaan* madrugar; *wat ben je* ~ *op!* ¡qué madrugador!; *'s morgens* ~ por la mañana temprano; ~ *in de middag* a primeras horas de la tarde; *het is nog te* ~ *om* es temprano para, aún es pronto para; *iets te* ~ algo temprano, algo antes de tiempo, un poco antes de la hora; *de trein was 2 minuten te* ~ el tren llegó dos minutos temprano; *zijn we te* ~*?* ¿hemos venido demasiado pronto?; *hij stierf te* ~ su muerte fue prematura; **vroeger** I *bn* 1 (*eerder*) más temprano; *op een* ~ *uur* a una hora más temprana; 2 (*voorbij*) antiguo, anterior, pasado; *de* ~*e directeur* el ex director; *een* ~*e vriend* un antiguo amigo; *in een* ~*e fase* en una fase anterior; *in* ~ *tijden* en tiempos antiguos, en tiempos pasados; II *bw* 1 (*eerder*) más temprano, más pronto, antes; ~ *of later* más tarde o más temprano; ~ *dan ik dacht* antes de lo que creía; 2 (*in een voorbije tijd*) antes, en otros tiempos; ~ *was dit de eetkamer* antes era éste el comedor; ~ *kwam je altijd eerder* antes solías llegar más temprano; **vroegrijp** precoz; **vroegst**: *op zijn* ~ lo más temprano, lo más pronto; **vroegte**: *in de* ~ de madrugada, muy de mañana; **vroegtijdig** 1 temprano; 2 (*te vroeg*) prematuro, anticipado

vrolijk 1 (*mbt persoon*) alegre; *zich* ~ *maken over* (*lachen om*) reírse *i* de, bromear de, tomar a broma; 2 (*mbt sfeer*) alegre, animado, festivo; *er heerst een* ~*e stemming* hay una atmósfera festiva || *ondanks zijn ziekte werkt hij* ~ *door* a pesar de su enfermedad sigue trabajando como si nada; **vrolijkheid** alegría, animación *v*; (*luidruchtigheid*) alborozo; *het wekte enige* ~ produjo hilaridad

vroom devoto, piadoso; *Lodewijk de Vrome* Luis el Piadoso; *dat blijft voor ons een vrome wens* nos vamos a quedar con las ganas; **vroomheid** devoción *v*, piedad *v*

vrouw 1 mujer *v*; *fatale* ~ mujer fatal; *huiselijke* ~ mujer de su casa; *jonge* ~ mujer joven, joven *v*; *Onze Lieve* ~*e* Nuestra Señora; *oude* ~ vieja, anciana; *publieke* ~ mujer pública; 2 (*echtgenote*) mujer *v*, esposa; *tot* ~ *nemen* tomar por esposa, tomar por mujer; 3 (*bazin*) ama, señora; *de* ~ *des huizes* la señora de la casa; **vrouwelijk** femenino; *het* ~ *geslacht: a*) (*biol*) el sexo femenino; *b*) (*gramm*) el género femenino; ~*e arts* médica; ~*e boer* mujer *v* agricultor; ~*e piloot* mujer *v* piloto; **vrouwelijkheid** femineidad *v*

vrouwen|afdeling 1 (*in ziekenhuis*) pabellón *m* de las mujeres; 2 (*in club*) sección *v* femenina; **-arbeid** trabajo femenino; **-arts** ginecólogo, -a; **-beweging** movimiento feminista, movimiento de mujeres; **-emancipatie** emancipación *v* de la mujer; **-gek** mujeriego, (hombre *m*) faldero; *hij is een* ~ se pirra por las faldas; **-gevangenis** prisión *v* de mujeres; **-hater** misógino; **-heerschappij** matriarcado; **-huis** centro de mujeres, casa de la mujer; **-ja-**

ger tenorio, don Juan *m*; **-kiesrecht** sufragio femenino, voto de las mujeres; **-kliniek** clínica ginecológica; **-koor** coro femenino; **-kwaal** enfermedad *v* de la mujer; **-overschot** excedente *m* de mujeres; **-praat** cotorreo, comadreo; **-studies** estudios de la mujer; **-werk** trabajo de mujeres

vrouwmens mujer *v*, hembra; **vrouwtje** 1 mujercita; 2 (*van dier*) hembra; **vrouwvolk** mujeres *vmv*; (*neg; iron*) mujerío

vrucht 1 (*fruitsoort, fruit*) fruta; *de lekkerste ~ die ik ken* la fruta que más me gusta; *leven van ~en* vivir de fruta; 2 (*één vrucht; fig*) fruto; *de ~ van zijn inspanningen* el fruto de sus esfuerzos; *de kastanje is de ~ van de kastanjeboom* la castaña es el fruto del castaño; *~en afwerpen* dar frutos; *de ~en plukken van* coger el fruto de; *aan de ~en kent men de boom* por los frutos se conoce el árbol; *met ~* con éxito

vrucht|afdrijvend: *~ middel* abortivo; **-afdrijving** aborto

vruchtbaar fértil, fecundo; (*fig ook:*) fructífero; *-bare aarde* (*fig*) terreno abonado; *een -bare dag* un día fructífero; *-bare grond* tierra fértil; *~ schrijver* autor *m* fecundo, autor *m* prolífico; *~ maken* fertilizar; **vruchtbaarheid** fertilidad *v*, fecundidad *v*

vrucht|beginsel ovario; **-boom** (árbol *m*) frutal *m*

vruchtdragend fructífero

vruchteloos infructuoso

vruchten|bowl (*vglbaar:*) cap *m* de frutas; **-gebak** tarta de frutas; **-gelei** jalea (de fruta); **-ijs** helado de frutas; **-schaal** frutero; **-sla** ensalada de frutas; **-suiker** azúcar *m* de fruta

vruchte|pers exprimidor *m* (de frutas); **-sap** zumo de fruta, jugo de fruta

vrucht|gebruik usufructo; *levenslang ~* usufructo vitalicio; **-vlees** pulpa, carne *v*; **-water** agua del amnios; *het ~ verliezen* romper aguas

V.S. *Verenigde Staten* Estados Unidos; *afk* EEUU

V-snaar correa en V; **V-teken** uve *v* (de la victoria)

vuig sórdido, vil, ruin

vuil I *bn* 1 sucio; (*van persoon ook:*) puerco; (*armoedig en vies*) sórdido, cutre; (*vettig*) mugriento; *~e handen* las manos sucias; *~e was* ropa sucia; *het ~e werk* el trabajo sucio; *een ~ zaakje* un asunto sucio, un negocio sucio; *~ maken* ensuciar; 2 (*mbt taal*) sucio, obsceno, soez; 3 (*gemeen*) vil, abyecto; *~e streek* mala jugada, mala pasada, guarrada, trastada, canallada, cochinada; II *bw* de modo sucio; *~ aankijken* echar una mirada llena de odio; III *zn* suciedad *v*, porquería, cochambre *v*; *dat stuk ~!* ¡esa basura!; *iem als oud ~ behandelen* tratar a u.p. como una basura

vuilbek malhablado; **vuilbekkerij** porquerías *vmv*, guarrerías *vmv*, obscenidades *vmv*

vuiligheid suciedad *v*, cochambre *v*; (*drek*) mierda

vuilmaken ensuciar; *welnu, ik zal er geen woorden aan ~* bueno, no gastaré saliva en balde

vuilnis basura; *~ ophalen* recoger basuras

vuilnis|auto camión *m* de la basura; **-bak** cuba de la basura; **-belt** basurero, vertedero; **-emmer** cubo de la basura; **-hoop** *zie: vuilnisbelt*; **-kar** carro basurero; **-man** basurero; **-stortplaats** vertedero de basuras; **-zak** bolsa de basura

vuilophaaldienst servicio de limpieza, servicio de recogida de las basuras domiciliarias

vuiltje mota, partícula de polvo; *er is geen ~ aan de lucht* no hay ni una nube

vuil|verbranding quema de basuras, incineración *v* de basuras; **-verwerking** aprovechamiento de basuras

vuist puño; *de ~en ballen* apretar *ie* los puños; *een ~ maken* (*fig*) hacerse fuerte, imponerse; *met ijzeren ~* con mano de hierro; *met de ~ op tafel slaan* dar un puñetazo en la mesa; *met zijn ~ zwaaien* blandir el puño en el aire; *op de ~ gaan* liarse *í* a puñetazos; *voor de ~ weg vertellen* contar *ue* a la pata la llana; **vuistje** puñito; *lachen in zijn ~* reírse *i* para sus adentros, reírse *i* para su capote; *uit het ~ eten* comer con las manos; **vuistregel** regla de tres; **vuistslag** puñetazo

vulcaniseren vulcanizar

vuldop tapón *m* de llenado, tapón *m* para llenar

vulgair vulgar; (*fam*) cutre

vulkaan volcán *m*; **vulkaanas** cenizas *vmv* volcánicas; **vulkaanuitbarsting** erupción *v* de un volcán; **vulkanisch** volcánico

vullen 1 llenar; *~ met water* llenar de agua; *haar ogen vulden zich met tranen* se le llenaron los ojos de lágrimas; 2 (*opvullen*) rellenar; *gevulde paprika's* pimientos rellenos; 3 (*van kies*) empastar, rellenar; 4 (*van pen, aansteker*) cargar; 5 (*van kussens*) acolchar; **vulling** 1 relleno; 2 (*van kies*) empaste *m*, relleno dental; 3 (*van pen, gasfles*) recambio, carga; (*van pen, ook:*) cartucho (de recambio)

vul|opening boca de carga; **-pen** estilográfica; **-potlood** portaminas *m*, lápiz *m* estilográfico; (*repeteerpotlood*) lapicero de presión

vunzig mohoso; *~ ruiken* oler *ue* a cerrado

vurehout pino (común)

1 vuren I *ww* tirar, disparar, hacer fuego; *~ op* tirar contra; II *zn* fuego; *staakt het ~* alto el fuego

2 vuren *bn* de pino

vurig ardiente, fogoso; (*fig ook:*) fervoroso, ferviente; *een ~ bewonderaar* un admirador ferviente; *een ~e blik* una mirada fogosa; *de ~e wens* el fervoroso deseo; *~ verlangen naar* ansiar; **vurigheid** fervor *m*, fogosidad *v*

v.u.t. *vervroegde uittreding* (*vglbaar:*) (régimen *m* de) retiro anticipado; **vutter** beneficiario del régimen de retiro anticipado

vuur fuego; (*fig ook:*) ardor *m*, fervor *m*, ímpetu *m*, brío; *jeugdig* ~ ardor juvenil; *vol* ~ con fervor, con ardor; *het* ~ *aanmaken* encender *ie* el fuego, hacer lumbre; *iem het* ~ *na aan de schenen leggen* poner a u.p., el puñal en el pecho; *zich het* ~ *uit de sloffen lopen* desvivirse; *het* ~ *openen* romper el fuego; *haar ogen schoten* ~ echaba fuego por los ojos; ~ *spuwen* echar chispas; ~ *vragen* pedir *i* lumbre, pedir *i* fuego; *hij gaat voor u door het* ~ es capaz de llegar hasta el infierno por Ud.; *in het* ~ *gooien* echar al fuego; *in* ~ *en vlam raken* entusiasmarse, enardecerse; *in* ~ *en vlam zetten* hacer arder; *in het* ~ *van het gesprek* en el calor de la discusión; *met* ~ *spelen* jugar *ue* con fuego; *met veel* ~ *spreken* hablar con gran fervor; *op het* ~ *zetten* poner al fuego; *op een zacht* ~ a fuego lento; *te* ~ *en te zwaard* a sangre y fuego; *tussen twee vuren* entre la espada y la pared; *ik heb wel voor heter vuren gestaan* me he visto en peores, con más gordas me he visto

vuur|bestendig a prueba de fuego, resistente al fuego, ininflamable; **-doop** bautismo de fuego; **-gevecht** tiroteo; **-gloed** resplandor *m*; **-haard** foco del incendio; **-linie** línea de tiro; **-pijl** cohete *m*; *de klap op de* ~ la apoteosis, el gran remate, el broche de oro; **-proef** prueba del fuego; *hij heeft de* ~ *doorstaan* ha pasado por las horcas caudinas; **-rood** encarnado, rojo encendido; *hij werd* ~ se puso encarnado; ~ *haar* pelo rojo; **-spuwen** (*fig*) echar sapos y culebras; **-spuwend** que vomita fuego; ~*e berg* volcán *m*; **-steen** pedernal *m*

vuurtje fuego, lumbre *v*; *kunt u mij een* ~ *geven?* ¿me da Ud. fuego?; *als een lopend* ~ como un reguero de pólvora

vuurtoren faro; **vuurtorenwachter** torrero de faro

vuurvast refractario; ~*e baksteen* ladrillo refractario; ~*e schaal* recipiente *m* de barro refractario

vuur|vreter 1 (*op kermis*) tragafuegos *m*, comedor *m* de fuego; 2 (*agressief mens*) matón *m*, perdonavidas *m*, bravucón *m*; **-wapen** arma de fuego; **-werk** fuegos *mmv* artificiales; ~ *afsteken* quemar fuegos artificiales; **-zee** mar *m* de fuego; **-zuil** columna de fuego

V.V.V. *Vereniging voor vreemdelingenverkeer* oficina de turismo

v.w.o. *voorbereidend wetenschappelijk onderwijs* enseñanza secundaria preuniversitaria; (*vglbaar:*) B.U.P. + C.O.U.

w.a. *wettelijke aansprakelijkheid* responsabilidad *v* civil

waadvogel ave *v* zancuda

waag 1 casa de las pesas; 2 *zie: waagstuk*

waaghals atrevido, -a; **waaghalzerij** atrevimiento, audacia, arrojo

waag|schaal: *in de* ~ *stellen* arriesgar, jugarse *ue*, poner en juego; **-stuk** aventura, empresa arriesgada

waaien hacer viento; *het waait hard* hace mucho viento; *de wind waait uit het westen* el viento sopla del oeste || *laat de boel maar* ~ déjalo, no te preocupes

waaier abanico; (*groter:*) pericón *m*; **waaierpalm** latania

waakhond perro guardián

waaks *zie: waakzaam*

waakvlam llama piloto

waakzaam alerta, atento, vigilante; ~ *blijven* mantenerse vigilante; **waakzaamheid** vigilancia; *uiterste* ~ suprema vigilancia; *aan de* ~ *ontsnappen* burlar la vigilancia

Waal 1 (*Belg*) valón *m*; 2 (*aardr*): *de* ~ el (río) Waal; **Waals** valón *-ona*; **Waalse** valona

waan ilusión *m*, alucinación *v*, delirio; *iem in de* ~ *brengen dat* hacer creer a u.p. que; *iem in de* ~ *laten dat* dejar a u.p. en el error de que; *in de* ~ *verkeren dat* vivir en la ilusión de que; *iem uit de* ~ *helpen* desengañar a u.p.; **waandenkbeeld** idea falsa, idea fija; **waanvoorstelling** alucinación *v*; **waanwijs** presumido, pagado de sí mismo, pedante

waanzin locura, enajenación *v* mental; *het zou* ~ *zijn* sería un disparate, sería un contrasentido; *in een vlaag van* ~ en una ráfaga de locura, en un estado de enajenación; **waanzinnig** 1 (*med*) insano, loco; 2 (*zeer dwaas*) loco, descabellado; *een* ~*e prijsverhoging* una loca subida de los precios; **waanzinnige** loco, -a, alienado, -a; *Johanna de* ~ Juana la Loca

1 waar *zn* género, géneros *mmv*, mercancías *vmv*

2 waar *bn* verdadero; *het is* ~ es verdad, es cierto; *een* ~ *genot* un auténtico gozo; *echt* ~ como lo oye(s); *niet* ~? ¿verdad?, ¿no?; *het is toch niet* ~! ¡no me lo creo!, ¡no puede ser!; *dat is* ~ *ook* ... a propósito ...; *dat is* ~ *ook!* ¡claro!, ¡tienes razón!; *zo* ~ *ik hier sta* aquí donde me ve; *er zit iets* ~*s in* contiene un elemento de verdad; *dat is je ware* mejor no hay; *op ware grootte* (de) tamaño natural; ~ *maken* probar *ue*, demostrar *ue*; *zich* ~ *maken* dar prueba de sus aptitudes

3 waar *bw* donde; *~?* ¿dónde?; *~ was ik?* ¿por dónde iba?; *~ dan ook* dondequiera; *~ ook ter wereld* en cualquier parte del mundo; *~ ga je naar toe?* ¿(a)dónde vas?
waaraan I *vrag vnw* ¿a qué?; *~ heb ik dat te danken?* ¿a qué lo debo?; *~ denk je?* ¿en qué piensas?; II *betr vnw* a que; *de proef ~ ik werd onderworpen* la prueba a que fui sometido
waarachtig I *bn* verdadero, veraz, verídico; II *bw* verdaderamente, efectivamente; *~, hij weet het* ¡cuidado que lo sabe!; *ik weet het ~ niet* te aseguro que no lo sé
waarbij I *vrag vnw* ¿en qué?, ¿cerca de qué?; *zie ook: bij*; II *betr vnw* cerca de que; *~ men moet bedenken dat* teniendo en cuenta que; *~ nog komt dat* a lo que hay que añadir que; *~ vergeleken* en comparación con lo cual
waarborg 1 (*som*) garantía, fianza; *een ~ stellen* dar fianza; 2 (*persoon*) garante *m,v*, fiador, -ora; **waarborgen** (*tegen*) garantizar (contra)
waarborg|kaart (*Belg*) tarjeta de garantía; **-som** *zie: waarborg*
1 waard mesonero; *zoals de ~ is vertrouwt hij zijn gasten* cree el ladrón que todos son de su condición, cree el fraile que todos son de su aire; *buiten de ~ rekenen* no contar *ue* con los huéspedes
2 waard: *~ zijn* valer; *het is de moeite ~* vale la pena, merece la pena; *ik ben vandaag niets ~* hoy estoy hecho una calamidad; *veel ~ zijn* valer mucho; *het is niet veel ~* no vale gran cosa || *~e vriend, (in brief)* estimado amigo:
waarde valor *m*; *~ hechten aan* conceder valor a, atribuir importancia a; *goud behoudt zijn ~* el oro conserva siempre su valor; *in ~ verminderen* disminuir en valor; *zending met aangegeven ~* remesa por valor declarado; *op zijn juiste ~ schatten* apreciar en su justo valor; *ter ~ van* con un valor de, por valor de; *van onschatbare ~* de valor inestimable; **waardebon** vale *m*, bono; **waardeloos** sin valor; *dat is ~* no vale nada
waarde|oordeel juicio de valor; **-papieren 1** (*effecten*) valores *mmv*, títulos; 2 (*geld*) billetes *mmv* de banco
waarderen 1 (*op prijs stellen*) apreciar, estimar; *weten te ~* saber apreciar; *het is te ~* es apreciable, es estimable; 2 (*taxeren*) evaluar *ú*, valorar, estimar, justipreciar; *~ op* tasar en, valorar en; 3 (*een cijfer geven*) calificar; **waarderend** apreciativo; **waardering 1** (*achting*) aprecio, estima, estimación *v*; 2 (*waardebepaling*) valoración *v*, estimación *v*, evaluación *v*, tasación *v*
waarde|vast 1 estable; 2 (*mbt pensioen*) revalorado periódicamente; **-vermeerdering** aumento de valor; **-vermindering** disminución *v* de valor; **-vol** valioso
waardig digno; *een betere zaak ~* digno de mejor causa; **waardigheid** dignidad *v*; *dat is beneden mijn ~* es incompatible con mi dignidad

waardin mesonera
waardoor I *vrag vnw* ¿por qué?, ¿a causa de qué?; II *betr vnw* por lo que, por lo cual, por el que; *...~ het niet mogelijk is* ...por lo cual no es posible; *de straat ~ de tram rijdt* la calle por la que pasa el tranvía
waarheen I *vrag vnw* ¿(a)dónde?; II *betr vnw* (a)donde; *~ men ook keek* dondequiera que se mirase
waarheid verdad *v*; *een ~ als een koe* una verdad como un templo, una verdad de manual; *een halve ~* una verdad a medias; *de ~ ligt in het midden* la verdad está en el justo medio; *de ~ spreken* decir la verdad; *iem flink de ~ zeggen* desahogarse con u.p.; *ik zal hem eens flink de ~ zeggen* ya le diré yo cuatro verdades; *de ~ te kort doen* faltar a la verdad; *om de ~ niet te kort te doen* en honor a la verdad, en obsequio a la verdad; *zonder de ~ te kort te willen doen* sin menoscabo de la verdad, sin perjuicio de la verdad; *om de ~ te zeggen* para decir (la) verdad, si he de decir la verdad; *om te voorkomen dat hij achter de ~ komt* para evitar que por el hilo saque el ovillo; *naar ~* de acuerdo a la verdad; **waarheidsgetrouw** verídico, fiel
waarin I *vrag vnw* ¿en qué?; II *betr vnw* en (el) que; *de films ~ zij speelt* las películas en las que actúa
waarlijk realmente, verdaderamente; *zo ~ helpe mij God almachtig* ¡así me asista Dios todopoderoso!
waarmee I *vrag vnw* ¿con qué?; II *betr vnw* con (el) que, con lo que; *~ ik maar wil zeggen ...* con lo que quiero decir ...
waarmerken autenticar, certificar; *gewaarmerkt afschrift* copia autenticada, copia certificada
waarna I *vrag vnw* después de qué?; II *betr vnw* después de lo cual
waarnaar I *vrag vnw* ¿qué?, ¿a qué?; *~ kijk je?* ¿qué miras?; *~ smaakt het?* ¿a qué sabe?; *~ zoek je?* ¿qué buscas?; *zie ook: waarheen*; II *betr vnw* que, a que, al que; *de rivier ~ ik kijk* el río que miro; *het huis ~ hij zich begaf* la casa a la que se dirigía
waarneembaar perceptible; **waarneemster** (*vervangster*) suplente *v*; **waarnemen 1** (*zien*) observar, notar; 2 (*van belangen*) defender *ie*; 3 (*van ambt; vervullen*) cumplir, desempeñar; *een zaak ~* administrar un negocio; *een taak tijdelijk ~* encargarse temporalmente de una tarea; 4 *voor iem ~* suplir a u.p., sustituir a u.p., reemplazar a u.p.; 5 (*van kans*) aprovechar; **waarnemend** suplente, interino; *~ burgemeester* alcalde *m* accidental; *~ consul* encargado de las funciones consulares; **waarnemer 1** (*beschouwer*) observador *m*; *een scherp ~* un observador penetrante, un agudo observador; 2 (*vervanger*) suplente *m*; **waarneming 1** (*het opmerken*) observación *v*; 2 (*tijdelijk werk*) suplencia, sustitución *v*
waar|om I *vrag vnw* ¿por qué?; *~ in hemels-*

naam? ¿a santo de qué?; II *betr vnw* por (el) que; *de reden ~ hij het deed* el motivo por el cual lo hizo; **-onder** I *vrag vnw* ¿debajo de qué?; II *betr vnw* 1 debajo del cual; 2 (*temidden van wie*) entre los que; **-op** I *vrag vnw* ¿en qué?, ¿sobre qué?, ¿encima de qué?; *~ wacht je?* ¿qué esperas?; II *betr vnw* en (el) que; *~ hij antwoordde* a lo que contestó; **-over** I *vrag vnw* ¿sobre qué?; *~ gaat het?* de qué se trata?; *~ spraken zij?* ¿de qué hablaban?; II *betr vnw* sobre lo cual, sobre el cual; *de wegen ~ wij liepen* los caminos por los que íbamos

waarschijnlijk probable, verosímil; **waarschijnlijkheid** probabilidad *v*, verosimilitud *v*

waarschuwen 1 (*berichten*) avisar; 2 ~ (*voor*) prevenir (contra, en contra de), advertir *ie, i* (de); *een gewaarschuwd mens telt voor twee* hombre prevenido vale por dos; *~de stem* voz *v* admonitoria; **waarschuwing** prevención *v*, advertencia, aviso; (*sp*) amonestación *v*; **waarschuwingsteken** señal *v* preventiva

waar|tegen I *vrag vnw* ¿contra qué?; II *betr vnw* contra el cual, contra el que; *de motie ~ je stemt* la moción contra la cual votas; **-toe** I *vrag vnw* ¿para qué?, ¿con qué fin?; II *betr vnw* para lo que, para el que, a que, al que, a lo que; *~ dan ook* para lo que sea; *de familie ~ ik behoor* la familia a la que pertenezco; **-uit** I *vrag vnw* ¿de qué?; *~ bestaat het?* ¿en qué consiste?; II *betr vnw* de que, del que, de lo que; *~ blijkt dat ...* de lo que se desprende que ...; **-van** I *vrag vnw* ¿de qué?; II *betr vnw* de que, del que, de lo que, cuyo; *een onderwerp ~ ik weinig weet* un asunto del que sé poco; *een land ~ ik de taal niet spreek* un país cuya lengua no hablo; **-vandaan** I *vrag vnw* ¿de dónde?, ¿desde dónde?; II *betr vnw* de donde, desde donde; **-voor** I *vrag vnw* 1 ¿para qué?; *~ heb je het nodig?* ¿para qué lo necesitas?; *zie ook: waartoe*; 2 (*van plaats*) ¿delante de qué?; II *betr vnw* 1 *zie: waartoe*; 2 (*van plaats*) delante del cual

waarzeggen decir la buena ventura; **waarzegger** adivino, adivinador *m* del porvenir; **waarzegster** pitonisa, adivina, echadora de cartas

waas 1 (*nevel*) neblina, velo; 2 (*vernisje; fig*) barniz *m*

wacht 1 (*één persoon*) guarda *m*; (*mil*) centinela *m*; 2 (*meer personen; het wacht houden*) guardia; *de ~ hebben* (*dienst hebben*) estar de guardia; *op ~ staan, de ~ houden* hacer guardia, hacer la imaginaria; *officier van de ~* oficial *m* de guardia || *in de ~ slepen* acaparar, llevarse; **wachten** I *ww* 1 esperar, aguardar; *wacht even!* ¡espérate!, ¡espera un momento!; *je hebt me twee uur laten ~* me has tenido esperando dos horas, (*fam*) me has tenido de plantón dos horas; *de verbeteringen laten op zich ~* las mejoras se hacen esperar; *dan kun je lang ~!* podrás esperar sentado; *omdat ze zo lang gewacht hadden met* por haber tardado tanto en; *ze wachtten even met antwoorden* demoraba la respuesta; *wacht daar maar even mee* déjalo para luego; *er stond iem op haar te ~* alguien la estaba esperando; *de strijd die ons te ~ staat* la lucha que tenemos por delante; *wat staat hen te ~?* ¿qué les aguarda?, ¿qué les espera?; *ik wachtte tot het zou beginnen* esperaba a que empezara, esperaba hasta que empezara; 2 *zich ~ voor* guardarse de; II *zn* espera; *het ~ korten met lezen* matar la espera leyendo; *het ~ moe* cansado de esperar; *het ~ maakt hem nerveus* la espera le pone nervioso; **wachter** guarda *m*, vigilante *m*

wacht|geld cesantía; *op ~ stellen* dejar cesante; **-huisje** 1 (*van schildwacht*) garita (de centinela); 2 (*van bus*) abrigo (de alto de autobús), marquesina; **-kamer** sala de espera; **-lijst** lista de espera; **-post** centinela *m*; **-woord** contraseña, consigna, santo y seña *m*

wad estuario, marisma; **waden** vadear

wafel barquillo, gofre *m* || *hou je ~!* ¡cállate!, ¡cierra el pico!

1 wagen *ww* atreverse a, aventurarse a, arriesgarse a, tener la osadía de; *zijn leven ~* arriesgar la vida; *wie niet waagt die niet wint* el que no se arriesga no pasa el río

2 wagen *zn* 1 (*rijtuig, auto*) coche *m*; 2 (*kar*) carro; 3 (*voertuig*) vehículo; 4 (*van trein*) vagón *m*; 5 (*op twee wielen*) carreta; 6 (*van schrijfmachine*) carro

wagenpark flota de vehículos

wagentje 1 (*in supermarkt*) carrito; 2 (*wandelwagen*) cochecito

wagenziek mareado; **wagenziekte** mareo

waggelen 1 (*wankelen*) tambalear, andar tambaleándose; (*mbt dronkeman ook:*) hacer eses; 2 (*mbt eend*) anadear; 3 (*als een eend*) andar como un pato

wagon vagón *m*

wak agujero en el hielo

waken I *ww* 1 velar, vigilar; *de hele nacht ~* pasar la noche en vela; *~ bij de zieke* velar al enfermo; 2 ~ *over, voor* velar por; 3 *ervoor ~ dat* cuidar de que; 4 ~ *tegen* guardarse contra; II *zn* vigilia; **wakend**: *een ~ oog houden op iets* vigilar u.c., seguir *i* de cerca u.c.

wakker despierto; *~ blijven* seguir *i* despierto, velar; *hij besloot ~ te blijven* decidió no dejarse vencer por el sueño; *het idee hield hem ~* la idea le tenía sin dormir, la idea le tenía desvelado; *daar zal ik niet van ~ liggen* me tiene sin cuidado; *~ maken* despertar *ie*; *~ roepen* (*fig*) evocar, despertar *ie*; *hij schrok ~* se despertó asustado; *iem ~ schudden* (*fig*) incitar a u.p. a la actividad

wal 1 (*van vesting*) muralla; 2 (*oever*) orilla, tierra; *aan de ~* en tierra; *aan ~ brengen: a*) llevar a tierra, desembarcar; *b*) (*uitladen*) descargar; *aan lager ~ raken* venir a menos; *tussen ~ en schip* entre mar y tierra, entre Pinto y Valdemoro; *van de ~ in de sloot raken* salir de las llamas y caer en las brasas, salir de Guate-

mala y entrar en Guatepeor; *steek maar van ~!* bueno ¡desembucha!, ¡adelante!; 3 (*kade*) muelle *m*; 4 (*onder ogen*) bolsa, ojera
Wales Gales *v*
walgelijk nauseabundo, repugnante, estomagante; **walgen**: *~ van* aborrecer, tener asco de; *ik walg ervan* lo aborrezco, me da asco, me asquea; *ik walg van die zaak* estoy asqueado de ese asunto, me repugna ese asunto; **walging** repugnancia, náuseas *vmv*, hastío
walkie-talkie radioteléfono portátil
walkman walkman *m*
walletje: *de ~s* (*vglbaar:*) el barrio rojo; (*in Barcelona*) el barrio chino; *van twee ~s eten* poner una vela a Dios y otra al diablo, nadar entre dos aguas
walm vaho, tufo, humo espeso; **walmen** humear, echar humo, echar un humo espeso
1 wals (*dans*) vals *m*
2 wals (*techn*) apisonadora, (máquina) laminadora, cilindro de caminos
1 walsen (*dansen*) bailar el vals, valsar
2 walsen (*van ijzer, weg*) laminar, apisonar
walsmaat compás *m* de vals
walvis ballena
walvis|spek grasa de ballena; **-traan** aceite *m* de ballena; **-vaarder** ballenero; **-vangst** pesca de ballenas
wan|begrip malentendido, falsa idea; **-beheer**, **-beleid** mala gestión *v*, mala administración *v*; **-betaler** moroso, mal pagador, retardatario; **-betaling** falta de pago, incumplimiento de pago
wand 1 pared *v*; (*gemetseld*) tapia; (*schot*) mampara; *~ van borstkas* pared torácica; *~ van de maag* pared estomacal; *een glazen ~* mampara de cristal; 2 (*bergwand*) cara; *de noordelijke ~* la cara norte
wandaad desmán *m*; (*sterker:*) delito, crimen *m*
wandel: *aan de ~ zijn* estar de paseo; *handel en ~* conducta, comportamiento; **wandelaar**, **wandelaarster** caminante *m,v*, paseante *m,v*; *hij is een flinke ~* es gran caminador *m*, es un buen andarín; **wandelen** pasearse; *gaan ~* ir de paseo, salir a darse un paseo; *zomaar wat ~* pasear al desgaire; *met de hond ~* pasear al perro; **wandelend** ambulante, errante; *de ~e jood* el judío errante; *~e nier* riñón *m* flotante; *~e tak* rama andante
wandelgang pasillo; *gesprekken in de ~en* charlas de pasillo; **wandelgebied** (*in stadscentrum*) isla de peatones, zona peatonal; **wandeling** paseo; (*langer:*) caminata; *in de ~* comúnmente
wandel|kaart mapa *m* topográfico a escala reducida; **-kostuum** traje *m* de calle; **-pad** camino (de peatones); **-schoenen** zapatos para andar; **-sport** pedestrismo; **-stok** bastón *m*; **-tocht** excursión *v* a pie, caminata, viaje *m* a pie; **-wagentje** coche silla *m, mv coches silla*, cochecito
wand|kleed tapiz *m*; **-luis** chinche *m,v*; **-meubel** estantería; **-schildering** mural *m*
wang mejilla; *gloeiende ~en* mejillas acaloradas
wan|gedrag mala conducta; **-gedrocht** esperpento, espeluzno
wanhoop desesperación *v*, desesperanza; *met de moed der ~* a la desesperada; **wanhopen** (*aan*) desesperar (de); **wanhopig** 1 desesperado; *soms word ik er ~ van* a veces me desespero; 2 (*wanhopig makend*) desesperante; *een ~e situatie* una situación desesperante
wankel inestable, tambaleante; (*van stoel ook:*) cojo, desvencijado; **wankelen** 1 tambalearse; *de regering wankelt* el gabinete se tambalea; 2 (*weifelen*) vacilar, titubear; *dit bracht mij aan het ~* me hizo vacilar, me hizo flaquear; **wankelmoedig** vacilante, titubeante, irresoluto, indeciso
wanklank disonancia
wanneer I *bw* ¿cuándo?; II *vw* 1 (*van tijd*) cuando, como; *~ dan ook* cuandoquiera; *~ je maar wilt* cuando quieras; 2 (*indien*) si
wanorde desorden *m*, desarreglo; *in ~ brengen* desordenar, desarreglar; **wanordelijk** desordenado, sin orden ni concierto, desarreglado; **wanordelijkheden** disturbios, desórdenes *mmv*
wan|prestatie incumplimiento; **-smaak** mal gusto
1 want (*soort handschoen*) manopla
2 want (*touwwerk*) aparejo, jarcia
3 want *vw* porque, pues
wanten: *hij weet van ~* sabe coger el toro por los cuernos, ya sabe cómo arreglárselas
wantoestand abuso
wantrouwen I *ww* desconfiar *í* de, recelarse de; II *zn* desconfianza, recelo; **wantrouwend**, **wantrouwig** desconfiado, receloso; *~ aankijken* mirar con recelo
wanverhouding desproporción *v*, incongruencia
W.A.O. *Wet op de Arbeidsongeschiktheidsverzekering* ley *v* sobre el seguro de incapacidad laboral
wapen 1 arma; *de ~s neerleggen* abandonar las armas; *naar de ~s grijpen* tomar las armas; *onder de ~s blijven* permanecer bajo las armas, permanecer en filas; *onder de ~s brengen* poner bajo las armas; *onder de ~s komen* entrar en servicio activo; *onder de ~s roepen* llamar a filas; 2 (*wapenschild*) escudo (de armas); 3 (*legertak*) arma
wapen|beheersing control *m* de armas; **-bezit** tenencia de armas; *ongeoorloofd ~* tenencia ilícita de armas; **-depot** depósito de armas
wapenen armar; *zich ~ tegen* armarse contra; *gewapend beton* hormigón *m* armado
wapen|feit hazaña; **-handel** tráfico de armas; **-handelaar** traficante *m* de armas
wapen|industrie industria de armamentos; **-leveranties** ayuda en armamento; **-rusting**

armadura; **-schild** *zie: wapen*; **-smokkel** contrabando de armas; **-stilstand** armisticio, tregua; **-vergunning** licencia de armas; **-voorraad** arsenal *m*; **-wedloop** carrera armamentista
wapperen ondear (al viento), flamear
war: *in de ~ brengen, maken: a*) (*van bed*) desarreglar, deshacer; *b*) (*van haar*) despeinar, desordenar; *c*) (*van persoon*) desconcertar *ie*, despistar, confundir, perturbar; *in de ~ raken: a*) (*mbt persoon*) confundirse, aturdirse, aturullarse; *b*) (*geestelijk:*) trastornarse; *c*) (*mbt garen*) enredarse; *d*) (*mbt haar*) despeinarse; *alles liep in de ~* todo iba mal, todo salía mal; *dit stuurt mijn plan in de ~* esto perturba mis planes, esto echa por tierra mis proyectos; *in de ~ zijn: a*) (*mbt persoon*) estar confuso, estar despistado, estar desorientado, estar desconcertado; *b*) (*geestelijk:*) estar trastornado; *c*) (*mbt draden*) haberse enredado; *d*) (*mbt haar*) estar despeinado; *zijn haar zit in de ~* tiene la cabeza despeinada, tiene el pelo desordenado; **warboel** confusión *v*, desorden *m*, caos *m*, barullo
ware: *als het ~* como si fuera, por así decirlo
waren géneros, mercancías; **warenhuis** almacén *m*
warhoofd cabeza de chorlito
warm 1 caliente; *een ~e dag* un día de calor; *het ~e eten* la comida caliente; *~ aanbevelen* recomendar *ie* sinceramente; *het weer blijft ~* sigue haciendo calor; *soep blijft lang ~* la sopa conserva mucho tiempo el calor; *~ eten* comer caliente; *het ~ hebben* tener calor; *iets ~ houden* mantener al calor, no dejar enfriar; *het is erg ~* hace mucho calor; *het ~ krijgen* entrar en calor; *~ maken* calentar *ie*; *iem voor iets ~ maken* infundir entusiasmo a u.p. por u.c., hacer a u.p. entusiasta de u.c.; 2 (*mbt klimaat; fig*) caluroso, cálido; *een ~ voorstander van* un vivo partidario de; *~e woorden* calurosas palabras, cálidas palabras; 3 (*mbt kleren*) de abrigo; *~e kleding* ropa de abrigo; **warmen** calentar *ie*; **warming-up** calentamiento; **warmlopen** 1 (*techn*) (re)calentarse *ie*; 2 *~ voor* entusiasmarse con; **warmpjes**: *er ~ bijzitten* tener el riñón bien cubierto; **warmte** calor *m*
warmte|bestendig resistente al calor; **-bron** fuente *v* de calor; **-front** frente *m* cálido; **-geleiding** conductividad *v* térmica; **-isolatie** aislamiento térmico; **-toevoer** suministro de calor; **-uitstraling** (ir)radiación *v* calorífica
warmwaterkraan grifo del agua caliente
warnet laberinto
warrelen dar vueltas, arremolinarse
warrig confuso, incoherente, embrollado
wars: *~ van* contrario a, refractario a; *~ zijn van* tener aversión a
wartaal (*verward betoog*) galimatías; (*onzin*) desvaríos *mmv*; *~ spreken* desvariar *í*, delirar, disparatar
1 was (*van bijen*) cera; *in de ~ zetten* dar cera a, encerar || *goed in de slappe ~ zitten* tener pasta
2 was (*stijging*) crecida
3 was 1 (*het wassen*) lavada, lavado, colada; *de ~ doen* lavar la ropa, hacer la colada; *de ~ drogen* secar la lavada; *in de ~ doen* echar a la colada; 2 (*wasgoed*) ropa; *schone ~* ropa limpia; *vuile ~* ropa sucia; *de vuile ~ buiten hangen* sacar los trapos a relucir; *je moet de vuile ~ niet buiten hangen* la ropa sucia se lava en casa; *de ~ ophangen* tender *ie* la ropa
wasachtig ceroso
wasautomaat lavadora automática
wasbaar lavable
was|bak *zie: wastafel*; **-benzine** gasolina refinada, gasolina para limpiar; **-dag** día *m* de la colada; **-droger** secadora; **-echt** resistente al lavado; (*mbt kleur ook:*) fijo
wasem vaho, vapor *m*; **wasemen** humear; **wasemkap** campana de humo, campana extractora
was|goed ropa; *zie ook: was*; **-handje** manopla (para lavarse), manguito; **-kaars** vela de cera; **-knijper** pinza; **-lijn** cuerda de tender ropa; **-machine** (máquina) lavadora; **-middel** detergente *m*; **-poeder** detergente *m*, polvo para lavar; **-rek** tendedero
1 wassen 1 lavar; *zich ~* lavarse; 2 (*van kaarten*) barajar
2 wassen (*groeien*) crecer; *~de maan* luna creciente
3 wassen *bn* de cera; *~ beeld* figura de cera || *dat is een ~ neus* es pura formalidad
wassenbeeldenmuseum museo de cera
wasserette lavandería automática; **wasserij** lavandería
was|tafel lavabo; **-tobbe** tina; **-verzachter** suavizador *m*, suavizante *m*; **-voorschrift** instrucciones *vmv* para el lavado; **-vrouw** lavandera
wat I *vrag vnw* ¿qué?; *~ is er?* ¿qué pasa?; *~ zeg ik!* ¡qué digo!; *ik weet niet ~ ik moet doen* no sé qué hacer; *en ~ dan nog?, ~ zou dat?* bueno ¿y qué?; *~ is een kompas?* una brújula ¿qué es?; *~ is de hoofdstad van …?* ¿cuál es la capital de …?; *~ voor boeken heb je gelezen?* ¿qué libros has leído?; *~ voor soort boeken lees je het liefst?* ¿qué tipo de libros te gusta más?; *~ voor iemand is het?* ¿qué clase de persona es?; *en ~ al niet* y muchísimo más; *~ mooi!* ¡qué bonito!; *~ een mooie bloemen!* ¡qué flores más bonitas!; *~ een idee!* ¡qué idea!; *~ is het warm!* ¡qué calor hace!; *~ zijn de tijden veranderd!* ¡lo que han cambiado los tiempos!; *~ zullen ze boos zijn!* ¡lo que se van a enfadar!; **II** *betr vnw* que, lo que; *en hij is ziek, ~ nog erger is* y está enfermo, lo que es peor; *~ er ook gebeurt* pase lo que pase; *~ het ook zij, ~ dan ook* lo que sea; *neem (alles) ~ je maar wilt* toma (todo) lo que quieras, toma cuanto quieras; **III** *onbep vnw* (*iets*) algo, una cosa; *ik zal je eens ~ zeggen* te voy a decir u.c.; *geef mij ook ~* dame algo a mí

también; *blijf nog* ~ quédate un poco (más); *het is zo duidelijk als* ~ está tan claro como el agua; *zij is zo eerlijk als* ~ ella es de lo más sincero; IV *bw* un poco, algo; *hij is* ~ *beter* está algo mejor, está un poco mejor; *hij zal wát blij zijn* estará de lo más contento

water agua; *hard* ~ agua dura, agua cruda; *stilstaand* ~ agua estancada; *stromend* ~ agua corriente; *territoriale* ~*en* aguas territoriales, aguas jurisdiccionales; *zacht* ~ agua blanda, agua fina; *zout* ~ agua salada; ~ *naar de zee dragen* echar agua al mar; *ze zijn als* ~ *en vuur* están a matar; *het* ~ *loopt me in de mond* se me hace la boca agua; *het* ~ *staat hem tot aan de lippen* está con el agua al cuello; *stille* ~*s hebben diepe gronden* del agua mansa me libre Dios; ~ *binnenkrijgen: a*) (*mbt drenkeling*) tragar agua; *b*) (*mbt schip*) hacer agua; ~ *in zijn wijn doen* echar agua al vino; ~ *geven* (*aan plant*) regar *ie*; ~ *maken* (*scheepv*) hacer agua; *hij is bang zich aan koud* ~ *te branden* prefiere curarse en salud; *bij hoog* ~ con la marea alta; *zich boven* ~ *houden* mantenerse a flote; *hij is weer boven* ~ ha vuelto a aparecer; *in het* ~ *vallen: a*) caerse al agua; *b*) (*fig*) frustrarse, quedar en agua de borrajas; *in troebel* ~ *vissen* pescar en río revuelto; *in troebel* ~ *is het goed vissen* a río revuelto, ganancia de pescadores; *onder* ~ *staan* estar inundado; *het huis stond 2 meter onder* ~ la casa se quedó sumergida 2 metros; *onder* ~ *zetten* inundar; *op* ~ *en brood* a pan y agua; *over* ~ por mar; *te* ~ *laten* botar; *van het zuiverste* ~ de primera categoría

water|aansluiting toma de agua; **-afstotend** hidrófugo, no higroscópico; **-afvoer** desagüe *m*; **-ballet** ballet *m* acuático; **-bodem** fondo del agua; (*ivm milieu*) fondo de las aguas

waterbouw: *weg- en* ~ (*vglbaar:*) caminos, canales y puertos; **waterbouwkunde** (ingeniería) hidráulica; **waterbouwkundig**: ~ *ingenieur* ingeniero hidráulico

water|damp vapor *m* (de agua); **-dicht 1** (*mbt weefsel*) impermeable, a prueba de agua; ~ *maken* impermeabilizar; 2 (*mbt ruimte*) estanco (al agua); **-druppel** gota de agua

wateren orinar; (*pop*) mear

water|fiets patín *m* acuático, hidropedal *m*; **-geuzen** pillones *mmv* del mar; **-glas** silicato de sodio, vidrio soluble; **-golven** marcar; *wassen en* ~ lavar y marcar; **-hoen** polla de agua; **-hoofd**: (*iem*) *met een* ~ hidrocéfalo, -a; **-hoogte** nivel *m* del agua

waterig acuoso

water|ijsje polo; **-juffer** libélula; **-kanon** cañón *m* de agua; **-kant** orilla; **-kers** berro; **-ketel** caldera; **-koeling** refrigeración *v* por agua; **-koker** (*elektr*) hervidor *m* de agua; **-koud**: *het is* ~ hace un frío húmedo; **-kraan** grifo de agua; **-kracht** fuerza hidráulica; **-landers** lágrimas; **-leiding** tubería de agua; (*stromend water*) agua corriente; **-lelie** nenúfar *m*; **-lijn** (*scheepv*) línea de flotación; **-man** (*astrol*) Acuario; **-meloen** sandía; **-merk** marca de agua, filigrana; **-molen** molino de agua; **-nimf** ninfa acuática, ondina; **-ontharder** endulzador *m* del agua; **-pas** nivel *m* de burbuja, nivel *m* de aire, nivel *m* de agua; **-plaats** urinario; **-plant** planta acuática; **-pokken** varicela, viruelas *vmv* locas; **-polo** water-polo *m*, polo acuático; **-pomptang** alicates *mmv* de boca graduable; **-proof** resistente al agua; (*mbt horloge ook:*) sumergible; **-rad** (*tredmolen*) noria; **-rat** rata de agua; **-reservoir** depósito, cisterna, aljibe *m*; **-schade** daño causado por el agua; **-scheiding** (línea) divisoria de aguas; **-ski** esquí *m* acuático

watersnood inundación *v*

water|spiegel superficie *v* del agua; **-sport** deporte *m* náutico, deporte *m* acuático; **-staat** dominio de aguas (públicas); **-stand** *zie: waterhoogte*; **-stof** hidrógeno

waterstof|bom bomba hidrógena, bomba H; **-peroxyde** peróxido de hidrógeno

water|straal chorro de agua; **-tanden**: *het doet me* ~ se me hace la boca agua; **-toren** torre *v* (tanque) de agua; **-trappen** (estilo de) bicicleta; **-val** cascada; (*groot:*) catarata; **-verf** aguada; **-verplaatsing** desplazamiento (de agua); **-vervuiling** contaminación *v* del agua; **-vliegtuig** hidroavión *m*, hidroplano; **-vogel** ave *v* acuática; **-voorziening** abastecimiento de agua; **-vrees** hidrofobia, miedo al agua; **-weg** vía fluvial, vía acuática; **-zak** bolsa de agua

watje bolita de algodón

watt watt *m*, vatio

watten algodón *m*; *in de* ~ *leggen* criar *í* entre algodones, cuidar mucho, mimar; **wattenstaafje** bastoncillo de algodón; **watteren** acolchar

wazig borroso, vago; (*mbt blik ook:*) apagado

w.c. baño, aseo, lavabo; (*in café ook:*) servicios *mmv*; (*fam*) wáter *m*; *naar de* ~ *gaan* (*fam*) ir a cierto sitio; **wc-papier** papel *m* higiénico; **wc-rolhouder** portarollos *m*

web telaraña

wedde sueldo anual (de funcionario), pago

wedden apostar *ue*, hacer una apuesta; *ik wed van niet* apuesto que no; ~ *dat* ... a que ...; ~ *dat je het niet raadt?* ¡a que no lo adivinas!; *laten we* ~ hagamos una apuesta; ~ *op* apostar *ue* a; **weddenschap** apuesta; *een* ~ *aangaan* hacer una apuesta

weddeschaal (*Belg*) escala salarial, escala remunerativa

weder *zie: weer*

weder|dienst recíproca; (*wij zijn*) *gaarne tot* ~ *bereid* ofreciéndonos a la recíproca, prontos a devolverle el mismo servicio; **-geboorte** renacimiento; **-helft** media naranja, cara mitad *v*

wederkerend reflexivo; **wederkerig** recíproco, mutuo

wederom de nuevo, otra vez

weder|opbouw reconstrucción *v*; **-opleving**

resurgimiento, resurgir *m*; **-opstanding** resurreción *v*; **-rechtelijk** ilegítimo, ilegal, ilícito, contrario a la ley; *zich ~ toeëigenen* usurpar, detentar; **-waardigheden** vicisitudes *vmv*, peripecias; **-zijds** mutuo, recíproco; *met ~ goedvinden* de común acuerdo; *tot ~ voordeel* para mutua ventaja, de mutuo provecho

wed|ijver competencia, rivalidad *v*; **-loop** carrera; **-strijd** 1 partido, encuentro; *vriendschappelijke ~* (partido) amistoso; 2 (*boksen*) combate *m*; 3 (*concours*) concurso, competición *v*

weduwe viuda; *~ worden* enviudar; **weduwenpensioen** pensión *v* de viudedad, pensión *v* de viudez; **weduwnaar** viudo; *~ worden* enviudar

wee I *zn*: *~ën* dolores *mmv* del parto; II *bn* 1 (*van honger*) algo mareado; 2 (*mbt geur*) dulzón *-ona*, nauseabundo; III *tw*: *~ mij!* ¡ay de mí!

weef|fout defecto de tejedura; **-getouw** telar *m*; **-kunst** arte *m* textil

weefsel tejido; **weefster** tejedora

weeg|brug báscula puente; **-schaal** 1 balanza; 2 (*astrol*) Libra

1 week *zn* semana; *Stille ~* Semana Santa; *verleden ~* la semana pasada; *volgende ~* la semana que viene, la semana próxima; *door, in de week* (en) días *mmv* laborables, entre semana; *~ in ~ uit* una semana tras otra; *om de ~* una semana sí y otra no; *over een ~* dentro de ocho días; *vandaag over een ~* hoy en ocho días

2 week I *bn* blando, muelle; (*van karakter ook:*) débil; *~ maken* ablandar; (*fig ook:*) enternecer; *~ worden* ablandarse; (*fig ook:*) enternecerse; II *zn*: *in de ~ staan* estar a remojo; *in de ~ zetten* poner en remojo; *zie ook: weken*

week|blad semanario, revista semanal; **-dag** día *m* laborable, día *m* de trabajo; **-dier** molusco; **-einde** fin *m* de semana, week-end *m*

weekend|arrangement arreglo para el fin de semana; **-arrest** arresto de fin de semana; **-tas** bolsa de viaje

weekhartig blando (de corazón)

weekkaart abono semanal

weeklagen lamentarse, gemir *i*, quejarse

week|loon salario (semanal); **-overzicht** 1 (*handel*) balance *m* semanal; 2 (*tv*) crónica de la semana

weelde 1 lujo, suntuosidad *v*; *zich de ~ veroorloven om* permitirse el lujo de; 2 (*overdaad*) abundancia, profusión *v*, plétora; **weelderig** 1 (*luxueus*) lujoso, suntuoso, fastuoso; 2 (*overdadig*) abundante, exuberante

weemoed melancolía; **weemoedig** melancólico

1 weer tiempo; *~ of geen ~* haga el tiempo que haga; *rustig, helder ~* tiempo sereno y despejado; *wat een ~!* ¡vaya tiempo!; *wat een ~tje!* ¡vaya un tiempecito!; *wat voor ~ is het?* ¿qué tiempo hace?; *het begon beter ~ te worden* el tiempo empezó a mejorar; *het bleef koud ~* el tiempo continuaba frío; *het is mooi ~* hace bueno, hace buen tiempo; *bij mooi ~* con buen tiempo || *mooi ~ spelen met andermans geld* darse la gran vida a expensas de otro, pasarlo en grande con dinero de otro

2 weer: 1 *in de ~ zijn* estar en danza; *hij is de hele dag in de ~* está todo el día en danza; 2 *zich te ~ stellen* resistir, defenderse *ie*

3 weer *bw* otra vez, de nuevo; *ik heb ~ geschreven* he vuelto a escribir; *doe dat nooit ~* no lo vuelvas a hacer; *nu zegt hij het ~* ahora lo vuelve a decir; *daar zijn we ~* ya estamos otra vez aquí; *steeds maar ~* una y otra vez; *hoe heet je ook ~?* ¿cómo te llamas ya?; *dat is eens, maar nooit ~* una vez y no más

weerbaar capaz de defenderse, combativo

weerbarstig rebelde, obstinado; *een ~e haarlok* un mechón desmandado

weerbericht parte *m* meteorológico; **weerbestendig** a prueba de la intemperie

weerga igual *m*; *zijn ~ niet hebben* no tener igual; *zijn ~ niet vinden* no encontrar *ue* parangón; *zonder ~ zie: weergaloos*

weergalmen resonar *ue*

weergaloos sin igual, sin par, incomparable

weergave reproducción *v*; **weergeven** reproducir, reflejar

weerhaak lengüeta

weerhaan (*windwijzer*) veleta

weerhouden retener; *iem ~ van iets* impedir *i* u.c. a u.p.

weerkaart mapa *m* meteorológico

weerkaatsen reflejar

weerklank eco; *~ vinden bij* despertar *ie* un eco en el ánimo de; **weerklinken** resonar *ue*

weerkunde meteorología; **weerkundig** meteorológico; **weerkundige** meteorólogo, -a

weerleggen refutar, rebatir

weerlicht rayo, relámpago; *als de ~* como un rayo; **weerlichten** relampaguear

weerloos indefenso; **weerloosheid** indefensión *v*

weerom otra vez, de nuevo; **weeromstuit**: *van de ~* de rebote, de rechazo

weer|overzicht boletín *m* meteorológico; **-schijn** reflexión *m*, reflejo

weersgesteldheid condiciones *vmv* del tiempo

weerskanten: *aan ~* (*van*) a uno y otro lado (de), a ambos lados (de)

weersomstandigheden *zie: weersgesteldheid*

weerspannig recalcitrante, rebelde

weerspiegelen reflejar; *-spiegeld worden* reflejarse; **weerspiegeling** reflejo, reverberación *v*

weerstaan resistir; **weerstand** 1 resistencia; *~ bieden* ofrecer resistencia; *~ bieden aan* resistir; *de weg van de minste ~ volgen* seguir *i* la ley del mínimo esfuerzo; 2 (*elektr*) resistencia, reóstato; **weerstander** (*Belg*) resistente *m*; **weerstandsvermogen** capacidad *v* de resistencia

weers|verwachting previsión *v* del tiempo; **-voorspelling** predicción *v* del tiempo
weer|wil: *in ~ van* a pesar de, no obstante; **-zien** I *zn* reencuentro; II *ww* volver *ue* a ver
weerzin repugnancia, aversión *v*; **weerzinwekkend** repugnante, repulsivo
wees huérfano, -a; *~ worden* quedarse huérfano; *volle ~* huérfano de padre y madre; **weeshuis** orfanato, asilo de huérfanos
weet: *het is maar een ~* cuestión de saberlo o no; *hij heeft er geen ~ van* no se da cuenta; *aan de ~ komen* llegar a saber, enterarse; **weetgierig** ansioso de saber; **weetje**: *hij weet zijn ~ wel* sabe por dónde anda, conoce la aguja de marear
1 weg *zn* camino; (*geplaveid:*) calzada, carretera; *eigen ~* camino particular; *openbare ~* vía pública; *de ~ banen voor* allanar caminos para; *zijn eigen ~ gaan* tirar por su lado; *de ~ inslaan naar* emprender el camino a; *de ~ kennen, weten* conocer el camino, saber el camino; *een andere ~ nemen* tirar por otro camino; *de verkeerde ~ nemen* errar *ie* el camino; *nieuwe ~en openen voor* abrir nuevos caminos a; *hij weet geen ~ met zijn geld* no sabe qué hacer con su dinero; *iem de ~ wijzen* enseñarle a u.p. el camino; *in de ~ staan* (*belemmeren*) estar de por medio; *iem in de ~ staan* ser un estorbo para u.p.; *iem iets in de ~ leggen* ponerle obstáculos a u.p., ponerle trabas a u.p.; *iem in de ~ lopen* estorbar a u.p.; *langs chemische ~* por vía química; *langs kunstmatige ~* por vía artificial; *op ~ zijn naar: a*) estar de camino hacia; *b*) (*mbt schip*) ir ruta a, encontrarse *ue* rumbo a; *op ~ zijn om* ir camino de; *zich op ~ begeven* echar a andar; *het verkeer op de ~* el tráfico carretero; *veiligheid op de ~* seguridad *v* vial; *op mijn ~ naar huis* camino de mi casa; *dat ligt niet op mijn ~* no es de mi incumbencia; *op ~ helpen* poner en camino, encaminar; *uit de ~!* ¡apártense!, ¡abran paso!; *een moeilijkheid uit de ~ gaan* rehuir una dificultad; *uit de ~ ruimen* eliminar, suprimir, quitar de en medio; *van de rechte ~ afraken* desviarse *í* del camino recto
2 weg I *bw* fuera; *~ zijn* haber salido, estar fuera; *ik moet ~* tengo que irme; *mijn kat is ~* ha desaparecido mi gato; *ze was al een uur ~* hacía una hora que se había ido; *je had al ~ moeten zijn* ya deberías haber salido; II *bn* (*verrukt*) encantado; *~ zijn van* prendarse de, enamorarse de; *ik ben ~ van die kleur* me encanta ese color
weg|bergen guardar; **-blijven 1** (*niet terugkomen*) quedarse fuera; *ze zal niet lang ~* no tardará mucho (en volver); 2 ~ (*van*) faltar (a), no aparecer (en); *~ van school* faltar a clase; 3 (*mbt woord*) suprimirse; *dit woord kan ~* esta palabra se puede suprimir; **-brengen 1** (*van iets*) llevar; 2 (*van iem*) llevar, acompañar; **-cijferen, zich** sacrificarse
wegdek firme *m*
weg|denken pasarse de, prescindir de; *hij is niet meer weg te denken uit dit huis* es imposible imaginarse esta casa sin él; **-doen** deshacerse de; **-dragen** llevarse (lejos); *iems goedkeuring ~* merecer la aprobación de u.p.; **-duwen** empujar, rechazar
wegen I *tr* 1 pesar; 2 (*op de hand*) sopesar; *zijn woorden ~* medir *i* sus palabras; II *intr* pesar; *zwaar ~* pesar mucho, pesar lo suyo; *wat het zwaarst is moet het zwaarst ~* lo primero es lo primero
wegen|aanleg construcción *v* de carreteras; **-belasting** impuesto de circulación de vehículos por la vía pública
wegenis (*Belg*) servicio (oficial) de entretenimiento de carreteras
wegen|kaart mapa *m* de carreteras; **-net** red *v* de carreteras
wegens a causa de, ante, por, con motivo de
wegenverkeersreglement código de la circulación
wegenwacht (*vglbaar:*) auxilio en carretera; **wegenwachtauto** coche-taller *m, mv cochestaller*
weggaan irse, marcharse; *ze gingen maar niet weg* no acababan de despedirse; *ze ging weg bij haar man* abandonó a su marido
weg|gebruiker usuario de la carretera; **-gedeelte** tramo; **-gedrag** comportamiento en carretera
weg|geven regalar; **-glippen** escabullirse; **-gooien** echar, tirar; *dat is weggegooid geld* es tirar el dinero; **-halen** quitar, llevar; **-hebben**: *~ van* parecer; (*mbt personen ook:*) parecerse a; *je hebt veel weg van je moeder* te pareces mucho a tu madre; *hij heeft veel weg van een dichter* parece un poeta; *dit heeft veel weg van kwade wil* esto parece ser mala intención; **-jagen** ahuyentar; *een vlieg ~* espantar una mosca; **-knippen** cortar; **-komen** escapar; *maak dat je wegkomt!* ¡fuera!, ¡lárgate!; **-krijgen 1** (*van persoon*) conseguir *i* que se marche; 2 (*van vlek*) quitar; *ik kon de vlek niet ~* no pude quitar la mancha; **-kruipen** (*zich verbergen*) esconderse
wegkruising cruce *m*
weg|kunnen poder irse; *ik kan nooit weg* nunca puedo salir; **-kwijnen** languidecer, ir consumiéndose; **-laten** omitir; **-leggen** apartar, guardar; *een voor weinigen weggelegd geluk* una dicha concedida a pocos
wegligging adaptación *v* a la carretera, adherencia
weg|lokken atraer hacia otra parte; **-lopen 1** huir, escaparse, fugarse; *~ van huis* marcharse de casa, abandonar el hogar; *een weggelopen scholier* un escolar fugitivo; 2 ~ *met* (*verrukt zijn van*) estar loco por, encapricharse por, chiflarse por; **-maken 1** (*zoekmaken*) perder *ie*, extraviar *í*; *ze maakt altijd de schaar weg* siempre se le pierden las tijeras; 2 (*onder narcose*) anestesiar

wegmarkering marca(s) en el firme
weg|moeten 1 (*mbt persoon*) tener que irse; **2** (*mbt verschijnsel*) deber desaparecer; **-moffelen** escamotear; **-mogen**: *hij mag weg* se le permite irse; *je mag weg* puedes marcharte
wegneembaar removible, de quita y pon; **wegnemen** (*afpakken*) quitar; (*verwijderen*) remover *ue*; (*med ook:*) extirpar; *dit neemt niet weg dat* esto no quita para que
wegomlegging desvío, desviación *v*
weg|pakken quitar, arrebatar; **-pesten** desbancar; **-pinken** quitarse
wegpiraat pirata *m* de la carretera
weg|raken perderse *ie*, extraviarse *í*; **-rennen** irse corriendo, salir corriendo
wegrestaurant restaurante *m* de carretera, cafetería
weg|rijden alejarse, irse; **-roepen** llamar; **-rotten** pudrirse; **-ruimen** guardar, recoger; **-rukken** arrebatar; **-schoppen** apartar de un puntapié; **-schrappen** rayar, tachar; **-schuiven** descorrer; **-signalisatie** (*Belg*) señalización *v*; **-slaan** arrastrar; *er werd een brug weggeslagen* fue arrastrado un puente; **-slepen** (*mbt auto*) remolcar; **-slikken** tragar; **-smelten** derretirse *i*; **-smijten** arrojar (lejos); **-snellen** salir corriendo; **-snijden** cortar; (*med*) resecar
wegsplitsing bifurcación *v*
weg|spoelen 1 (*mbt rivier*) arrastrar; **2** (*weggooien*) tirar; **3** (*van vieze smaak*) quitar (bebiendo); **-stemmen** rechazar; **-sterven** perderse *ie*, irse acabando; (*mbt geluid ook:*) apagarse; **-stoppen** guardar; (*verstoppen*) esconder; **-sturen 1** *iem* ~ decir a u.p. que se vaya, mandar a u.p. por donde vino; **2** (*ontslaan*) despedir *i*; **3** (*niet toelaten*) no dejar entrar
wegtransport *zie: wegvervoer*
weg|trekken I *tr* retirar; II *intr* **1** irse; **2** *wit* ~ palidecer; **-vagen** derribar, arrastrar; **-vallen 1** (*sterven*) morir *ue, u*; **2** (*mbt druk, stoom*) fallar; *als de oliedruk wegvalt* en caso de fallar la presión de aceite; **3** (*mbt spanning*) desaparecer || *tegen elkaar* ~ compensarse; **-vegen 1** (*met bezem*) barrer; **2** (*van tranen*) limpiar(se)
weg|verkeer circulación *v* por carretera; **-verlegging** desvío, desviación *v*; **-versmalling** estrechamiento de la calzada; **-versperring** obstáculo a la circulación; **-vervoer** transporte *m* por carretera
weg|vliegen volarse *ue*; **-vreten** (*mbt roest*) corroer; **-werken 1** (*van iem*) hacer que se vaya, deshacerse de; **2** (*fig*) eliminar, hacer desaparecer, subsanar; **3** (*van tekort*) enjugar
wegwerpeconomie economía de usar y tirar
wegwerpen tirar, echar
wegwerp|fles botella para tirar, botella de un solo uso; **-spuitje** jeringuilla desechable; **-verpakking** envase *m* no retornable
wegwijs: *iem* ~ *maken* instruirle a u.p., orientar a u.p.; **wegwijzer 1** (*op straat*) indicador *m* de carretera, señal *v*; **2** (*boek*) guía; **3** (*gebruiksaanwijzing*) instrucción *v*
weg|zakken hundirse; **-zetten 1** (*verwijderen*) apartar; **2** (*opruimen*) guardar
1 wei (*van melk*) suero
2 wei *zie: weide*
weide prado; **weiden** I *intr* pastar, pacer; II *tr* apacentar; **weidewinkel** hipermercado, hiper *m*; **weids** grandioso, imponente
weifelaar, weifelaarster irresoluto, -a; **weifelen** vacilar, titubear; **weifelend** vacilante, indeciso
weigeren I *tr* **1** negar *ie*; (*afwijzen*) rechazar, no aceptar; (*beleefd:*) declinar; *dat kan hij mij niet* ~ no me podrá negar eso; *hij kan haar niets* ~ no sabe decirle que no; *ze weigerden hem nooit iets* nunca le negaron nada; *iem de toegang* ~ negarle a u.p. la entrada; *een zending* ~ rechazar un envío; **2** ~ (*om*) negarse *ie* a; *ik weiger pertinent het te geloven* me niego obstinadamente a creerlo, me resisto a creerlo; II *intr* (*techn*) fallar; *de rem weigerde* el freno falló; **weigering 1** negativa; (*afwijzing*) rechazo; **2** (*techn*) fallo
weiland 1 prado; **2** (*weidegrond*) tierras *vmv* de pasto, tierras *vmv* de pastoreo
weinig poco; *een* ~ un poco; *heel* ~ muy poco, poquísimo; *hoe* ~ *ook* por poco que sea; *niet* ~ no poco; *dat belooft* ~ *goeds* no promete nada bueno; ~ *trek hebben* tener poco apetito; *te* ~ demasiado poco, muy poco; *u geeft me te* ~ *terug* me está dando de menos, no me devuelve bastante; *dit is f 2 te* ~ faltan fls 2, son fls 2 de menos
wekelijks I *bn* semanal; II *bw* todas las semanas
weken I *tr* remojar, poner en remojo, poner a remojo; II *intr* estar en remojo, estar a remojo
wekken 1 (*van persoon*) despertar *ie*; **2** (*van gevoelens*) suscitar, despertar *ie*, producir, causar; *argwaan* ~ despertar *ie* sospechas, suscitar recelos; *belangstelling* ~ suscitar interés; *verbazing* ~ producir asombro; **wekker** despertador *m*; *de* ~ *loopt af* suena el despertador
1 wel (*bron*) fuente *v*
2 wel I *bw* **1** (*goed*) bien; *het gaat* ~ no está mal, así así; *als ik het* ~ *heb* si no me equivoco; *als ik me* ~ *herinner* si me acuerdo bien, si no recuerdo mal; **2** (*versterkend:*) mucho, muy, bastante; ~ *ja!* (*natuurlijk*) ¡claro que sí!; ~ *nee!* ¡claro que no!; *dat dacht ik* ~ ya lo creía; *wat denk je* ~? ¿qué te has creído?; *je hebt* ~ *geboft* has tenido mucha suerte; *het is* ~ *aardig* es bastante bonito; *ik moet* ~ no tengo más remedio; *zeg dat* ~! ¡y que lo digas!; *zie je nu* ~? ¿(lo) ves?; **3** (*veronderstellend:*) ya; *hij zal* ~ *komen* ya vendrá; *we zullen* ~ *zien* ya veremos; *hij zal het* ~ *niet doen* lo probable es que no lo haga; *dat kan* ~ *zijn* bien puede ser; **4** (*bevestigend:*) *ik vind het wèl leuk* sí que me gusta; *ik weet het wèl* sí que lo sé; *ik geloof van* ~ creo que sí; **5** (*toegevend:*) *dat* ~ eso sí; *hij is*

~ *aardig, maar* ... es cierto que no es mal chico, pero ...; *hij is ~ klein, maar* ... es pequeño, eso sí, pero ...; 6 (*in uitroep*) bueno; ~, *wat vind je ervan?* bueno ¿qué te parece?; ~, *jij hier?* ¿cómo, tú por aquí?; ~, ~*!* ¡vaya, vaya!; 7 (*met getal*) ~ *10 km* nada menos que 10 kms; ~ *300* unos 300 por lo menos; II *zn*: *het ~ en wee* lo bueno y lo malo

wel|behagen bienestar *m*; *een gevoel van ~* una sensación de bienestar; **-bekend** consabido, conocido; **-beschouwd** bien mirado, si bien se mira; **-bespraakt** elocuente; *hij is zeer ~* tiene una gran facilidad de palabra; **-besteed** bien empleado; **-bewust** deliberado

weldaad 1 (*goede daad*) buena acción *v*; 2 (*iets aangenaams*) alivio, gozo; **weldadig** 1 beneficioso, benéfico; *een ~e regen* una lluvia benéfica; 2 (*heerlijk*) delicioso; *het is ~ in de zon te liggen* es una delicia tomar el sol; **weldadigheid** beneficencia, caridad *v*

weldadigheids|concert concierto benéfico; **-instelling** entidad *v* benéfica, institución *v* benéfica

weldenkend (que está) en sus cabales

weldoener, **weldoenster** bienhechor, -ora

weldoordacht bien pensado

weldra pronto

wel|gedaan (*gezond*) sano; *hij ziet er ~ uit* parece muy sano; **-gemanierd** de buenos modales; **-gemoed** alegre, de buen humor; **-geschapen** sano; **-gesteld** acomodado, adinerado

welgevallen I *zn* satisfacción *v*, gusto, placer *m*; II *ww*: *zich laten ~* aguantar; *hij liet zich alles ~* se dejó hacer

welgezind favorable

welig abundante, exuberante; ~ *tieren* abundar

welingelicht (bien) informado; *~e kringen* medios *mmv* (bien) informados

weliswaar cierto que, no se puede negar que, bien es cierto que, es verdad que

welk I *vrag vnw* (*zelfst*) ¿cuál?; (*bijvgl*) ¿qué?; *~e boeken wil je?* ¿qué libros quieres?; ~ *van deze boeken?* ¿cuál de estos libros?; II *betr vnw* que, el que, el cual; *hij komt 3 mei, op ~e datum ik vertrek* vendrá el 3 de mayo, fecha en la que yo salgo; *~e ook* cualquiera sea; *~e dag ook* cualquier día

welkom I *bn* bienvenido; ~ *heten* dar la bienvenida; *hartelijk ~ heten* dar una cordial bienvenida; II *zn* bienvenida; **welkomstrede** discurso de bienvenida

welletjes: *zo is het ~* ya basta, está bien por hoy

wellevend cortés *-esa*, bien educado; **wellevendheid** cortesía, buena educación *v*

wellicht tal vez, acaso

welluidend sonoro, armonioso

wellust sensualidad *v*, voluptuosidad *v*, lujuria, lascivia; **wellustig** voluptuoso, sensual, lujurioso, lascivo

welnemen: *met uw ~* con su permiso

welnu ahora bien, pues bien, bueno

weloverwogen bien pensado, bien meditado, ponderado; *een ~ oordeel* un juicio ponderado

welp 1 cachorro; 2 (*padvinder*) niño explorador

welslagen éxito

welsprekend elocuente; **welsprekendheid** elocuencia

welstand prosperidad *v*, comodidad *v*; **welstandsgrens** límite *m* del bienestar

welste: *van je ~* bárbaro, tremendo

weltergewicht 1 (*klasse*) welter *m*; 2 (*persoon*) boxeador *m* de peso welter

welterusten buenas noches, que descanse (Ud.), que descanses

welvaart prosperidad *v*; *materiële ~* prosperidad material, opulencia; **welvaartspeil** nivel *m* de bienestar; **welvaartsstaat** sociedad *v* afluente, sociedad *v* opulenta; **welvarend** 1 (*rijk*) próspero; 2 (*gezond*) sano

welvoorzien bien provisto

welwillend benévolo, complaciente; **welwillendheid** benevolencia

welzijn bienestar *m*; *het algemeen ~* el bienestar general, el bienestar de todos, el bien común; **welzijnszorg** (*vglbaar:*) servicios *mmv* (públicos) del bienestar

wemelen: ~ *van* abundar en; (*neg*) estar plagado de; *de tekst wemelt van de fouten* el texto está plagado de errores; *het wemelt van de mensen op straat* las calles hierven de gente

wendbaar manejable; **wenden** 1 volver *ue*; *hoe men het wendt of keert* por más vueltas que se (le) dé; 2 *zich ~ tot* dirigirse a; **wending** giro, sesgo, cariz *m*; *een ~ nemen* tomar un giro; *een gunstige ~ nemen* tomar un sesgo favorable

wenen llorar

Wenen Viena

wenk seña, gesto; *een ~ geven* hacer señas, hacer una seña; *een stille ~* una indirecta; *iem op zijn ~en bedienen* servir *i* puntualmente a u.p.

wenkbrauw ceja; *de ~en fronsen* fruncir las cejas, fruncir el entrecejo; *de ~en optrekken* arquear las cejas; *met doorlopende ~en* cejijunto

wenken hacer señales, hacer señas, hacer un gesto; *hij wenkte ons dichterbij te komen* nos hizo señas de que nos acercáramos

wennen (*aan*) I *tr* acostumbrar (a), familiarizar (con); II *intr* acostumbrarse (a), habituarse *ú* (a); *je zult er wel aan ~* ya te irás acostumbrando

wens deseo; *mijn ~ ging in vervulling* mi deseo se cumplió; *een ~ doen* pedir *i* una gracia; *de ~ te kennen geven om* expresar el deseo de; *de ~ koesteren om* abrigar deseos de; *met de beste ~en* con los mejores deseos; *alles gaat naar ~* todo marcha a medida de nuestros deseos, todo marcha a pedir de boca

wenselijk conveniente, deseable; **wenselijkheid** conveniencia

wensen 1 (*toewensen*) desear; *iem goedendag* ~ dar a u.p. los buenos días; *succes* ~ desear éxito; 2 (*willen*) desear, querer; *wat wenst u?* ¿qué desea(ba) Ud.?; *wat kan men nog meer* ~ qué más se puede apetecer; *veel te* ~ *overlaten* dejar mucho que desear; *het is te* ~ *dat* es de desear que

wentelen I *tr* dar vueltas, (hacer) girar; *zich* ~ *in de modder* revolcarse *ue* en el lodo; II *intr* dar vueltas, girar; **wenteling** giro, rotación *v*

wentel|teefje torrija; **-trap** escalera de caracol

wereld mundo; *de derde* ~ el tercer mundo; *de hele* ~ el mundo entero, todo el mundo; *wat is de* ~ *klein!* el mundo es un pañuelo; *de omgekeerde* ~ el mundo al revés; *de wijde* ~ *ingaan* ir a correr mundo; *naar de andere* ~ *helpen* enviar *í* al otro mundo; *reis om de* ~ viaje *m* alrededor del mundo; *de reis om de* ~ *in 80 dagen* la vuelta al mundo en 80 días; *over de hele* ~ por el mundo entero, mundialmente; *de gelukkigste man ter* ~ el hombre más feliz en el mundo; *voor niets ter* ~ por nada del mundo; *ter* ~ *brengen* dar a luz; *ter* ~ *komen* venir al mundo, ver la luz; *iets uit de* ~ *helpen* acabar con u.c.; *een man van de* ~ un hombre de mundo; *veel van de* ~ *zien* ver (mucho) mundo

wereld|bank Banco Mundial; **-beker** copa del mundo; **-beroemd** mundialmente famoso, de renombre mundial; (*fam*) archifamoso; *hij werd* ~ ganó fama mundial; **-bevolking** población *v* mundial; **-bol** globo terrestre, globo terráqueo; **-burger**: *de nieuwe* ~ el recién nacido; **-deel** continente *m*, parte *v* del mundo; **-gezondheidsorganisatie** Organización *v* Mundial de la Salud; *afk* OMS; **-haven** puerto mundial; **-hervormer** reformador *m* del mundo; **-kaart** mapamundi *m*

wereld|kampioen, **-kampioene** campeón, -ona mundial; **-kampioenschap** campeonato mundial

wereldkundig: *iets* ~ *maken* divulgar u.c., difundir u.c.

wereld|literatuur literatura universal; **-macht** potencia mundial; **-markt** mercado mundial; **-naam** fama mundial; **-oorlog** guerra mundial; **-raad**: ~ *van kerken* Consejo Mundial de Iglesias; **-record** record *m* mundial; **-reiziger** trotamundos *m*

werelds mundano

wereld|schokkend de repercusión mundial; **-stad** metrópoli *v*; **-taal** lengua universal; **-tentoonstelling** exposición *v* internacional; **-vrede** paz *v* universal; **-vreemd** ajeno al mundo, apartado de la realidad, ingenuo; **-wijs**: ~ *zijn* tener mundo, tener experiencia de la vida

weren 1 (*niet toelaten*) no admitir, negar *ie* la entrada; 2 *zich* ~ esforzarse *ue*, afanarse, defenderse *ie*

werf astillero

werk 1 trabajo; (*werkstuk*) obra; ~ *in uitvoering* (*opschrift*) ¡obras!; *aangenomen* ~ (obra por) contrata, trabajo a precio alzado; *publieke* ~*en* obras públicas; *goed* ~ *doen* hacer una obra muy buena; ~ *hebben* tener trabajo, tener un empleo; *hoe lang denk je* ~ *te hebben?* ¿cuánto tiempo crees que te va a tomar?; *wat heeft hij lang* ~! ¡cómo tarda!; *het* ~ *hervatten* reanudar el trabajo; *het* ~ *neerleggen* suspender el trabajo; ~ *zoeken* buscar empleo; *hij heeft er veel* ~ *aan* le da mucho trabajo; *ik zal er meteen* ~ *van maken* lo voy a hacer inmediatamente; *veel* ~ *van iets maken* hacer u.c. con mucho esmero; *aan het* ~ *gaan* ponerse a trabajar, ponerse al trabajo; *iem aan het* ~ *zetten* poner a alguien en el tajo, poner a alguien al trabajo; *aan het* ~ *zijn* estar trabajando; *alles in het* ~ *stellen om* hacer todo lo posible por, no perdonar medios para, esforzarse *ue* en lo posible para; *hoe gaat dat in zijn* ~? ¿cómo funciona?; *te* ~ *gaan* actuar *ú*, proceder; *heel voorzichtig te* ~ *gaan* proceder con gran cautela; 2 (*dichting met touwvezels*) prensaestopas *m* || *dat is geen* ~ eso no se hace

werk|aanbieding (*Belg*) vacante *v*, plaza a cubrir; **-bank** banco de trabajo; **-bij** abeja obrera; **-college** clase *v* práctica, clase *v* seminario; **-dag** 1 (*werktijd*) jornada de trabajo, jornada laboral; 2 (*geen feestdag*) día *m* laborable, día *m* de trabajo

werkelijk I *bn* real, efectivo; (*waar*) verdadero; II *bw* realmente, de veras; *ik kon* ~ *niet komen* me fue materialmente imposible venir; *vind je het* ~ *leuk?* ¿de veras te gusta?; **werkelijkheid** realidad *v*; ~ *worden* convertirse *ie, i* en realidad, materializarse; *de* ~ *onder ogen zien* confrontar la realidad; *in* ~ en realidad, realmente, de hecho; **werkelijkheidszin** sentido de la realidad; *het getuigt van weinig* ~ es poco realista

werkeloos *zie: werkloos*

werken 1 trabajar; *hard* ~ trabajar mucho; *hij werkt zich kapot* se mata trabajando, se mata a trabajar; *korter* ~ *zn* trabajo limitado; *uit* ~ *gaan* (*huish*) salir a trabajar (en casas); ~ *aan een vertaling* trabajar en una traducción; *er wordt aan gewerkt* hay quien se ocupa de ello; ~ *bij* trabajar con, trabajar al servicio de; *onder iem* ~ trabajar bajo u.p.; 2 (*functioneren*) funcionar; *de rem werkt niet* el freno no funciona; ~ *op batterijen* funcionar con pilas; 3 (*mbt hout*) alabearse; 4 (*mbt vulkaan*) ser activo; (*uitbarsten*) estar en erupción; *beginnen te* ~ entrar en erupción; 5 (*mbt middel, regeling*) producir efecto, ser eficaz; *de methode werkt goed* el método es eficaz; ~ *op* actuar *ú* sobre; *op iems gemoed* ~ tratar de enternecer a u.p.; *het werkt op de zenuwen* ataca los nervios; *nadelig* ~ (*op*) tener efectos negativos (en, para); *dit middel werkt niet tegen griep* esta medicina es inactiva con la gripe || *iem eruit* ~ desbancar; **werkend** activo; *de* ~*e bevol-*

king la población activa, la población laboral, la mano de obra del país; *~e vrouwen* mujeres *vmv* que trabajan; *~e vulkaan* volcán *m* activo; **werker**: *een harde ~* una persona muy trabajadora

werk|geheugen (*comp*) memoria operativa; **-gelegenheid** (oportunidades *vmv* de) empleo, fuente *v* de trabajo; *~ voor iedereen* empleo total; *zo ontstaat er ~* así se genera empleo; *de ~ bevorderen* fomentar el empleo; **-gever** patrono; *de ~s* el empresariado, los patronos

werkgevers|organisatie (organización *v*) patronal *v*; **-verklaring** declaración *v* del patrono

werk|groep 1 grupo de trabajo; 2 (*univ*) seminario; **-hypothese** hipótesis *v* de trabajo

werking funcionamiento, acción *v*; (*uitwerking*) efecto; *buiten ~ stellen: a*) (*van machine*) poner fuera de servicio; *b*) (*van regeling*) dejar sin efecto, anular; *in ~ komen, treden: a*) (*mbt machine*) entrar en acción; *b*) (*mbt regeling*) entrar en vigor; *in ~ stellen* poner en funcionamiento, poner en marcha, poner a funcionar, poner en acción, accionar; *vertraagde ~* acción retardada

werkings|kosten (*Belg*) **1** gastos de explotación; 2 gastos de administración; **-sfeer** esfera de acción

werk|kamer cuarto de trabajo, despacho; **-kapitaal** capital *m* circulante; **-kleding** ropa de trabajo, ropa de faena; **-klimaat** clima *m* laboral; **-kracht 1** (*energie*) energía, fuerza de trabajo, fuerzas *vmv* de trabajo; 2 *~en* mano *v* de obra; *de beschikbare ~en* la mano de obra disponible; *de schaarste aan ~en* la escasez de mano de obra; **-kring** puesto, empleo

werkloos 1 parado, desempleado, desocupado, sin empleo; *het aantal -lozen* la cifra de parados; *de miljoenen -lozen* los millones sin trabajo; *~ zijn* andar en paro, no tener empleo; 2 (*nietsdoend*) inactivo, ocioso; *~ toezien* ver sin hacer nada; *ik moest ~ toezien* lo vi y no pude hacer nada; **werkloosheid** desempleo, paro (forzoso)

werkloosheids|cijfer índice *m* de paro, cifra de desempleo; **-uitkering** prestación *v* de desempleo, prestación *v* por paro, subsidio de desempleo, seguro de desempleo; **-wet** ley *v* del desempleo

werkloze parado, -a, desempleado, -a; *de ~n* (*ook:*) los sin trabajo; **werklozensteun** (*Belg*) prestación *v* de desempleo, subsdio de desempleo

werk|lunch almuerzo de trabajo; **-lust** apetencia de trabajo, energía

werkneemster, **werknemer** empleada, -o, asalariada, -o

werk|onderbreking paro; **-ongeval** (*Belg*) accidente *m* de trabajo; **-plaats** taller *m*; **-plan** plan *m* de trabajo; **-staking** huelga laboral

werkster asistenta

werk|student, **-studente** estudiante *m,v* que trabaja; **-stuk** trabajo escrito; **-tekening** dibujo de trabajo, plano de construcción; **-temperatuur** (*techn*) temperatura de servicio; **-tempo** ritmo de(l) trabajo; **-terrein** campo de trabajo; **-tijd** horas *vmv* de trabajo, jornada (laboral); *volle ~* dedicación *v* plena, dedicación *v* exclusiva

werktuig utensilio, herramienta, instrumento; **werktuigbouwkunde** ingeniería mecánica; **werktuigbouwkundige** ingeniero mecánico; **werktuiglijk** automático, maquinal

werk|vergunning permiso de trabajo; **-week** semana laboral, jornada (laboral); *de 40-urige ~* la jornada de 40 horas; **-wijze** método de trabajo, modo de obrar, procedimiento; **-willige** esquirol *m*, obrero deseoso de acudir al trabajo; **-woord** verbo

werkzaam 1 (*ijverig*) activo, trabajador *-ora*, diligente, laborioso; 2 *~ zijn* (*werk hebben*) trabajar, estar empleado; *~ zijn als: a*) trabajar como; *b*) (*arts, advocaat*) ejercer de; *~ zijn bij de post* trabajar en correos; **werkzaamheid** actividad *v*; *wegens drukke -heden* debido a actividades apremiantes, por exceso de trabajo

werkzoekende demandante *m,v* de empleo

werpanker ancla de espía

werpen lanzar, arrojar, echar, tirar; *licht ~ op* arrojar luz sobre; *zich ~* abalanzarse, arrojarse, lanzarse; *hij wierp zich in haar armen* se abalanzó a sus brazos; *zich ~ op de vijand* arrojarse sobre el enemigo || *jongen ~* parir

werp|hengel caña de pescar; **-net** esparavel *m*

wervel vértebra; **wervelen** dar vueltas, girar, revolotear; **werveling** remolino

wervel|kolom columna vertebral, espina dorsal; **-storm** ciclón *m*, tornado; **-stroom** corriente *v* parásita; **-wind** torbellino

werven 1 (*van personeel*) contratar, reclutar; 2 (*van soldaten*) reclutar, enganchar, alistar, enrolar; 3 (*van leden*) traer, reclutar

wesp avispa; **wespennest** avispero; (*fig ook:*) berenjenal *m*; *zich in een ~ steken* meterse en un atolladero; **wespetaille** cintura de avispa

west: *de wind is ~* hace viento del oeste; **westelijk** occidental; **westen** oeste *m*, occidente *m*, poniente *m*; *ten ~ van* al oeste de || *buiten ~ zijn* estar sin conocimiento; **westenwind** viento del oeste; **westers** occidental

West-Europa la Europa Occidental; **West-Indië** las Indias Occidentales

westkust costa occidental

westnoordwest oesnoroeste *m*; *afk* O.-NO

westwaarts hacia el oeste

westzuidwest oessudoeste *m*; *afk* O.-SO

wet ley *v*; *de ~ ontduiken* eludir la ley, burlar la ley; *iem de ~ voorschrijven* manejar a u.p., dictar la ley a u.p.; *boven de ~ staan* estar por encima de la ley; *buiten de ~* al margen de la ley, fuera de la ley; *in strijd met de ~* contra la ley, en contra de la ley; *volgens de ~: a*) (*krach-*

tens) según la ley; *b*) (*overeenkomstig*) de acuerdo con la ley, conforme a la ley; *gelijkheid voor de* ~ igualdad *v* ante la ley; **wetboek** código; *burgerlijk* ~ código civil; ~ *van koophandel* código de comercio; ~ *van strafrecht* código penal

weten I *ww* 1 saber; *wie weet* quién sabe; *je kunt nooit* ~ nunca se sabe, no se sabe nunca, (*fam*) por si las moscas; *niet dat ik weet* no que yo sepa; *men moet* ~ *dat* hay que saber que, conviene que se sepa que; *ik weet het* lo sé; *als ik dat had geweten!* ¡haberlo sabido!; *iets zeker* ~ estar seguro de u.c.; *hij weet het maar al te goed* lo sabe de sobra; *ik weet het van een vriend* lo sé por un amigo; *voordat je het weet* en un dos por tres; *zonder dat ik het wist* sin saberlo yo; *ik weet een goed hotel* sé de un buen hotel, conozco un buen hotel; *dat moet u zelf* ~ allá Ud.; *dat moeten ze zelf* ~ allá ellos, allá se las hayan; *weet ik veel!* ¡yo qué sé!; *twee* ~ *meer dan een* cuatro ojos ven más que dos; *ik zou niet* ~ *waarvoor* no sabría por qué; *ik wist niet wat ik hoorde* me quedé con la boca abierta; *wat hij al niet weet!* ¡lo que sabe!; *wat niet weet, wat niet deert* ojos que no ven, corazón que no siente; *weet wel wat je zegt* mira lo que dices; *weet je wat?* ¿sabes una cosa?; *niet* ~ no saber, ignorar; *ik weet het niet* no lo sé; *dat weet ik nog zo niet* no estoy tan seguro de eso; *hij weet zelf niet wat hij wil* él mismo ignora lo que quiere; *weet je nog van die dag?* ¿te acuerdas de aquel día?; *ik weet nergens iets van* no sé nada de nada; *doe nu maar niet of je van niets weet!* ¡no te hagas de nuevas ahora!; *hij wil het niet* ~ procura ocultarlo, no quiere que se sepa; *ik wil niets van hem* ~ no quiero nada con él; *te* ~ a saber; 2 *laten* ~ hacer saber, informar; *ik zal het je laten* ~ te tendré al corriente; 3 *te* ~ *komen* saber, conocer, enterarse de; *ik kwam het laat te* ~ lo supe tarde; 4 (*kunnen*) poder; *hij wist te ontkomen* pudo escapar, logró escapar; II *zn* saber *m*, conocimiento; *bij mijn* ~ que yo sepa; *buiten* ~ *van zijn vader* sin conocimiento de su padre, sin saberlo su padre; *naar mijn beste* ~ *en kunnen* según mi leal saber y entender; *tegen beter* ~ *in* a sabiendas

wetenschap 1 (*vnl van exacte vakken*) ciencia; 2 (*vnl van talen*) saber *m*, conocimientos *mmv*; 3 (*het weten*) conocimiento; *de* ~ *dat hij in gevaar is* el saber que está en peligro; *in de* ~ *dat* sabiendo que; **wetenschappelijk** científico; **wetenschapper** hombre *m* de ciencia; (*geleerde ook:*) erudito

wetenswaardigheid cosa de interés, detalle *m* interesante

wetgevend legislativo; **wetgeving** legislación *v*; *sociale* ~ legislación *v* social; **wethouder** (*vglbaar:*) teniente *m,v* de alcalde

wets|dokter (*Belg*) médico *m,v* forense; **-ontwerp** proyecto de ley

wetsteen piedra de afilar

wets|voorstel proposición *v* de ley; **-wijziging** reforma de la ley; **-winkel** consultorio jurídico

wettelijk legal, legítimo; ~*e aansprakelijkheid* responsabilidad *v* civil; *het* ~ *erfdeel* la (porción) legítima

wetten afilar

wettig legítimo, legal; ~ *gedeponeerd* marca registrada; *de* ~*e regering* el gobierno legalmente constituido; **wettigen** 1 legitimar; 2 (*rechtvaardigen*) justificar; *het wettigt de verwachting dat* justifica la esperanza de que

weven tejer (en telar); **wever** tejedor *m*

wezel comadreja

wezen I *ww* ser, estar; *hij mag er* ~ vale lo suyo; *ik ben* ~ *vragen* he ido a preguntar; II *zn* 1 (*schepsel*) ser *m*; *ieder levend* ~ todo ser viviente; *een menselijk* ~ un ser humano; 2 (*essentie*) esencia; *in* ~ en lo esencial, en el fondo, fundamentalmente; **wezenlijk** esencial, fundamental; **wezenloos** alelado, inexpresivo; *met een -loze blik* con la mirada perdida

wezenpensioen pensión *v* de orfandad

w.g. *was getekend* firmado; *afk* fdo.

wichelroede varilla de zahorí; **wichelroedeloper** zahorí *m*, radiestesista *m*

wicht 1 criatura; 2 (*dom meisje*) tonta

wie I *vrag vnw*: ~? ¿quién?, ¿quiénes?; ~ *bedoel je?* ¿a quién te refieres?; ~ *kan ik zeggen?* ¿de parte de quién?; ~ *waren er?* ¿quiénes estaban?; II *betr vnw* quien, el que, la que, los que, las que; ~ *dan ook* quienquiera (sea), cualquiera; ~ *het ook zij* sea quien sea

wiebelen 1 (*mbt tafel*) renguear; 2 (*mbt persoon*) moverse *ue* continuamente, no estarse quieto

wieden quitar la maleza, escardar, desyerbar

wiedeweerga: *als de* ~ a escape, a toda prisa

wieg cuna; (*mandvormig, draagbaar*) moisés *m*, capazo; *in de* ~ *gelegd zijn voor* haber nacido para; *van de* ~ *tot het graf* desde la cuna hasta la tumba; **wiegelied** canción *v* de cuna, nana; **wiegen** mecer; *met zijn heupen* ~ contonearse

wiek aspa || *in zijn* ~ *geschoten* ofendido, picado, amoscado

wiel rueda

wiel|dop tapón *m* de rueda; (*sierdop*) embellecedor *m*; **-druk** carga de rueda

wieler|baan velódromo; **-sport** ciclismo; **-wedstrijd** carrera ciclista

wielophanging suspensión *v* de la rueda

wiel|rennen ciclismo; **-renner**, **-renster**, **-rijder**, **-rijdster** ciclista *m,v*

wier alga

wierook incienso

wig cuña; *een* ~ *drijven in* introducir una cuña en; **wigvormig** de forma de cuña

wigwam wigwam *m*

wij nosotros, -as; ~ *ouders menen dat* los padres creemos que

wijd I *bn* ancho; (*ruim*) ancho, espacioso, dila-

tado; II *bw*: ~ *open* abierto de par en par, muy abierto; ~ *en zijd* por todas partes; **wijdbeens** con las piernas abiertas
wijden 1 consagrar; 2 ~ *tot priester* ordenar sacerdote; 3 ~ *aan* dedicar a; *zich* ~ *aan* dedicarse a
wijdlopig prolijo; *om niet* ~ *te zijn* por no pecar de prolijo
wijdte 1 ancho; 2 (*van halsopening*) entrada
wijdverspreid extendido
wijf hembra, mujer, mujeruca; *oud* ~: *a*) (*vrouwmens*) vieja bruja; *b*) (*zeur*) pesado, -a, machacón, -ona *m*; *c*) (*prater*) cotorra; **wijfje** hembra; **wijfjesdier** animal *m* hembra
wijk barrio, distrito || *de* ~ *nemen* huir, refugiarse
wijk|agent agente *m,v* de barriada; **-centrum** centro de barriada, centro de barrio
wijken 1 (*toegeven*) ceder; *van geen* ~ *weten* mantenerse en sus trece; *niet van iems zijde* ~ no moverse *ue* del lado de u.p.; 2 (*vluchten*) huir; *het gevaar is geweken* ya no hay peligro, ha desaparecido el peligro
wijk|gebouw (*vglbaar:*) casa del barrio; **-raad** (*vglbaar:*) junta municipal de distrito; **-verpleegster** enfermera de barrio
wijlen difunto, fallecido
wijn vino; ~ *uit het vat* vino a granel; *rode* ~ vino tinto; *witte* ~ vino blanco; *goede* ~ *behoeft geen krans* las cosas buenas se recomiendan solas, el buen paño en el arca se vende; **wijnazijn** vinagre *m* de vino
wijnbouw viticultura, vinicultura, vitivinicultura; **wijnbouwer** vitivinicultor, -ora, vinicultor, -ora; **wijnbouwstreek** zona vinícola
wijn|gaard viña; **-glas** copa para vino; **-handelaar** negociante *m,v* en vinos; **-jaar**: *een goed* ~ un buen año de vino, una buena añada; **-kaart** lista de vinos; **-kelder** bodega; **-kenner** conocedor *m* de vinos; **-oogst** vendimia, cosecha; **-pers** prensa de uvas; **-productie** producción *v* de vino, producción *v* vinícola; **-rank** 1 (*jong*) pámpano; 2 (*houtig*) sarmiento; **-stok** cepa, vid *v*; **-vat** barril *m*
1 wijs *zn* 1 (*gramm*) modo; 2 (*muz*) melodía; *geen* ~ *kunnen houden* desafinar; *iem van de* ~ *brengen* confundir a u.p.; *zich niet van de* ~ *laten brengen* no alterarse por nada; *van de* ~ *raken* confundirse, aturdirse; 3 *zie: wijze*
2 wijs *bn* 1 sabio; *ben je niet* ~? ¿has perdido la cabeza?; *hij is niet goed* ~ no tiene arreglo, está mal de la cabeza; *hij is te* ~ *voor zijn leeftijd* sabe demasiadas cosas para su edad; *ik kan er niet uit* ~ *worden* no saco nada en limpio; *hij moest wijzer zijn* tendría que ser más juicioso; *wees toch wijzer!* ¡no seas tonto!; 2 (*trots*) orgulloso; *ergens heel* ~ *mee zijn* estar muy orgulloso de u.c.
wijsbegeerte filosofía
wijselijk por prudencia
wijsgeer filósofo
wijsheid sabiduría
wijsje aire *m*
wijsmaken hacer creer; *maak dat een ander wijs* eso se lo cuentas a otro, a otro perro con ese hueso; *maak dat je grootje wijs* eso se lo contarás a tu abuela; *dat maak je mij niet wijs* a mí no me la das; *hij laat zich alles* ~ todo se lo cree; *zichzelf iets* ~ engañarse a sí mismo
wijs|neus sabelotodo *m,v*, sabidillo, -a, sabihondo, -a; (*meisje ook:*) marisabidilla; **-vinger** (dedo) índice *m*
wijten: ~ *aan* achacar a, imputar a; *dat was niet aan hem te* ~ no era achacable a él; *te* ~ *aan* achacable a; *te* ~ *zijn aan* deberse a, ser debido a; *je hebt het aan jezelf te* ~ es tu propia culpa
wijting merlán *m*
wijwater agua bendita
1 wijze (*manier*) modo, manera, forma; ~ *van betaling* modo de pago; *bij* ~ *van* a modo de, en concepto de; *bij* ~ *van proef* a modo de prueba, por vía de ensayo; *bij* ~ *van spreken* pongo por caso, por así decirlo; *op deze* ~ de este modo, de esta forma, de esta manera; *op dezelfde* ~ de la misma manera; *op enigerlei* ~ de cualquier modo; *op geen enkele* ~ de ninguna manera
2 wijze (*persoon*) sabio; *de* ~*n uit het Oosten* los Reyes Magos
wijzen 1 enseñar, indicar; *iem de deur* ~ enseñarle la puerta (de la calle) a u.p.; *de weg* ~ enseñar el camino; *het wijst zich vanzelf* se indica solo; ~ *naar* apuntar a; ~ *op* señalar, indicar, hacer observar; *iem op iets* ~ hacer observar u.c. a u.p.; *alles wijst erop dat* todo hace creer que, todo indica que; *niets wijst erop dat* nada indica que, nada hace suponer que; 2 (*van vonnis*) dictar, pronunciar; 3 (*mbt thermometer*) marcar
wijzer 1 (*van barometer*) indicador *m*, aguja; 2 (*van klok*) manecilla, aguja; *grote* ~ minutero; *kleine* ~ horario; 3 (*van weegschaal*) fiel *m*, aguja; **wijzerplaat** esfera (del reloj)
wijzigen modificar; (*van wet*) reformar; **wijziging** modificación *v*; (*van wet*) reforma
wikkel envoltura; **wikkelen** 1 ~ *in* envolver *ue* en; *in een gesprek gewikkeld zijn* estar metido en una conversación; 2 ~ *op* enrollar en; **wikkeling** (*elektr*) devanado
wikken sopesar, pesar; ~ *en wegen* ver el pro y el contra; *zijn woorden* ~ *en wegen* pensar *ie* mucho sus palabras; *de mens wikt, God beschikt* el hombre propone y Dios dispone
wil voluntad *v*; *een ijzeren* ~ una voluntad férrea; *zijn laatste* ~ su última voluntad; *Gods* ~ *geschiede* acatemos la voluntad de Dios; *Uw* ~ *geschiede* hágase tu voluntad; *waar een* ~ *is, is een weg* querer es poder; *buiten mijn* ~ fuera de mi voluntad; *omstandigheden buiten mijn* ~ circunstancias ajenas a mi voluntad; *met de beste* ~ *van de wereld* con la mejor voluntad del mundo; *om Gods* ~ por Dios, por lo que más quieras; *tegen* (*mijn*) ~ *en dank* a pesar

mío, quiera que no; *tegen zijn ~* a pesar suyo, contra su voluntad; *ter ~le van* por, en atención a, en favor de; *iem ter ~le zijn* complacer a u.p., dar gusto a u.p.; *uit vrije ~* por (su) propia voluntad; *van goede ~ zijn* tener muy buena voluntad; *zijn goede ~ tonen* mostrar *ue* su buena voluntad || *er is voor elk wat ~s* hay algo para todos los gustos

wild I *bn* 1 (*mbt dier; primitief*) salvaje; *~ dier* (*ook:*) fiera; (*niet getemd*) no domesticado; *~e stam* tribu *v* salvaje; 2 (*mbt plant*) silvestre; 3 (*mbt kind*) movido, revoltoso; 4 (*mbt hartstocht*) frenético, violento; *~e staking* huelga salvaje; *~e vaart* navegación *v* irregular, navegación *v* libre; *in het ~e weg* a la buena de Dios, al tuntún, descontroladamente; II *bw* (*zeer*) sumamente; *~ enthousiast* enormemente entusiasta; III *zn* 1 caza, animales *mmv*; *groot ~* caza mayor; *klein ~* caza menor; 2 *in het ~* en estado salvaje

wildbraad venado, caza

wilde salvaje *m,v*

wildernis jungla

wild|groei desarrollo incontrolado; **-park** parque *m* (nacional); **-rooster** (*in wildpark*) rejilla para animales (en parque natural); **-vreemd** totalmente desconocido

wilg sauce *m*

willekeur arbitrariedad *v*; *naar ~* arbitrariamente, a capricho; **willekeurig** 1 (*mbt handelwijze*) arbitrario; 2 (*onverschillig welk*) cualquiera; *een ~ bedrag* una suma cualquiera

willen querer, desear; *als het een beetje wil* con un poco de suerte, a lo mejor; *of hij wil of niet* queriendo o sin querer; *wanneer u maar wilt* cuando le parezca; *zoals je wilt* como quieras; *je hebt het zelf gewild* te lo has buscado; *het gerucht wil dat ...* se dice que ..., hay rumores de que ...; *wil dit idee succes hebben* para que esta idea tenga éxito; *wat wil je!* ¡qué quieres!; *wat wil je van me?* ¿qué me quieres?; *wat wil je nog meer?* ¿qué más quieres?; *ik wou dat hij hier was* quisiera que estuviera aquí; *hij weet wat hij wil* sabe lo que quiere; *het raam wil niet open* la ventana no se deja abrir; *ik wou net beginnen, toen ...* comenzaba, cuando ..., iba a comenzar, cuando ...; *hij wil het wel doen* está dispuesto a hacerlo; *wou je me vertellen ...?* ¿me ibas a decir ...?; *dat wil zeggen* es decir; *je wilt toch niet zeggen dat ...* no querrás decir que ...; *wat wou je zeggen?* ¿qué querías decir?; *iets niet ~ zien* fingir no ver u.c.; *ik zou graag dokter ~ zijn* me gustaría ser médico; *hij wil er niet aan: a*) (*geloven*) no lo quiere creer; *b*) (*proberen*) no lo quiere ni probar; *dat wil er bij mij niet in* no me cabe en la cabeza; *liever ~* preferir *ie, i*; *ik zou niets liever ~* qué más quisiera (yo)

willens: *~ en wetens* a sabiendas, deliberadamente

willoos abúlico, sin voluntad

wilskracht fuerza de voluntad

wimpel flámula, gallardete *m*

wimper pestaña; *valse ~s* pestañas postizas

wind 1 viento; *zwakke ~* viento flojo; *de ~ gaat liggen* amaina; *de ~ is gedraaid* el viento ha cambiado de dirección; *de ~ steekt op* el viento se levanta; *de ~ waait uit een andere hoek* ahora soplan otros vientos; *wie ~ zaait zal storm oogsten* quien siembra vientos, recoge tempestades; *de ~ in de zeilen* el viento en las velas; *de ~ mee hebben* tener el viento en popa; *hij heeft de ~ eronder* mantiene una perfecta disciplina; *ik had ~ tegen* tenía el viento de frente; *iem de ~ uit de zeilen nemen* adelantarse a u.p.; *ik gaf hem de ~ van voren* le di su merecido, le eché un rapapolvo; *hij kreeg de ~ van voren* se llevó lo suyo; *bij de ~ zeilen* navegar de bolina; *in de ~ slaan* desatender *ie*, no hacer caso de, echar en saco roto; *met alle ~en meedraaien* bailar al son que se toca, ser una veleta, arrimarse al sol que más calienta; *van de ~ kun je niet leven* no se puede vivir del aire; *het ging hen voor de ~* prosperaban; 2 (*darmgas*) pedo, flato

wind|as torno; **-buks** escopeta de aire comprimido; **-dicht** a prueba de viento; **-ei**: *het zal hem geen ~eren leggen* sacará su buen provecho

winden enrollar

windenergie energía eólica

winderig 1 ventoso; *het is hier ~* aquí hay mucho viento; 2 (*med*) flatulento; **winderigheid** (*med*) flatulencia, ventosidad *v*

wind|hond galgo; **-hoos** tornado

winding vuelta

wind|jak anorak *m*, cazadora; **-kracht** fuerza del viento; **-molen** molino de viento; **-richting** dirección *v* del viento; **-scherm** paravientos *m*, paraván *m*, biombo; **-snelheid** velocidad *v* del viento; **-stil** en calma; *het is ~* no hay viento; **-stoot** racha de viento, ráfaga de viento, golpe *m* de viento; **-streek**: *de vier -streken* los cuatro puntos cardinales; *uit alle -streken* de todas las latitudes; **-surfing** windsurfing *m*; **-surfplank** plancha a vela; **-tunnel** túnel *m* de aire, túnel *m* de viento; **-wijzer** veleta; **-zak** cono de viento, manga-veleta

wingerd vid *v*, parra

winkel tienda

winkel|bediende dependiente, -enta, vendedor, -ora; **-buurt** barrio comercial; **-centrum** centro comercial; **-dief** (*fam*) mechero; **-diefstal** atraco de tienda, robo en una tienda; **-dochter** artículo invendible, saldo invendible

winkelen hacer compras; *gaan ~* salir de compras

winkel|galerij galería (comercial); **-haak** rasgón *m*; (*fam*) siete *m*

winkelier tendero, comerciante *m*

winkel|meisje dependienta, vendedora; **-pand** local *m* comercial; **-prijs** precio de venta al público; *afk* PVP; **-sluiting** cierre *m* de

tiendas; **-straat** calle *v* comercial; **-wagentje** (*in supermarkt*) carrito, carrillo de supermercado; (*boodschappenwagentje*) carrito (de compras)
winnaar, **winnares** ganador, -ora; **winnen** 1 ganar; *het* ~ ganar la partida, triunfar, salir victorioso; *glansrijk* ~ ganar rotundamente; *aan duidelijkheid* ~ ganar en claridad; *ze hebben gewonnen met 1-0* han ganado por uno a cero; *terrein* ~ *op* ganar terreno a; *ik win altijd van Rita* siempre le gano a Rita; *de werkelijkheid wint het altijd van de fantasie* la realidad le gana siempre la partida a la fantasía; 2 (*van erts*) extraer; **winning** extracción *v*
winst 1 beneficio, beneficios *mmv*, ganancia, lucro, utilidad *v*; *bruto* ~ ganancia bruta; *de gemaakte* ~ los beneficios alcanzados; *zuivere* ~ beneficios líquidos; *instellingen die geen* ~ *beogen* entidades no lucrativas; ~ *maken* realizar beneficios; ~ *opleveren* dar beneficio; *met* ~ con ganancia; *om* ~ *te maken* para obtener lucro; 2 (*bij verkiezing*) ganancia
winst|bejag ánimo de lucro; **-deling** participación *v* en los beneficios
winst- en verliesrekening cuenta de pérdidas y ganancias
winst|gevend remunerador *-ora*, lucrativo, provechoso; **-marge** margen *m* de beneficio, margen *m* de utilidad; **-oogmerk** ánimo de lucro, afán *m* de lucro
winter invierno
winter|avond noche *v* de invierno; **-goed** ropa de invierno; **-handen** manos *vmv* con sabañones; **-hard** resistente (al frío); **-jas** abrigo (de invierno); **-kleren** ropa de invierno; **-koninkje** carrizo; **-kwartier** cuartel *m* de invierno; **-landschap** paisaje *m* de invierno
winters invernizo, invernal
winter|slaap hibernación *v*; **-sport** deporte *m* de invierno; **-tarwe** trigo de invierno; **-tijd** hora de invierno; **-voeten** pies *mmv* con sabañones; **-zon** sol *m* invernizo
wip 1 (*speeltuig*) balancín *m*; *op de* ~ *zitten* (*fig*) estar con un pie en el aire; 2 (*sprong*) salto; *het is maar een* ~ está a dos pasos; *in een* ~ en un santiamén, en un abrir y cerrar de ojos; **wipneus** nariz *v* respingona; **wippen** I *intr* 1 (*op wip*) jugar *ue* en el balancín; 2 (*op stoel*) inclinar la silla; 3 (*sprongetjes maken*) dar saltitos; 4 (*paren*) joder; II *tr* (*uit baan*) dar la zancadilla; **wipplank** *zie: wip*
wirwar (*van draden*) maraña; (*van straten*) dédalo, laberinto
wis: ~ *en zeker* seguramente; ~ *en waarachtig wel!* ¡cómo que no!
wiskunde matemáticas *vmv*; **wiskundeleraar**, **wiskundelerares** profesor, -ora de matemáticas; **wiskundig** matemático
wispelturig inconstante, caprichoso; *hij is erg* ~ es muy veleta
wissel 1 (*handel*) letra (de cambio); *een* ~ *aanbieden ter betaling* presentar una letra para su pago; *een* ~ *accepteren* aceptar una letra; *een* ~ *trekken op* librar una letra contra; 2 (*in rails*) aguja; **wisselbeker** copa de turno; **wisselbouw** rotación *v* de cultivos; **wisselen** cambiar; *geld* ~ cambiar dinero; *ik kan niet* ~ no tengo cambio; *tanden* ~ cambiar de dientes; *ze wisselden geen woord* no cambiaron ni una palabra; *ik heb nooit een woord met hem gewisseld* nunca he cruzado la palabra con él; *van gedachten* ~ cambiar impresiones, cambiar ideas; **wisselend** variable; ~ *bewolkt* nubosidad *v* variable, nubes *vmv* y claros; **wisselgeld** cambio; **wisseling** cambio
wissel|kantoor oficina de cambio; **-koers** tipo de cambio; **-lijst** marco cambiable; **-oplossing** (*Belg*) alternativa, opción *v*; **-slag** estilos *mmv*; **-speler** sustituto; **-stroom** corriente *v* alterna; **-truc** truco de cambio
wisselvallig inestable, variable, inconstante
wisselwerking interacción *v*
wissen (*uitvegen*) borrar; **wisser** (*voor bord*) borrador *m*
wissewasje nadería, bagatela
wit I *bn* blanco; *zo* ~ *als een doek* blanco como el papel; ~ *maken* (*ook fig*) blanquear; II *zn* 1 (*alg; van oog*) blanco; *in het* ~ (*gekleed*) de blanco; *jij speelt met* ~ juegas con blancas; 2 (*van ei*) clara
wit|gepleisterd blanqueado, enjalbegado; **-gloeiend** incandescente; **-goed** ropa blanca; **-heet** furioso; **-kalk** cal *v*; **-kiel** mozo, maletero; **-lof** endivia; **-loof** (*Belg*) endivia
witte-boordencriminaliteit delincuencia de cuello blanco; **witte-boordenproletariaat** proletariado de cuello y corbata
wittebrood pan *m* blanco; **wittebroodsweken** luna de miel
wittekool repollo
witten I *ww* encalar, blanquear, enjalbegar; II *zn* blanqueo
witwassen (*fig, van geld*) lavar, blanquear
wnd. *waarnemend* interino, suplente
wodka vodka *m*
woede cólera, rabia, furor *m*; *hij ontstak in* ~ montó en cólera; *hij is dol van* ~ revienta de rabia; **woedeaanval** acceso de cólera, ataque de rabia; **woeden** hacer estragos; (*mbt brand ook:*) arder; **woedend** furioso, enfurecido, encolerizado; ~ *aankijken* mirar enfurecido; *het maakt hem* ~ le da rabia; ~ *worden* ponerse furioso, enfurecerse
woeker usura; **woekeraar** usurero; **woekeren** 1 prestar a usura, usurar; 2 (*mbt plant*) crecer con exuberancia; 3 ~ *met* aprovechar en lo posible
woeker|plant planta parásita; **-prijs** precio abusivo; **-rente** intereses *mmv* usurarios; **-winst** ganancia usuraria, usura, lucro excesivo
woelen 1 (*in bed*) darse vueltas; 2 (*in grond*) escarbar, hurgar; 3 (*in kast*) hurgar; **woelig** 1 (*mbt zee*) alborotado, encrespado; 2 (*mbt tijden*) tormentoso

woel|muis campañol *m*; **-rat** rata de agua
woensdag miércoles *m*; *a.s.* ~ el miércoles (próximo); *verleden* ~ el miércoles (pasado); *'s~s* los miércoles
woerd pato
woest 1 (*mbt landschap*) salvaje, rudo; (*kaal*) árido, desierto, yermo; **2** (*mbt persoon, wild*) salvaje, feroz; **3** (*boos*) furioso, rabioso; **woesteling** bruto; **woestenij 1** (*hooggelegen*) páramo; **2** (*woestijn*) desierto; **woestheid** carácter *m* salvaje
woestijn desierto; **woestijnachtig** desértico
wol lana; *zuiver* ~ (de) lana pura; *door de* ~ *geverfd* curtido, tinto en lana; *onder de* ~ en la cama
wolf 1 lobo; *de* ~ *en de 7 geitjes* el lobo y los cabritillos; *jonge* ~ lobato; *een* ~ *in schaapskleren* un lobo con piel de oveja; **2** (*in tanden*) caries *v*
wol|fabriek fábrica de lana; **-federatie** federación *v* lanera
wolfram volframio, tunsteno
wolfshond perro lobo
wolindustrie industria lanera
wolk nube *v*; *achter de ~en schijnt de zon* no hay mal que por bien no venga; *in de ~en zijn* no caber en sí de alegría; **wolkbreuk** lluvia torrencial; **wolkeloos** sin nubes, despejado; **wolkendek** capa de nubes; **wolkenkrabber** rascacielos *m*; **wolkje**: *een* ~ *melk* unas gotas de leche
wollen de lana; ~ *stoffen* tejidos de lana; **wollig** lanoso
wolvin loba
wond I *zn* herida; *~en slaan* causar heridas; **II** *bn* herido; *de ~e plek* la llaga, la herida; **wonden** herir *ie, i*; (*kwetsuren toebrengen*) lesionar; *ernstig gewond* herido de gravedad; *aan het hoofd gewond* herido de la cabeza
wonder milagro, prodigio, maravilla; *er is een* ~ *gebeurd* se ha producido un milagro; *het is een* ~ *dat hij nog leeft* vive de milagro, es un milagro que aún viva; *het is geen* ~ *dat* no es de extrañar que; *~en verrichten* realizar maravillas, hacer milagros; **wonderbaarlijk** milagroso, prodigioso; **wonderdokter** curandero; **wonderkind** niño prodigio; **wonderlijk** extraño, sorprendente; peregrino; **wondermiddel** cúralotodo, sánalotodo; **wonderwel** maravillosamente, de maravilla
wond|koorts fiebre *v* traumática; **-poeder** polvos *mmv* vulnerarios
wonen vivir; *hij woont bij zijn vader* vive con su padre, convive con el padre; *komen* ~ *in een buurt* avecindarse en un barrio; *buiten gaan* ~ ir a vivir al campo; **woning** vivienda; *onbewoonbare* ~ infravivienda; *vrijstaande* ~ vivienda aislada
woning|blok bloque *m* de viviendas, manzana; **-bouw** construcción *v* de viviendas; **-bouwproject** proyecto de viviendas; **-bouwvereniging** asociación *v* para la construcción de casas; **-bureau** agencia de viviendas, agencia de alquiler de pisos
woningentekort déficit *m* de viviendas
woning|inrichting decoración *v* (interior); **-krediet** (*Belg*) préstamo hipotecario; **-nood** escasez *v* de viviendas, crisis *v* de la vivienda; **-ruil** cambio de viviendas
woningwetwoning (*vglbaar:*) vivienda de protección oficial, vivienda protegida
woonachtig (*in*) domiciliado (en), con residencia (en)
woon|boot barco-vivienda *m*; **-eetkamer** salón-comedor *m*; **-erf** zona urbana interior; **-groep** grupo que vive en comunidad; **-huis** casa particular, vivienda particular; **-kamer** (cuarto de) estar *m*, salón *m*; **-keuken** cocina-estar *v*; **-omgeving** ambientación *v*; **-plaats** domicilio; *laatst bekende* ~ último domicilio conocido; **-wagen** auto-vivienda *m*, casa rodante; **-wagenbewoner** habitante *m* de coche-vivienda; **-werkverkeer** tráfico entre casa y trabajo, (*vglbaar:*) traslado laboral diario; **-wijk** barrio residencial
woord palabra; *het gesproken* ~ la palabra hablada; *lelijk* ~ palabrota; *het* ~ *is aan meneer A* el señor A tiene la palabra; *daar zijn geen ~en voor* es (moralmente) incalificable; *zijn* ~ *breken* faltar a su palabra; *het* ~ *doen* ser el portavoz; *het* ~ *geven* conceder la palabra; *ik geef je mijn* ~ te doy mi palabra; *je haalt me de ~en uit de mond* me lo has quitado de la boca; *~en hebben* reñir *i*, discutir; *het hoogste* ~ *hebben* llevar la voz cantante; *het laatste* ~ *hebben* decir la última palabra; *zijn* ~ *houden* cumplir lo prometido; *hij kent geen* ~ *Frans* no sabe una palabra de francés; *ik kon geen* ~ *uit hem krijgen* no pude sacarle ni una palabra; *het* ~ *nemen* tomar la palabra; *je neemt me de ~en uit de mond* me lo quitas de la boca; *het* ~ *richten tot* dirigirse a; *hij kon geen* ~ *uitbrengen* no pudo articular una sílaba; *zij wisselden geen* ~ no cambiaban ni una palabra; *aan het* ~ *zijn* hacer uso de la palabra; *ik houd u aan uw* ~ le tomo por la palabra; *het blijft bij ~en* todo son palabras; *in één* ~ en una palabra; *met andere ~en* en otras palabras; *met zoveel ~en* explícitamente; *onder ~en brengen* formular, expresar, dar expresión a; *dat is moeilijk onder ~en te brengen* es difícil expresarlo; *op mijn ~!* ¡palabra!; *let op je ~en* mira lo que dices; *let op mijn ~en* fíjate bien en lo que digo; *te* ~ *staan* atender *ie*; *niet uit zijn ~en kunnen komen* trabarse, enredarse; ~ *voor* ~ palabra por palabra; *zonder een* ~ *te zeggen* sin decir palabra, (*fam*) sin decir oxte ni moxte
woordblindheid dislexia
woordelijk *bw* literalmente, al pie de la letra
woorden|boek diccionario; **-lijst** vocabulario, lista de palabras, glosario; **-schat** vocabulario, léxico, caudal *m* léxico; **-vloed** torrente *m* de palabras, caudal *m* de palabras; **-wisseling** altercado, disputa

woordgebruik uso verbal
woordje palabrita; *hij kan zijn ~ wel doen* no tiene pelos en la lengua; *een goed ~ voor iem doen* decir unas palabras en favor de u.p.
woord|soort clase *v* de palabra; (*gramm*) categoría gramatical, parte *v* de la oración; **-speling** juego de palabras; **-voerder**, **-voerster** portavoz *m,v*
worden I *koppelww* hacerse, ponerse, volverse *ue*, convertirse *ie, i* en; *bleek ~* ponerse pálido, palidecer; *directeur ~* llegar a ser director; *dokter ~* hacerse médico; *gek ~* volverse loco, enloquecer; *katholiek ~* convertirse al catolicismo; *oud ~* hacerse viejo, envejecer; *ziek ~* ponerse enfermo, enfermar; *het wordt lente* llega la primavera; *hij wordt negen* cumple nueve años; *het wordt een mooie dag* va a hacer un día bueno; *hij werd mijn beste vriend* se convirtió en mi mejor amigo; *ik wil schrijfster ~* quiero ser escritora; *wat zal er van hem ~?* ¿qué será de él?; II *hulpww* ser; *de deur werd geopend* la puerta fue abierta; *er wordt veel gepraat* se habla mucho; *er wordt gezegd dat* se dice que, dicen que; **wording** formación *v*; *in ~* en desarrollo, en formación, en gestación, naciente
workshop taller *m*
worm gusano; (*aardworm*) lombriz *v*
wormas husillo
wormstekig picado por los gusanos
worp 1 tiro; 2 (*mbt jongen*) camada
worst 1 (*om te braden*) salchicha; **2** (*als beleg*) salchichón *m*
worstelaar luchador *m*; **worstelen** (*met, tegen*) luchar (con, contra); *~ om los te komen* forcejear para soltarse; **worsteling** lucha; (*om los te komen, om iets af te pakken*) forcejeo; **worstelwedstrijd** combate *m* de lucha
wortel 1 raíz *v*; *~ schieten* echar raíces, arraigar, enraizar, agarrar; *de ~ trekken uit* (*wisk*) extraer la raíz de; 2 (*peen*) zanahoria; **wortelen 1** echar raíces, arraigar; *diep geworteld* muy arraigado; **2** *~ in* tener sus raíces en
wortel|stok rizoma *m*; **-teken** radical *m*; **-trekken** *zn* extracción *v* de raíces
woud bosque *m*; (*oerwoud*) selva
wraak venganza; (*represaille*) represalia, desquite *m*; *~ nemen op* vengarse en; *~ nemen voor* vengarse de, tomar venganza de; *dit schreeuwt om ~* esto pide venganza a gritos; **wraakgierig** vengativo; **wraakneming** venganza; **wraakzucht** ánimo vengativo, espíritu *m* de venganza; **wraakzuchtig** vengativo
wrak 1 (*schip*) barco naufragado; **2** (*mens*) ruina, desecho; *hij was een ~ geworden* se había convertido en un desecho de hombre; **3** (*auto*) restos *mmv*, cacharro
wrak|hout restos *mmv* de un naufragio; **-stukken** (*van trein*) restos
wrang 1 (*mbt smaak*) agrio; **2** (*mbt glimlach*) forzado; 3 (*mbt mop*) cínico
wrat verruga
wreed cruel; **wreedaard** persona cruel; **wreedheid** crueldad *v*
wreef empeine *m*
wreken vengar; *zich ~ op* vengarse en, de; *zich ~ voor, over* vengarse de, por
wrevel irritación *v*, resentimiento, rencor *m*; **wrevelig** irritado, resentido, rencoroso
wriemelen 1 (*krioelen*) hormiguear; **2** (*peuteren*) manosear; *hij zat te ~ aan de brief* manoseaba la carta
wrijfwas cera (de lustrar)
wrijven 1 frotar, restregar; *zich in de handen ~* frotarse las manos; *in zijn ogen ~* restregarse los ojos; **2** (*van vloer*) encerar, dar cera a; **wrijving** frotamiento, fricción *v*, rozamiento; *persoonlijke ~en* roces *mmv* personales; **wrijvingsoppervlak** superficie *v* de rozamiento, superficie *v* de fricción
wrikken mover *ue* tirando y empujando
wringen 1 (*verdraaien*) torcer *ue*; *zijn handen ~* retorcerse *ue* las manos; **2** (*van wasgoed*) retorcer *ue*; *iets uit iems handen ~* arrancar u.c. de las manos de u.p.; *zich in bochten ~* retorcerse *ue*, tratar de escapar; **wringer** exprimidor *m*, secador *m* a rodillos
wroeging remordimiento; *~ hebben* sentir *ie, i* remordimientos; *hij heeft geen ~* no le remuerde la conciencia
wroeten 1 (*in aarde*) escarbar; (*met snuit ook:*) hozar, hurgar con el hocico; *in het verleden ~* escarbar en el pasado; **2** *~ in* (*een zaak*) escarbar en, entrometerse en, husmear en, fisgar en
wrok rencor *m*, resentimiento; *~ koesteren jegens* guardar resentimiento contra; **wrokken** guardar rencor
wrongel requesón *m*, cuajada
wuft frívolo
wuiven agitar; *~ met de hand* agitar la mano, saludar con la mano
wulps voluptuoso, lascivo
wurgen estrangular; **wurggreep** collar *m* de fuerza; **wurging** estrangulación *v*
wurm 1 *zie: worm*; **2** (*kind*) criatura; *het arme ~* la pobre criatura; **wurmen** retorcerse *ue*, afanarse sin conseguir nada; *zich ergens in ~* insinuarse *ú* en, deslizarse en
w.w. *wegenwacht* auxilio de carretera; **w.w.-auto** coche-taller *m*
W.W. *Werkloosheidswet* ley *v* del desempleo, ley *v* de prestaciones de desempleo

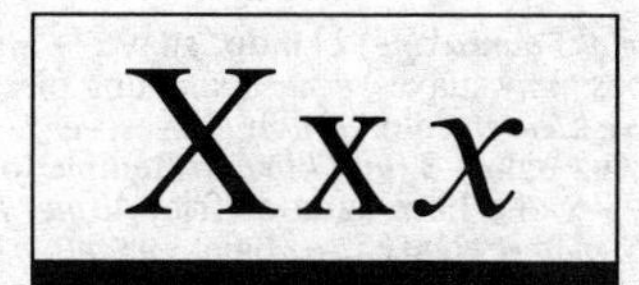

x (*wisk*) equis *v*; **x-as** eje *m* de las x, abscisa
x-benen: (*iem met*) ~ patizambo
xylofoon xilófono

yankee yanqui *m*
y-as eje *m* de las y, ordenada
yoga yoga *m*
yoghurt yogur *m*

Zzz

zaad semilla; *op zwart ~ zitten* estar sin blanca, estar a dos velas
zaad|bal testículo; **-cel** espermatozoide *m*; **-lozing** eyaculación *v*
zaag sierra
zaag|beugel arco de sierra, marco de sierra; **-blad** hoja de sierra; **-bok** caballete *m* de aserrar; **-machine** sierra mecánica
zaagsel serrín *m*
zaaien sembrar *ie*; *wie zaait zal oogsten* el que siembra recoge; **zaaigoed** semillas *vmv*; **zaailing** 1 (*boom*) árbol *m* de pie; 2 (*plant*) planta criada de semilla, planta de semillero; **zaaitijd** (época de) siembra
zaak 1 (*ding*) cosa; 2 (*onderwerp, kwestie*) asunto, caso; *Buitenlandse Zaken* Asuntos Exteriores; *lopende zaken* asuntos corrientes, asuntos pendientes; *de ~ is dat* el caso es que; *dat is een andere ~* es otro capítulo; *dat is een goede ~* es cosa buena; *dat is jouw ~* allá tú; *gedane zaken nemen geen keer* lo hecho, hecho está, agua pasada no muele molino; *zoals de zaken nu staan* tal como están las cosas; *de ~ bespreken* consultar el caso; *ter zake!* ¡vamos al asunto!; *ter zake deel ik u mede ...* para los efectos del caso le comunico ...; *ter zake dienend* pertinente; *ter zake doen* hacer al caso, ser del caso; *tot de ~ komen* entrar en materia; 3 (*jur*) causa; *de ~ Rom* el caso Rom; *de goede ~* la buena causa; *er een ~ van maken* recurrir al juez, poner pleito; 4 (*bedrijf*) negocio; *een ~ openen* poner un negocio; 5 (*transactie*) negocio, transacción *v*; *het is ~ snel te handelen* importa actuar pronto; *niet veel ~s* nada del otro mundo, poca cosa; *in zaken* en negocios; *over zaken praten* hablar de negocios; **zaakgelastigde** mandatario, -a; **zaakje** 1 (*winkel*) negocio; 2 (*kwestie*) negocio, asunto; *een voordelig ~* un buen negocio; *een vuil ~* un asunto sucio
zaak|voerder, **-voerster** (*Belg*) gerente *m,v*; **-waarnemer** gestor, -ora de negocios, encargado, -a de negocios
zaal (*in theater, ziekenhuis, museum*) sala; (*vergaderzaal*) salón *m*; *hij trekt altijd volle zalen* siempre actúa con llenos
zaal|juffrouw (*Belg*) acomodadora; **-sport** deporte *m* en sala; **-voetbal** fútbol-sala *m*
zacht I *bn* 1 (*week*) blando, flojo; *~ gekookt ei* huevo pasado por agua; *een ~e figuur* un tipo blando; *~ maken* ablandar; *de hitte maakt het asfalt ~* el calor ablanda el asfalto; 2 (*mbt uiterlijk, aanraking*) blando, suave; *~ geklop* golpes *mmv* suaves; *een ~e huid* una piel suave; *~e kleuren* colores *mmv* suaves; *een ~ licht* una luz tenue; 3 (*mbt klimaat*) templado; *het is ~ weer* no hace nada de frío; 4 (*niet luid*) bajo; *met ~e stem* en voz baja; *~er zetten* (*mbt radio*) bajar; 5 (*mbt karakter; teder*) dulce, tierno; 6 (*mbt water*) blando, fino, delgado || *~ prijsje* precio bajo; *op een ~ vuurtje* a fuego lento; **II** *bw* 1 (*licht*) ligeramente, suavemente; *~ aanraken* tocar suavemente; 2 (*teder*) tiernamente, dulcemente; 3 (*niet luid*) bajo; *~ praten* hablar bajo; 4 (*langzaam*) despacio || *om het ~ te zeggen* por decir lo menos; **zachtaardig** bondadoso, manso, dulce, tierno; **zachtaardigheid** 1 blandura, suavidad *v*, mansedumbre *v*; 2 (*tederheid*) suavidad *v*, dulzura, ternura; **zachtjes** *zie: zacht II*; **zachtmoedigheid** mansedumbre *v*; **zachtzinnig** suave, manso
zadel 1 (*van paard*) silla (de montar); *iem in het ~ helpen* hacerle a u.p. de padrino, ayudarle a u.p. a montar; *hij zit stevig in het ~* está firme en su puesto, no hay quien lo descabalgue; *zonder ~ rijden* montar a pelo; 2 (*van fiets*) sillín *m*; **zadeldak** techo a dos vertientes, techo a dos aguas; **zadelen** ensillar; **zadelmakerij** guarnicionería, sillería
zagen serrar *ie*; **zagerij** serrería
zak 1 bolso; (*puntzak*) cucurucho; 2 (*groot; van jute*) bolsa, saco; 3 (*in kleding*) bolsillo; *dat kun je in je ~ steken!* ¡chúpate ésa!; *geen geld op ~ hebben* no llevar dinero encima; *op andermans ~ leven* vivir a expensas de otro; 4 (*persoon*) cabrón *m* || *de ~ geven* poner en la calle; *in ~ en as zitten* estar desolado, estar desesperado
zak|agenda agenda (de bolsillo); **-boekje** carnet *m*, librillo de notas; *militair ~* libreta militar; **-doek** pañuelo
zakelijk 1 (*feitelijk*) material, concreto; *de ~e inhoud* el contenido material; 2 (*doelgericht*) realista, práctico; *hij is niet ~: a*) no tiene sentido práctico; *b*) (*in handel*) no tiene sentido comercial; 3 (*niet persoonlijk*) objetivo; 4 (*bondig*) conciso; **zakelijkheid** 1 (*van persoon*) sentido práctico; (*in handel*) sentido comercial; 2 (*objectiviteit*) realismo, objetividad *v*; 3 (*bondigheid*) concisión *v*
zaken|brief carta comercial; **-kabinet** gabinete *m* técnico; **-kantoor** (*Belg*) agencia inmobiliaria; **-leven** ambiente *m* comercial; **-man** hombre *m* de negocios, hombre *m* de empresa; **-recht** derecho de cosas; **-reis** viaje *m* de negocios; **-wereld** mundo de los negocios, círculos *mmv* comerciales
zak|formaat tamaño de bolsillo; **-geld** dinero para gastillos, dinero para gastos menudos
zakje 1 bolso (pequeño); (*van stof ook:*) saquito; 2 (*op kleding*) bolsillo
zakken I *ww* 1 (*dalen*) bajar; *laten ~* bajar; *zich laten ~* descolgarse *ue*; *de moed laten ~* perder

ie el ánimo; 2 (*verminderen*) bajar, disminuir; *haar boosheid zakte* disminuía su enfado, le iba pasando el enfado; 3 (*voor examen*) ser suspendido, (*fam*) ser cateado; *hij is gezakt* le han suspendido; *iem laten* ~ suspender a u.p., (*fam*) catear a u.p.; ~ *voor een vak* suspender una asignatura; II *zn* suspenso, (*fam*) cate *m*
zakkenrollen I *ww* robar carteras; II *zn* ratería, robo de carteras; **zakkenroller** ratero, carterista *m*
zak|lantaarn linterna de bolsillo; **-lopen** *zn* carrera de sacos; **-mes** navaja; **-woordenboek** diccionario de bolsillo
zalf ungüento
zalig 1 bienaventurado; ~ *zijn zij die* ... bienaventurados los que ...; 2 (*zalig verklaard*) beato; 3 (*heerlijk*) delicioso; *het is* ~ es una gloria; **zaliger** difunto, que en paz descanse, finado; **zaligheid** 1 salvación *v*; *de eeuwige* ~ la salud eterna; 2 (*genot*) gloria, delicia
zalm salmón *m*; **zalmforel** trucha salmonada; **zalmkleurig** (de color) salmón
zalven ungir; **zalvend** (*fig*) lleno de unción; **zalving** unción *v*
zand arena; ~ *erover* lo pasado al saco, borrón y cuenta nueva; *fijn* ~ arena fina; *een verhaal dat als los* ~ *aan elkaar hangt* un relato deshilvanado; *iem* ~ *in de ogen strooien* embaucar a u.p.; *in het* ~ *bijten* morder *ue* el polvo; *met* ~ *bestrooien* enarenar
zand|afgraving excavación de arena; **-bak** cajón *m* de arena; **-bank** banco de arena
zanderig arenoso, arenisco
zand|grond tierra arenosa; **-hoop** montón *m* de arena; **-korrel** grano de arena; **-loper** reloj *m* de arena; **-steen** (piedra) arenisca; **-storm** tempestad *v* de arena; **-stralen** limpiar con chorro de arena, chorrear; **-taartje** 1 (*koek*) polvorón *m*; 2 (*op strand*) flan *m* de arena; **-vormpje** molde *m* para la playa; **-zak** saco de arena; **-zuiger** draga aspiradora de arena
zang canto; **zanger**, **zangeres** cantante *m,v*; (*in flamenco*) cantaor, -ora; **zangerig** melodioso
zang|koor coro, orfeón *m*; **-kunst** (arte *m* del) canto; **-leraar** profesor *m* de canto; **-les** clase *v* de canto; **-partij** parte *v* de canto; **-vereniging** orfeón *m*; **-vogel** pájaro cantor
zaniken fastidiar, importunar, porfiar *í*
zat 1 (*verzadigd*) harto; *ik ben het* ~ estoy harto; 2 (*dronken*) borracho; 3 (*ruimschoots*) abundante; *er is fruit* ~ hay fruta en abundancia
zaterdag sábado; ~*s bijvoegsel* suplemento sabatino
zatlap borracho, -a, borrachín, -ina
ze (*enkv*) ella; (*mv, ondw, na vz*) ellos, ellas; (*mv, lijd vw*) los, (*personen ook:*) les, las; (*mv, meew vw*) les
zebra cebra; **zebrapad** paso de cebra
zede costumbre *v*; *zie ook: zeden*
zedelijk moral; **zedelijkheid** moralidad *v*, buenas costumbres *vmv*
zedeloos inmoral; **zedeloosheid** inmoralidad *v*
zeden costumbres *vmv*; ~ *en gewoonten* usos y costumbres; *de goede* ~ las buenas costumbres; *vrouw van lichte* ~ prostituta
zeden|bederf depravación *v* moral; **-delict** delito contra la moral, delito sexual; **-leer** ética; **-misdrijf** *zie: zedendelict*; **-politie** policía de la moral pública
zedenpreek sermón *m* (moralista); **zedenpreker** moralizador *m*
zedig (*kuis*) pudoroso, recatado
zee mar *m*; (*lit, fig, in zeemanstaal ook:*) mar *v*; *gladde* ~ mar terso; *rustige* ~ mar en calma; *ruwe* ~ marejada, mar agitada; *zware* ~ mar gruesa; ~ *kiezen* hacerse a la mar; *we hebben* ~*ën van tijd* (*fam*) tenemos la mar de tiempo; *aan* ~ a orillas del mar, en la costa; *recht door* ~ *gaan* jugar *ue* limpio; *met iem in* ~ *gaan* entablar relaciones con; *in open* ~, *in volle* ~ en alta mar, en plena mar; *naar* ~ *gaan* (*zeeman worden*) hacerse marinero; *op* ~ en el mar; *over* ~ por mar; *ter* ~ en el mar; *strijdkrachten ter* ~ fuerzas navales, marina
zee|arend águila marina; **-arm** brazo de mar; **-benen**: ~ *hebben* tener equilibrio; **-bodem** fondo del mar; **-bonk** lobo de mar; **-damp** niebla marina; **-dier** animal *m* marino; **-dijk** dique *m* de mar; **-ëgel** erizo de mar; **-ëngte** estrecho
zeef 1 (*huish*) tamiz *m*; 2 (*techn; fig*) criba, filtro; **zeefdruk** serigrafía
zee|gang marejada; **-gat**: *het* ~ *uitgaan* hacerse a la mar; **-gevecht** combate *m* naval; **-gezicht** (*schilderij*) marina; **-groen** verde *m* mar; **-haven** puerto de mar; **-hond** foca; **-kaart** carta marina; **-kapitein** capitán *m* de navío; **-klimaat** clima *m* marítimo; **-koe** vaca marina; **-kreeft** langosta
Zeeland Zelandia
zee|leeuw león *m* marino; **-lieden** marineros; **-loods** piloto de mar; **-lucht** aire *m* de mar
zeem gamuza
zeemacht 1 (*leger*) fuerzas *vmv* navales; 2 (*mogendheid*) poder *m* naval
zeeman marinero, marino; **zeemanschap** conocimientos *mmv* náuticos
zeemans|leven vida marinera; **-taal** jerga de los marineros, lengua marinera
zee|meermin sirena; **-meeuw** gaviota; **-mijl** milla marina (*1852 m*); **-mijn** mina submarina
zeemleer gamuza
zeen tendón *m*
zee|niveau nivel *m* del mar; **-officier** oficial *m* de marina; **-oorlog** guerra naval
zeep jabón *m*; *een stuk* ~ una pastilla de jabón; *groene* ~ jabón blando, jabón verde || *iem om* ~ *helpen* mandar a u.p. al otro barrio, dejarle tieso a u.p.
zee|paardje caballito de mar, hipocampo; **-paling** anguila de mar, congrio
zeep|bakje jabonera; **-bel** pompa de jabón;

-oplossing solución *v* jabonosa; **-poeder** jabón *m* en polvo, detergente *m* en polvo; **-schuim** espuma de jabón; **-sop** agua jabonosa; **-vlokken** escamas de jabón
zeer I *zn* dolor *m*; ~ *doen* doler *ue*; *doet het erg ~?* ¿duele mucho?; *mijn ogen doen ~* me duelen los ojos; *zich ~ doen* lastimarse; II *bn* doloroso, dolorido; *zere voeten* pies *mmv* que duelen; *tegen het zere been schoppen* dar en lo más sensible; III *bw* (*bij bn en bw*) muy, (*lit*) harto; (*bij ww*) mucho; ~ *tot mijn verbazing* con gran sorpresa de mi parte; ~ *onlangs* hace muy poco; ~ *gevarieerd* harto variado; *het verheugt mij* ~ me alegra mucho
zee|recht derecho marítimo; **-rob 1** foca; **2** (*zeeman*) lobo de mar
zeerover pirata *m*; **zeeroverij** piratería
zeerst: *ten ~e* grandemente, altamente, en sumo grado
zee|schildpad tortuga de mar; **-schip** barco de alta mar, navío; **-slag** combate *m* naval; **-sleepboot** remolcador *m* de altura; **-spiegel** superficie *v* del mar; (*niveau ook:*) nivel *m* del mar; **-spin** araña de mar; **-ster** estrella de mar; **-straat** estrecho; **-stroming** corriente *v* marina
zeevaarder navegante *m*; **zeevaart** navegación *v*; **zeevaartkundig** náutico; **zeevaartschool** (*vglbaar:*) Escuela Oficial de Náutica; **zeevarend** navegante
zee|verzekering seguro marítimo; **-visserij** pesca de altura, pesca marítima; **-vracht** flete *m* marítimo
zeewaardig 1 (*mbt schip*) en buen estado para navegar, navegable; **2** (*mbt verpakking*) marítimo; **zeewaardigheid** (condiciones *vmv* de) navegabilidad *v* (marítima)
zeewater agua de mar; **zeewaterzuiveringsinstallatie** potabilizadora de agua de mar
zee|weg ruta marina; **-wier** algas *vmv*; **-wind** brisa marina, viento del mar
zeeziek mareado; ~ *worden* marearse; **zeeziekte** mareo
zeezout sal *v* marina
zege triunfo, victoria
zegel sello
zegel|lak lacre *m*; **-legging** (*Belg*) sellado (judicial); **-loodje** precinto, marchamo; **-ring** anillo de sello
zegen bendición *v*; *wat een ~!* ¡qué suerte!; *er rust geen ~ op ons werk* tenemos poca suerte con este trabajo; **zegenen** bendecir; *gezegend met aardse goederen* favorecido de bienes de fortuna; *God zegen de greep!* ¡sea lo que Dios quiera!, ¡salga el sol por Antequera!
zege|praal victoria, triunfo; **-tocht** marcha triunfal; **-vieren** triunfar, vencer, salir triunfante; ~ *over* triunfar de
zeggen I *ww* **1** decir; *zeg, Juan!* ¡oye, Juan!; *zeg eens op* di, dime, anda dilo, a decirlo; *zeg het maar!* ¡bueno, habla!; *nou zeg!* (*verbazing*) ¡anda!; *'t is wat te ~!* ¡vaya, vaya!; *ik heb gezegd* (*na rede*) he dicho; *zeg nou zelf!* ¡razona un poco!; *ik zou haast ~ dat* estoy para decir que; *men zegt dat* se dice que, dicen que; *men zou ~ dat* se diría que; *dat zegt alles* eso lo dice todo; *en, wat meer zegt* ... y, lo que es más ...; *zegt u dat wel!* ¡que lo diga!; *had dat dan gezegd!* ¡haberlo dicho!; *dat had je wel eerder kunnen ~* hablara yo para mañana; *hoe zal ik het ~?* ¿cómo lo voy a decir?; *wat zegt u?* ¿qué ha dicho?, ¿decía Ud.?; *wat je zegt!* ¡dígamelo a mí!; *weet wat je zegt* mira lo que dices; *hij zegt maar wat* habla por hablar; *zal ik je eens wat ~?* ¿sabes una cosa?, ¿sabes lo que te digo?; *wat zal ik je ~* no sé qué decirte; *wat ik wou ~* lo que iba a decir, a lo que iba; *laten we ~ f 10* digamos fls 10; *hij liet het zich geen tweemaal ~* no se lo hizo repetir; *wie zal het ~?* ¿quién lo dirá?; *wie kan ik ~?* ¿de parte de quién?; *zoals wij reeds zeiden* como dejamos dicho; *ja ~* decir que sí; *nee ~* decir que no; *zeg maar niets meer* no digas más; *dag ~* (*afscheid*) decir adiós; *goededag ~* (*groeten*) dar los buenos días, saludar; *het is niet gezegd dat* ... no es seguro que ...; *beter gezegd, liever gezegd* mejor dicho; *daar is alles mee gezegd* no hay más que decir; *het moet gezegd worden* justo es decirlo; *dát heb ik niet gezegd* yo no he dicho tanto; *dat is gemakkelijk gezegd* es fácil decirlo; *houd dat voor gezegd* no te lo diré dos veces; *en daarmee is niets teveel gezegd* así, como suena; *om zo te ~* por así decirlo, como quien dijese; *er is niets op hem te ~* no se le puede reprochar nada; *jij hebt hier niets te ~* tú no mandas aquí; *meer heb ik niet te ~* no me queda nada que decir; *er is veel voor te ~* tiene muchas ventajas; *wat zou je ervan ~ als ...?* ¿qué te parece si ...?; **2** (*betekenen*) querer decir, significar; *dat zegt niets* eso no significa nada; *dat zegt me niets: a*) (*niet bevallen*) no me dice nada; *b*) (*niet kennen*) no me suena; *dat wil ~* es decir; *dat wil niet ~ dat* eso no significa que; *wat wil dat ~?* ¿qué quiere decir eso?, ¿qué significa?; II *zn*: *~ en doen zijn twee* del dicho al hecho hay gran trecho; *naar zijn ~* según dice; *het voor het ~ hebben* ser el amo; *als ik het voor het ~ had* si yo mandara
zeggenschap voto; ~ *hebben over* poder disponer de
zeggingskracht expresividad *v*, fuerza expresiva
zegs|man informante *m*, comunicante *m*, fuente *v* (informativa); **-wijze** frase *v* hecha, locución *v*, modismo, giro (idiomático)
zeiken 1 mear; **2** (*fig*) fastidiar, dar la lata; **zeikerd** pelma *m*, pelmazo, pesado
zeil 1 (*op schip*) vela; *alle ~en bijzetten* actuar *ú* a toda vela, hacer todos los esfuerzos posibles; *de ~en hijsen* izar las velas; *met opgestoken ~en* (*boos*) con gran enojo; *met volle ~en* a toda vela, a velas desplegadas; *onder ~ gaan: a*) (*wegvaren*) hacerse a la vela; *b*) (*inslapen*) dormirse *ue, u*; **2** (*dekkleed*) lona, cubierta; **3**

(*op vloer*) linóleo; 4 (*tafelkleed*) hule *m*; 5 (*gespannen doek*) toldo
zeil|boot barco de vela, velero, balandro; (*groter:*) yate *m*; **-doek** 1 (*scheepv*) lona; 2 (*tafelkleed*) hule *m*
zeilen I *ww* 1 navegar en barco de vela, pasearse en velero; 2 (*zweven*) planear; II *zn* navegación *v* a vela; **zeiler** aficionado a la navegación a vela
zeil|jacht yate *m*; **-jopper** chaquetón *m*; **-klaar** listo para dar vela; **-plank** tabla de vela; **-school** escuela de vela; **-sport** navegación *v* a vela; **-vereniging** club *m* náutico; **-wedstrijd** regata (a vela)
zeis guadaña
zeker I *bn* 1 (*vaststaand*) seguro, cierto; *een ~e meneer A.* cierto señor A.; *het is niet ~ of* no hay seguridad de que, no es seguro que; *zoveel is ~ dat ...* lo cierto es que ...; *iets als ~ beschouwen* tener u.c. por segura; *het ~e voor het onzekere nemen* no aventurarse, curarse en salud; *op ~e dag* un día; 2 (*overtuigd*) seguro, decidido; *~ van zichzelf* seguro de sí mismo; *er ~ van zijn dat* estar seguro de que, tener la seguridad de que; *ben je er wel ~ van?* ¿estás seguro?; *~ van zijn zaak zijn* andar sobre seguro; II *bw* 1 (*vaststaand*) seguramente; *~ weten* saber con seguridad, saber de seguro, saber con certeza; *zo ~ als wat* tan seguro como dos y dos son cuatro; *weet je het ~? heel ~!* ¿estás seguro? ¡completamente seguro!; *ik weet het niet ~ meer* no me acuerdo bien; *ja, ~!, ~ wel!* ¡pues sí!, ¡claro que sí!; *...en ~ niet met haar* ...y menos con ella; 2 (*waarschijnlijk*) probablemente; *je hebt het ~ wel gehoord* ya te habrás enterado ¿no?; *ik hoef het ~ niet te herhalen* supongo que no tendré que repetirlo; *hij hield me ~ voor erg dom* sin duda me creía muy tonto; **zekerheid** seguridad *v*, certeza; *sociale ~* seguridad social; *~ stellen* (*jur*) poner garantías; *hij wilde ~* quería estar seguro, quería salir de dudas; *zich ~ verschaffen omtrent* asegurarse de; *dat kan ik niet met ~ zeggen* no lo puedo precisar; *voor de ~, voor alle ~* por si acaso, por mayor seguridad, a mayor abundamiento, (*fam*) por si las moscas; **zekering** fusible *m*
zelden raras veces, pocas veces; *niet ~* con cierta frecuencia, no pocas veces; *~ of nooit* casi nunca; *het komt heel ~ voor dat* es rarísimo que
zeldzaam I *bn* 1 raro; *een ~ dier* un animal raro; 2 (*schaars*) escaso; *een -zame kans* una oportunidad única; *de -zame keren dat* las escasas veces que; II *bw* excepcionalmente, extraordinariamente; *~ goed* excelente; *het was een ~ mooie dag* hacía un día excepcional; **zeldzaamheid** 1 (*abstr*) rareza, escasez *v*; *dat is een ~* sólo ocurre muy raras veces, es muy raro; 2 (*concr*) curiosidad *v*
zelf mismo, propio; *ik ~* yo mismo, yo misma; *de schrijver ~* el autor mismo, el propio autor; *hij doet alles ~* todo lo hace él mismo; *ik heb geen moment voor mij ~* no tengo rato mío; *ze was de kalmte zelve* era la calma en persona
zelf|bediening autoservicio; **-bedrog** engaño de sí mismo, autoengaño; *dat is ~* es engañarse a sí mismo; **-beheersing** dominio de sí mismo; *zijn ~ weten te bewaren* saber dominarse; *zijn ~ verliezen* perder *ie* los estribos; **-behoud** conservación *v*, autoconservación *v*; *instinct tot ~* instinto de conservación; **-beklag** lástima de sí mismo, autocompasión *v*; **-beschikking** autodeterminación *v*; **-bestuur** autonomía, autogobierno; (*door arbeiders*) autogestión *v*
zelfbewust seguro de sí mismo, consciente de sí mismo; **zelfbewustheid** conciencia de su propio valer, aplomo
zelfde mismo
zelf|discipline autoexigencia; **-doding** suicidio; **-financiering** autofinanciación *v*; **-hulp** autoayuda
zelfingenomen creído, pagado de sí mismo; **zelfingenomenheid** suficiencia, autosuficiencia
zelf|kant 1 (*van weefsel*) orillo; 2 (*fig*) margen *m*; *de ~ van de samenleving* la hez de la sociedad; **-kritiek** autocensura; **-medelijden** autoconmiseración *v*, autocompasión *v*
zelfmoord suicidio; *~ plegen* suicidarse; **zelfmoordpoging** intento de suicidio
zelf|ontplooiing autodesarrollo; **-ontspanner** autodisparador *m*; **-opoffering** sacrificio; **-overschatting** sobrestimación *v* de sí mismo, presunción *v*; **-portret** autorretrato; **-rijzend**: *~ bakmeel* harina leudante
zelfs incluso, hasta, aun; *~ niet* ni, ni siquiera; *~ dat niet* ni (siquiera) eso
zelfspot autoironía, burla de si mismo
zelfstandig independiente, autónomo; *~ naamwoord* sustantivo, nombre *m*; *~ de correspondentie voeren* llevar la correspondencia con iniciativa propia; *~ optreden* campar por sus respetos, cantarse y bailarse solo; *~en* trabajadores *mmv* autónomos; *de kleine ~en* (*vglbaar:*) el pequeño comercio, los pequeños empresarios; **zelfstandigheid** independencia, autonomía
zelf|studie autodidáctica; **-verdediging** autodefensa; *uit ~ handelen* actuar *ú* en defensa propia; **-verdiend** ganado a pulso; **-verloochening** abnegación *v*; **-vertrouwen** confianza en sí mismo, aplomo; **-verwerkelijking** autorrealización *v*; **-verwijt** autorreproche *m*, remordimiento; **-verzekerd** seguro de sí; **-voldaan** satisfecho de sí (mismo); **-voorziening** autoabastecimiento
zelfzuchtig egoísta
1 zemelen (*van graan*) salvado
2 zemelen *ww* fastidiar, dar la lata
zemen limpiar con gamuza
zendamateur radioaficionado
zendeling, zendelinge misionero, -a

zenden enviar *í*, mandar, remitir; **zender** (*radio*) emisora, transmisor *m*; *geheime ~* emisora clandestina; **zending 1** envío; (*van geld ook:*) remesa; (*verzending*) expedición *v*; 2 (*missie*) misión *v*
zendstation estación *v* transmisora, estación *v* emisora
zengen abrasar, agostar, calcinar
zenig tendinoso
zenuw nervio; *sterke ~en* gran resistencia nerviosa; *hij was zijn ~en niet meer de baas* perdió el control de los nervios; *hij heeft het op zijn ~en* sus nervios no rigen, le ha dado un ataque de nervios; *het werkt op mijn ~en* me pone nervioso; *op van de ~en* con los nervios deshechos; **zenuwaandoening** afección *v* nerviosa
zenuwachtig nervioso; *het maakt me ~* me pone nervioso; *zich ~ maken over* preocuparse por; *ze maakt zich ~ over het examen* le preocupa el examen, el examen la pone nerviosa; *~ worden* ponerse nervioso; **zenuwachtigheid** nerviosidad *v*, nerviosismo
zenuw|arts psiquiatra *m,v*; **-inrichting** hospital *m* (neuro)psiquiátrico; **-inzinking** crisis *v* de nervios, depresión *v* nerviosa; **-lijder** *zie: zenuwpatiënt*; **-ontsteking** neuritis *v*; **-oorlog** guerra de nervios; **-patiënt** (enfermo) neurótico, enfermo de los nervios; **-pees** manojo de nervios; **-slopend** exasperante; **-stelsel** sistema *m* nervioso; **-toeval** ataque *m* de nervios; **-trekking** tic *m, mv tics* nervioso; **-ziek** neurótico, enfermo de los nervios
zeppelin zepelín *m*, (globo) dirigible *m*
zerk losa, lápida sepulcral
zes seis; *~-achtste maat* (compás *m* de) seis *m* por ocho; **zesde** sexto
zestien dieciséis; **zestiende** I *bn* decimosexto; II *zn* dieciseisavo
zestig sesenta; *de jaren ~* los años sesenta; **zestiger** *zn* sesentón, -ona, sexagenario, -a; **zestigste** sexagésimo
zet 1 (*in spel*) jugada; *een gemene ~* una mala jugada, una trastada; *een geniale ~* un rasgo genial; *een slimme ~* una jugada hábil; *jij bent aan ~* (*schaken*) te toca mover; *jij doet de eerste ~* te toca salir; 2 (*duw*) empujón *m*, empellón *m*; *iem een ~ geven* (*helpen*) impulsar a u.p.
zetbaas gerente *m*, encargado
zetel 1 (*zitplaats*) asiento; 2 (*in parlement*) escaño, puesto; *~s verliezen* perder *ie* escaños; 3 (*van maatschappij*) domicilio (social), sede *v*; 4 (*van regering*) sede *v*, residencia; **zetelen**: *~ in* residir en; (*mbt maatschappij ook:*) tener domicilio en, tener su sede en
zetel|toewijzing (*Belg*) distribución *v* de escaños; **-verdeling** distribución *v* de escaños
zet|meel fécula; **-pil** supositorio
zetten I *ww* 1 poner, colocar; *zet daar maar neer!* ¡ponlo ahí!; *op de grond ~* depositar en el suelo, dejar en el suelo; *de fiets tegen de muur ~* apoyar la bici en el muro; 2 (*van edelsteen*) engastar, engarzar, encajar; 3 (*van gebroken been*) reducir; 4 (*van thee*) hacer; 5 (*in spel*) jugar *ue*, mover *ue*; *jij moet ~* te toca mover; 6 (*van drukwerk*) componer; 7 *zich ~ tot* ponerse a; *hij moest er zich alleen toe ~* todo sería ponerse a ello; 8 *van zich af ~* apartar de su mente || *ik kan hem niet ~* no le puedo ver; *het op een lopen ~* echar a correr; II *zn* composición *v*
zeug cerda, puerca, cochina
zeulen arrastrar
zeur pelma *m,v*, latoso, -a; **zeuren 1** dar la lata; (*fam*) dar la tabarra, dar la paliza; 2 (*aanhouden*) porfiar *í*, machacar; 3 (*huilerig zijn*) lloriquear; 4 (*wijdlopig zijn*) ser muy prolijo; **zeurkous** *zie: zeur*
1 zeven *ww* 1 (*huish*) pasar por el tamiz; 2 (*techn, landb*) cribar
2 zeven *telw* siete
zevende séptimo
zeven|klapper buscapiés *m*; **-mijlslaarzen** botas de siete leguas; **-slaper** lirón *m*
zeventien diecisiete; **zeventiende** I *bn* decimoséptimo; II *zn* diecisieteavo
zeventig setenta; **zeventigste** septuagésimo
z.g. *zogenaamd* llamado
zich (*lijd vw en meew vw*) se; (*met nadruk*) a sí; (*na voorz*) sí; *bij ~ hebben* llevar consigo; *geld bij ~ hebben* llevar dinero encima; *met ~ meebrengen* traer consigo; *voor ~* para sí; *zie ook: zichzelf*
zicht 1 vista; *in ~ komen* acercarse; *in ~ krijgen* avistar; *het einde is nog niet in ~* aún no se ve el fin; *op ~* a la vista, a prueba; 2 (*bij mist*) visibilidad *v*; *slecht ~* poca visibilidad; **zichtbaar** visible, manifiesto; *~ worden* hacerse visible; *hij genoot ~* se veía que disfrutaba
zichzelf sí (mismo); *~ zijn* ser sí mismo; *hij zei bij ~* dijo para sí; *buiten ~ zijn* estar fuera de sí; *zij praat in ~* habla sola; *in ~ gekeerd* ensimismado; *dat is op ~ niet vreemd* en sí no es extraño; *het feit op ~* el hecho en sí; *een op ~ staand geval* un caso aislado; *tot ~ komen* (*na woede*) volver *ue* sobre sí; *uit ~ handelen* actuar *ú* espontáneamente, obrar por propia iniciativa; *geen moment voor ~ hebben* no tener rato suyo
zieden: *hij ziedde van woede* le bullía la ira; **ziedend**: *hij is ~* está que arde
ziehier he aquí
ziek enfermo, malo; *ernstig ~* enfermo de gravedad, gravemente enfermo; *~ worden* caer enfermo, enfermar, ponerse enfermo; *ik word ~ van zulke mensen* la gente así me pone enfermo; **zieke** enfermo, -a; **ziekelijk 1** enfermizo, achacoso; 2 (*fig*) patológico, morboso; *~e angst* temor *m* patológico; *~e nieuwsgierigheid* curiosidad *v* morbosa; **ziekelijkheid** estado enfermizo
zieken|auto ambulancia; **-bezoek**: *op ~ gaan* visitar a un enfermo; **-boeg** enfermería; **-broeder** enfermero; **-fonds** caja de enferme-

dad, seguro (obligatorio) de enfermedad; (*vglbaar:*) Seguridad *v* Social
ziekenfonds|kaart cartilla (de seguridad social), cartilla de asistencia sanitaria; **-praktijk** ambulatorio (de la Seguridad Social)
ziekengeld subsidio de enfermedad
ziekenhuis hospital *m*, clínica; *in een ~ opgenomen worden* ser hospitalizado, ingresar en un hospital; **ziekenhuiskosten** (gastos de) hospitalización *v*
ziekte enfermedad *v*; (*kwaal*) mal *m*; (*aandoening*) afección *v*; *besmettelijke ~* enfermedad contagiosa; *een ~ oplopen* contraer una enfermedad, coger una enfermedad
ziekte|beeld síndrome *m*, cuadro patológico; **-geschiedenis** historia clínica; **-kiem** germen *m* patógeno; **-kosten** gastos de enfermedad; **-verlof** licencia por enfermedad; **-verwekkend** patógeno; **-verzekering** seguro de enfermedad, seguro médico; **-verzuim** bajas *vmv* por enfermedad, ausencia por enfermedad; **-wet** (*Ned*) ley *v* sobre el seguro de enfermedad, ley *v* de la enfermedad
ziel alma; *arme ~* pobrecito, -a; *hoe meer ~en hoe meer vreugd* cuantos más mejor; *er is geen levende ~* no hay ni un alma (viviente); *de ~ van de onderneming* el alma de la empresa; *met zijn ~ onder de arm* sin saber qué hacer, aburrido; *iem op zijn ~ geven: a*) (*berispen*) echarle un rapapolvo a u.p.; *b*) (*slaan*) pegarle una paliza a u.p.; *ter ~e zijn* haber dejado de existir
ziele|heil salvación *v* del alma; **-poot** pobrecillo, -a; **-rust** paz *v* del alma
zielig lastimoso, triste
ziels|bedroefd profundamente apenado, con el alma destrozada; **-veel** entrañablemente
zieltogen agonizar; **zieltogend** moribundo, en trance de muerte, agonizante, agónico
zien I *ww* 1 ver; (*opmerken ook:*) observar, percibir, notar, distinguir; *zie je wel?* ¿lo ves?; *nou zie je eens ...* para que veas ...; *we ~ nog wel* ya veremos; *laten we eens ~* vamos a ver; *zie ommezijde* véase al dorso, a la vuelta; *ik zie je nog wel* nos veremos; *laat je hier niet meer ~* que no se te vuelva a ver por aquí; *ik heb hem al 10 jaar niet gezien* hace 10 años que no le veo; *ik zie hem nog voor me* parece que estoy viéndole; *wat heb ik u lang niet gezien!* ¡cuánto tiempo sin verle!; *ik heb hem nooit meer gezien* nunca he vuelto a verle; *dat zie je zo* se ve a simple vista; *dat moet ik nog ~* todavía tengo yo que verlo; *ik heb het wel gezien* ya basta para mí; *iets niet willen ~* apartar la vista de u.c.; *zich even laten ~* dejarse ver un momento, hacer acto de presencia; *hij liet zich niet meer ~* no se le volvió a ver el pelo; *waar zie je dat aan?* ¿cómo lo sabes?; *je ziet het aan zijn ogen* se le nota en los ojos; *hij zag er niets in* no le encontraba nada; *ik zie er wel wat in* yo le veo ciertas ventajas; *naar om te ~* desagradable a la vista; *zo te zien* por el aspecto, por las apariencias; *er was niemand te ~* no se veía a nadie; 2 (*proberen*) tratar de, intentar; *ik zal hem ~ over te halen* trataré de persuadirle; 3 (*eruitzien*) estar, verse; *hij zag bleek* estaba pálido, se (le) veía pálido; 4 *laten ~* mostrar *ue*, enseñar || *mij niet gezien* que no se cuente conmigo; *je ziet maar wat je doet* tú verás lo que haces; *hij moet maar ~ dat hij thuiskomt* que se las arregle él para volver a casa; II *zn* vista; *bij het ~ van een trein* al ver un tren
zienderogen a ojos vistas, visiblemente
ziener profeta *m*
ziens: *tot ~!* ¡hasta la vista!, ¡hasta luego!; **zienswijze** modo de ver
zier ápice *m*, pizca; *geen ~* ni pizca; *het is geen ~ waard* no vale un comino; *het kan me geen ~ schelen* (no) me importa un bledo
ziezo bueno
zigeuner, **zigeunerin** gitano, -a; **zigeunerkamp** campamento de gitanos
zigzag zigzag *m*; **zigzaggen** zigzaguear
1 zij (*anat*) costado; *~ aan ~* codo con codo; *pijn in de ~* dolor *m* de costado; *met de handen in de ~* las manos en las caderas, en jarras; *op zijn ~ slapen* dormir *ue, u* de costado, dormir *ue, u* de perfil; *zie ook: zijde*
2 zij (*stof*) *zie: zijde*
3 zij *pers vnw* 1 (*enkv*) ella; 2 (*mv*) ellos, ellas
zij|aanzicht vista lateral; **-beuk** nave *v* lateral
1 zijde (*stof*) seda
2 zijde 1 (*kant*) lado; *aan beide ~n* a ambos lados, a uno y otro lado; *naar alle ~n* a todos lados; *ter ~* aparte; *ter ~ laten* dejar a un lado; *iem ter ~ nemen* llevar aparte a u.p.; *ter ~ staan* asistir; *van de ~ van de regering* por parte del gobierno; *van ter ~ aankijken* mirar de reojo; 2 (*van lichaam, schip*) costado; *het gelijk aan zijn ~ hebben* tener la razón de su parte; *aan iems ~ staan* (*fig*) estar de la parte de u.p., estar del lado de u.p.; *zie ook: zij*; 3 (*van dier*) ijar *m*, ijada; 4 (*van driehoek*) lado; 5 (*van kubus*) cara
zijdeachtig sedoso; **zijdeglans** (*mbt verf*) satinado
zijdelings I *bn* 1 de lado, oblicuo; *een ~e blik* una mirada oblicua; 2 (*fig*) indirecto; II *bw* de través, de soslayo, de reojo; *~ aankijken* mirar de reojo
zijden *bn* de seda; **zijderups** gusano de seda
zij|deur puerta lateral; **-gang** pasillo lateral; **-gevel** fachada lateral; **-ingang** entrada lateral; **-kant** costado; **-leuning** brazo; **-lijn** (*sp*) línea de banda; **-loge** palco lateral; **-muur** pared *v* lateral
1 zijn *ww* 1 (*zelfst ww, bestaan*) ser; *ik zal er dan niet meer ~* entonces ya no seré yo; *er was eens* érase una vez; 2 (*zelfst ww, zich bevinden*) estar; *is mevrouw er?* ¿está la señora?; *we ~ er bijna* ya estamos llegando; *u bent hier al een paar dagen* Ud. lleva aquí ya varios días; *ik zal zorgen dat ik er ben* no faltaré; *bij wie moet u ~?* ¿por quién pregunta Ud.?, ¿a quién bus-

ca?; 3 *er* ~ haber; *er is, er* ~ hay; *er is niets meer* ya no queda nada, ya no hay nada; 4 (*koppelww*) ser, estar; *blij* ~ estar contento; *dood* ~ estar muerto; *ziek* ~ estar enfermo; *hij is blond* es rubio; *hij is leraar* es profesor; *zij is van Spaanse afkomst* es de origen español; *hoe is het met u?* ¿cómo está Ud.?; *het is makkelijk te begrijpen* es fácil de entender; *het is niet te doen* es imposible, no se puede hacer; *5 van de 10 is 5* 5 de 10 son 5; *2 maal 2 is 4* 2 por 2 son 4; 5 (*hulpww, lijd vorm*) haber sido; *hij is gearresteerd* ha sido detenido, se le ha detenido; 6 (*hulpww, tijd*) haber; *hij is gekomen* ha venido; 7 (*komen, gaan*) ir, venir; *is er iem geweest?* ¿ha venido alguien?; *ik ben naar Madrid geweest* he ido a Madrid

2 zijn *bez vnw* su, sus; (*met nadruk*) su ...de él, el ...suyo; *elk het ~e* cada uno lo suyo; *~ boeken* sus libros (de él), los libros suyos; *hij wast ~ handen* se lava las manos; *dat zijn de ~e* ésos son los suyos

zijnerzijds por su parte

zij|raam ventana lateral; **-rivier** afluente *m*; **-span** sidecar *m*; **-spoor** ramal *m*, apartadero; *op een ~ zetten* (*fig*) marginar, poner en vía muerta; **-straat** bocacalle *v*, calle *v* transversal; **-tak** 1 (*van boom*) rama; 2 (*van familie*) línea colateral; 3 (*spoorw; van gebergte*) ramal *m*; **-uitgang** salida lateral; **-vleugel** ala lateral; **-waarts** I *bn* lateral, oblicuo; II *bw* de lado, hacia un lado; **-wand** pared *v* lateral, costado; **-wind** viento de costado

zilt salino

zilver plata; **zilverdraad** hilo de plata; **zilveren** de plata; *~ bruiloft* bodas *vmv* de plata

zilver|erts mineral *m* de plata; **-gehalte** porcentaje *m* de plata; **-grijs** gris *m* plata; **-houdend** argentífero; **-kleurig** de color plata, plateado; **-mijn** mina de plata; **-papier** papel *m* de plata; **-poets** lustre *m* para plata; **-smid** platero; **-vliesrijst** arroz *m* integral; **-vos** zorro plateado

zin 1 (*gevoel*) sentido; *~ voor humor* sentido del humor; 2 (*betekenis*) sentido, significado; *het heeft geen ~* es inútil, no tiene sentido; *in die ~ dat ...* en el sentido de que ...; *in engere ~* en sentido más restringido; *in letterlijke ~* en sentido literal; *in de ruimste ~ des woords* en el sentido más amplio de la palabra; *in zekere ~* en cierto sentido, en cierto modo; 3 (*lust*) gana, ganas *vmv*; (*genoegen*) gusto; *zijn ~ doordrijven* imponer su capricho, salirse con la suya; *je hebt je ~ gekregen* te saliste con la tuya; *zijn ~nen zetten op iets* estar empeñado en conseguir u.c.; *hij heeft zijn ~nen gezet op chemie studeren* se le ha metido en la cabeza estudiar química; *iem in alles zijn ~ geven* consentirle *ie, i* todo a u.p.; *als je ~ hebt* si te parece; *hij doet waar hij ~ in heeft* hace lo que le da la gana; *hij kreeg ~ om* tuvo ganas de, le entraron ganas de; *in de ~ hebben* pretender; *geen kwaad in de ~ hebben* no pretender nada malo; *hebt u het hier naar uw ~?* ¿está Ud. a gusto aquí?; *naar mijn ~* a mi gusto; *het iedereen naar de ~ maken* contentar a todos; *tegen zijn ~* de mala gana, a regañadientes, contra su voluntad; *van ~s zijn* proponerse; 4 (*woordgroep*) frase *v*; (*gramm, volzin*) oración *v*

zindelijk 1 (*mbt kind*) seco; *hij is nog niet ~* aún no está seco; *hij wordt al ~* empieza a pedir (pipí); 2 (*mbt hond*) limpio; 3 (*schoon*) pulcro, limpio

zingen cantar

zink zinc *m*, cinc *m*

1 zinken *ww* hundirse; *diep ~* caer bajo; *laten ~* hundir; *~d schip* barco que se hunde

2 zinken *bn* de cinc

zinkput sumidero

zinloos sin sentido, inútil, vano; *-loze discussies* disputas faltas de sentido

zinnebeeld emblema *m*, símbolo

zinnelijk sensual; *~ waarneembaar* perceptible por los sentidos, sensible

1 zinnen: *~ op* rumiar, dar vueltas a

2 zinnen agradar; *het zint mij niet* no me agrada; *wie het niet zint kan vertrekken* el que no esté conforme, que se vaya

zinnig sensato, oportuno; *~ zijn* (*ook:*) tener sentido

zinrijk *zie: zinvol*

zinsbegoocheling alucinación *v*

zins|bouw estructura de la frase; **-deel** elemento oracional

zinsnede cláusula, frase *v*

zinsontleding análisis *m* gramatical

zinspelen: *~ op* aludir a, hacer alusión a, referirse *ie, i* a; **zinspeling** alusión *v*

zins|verband contexto; **-wending** giro

zintuig sentido; **zintuiglijk**: *~e waarneming* percepción *v* sensorial

zinvol significativo, lleno de sentido

zionisme sionismo; **zionist**, **zioniste** sionista *m,v*

zit: *een goede ~ hebben: a*) (*mbt ruiter*) montar bien; *b*) (*mbt stoel*) ser confortable; *het is een hele ~: a*) (*lange reis*) es un viaje largo; *b*) (*lange film*) es mucho tiempo de estar sentado

zit|bad baño de asiento; **-hoek** 1 (*ruimte*) rincón *m* del salón; 2 (*meubels*) tresillo

zitje: *een aardig ~* un rincón agradable

zit|kamer salón *m*, (sala de) estar *m*, living *m*; **-plaats** asiento; *dertig ~en* (*ook:*) treinta plazas sentadas; **-slaapkamer** salón-dormitorio *m*

zitten 1 (*niet staan*) estar sentado, estar; *hier zit je lekker* aquí se está cómodo; *~ te lezen* estar leyendo; *kom bij mij ~* siéntate conmigo; *blijven ~* (*niet opstaan*) seguir *i* sentado; *we kunnen tot A. blijven ~* no tenemos que apearnos hasta A.; *gaan ~* sentarse *ie*; *gaan ~ in bed* incorporarse en la cama; *gaat u ~!* ¡siéntese!; *rechtop gaan ~* erguirse *ie, i*; *weer gaan ~* volver *ue* a sentarse; *gaan ~ eten* sentarse *ie* a comer; 2 (*zijn*): *hoe zit dat?* ¿cómo es eso?; *waar* *zit hij?* ¿por dónde anda?; *waar zat je?* ¿dónde te habías metido?; *ze ~ overal* abundan por todas partes; *dat zit wel goed* no habrá problema; *je haar zit goed* estás bien peinado; *dat zat hem niet lekker* no le hacía mucha gracia; *de boom zit vol vruchten* el árbol está lleno de frutos; *ik zie het niet meer ~* ya no le veo porvenir; *de pleister bleef niet ~* el esparadrapo no se mantenía; *wat zit er in?* dentro ¿qué hay?; *er ~ flessen in de tas* en la bolsa hay botellas, la bolsa lleva botellas; *in de commissie ~* ser miembro del comité; *het zit in de familie* es hereditario, es cosa de familia, lo lleva(n) en la masa de la sangre; *hij zit slecht in zijn geld* anda corto de dinero; *in de gemeenteraad ~* ser concejal; *goed in de kleren ~* tener mucha ropa; *het zit er in dat zij slaagt* es probable que salga aprobada; *het zit er niet in* no va a ser posible; *daar zit wat in* tiene (cierto) mérito; *daar zit het hem juist in!* ¡ahí está el toque!; *onder de modder ~* estar cubierto de lodo; **3** (*mbt kleren*) estar, sentar *ie*, quedar; *de jas zit je goed* el abrigo te sienta bien; **4** (*in gevang*) estar en prisión, estar a la sombra; **5** *blijven ~: a*) (*op school*) perder *ie* el curso, (tener que) repetir *i* el curso; *b*) (*blijven steken*) quedar atascado; *met een artikel blijven ~* quedarse con un artículo; *ze bleef met 4 kinderen ~* se quedó con 4 hijos; **6** *laten ~* dejar; *laat u maar ~* (*van fooi*) quédese con la vuelta, quédese con el cambio, así está bien; *het er niet bij laten ~* llevar la cosa adelante; *hij heeft het er lelijk bij laten ~* ha cumplido muy mal; *iem met een probleem laten ~* dejar a u.p. en la estacada; *zijn vrouw laten ~ met 5 kinderen* dejar a su mujer con 5 hijos; *dat kan ik niet op me laten ~* no me puedo conformar con eso; **7** *~ aan* (*aanraken*) tocar; *overal aan ~* tocarlo todo; *wie heeft er aan het slot gezeten?* ¿quién ha tocado la cerradura?; **8** *~ achter* (*fig*) estar detrás de; *daar zit wat achter* hay gato encerrado; *wie zit daarachter?* ¿quién está detrás de eso?; **9** *~ bij* (*fig*): *er zit niet veel bij* es poco inteligente, tiene poco talento; **10** *~ met* (*fig*) no saber qué hacer, estar preocupado por; *waar ik mee zit …* lo que me preocupa …; *en nu zit ik er mee* y ahora no sé qué hacer; **11** *~ op: dat zit er weer op* (bueno,) ya está; *er zit niets anders op* no hay más remedio, no queda otro remedio; **12** *~ tot: het zit me tot hier* estoy harto, estoy hasta la coronilla

zittenblijven perder *ie* el curso, (tener que) repetir *i* el curso; **zittenblijver** repetidor *m* (de curso)

zittend sentado; *~ werk* trabajo sedentario

zitting 1 (*vergadering*) sesión *v*; *geheime ~* sesión secreta; *gezamenlijke ~* sesión conjunta; **2** (*van stoel*) asiento; **3** (*functie*) asiento; *~ hebben in de commissie* ser miembro del comité; *~ hebben voor een jaar* estar en funciones para un año; *~ nemen in* tomar asiento en

zitvlak trasero, nalgas *vmv*; (*iron*) asentaderas *vmv*, posaderas *vmv*

Z.K.H. *Zijne Koninklijke Hoogheid* Su Alteza Real; *afk* SAR

Z.M. *Zijne Majesteit* Su Majestad; *afk* SM

zo I *bw* **1** (*op deze wijze*) así, de esta manera; *~ maar: a*) (*zonder moeite*) así como así; *dat doe ik ~ maar niet* no lo hago así como así; *dat doe je niet ~ maar even* no se hace así como así; *b*) (*om niets*) por nada, sin motivo; *hij kan ~ maar boos worden* se enfada por nada; *meneer ~ en ~* el señor fulano; *hij doet maar ~* no es más que una actitud, sólo lo hace ver; *~ komt het dat* así es que; *dat lijkt maar ~* sólo parece ser así; *~ ben ik nu eenmaal* es que soy así; *is dat ~?* ¿es verdad?, ¿es cierto?; *~ is het* así es, tú lo has dicho; *~ is het goed* así está bien; *~ is het leven* así es la vida; *het is maar ~ ~* es así así; *~ ziek als hij is, hij komt toch* con lo malo que está, vendrá; *mocht dit ~ zijn, als dat ~ is* de ser así, en tal caso; **2** (*dadelijk*) en seguida, ahora; *ik kom ~* ya voy, ahora voy; **3** (*zodanig*) tan, tanto; *zó groot* así de grande; *half ~ groot, half ~ veel* la mitad; *~ iets grappigs* una cosa tan graciosa; *o ~ langzaam* lo más despacio del mundo; *of ~, of ~iets* más o menos, o algo por el estilo, o cosa así, (*met telw*) unos; *drie uur of ~* unas tres horas; *een uur of ~* (*fam*) cosa de una hora; *het verbaast me ~* me sorprende tanto; *~ goed als ik kan* lo mejor que puedo; *~ ijverig als wat* trabajador donde los haya; *zó ver wil ik gaan* no paso de allí; *ik was ~ gelukkig een prijs te winnen* tuve la suerte de ganar un premio; *ik ben ~ moe* estoy tan cansado; **4** (*in conclusie*) así que, conque, entonces; *~, je weet het dus* así que lo sabes; *~, en wat zei hij?* bueno, y ¿qué dijo?; *~, ben je daar* ¡ah!, has llegado; **5** *~ een, zo'n: a*) (*dergelijk*) tal, semejante; *net ~ een* otro igual; *b*) (*ongeveer*) más o menos, unos; *zo'n 10 jaar* unos 10 años; **II** *vw* si; *~ ja* en caso afirmativo; *~ nee* en caso negativo, en el caso contrario; *~ niet* de no ser así, en caso negativo; *~ nodig* si hace falta, si es preciso, de ser necesario

zoals como; *~ ik het doe* como lo hago yo; *doe ~ ik* haz lo (mismo) que yo; *ze is ~ haar zus* es como su hermana; *het is vreselijk ~ hij drinkt* es tremendo lo que bebe

zodanig I *bn* tal; *als ~* como tal, en esa calidad; *het beleid als ~* la política como tal, la política en cuanto tal; **II** *bw* de tal manera; *hij gedraagt zich ~ dat* se comporta de tal manera que

zodat de modo que

zode césped *m*; *dat zet geen ~n aan de dijk* eso no nos da el pan

zodoende de esa manera; (*dus*) así es que, por eso

zodra tan pronto como, en cuanto; *~ hij haar zag* sólo verla, en cuanto la vio; *~ ik op was* nada más levantarme

zoek: *~ raken* extraviarse *í*; (*formeel:*) sufrir extravío; *~ zijn* haberse extraviado; *hij was ~* no se le encontraba; *op ~ naar* en busca de; *op*

~ *zijn naar* andar a la busca de; **zoekbrengen** pasar, ocupar; *de tijd* ~ pasar el rato; *veel tijd* ~ *met* ocupar mucho tiempo en; **zoeken** I *ww* 1 buscar; *je wordt gezocht* te buscan; *je hebt hier niets te* ~ no se te ha perdido nada aquí; *hij wist niet waar hij het moest* ~ (*van pijn*) no sabía cómo ponerse, no tenía consuelo ni sosiego; *er van alles achter* ~ buscarle tres pies al gato; *hij zoekt overal iets achter* es muy desconfiado; 2 ~ *naar* buscar; *hij zocht naar de sleutel* buscaba la llave; (*naar*) *een manier* ~ *om* buscar modo de, buscar cómo; II *zn* busca, búsqueda; **zoeker** (*fot*) visor *m*; **zoeklicht** foco

zoel tibio

zoemen I *ww* zumbar; II *zn* zumbido; **zoemer** (*bel*) zumbador *m*, chicharra; **zoemtoon** zumbido

zoen beso; *een klinkende* ~ un sonoro beso; **zoenen** besar

zoet 1 dulce; ~ *water* agua dulce; *~e woorden* dulces palabras; ~ *maken zie: zoeten*; 2 (*mbt kind*) bueno; *als je* ~ *bent* si eres bueno, si te portas bien; ~ *houden: a*) (*van kinderen*) ocuparse de; *b*) (*aan het lijntje houden*) entretener; *daar ben je wel even* ~ *mee* tienes para rato

zoetekauw dulcero, -a, goloso, -a

zoetelijk dulzón *-ona*; **zoeten** azucarar, endulzar; **zoetheid** dulzura

zoetig dulzón *-ona*, dulzaino; **zoetigheid** (*snoep*) caramelos *mmv*, dulces *mmv*, golosinas *vmv*

zoetje sacarina, edulcorante *m*; **zoetjes** *bw* dulcemente, poco a poco; *het werd* ~ *aan tijd* se iba haciendo tiempo

zoet|sappig meloso, empalagoso; **-stof** sacarina; **-watervis** pez *m* de agua dulce; **-zuur** I *bn* agridulce; II *zn* encurtidos *mmv*

zoeven zumbar; *de auto zoefde voorbij* el coche pasó como un soplo

zoëven hace un momento; ~ *nog* sólo hace un momento; *hij is* ~ *aangekomen* acaba de llegar

zog 1 (*melk*) leche *v*; 2 (*kielzog*) estela; **zogen** criar *i*, amamantar, dar de mamar, lactar

zogenaamd I *bn* 1 (*zogeheten*) llamado; *de ~e popmuziek* la llamada música pop; 2 (*niet echt*) pretendido, presunto, supuesto; *de ~e hertogin* la pretendida duquesa; II *bw* aparentemente; *hij was* ~ *aan het werk* fingía estar trabajando, hacía como que trabajaba; *die hij* ~ *vertegenwoordigt* que pretende representar

zogoed: ~ *als* casi

zoiets algo por el estilo; *ja, hij zei* ~ sí, dijo algo así; *ik heb nog nooit* ~ *gezien* nunca he visto tal cosa, nunca he visto nada igual

zolang mientras, todo el tiempo que; ~ *ik leef* mientras viva; ~ *ik me herinner* el tiempo que yo recuerde

zolder desván *m*, sobrado; **zoldering** techo; **zolderkamer** guardilla, buhardilla; **zolderverdieping** (*bewoonbaar*) ático; (*met schuin dak*) piso aguardillado

zomen dobladillar, hacer un dobladillo (en)

zomer verano; *in de* ~ en verano; *van de* ~: *a*) (*nu*) este verano; *b*) (*vorige*) el verano pasado; *c*) (*komende*) el verano próximo; *de* ~ *doorbrengen* pasar el verano, veranear

zomer|avond noche *v* de verano; **-dag** día *m* de verano; **-dienstregeling** horario de verano; **-huis** casa de campo, chalet *m* (de veraneo); (*groot:*) finca; (*in Oost-Sp*) torre *v*; **-jurk** vestido veraniego; **-kleding** ropa de verano

zomers veraniego, de verano; (*lit*) estival

zomer|seizoen temporada de verano, estación *v* veraniega; **-sproeten** pecas; **-tijd** hora de verano; **-vakantie** vacaciones *vmv* de verano

zon sol *m*; *ondergaande* ~ sol poniente; *opgaande* ~ sol naciente; *de* ~ *stond hoog aan de hemel* el sol estaba en lo alto del cielo; *hij kan de* ~ *niet in het water zien schijnen* es como el perro del hortelano (no come ni deja comer); *door de* ~ *gebruind* tostado por el sol, bronceado; *in de volle* ~ a pleno sol; *in de* ~ *drogen* secar al sol; *in de* ~ *lopen* ir por el sol; *in de* ~ *gaan liggen* tumbarse al sol; *met zo'n felle* ~ (*fam*) con este solazo; *niets nieuws onder de* ~ nada nuevo bajo el sol

zo'n *zie: zo*

zondaar pecador *m*

zondag domingo; *a.s.* ~ el domingo; *'s ~s* los domingos; *zon- en feestdagen* domingos y festivos; **zondagmiddag** tarde *v* de domingo; *op* ~ los domingos por la tarde; **zondags** de domingo; (*mbt kleren ook:*) dominguero; *~e pak* traje *m* dominguero; *op zijn* ~ *gekleed* endomingado

zondags|kind: *hij is een* ~ ha nacido de pie; **-rust** descanso dominical; **-schilder** pintor *m* de domingo, aficionado; **-school** (*Ned*) clase *v* dominical de religión (protestante); **-sluiting** cierre *m* dominical

zondares pecadora

zonde pecado; *een* ~ *begaan* cometer un pecado; *het is* ~ es (una) lástima; *het is* ~ *van het geld* lástima de dinero, qué mal empleado dinero; **zondebok** chivo expiatorio, cabeza de turco, pagano

zonder sin; ~ *geld* sin dinero; ~ *meer* sin más ni más; ~ *dat hij het zag* sin que lo viera; *het* ~ *iets doen* prescindir de u.c.; ~ *er ook maar naar te kijken* sin siquiera mirarlo; ~ *iets te zeggen* sin decir nada; *ik zit* ~ *brood* me he quedado sin pan

zonderling I *bn* raro, extraño, singular; (*sterker:*) estrafalario, extravagante; II *zn* tipo estrafalario, tipo extraño, extravagante *m*, excéntrico

zondig pecaminoso; **zondigen** (*tegen*) pecar (contra); ~ *tegen de regel* desobedecer la regla

zondvloed diluvio

zone zona; *groene* ~ zona verde; *indeling in ~s* zonificación *v*

zonet *zie: zoëven*

zonlicht luz *v* del sol

zonne|bad baño de sol; **-baden** tomar el sol; **-bank** solario; **-bloem** girasol *m*
zonnebloem|olie aceite *m* de girasol; **-pit** pipa
zonnebrand (*van huid*) eritema *m* solar
zonnebrand|crème crema solar, crema bronceadora; **-melk** leche *v* solar, leche *v* bronceadora; **-olie** aceite *m* bronceador
zonne|bril gafas *vmv* de sol; **-dek** cubierta toldilla; **-energie** energía solar; **-god** dios *m* del sol; **-jurk** vestido de playa; **-klaar** evidente; **-klep** visera (contra el sol); **-koning**: *de ~* el Rey Sol
zonnen tomar (el) sol, exponerse al sol; (*bruinen*) tostarse *ue* al sol
zonne|paneel placa solar; **-scherm** toldo; **-schijn** sol *m*; **-stand** altura del sol; **-steek** insolación *v*; **-stelsel** sistema *m* solar; **-straal** rayo de sol; **-straling** radiación *v* solar
zonnetje sol *m*; *het ~ in huis* la alegría de la casa; *iem in het ~ zetten* festejar a u.p.
zonnewijzer reloj *m* de sol
zonnig soleado
zons|ondergang puesta del sol, ocaso; **-opgang** salida del sol; *van ~ tot zonsondergang* desde que el sol sale hasta que se pone; **-verduistering** eclipse *m* solar
zoogdier mamífero
zooi 1 (*hoop*) montón *m*, gran cantidad *v*; 2 (*rommel*) trastos *mmv*, desorden *m*; *de hele ~* toda la balumba, toda la pesca
zool suela
zoöloge zoóloga; **zoölogie** zoología; **zoölogisch** zoológico; **zoöloog** zoólogo
zoom 1 (*van kleed*) dobladillo; 2 (*van bos*) borde *m*, linde *v*, confín *m*
zoomlens (objetivo) zoom *m*, objetivo de distancia focal variable
zoon hijo (varón)
zootje desorden *m*, desastre *m*; *er een ~ van maken* hacer cualquier cosa; *zie ook: zooi*
zopas *zie: zoëven*
zorg 1 (*aandacht*) cuidado; *~ voor de paarden* cuidado de los caballos; *veel ~ besteden aan* poner mucho cuidado en; *~ dragen voor* cuidar de, atender *ie* a, estar encargado de; *dit vereist veel ~* requiere mucho cuidado; *met ~* cuidadosamente; *met de grootste ~* con sumo cuidado; *met de ~ voor een gezin* con cargas familiares; *dat is van later ~* se verá con el tiempo; *zonder ~* (*slordig*) *gedaan* hecho a la ligera; 2 (*bezorgdheid*) preocupación *v*, inquietud *v*; *het zal me een ~ zijn* me trae (completamente) sin cuidado; *~ baren* preocupar, causar inquietud; *hij had ~en* tenía preocupaciones; *hij heeft zoveel ~en aan zijn hoofd* tiene tantos quebraderos de cabeza; *heb maar geen ~en over mij* no te preocupes por mí; *de zaak vervult ons met ~* el asunto nos preocupa, el asunto nos tiene preocupados; **zorgelijk** crítico, preocupante; *een ~e toestand* una situación precaria; **zorgeloos** despreocupado; (*neg*) negligente; *een ~ bestaan* una vida sin preocupaciones
zorgen 1 *~ voor* (*verzorgen*) cuidar (de), atender *ie* (a), mirar (por), ocuparse (de); *~ voor de kinderen* cuidar de los niños; *~ voor de oude dag* hacer sus ahorrillos; *goed voor zichzelf ~* cuidarse bien; 2 *~ voor* (*tot taak hebben*) encargarse de, tener a su cargo; *ik zorg voor het dessert* yo me encargo del postre; *A. zorgt voor de muziek* la música está a cargo de A.; 3 (*ervoor*) *~ dat* cuidar de que, encargarse de que, hacer que; (*nastreven*) procurar; *zorg* (*ervoor*) *dat je op tijd bent* procura llegar a tiempo; *hij zorgde ervoor dat ik gewaarschuwd werd* hizo que me avisaran; **zorgenkind** 1 niño que causa preocupaciones, niño problema *mv niños problema*; 2 (*fig*) continua preocupación *v*
zorgvuldig cuidadoso, diligente, concienzudo; **zorgvuldigheid** cuidado, diligencia
zorgwekkend alarmante, crítico; **zorgzaam** cuidadoso, solícito
zot I *bn* tonto, necio, bobo, ganso; II *zn* tonto, mequetrefe *m*, payaso; **zotheid** tontería; **zottepraat** tonterías *vmv*, disparates *mmv*
zout I *zn* sal *v*; *het ~ in de pap niet verdienen* no ganar casi nada, ganar una miseria; *in het ~ leggen* salar, poner en sal; II *bn* salado; *~ koekje* galleta salada; **zoutarm** con poca sal; **zouteloos** sin sal; (*fig ook:*) insípido, desabrido, soso; **zouten** salar; **zoutgehalte** salinidad *v*, porcentaje *m* de sal; **zoutje** galleta salada; **zoutkorrel** grano de sal; **zoutlaag** capa de sal; **zoutloos** sin sal
zout|oplossing solución *v* salina; **-pilaar** estatua de sal; **-vaatje** salero
zoutwater agua salada; **zoutwatervis** pez *m* marino
zout|winning extracción *v* de sal; **-zak** saco de sal; *hij hing als een ~ in zijn stoel* estaba derrumbado en el asiento; *als een ~ in elkaar zakken* derrumbarse; **-zuur** ácido clorhídrico
zoveel tanto; *~ als* cuanto; *twee keer ~* dos veces más, dos veces tanto, el doble; *20 gulden ~* 20 florines y pico, 20 florines y tanto; *eet ~ je wilt* come cuanto quieras, come todo lo que quieras; *wijn ~ men wil* vino a discreción; *ik geef er niet ~ om* no me importa tanto; *ik heb niet ~ vrienden dat ik …* no tengo tantos amigos como para …; *ik heb ~ te doen* tengo tantas cosas que hacer; *~ mogelijk* en lo posible, todo lo posible; *hij helpt mij ~ mogelijk* me ayuda en lo que pueda; *~ is zeker …* lo cierto es que …; *zij is ~ als zijn secretaresse* es su secretaria o algo; *~ te beter* tanto mejor; *~ te meer omdat* tanto más cuanto que; *met ~ woorden* explícitamente; **zoveelste**: *voor de ~ keer* por enésima vez, por tantísima vez
zover tan lejos; *~ heb ik het niet gebracht, ~ ben ik niet gegaan* hasta ese punto no he llegado; *~ gaat mijn kennis niet* hasta allí no llegan mis conocimientos; *~ het oog reikt* hasta donde alcanza la mirada; *je had het niet ~ moeten laten komen* no debiste permitir que las cosas

llegaran hasta este extremo; *waarschuw me, als het ~ is* avísame en cuanto llegue el momento; *nu het ~ is* a estas alturas; *in ~(re) dat* en la medida en que; *tot ~* hasta aquí; *tot ~ en niet verder!* ¡hasta aquí hemos llegado!; *voor ~* por cuanto; *voor ~ mogelijk* en lo posible; *voor ~ het van mij afhangt* en lo que de mí dependa; *voor ~ ik weet* que yo sepa; *voor het ~ is* antes de que llegue el caso

zowaar efectivamente; *~ ik hier sta* (*echt waar*) como lo oye(s); *~ ik hier voor u sta* aquí donde Ud. me ve

zowat casi, más o menos; *~ niemand* casi nadie; *~ even oud als* más o menos de la misma edad que; *hij heeft hem ~ doodgeslagen* por poco le mata

zowel: *~ als* tanto como, lo mismo que; *~ mijn broer als ik* tanto mi hermano como yo

z.o.z. *zie ommezijde* (véase) a la vuelta

zozeer tanto, hasta tal punto, en tal medida; *niet ~ beledigd als wel verdrietig* más bien triste que ofendido, no tanto ofendido como triste; *~ dat* hasta el punto de que

zucht 1 (*adem*) suspiro; *een ~ van verlichting* un suspiro de alivio; *een ~ slaken* lanzar un suspiro, dar un suspiro; 2 (*verlangen*) afán *m*, anhelo, deseo; *~ naar avontuur* afán de aventuras; *~ naar perfectie* prurito de perfección; *~ tot zelfbehoud* instinto de conservación; **zuchten** suspirar; *~ naar* suspirar por; *~ onder de belastingen* estar agobiado por los impuestos; *~ over* (*klagen*) quejarse por; **zuchtje** (*wind*) soplo (de aire), aliento; *er is geen ~ wind* no hay ni un aliento de brisa

zuid sud, sur

Zuid-Afrika África del Sur, Sudáfrica; **Zuidafrikaans** sudafricano

Zuid-Amerika Sudamérica, América del Sur; *Zuid- en Midden-Amerika* Sud y Centroamérica; **Zuidamerikaans** sudamericano

zuidelijk del sur, meridional; *~ halfrond* hemisferio sur; *~ van* al sur de; **zuiden** sur *m*, mediodía *m*; *naar het ~* hacia el sur; *ten ~ van* al sur de; *uit het ~* del sur

zuiderbreedte latitud *v* sur

Zuid-Europa la Europa Meridional; **Zuideuropees** sudeuropeo

zuid|kant lado sur; **-kust** costa sur

zuidoost sudeste; **zuidoostelijk** (*uit het Z.O.*) del sudeste; (*in het Z.O.*) al sudeste; *in ~e richting* hacia el sudeste; **zuidoosten** sudeste *m*; *ten ~ van* al sudeste de; **zuidoostenwind** (viento del) sudeste *m*

zuidpool polo sur; **zuidpoolgebied** Antártida

zuidvruchten frutos subtropicales

zuidwaarts hacia el sur

zuidwest sudoeste; **zuidwestelijk** (*uit het Z.W.*) del sudoeste; (*in het Z.W.*) al sudoeste; **zuidwester** 1 (*wind*) (viento del) sudoeste *m*; 2 (*hoed*) sueste *m*

Zuidzee: *Stille ~* (Océano) Pacífico

zuidzuidoost sudsudeste

zuigeling lactante *m,v*, niño, -a de pecho; **zuigelingensterfte** mortalidad *v* infantil

zuigen 1 chupar; *iets uit zijn duim ~* inventarse u.c.; 2 (*mbt baby*) mamar; **zuiger** (*techn*) émbolo, pistón *m*

zuiger|klep válvula del émbolo; **-pomp** bomba de émbolo; **-stang** vástago del émbolo

zuigfles biberón *m*

zuiging succión *v*, aspiración *v*

zuig|kracht 1 poder *m* de aspiración; 2 (*fig*) atracción *v*; **-mond** boca de aspiración; **-pomp** bomba aspirante; *zuig- en perspomp* bomba aspirante-impelente, bomba de doble acción

zuil columna, pilar *m*; **zuilengang** columnata

zuinig 1 económico; (*spaarzaam*) ahorrativo; *~ in gebruik* de consumo económico; *we moeten ~ zijn* hay que ahorrar; *~ zijn met* economizar, ahorrar; *~ zijn met zijn tijd* economizar el tiempo; *~ zijn op* cuidar (mucho); 2 (*karig*) parco, parsimonioso; *~ met woorden* parco de palabras || *~ kijken* tener gesto de desagrado; **zuinigheid** economía, (espíritu *m* de) ahorro; *uit ~* por ahorro

zuipen beber mucho; *hij zuipt als een ketter* es una esponja; **zuiplap** pellejo, borrachón *m*

zuivel productos lácteos; **zuivelindustrie** industria láctea; **zuivelprodukten** *zie: zuivel*

zuiver I *bn* 1 puro; (*louter ook:*) mero; *~ goud* oro puro; *dat is ~ verlies* es mera pérdida; *de ~e waarheid* la pura verdad; 2 (*schoon*) limpio; (*netto ook:*) neto; *~ geweten* conciencia limpia; *de ~e winst* el beneficio neto; II *bw* puramente; *~ en alleen om* pura y simplemente para, meramente para; **zuiveren** 1 purificar, depurar; (*fig ook:*) purgar; *de partij ~* depurar el partido; *de taal ~* purificar la lengua; *water ~* depurar el agua, potabilizar el agua; 2 (*schoonmaken*) limpiar; *zijn geweten ~* limpiar la conciencia; *~ van* limpiar de; *van schuld gezuiverd* limpio de culpa; *zich ~ van verdenking* limpiarse de sospecha; 3 (*ontsmetten*) fumigar, desinfectar; (*vrij maken van insekten*) desinsectar; **zuivering** 1 depuración *v*, purificación *v*; (*fig ook:*) purga; *politieke ~* purga política, depuración política; *~ van afvalwater* depuración de las aguas residuales; *~ van de lucht* purificación del aire, depuración del aire; 2 (*van ongedierte*) fumigación *v*, desinfectación *v*; (*van insecten ook:*) desinsectación *v*

zuiverings|commissie comité *m* de depuración; **-installatie** (planta) depuradora; **-zout** bicarbonato de sosa

zulk tal; *~ een* tal

zullen 1 (*toekomst*) *futuro-vorm*: *ik zal het u zeggen* se lo diré; *hij beloofde te ~ schrijven* prometió escribir; (*vaststaande of nabije toekomst ook:*) ir a + *onbep w*; *het zal warm worden* va a hacer calor; *ik zal u zo helpen* ahora le voy a ayudar; 2 (*veronderstelling, twijfel*) *futuro-vorm, condicional-vorm*: *hij zal wel* *thuis zijn* estará en casa; *het zal ongeveer zes uur geweest zijn* serían las seis; *waar zou hij zijn?* ¿dónde estará?; *zou hij het wel begrepen hebben?* ¿lo habrá comprendido?; 3 (*wil van de spreker*) tener que; *je zult het doen!* ¡tienes que hacerlo!; *ik moet en zal er komen!* ¡tengo que llegar!; 4 (*wenselijkheid*): *zou je nu niet gaan?* ¿no sería mejor que te fueras?; 5 (*vraag naar wil van ander*) *presente-vorm, 1e pers enkv en mv*: *zal ik het raam opendoen?* ¿abro la ventana?; ~ *we gaan?* ¿vamos?; 6 (*gerucht*) *condicional-vorm*: *de Basken zouden getracht hebben ...* los vascos habrían tratado de ...; 7 (*gebod*) *futuro-vorm*: *Gij zult niet doden* no matarás

zuring acedera

1 zus hermana

2 zus: ~ *en zo* así, de tal manera; *de een doet het ~, de ander zo* uno lo hace de una manera, y otro de otra

zusje hermanita, hermana pequeña; **zuster** 1 hermana; *je ~!* ¡ni hablar!, ¡no hay tal cosa!, ¡(no hay) tu tía!; 2 (*verpleegster*) enfermera; 3 (*non*) monja, hermana; **zusterlijk** I *bn* de hermana; II *bw* como una hermana

zuster|schip barco gemelo; **-stad** ciudad *v* hermana, ciudad *v* hermanada, ciudad *v* gemela; **-vereniging** asociación *v* hermana

zuur I *bn* agrio, ácido; (*mbt geur ook:*) acre; *een ~ karakter* un carácter agrio; *een ~ lachje* una risita de conejo, una sonrisa amarga; *zure melk* leche *v* cortada; *zure mosselen* almejas en escabeche; *zure regen* lluvia ácida; ~ *maken: a*) agriar; *b*) (*chem*) acidificar; *iem het leven ~ maken* amargarle a u.p. la vida, hacérselas pasar canutas a u.p.; ~ *worden: a*) agriarse, ponerse ácido; *b*) (*mbt melk*) cortarse; *dat is ~ voor hem* mala suerte para él; *met een ~ gezicht* con cara de vinagre || *nou ben je ~!* ¡estás listo!; *nou zijn we ~* aviados estamos; II *bw* agriamente; ~ *kijken* mirar con cara de vinagre; ~ *verdiend* ganado a duras penas, ganado con tanto trabajo; III *zn* 1 (*tafelzuur*) conservas *vmv* en vinagre, encurtidos *mmv*; 2 (*smaak; chem*) ácido; 3 (*maagzuur*) acidez *v*; *van druiven krijg ik ~* las uvas me dan acidez

zuur|desem levadura; **-graad** grado de acidez

zuurheid acidez *v*

zuur|kool sauerkraut *m*, choucroute *v*; **-pruim** vinagre *m*; **-stof** oxígeno

zuurstof|apparaat aparato de oxígeno; **-cylinder** botella de oxígeno; **-masker** máscara de oxígeno, careta de oxígeno

zuurtje caramelo (de frutas)

zuur|vrij sin ácido; **-zoet** agridulce

zwaai giro, movimiento; **zwaaien** I *tr* agitar, blandir; (*dreigend ook:*) esgrimir; (*met*) *zijn arm ~* agitar el brazo; (*met*) *een stok ~* blandir un palo; (*met*) *een zakdoek ~* agitar un pañuelo; II *intr* 1 agitarse, girar, moverse *ue*; 2 (*groeten*) saludar con la mano || *er zal wat ~* se va a armar la de Dios es Cristo

zwaai|kraan grúa giratoria; **-licht** luz *v* giratoria

zwaan cisne *m*; **zwaanshals** (*onder wastafel*) bote *m* sifónico

zwaar I *bn* 1 pesado; ~ *geschut* artillería pesada; *zware industrie* industria pesada; *iets ~ opnemen* tomarse u.c. a pecho; ~ *wegen* pesar; ~ *zijn* pesar; *erg ~ zijn* pesar mucho; *de kist was aardig ~* la caja pesaba lo suyo; *~der worden* (*mbt persoon*) ganar peso; *wat het ~st is moet het ~st wegen* lo primero es lo primero; 2 (*ernstig*) grave; *zware concurrentie* grave competencia; *een zware slag* un golpe duro; *een zware ziekte* una grave enfermedad; 3 (*moeilijk*) duro, dificultoso; *een ~ beroep* una profesión *v* sacrificada; *een zware dag* un día ajetreado; *een zware straf* un castigo severo, un duro castigo; *een zware strijd* una lucha muy dura; *zware tijden* tiempos duros; *het valt mij ~* se me hace duro, se me hace difícil, me cuesta (mucho) || *zware grond* tierra fuerte; *zware jongen* criminal *m*; *zware tabak* tabaco fuerte, tabaco negro; ~ *weer* tiempo duro; *zware wenkbrauwen* cejas espesas, cejas pobladas; *zware zijde* seda espesa; ~ *op de hand zijn* tomarlo todo a la tremenda; II *bw* 1 (*ernstig*) gravemente; ~ *gewond* herido de consideración; ~ *ziek* enfermo de gravedad; *er ~ voor boeten* pagarlo caro; ~ *drinken* beber mucho; 2 (*moeizaam*) dificultosamente; ~ *beproefd* sometido a duras pruebas; ~ *beschadigd* muy averiado; ~ *getroffen* muy afectado; ~ *ademen* respirar con dificultad; ~ *drukken* ser una carga pesada; ~ *slapen* dormir *ue, u* profundamente; ~ *op de maag liggen* ser indigesto; *te ~ belast* sobrecargado; **zwaarbeladen** muy cargado

zwaard 1 espada; *het vlammend ~* la fulgurante espada; 2 (*van schip*) orza

zwaard|vechter gladiador *m*; **-vis** pez *m* espada

zwaargebouwd fornido, robusto

zwaargewicht peso pesado

zwaarlijvig obeso; **zwaarlijvigheid** obesidad *v*, corpulencia

zwaarmoedig melancólico, murrio; **zwaarmoedigheid** melancolía, murria

zwaarte peso

zwaarte|kracht gravitación *v*, gravedad *v*; **-lijn** mediana; **-punt** centro de gravedad; (*fig ook:*) esencia

zwaarwegend de peso; ~ *argument* argumento de peso; **zwaarwichtig** muy grave; ~ *doen* darse aire de importancia, ponerse muy serio

zwabber 1 escoba blanda; 2 (*op schip*) lampazo; **zwabberen** I *tr* 1 barrer; 2 (*van dek*) baldear; II *intr* (*wankelen*) tambalearse, andar zigzagueando

zwachtel venda; **zwachtelen** vendar

zwager cuñado

zwak I *bn* débil; (*fig ook:*) flaco; (*mbt wind*) flojo; *~ke gezondheid* salud *v* débil, salud *v* delicada; ~ *karakter* carácter *m* débil; ~*ke kreet* grito débil; ~*ke pols* pulso débil; ~ *punt* punto flaco; *het staat er* ~ *voor* hay poca probabilidad de éxito; *zijn geheugen werd* ~ flaqueaba su memoria; *ik heb een* ~ *geheugen* tengo poca memoria; *hij kent mijn* ~*ke zijde* me conoce el lado flaco; *in een* ~ *ogenblik* en un momento de debilidad; II *bw* débilmente; III *zn* debilidad *v*; (*zwak punt*) flaco; *een* ~ *hebben voor* tener debilidad por; **zwakbegaafd** débil mental; **zwakheid** debilidad *v*; (*fig ook:*) flaqueza; **zwakkeling** persona débil, persona sin carácter; *hij is een* ~ no tiene carácter; **zwakstroom** corriente *v* débil; **zwakte** *zie: zwakheid*; **zwakzinnig** deficiente mental, imbécil

zwalken ir sin rumbo

zwaluw golondrina; *één* ~ *maakt nog geen zomer* una golondrina no hace verano; **zwaluwstaart** (*techn*) cola de pato, cola de milano

zwam hongo; **zwammen** hablar por hablar, decir tonterías; **zwamneus** cotorra; *hij is een* ~ no dice más que tonterías

zwane|dons plumón *m* de cisne; **-hals** cuello de cisne; **-zang** canto de cisne

zwang: *in* ~ *komen* hacerse de moda, venir a ser costumbre; *in* ~ *zijn* estar de moda, ser costumbre

zwanger encinta, embarazada, esperando (un hijo), en estado; (*ook fig*) grávido; ~ *worden* quedar encinta, quedar embarazada, quedar en estado; *drie maanden* ~ embarazada de tres meses; **zwangerschap** embarazo, gestación *v*, (estado de) gravidez *v*

zwangerschaps|kosten gastos de alumbramiento; **-onderbreking** interrupción *v* del embarazo; **-verlof** licencia por parto

zwart negro; ~*e doos* (*luchtv*) caja negra; ~*e handel* mercado negro; ~ *werk* trabajo clandestino; *iets* ~ *inzien* ver u.c. por el lado negro; *hij ziet alles* ~ *in* lo ve todo negro; ~ *verven* pintar de negro; ~ *worden* ponerse negro, negrear, ennegrecer(se); *het plein zag* ~ *van de mensen* la plaza negreaba de gente; *iets* ~ *op wit zetten* poner por escrito u.c., consignar u.c. al papel; *op de* ~*e markt kopen* comprar de estraperlo || *een* ~ *gezicht zetten* poner cara de enfado, fruncir el cejo; *zie ook: zwartmaken*

zwartepiet: *iem de* ~ *toespelen* echarle a u.p. el muerto, cargarle a u.p. el mochuelo

zwartgallig melancólico, sombrío

zwart|handelaar, **-handelaarster** estraperlista *m,v*; **-harig** de pelo negro; **-kijker** 1 pesimista *m*; 2 (*van tv*) telespectador *m* clandestino; **-maken** 1 hacer negro, ennegrecer; 2 (*fig*) denigrar, difamar, vilipendiar; **-rok** ensotanado, hombre *m* negro

zwavel azufre *m*

zwavel|dioxyde bióxido de azufre; **-houdend** sulfuroso, sulfúreo; **-zuur** ácido sulfúrico

Zweden Suecia; **Zweed**, **Zweeds** sueco

zweef|vliegen I *ww* volar *ue* sin motor; II *zn* vuelo sin motor, vuelo a vela; **-vliegtuig** planeador *m*; **-vlucht** vuelo sin motor, vuelo a vela

zweem asomo, sombra, dejo; *met een* ~ *van afgunst* con un dejo de envidia; *zonder een* ~ *van twijfel* sin asomo de duda

zweep látigo; *het klappen van de* ~ *kennen* conocer el paño; **zweepslag** latigazo

zweer úlcera, absceso

zweet sudor *m*; *het* ~ *liep hem langs zijn gezicht* el sudor le corría por la cara, tenía la cara cubierta de sudor; *het koude* ~ *brak hem uit* tuvo sudores fríos; *hij veegde het* ~ *van zijn voorhoofd* se secó el sudor de la frente; *in het* ~ *zijns aanschijns* con el sudor de su frente; *badend in het* ~ bañado en sudor, empapado en sudor

zweet|druppel gota de sudor; **-klier** glándula sudorípara; **-lucht** olor *m* a sudor; *er hing een* ~ olía a sudor; **-voeten** pies *mmv* sudorosos; *hij heeft* ~ le sudan los pies

zwelgen 1 engullir, zamparse; 2 ~ *in* deleitarse con, en; **zwelgpartij** 1 (*drinken*) orgía, bacanal *v*; 2 (*eten*) comilona

zwellen hincharse; *doen* ~ henchir *i*, inflar, hinchar; **zwelling** 1 (*het zwellen*) hinchamiento; 2 (*gezwollen plek*) hinchazón *v*

zwem|bad piscina; *overdekt* ~ piscina cubierta; **-broek** bañador *m*; (*slip*) tanga; (*pop*) taparrabos *m*; **-diploma** diploma *m* de natación

zwemen: ~ *naar* parecerse a, tirar a, rayar en; *het zweemt naar bedrog* raya en el engaño; ~ *naar zwart* tirar a negro

zwemmen 1 nadar; (*baden*) bañarse; *heb je al gezwommen?* ¿ya te has bañado?; 2 ~ *in* (*fig*) bañarse en; **zwemmer** nadador *m*

zwem|pak traje *m* de baño, bañador *m*; **-sport** (deporte *m* de) natación *v*; **-vest** chaleco salvavidas; **-vlies** 1 (*dierk*) membrana interdigital; 2 (*sp*) pata de rana, aleta (para nadar); **-voet** pata palmeada; **-vogel** (ave *v*) palmípeda; **-wedstrijd** concurso de natación

zwendel estafa, chanchullo, embuste *m*, trampa, trapacería; **zwendelaar** estafador *m*, embustero, tramposo; **zwendelarij** *zie: zwendel*; **zwendelen** estafar, trapacear, hacer trampa

zwengel manubrio, manivela, palanca

zwenken girar, virar; *de auto zwenkte naar rechts* el coche dio un viraje a la derecha; **zwenking** giro, viraje *m*; *een* ~ *naar links* (*pol*) un giro a la izquierda; **zwenkwiel** rueda orientable

1 zweren (*mbt wond*) ulcerarse, enconarse

2 zweren 1 jurar; *een eed* ~ prestar juramento; ~ *bij alles wat heilig is* jurar por lo más sagrado; 2 ~ *bij* (*gesteld zijn op*): *hij zweert bij aspirine* para él no hay nada como la aspirina; *hij zweert bij het socialisme* es un fiel partidario del socialismo

zwerf|hond perro vagabundo; **-kat** gato vagabundo; **-tocht** odisea, peregrinación *v*; ~*en* andanzas

zwerk bóveda del cielo, firmamento
zwerm 1 (*bijen*) enjambre *m*; 2 (*vogels*) bandada; **zwermen**: *om iem heen* ~ revolotear alrededor de u.p.
zwerveling *zie: zwerver*; **zwerven** vagar, errar *ie*; *zijn blik zwierf door de kamer* su mirada vagaba por el cuarto; **zwerver** vagabundo; **zwervertje** (*dakloos kind*) niño abandonado
zweten sudar; **zweterig** sudoroso
zwetsen (*opscheppen*) fanfarronear; *zie ook: zwammen*
zweven 1 flotar; (*planeren*) planear; *er zweefde een glimlach op haar lippen* le flotaba una sonrisa en los labios; 2 ~ *tussen* oscilar entre, fluctuar *ú* entre; **zwevend** flotante; *~e kiezers* electorado flotante; *~e koers* cambio flotante; *~e rib* costilla flotante
zwezerik molleja, lechecillas *vmv*
zwichten (*voor*) ceder (ante), someterse (a)
zwiepen cimbrearse; *door de lucht* ~ hender *ie* el aire; *met een ~d geluid* con un chasquido
zwier garbo, arrogancia; *aan de ~ zijn* estar de juerga, ir de parranda; **zwieren** (*dansen*) dar vueltas; **zwierig** garboso, airoso
zwijgen I *ww* callar(se); *zwijg!* ¡calla!, ¡cállate!; *hardnekkig* ~ mantener un silencio obstinado; ~ *als het graf* ser un pozo; *we zwegen lang* estábamos callados mucho tiempo; *wie zwijgt stemt toe* quien calla otorga; *kunt u ~?* ¿sabe guardar un secreto?, ¿sabe callar?; *om nog te ~ van* para no decir nada de; *daarover zwijgt dit boek* este libro no dice nada de ello; *laten we er verder over* ~ no hablemos más del caso; II *zn* silencio; *het ~ opleggen* imponer silencio; *tot ~ brengen* silenciar, callar, acallar; *er het ~ toe doen* guardar silencio; **zwijgend** I *bn* silencioso; *~e meerderheid* mayoría silenciosa; **II** *bw* en silencio; **zwijgzaam** taciturno, callado
zwijm desmayo, desvanecimiento; *in ~ vallen* desmayarse, caer desmayado, desvanecerse; **zwijmelen** 1 (*duizelig worden*) marearse, sentir *ie, i* vahídos; 2 (*in extase raken*) extasiarse, dejarse sugestionar
zwijn cerdo, cochino, puerco; *wild* ~ jabalí *m*; **zwijnen** *ww* tener suerte; **zwijnerij** porquería, cochinada; **zwijnestal** pocilga
Zwitser suizo; **Zwitserland** Suiza; **Zwitsers** suizo; **Zwitserse** suiza
zwoegen afanarse, ajetrearse, trajinar, atosigarse; **zwoeger** esclavo del trabajo, azacán *m*; (*student*) empollón *m*; **zwoegster** esclava del trabajo, azacana; (*studente*) empollona
zwoel 1 bochornoso; 2 (*erotisch*) sensual, erótico
zwoerd corteza de tocino

Inhoudsopgave supplement

De tijd

De tijd El tiempo

De vier jaargetijden Las cuatro estaciones

de lente la primavera
de zomer el verano
de herfst el otoño
de winter el invierno

De dagen van de week Los días de la semana

zondag domingo
maandag lunes
dinsdag martes
woensdag miércoles
donderdag jueves
vrijdag viernes
zaterdag sábado

De maanden Los meses

januari enero
februari febrero
maart marzo
april abril
mei mayo
juni junio
juli julio
augustus agosto
september septiembre
oktober octubre
november noviembre
december diciembre

De namen van de dagen en maanden zijn mannelijk

Hoe laat is het? ¿Qué hora es?

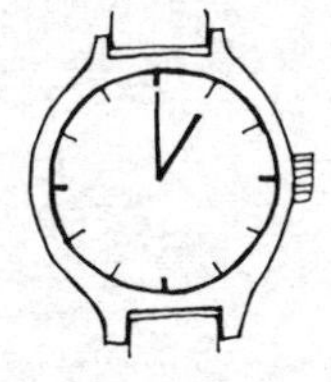

es la una

es la una y cuarto

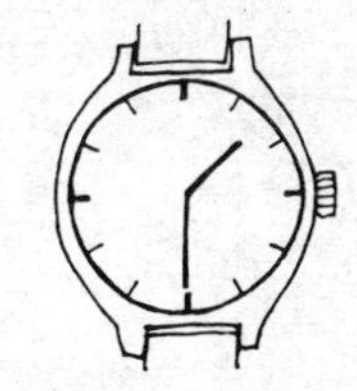

es la una y media

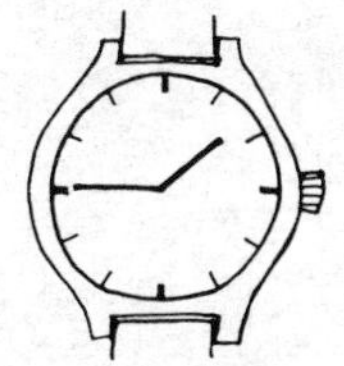

son las dos menos cuarto

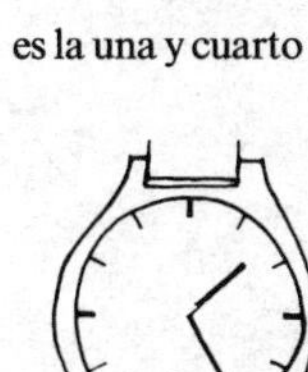

es la una y veinticinco

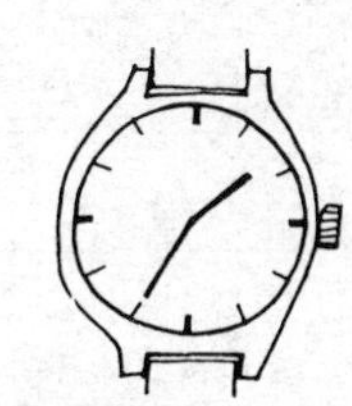

son las dos menos veinticinco

De belangrijkste tijdsaanduidingen Las principales indicaciones del tiempo

seconde segundo *m*
minuut minuto *m*
kwartier cuarto *m* de hora
uur hora *v*

dag día *m*
week semana *v*
maand mes *m*
jaar año *m*
eeuw siglo *m*

's morgens por la mañana
's middags por la tarde
's avonds por la noche
's nachts por la noche

overdag de día
's nachts de noche
om 12 uur 's middags a mediodía
om half 2 's middags a la una y media de la tarde
om 12 uur 's avonds a las 12 de la noche, a medianoche

eergisteren anteayer
gisteren ayer
vandaag hoy
morgen mañana
overmorgen pasado mañana
vóór morgen antes de mañana
over 10 minuten dentro de 10 minutos
over 2 weken dentro de quince días
om 2 uur a las dos
gedurende een maand durante un mes
tegen vijven hacia las cinco
binnen een week en menos de 1 semana
3 dagen tevoren 3 días antes
de vorige dag el día anterior/la víspera
de volgende dag al día siguiente
3 dagen later a los 3 días/3 días después
om de dag un día sí y otro no
om de 3 dagen cada 3 días
12 april 1985 el doce de abril de 1985

De feestdagen los días festivos

Nieuwjaar Año Nuevo
Pasen Pascuas *vmv*
Pinksteren Pentecostés *m*
Kerstmis Navidad *v*
Oudejaarsavond Noche Vieja
Allerheiligen Todos los Santos
Hemelvaartsdag día de la Ascensión
Driekoningen los Reyes Magos

Hoeveelheden

Hoeveelheden Cantidades

Hoofdtelwoorden los números cardinales

1 uno, una (un)
2 dos
3 tres
4 cuatro
5 cinco
6 seis
7 siete
8 ocho
9 nueve
10 diez
11 once
12 doce
13 trece
14 catorce
15 quince
16 dieciséis
17 diecisiete
18 dieciocho
19 diecinueve
20 veinte
21 veintiuno/una (un)
22 veintidós
30 treinta
31 treinta y uno/una (un)
40 cuarenta
50 cincuenta
60 sesenta
70 setenta
80 ochenta
90 noventa
100 cien/ciento
101 ciento uno
200 doscientos(as)
300 trescientos(as)
400 cuatrocientos(as)
500 quinientos(as)
600 seiscientos(as)
700 setecientos(as)
800 ochocientos(as)
900 novecientos(as)
1 000 mil
1 120 mil ciento veinte
2 000 dos mil
100 000 cien mil
1 000 000 un millón

Rangtelwoorden Los números ordinales

1e primero
2e segundo
3e tercero
4e cuarto
5e quinto
6e sexto
7e séptimo
8e octavo
9e noveno
10e décimo
11e el once
12e el doce, enz.

De voornaamste gewichten en maten Los principales pesos y medidas

1 ons cien gramos
1 pond medio kilo
1 kilo un kilo
1 liter un litro
1 m un metro
1 cm un centímetro
1 m² un metro cuadrado
1 m³ un metro cúbico

Munten Monedas

1 una peseta

2 dos pesetas

5 cinco pesetas

10 diez pesetas

25 veinticinco pesetas

50 cincuenta pesetas

100 cien pesetas

Alfabet, spelling en uitspraak

Het Spaanse alfabet El alfabeto español

a b c (ch) d e f g h i j k l (ll) m n
a be ce (che) de e efe ge hache i jota ka ele (elle) eme ene

ñ o p q r s t u v w x y z
eñe o pe qu erre ese te u uve uve doble equis i griega zeta

Alle letters zijn vrouwelijk.

ch en **ll** zijn traditioneel elk een 'letter' in het Spaanse alfabet, maar worden tegenwoordig ook wel als twee letters behandeld, zoals internationaal gebruikelijk. Dit woordenboek sluit zich bij de moderne tendens aan.

Spelling en uitspraak

i en **u** zijn zwakke klinkers. Ze verliezen naast *a*, *e* of *o* hun oorspronkelijke klank en vormen samen met die letters één lettergreep: *ai*re, b*ue*no. Soms behouden ze hun eigen klank; dan krijgen ze een accent: día
b en **v** worden aan het begin van een woord en na *n* en *m* uitgesproken als *b*: Bilbao, Valencia, el invierno;
na andere letters is de klank veel zachter, bijna een *v*: halblar, las uvas
c voor *a, o, u* uitgesproken als *k*: casa, cosa, cura
voor *e* en *i* als de Engelse *th*: cinco
ch klinkt als *tsj* in het Nederlandse woord Tsjech: mucho
g wordt voor *a, o, u* en medeklinkers uitgesproken als in het woord *goal*: ganar, alguno
gu wordt voor *a* en *o wèl* uitgesproken als *gw*: *agua, antiguo*
wordt voor *e* of *i* uitgesproken als in het woord *goal*: la guitarra
h wordt nooit uitgesproken: el hombre
j klinkt als de *g* in het Nederlandse woord *geen*: Juan
ll klinkt als *j* in het woord *braille*: la calle
ñ klinkt als *nj* in het Nederlandse woord *ranja*: España
qu wordt uitgesproken als *k*: que
x wordt uitgesproken als in het Nederlandse woord *examen*: exactamente
voor een medeklinker als *s*: el extranjero
y als *j* in de naam *Jan*: la playa
als *i* in Juan y María
z wordt uitgesproken als de Engelse *th*: el azúcar

Klemtoon

- Eindigt het woord op een klinker, of op *n* of *s*, dan valt de klemtoon op de één na laatste lettergreep:
  *ca*sa, *to*ro, *car*men, *no*tas
- Eindigt het woord op een andere medeklinker, dan valt de klemtoon op de laatste lettergreep:
  je*rez*, se*ñor*
- Uitzonderingen op deze twee regels krijgen een geschreven accent:
  también, aquí

- Een accent wordt ook gebruikt ter onderscheiding van twee woorden die op dezelfde manier geschreven en uitgesproken worden, maar verder niets met elkaar te maken hebben:

  el de, het
  él hij, hem
  mas maar
  más meer, langer

- Vragende woorden krijgen altijd een accent: ¿qué? ¿cómo?

In en om het huis

Vervoermiddelen

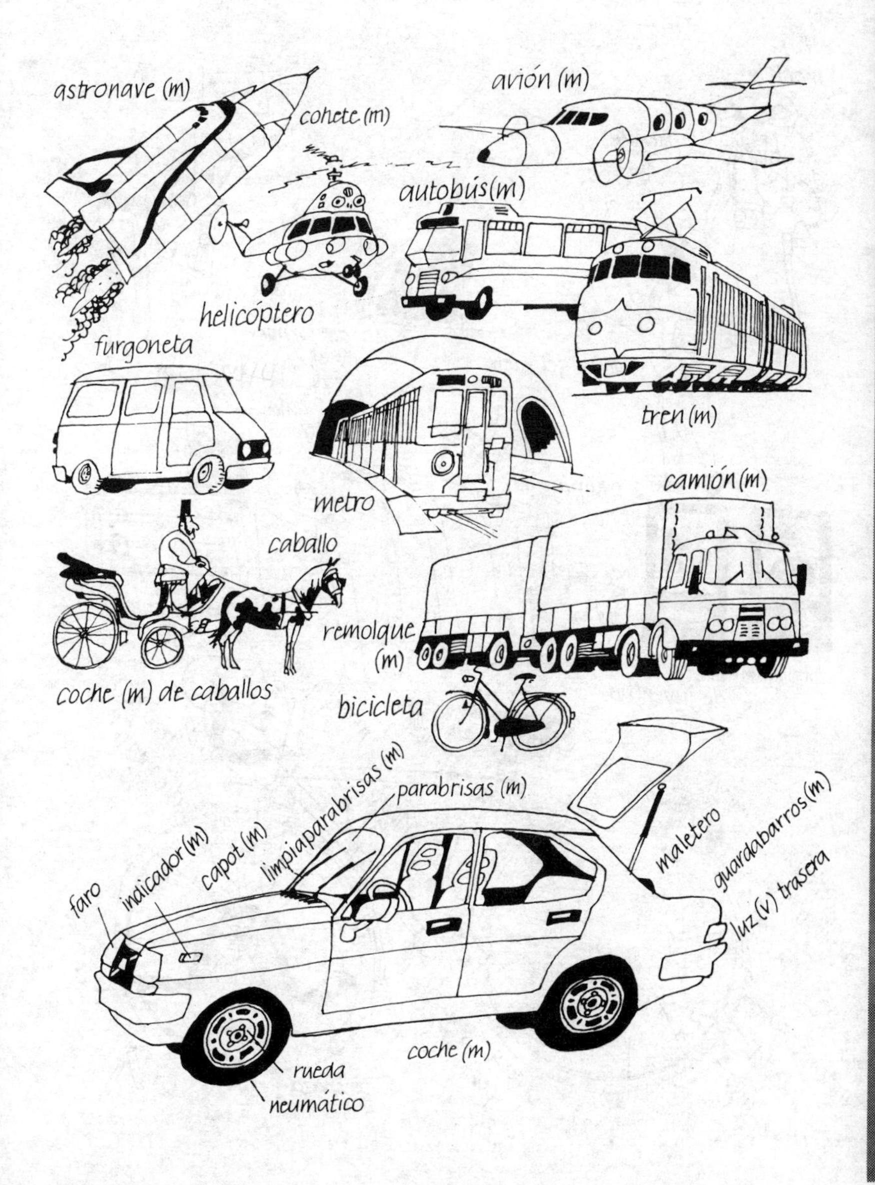

Op reis

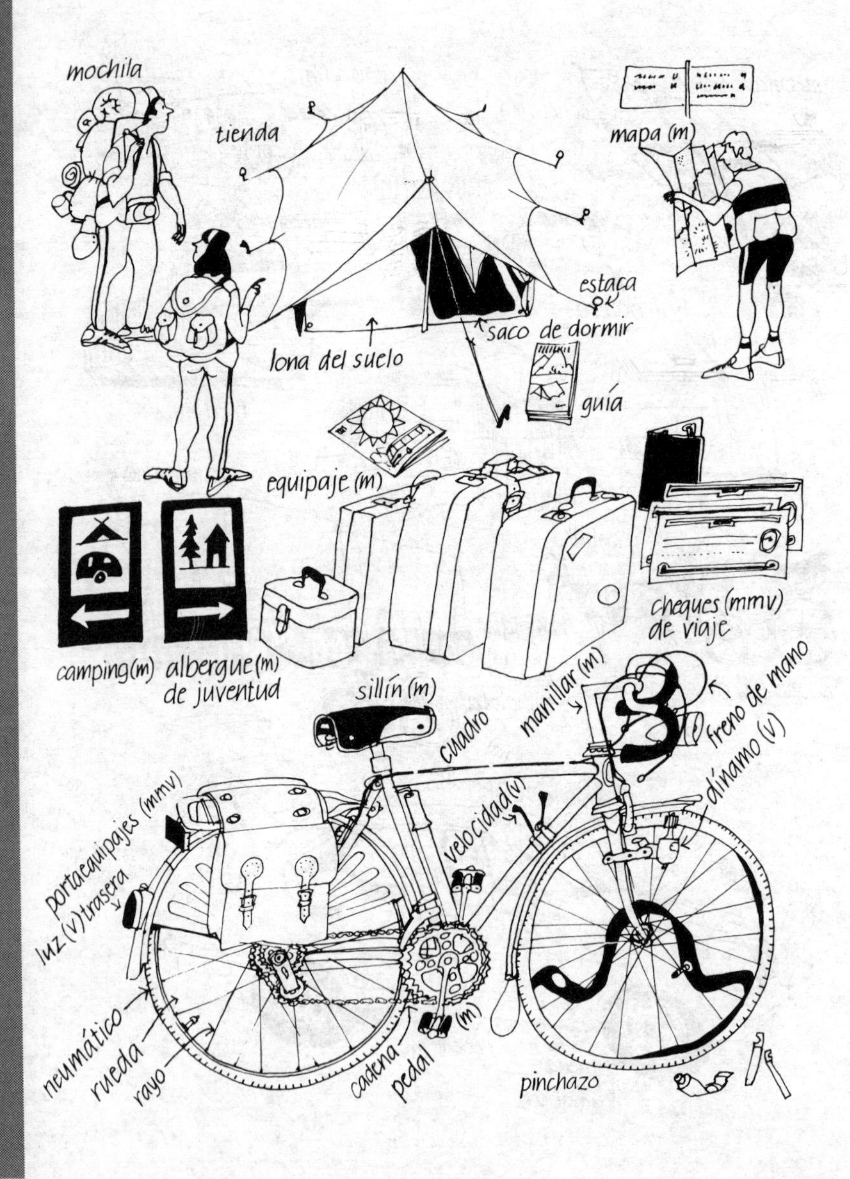
mochila
tienda
mapa (m)
estaca
saco de dormir
lona del suelo
guía
equipaje (m)
cheques (mmv)
de viaje
camping (m)
albergue (m)
de juventud
sillín (m)
cuadro
manillar (m)
freno de mano
dínamo (v)
velocidad (v)
portaequipajes (mmv)
luz (v) trasera
neumático
rueda
rayo
cadena
pedal (m)
pinchazo

Op straat

gasolinera
supermercado
HAGÉ
HAGÉ
carrito
cabina telefónica
área peatonal
buzón (m)
bomba de gasolina
farol (m)
semáforo
peatón (m)
a la derecha
sinkel
escaparate (m)
sinkel
cochecito de niño
señal (v) de circulación
almacén (m)
todo recto
acera
S.A.D.
vía

Grammaticale hoofdlijnen

Lidwoord

	mann. enkelv.	*mann. meerv.*	*vrouw. enkelv.*	*vrouw. meerv.*
onbepaald	un	unos	una	unas
bepaald	el	los	la	las

Bepaald lidwoord

In tegenstelling tot het Nederlands wordt het bepaald lidwoord gebruikt:

- voor de dagen van de week als een bepaalde dag wordt bedoeld
  zondag ga ik naar A. *el* domingo voy a A.
- voor getallen en procenten
  welk nummer is het? twaalf ¿qué número es? *El* doce
  2% *el* dos por ciento
- voor tijdsaanduidingen
  om 8 uur a *las* ocho
- voor een zelfstandig naamwoord dat in zijn algemeenheid wordt gebruikt
  ik houd van wijn me gusta *el* vino
- voor titels, behalve in de aanspreekvorm
  meneer García *el* señor García
  dokter Gómez *el* doctor Gómez

De voorzetsels *a* (aan, naar) en *de* (van) worden samengetrokken met het bepaald lidwoord *el*.

▸a+el=al **va al banco** hij/zij gaat naar de bank
▸de+el=del **es del niño** het is van het kind

Onbepaald lidwoord

Het *meervoud* van het onbepaald lidwoord betekent: een paar, enkele, ongeveer.
een paar jongens unos chicos
enkele meisjes unas chicas
ongeveer zeven unos(as) siete

Het onbepaald lidwoord wordt **niet** gebruikt voor o.a. *otro*(*a*), *medio*(*a*) en *cierto*(*a*).
een andere bar otro bar
een half uur media hora
op zekere dag cierto día

Lo

Met het onzijdige *lo* kunnen bijvoeglijke naamwoorden, bijwoorden en voornaamwoorden tot zelfstandige naamwoorden worden gemaakt.
***het* interessante** *lo* interesante
***wat*, hetgeen** *lo* que
***het* beste** *lo* mejor

Zelfstandig naamwoord

mann.enkelv.
***el* oso** de beer
***el* hotel** het hotel

mann.meerv.
***los* osos** de beren
***los* hoteles** de hotels

vrouw.enkelv.
***la* casa** het huis
***la* ciudad** de stad

vrouw.meerv.
***las* casas** de huizen
***las* ciudades** de steden

Het zelfstandig naamwoord dat eindigt op *een klinker* krijgt in het meervoud een *-s*
Het zelfstandig naamwoord dat eindigt op een *medeklinker* krijgt in het meervoud *-es*
Achtervoeging van -es kan tot spellingswijziging leiden: el lápiz, los lápi*c*es

Het mannelijk meervoud kan op mannen èn vrouwen slaan.
los padres de ouders
los señores meneer en mevrouw

Bijvoeglijk naamwoord

1 Bijvoeglijke naamwoorden waarvan de mannelijke vorm eindigt op *-o*, krijgen in de vrouwelijke vorm een *-a* in plaats van die *-o*.
In het meervoud verandert *-os* in *-as*.
el* chico alt*o de lange jongen
la* chica alt*a het lange meisje
los* chicos alt*os de lange jongens
las* chicas alt*as de lange meisjes

2 Bijvoeglijke naamwoorden afgeleid van geografische namen hebben altijd een vrouwelijke vorm op *-a*.
un chico inglés een Engelse jongen
una chica ingles*a* een Engels meisje

3 Tenslotte eindigen op *-a* de vrouwelijke vormen van bijvoeglijke naamwoorden op:
-án, *-ón*, *-ín* **una chica holgazan*a*** een lui meisje
-ete, *-ote* **es una mujer feot*a*** het is een heel lelijke vrouw
-dor, *-tor*, *-sor* **es una tía hablador*a*** het is een praatzieke tante

De andere bijvoeglijke naamwoorden hebben *geen* vrouwelijke vorm.

Het bijvoeglijk naamwoord staat meestal *achter* het zelfstandig naamwoord.
Een bijvoeglijk naamwoord *vóór* het zelfstandig naamwoord duidt op:

- een vaste, bekende eigenschap
  la blanca nieve de witte sneeuw
- een emotionele betekenis
  el pobre chico de arme jongen (zielig)
  vergelijk:
  el chico pobre de arme jongen (geen geld)
- iets poëtisch
  ...**anchos cielos**... weidse luchten

Sommige bijvoeglijke naamwoorden staan bijna altijd *vóór* het zelfstandig naamwoord
último – otro – medio – mucho – mismo – segundo – tanto
en de volgende (die ook ervoor geplaatst worden) verliezen daarbij voor een mannelijk zelfstandig naamwoord de eind *-o*.
bueno – malo – alguno – ninguno – primero – tercero
ninguna chica geen (enkel) meisje
ningún chico geen (enkele) jongen

Grande staat vaak voor het zelfstandig naamwoord en wordt dan voor mannelijk en vrouwelijk enkelvoud: *gran*
un *gran* hotel een groot hotel
una *gran* ciudad een grote stad

Trappen van vergelijking

dik *gordo*, -a
dikker *más* gordo, -a
dikst *el más* gordo, *la más* gorda

Onregelmatig zijn

bueno goed	**mejor** beter	**el/la mejor** de beste
malo slecht	**peor** slechter	**el/la peor** de slechtste
pequeño klein	**más pequeño** kleiner	**el más pequeño** de kleinste
	menor kleiner, jonger	**el/la menor** de kleinste, jongste
grande groot	**más grande** groter	**el más grande** de grootste
	mayor groter, ouder	**el/la mayor** de grootste, oudste

evenveel als tanto como
even dik als tan gordo como
minder dik dan menos gordo que
meer dan más que

Bij telwoorden: *más/menos de* in bevestigende zinnen
tiene más de tres coches hij heeft meer dan drie auto's
más/menos que in ontkennende zinnen
no tiene más que cien pesetas hij heeft maar/slechts 100 peseta's

Bijwoord

Het bijwoord wordt gevormd door achter het bijvoeglijk naamwoord in de vrouwelijke vorm enkelvoud (al of niet eindigend op *-a*) *-mente* te zetten.
directa direct*amente*
normal normal*mente*

Onregelmatig zijn

bien goed	**mejor** beter	**lo mejor** het beste
mal slecht	**peor** slechter	**lo peor** het slechtste
mucho veel	**más** meer	**lo más** het meeste
poco weinig	**menos** minder	**lo menos** het minste

De ontkenning

De ontkenning gaat aan het werkwoord vooraf. Wanneer het ontkennende woord achter de werkwoordsvorm staat, gaat *no* evengoed aan het werkwoord vooraf:
no sé nada de... – no lo sabe nadie – no lo hago nunca
Staat het ontkennende woord vóór het werkwoord, dan valt *no* weg:
nadie lo sabe – nunca lo hago

Persoonlijk voornaamwoord

persoon	*onderwerp*	*meew.vw.*	*lijd.vw.*	*na voorzetsel*
ik	yo	me	me	mí
jij	tú	te	te	ti
hij	él	le	lo/le	él
zij	ella	le	la	ella
u	usted	le	le, la	usted
het	ello	le	lo	ello
wij	nosotros,-as	nos	nos	nosotros, -as
jullie	vosotros,-as	os	os	vosotros, -as
zij	ellos	les	los/les	ellos
zij	ellas	les	las	ellas
u	ustedes	les	les, las	ustedes

Wanneer een werkwoord zowel een meewerkend als een lijdend voorwerp heeft, gaat het meewerkend voorwerp vooraf aan het lijdend voorwerp.
me *lo* da hij geeft *het mij* **te *los* da** hij geeft *ze jou*

Wanneer zowel lijdend als meewerkend voorwerp 3e persoon enkelvoud of meervoud is, worden de meewerkende vormen vervangen door *se*.
hij geeft het *haar – hem – u – hun – u mv.* ***se* lo da**
hij geeft ze *haar – hem – u – hun – u mv.* ***se* los da**

A mí, a ti, a él, enz. kunnen versterkte vormen of een verduidelijking zijn van het lijdend of meewerkend voorwerp en komen dan samen met de vormen *me*, *te*, *le*, enz. voor.
le* he dado el libro *a él ik heb *hem* het boek gegeven
***te* lo doy *a ti* y no a él** ik geef het *jou* en niet hém

Wanneer het lijdend voorwerp een bepaalde persoon is, wordt het voorafgegaan door *a*.
llamo *a* María ik roep Maria **conozco *al* señor G.** ik ken meneer G.

Staat het lijdend voorwerp vóór het werkwoord dan wordt het herhaald d.m.v. het persoonlijk voornaamwoord dat er in getal en geslacht mee overeenstemt.
la radio *la* dejo aquí de radio laat ik hier
A Juan no *lo/le* conozco Jan ken ik niet

Met het voorzetsel *con* (met), gevolgd door *mi*, *ti* of *si* ontstaan:
conmigo met mij **contigo** met jou **consigo** met zich, bij zich

Het wederkerend voornaamwoord en wederkerend werkwoord.
me lavo ik was mij
te lavas jij wast je
se lava hij/zij/u wast zich
nos lavamos wij wassen ons
os laváis jullie wassen je
se lavan zij wassen zich/u (mv) wast u

me llamo Juan ik heet Jan **¡siéntese**! gaat u zitten!

Op drie gevallen na staan de persoonlijke voornaamwoorden vóór het werkwoord:
1 de onbepaalde wijs
quiero decír*telo* ik wil het je zeggen
2 de gebiedende wijs bevestigend
láva*te* bien! was je goed!
3 het gerundio
está contándo*lo* hij is het aan het tellen
In deze gevallen komen de persoonlijke voornaamwoorden achter de werkwoordsvorm en er aan vast.
Het Nederlandse *men* wordt in het Spaans weergegeven door het wederkerend voornaamwoord *se*.
aquí *se* habla español hier spreekt *men* Spaans
Zie ook onder: lijdende vorm

Aanwijzend voornaamwoord

	mannelijk		*vrouwelijk*		*onzijdig*
	enkelv.	*meerv.*	*enkelv.*	*meerv.*	
deze	este	estos	esta	estas	esto
die	ese	esos	esa	esas	eso
die	aquel	aquellos	aquella	aquellas	aquello

este: iets dichtbij de spreker, vergelijk aquí
ese: iets dichtbij de aangesprokene, vergelijk ahí
aquel: iets ver van de spreker en de aangesprokene in tijd en plaats, vergelijk allí

Worden de vormen zelfstandig gebruikt dan krijgen ze een accent.
***éste* me gusta mucho** *deze* vind ik erg mooi

Vragend voornaamwoord

▸ **qué** *zelfstandig*: wat
bijvoeglijk: welk(e)
▸ **quién** wie
▸ **quiénes** wie (meerv.)

¿Qué es? Wat is dat?
¿En qué casa? In welk huis?
¿Quién es ella? Wie is zij?
¿Quiénes son ellos? Wie zijn zij?

cuál welk(e)
Alleen zelfstandig gebruikt en meestal in geval van beperkte keuze.
¿Cuál es su hijo? Welke (van de twee, drie) is uw zoon?

Betrekkelijk voornaamwoord

▸ **que** : die/dat. Het meest gebruikt voor personen en zaken.
los chicos que andan allí de jongens die daar lopen
la casa que ves allí het huis dat je daar ziet
▸ **quien** : wie/die. Uitsluitend voor personen, vooral na een voorzetsel.
la chica con quien hablo het meisje met wie ik praat

el que, *la que*, *los que*, *las que* – *el cual*, *la cual*, *los cuales*, *las cuales* – komen ook vooral na een voorzetsel voor.

▸ **lo que** : wat/dat wat. Hier is *lo* verplicht.
lo que quiero saber wat ik wil weten

Onbepaald voornaamwoord

algo: iets
sé algo de ... ik weet iets over ...
nada: niets
no sé nada de ... ik weet niets over ...
alguien: iemand
alguien debe saberlo iemand moet het weten
nadie: niemand
no lo sabe nadie niemand weet het
algún, *-una* + zelfst.nw.: een of ander, een enkel(e)
¿hay algún museo? is er enig museum?
ningún, *-una* + zelfst.nw.: geen enkel(e)
no hay ningún museo er is geen enkel museum
todo el/*toda la* + zelfst.nw.: geheel, alle
tengo todo el dinero ik heb al 't geld

Bezittelijk voornaamwoord

Dit richt zich in getal en geslacht naar het zelfstandig naamwoord waarmee het bezit wordt uitgedrukt.

***mi* hijo/hija** mijn
***tu* hijo/hija** jouw
***su* hijo/hija** zijn/haar/uw
***nuestro* hijo/*nuestra* hija** onze
***vuestro* hijo/*vuestra* hija** jullie
***su* hijo/hija** hun, uw (meerv.)
In het meervoud: + -*s* – *mis* hijos, *sus* hijos, enz.

De beklemtoonde vormen staan achter het zelfstandig naamwoord.
mío/mía van mij
tuyo/tuya van jou
suyo/suya van hem/haar/u
nuestro/a van ons
vuestro/a van jullie
suyo/a van hen, u (meerv.)
In het meervoud: + -*s* – esas rosas son *mías*, enz.

Werkwoord

Ser

1 Bestaan **pienso luego soy** ik denk dus ik ben
gebeuren, plaatsvinden **¿dónde es la reunión**? waar is de vergadering?
2 Koppelwerkwoord + als onderwerp *het*
es posible que ... het is mogelijk dat ...
3 Koppelwerkwoord + bijvoeglijk naamwoord. Gebruikt indien het bijvoeglijk naamwoord een *wezenlijke* eigenschap van het onderwerp aanduidt
la nieve es blanca sneeuw is wit
4 Koppelwerkwoord + andere woordsoorten als naamwoordelijk deel van het gezegde:
el libro es mío het boek is van mij
soy holandés ik ben Nederlander
5 Hulpwerkwoord + voltooid deelwoord, maar niet vaak in pres. en imp.
la carta fue escrita por la secretaria de brief werd door de secretaresse geschreven

Estar

1 Zelfstandig werkwoord: zich bevinden
están aquí ze zijn hier
2 Koppelwerkwoord + bijvoeglijk naamwoord. Gebruikt indien het bijvoeglijk naamwoord een *toestand* aanduidt, het resultaat van een verandering
la blusa está sucia de blouse is vuil
3 Hulpwerkwoord + gerundio
estoy comiendo ik ben aan 't eten
4 Met voltooid deelwoord
la cartra está escrita de brief is geschreven (zie ook onder: lijdende vorm)

▸ Naast *estar* = zich bevinden, wordt ook *hay* = (er) is, zijn gebruikt.
Estar alleen als het onderwerp bepaald is, dus als er een bepaald lidwoord, aanwijzend voornaamwoord of bezitaanduidend woord aan voorafgaat.
***mi* libro está aqui** *mijn* boek ligt hier
en la mesa hay libros op tafel liggen boeken
hay muchos libros er zijn veel boeken
▸ Het bijvoeglijk naamwoord èn het voltooid deelwoord gebruikt bij ser en estar richt zich in getal en geslacht naar het zelfstandig naamwoord waar het bij hoort.
es guap*a* *zij* is knap
esos chicos* son ric*os *die jongens* zijn rijk

► Alle bijvoeglijke naamwoorden laten in principe het gebruik van zowel ser als estar toe, echter altijd met *verschil in betekenis*, bijvoorbeeld:

el niño es alto de jongen is lang
¡qué alto estás! wat ben je lang (geworden)
ser bueno een goed karakter hebben
estar bueno zich gezond voelen
ser ciego blind zijn
estar ciego verblind zijn
es seguro que ... het is zeker dat ...
está seguro que ... hij is er zeker van dat ...
ser listo slim zijn
estar listo klaar zijn
es triste het is treurig
está triste hij is bedroefd
ser viejo oud zijn
estar viejo er oud uitzien
ser vivo levendig zijn
estar vivo leven

De verleden tijd Los tiempos pasados

Het Spaans kent drie verleden tijden:
De pretérito definido (of pretérito indefinido), hierna: *def*.
De pretérito imperfecto, hierna: *imp*.
De presente perfecto (of pretérito perfecto), hierna: *pres.perf*.

De *def*. wordt gebruikt voor:
► een handeling van kortere of langere duur, met inbegrip van begin en einde ervan
Pablo *dio* el pan Pablo gaf het brood
► opeenvolgende handelingen
pagó*, *abrió* la puerta y *salió hij betaalde, opende de deur en vertrok
► plotselinge handelingen of gebeurtenissen
***de repento oyó* un grito** opeens hoorde hij een schreeuw
De *def*. brengt het verhaal verder. De *def*. is te vertalen door zowel een *verleden tijd* als een *voltooid tegenwoordige tijd*, en soms een *voltooid verleden tijd*.
Pablo comió bien Pablo at goed/heeft goed gegeten/had goed gegeten

De *imp*. wordt gebruikt voor:
► beschrijvingen van personen, landschappen, situaties, enz.
***ese día* el sol brillaba** die dag scheen de zon
► het weergeven van de handeling in haar verloop
***mientras esperaba leía* un libro** terwijl ze wachtte las ze een boek
► een handeling die niet voltooid wordt
***salía cuando* sonó el teléfono** ik wou net weggaan toen de telefoon ging
► het weergeven van een gewoonte
***los domingos íbamos* a la playa** 's zondags gingen we naar het strand

Vaak geeft de *imp*. de achtergrond aan waartegen de *def*. zich afspeelt.
Era lunes, había sol. Juan estaba jugando en el jardín cuando paró un coche delante de la casa Het was maandag, de zon scheen. Jan was aan het spelen in de tuin toen een auto voor het huis stopte.

Doordat de *def*. o.a. het begin van een handeling aangeeft en de *imp*. juist het aspect van 'aan de gang zijn', krijgt één en hetzelfde werkwoord soms verschillende vertalingen:
le *conocí* en Bilbao ik *leerde* hem in Bilbao *kennen*
le *conocía* en Bilbao ik *kende* hem (al) in Bilbao
***tenía* dos pollos** hij *had* twee kippen
***tuvo* dos pollos** hij *kreeg* twee kippen

Of er worden verschillende aspecten belicht:
***pensó* que era Ana** hij *dacht* (*waarachtig even*) dat het Ana was
pensaba* que era *fácil hij *dacht* (*had de overtuiging*) dat het makkelijk was

De *pres.perf.* wordt gebruikt om een verleden feit of handeling aan te duiden, waarvan de uitwerking *nog in het heden* wordt gevoeld:

ese libro lo he leído tres veces dat boek heb ik drie keer gelezen *ik kén het*
lo leí tres veces ik heb het drie keer gelezen *ik las het drie keer* (de nadruk op de activiteit 'lezen' in het verleden)

De aanvoegende wijs El subjuntivo

De subjuntivo kan voorkomen in hoofdzinnen en in bijzinnen

De subjuntivo in de hoofdzin

De subjuntivo wordt in de hoofdzin gebruikt:

1 als gebiedende wijs (behalve bij de 2e pers. enkelv. en meerv. bevestigend)
¡Pase ud.! Komt u binnen!
2 bij een wens, vaak ingeleid door *que* of *ojalá*
que aproveche smakelijk eten!
3 vaak na *tal vez*, *acaso*, *quizá(s)*, afhankelijk van de waarschijnlijkheid
quizá lo sepa misschien weet hij het
4 soms i.p.v. de onvoltooid verleden toekomende tijd; in plaats daarvan staat vooral bij de werkwoorden *ser*, *poder*, *deber* en *querer* vaak de *ra*-vorm van de subjuntivo
quisiera (querría) verlo ik zou het willen zien

De subjuntivo in de bijzin

1 In bijzinnen *moet* de subjuntivo worden gebruikt:

1 wanneer het werkwoord in de hoofdzin een actie in de bijzin opwekt of verhindert d.m.v. een wens, gebod, verlangen, toestemming, goedkeuring, raad
quiero que te vayas ik wil dat je weggaat
te prohibo que fumes ik verbied je te roken
2 wanneer het werkwoord in de hoofdzin een gemoedsgesteldheid weergeeft: vreugde, smart, spijt, vrees, dankbaarheid
siento que no puedas venir het spijt me dat je niet kunt komen
le agradezco que venga ik ben u dankbaar dat u komt
3 na onpersoonlijke uitdrukkingen die een wens, (on)mogelijkheid, noodzakelijkheid, spijt, enz. uitdrukken, of die een negatieve constatering zijn
es probable que venga het is mogelijk dat hij komt
no es seguro que quede het is niet zeker dat hij blijft
4 na een voegwoord van doel of van voorwaarde: opdat *para que*, tenzij *a no ser que*, (maar niet *si*, zie **2** *3); en na:* voordat *antes de que* en zonder dat *sin que*.
te lo digo para que lo escribas ik zeg het je opdat je hem schrijft

2 In bijzinnen staat de subjuntivo of de indicativo (aantonende wijs), met als gevolg verschil in betekenis:

1 na de ontkennende vorm van werkwoorden die zeggen of denken uitdrukken
yo no digo que *haya* estado allí ik zeg niet dat hij er geweest is
(nadruk op: is hij er geweest of niet)
yo no digo que *ha* estado allí ik zeg niet dat hij er geweest is
(nadruk op: wel of niet gezegd hebben)
no creo que *vengan* ik geloof niet dat ze komen (spreker is niet zeker)
no creo que *vienen* ik geloof niet dat ze komen (spreker is er zeker van)
2 na een voegwoord van tijd of van toegeving: wanneer *cuando*, totdat *hasta que*, zodra *en cuanto*, hoewel, ook al *aunque*, enz.

Is de betekenis van de bijzin, ingeleid door deze voegwoorden, onzeker, twijfelachtig, toekomstig, niet-ervaren, dan subj. Maar is de betekenis stellig, vaststaand, verleden tijd, ervaren, dan volgt de indic.

sale aunque *llueve* hij gaat uit hoewel het regent (feit, ervaren)
sale aunque *llueva* hij gaat uit ook al zou het regenen (toekomstig)

3 na het voegwoord *si*:
alleen subjuntivo (verleden tijd) in zinnen in de verleden tijd, als *si* indien betekent, en aan de in de bijzin genoemde voorwaarde niet kan worden voldaan, m.a.w. als deze on-werkelijk is

als ik geld had, zou ik die auto kopen si *tuviera* dinero me compraría ese coche in alle andere gevallen indic. dus (bv.) wanneer si = of

ik weet niet of ze komt *no* sé si *vendrá*

en wanneer si = als + tegenw.tijd

als ik tijd heb ... si *tengo* tiempo ...

4 wanneer in betrekkelijke bijzinnen het antecedent bekend, ervaren is:
indic.; zo niet: subj. Dus ook de subj. als in verband met het antecedent een beding, wens, of vereiste hoedanigheid wordt genoemd

haré lo que usted *quiere* ik zal doen wat u wilt (ik weet wát u wilt)
haré lo que usted *quiera* ik zal doen wat u (maar) wilt (wát het ook is)
conozco un lugar que *es* tranquilo ik weet een plek die rustig is (ervaren)
busco un lugar que *sea* tranquilo ik zoek een plek die rustig is (voorwaarde)

Het voltooid deelwoord El participio pasado

Het wordt als volgt gevormd:

ww. op -ar	stam + *ado*	hablar	habl*ado*
ww. op -er	stam + *ido*	comer	com*ido*
ww. op -ir	stam + *ido*	vivir	viv*ido*

Met haber vervoegd is het participio onverbuigbaar.

De volgende werkwoorden hebben een onregelmatig participio:

abrir openen **abierto**
cubrir bedekken **cubierto**
decir zeggen **dicho**
escribir schrijven **escrito**
freír bakken **frito**
hacer doen, maken **hecho**
morir sterven **muerto**
poner leggen, plaatsen **puesto**
resolver oplossen, besluiten **resuelto**
romper breken **roto**
ver zien **visto**
volver terugkeren **vuelto**

Het gerundio

Dit is een onveranderlijke werkwoordsvorm. Deze wordt als volgt gevormd:

ww. op -ar	stam + *ando*	hablar	habl*ando* sprekend
ww. op -er	stam + *iendo*	comer	com*iendo* etend
ww. op -ir	stam + *iendo*	vivir	viv*iendo* levend, wonend

Vaak wordt het gerundio voorafgegaan door een vorm van het werkwoord *estar*. Dan geeft het een 'bezig zijn' aan

está comiendo hij is aan het eten

De gebiedende wijs El imperativo

Drie bevestigende vormen (u, wij, u meerv.) en alle ontkennende vormen van de imperativo zijn vormen van de *pres.subj*.
De vormen voor 'jij' en 'jullie' zijn:
van ww. op -ar: -a en *-ad*
van ww. op -er: -e en *-ed*
van ww. op -ir: -e en *-id*

Bijvoorbeeld

▸ **cantar** zingen

zing! ¡canta! **zing niet** ¡no cantes!
zingt (U, ev)! ¡cante! **zingt (U, ev) niet** ¡no cante!
laten we zingen! ¡cantemos! **laten we niet zingen**! ¡no cantemos!
zingen jullie! ¡cantad! **zingen jullie niet**! ¡no cantéis!
zingt (mv)! ¡canten! **zingt (mv) niet**! ¡no canten!

Bij de wederkerende werkwoorden wordt het wederkerend voornaamwoord aan de werkwoordsvorm vastgeschreven
lavarse zich wassen **¡láva*te***! was je!
Dit geldt ook voor het meewerkend en het lijdend voorwerp bij de gebiedende wijs bevestigend.
¡dá*melo*! geef het mij!

Enkele onregelmatige vormen van de gebiedende wijs bevestigend, 2e pers.enkelv.
decir zeggen **¡di!**
hacer doen, maken **¡haz!**
ir gaan **¡ve!**
poner leggen, plaatsen **¡pon!**
salir weggaan **¡sal!**
ser zijn **¡sé!**
tener hebben **¡ten!**
venir komen **¡ven!**

De lijdende vorm La voz pasiva

De lijdende vorm wordt in het Spaans meestal omgezet in een werkwoord in de actieve vorm met het wederkerend voornaamwoord *se*.
de brief wordt geschreven (men schrijft de brief) se escribe la carta
in Spanje wordt veel wijn gedronken en España se bebe mucho vino
Staat in de Nederlandse lijdende zin het onderwerp in het meervoud, dan staat ook in de Spaanse *se*-constructie het werkwoord in het meervoud
de brieven worden geschreven se escriben las cartas
er worden veel aardappels gegeten se comen muchas patatas

▸ **ser** +*participio* wordt soms als lijdende vorm gebruikt, in het bijzonder wanneer de handelende persoon genoemd of verondersteld wordt. Nadruk valt op de passieve handeling-in-haar-verloop.
la carta ha sido escrita por la secretaria de brief is door de secretaresse geschreven

▸ **estar** +*participio* duidt het resultaat van de handeling aan.
las cartas están escritas de brieven zijn geschreven (=liggen klaar)
Zowel bij *ser* als *estar* komt het voltooid deelwoord in getal en geslacht overeen met het onderwerp.

Vervoeging van de regelmatige werkwoorden

Gebruikte afkortingen:

inf.	infinitivo	onbepaalde wijs
ger.	gerundio	gerundium
part.pas.	participio pasado	voltooid deelwoord
indic.	indicativo	**aantonende wijs:**
pres.	presente	onvoltooid tegenwoordige tijd
imp.	imperfecto	onvoltooid verleden tijd
def.	(pretérito) definido	verleden tijd
fut.	futuro	onvoltooid tegenwoordige toekomende tijd
cond.	condicional	onvoltooid verleden toekomende tijd
subj.	subjuntivo	**aanvoegende wijs:**
pres.subj.	presente de subjuntivo	onvoltooid tegenwoordige tijd
pret.subj.	pretérito de subjuntivo	onvoltooid verleden tijd

▸ Alleen bij het eerste werkwoord worden als voorbeeld de Nederlandse vormen gegeven.

1 De werkwoorden op -ar

inf.: **hablar** spreken *ger.*: hablando *part.pas.*: hablado

pres.	*imp.*	*def.*	*fut.*	*cond.*
ik spreek	**ik sprak**	**ik sprak ik heb gesproken**	**ik zal spreken**	**ik zou spreken**
habl*o*	habl*aba*	habl*é*	hablar*é*	hablar*ía*
habl*as*	habl*abas*	habl*aste*	hablar*ás*	hablar*ías*
habl*a*	habl*aba*	habl*ó*	hablar*á*	hablar*ía*
habl*amos*	habl*ábamos*	habl*amos*	hablar*emos*	hablar*íamos*
habl*áis*	habl*abais*	habl*asteis*	hablar*éis*	hablar*íais*
habl*an*	habl*aban*	habl*aron*	hablar*án*	hablar*ían*

pres.subj.	*pret.subj.*			
(dat) ik spreek	**(dat) ik sprak**		**spreek!**	**spreek niet!**
habl*e*	habl*ara*	habl*ase*	habl*a*	no habl*es*
habl*es*	habl*aras*	habl*ases*	**spreken jullie!**	**spreken jullie niet!**
habl*e*	habl*ara*	habl*ase*	habl*ad*	no habl*éis*
habl*emos*	habl*áramos*	habl*ásemos*	**laten we spreken**	**laten we niet spreken**
habl*éis*	habl*arais*	habl*aseis*	habl*emos*	no habl*emos*
habl*en*	habl*aran*	habl*asen*	**spreekt u!**	**spreekt u niet!**
			habl*e*(*n*) ud(s)	no habl*e*(*n*) ud(s)

2 De werkwoorden op -er

inf.: **comer** eten *ger.*: comiendo *part.pas.*: comido

pres.	*imp.*	*def.*	*fut.*	*cond.*
com*o*	com*ía*	com*í*	comer*é*	comer*ía*
com*es*	com*ías*	com*iste*	comer*ás*	comer*ías*
com*e*	com*ía*	com*ió*	comer*á*	comer*ía*
com*emos*	com*íamos*	com*imos*	comer*emos*	comer*íamos*
com*éis*	com*íais*	com*isteis*	comer*éis*	comer*íais*
com*en*	com*ían*	com*ieron*	comer*án*	comer*ían*

pres.subj.	*pret.subj.*		*imperativo*	
com*a*	com*iera*	com*iese*	com*e*	no com*as*
com*as*	com*ieras*	com*ieses*	com*ed*	no com*áis*
com*a*	com*iera*	com*iese*		
com*amos*	com*iéramos*	com*iésemos*	com*amos*	no com*amos*
com*áis*	com*ierais*	com*ieseis*		
com*an*	com*ieran*	com*iesen*	com*a*(*n*) ud(s)	no com*a*(*n*) ud(s)

3 De werkwoorden op -ir

inf.: **vivir** leven *ger.*: viviendo *part.pas.*: vivido

pres.	*imp.*	*def.*	*fut.*	*cond.*
viv*o*	viv*ía*	viv*í*	vivir*é*	vivir*ía*
viv*es*	viv*ías*	viv*iste*	vivir*ás*	vivir*ías*
viv*e*	viv*ía*	viv*ió*	vivir*á*	vivir*ía*
viv*imos*	viv*íamos*	viv*imos*	vivir*emos*	vivir*íamos*
viv*ís*	viv*íais*	viv*isteis*	vivir*éis*	vivir*íais*
viv*en*	viv*ían*	viv*ieron*	vivir*án*	vivir*ían*

pres.subj.	*pret.subj.*		*imperativo*	
viv*a*	viv*iera*	viv*iese*	viv*e*	no viv*as*
viv*as*	viv*ieras*	viv*ieses*	viv*id*	no viv*áis*
viv*a*	viv*iera*	viv*iese*		
viv*amos*	viv*iéramos*	viv*iésemos*	viv*amos*	no viv*amos*
viv*áis*	viv*ierais*	viv*ieseis*		
viv*an*	viv*ieran*	viv*iesen*	viv*a*(*n*) ud(s)	no viv*a*(*n*) ud(s)

4 De werkwoorden zijn (ser en estar) en hebben (haber en tener)

inf.: **ser** zijn *ger.*: siendo *part.pas.*: sido

pres.	*imp.*	*def.*	*fut.*	*cond.*
soy	era	fui	seré	sería
eres	eras	fuiste	serás	serías
es	era	fue	será	sería
somos	éramos	fuimos	seremos	seríamos
sois	erais	fuisteis	seréis	seríais
son	eran	fueron	serán	serían

pres.subj.	*pret.subj.*		*imperativo*	
sea	fuera	fuese	sé	no seas
seas	fueras	fueses	sed	no seáis
sea	fuera	fuese		
seamos	fuéramos	fuésemos	seamos	no seamos
seáis	fuerais	fueseis		
sean	fueran	fuesen	sea(n) ud(s)	no sea(n) ud(s)

inf.: **estar** zijn *ger.*: estando *part.pas.*: estado

pres.	*imp.*	*def.*	*fut.*	*cond.*
estoy	estaba	estuve	estaré	estaría
estás	estabas	estuviste	estarás	estarías
está	estaba	estuvo	estará	estaría
estamos	estábamos	estuvimos	estaremos	estaríamos
estáis	estabais	estuvisteis	estaréis	estaríais
están	estaban	estuvieron	estarán	estarían

pres.subj.	*pret.subj.*		*imperativo*	
esté	estuviera	estuviese	está	no estés
estés	estuvieras	estuvieses	estad	no estéis
esté	estuviera	estuviese		
estemos	estuviéramos	estuviésemos	estemos	no estemos
estéis	estuvierais	estuvieseis		
estén	estuvieran	estuviesen	esté(n) ud(s)	no esté(n) ud(s)

inf.: **haber** hebben *ger.*: habiendo *part.pas.*: habido

pres.	*imp.*	*def.*	*fut.*	*cond.*
he	había	hube	habré	habría
has	habías	hubiste	habrás	habrías
ha	había	hubo	habrá	habría
hemos	habíamos	hubimos	habremos	habríamos
habéis	habíais	hubisteis	habréis	habríais
han	habían	hubieron	habrán	habrían

pres.subj.	*pret.subj.*	
haya	hubiera	hubiese
hayas	hubieras	hubieses
haya	hubiera	hubiese
hayamos	hubiéramos	hubiésemos
hayáis	hubierais	hubieseis
hayan	hubieran	hubiesen

► *Haber* is het hulpwerkwoord voor de samengestelde tijden (ook voor de werkwoorden die in het Nederlands met *zijn* worden vervoegd):
he comido ik *heb* gegeten **he ido** ik *ben* gegaan

inf.: **tener**
hebben *ger.*: teniendo *part.pas.*: tenido

pres.	*imp.*	*def.*	*fut.*	*cond.*
tengo	tenía	tuve	tendré	tendría
tienes	tenías	tuviste	tendrás	tendrías
tiene	tenía	tuvo	tendrá	tendría
tenemos	teníamos	tuvimos	tendremos	tendríamos
tenéis	teníais	tuvisteis	tendréis	tendríais
tienen	tenían	tuvieron	tendrán	tendrían

pres.subj.	*pret.subj.*		*imperativo*	
tenga	tuviera	tuviese	ten	no tengas
tengas	tuvieras	tuvieses	tened	no tengáis
tenga	tuviera	tuviese		
tengamos	tuviéramos	tuviésemos	tengamos	no tengamos
tengáis	tuvierais	tuvieseis		
tengan	tuvieran	tuviesen	tenga(n) ud(s)	no tenga(n) ud(s)

Onregelmatige werkwoorden

1 Werkwoorden met een spellingswijziging

1 Soms moet de laatste medeklinker van de stam gewijzigd worden om de juiste uitspraak te behouden. Als het werkwoord

eindigt op	*verandert*	*voor een*	*in*
-car	*c* in *qu*		indic. 1e pers.enkelv. def.
-gar	*g* in *gu*	*e*	en in de pres.subj. bij
-zar	*z* in *c*		alle personen
-guar	*gu* in *gü*		

eindigt op	*verandert*	*voor een*	*in*
-cer	*c* in *z*		indic. 1e pers. enkelv.
-cir	*c* in *z*		pres. en in de pres.
-ger	*g* in *j*		subj. bij alle personen
-gir	*g* in *j*	*a* of *o*	
-guir	*gu* in *g*		
-quir	*qu* in *c*		

Voorbeelden

ik betaalde	(pag*ar*)	*def.*	pag*ué*
ik bescherm	(prote*ger*)	*pres.*	prote*jo*
wij werpen	(lan*zar*)	*pres.subj.*	lan*c*emos
zij onderscheiden	(distin*guir*)	*pres.subj.*	distingan

2 Werkwoorden met k-klank inschuiving

Bij alle werkwoorden met de uitgang *-acer*, *-ecer*, *-ocer*, *-ucir* en *-ducir* verandert de *c* van de stam in **zc**, zodra de uitgang begint met *o* of *a*. Dus in de 1e pers.enkelv. pres.indic., alle personen pres.subj. en de daaraan ontleende imperativo.

inf.: **conocer** kennen, weten *ger.*: conociendo *part.pas.*: conocido

pres.	*pres.subj.*	*imperativo*	
conoz*co*	conoz*ca*	conoce	no conoz*cas*
conoces	conoz*cas*	conoced	no conoz*cáis*
conoce	conoz*ca*		
conocemos	conoz*camos*	conoz*camos*	no conoz*camos*
conocéis	conoz*cáis*		
conocen	conoz*can*	conoz*ca*(*n*) ud(s)	no conoz*ca*(*n*) ud(s)

Voorbeelden

agradecer danken
aparecer verschijnen
introducir inleiden
ofrecer aanbieden
producir voortbrengen
traducir vertalen

De werkwoorden op *-ducir* hebben bovendien nog de onregelmatigheid *c* wordt *j* in alle vormen van de def. en de pret.subj. Dus bv. introducir

- ▸ def.: introdu*j*e, introdu*j*iste, introdu*j*o, enz.
- ▸ pret.subj.: introdu*j*era, introdu*j*eras, enz.

3 De werkwoorden op *-iar* en *-uar*

Sommige krijgen in de vervoeging een beklemtoonde *i*, resp. *ú*. Dit is in het woordenboek als volgt vermeld: confiar *í*, continuar *ú*

► Het gebeurt in 9 vormen: 1e, 2e, 3e pers.enkelv. en 3e pers.meerv. van de pres.indic. en pres.subj. en 2e pers.enkelv. imperativo.

inf.: **criar** grootbrengen *ger.*: criando *part.pas.*: criado

pres.	*pres.subj.*	*imperativo*	
cr*ío*	cr*íe*	cr*ía*	no críes
cr*ías*	cr*íes*	criad	no criéis
cr*ía*	cr*íe*		
criamos	criemos	criemos	no criemos
criáis	criéis		
cr*ían*	cr*íen*	críe(n) ud(s)	no críe(n) ud(s)

Voorbeelden
alle ww. op **-fiar**
ampliar uitbreiden
liar inpakken
enviar zenden
resfriar koel maken

ind.: **continuar** vervolgen *ger.*: continuando *part.pas.*: continuado

pres.	*pres.subj.*	*imperativo*	
contin*úo*	contin*úe*	contin*úa*	no continúes
contin*úas*	contin*úes*	continuad	no continuéis
contin*úa*	contin*úe*		
continuamos	continuemos	continuemos	no continuemos
continuáis	continuéis		
contin*úan*	contin*úen*	continúe(n) ud(s)	no continúe(n) ud(s)

Voorbeelden
acentuar accentueren
actuar tot stand brengen
efectuar uitvoeren
insinuar insinueren

4 De werkwoorden op *-uir*

Bij werkwoorden op *-uir* wordt in de vervoeging een *y* ingeschoven vóór de uitgangen die beginnen met een *a*, *e* of *o*. Ook verandert de onbeklemtoonde *i* van de uitgang tussen twee klinkers in *y*.

inf.: **huir** vluchten *ger.*: huyendo *part.pas.*: huido

pres.	*def.*	*pres.subj.*	*pret.subj.*	
hu*yo*	huí	hu*ya*	hu*yera*	hu*yese*
hu*yes*	huiste	hu*yas*	hu*yeras*	hu*yeses*
hu*ye*	hu*yó*	hu*ya*	hu*yera*	hu*yese*
huimos	huimos	hu*yamos*	hu*yéramos*	hu*yésemos*
huis	huisteis	hu*yáis*	hu*yerais*	hu*yeseis*
hu*yen*	hu*yeron*	hu*yan*	hu*yeran*	hu*yesen*

imperativo

hu*ye*	no hu*yas*	hu*yamos*	no hu*yamos*
huid	no hu*yáis*	hu*ya*(*n*) ud(s)	no hu*ya*(*n*) ud(s)

5 Werkwoorden waarvan de stam op een klinker uitgaat

De onbeklemtoonde *i* van de uitgang wordt, als hij tussen twee klinkers komt te staan bij de vervoeging, als *y* geschreven. Dit gebeurt in de 3e pers.enkelv. en meerv. van de def., alle personen van de pret.subj. en het gerundio.

inf.: **leer** lezen *ger.*: le*y*endo *part.pas.*: leído

def.	*pret.subj.*		*Bijvoorbeeld*
lei	le*yera*	le*yese*	**creer** geloven
leíste	le*yeras*	le*yeses*	**poseer** bezitten
le*yó*	le*yera*	le*yese*	**roer** knagen
leímos	le*yéramos*	le*yésemos*	**caer** vallen
leísteis	le*yerais*	le*yeseis*	
le*yeron*	le*yeran*	le*yesen*	

6 De werkwoorden op *-ñer*, *-ñir*, *-ller* en *-llir*

De onbeklemtoonde *i* van de uitgang wordt weggelaten. Dit gebeurt dus in de 3e pers.enkelv. en meerv. van de def. (normaal -ió + -ieron), alle personen van de pret.-subj. (normaal -iera + -iese) en het gerundio.

inf.: **gruñir** knorren *ger.*: gru*ñendo* *part.pas.*: gruñido

def.	*pret.subj.*		*Bijvoorbeeld*
gruñí	gru*ñera*	gru*ñese*	**bruñir** polijsten
gruñiste	gru*ñeras*	gru*ñeses*	
gru*ñó*	gru*ñera*	gru*ñese*	
gruñimos	gru*ñéramos*	gru*ñésemos*	
gruñisteis	gru*ñerais*	gru*ñeseis*	
gru*ñeron*	gru*ñeran*	gru*ñesen*	

2 Werkwoorden met een beperkte onregelmatigheid

▸ Sommige werkwoorden hebben naast de volgende onregelmatigheden ook een spellingswijziging.

1 Werkwoorden met stamklinkerverandering: *e* wordt *ie* *o* wordt *ue*

Van een aantal werkwoorden verandert de *e* of *o* van de stam in resp. *ie* en *ue* wanneer de stam door de toegevoegde uitgang de klemtoon krijgt.
Dit gebeurt in 9 vormen: 1e, 2e, 3e pers.enkelv. en 3e pers.meerv. van pres.indic. en pres.subj. en 2e pers.enkelv. imperativo
Deze werkwoorden staan in het woordenboek met hun onregelmatigheid(heden) vermeld, bv.: pensar *ie*, volver *ue*, sentir *ie*, *i*, morir *ue*, *u*

inf.: **pensar** *ie* denken *ger.*: pensando *part.pas.*: pensado

pres.	*pres.subj.*	*imperativo*	
p*ie*nso	p*ie*nse	p*ie*nsa	no pienses
p*ie*nsas	p*ie*nses	pensad	no penséis
p*ie*nsa	p*ie*nse		
pensamos	pensemos	pensemos	no pensemos
pensáis	penséis		
p*ie*nsan	p*ie*nsen	piense(n) ud(s)	no piense(n) ud(s)

Bijvoorbeeld

cerrar sluiten
empezar beginnen
negar ontkennen
sentarse gaan zitten
descender uitstappen
encender aansteken
entender begrijpen
tender spannen

inf.: **mover** *ue* bewegen *ger*.: moviendo *part.pas*.: movido

pres.	*pres.subj.*	*imperativo*	
m*ue*vo	m*ue*va	m*ue*ve	no muevas
m*ue*ves	m*ue*vas	moved	no mováis
m*ue*ve	m*ue*va		
movemos	movamos	movamos	no movamos
movéis	mováis		
m*ue*ven	m*ue*van	mueva(n) ud(s)	no mueva(n) ud(s)

Bijvoorbeeld

almorzar lunchen
contar (ver)tellen
encontrar ontmoeten
soñar dromen
doler pijn doen
moler malen
morder bijten
volver terugkeren

Ook werkwoorden die eindigen op *-quirir* en de werkwoorden *jugar* (spelen) en *enjugar* (afdrogen) hebben stamklinkerverandering:
inf.: **adquirir** verwerven *pres*.: adqu*ie*ro, adqu*ie*res, enz.
inf.: **jugar** spelen *pres*.: j*ue*go, j*ue*gas, enz.

Bij het werkwoord **oler** *ue* komt bij de stamklinkerverandering een *h* voor het werkwoord.
inf.: **oler** *ue* ruiken *pres*.: *h*uelo, *h*ueles, enz.

Bij het werkwoord **errar** *ie* wordt de *e* bij de stamklinkerverandering een *ye*.
inf.: **errar** dwalen *pres*.: *y*erro, *y*erras, enz.

2 Werkwoorden met *e*/*i* wisseling.

Bij deze werkwoorden verandert de *e* van de stam in *i* als in de uitgang *geen beklemtoonde i* voorkomt, d.w.z.:
pres.: 1e, 2e, 3e pers.enkelv. en 3e pers.meerv.
def.: in 3e pers.enkelv. en meerv.
pres.subj.: alle personen *imperativo*: 2e pers.enkelv.
pret.subj.: alle personen *gerundio*

inf.: **servir** *i* (be)dienen *ger*.: s*i*rviendo *part.pas*.: servido

pres.	*def.*	*pres.subj.*	*imperativo*	
s*i*rvo	serví	s*i*rva	s*i*rve	no sirvas
s*i*rves	serviste	s*i*rvas	servid	no sirváis
s*i*rve	s*i*rvió	s*i*rva		
servimos	servimos	s*i*rvamos	sirvamos	no sirvamos
servís	servisteis	s*i*rváis		
s*i*rven	s*i*rvieron	s*i*rvan	sirva(n) ud(s)	no sirva(n) ud(s)

pret.subj.		*Bijvoorbeeld*
sirviera	sirviese	**conseguir** bereiken
sirvieras	sirvieses	**corregir** verbeteren
sirviera	sirviese	**elegir** kiezen
sirviéramos	sirviésemos	**vestirse** zich aankleden
sirvierais	sirvieseis	**henchir** opvullen
sirvieran	sirviesen	**reír** lachen
		repetir herhalen

3 Werkwoorden met stamklinkerverandering (*e* wordt *ie*) en klinkerwisseling (*e* wordt *i*)

Alle werkwoorden op *-ir* met *-e* in de stam gevolgd door *-r* of *-nt* hebben dit (behalve servir). Stamklinkerverandering (dus wanneer de *e* van de stam beklemtoond is) gaat voor.

► *e* wordt *ie* in 9 vormen: 1e, 2e, 3e pers.enkelv. en 3e pers.meerv. van pres.indic. en pres.subj. en 2e pers.enkelv. imperativo
► *e* wordt *i* in: def. 3e pers.enkelv. en meerv., gerundio pers.subj. 1e en 2e pers.meerv., pret.subj. alle personen

Bijvoorbeeld
advertir waarschuwen
arrepentirse berouw hebben
consentir toestemmen
herir verwonden
mentir liegen
preferir verkiezen

inf.: **sentir** *ie, i* voelen — *ger.*: sintiendo — *part.pas.*: sentido

pres.	*imp.*	*def.*	*fut.*	*cond.*
siento	sentía	sentí	sentiré	sentiría
sientes	sentías	sentiste	sentirás	sentirías
siente	enz.	sintió	enz.	enz.
sentimos		sentimos		
sentís		sentisteis		
sienten		sintieron		

pres.subj.	*pret.subj.*		*imperativo*	
sienta	sintiera	sintiese	siente	no sientas
sientas	sintieras	sintieses	sentid	no sintáis
sienta	sintiera	sintiese		
sintamos	sintiéramos	sintiésemos	sintamos	no sintamos
sintáis	sintierais	sintieseis		
sientan	sintieran	sintiesen	sienta(n) ud(s)	no sienta(n) ud(s)

4 Werkwoorden met stamklinkerwisseling (*o* wordt *ue*) en klinkerwisseling (*o* wordt *u*)
Deze wijzigingen doen zich voor bij de werkwoorden *dormir* en *morir*

► *o* wordt *ue* in 9 vormen: 1e, 2e, 3e pers.enkelv. en 3e pers.meerv. van pres.indic. en pres.subj. en 2e pers.enkelv. imperativo
► *o* wordt *u* in: def. 3e pers.enkelv. en meerv. gerundio pres.subj. 1e en 2e pers.meerv., pret.subj. alle personen.

inf.: **dormir** *ue*, *u* slapen *ger.*: d*u*rmiendo *part.pas.*: dormido

pres.	*def.*	*pres.subj.*	*pret.subj.*	
d*ue*rmo	dormí	d*ue*rma	d*u*rmiera	d*u*rmiese
d*ue*rmes	dormiste	d*ue*rmas	d*u*rmieras	d*u*rmieses
d*ue*rme	d*u*rmió	d*ue*rma	d*u*rmiera	d*u*rmiese
dormimos	dormimos	d*u*rmamos	d*u*rmiéramos	d*u*rmiésemos
dormís	dormisteis	d*u*rmáis	d*u*rmierais	d*u*rmieseis
d*ue*rmen	d*u*rmieron	d*ue*rman	d*u*rmieran	d*u*rmiesen

imperativo 2e pers.enkelv.: d*ue*rme

3 De geheel onregelmatige werkwoorden

In principe worden alleen de onregelmatige vormen genoemd.
▷ wil zeggen dat de onregelmatigheid zich voortzet.
Voor de duidelijkheid staat een enkele maal na de onregelmatigheid de regelmatige vorm + enz. ten teken dat de onregelmatigheid is afgelopen.

andar lopen *ger.*: andando *part.pas.*: andado

pres.	*def.*		*pret.subj.*
ando	and*uve*	and*uvimos*	and*uviera* ▷
enz.	and*uviste*	*anduvisteis*	and*uviese* ▷
	and*uvo*	and*uvieron*	

caber passen *ger.*: cabiendo *part.pas.*: cabido

pres.	*def.*		*fut.*	*cond.*	*pres.subj.*	*pret.subj.*
quepo	*cupe*	*cup*imos	cab*ré*	cab*ría*	*quep*a	*cup*iera ▷
cabes	*cup*iste	*cup*isteis	cab*rás*	cab*rías*	*quep*as	*cup*iese ▷
enz.	*cupo*	*cup*ieron	▷	▷	▷	

caer vallen *ger.*: ca*y*endo *part.pas.*: caído

pres.	*def.*		*pres.subj.*	*pret.subj.*
ca*ig*o	caí	caímos	ca*iga*	ca*y*era ▷
caes	caíste	caísteis	ca*igas*	ca*y*ese ▷
enz.	ca*y*ó	ca*y*eron	▷	

dar geven *ger.*: dando *part.pas.*: dado

pres.	*def.*		*pret.subj.*
do*y*	d*i*	d*imos*	d*iera* ▷
das	d*iste*	d*isteis*	d*iese* ▷
enz.	d*io*	d*ieron*	

decir zeggen *ger.*: d*i*ciendo *part.pas.*: *dicho*

pres.		*def.*		*fut.*	*cond.*	*subj.*	*pret.subj.*	*imperativo*
d*ig*o	decimos	d*ij*e	d*ij*imos	d*iré*	d*iría*	d*ig*a	d*ij*era ▷	2 enkv *di*
d*i*ces	decís	d*ij*iste	d*ij*isteis	d*irás*	d*irías*	d*ig*as	d*ij*ese ▷	
d*i*ce	d*i*cen	d*ijo*	d*ij*eron	▷	▷	▷		

hacer doen, maken *ger.*: haciendo *part.pas.*: *hecho*

pres.	*def.*		*fut.*	*cond.*	*subj.*	*pret.subj.*	*imperativo*
*h*ago	h*ice*	*h*icimos	har*é*	har*ía*	haga	h*i*ciera ▷	2 enkv *haz*
haces	h*i*ciste	h*i*cisteis	har*á*s	har*ía*s	hagas	h*i*ciese ▷	
enz.	h*izo*	h*i*cieron	▷	▷	▷		

ir gaan *ger.*: *y*endo *part.pas.*: ido

pres.		*def.*		*imp.*	*pres.subj.*	*pret.subj.*	*imperativo*
voy	*vamos*	*fui*	*fuimos*	*iba*	*vaya*	*fuera* ▷	2 enkv *ve*
vas	*vais*	*fuiste*	*fuisteis*	*ibas*	*vayas*	*fuese* ▷	2 mv *id*
va	*van*	*fue*	*fueron*	▷	▷		

oir horen *ger.*: o*y*endo *part.pas.*: oído

pres.		*def.*		*pres.subj.*	*pret.subj.*
o*i*go	oímos	oí	oímos	o*i*ga	o*y*era ▷
o*y*es	oís	oíste	oísteis	o*i*gas	o*y*ese ▷
o*y*e	o*y*en	o*yó*	o*y*eron	▷	

poder kunnen *ger.*: p*u*diendo *part.pas.*: podido

pres.		*def.*		*fut.*	*cond.*	*pres.subj.*	*pret.subj.*
p*ue*do	podemos	p*u*d*e*	p*u*dimos	pod*ré*	pod*ría*	p*ue*da	p*u*diera ▷
p*ue*des	podéis	p*u*diste	p*u*disteis	pod*rás*	pod*rías*	p*ue*das	p*u*diese ▷
p*ue*de	p*ue*den	p*u*d*o*	p*u*dieron	▷	▷	▷	

poner zetten, leggen *ger.*: poniendo *part.pas.*: *puesto*

pres.	*def.*		*fut.*	*cond.*	*pres.subj.*	*pret.subj.*	*imperativo*
pon*g*o	p*use*	p*us*imos	pon*dré*	pon*dría*	pon*g*a	p*us*iera ▷	2 enkv *pon*
pones	p*us*iste	p*us*isteis	pon*drás*	pon*drías*	pon*g*as	p*us*iese ▷	
enz.	p*uso*	p*us*ieron	▷	▷	▷		

querer willen, houden van *ger.*: queriendo *part.pas.*: querido

pres.		*def.*		*fut.*	*cond.*	*pres.subj.*	*pret.subj.*
qu*i*ero	queremos	qu*ise*	qu*is*imos	quer*ré*	quer*ría*	qu*i*era	qu*is*iera ▷
qu*i*eres	queréis	qu*is*iste	qu*is*isteis	quer*rás*	quer*rías*	qu*i*eras	qu*is*iese ▷
qu*i*ere	qu*i*eren	qu*iso*	qu*is*ieron	▷	▷	▷	

saber weten *ger.*: sabiendo *part.pas.*: sabido

pres.	*def.*		*fut.*	*cond.*	*pres.subj.*	*pret.subj.*
sé	s*upe*	s*up*imos	sab*ré*	sab*ría*	*sepa*	s*up*iera ▷
sabes	s*up*iste	s*up*isteis	sab*rás*	sab*rías*	*sepas*	s*up*iese ▷
enz.	s*upo*	s*up*ieron	▷	▷	▷	

salir uitgaan *ger.*: saliendo *part.pas.*: salido

pres.	*fut.*	*cond.*	*pres.subj.*	*imperativo*
sal*g*o	sal*dré*	sal*dría*	sal*g*a	2 enkv *sal*
sales	sal*drás*	sal*drías*	sal*g*as	
enz.	▷	▷	▷	

traer dragen *ger*.: tra*y*endo *part.pas*.: traído

pres.	*def.*		*pres.subj.*	*pret.subj.*
tra*ig*o	tra*j*e	tra*j*imos	tra*ig*a	tra*j*era ▷
traes	tra*j*iste	tra*j*isteis	tra*ig*as	tra*j*ese ▷
enz.	tra*j*o	tra*j*eron	▷	

valer waard zijn *ger*.: valiendo *part.pas*.: valido

pres.	*fut.*	*cond.*	*pres.subj.*
valgo	val*d*ré	val*d*ría	valga
vales	val*d*rás	val*d*rías	valgas
enz.			

venir komen *ger*.: v*i*niendo *part.pas*.: venido

pres.	*def.*		*fut.*	*cond.*	*pres.subj.*	*pret.subj.*	*imperativo*
vengo	v*i*ne	v*i*nimos	ven*d*ré	ven*d*ría	venga	v*i*niera ▷	2 enkv *ven*
v*ie*nes	v*i*niste	v*i*nisteis	ven*d*rás	ven*d*rías	vengas	v*i*niese ▷	
▷	v*i*n*o*	v*i*nieron	▷	▷	▷		

ver zien *ger*.: viendo *part.pas*.: *visto*

pres.		*imp.*	*pres.subj.*
v*e*o	vemos	v*e*ía	v*e*a
ves	veis	v*e*ías	v*e*as
ve	ven	▷	▷